M000192315

*Amadís de Gaula*

II

Letras Hispánicas

# Garci Rodríguez de Montalvo

# *Amadís de Gaula*
# II

Edición de Juan Manuel Cacho Blecua

TERCERA EDICIÓN

CÁTEDRA

LETRAS HISPÁNICAS

La publicación de esta obra ha merecido una de las Ayudas a la Edición del Ministerio de Cultura para la difusión del Patrimonio Literario y Científico español.

Ilustración de cubierta:
Dionisio Simón

© Ediciones Cátedra, S. A., 1999
Juan Ignacio Luca de Tena, 15. 28027 Madrid
Depósito legal: M. 38.832-1999
ISBN: 84-376-0754-X
*Printed in Spain*
Impreso en Anzos, S. L.
Fuenlabrada (Madrid)

# Índice

# LIBRO CUARTO

Aquí comiença el cuarto libro del noble y virtuoso cavallero Amadís de Gaula, fijo del rey Perión y de la reina Elisena, en que trata de sus proezas y grandes hechos de armas que él y otros cavalleros de su linaje hizieron

# Libro tercero del noble y virtuoso Cauallero Amadis de Gaula.

# Comiença el tercero libro
# de Amadís de Gaula

en el cual se cuentan de las grandes discordias y cizañas que en la casa y corté del rey Lisuarte uvo por el mal consejo que Gandandel dio al Rey por dañar a Amadís y sus parientes y amigos; para en comienço de lo cual mandó el Rey a Angriote y a su sobrino que saliessen de su corte y de todos sus señoríos, y los embió a desafiar, y ellos le tornaron la confirmación del desafío, como adelante se contará.

Cuenta la istoria que, seyendo muertos los fijos de Gandandel y Brocadán por la mano de Angriote d'Estraváus y de su sobrino Sarquiles como avéis oído, los doze cavalleros, con Madasima, con mucha alegría los levaron a sus tiendas. Mas el rey Lisuarte, que de la finiestra se quitó[1] por los no ver morir, no por el bien que los quería, que ya como a sus padres los tenía por malos, mas por la honra que dello Amadís alcançava con algún menoscabo de su corte, passando algunos[2] días que supo cómo Angriote y su sobrino estavan mejores de sus llagas, que podían cavalgar, embióles a dezir que se fuessen de sus reinos y que no anduviessen más por ellos; si no, que él lo mandaría remediar; de lo cual muy quexados aquellos cavalleros, grandes quexas mostraron dello a don Grumedán y a

---

[1] *de la finiestra se quitó:* se apartó de la ventana.
[2] *algunos:* algunas, Z // algunos, RS // .

otros cavalleros de la corte que allí por les fazer honra los ivan a ver, especialmente don Brian de Monjaste y Gavarte de Valtemeroso, diziendo que, pues el Rey, olvidando los grandes servicios que le fizieran, assí los tractava y estrañava de sí[3], que se no maravillasse[4] si tornados al contrario pesasse en mayor cuantidad lo por venir que lo passado; y levantando sus tiendas, recogida toda su compaña, en el camino de la Ínsola Firme se pusieron. Y al tercero día fallaron en una hermita a Gandeça, la sobrina de Brocadán y amiga de Sarquiles, aquella que le tuvo encerrado donde oyó y supo toda la maldad que su tío Gandandel contra Amadís urdiera, así como ya es contado; la cual fuyó de miedo que por ello ovo. Y ovieron mucho plazer con ella, en especial Sarquiles, que la mucho amava, y tomándola consigo, continuaron su camino.

El rey Lisuarte, que por no ver la buena ventura de Angriote y su sobrino se quitó de la finiestra, como se ha dicho, entróse[5] a su palacio muy sañudo porque las cosas se ivan faziendo a la honra y prez de Amadís y de sus amigos. Y allí se fallaron don Grumedán y los otros cavalleros que venían de salir con los que a la Ínsola Firme ivan, y dixéronle todo lo que les avían dicho y la quexa que dél levavan, lo cual en mucha más saña y alteración le puso. Y dixo:

—Ahunque el sufrimiento es una discreción muy preciada y en todas las más cosas provechosa, algunas vezes da gran ocasión a mayores yerros, así como con estos cavalleros me contesce; que si como ellos de mí se apartaron me apartara yo de les mostrar buena voluntad y el gesto amoroso, no fueran osados no solamente dezir aquello que os dixeron, mas ni ahun venir a mi corte ni entrar en mi tierra. Pero como yo fize lo que la razón me obligava, assí Dios terná por bien en el cabo de me dar la honra y a ellos la paga de su locura, y quiero que

---

[3] *los tractava y estrañava de sí*: los trataba y apartaba de sí privándoles de los privilegios y honores de vasallo. «Quisieron de virtudes o vicios tractar», Diego de Varela, *Tratado de virtuosas mugeres*, 60a.

[4] *maravillase*: marravillasse, Z // maravillasse, RS // .

[5] *dicho, entróse*: dicho y entrose, ZS // dicho, entrose, S // . La utilización de estas copulativas pleonásticas suele coincidir con una pausa señalada por dos puntos [:], por lo que podría confundirse con el signo tironiano de la conjunción.

luego me los vayan a desafiar y a Amadís con ellos, por quien todos se mandan, y allí se mostrará a lo que sus sobervias bastan[6].

Arbán, Rey de Norgales, que amava el servicio del Rey, le dixo:

—Señor, mucho devéis mirar esto que dezís antes que se faga, así por el gran valor de aquellos cavalleros que tanto pueden como por aver mostrado Dios tan claramente ser la justicia de su parte; que si así no fuera, ahunque Angriote es buen cavallero, no se partiera de los dos fijos de Gandandel, que por tan valientes y esforçados eran tenidos, de tal forma, ni Sarquiles, de Adamás como se partió; por donde paresce que la gran razón que mantenían les dio y otorgó aquella victoria. Y por esto, señor, ternía yo por bien[7] que se tomassen para vuestro servicio, que no es pro de ningún rey travar guerra con los suyos podiéndola escusar, que todos los daños que de la una parte y otra se fazen, y las gentes y averes que se pierden, el rey lo pierde sin ganar honra ninguna en vencer ni sobrar a sus vasallos[8]. Y muchas vezes de tales discordias se causan grandes daños, que se da ocasión de poner en nuevos pensamientos a los reyes y grandes señores comarcanos que con alguna premia a sujeción estavan de trabajar de salir della, y cobrar en lo presente mucho[9] más de lo que en lo passado perdido tenían. Y lo que más se deve temer es no dar lugar a que los vasallos pierdan el temor y la vergüença a sus señores, que governándolos con templada discreción, sojuzgándolos con más amor que temor, puédenlos tener y mandar como el buen pastor al ganado[10]; mas si más premia que pueden sufrir les

---

[6] *se mostrará a lo que sus sobervias bastan:* se manifestará lo que sus soberbias son capaces de dar.

[7] *ternía yo por bien:* me parecía acertado. «Yo tendria por bien [...] que atendiessemos», *Demanda del Sancto Grial,* 253b.

[8] *sobrar a sus vasallos:* superar, vencer a sus vasallos.

[9] *mucho:* muchos, Z // mucho, RS // . El sensito de la frase es el siguiente: porque se da ocasión de poner en nuevos pensamientos de intentar salir de su sujeción a los reyes y señores de territorios limítrofes que con algún apremio de sujeción estaban, y recuperar en lo presente...

[10] Como señala la *Glosa castellana al regimiento de príncipes,* III, 287, «en este capítulo muestra cómo se deven haver los reyes e los príncipes para que sean

ponen, acaeçe muchas vezes saltar todos por do el primero salta, y cuando el yerro es conoçido, ser la emienda dificultosa de recebir[11]; assí que, señor, agora es tiempo de lo remediar antes que más la saña se encienda, que Amadís es tan humilde en vuestras cosas, que con poca premia lo podéis cobrar, y con él a todos aquellos que por él de vos se partieron.

El Rey le dixo:

—Bien dezís en todo, mas yo no daré aquello que di a mi fija Leonoreta que me ellos demandaron; ni su poder, ahunque grande es, no es nada con el mío; y no me fabléis más en esto, mas adereçad armas y cavallos para me servir. Y de mañana partirá Cendil de Ganota para los desafiar a la Ínsola Firme.

—En el nombre de Dios —dixeron ellos—, y Él faga lo que tuviere por bien, y nosotros vos serviremos.

Estonces se fueron a sus posadas, y el Rey quedó en su palacio. Gandandel y Brocadán sabréis que como viendo sus fijos muertos y ellos haver perdido este mundo y el otro, recibiendo aquello que en nuestros tiempos otros muchos semejantes no reciben, guardándolos Dios o por su piadad[12] para que se emienden o por su justicia para que junto lo paguen, no se

---

amados de sus pueblos e cómo para que sean temidos. E maguera estas cosas ambas sean menester a los reyes, empero más deven querer ser amados que temidos». Por otra parte, la comparación del señor con el pastor, bastante frecuente en el mundo religioso, puede hallarse en otros textos desde el *Libro de los cien capítulos*, a *La crónica del rey don Pedro* de P. López de Ayala o el *Regimiento de príncipes* de Gómez Manrique, y se convierte en una comparación muy utilizada en la sátira política del xv. Según dice la glosa de las *Coplas de Mingo Revulgo* «quiriendole llamar Rei del Reino, llamale *Pastor de nuestro hato,* segun tambien la Sagrada Escritura llama â los Reies, y Príncipes Pastores, y al Pueblo rebaño de ganado, ô hato. Comparando al Rei en su oficio â el Pastor, y al Pueblo al rebaño ô hato, como se lee en el lib. de Jeremias Propheta en el Cap. 2 y 10. de su Prophecia», ed. de Vivana Brodey, Madison HSMS, 1986, pág. 111.

[11] *recebir:* recibir. «Quise de vieja falta nueba vergüença recebir», Diego de San Pedro, *Tractado de amores de Arnalte y Lucenda,* en *Obras Completas,* I, ed. de K. Whinnom, Madrid, Castalia, 1973, pág. 87 (en adelante citado como *Arnalte y Lucenda*). La intervención de Arbán de Norgales recoge las múltiples recomendaciones de los «regimientos de príncipes», en los que continuamente se insiste en que el rey no debe actuar con saña, ni por tanto debe «arrebatarse» hasta pensar lo que le conviene. Por ejemplo, en el *Libro de los doze sabios* se recomienda lo siguiente: «no mandes fazer justiçia en el tiempo de tu saña, e más temprado que arrebatoso sea tu juyzio», págs. 108-109, tema frecuente en textos de la época —véase la nota de J. K. Walsh—, como en posteriores.

emendando sin les quedar redención, acordaron de se ir a una ínsola pequeña que havía Gandandel de poca población. Y tomando sus muertos fijos y sus mugeres y compañas, se metieron en dos barcas que tenían para passar a la ínsola de Mongaça, si Gromadaça la giganta no entregara los castillos. Y con muchas lágrimas de todos ellos y maldiciones de los que los veían ir, movieron del puerto, y llegaron donde más la historia no faze mención dellos; pero puédese con razón creer que aquellos que las malas obras acompañan fasta la vejez que con ellas dan fin a sus días si la gracia del muy alto Señor, más por su santa misericordia que por sus méritos, no les viene para que con tiempo sean reparados[13].

Fizo, pues, el rey Lisuarte juntar en su palacio todos los grandes señores de su corte y los cavalleros de menor estado, y quexándoseles de Amadís y sus amigos de las sobervias que contra él havían dicho, les rogó que dello se doliessen assí como él lo fazía en las cosas que a ellos tocavan. Todos le dixeron que le servirían como a su señor en lo que les mandasse. Estonces él llamó a Cendil de Ganota y dixo:

—Cavalgad luego, y con una carta de creencia id a la Ínsola Firme y desafiadme a Amadís y a todos aquellos que la razón de don Galvanes mantener querrán; y dezidles que se guarden de mí, que si puedo, yo les destruiré los cuerpos y los averes doquiera que los falle, y que assí lo farán todos los de mis señoríos[14].

Don Cendil, tomando recaudo, armado en su cavallo se puso luego en el camino, como aquel que desseava complir mandado de su señor. El Rey estuvo allí algunos días; partióse para una villa suya que Gracedonia havía nombre, porque era

---

[12] *piadad:* piedad. En R y S, piedad, pero cfr. Nebrija, piadad, *clementia- ae. Misericordia- ae.* «Sus vasallos avrían piadad dél», *Gran Conquista de Ultramar,* I, 29.

[13] El autor glosa narrativamente el texto, postulando por un final acorde con la actuación y la edad de los personajes. Arcaláus repetirá posteriormente argumentos similares a los de la glosa «porque, según mi costumbre tan enveçida y con ella haya hecho tantos males, poca esperança me queda en aquel Señor que dizes que me dará su gracia sin gelo mereçer», IV, CXXX.

[14] Una vez realizado el desafío, tanto él como los suyos pueden atacar a los contrarios sin ningún impedimento legal.

muy viciosa de todas las cosas[15], de que mucho plugo a Oriana y a Mabilia por ser cerca de Miraflores, y esto era porque se le acortava a Oriana el tiempo en que devía parir, y pensavan que de allí mejor que de otra parte pornían en ello remedio.

Y los doze cavalleros que levavan a Madasima anduvieron por sus jornadas sin entrevallo[16] alguno fasta que llegaron a dos leguas de la Ínsola Firme. Y allí cabe una ribera fallaron Amadís, que les atendía[17], con fasta dos mil y trezientos cavalleros muy bien armados y encavalgados, que los recibió con mucho plazer, faziendo y mostrando gran amor y acatamiento a Madasima, y abraçando muchas vezes Amadís a Angriote, que por un mensajero de su hermano don Florestán sabía ya todo lo que les aviniera en la batalla. Y assí estando juntos con mucho plazer, vieron descender por un camino de un alto monte a don Cendil de Ganota, cavallero del rey Lisuarte, el que los venía a desafiar. Él, desque vio tanta gente y tan bien armada, las lágrimas le vinieron a los ojos, considerando ser todos aquellos partidos del servicio del Rey su señor, a quien él muy leal amigo y servidor era, con los cuales muy honrado y acreçentado estava. Mas alimpiando sus ojos, hizo el mejor semblante que pudo, como él lo tenía, que era muy hermoso cavallero[18] y muy razonado y esforçado; y llegó a la gente preguntando por Amadís, y mostrárongelo, que estava con Madasima y con los cavalleros que de camino llegavan. Él se fue para ellos, y como le conoçieron, recebiéronle muy bien, y él los saludó con mucha cortesía y díxoles:

—Señores, yo vengo a Amadís y a todos vosotros con mandado del Rey, y pues vos hallo juntos, bien será que lo oyáis[19].

---

[15] *viciosa de todas las cosas:* bien provista de todas las cosas. «E aquel valle era muy vicioso de pan e vino e carne, e de dátiles e higos», *Gran Conquista de Ultramar,* II, 381. El nombre de *Gracedonia,* como en otras ocasiones, es significativo y está en función de su hipotética etimología «lleno de gracias, de dones».

[16] *entrevallo:* obstáculo. En R y S, entrevalo. A pesar de todo, mantengo la forma del texto zaragozano, con muchas dudas, por su sistemática aparición y por su etimología: *intervallus.*

[17] *cabe una ribera fallaron Amadís, que les atendía:* junto a un río se encontraron con Amadís, que los esperaba.

[18] *cavallero:* cavellero, Z // cavallero, RS // .

[19] *oyáis:* oigáis. «Hagamos quel rey no lo vea ni lo oya», *Baladro del sabio Merlín* (B), 13a.

Estonces se llegaron todos por oír lo que diría, y Cendil dixo contra[20] Amadís:

—Señor, fazed leer essa carta.

Y como fue leída, díxole:

—Esta es de creencia; agora dezid la embaxada.

—Señor Amadís, el Rey mi señor os manda desafiar a vos y a cuantos son de vuestro linage, y a cuantos aquí estáis, y a los que se han de trabajar de ir a la ínsola de Mongaça, y dízeos que de aquí adelante punéis de guardar vuestras tierras y haveres y cuerpos[21], que todo lo entiende destruir[22] si pudiere; y dízevos que escuséis de andar por su tierra, que no tomará ninguno que lo no faga matar.

Don Cuadragante dixo:

—Don Cendil, vos havéis dicho lo que os mandaron, y fezistes derecho[23]; pues vuestro señor nos amenaza los cuerpos y haveres, estos cavalleros digan por sí lo que quisieren. Pero dezidle vos por mí que, ahunque él es rey y señor de grandes tierras, que tanto amo yo mi cuerpo pobre como él ama el suyo rico, y ahunque de fidalguía no le devo nada, que no es él de más d[e]rechos reyes de ambas partes que yo[24], y pues me tengo de guardar, que se guarde él de mí y toda su tierra.

Amadís le plugiera que con más acuerdo fuera la respuesta, y díxole:

—Señor don Cuadragante, sufríos para que este cavallero sea respondido por vos y por todos cuantos aquí son; y pues que oído havéis la embaxada, acordaréis la respuesta de consuno[25] como a nuestras honras conviene. Y vos, don Cendil de

---

[20] *contra:* a.

[21] *punéis de guardar vuestras tierras y haveres y cuerpos:* tratéis de guardar vuestras tierras, riquezas y cuerpos. Posiblemente se trata de una fórmula de amenaza, ligeramente diferente de los famosos versos 25-26 del *Cantar de Mio Cid.*

[22] *destruir:* descrevir, Z // destruyr, RS // .

[23] *fezistes derecho:* obrasteis correctamente, en justicia. «E fazia muy gran derecho, que lo amava mas que a cosa del mundo», *Demanda del Sancto Grial,* 213a.

[24] Cuadragante resalta su hidalguía que según las *Partidas,* II, XXI, III, «es nobleza que viene a los omes por linaje», pues desciende por ambas líneas, paterna y materna, de auténticos reyes.

[25] *de consuno:* conjuntamente. «Amos de consuno fizieron a muchos errar», *Confisión del Amante* por Joan Goer, ed. de Hermann Knust, Leipzig, 1909, página 353, 12.

Ganota, podréis dezir al Rey que muy duro le será de fazer lo que dize: y idvos con nosotros a la Ínsola Firme y provarvos heis en el arco de los leales amadores, porque si lo acabardes, de vuestra amiga seréis más tenido y más preciado y fallarla heis contra vos de mejor voluntad.

—Pues a vos plaze —dixo don Cendil—, assí lo faré, pero en fecho de amores no quiero dar más a entender de mi fazien-da[26] de lo que mi coraçón sabe.

Luego movieron todos para la Ínsola Firme, mas cuando Cendil vio la peña tan alta y la fuerça tan grande, mucho fue maravillado, y más lo fue después que fue dentro y vio la tierra tan abundosa[27]; assí que conoció que todos los del mundo no le podían fazer mal. Amadís lo levó a su posada y le fizo mucha honra porque don Cendil era de muy alto lugar.

Otro día se juntaron todos aquellos señores y acordaron de embiar a desafiar al rey Lisuarte, y que fuesse por un cavallero que allí con gente de Dragonís y Palomir era venido que havía nombre Sadamón; que estos dos hermanos eran fijos de Grasu-gis, Rey de la Profunda Alemaña, que era casado con Saduva, hermana del rey Perión de Gaula, y assí éstos, como todos los otros que eran de gran guisa[28], hijos de reyes y duques y con-des, havían allí traído de gentes[29] de sus padres y muchas fus-tas para passar con don Galvanes a la ínsola de Mongaça. Y diéronle a este Sadamón una carta de creencia firmada de to-dos lo[s] nombres dellos, y dixéronle:

—Dezid al rey Lisuarte que, pues él nos desafía y amenaza,

---

[26] *de mi fazienda:* de mis asuntos. De acuerdo con la tradición amorosa de to-dos los tiempos, y particularmente con la cortesana, el caballero guarda el secre-to de sus amores. Por otra parte, este tipo de locuciones son empleadas en el *Lazarillo de Tormes* quizás con referencia jocosa al *Amadís.* Véase la ed. de F. Rico, Madrid, Cátedra, 1987, pág. 98, nota 120, con bibliografía.

[27] *abundosa:* bien provista. «En un valle muy fermoso e muy abundoso de muchas cosas», *Baladro del sabio Merlín* (B), 105a.

[28] *de gran guisa:* de alto linaje. *«Guisa* solía tener dos significaciones: la una era que dezíamos *hombre de alta guisa* por *de alto linaje* [...]; ya no lo usamos», Juan de Valdés, *Diálogo de la lengua,* pág. 200.

[29] *traído de gentes:* en R y S, traido gentes. La presencia del partitivo *de* puede documentarse en el verbo *traer,* por lo que no modifico el texto, a pesar de las dudas. «Fizieron traer del agua», *Crónica de don Álvaro de Luna,* ed. de Juan de Mata Carriazo, Madrid, Espasa-Calpe, 1940, 30, 17.

que assí se guarde de nosotros que en todo le empeçeremos[30]; y que sepa que cuando hayamos tiempo endereçado[31], passaremos a la ínsola de Mongaça; y que si él es gran señor, que cerca stamos donde se conoçerá su esfuerço y el nuestro. Y si algo os dixere, respondedle como cavallero que nosotros lo haremos todo firme si a Dios pluguiere, con tal que no sea en camino de paz, porque ésta nunca le será otorgada hasta que don Galvanes restituido sea en la ínsola de Mongaça.

Sadamón dixo que como lo mandavan lo faría enteramente. Amadís fabló con su amo don Gandales, y díxole:

—Conviene de mi parte [que] vayáis al rey Lisuarte, y dezidle, sin temor ninguno que dél hayáis, que en muy poco tengo su desafío y sus amenazas, menos ahún de lo que él piensa; y que si yo supiera que tan desagradeçido me havía de ser de cuantos servicios fechos le tengo, que no me pusiera a tales peligros por le servir; y que aquella sobervia y grande estado suyo con que me amenaza y a mis amigos y parientes, que la sangre de mi cuerpo gelo ha sostenido; y que fío en Dios, aquel que todas las cosas sabe, que este desconoçimiento[32] será emendado más por mis fuerças que por grado suyo[33]. Y dezidle que, por cuanto yo le gané la ínsola de Mongaça, no será por mi persona en que la pierda, ni faré enojo en el lugar donde la Reina estuviere, por la honra della que lo mereçe, y assí gelo dezid si la vierdes[34]; y que pues él mi gracia quiere[35], que

---

[30] *empeçeremos:* dañaremos. «Non le empeçió el fuego», *Historia de Enrrique fi de Oliva, Rey de IHerusalem, Emperador de Constantinopla*, ed. de P. de Gayangos, Madrid, Sociedad de Bibliófilos Españoles, 1871, pág. 20. En adelante lo citaremos como *Enrique fi de Oliva*.

[31] *tiempo endereçado:* tiempo favorable.

[32] *desconoçimiento:* ingratitud. «Ningund pecado ay de que más enojo resçiba Dios [...] que la yngratitud e desconosçimiento», *Crónica de don Álvaro de Luna*, 388, 32.

[33] *grado suyo:* propia voluntad. «No sera a su culpa ni a su grado, mas al vuestro», *Baladro del sabio Merlín* (B), 62b.

[34] *vierdes:* viereis. La oposición establecida entre ambos hermanos, Galaor, caballero de Lisuarte, frente a Amadís, caballero de Brisena, se actualizará en todo el episodio.

[35] *gracia:* manifestación de amor. «Cuya yntençión syenpre fue procurar cómo a todos pusiese en la gracia e amor del Rey», *Crónica de don Álvaro de Luna*, 71, 20. Amadís, como señala Place, habla de forma irónica.

la havrá en cuanto yo biva, y de tal forma que las passadas que ha tenido no le vengan a la memoria.

Agrajes le dixo:

—Don Gandales, fazed mucho por ver a la Reina, y besadle las manos por mí, y dezidle que me mande dar a mi hermana Mabilia, que, pues a tal estado somos llegados con el Rey, ya no le faze menester[36] estar en su casa.

Desto que Agrajes dixo pesó mucho a Amadís, porque en esta Infanta tenía él todo su esfuerço para con su señora, y no la quería más ver apartada della que si a él le apartassen el coraçón de las carnes; mas no osó contradezirlo por no descobrir el secreto de sus amores.

Esto assí fecho, movieron los mensajeros en compañía de don Cendil de Ganota, y con gran plazer alvergando en lugares poblados. En cabo de los diez días llegaron a la villa donde el rey Lisuarte estava en un palacio con asaz cavalleros y otros hombres buenos; el cual los recibió con buen talante, ahunque ya sabía por mensajero de Cendil de Ganota cómo le venían a desafiar. Los mensajeros le dieron la carta, y el Rey les mandó que dixiessen todo lo que les encomendaron. Don Gandales le dixo:

—Señor, Sadamón os dirá lo que los altos hombres y cavalleros que están en la Ínsola Firme vos embían dezir, y después deziros he a lo que Amadís me embía, porque yo a vos vengo con mandado y a la Reina con mensaje de Agrajes, si vos pluguiere que la vea.

—Mucho me plaze —dixo el Rey—, y ella havrá plazer con vos, que servistes muy bien a su fija Oriana en tanto que en vuestra tierra moró, lo cual os gradezco yo.

—Muchas mercedes —dixo Gandales—, y Dios sabe si me plazería de vos poder servir, y si me pesa en lo contrario.

—Assí lo tengo yo —dixo el Rey—, y no vos pese de fazer lo que devéis, compliendo con aquel que criastes, que de otra guisa servos ía mal contado[37].

Estonces Sadamón dixo al Rey su embaxada assí como es ya contado, y en el cabo desafióló a él y a todo su reino y a todos

---

[36] *faze menester:* es necesario.
[37] *de otra guisa servos ía mal contado:* de otra manera os sería censurado, afeado.

los suyos, como lo traía en cargo[38]. Y cuando le dixo que no esperasse de haver paz con ellos si ante no restituyesse a don Galvanes y a Madasima en la ínsola de Mongaça, dixo el Rey:

—Tarde verná essa concordia, si ellos esso esperan. Assí Dios me ayude, nunca terné que soy rey si no les quebranto aquella gran locura que tienen.

—Señor —dixo Sadamón—, dicho vos he lo que me mandaron, y si algo de aquí adelante vos dixere, esto va fuera de mi embaxada. Y respondiendo a lo que dixistes, yo vos digo, señor, que mucho ha de valer y de muy gran poder será el que su orgullo de aquellos cavalleros quebrantare, y más duro os será de lo que pensarse puede.

—Bien sea esso verdad —dixo el Rey—, mas agora pareçerá a qué basta mi poder y de los míos, o el suyo.

Don Gandales le dixo de parte de Amadís todo lo que ya oístes, que nada faltó, así como aquel que era muy bien razonado; y cuando vino a dezir que no iría Amadís a la ínsola de Mongaça pues que él gela hizo ganar, ni al lugar donde la Reina estuviesse por la no hazer enojo, todos lo tuvieron a bien y a gran lealtad, y assí lo razonavan entre sí, y el Rey assí lo tuvo. Estonces mandó a los mensajeros que se desarmassen y comerían, que era tiempo. Y assí se fizo, que en la sala adonde él comía los fizo assentar a una mesa en fruente de la suya[39], donde comían su sobrino Giontes y don Guilán el Cuidador y otros cavalleros preciados, que por su valor estremadamente se les fazía esta grande honra entre todos los otros, que dava causa a que su bondad creçiesse, y la de los otros, si tal no era, procurar de ser sus iguales, porque en igual grado del Rey su señor fuessen tenidos. Y si los reyes este semejante stilo tuviessen, farían a los suyos ser virtuosos, esforçados, leales, amorosos, en su servicio, y tenerlos en mucho más que las riquezas temporales, recordando en sus memorias aquellas palabras del famoso Fabricio, cónsul de los romanos, que a los em-

---

[38] *lo traía en cargo:* tenía encargado. «Ella tomo en cargo a Lançarote», *Tristán de Leonís,* 408b.

[39] *en fruente de la suya:* en frente de la suya. La forma es usual en castellano durante la Edad Media: «Yo quedava con la gente de armas enfruente de los moros», P. Carrillo de Huete, *Crónica del Halconero de Juan II,* 205, 29.

baxadores de los samnitas[40], a quien iva a conquistar, dixo sobre traerle muy grandes presentes de oro y plata y otras ricas joyas, haviéndole visto comer en platos de tierra, pensado con aquello aplacarle y desviarle de aquello que el Senado[41] de Roma le mandara que contra ellos fiziesse. Más él, usando de su alta virtud, desechando aquello que muchos por lo cobrar en grande aventura sus vidas, sus almas, ponen, les dixo:

—No queremos los romanos los thesoros, mas sojuzgar y mandar a los señores dellos[42].

Pues la razón destas tales palabras no se puede essecutar sin

---

[40] *samnitas:* gamutas, ZRS // samnitas, Place // . Es posible que originariamente figurara *samnites,* forma documentable a fines del xv en la traducción de Valerio Máximo, y posteriormente, por ejemplo, en Juan Sedeño, *Coloquios de amor y bienaventuranza,* ed. y estudio de Pedro M. Cátedra, Barcelona, «Stelle dell'Orsa», 1986, págs. 112-113, o en Cobarruvias, s. v. Fabricio.

[41] *Senado:* senador, ZR // senado, S // .

[42] La frase se puede encontrar, por ejemplo, en Julio Frontino: «Fabricius, quum Cineas legatus Epirotarum grande pondus auri dono ei daret, non accepto eo, dixit: Malle se habentibus id imperare, quam habere», *Strategematicon,* IV, III, II, ed. bajo la dirección de Nisard, París, Didot, 1855. Juan de Mena, *Laberinto de Fortuna,* ed. de José Manuel Blecua, Madrid, Espasa-Calpe, 1973, est. 218, aduce el mismo ejemplo: «Estava la imagen del pobre Fabriçio, / aquel que non quiso que los senadores / oro nin plata de los oradores / tomassen, nin otro ningún benefiçio, / teniendo que fuese más ábil ofiçio / el pueblo romano querer poseer / los que posseían el oro, que aver / todo su oro con cargo de viçio.» En los comentarios del Brocense señala la fuente de Julio Frontino, lib. IV, capítulo III, «do dize ansí: Fabricio, trayéndole Cyneas, embaxador de los Epirotas, en presentado, gran quantidad de oro, no recibiéndolo, respondió que más quería matar a los que poseían el oro, que no poseerlo él». Fernán Pérez de Guzmán, *Generaciones y semblanzas,* ed. de R. B. Tate, Londres, Tamesis, 1965, págs. 34-35, atribuye la frase también a Fabricio: «más quiero ser señor de los ricos que ser rico». No obstante, Valerio Máximo la pone en boca de Marco Curio, «el qual tomó los sannites, es a saber los de Benevento, que es en el reino de Nápoles, e parece ser que, teniendo el cerco delante la ciudad, las espías vieron cómo comía en scudillas e platos de fusta y con silla e aparato de estar muy pobre, e, fecha relación a los de su ciudad, ellos le embiaron un peso de oro, diziendo que lo tomasse graciosamente a fin de haver la gracia dél y de lo corromper con la moneda. E lo rehusó, diziéndoles: —Marco Curio quiere más ser señor de los señores de las riquezas que ser fecho rico, e miémbresevos que yo no puedo ser corrompido ni vencido en batalla», Valerio Máximo, *Facta e dicta...,* ed. cit., IV, iii, fol CXL v. Inmediatamente después cuenta acciones ejemplares de Fabricio, también en su lucha contra los samnites, y también demostrativas de su incorruptibilidad, por lo que no es extraña la contaminación de hechos y nombres. Juan Sedeño, ob. cit., recoge ambas anécdotas.

cavalleros de gran prez y que mucho valgan, y que con muy gran amor a sus señores sirvan por los beneficios y honras que dellos hayan recebido.

Pues estando en aquel comer, el Rey estava muy alegre y diziendo a todos los cavalleros que allí estavan que se adereçassen lo más presto que pudiessen para la ida de la ínsola de Mongaça, y que, si menester fuesse, él por su persona iría con ellos. Y desque los manteles alçaron, llevó don Grumedán a Gandales a la Reina, que lo ver quería, de que mucho plugo a Oriana y a Mabilia, porque dél sabrían nuevas de Amadís que mucho desseavan saber. Y entrando donde ella estava, recibiólo muy bien y con gran amor, y fízolo sentar ante sí cabe Oriana, y díxole:

—Don Gandales, amigo, ¿conoçéis essa donzella que cabe vos está, a quien vos mucho servistes?

—Señora —dixo él—, si yo algún servicio le he fecho, téngome por bienaventurado; y assí me terné cada que[43] a vos, señora, o a ella servir pueda, y assí lo faría al Rey si no fuesse contra Amadís, mi criado y mi señor[44].

Cuando esto le oyó la Reina, díxole que assí lo hiziesse.

—Mas guardando su honra, lo podéis vos, mi buen amigo, consejarle y traerle a la paz mejor que otro alguno fazer podría, y yo assí lo faré en cuanto pudiere con el Rey mi señor.

—Esso faré yo de muy buen grado —dixo Gandales— en cuanto yo pudiere y mi consejo bastare; y en esto faga Dios lo que por bien tuviere.

La Reina le dixo:

—Pues assí sea por mi amor como dicho havéis.

Gandales le dixo:

—Señora, yo vine con mandado de Amadís al Rey, y mandóme que, si veros pudiesse, que por él os besasse las manos como aquel a quien mucho pesa de ser apartado de vuestro servicio. Y otro tanto digo por Agrajes, el cual os pide de merced le mandéis dar a su hermana Mabilia, que, pues él y don Galvanes no son en amor del Rey, no tiene ya ella por qué estar en su casa.

---

[43] *me terné cada que:* me tendré, consideraré, cuando.

[44] *mi criado y mi señor:* persona criada por mí y mi señor.

Cuando esto Oriana oyó, muy gran pesar ovo, que las lágrimas le vinieron a los ojos, que sufrir no se pudo, assí porque la mucho amava de coraçón como porque sin ella no sabía qué hazer en su parto, que se le allegava[45]ya el tiempo. Mas Mabilia, que assí la vio, ovo gran duelo della, y díxole:

—¡Ay, señora, qué gran tuerto[46] me faría vuestro padre y madre si de vos me partiessen!

—No lloréis —dixo Gandales—, que vuestro fecho está muy bien parado[47], que, cuando de aquí vais, seréis llevada a vuestra tía la reina Elisena de Gaula; que, después desta ante quien estamos[48], no se halla otra más honrada ni acompañada; y folgaréis con vuestra cormana Melicia, que os mucho dessea.

—Don Gandales —dixo la Reina—, mucho me pesa desto[49] que Agrajes quiere, y hablarlo [he][50] con el Rey; y si mi consejo toma, no irá de aquí esta Infanta sino casada como persona de tan alto lugar.

—Pues sea luego, señora —dixo él—, porque yo no puedo más detenerme.

La Reina lo embió llamar; y Oriana, que le vio venir, y que en su voluntad sola estava el remedio, fue contra él hincando los inojos; le dixo:

—Señor, ya sabéis cuánta honra recebí en la casa del Rey de Escocia, y cómo al tiempo que por mí embiastes me dieron a su hija Mabilia, y cuánto mal contado me sería si a ella no gela pagasse; y demás desto ella es todo el remedio de mis dolencias y males. Agora embía Agrajes por ella, y si me la quitardes, faréisme la mayor crueza[51] y sinrazón que nunca a persona se fizo, sin que primero le sea gualardonado las honras que de su padre recebí.

Mabilia estava de inojos con ella, y tenía por las manos al Rey, y llorando le suplicava que la no dexasse levar; si no, que

---

[45] *allegava:* acercaba. «Ya se vienen allegando los tiempos», A. Martínez de Toledo, *Corbacho,* 224.

[46] *qué gran tuerto:* qué gran agravio, sinrazón.

[47] *vuestro fecho está muy bien parado:* vuestro asunto está muy bien resuelto.

[48] *estamos:* esta mas, ZR // estamos, S // .

[49] *desto:* deste, Z // desto, RS // .

[50] *hablarlo [he] con:* hablarlo con, Z // hablare con, R // fablarlo he con, S // .

[51] *faréisme la mayor crueza:* me haréis la mayor crueldad.

con[52] gran desesperación se mataría; y abraçávase con Oriana. El Rey, que muy mesurado era y de gran entendimiento, dixo:

—No penséis vos, mi hija Mabilia, que por la discordia que entre mí y los de vuestro linage está tengo yo de olvidar lo que me havéis servido, ni por esso dexaría de tomar todos los que de vuestra sangre servirme quisiessen y hazerles mercedes, que por los unos no desamaría a los otros, cuanto más a vos a quien tanto devemos. Hasta que el gualardón de vuestros mereçimientos hayáis, no seréis de mi casa partida.

Ella le quiso besar las manos, mas el Rey no quiso; y alçándolas suso[53], las hizo assentar en un estrado, y él se assentó entre ellas. Don Gandales, que todo lo vio, dixo:

—Señoras, pues tanto vos amáis y havéis estado de consuno, desaguisado faría[54] quien vos partiesse. Y de vos, señora Oriana, al mi grado ni por mi consejo Mabilia no será partida sino en la forma que'el Rey y vos dezís; y yo he dicho al Rey y a la Reina mi embaxada, y la respuesta daré a don Galvanes vuestro tío y Agrajes vuestro hermano; y comoquiera que dello les pese o plega, todos ternán por bien lo que el Rey faze y lo que vos, señora, queréis.

Después desto dixo al Rey y a la Reina:

—Señores, yo me quiero ir.

El Rey le dixo:

—Id con Dios, y dezid a Amadís que esto que me embió a dezir, que no irá a la ínsola de Mongaça, pues que él me la fizo haver, que yo bien entiendo que más lo faze por guardar su provecho que por adelantar[55] mi honra, y como lo yo[56] entiendo, assí gelo gradezco; y de hoy más[57] faga cada uno lo que entendiere.

Y salióse de la cámara al palacio[58]. La Reina dixo:

---

[52] *con:* cou Z // con, RS // .

[53] *suso:* arriba.

[54] *desaguisado faría:* desaguisado sería, Z // desaguisado faría, RS // .

[55] *adelantar:* acrecentar, aumentar.

[56] *lo yo:* lo oyo, Z // lo yo, R // yo lo, S // .

[57] *de oy más:* de hoy en adelante. «De oy mas soy yo mas seguro de llevar la honrra del torneo», *Tristán de Leonís*, 420b.

[58] *palacio:* lugar donde el Rey daba audiencia pública, frente a la cámara, espacio de carácter más privado.

—Don Gandales, mi amigo, no paredes mientes[59] a las sañudas palabras del Rey ni de Amadís, sino todavía os ruego que se vos acuerde de poner paz entre ellos, que yo assí lo faré; y saludádmelo mucho y dezilde que le gradezco la cortesía que me embió dezir que no faría enojo en el lugar donde yo estuviesse, y que le ruego mucho que me honre cuando viere mi mandado.

—Señora —dixo él—, todo lo faré a todo mi poder como lo mandáis.

Y despidióse della. Y ella lo acomendó[60] a Dios que le guardasse y le diesse gracia que entre el Rey y Amadís pusiesse amistad como tener solían. Oriana y Mabilia lo llamaron, y díxole Oriana:

—Señor don Gandales, mi leal amigo, gran pesar tengo porque no vos puedo gualardonar lo que me servistes, qu'el tiempo no da lugar ni yo tengo para satisfazer vuestro tan gran mereçimiento, mas plazerá a Dios que ello se hará como lo yo devo y desseo.

Cuando esto le oyó don Gandales, dixo:

—Señora, según mis servicios pequeños fueron, por mucha satisfación tengo yo el vuestro gran conoçimiento[61], ahunque más gualardón no haya; y señora, siempre me mandad en qué os servir pueda, pues conoçéis ser yo tanto vuestro, no mirando a este desamor que agora es entre Amadís y vuestro padre. Y ahunque él lo desame, vos, señora, no le desaméis, pues que siempre vos sirvió desde su niñez cuando era Donzel del Mar, y después de cavallero, en cuantas afruentas se ha puesto por vos servir; que demás de los muy grandes servicios y tan señalados que al Rey vuestro padre hizo, de que mal gualardón sacó, y a vos libró de las manos de aquel malo Arcaláus el Encantador, donde sin muy gran deshonra salir no pudiérades. Assí que, señora, no parezca que de todos es desamado, pues que es muy conoçido que lo él no mereçe; y por esto, señora, mi ánimo gran dolor siente en recebir tan mal gualardón en pago de sus grandes servicios.

---

59 *paredes mientes:* fijéis, tengáis en cuenta.
60 *acomendó:* encomendó.
61 *conoçimiento:* agradecimiento.

Oriana, cuando esto le oyó, dixo con gran humildad:

—Don Gandales, mi buen amigo, en todo dezís muy gran verdad, y mucho me desplaze deste desamor, porque según el coraçón del uno y del otro no se espera sino mucho mal y daño según de cada día va creçiendo, si Dios por su piedá[62] no lo remedia; mas yo espero en Él que atajará este mal. Y saludádmelo mucho, y dezilde que le ruego yo mucho que, teniendo él en su memoria las cosas que en esta casa de mi padre passó, tiemple[63] las presentes y por venir toma[n]do el consejo y mandado de mi padre, que le mucho precia y ama.

Mabilia le dixo:

—Gandales, de merced vos pido me encomendéis[64] mucho a mi cormano y señor Amadís y a mi señor hermano Agrajes, y al virtuoso señor don Galvanes mi tío; y dezildes que de mí no hayan cuidado ni se trabajen de me apartar de mi señora Oriana, porque les sería afán perdido, que enantes[65] perdería la vida que me partir della siendo a su grado. Y dad esta carta a Amadís, y dezilde que en ella fallará todo el fecho de mi fazienda, y creo que con ella gran consolación recibirá.

Oído esto por Gandales, saludólas y luego se partió dellas. Y tomando a Sadamón consigo, que con el Rey stava, se armaron y entraron en su camino. Y a la salida de la villa hallaron gran gente[66] del Rey y muy bien armada, que hazían alarde[67] para ir a la ínsola de Mongaça; lo cual él mandó fazer porque ellos viessen tanta y tan buena gente, y lo dixessen a los que allí los embiaron por les meter pavor. Y vieron cómo andavan entre ellos por mayorales[68] el rey Arbán de Norgales, que era un esforçado cavallero, y Gasquilán el Follón, hijo de Madar-

---

[62] *piedá:* piedad, en R y S.

[63] *tiemple:* temple. «Os consejen la razón / y tiemplen la voluntad», Gómez Manrique, *Regimiento de príncipes y otras obras,* ed. de Augusto Cortina, Buenos Aires, Espasa-Calpe, 1947, pág. 41.

[64] *encomandéis:* encomandays, Z // encomendeys, RS // .

[65] *enantes:* antes. «Enantes havían provado de tirar con engenios», *Gran Conquista de Ultramar,* I, 539.

[66] *gran gente:* mucha gente. «Fallaron muy gran gente ayuntada», *Gran Conquista de Ultramar,* II, 414.

[67] *alarde:* exhibición de los soldados y de sus armas, revista.

[68] *mayoral:* caudillo, jefe.

que el gigante bravo de la Ínsola Triste, y de una hermana de Lancino, Rey de Suesa. Este Gasquilán Follón salió tan esforçado y tan valiente en armas, que cuando su tío Lancino murió sin heredero, todos los del reino tovieron por bien de lo tomar por su rey y señor. Y cuando este Gasquilán oyó dezir desta guerra d'entre el rey Lisuarte y Amadís, partió de su reino, assí por ser en ella como por se provar en la batalla con Amadís, por mandado de una señora a quien él muy mucho amava; lo cual todo por más estenso y enteramente en el cuarto libro se recontará, donde se dirá más complidamente deste cavallero y la batalla que con Amadís, fijo del rey Perión de Gaula, huvo, y por esto no se dirá más por quitar alguna prolixidad de palabras.

Don Gandales y Sadamón, después que aquellos cavalleros ovieron mirado, fueron su camino fablando y razonando en cómo era muy buena gente, pero que con hombres lo havían que se no espantarían dellos. Y tanto anduvieron por sus jornadas, que llegaron a la Ínsola Firme, donde con ellos mucho les plugo a aquellos que los atendían. Y cuando fueron desarmados, entráronse en una fermosa huerta, donde Amadís y todos aquellos señores holgando estavan. Y dixéronles todo cuanto lo que con el Rey les avino assí como passara, y la gente que vieran que estava para ir a la ínsola de Mongaça, y cómo llevavan aquellos dos caudillos, el rey Arbán de Norgales y Gasquilán, Rey de Suesa, y la razón por que éste de tan lueñe tierra havía venido, que la principal causa era para se combatir con Amadís y con todos ellos, y cómo era valiente y ligero, y de muy gran fama de todos aquellos que le conocían. Gavarte de Valtemeroso dixo:

—Para sanar esse gran desseo y dolencia que trae aquí hallará muy buenos y discretos maestros a don Florestán y a don Cuadragante; y si ellos son ocupados, aquí soy yo que le presentaré este mi cuerpo, porque no sería razón que tan luengo camino[69] como anduvo saliesse en vano.

—Don Gavarte —dixo Amadís—, dígoos que si yo fuesse

---

[69] *luengo camino:* largo camino.

doliente, antes dexaría toda la phísica[70] y pornía[71] toda mi esperança en Dios, que provar vuestra melezina ni letuario[72].

Brian de Monjaste dixo:

—Señor, assí no andades vos con tan gran cuidado como aquel que nos demanda; y bien será de lo socorrer porque sepa dezir en su tierra los maestros que acá halló para semejantes enfermedades.

Y desque assí estuvieron por espacio de una gran pieça[73] fablando y riendo y con gran plazer, preguntó Amadís si havía aí alguno que lo conoçiesse, y Listorán de la Torre Blanca dixo:

—Yo le conozco muy bien, y sé harto de su fazienda.

—Dezídnoslo —dixo Amadís.

Estonces les contó quién era su padre y madre, y cómo fuera rey por su gran valentía, y cómo se combatía muy bravamente, y cómo havía ocho años que seguía las armas, y que fiziera tanto con ellas, que en toda su tierra ni en las comarcanas no se fallava su igual.

—Mas digo que no se ha fallado con aquellos que agora viene a demandar; y yo me fallé contra él en un torneo que ovimos en Valtierra[74], y de los primeros encuentros caímos con los cavallos en el suelo; mas la priessa fue tan grande, que nos no podimos más ferir, y el torneo fue vencido a la parte donde yo estava por falta de los cavalleros que no fizieron lo que devían fazer, y por la gran valentía deste Gasquilán, que nos fue mortal enemigo; assí que ovo el prez de ambas partes, y no

---

[70] *si yo fuesse doliente, antes dexaría toda la phísica:* si yo estuviera enfermo, antes dejaría toda la medicina. «Si tengo de dezir *doliente,* digo *enfermo»,* Juan de Valdés, *Diálogo de la lengua,* pág. 228.

[71] *pornía:* pondría.

[72] *melezina ni letuario:* medicina ni electuario, jarabe. «Ay remedios de físycos, yervas e melezinas», A. Martínez de Toledo, *Corbacho,* 117. «Ella tenia las llaves del vino y de los letuarios», *Tristán de Leonís,* 366a.

[73] *gran pieça:* largo rato. «Estuvo assi una pieça catandolo», *Demanda del Sancto Grial,* 279b.

[74] En esta geografía lejana aparecen algunos nombres indeterminados que podrían relacionarse con topónimos hispanos, o al menos con su forma de composición. Como dice Cobarruvias, s. v. val «es lo mismo que valle; ay muchos lugares que empieçan con este término, como Valdastillas, Valterra».

cayó aquel día del cavallo sino aquella vez que nos encontramos.

—Ciertamente —dixo Amadís—, vos fabláis de grande hombre que viene como rey de gran prez por fazer conoçer su bondad.

—Dezís verdad —dixo don Cuadragante—, mas en tanto lo erró, que deviera venirse a nosotros que somos los menos, y mostrara en ello más esfuerço, pues sin tocar en su honra lo pudiera hazer[75].

—En esso acertó mejor —dixo don Galvanes—, porque se vino, ahunque a los más, a los que son más flacos, que no pudiera él esperimentar su esfuerço si no tuviera en contra los mejores y más fuertes.

En esto hablando, llegaron los maestros de las naves[76], y dixeron:

—Señores, armados[77] y adereçad lo que menester havéis, y entrad en las naos, qu'el viento havemos muy endereçado para el viaje que fazer queréis.

Estonces salieron todos de la huerta con mucho plazer, y la priessa y el ruido era tan grande, assí de las gentes como de los instrumentos de la flota, que apenas se podían oír; y muy presto fueron armados, y metieron sus cavallos en las fustas, que todas las otras cosas que menester havían dentro estavan, y con mucho plazer acogiéronse a la mar. Y Amadís y don Bruneo de Bonamar, que en una barca entre ellos andavan, fallaron juntos en una fusta a don Florestán y a Brian de Monjaste, y a don Cuadragante y Angriote d'Estraváus, y entraron con ellos. Y Amadís los abraçava como si passara gran pieça que los no viera, viniéndole las lágrimas a los ojos de muy gran amor que les havía y con soledad que dellos tomava, y díxoles:

—Mis buenos señores, mucho fuelgo en[78] veros assí juntos.

---

[75] *sin tocar en su honra:* sin importar a su honra. Cuando los combatientes pueden ayudar indistintamente a una de las partes en litigio, sin menoscabo de sus obligaciones y de su honra, el código caballeresco obliga a intervenir en favor de quienes están en inferioridad numérica, como después alegará Amadís en el capítulo LXVIII.

[76] *maestros de las naves:* capitanes de las naves. «Fazerlos meter en una nave sin maestro e sin remos», *Baladro del sabio Merlín* (B), 71b.

[77] *armados:* armaos.

[78] *fuelgo en:* huelgo, me alegro de.

Don Cuadragante le dixo:

—Mi señor, assí iremos por la mar y ahun por la tierra, si alguna ventura no nos parte; y assí lo havemos puesto entre nos de nos guardar en esta jornada.

Y mostráronle un pendón muy hermoso a maravilla que llevavan, en que ivan figuradas[79] doze donzellas con flores blancas en las manos, no porque ellos a las donzellas amassen, mas por remembrança de aquellas doze por quien esta cuistión[80] se començava, que tan gran peligro passaron en la prisión del rey Lisuarte, y por dar más honra a don Galvanes, a quien ellos ayudavan, y viesse con qué amor y afición tomavan aquella afruenta; porque las cosas de los amigos tomadas con entera voluntad enteramente son gradeçidas, y si al contrario, al contrario se tienen[81]; y con mucha razón deve assí ser tenido, que según el afición con que se faze, tal el gualardón de quien lo reçibe[82]. Cuando Amadís el pendón vio, huvo gran plazer porque assí jelo mostraron. Y allí les dixo que mucho mirassen de se haver[83] cuerdamente y no dar más lugar a su gran esfuerço que a la discreción, porque todas las más vezes las semejantes cosas que con sufrimiento y seso no eran regidas, ahunque en sí gran fuerça oviessen, se perdían; y por esta causa se fallavan por vencedores los menos y más flacos, alcançando vitoria de los muchos y más fuertes[84]; y que mirassen

---

[79] *figuradas:* representadas. «Siguió el pendón de la provinçia de Toledo, en la qual yba figurada la ymagen de la bienaventurada Virgen», Pedro de Escavias, *Repertorio de Príncipes*, 236.

[80] *cuistión:* asunto.

[81] *se tienen:* se consideran.

[82] Conforme avanza la obra y la intervención de Montalvo en algunos pasajes es bastante clara, el autor muestra una cierta tendencia hacia las frases proverbiales, bien puestas en boca de los personajes como colofón de su diálogo, bien como glosas del narrador, como en este caso.

[83] *de se haver:* de comportarse.

[84] Frente a todos los combates anteriores, aparecen unos nuevos planteamientos, muy típicos de Montalvo, y acordes en cierto modo con la transformación producida a finales del xv en el «arte de la guerra». El esfuerzo, valor supremo de un caballero estrictamente medieval, debe supeditarse, refrenarse con el «seso», entendimiento, y la discreción. En definitiva, se renueva el viejo tópico *fortitudo-sapientia*, aplicado a la actuación caballeresca en una guerra mucho más compleja que las precedentes, en la que la *sapientia*, los conocimientos, adquieren una cierta importancia.

que cada uno de los que allí ivan havía de ser governador y capitán de sí mismo, porque no eran ellos para ser governados de otro ninguno, sino para regir y governar; que gran diferencia havía entre las batallas particulares que fasta allí havían seguido y las generales de muchedumbre[85] de gentes, porque en las tales se conoçe el saber; porque en las primeras el juizio solamente se havía de ocupar en lo que cada uno fazer devía, y en las otras, en lo suyo y de todos los otros que los buenos han de governar; porque assí como la mayor parte del trabajo se les ofreçe, assí alcançan lo más de la honra y gloria, y de la mengua y deshonra cuando dello se descuidan. Esto y otras cosas muchas les dixo de que ellos fueron muy contentos[86]. Estonces se despidió dellos, y tomando consigo en la barca a don Bruneo de Bonamar y a Gandales su amo, anduvo por toda la flota fablando con todos aquellos cavalleros fasta que salió en tierra y la flota movió tras la nao en que don Galvanes iva, y Madasima, que la delantera llevava con tan gran ruido de trompas y añafiles[87], que maravilla era de los ver.

Assí como oídes, partió esta gran flota de aquel puerto de la Ínsola Firme para ir al castillo del Lago Ferviente, donde era la ínsola de Mongaça, quedando Amadís y don Bruneo de Bonamar en la Ínsola Firme de camino para passar en Gaula. Pues aquella flota fue por la mar con tal tiempo, que a los siete días arribaron un día antes del alva al castillo del Lago Ferviente, que cabe el puerto de la mar estava. Y luego se armaron todos y aparejaron los bateles para saltar en tierra, y ponían puentes

---

[85] *muchedumbre:* muchodumbre, Z // R y S, om. // . Tiene el significado de multitud y aunque está atestiguada *muchadumbre,* la forma habitual del texto es la editada.

[86] Los consejos de Amadís a los suyos suponen de alguna forma una concepción diferente en las prácticas bélicas, sin que se lleguen a formular claramente de acuerdo con los nuevos valores de finales del XV. No obstante, se atisban unos nuevos comportamientos en los que la actitud individual debe estar supeditada a la del conjunto. Como dice José Antonio Maravall, *Estado moderno y mentalidad social (Siglos XV al XVII),* Madrid, Revista de Occidente, 1972, vol. II, pág. 529, «frente a valor, fantasía o iniciativa personales, se apela al orden y disciplina conjuntos. Nada se hace más frecuente que la referencia a la «disciplina militar».

[87] *añafiles:* trompetas. «Fiçieron allí muchos solazes de vayles, e de añafiles», Gutierre Díez de Games, *El Victorial,* 101, 26.

de tablas y de cañizos[88] por donde los cavallos saliessen, y esto fazían muy calladamente porque el conde Latine y Galdar de Rascuil, que en la villa estavan con trezientos cavalleros, no los sintiessen. Mas luego de los veladores fueron sentidos, y dixéronlo aquellos sus señores que havía gente; mas no supieron qué tanta[89], que la noche era muy escura. Y luego el Conde y Galdar se vistieron y subieron al castillo, y oyeron la buelta[90] de la gente, y semejóles gran compaña, que con el alva del día pareçieron muchas naves, y dixo Galdar:

—Verdaderamente éste es don Galvanes y sus compañeros y amigos que contra nos vienen, y ya Dios no me salve si a mi poder el puerto tomaren tan ligeramente como ellos cuidan.

Y mandando armar toda su gente, y ellos assí mesmo, salieron de la villa contra ellos. Y Galdar fue a un puerto que con la villa se contenía, y el conde Latine a otro a la parte del castillo, en el cual estava don Galvanes, y Agrajes, con todos los que ayudavan; ivan en la delantera Gavarte de Valtemeroso y Orlandín, y Osinán de Borgoña y Madancil de la Puente de la Plata; y allí el conde Latine con gran gente de pie y de cavallo. Y Galdar con otra gran compaña llegó al otro puerto, donde venía don Florestán, y Cuadragante, y Brian de Monjaste y Angriote, y los otros sus compañeros. Estonces se començó entre ellos una cruel y peligrosa batalla con lanças y saetas y piedras, assí que muchos feridos y muertos huvo; y los de la tierra defendieron los puertos fasta hora de tercia. Mas don Florestán, que a una barca se falló con Brian de Monjaste y don Cuadragante y Angriote, donde tenían sus cavallos y dos compañeros cada uno consigo, tenía[91] a Enil, aquel buen cavallero que ya oístes en el segundo libro, y a Morantes de Salvatria que era su cormano; y los de Brian eran Comán y Nicorán, y los de Cuadragante, Landín y Orián el Valiente, y los de Angriote, su hermano Gradovoy y Sarquiles su sobrino. Y Flores-

---

88 *cañizo:* el DME, sólo lo documenta en el siglo xv.

89 *qué tanta:* cuánta.

90 *buelta:* revuelta, tumulto. «Se levanto muchas bozes e la buelta muy grande por el palacio», *Demanda del Sancto Grial,* 212b. Véase la nota 31 del capítulo VIII.

91 *tenía:* don Florestán tenia, ZRS // .

tán dio grandes bozes que derribassen la puente y saldrían[92] por ella en sus cavallos. Angriote le dixo:

—¿Por qué queréis acometer tan gran locura?; que, ahunque de la puente salgamos, el agua es tan alta antes que lleguemos a la tierra, que los cavallos nadarán.

Y assí lo dezía don Cuadragante, mas Brian de Monjaste fue del voto de Florestán; y echada la puente, passaron entrambos por ella, y llegando al cabo, fizieron saltar los cavallos en el agua, que era tan alta que les dava a los arçones de las sillas. Y allí acudieron muchos de los contrarios, que de grandes golpes y mortales los herían; y ellos se defendían a gran peligro, que ya más no podían por ser los enemigos muchos. Mas llegaron luego don Cuadragante y Angriote, y juntáronse con ellos, y assí lo fizieron aquellos sus compañeros; mas la subida del puerto era tan alta, y la gente tan grande[93] que la defendían, que no sabían dar remedio. Palomir y Dragonís, que en tal peligro los vieron, hizieron tocar las trompas y añafiles con gran grita[94] de su gente, y mandaron embiar dos galeas en tierra a la ventura que Dios les diesse, y ivan en cada una dellas treinta cavalleros muy bien armados, y el golpe fue tan grande, que todas fueron hechas pieças. Allí fue el ruido tan grande y de tantos alaridos de un cabo y de otro, que no pareçía sino ser todo el mundo assonado[95]. Dragonís y Palomir quedaron en el agua, que les dava a los pescueços, y sus cavalleros con ellos travándose a las tablas de las galeas quebradas y puxándose[96] unos a otros, yendo con gran trabajo adelante fasta que ya el agua les dava a las cintas. Y ahunque la gente de la ribera era mucha y bien armada y resistían con gran esfuerço, no pudieron escusar que don Florestán y sus compañeros no tomassen

---

[92] *saldrían:* soldrian, Z // saldrian, RS // .

[93] *la gente tan grande:* la gente tan numerosa. «Lançarote es en la Gran Bretaña con muy grande gente», *Demanda del Sancto Grial,* 332b.

[94] *grita:* griterío. «La grita de tan grande hueste así paresçía a los que allí estavan, que por todo el mundo sonavan sus clamores», Juan de Flores, *Triunfo de amor, 146, 3.*

[95] *assonado:* reunido. «Las huestes, quando fueron assonadas en los campos de Salaberos», *Demanda del Sancto Grial,* 325b.

[96] *puxándose:* empujándose. «Y puxaronse tan rezio, que quebraron las lanças», *Demanda del Santo Grial,* 284b.

tierra, y luego assí mismo Dragonís y Palomir con todos los suyos. Cuando Galdar esto vio, que los suyos perdían el campo, no podiendo sufrir a sus contrarios por estar ya muy apoderados, con gran ánimo y lo mejor qu'él pudo fízolo retraer[97] porque todos no se perdiessen; qu'él stava muy malferido de la mano de don Florestán y de Brian de Monjaste, que lo derribó del cavallo, y fue tan quebrantado, que apenas se podía tener en otro cavallo que los suyos le dieron; y yéndose contra la villa, vio cómo el conde Latine se venía con toda su gente a más andar, que ya le havían tomado el puerto don Galvanes y Agrajes y sus compañeros, como aquellos que a su causa la batalla se fazía.

Y agora sabed aquí qu'el Conde havía prendido a Dandasido, fijo del gigante viejo, y otros veinte hombres de la villa con él, teniéndolos por sospechosos que le havían de ser contrarios, los cuales estavan en el castillo en una prisión que era en la más alta torre, y hombres que los guardavan; y como la batalla fue entre los cavalleros, los carceleros que los tenían salieron encima de la torre por mirar la batalla. Y cuando Dandasido vio que los no guardavan, y vio que tenía tiempo de se soltar, dixo a aquellos que con él estavan:

—Ayudadme y salgamos de aquí.

—¿Cómo será esso? —dixeron ellos.

—Quebrantemos este candado desta cadena que a todos tiene.

Estonces con una gruessa soga de cáñamo, con que de noche les atavan las manos y pies, metiéronla por el candado lo más presto que pudieron, y con la gran fuerça de Dandasido y de todos los otros quebráronle el ramo[98], a[u]nque asaz gruesso, y salieron todos. Y muy presto tomando las espadas de los carceleros que encima de la torre estavan, como oído avéis, y fueron a ellos, que en ál no entendían[99] sino en mirar la batalla que en los puertos se hazía, y matáronlos todos, y dieron grandes bozes:

---

[97] *retraer:* retirar, apartar.
[98] *ramo:* ramal. Según Cobarruvias, «ramal o ramales, son los cabos de los cabestros o de sogas quando a la fin se dividen, y son como ramos».
[99] *en ál no entendían:* de otra cosa no se preocupaban.

—¡Armas, armas por Madasima, nuestra señora!

Cuando los de la villa esto vieron, tomaron las torres más fuertes de la villa, y matavan todos los que alcançar podían. Cuando el conde Latine esto vio, entró por la puerta que saliera y paró en una casa cerca della, y Galdar de Rascuil con él, que no osaron passar adelante, atendiendo más la muerte que la vida. Los de la villa travavan[100] las calles de entre ellos y esforçávanse cuanto podían con aquel gran socorro, y davan bozes a los de fuera que llegassen allí a su señora Madasima y que le entregassen la villa. Cuadragante y Angriote llegaron a una puerta por saber la verdad, y sabiendo de Dandasido el hecho cómo estava, fuéronlo dezir a don Galvanes. Y luego cavalgaron todos y llevaron a Madasima, su fermoso rostro descubierto, en un palafrén blanco, vestida de capete[101] de oro. Y llegando cerca de la villa, abrieron las puertas y salieron a ella cient hombres de los más honrados, y besáronle las manos, y ella les dixo:

—Besadlas a mi señor y mi marido don Galvanes, que después de Dios él me libró de la muerte, y me ha hecho cobrar a vosotros que sois mis naturales, y contra toda razón vos tenía perdidos, y a él tomad por señor si a mí amáis.

Entonces llegaron todos a don Galvanes, y hincados los inojos en tierra, con palabras muy humildes, le besaron las manos[102] y él los recibió con buena voluntad y muy bien talante, gradesciéndoles y loándoles mucho la gran lealtad y el buen amor que a Madasima, su buena señora, avían tenido. Y luego se metieron a la villa, donde llegó Dandasido que muy honra-

---

[100] *travavan:* ponían trabas, obstaculizaban.

[101] *capete:* capete, ZSV // tapete, R // capote, Place // . Me decido por la lectura del texto zaragozano con todo tipo de dudas, pues no la he podido encontrar en ningún Diccionario ni tampoco la registra Carmen Bernis Madrazo, *Indumentaria medieval española,* Madrid, CSIC, 1956, ni en *Trajes y modas en la España de los Reyes Católicos,* 2 volúmenes, Madrid, CSIC, 1978-1979. *Tapete* podía ser tipo de tela, como lo documenta M. Serrano y Sanz, «Inventarios aragoneses de los siglo XIV y XV», *BRAE,* II (1915), 85-97, pág. 87, en un inventario de 1497: «Otro jubon de tapet negro, ya tenido.» «Otro jubon de tapet morado, con las mangas y collar de aceytuni morado, ya tenido», si bien la solución no me parece satisfactoria.

[102] Le besan las manos en señal de vasallaje. Véase la nota 26 del capítulo XIX.

do de Madasima y de todos aquellos señores fue. Esto assí fecho, dixo Imosil de Borgoña:

—Muy bien sería que de todos nuestros enemigos que ahún en la villa están nos despachássemos[103].

Agrajes, el cual con muy gran saña encendido estava, dixo:

—Yo he mandado destravar[104] las calles, y el despacho será que todos sean despachados[105] sin que ninguno de todos ellos bivo quede.

—Señor —dixo Florestán—, no deis a la ira ni saña tanto señorío sobre vos, que vos haga fazer cosa que después de apartada querríades más presto ser muerto.

—Bien vos dize —dixo don Cuadragante—; basta que se metan todos en la prisión de don Galvanes, vuestro tío, si alcançarse puede; porque mayor reparo es de los vencedores tener bivos los vencidos que muertos, considerando las bueltas de la mudable y incierta fortuna; que assí como a ellos, a los prosperados[106] tornar en breve podría.

Acordóse, pues, que Angriote d'Estraváus y Gavarte de Valtemeroso fuessen a lo despachar; los cuales, llegados a la parte de donde el conde Latine y Galdar de Rascuil estavan, hallaron toda su gente muy malparada, y a ellos malheridos, con gran dolor de sus ánimos porque la cosa en tal estado contra ellos venido avía; sobre algunas razones entre ellos havidas, tuvieron por bien de se poner[107] en la voluntad y buena mesura de don Galvanes. Acabado, pues, esto que la villa y el castillo enteramente fue en poder de Madasima y de sus valedores, con gran plazer de todos ellos, otro día[108] siguiente supieron por nuevas cómo el rey Arbán de Norgales y Gasquilán, Rey de Suesa, con tres mill cavalleros eran llegados al puerto de aquella ínsola, y cómo salían todos en tierra a gran priessa y

---

[103] *despechásemos:* eliminásemos.

[104] *destravar:* eliminar las trabas, obstáculos.

[105] *el despacho será que todos sean despachados:* la resolución será que sean todos muertos.

[106] *prosperados:* afortunados, felices. «Llamaron a Dios como fuesen prosperados o alegres», Teresa de Cartagena, *Arboleda de los enfermos,* ed. de L. J. Hutton, Madrid, 1967, pág. 61, 6.

[107] *de se poner:* de ser poner, Z // de se poner, RS // .

[108] *otro día:* otra dia, Z // otro dia, RS // .

embiavan la flota para que viandas les traxessen. En gran alteración les puso esto, sabiendo la muchedumbre de la gente y los suyos estar tan malparados; pero como hombres que vergüença dudavan, acordándoseles de lo que Amadís les dixera: que sus cosas fiziessen con acuerdo, comoquiera que el parescer de algunos fuesse de salir a pelear con ellos, no lo hiziessen[109] fasta que todos reparados fuessen de sus llagas y los cavallos y armas en mejor disposición.

Assí que en esto quedando unos y otros, contará la istoria de Amadís y de don Bruneo de Bonamar, que en la Ínsola Firme quedado avían.

---

[109] *no lo hiziessen:* no lo hiziessen, Z // no lo hizieron, RS // .

## Capítulo LXV

*De cómo Amadís preguntó a su amo don Gandales nuevas de las cosas que passó en la corte. Y de allí se partieron él y sus compañeros para Gaula, y de las cosas que les avino de aventuras en una isla que arribaron, donde defendieron del peligro de la muerte a don Galaor, su hermano de Amadís, y al rey Cildadán, de poder del gigante Madarque.*

Después que la flota partió de la Ínsola Firme para la ínsola de Mongaça, como oído avéis, Amadís quedó en la Ínsola Firme y don Bruneo de Bonamar con él; y con la priessa de la partida no tuvo lugar de saber de su amo don Gandales las cosas que passó en la corte del rey Lisuarte. Y llamándolo aparte, passeando por una huerta donde él posava, quiso saber lo que passara. Don Gandales le dixo lo que en la Reina falló, y con el amor que recibió su mensaje y en cuánto lo tuvo, y cómo le embiava a rogar por la[1] paz con el Rey. Y así mismo le contó lo que passara con Oriana y Mabilia, y lo que ellas le respondieron; y diole la carta que traía de Mabilia, por la cual supo cómo avía acrescentado en su linaje, dándole a entender que Oriana estava preñada. Todo lo oía Amadís con gran plazer, ahunque con mucha soledad de su señora, que su coraçón no fallava en ninguna cosa reposo ni descanso alguno; y assí estuvo solo en la torre de la huerta con gran pensamiento, cayéndole las lágrimas de sus ojos, que las fazes le mojavan[2], como

---

[1] *rogar por la:* rogar con la, Z // rogar por la, RS // .
[2] *fazes le mojavan:* le mojaban las mejillas. Como se decía en el *Quijote,* II, II, 34, «de don Galaor, hermano de Amadís de Gaula, se murmura que fue más que demasiadamente rijoso; y de su hermano, que fue llorón».

hombre fuera de sentido. Mas tornando en sí, fuese adonde don Bruneo[3] andava, y mandó [a] Gandalín que metiesse las armas en una fusta, y las de don Bruneo, y las otras cosas necessarias, porque en todo caso quería partir otro[4] día para Gaula. Esto se hizo luego, y venida la mañana, entraron en la mar con tiempo endereçado y a las vezes con contrario; y a los cinco días falláronse cabe una ínsola que les paresció muy poblada de árboles, y tierra hermosa al parescer[5]. Don Bruneo dixo:

—¿Vedes, señor, qué hermosa tierra?

—Tal me paresce —dixo Amadís.

—Pues paremos aquí, señor —dixo don Bruneo—, unos dos días, y podrá ser que en ella fallemos algunas estrañas aventuras.

—Así se haga —dixo Amadís.

Entonces mandaron al patrón que acostasse la galea[6] a la tierra, que querían salir a ver aquella ínsola, que muy hermosa les parescía, y también para si algunas aventuras hallassen.

—Dios vos guarde della —dixo el maestro de la nao.

—¿Por qué? —dixo Amadís.

—Por vos guardar de la muerte —dixo él—, o de muy cruel prisión; que sabed que ésta es la Ínsola Triste, donde es señor aquel muy bravo gigante Madarque, más cruel y esquivo que en el mundo ay. Y dígovos que passa de quinze años que no entró en ella cavallero, ni dueña, ni donzella, que no fuessen muertos o presos.

Cuando esto oyeron, mucho se maravillaron, y no con poco temor de acometer tal aventura; mas como ellos fuessen de tales coraçones y que el su oficio verdadero era quitar del mundo tan malas costumbres, no temiendo el peligro de sus vidas más que la gran vergüença que dexándolo se les podría seguir, dixeron al maestro que en todo caso llegasse la fusta a la tierra, lo cual muy a duro[7] y cuasi por fuerça acabaron. Y tomando

---

[3] *Bruneo:* brueno, Z // Bruneo, RS // .

[4] *otro:* otra, Z // otro, RS // .

[5] *al parescer:* al dejarse ver, a la vista. «Los del castillo los recibieron muy bien al parescer», *Demanda del Sancto Grial,* 267a.

[6] *mandaron al patrón que acostase la galea:* mandaron al capitán que acercase el navío.

sus armas y en sus cavallos, solamente consigo levando a Gandalín y a Lasindo[8], escudero de don Bruneo, entraron por la ínsola adelante y mandaron aquellos sus escuderos que, si fuessen acometidos de otros hombres que cavalleros no fuessen, que les ayudassen como mejor pudiessen. Ellos dixeron que así lo harían. Así anduvieron una pieça hasta que fueron encima de la montaña, y vieron cerca de sí un castillo que les paresció muy fuerte y fermoso, y fuéronse para allá por saber algunas nuevas del gigante. Y llegando cerca, oyeron tañer en la más alta torre un cuerno tan bravamente, que todos aquellos valles hazía reteñir[9].

—Señor —dixo don Bruneo—, aquel cuerno se tañe, según dixo el maestro de la galea, cuando[10] el gigante sale a batalla, y esto es si los suyos no pueden vencer o matar algunos cavalleros con que se conbaten; y cuando él assí sale, es tan sañudo, que mata todos los que halla, y ahun algunas vezes de los suyos.

—Pues vamos adelante —dixo Amadís.

Y no tardó mucho que oyeron muy gran ruido de mucha gente, de muy grandes golpes de lanças y de espadas muy agudas y bien tajantes; y tomando todas sus armas fueron todos para allá. Y vieron muy gran gente que tenían cercados dos ca-

---

[7] *muy a duro:* con mucha dificultad. «Y era tan fermosa que a duro la podria honbre fallar par en toda la tierra», *Baladro del sabio Merlín* (B), 53b.

[8] *Lasindo:* Salindo, ZRS // Lasindo, Place // .

[9] La llegada a una isla, la existencia de un gigante y el sonido del cuerno corresponden a datos preliminares para el comienzo de alguna aventura. Por otra parte, una poesía anterior a 1460 de Juan de Dueñas hace referencia a un episodio, difícil de localizar en el texto de 1508: «Pues pensar bien qué dezís / mi senyora verdadera, / que por cierto si yo fuera / en el tiempo d'Amadís, / según vos amo y adoro / muy lealmente sin arte, / nuestra fuera la más parte / de la ínsola del Ploro», *El cancionero de Palacio,* ed. de Francisca Vendrell de Millás, Barcelona, 1945, pág. 305. Me parece verosímil pensar en un episodio dependiente del *Tristán* castellano y suprimido por Montalvo, pero como argumenta Martín de Riquer «cabría la hipótesis de que la Ínsola del Ploro fuera la que en el Amadís refundido es llamada Ínsola Triste», «Agora lo veredes, dixo Agrajes», en *Estudios sobre el Amadís de Gaula,* Barcelona, Sirmio, 1987, pág. 35 (la generosidad de su autor me ha permitido consultar las últimas pruebas del libro).

[10] *galea, cuando:* galea y quando, Z // galea, quando, RS // .

975

valleros y dos escuderos que estavan a pie, que los cavallos les avían muerto y queríanlos matar; mas todos cuatro se defendían con las espadas tan bravamente, que era maravilla verlos. Y Amadís vio venir descontra[11] ellos a Ardián, el su enano; y como vio el escudo de Amadís, conosciólo luego, y dixo a grandes bozes:

—¡O señor Amadís, socorred a vuestro hermano don Galaor, que lo matan, y a su amigo, el rey Cildadán!

Cuando esto oyeron, moviéronse al más correr de sus cavallos, juntos uno con otro, que don Bruneo a su poder a él ni a otro en tal menester no daría la aventaja[12]. Y yendo assí, vieron venir a Madarque, el bravo gigante que era señor de la ínsola, y venía en un gran cavallo y armado de hojas de muy fuerte azero y loriga de muy gruessa malla, y en lugar de yelmo una capellina[13] gruessa y limpia y reluziente como espejo, y en su mano un muy fuerte venablo tan pesado, que otro cualquier cavallero o persona que sea apenas y con gran trabajo lo podría levantar, y un escudo muy grande y pesado; y venía diziendo a grandes bozes:

—¡Tiradvos afuera, gente cativa de poco pro[14], que no podéis matar dos cavalleros lassos y sin poder como vos! ¡Tiradvos afuera y dexaldos a este mi venablo que goze la sangre dellos!

¡O, cómo Dios se venga de los injustos y se descontenta de los que la sobervia siguir[15] quieren, y este orgullo sobervioso

---

[11] *descontra:* hacia. El texto corresponde al envés del fragmento III del Amadís manuscrito, en donde se lee *de contra,* aunque no lo transcribo por estar muy deteriorado. Véase A. Rodríguez Moñino, art. cit., pág. 34.

[12] *aventaja:* ventaja. «Avrian muchas aventajas para conquirir las tierras», *Gran Conquista de Ultramar,* I, 24.

[13] *en lugar de yelmo una capellina:* en vez de yelmo una capellina, casco de hierro que se amoldaba a la forma de la cabeza, y propio en nuestra obra de escuderos y de gigantes. Véase Riquer, *Armas,* pág. 375. «En lugar de manto y saya [...] toma esta cadenilla», *Celestina,* XI, 163.

[14] *tiradvos afuera, gente cativa de poco pro:* apartaos fuera, gente desgraciada de poco provecho. «Mucho me pareceys cativa gente e sin esfuerço», *Tristán de Leonís,* 349b.

[15] *siguir:* seguir, en R y S. No obstante, puede documentarse la forma editada: «De aquesto quanto mal e daño se podíe siguir sería por demás escrivirlo», Fernán Pérez de Guzmán, *Generaciones y semblanzas,* pág. 3. Véase también la nota 9 del capítulo XXXVI.

cuán presto es derrocado! Y tú, letor, mira cuán por esperiencia se vio en aquel Membrot que la torre de Babel edificó, y otros que por escriptura dezir podría, los cuales dexo por [no] dar causa a prolixidad[16].

Assí contesció a Madarque en esta batalla. Y Amadís, que todo lo oyó, en gran pavor fue puesto por le ver tan grande y tan dessemejado, y acommendándose a Dios, dixo:

—Agora es tiempo de ser socorrido de vos, mi buena señora Oriana.

Y rogó a don Bruneo que firiesse él en los otros cavalleros, que él quería resistir al gigante. Y apretó la lança so el braço y aguijó el cavallo contra Madarque cuanto más rezio pudo, y encontróle tan fuertemente en el pecho, que por fuerça le hizo doblar sobre las ancas del cavallo. Y el gigante, que apretó las riendas en la mano, tiró tan fuertemente, que hizo enarmonar[17] el cavallo; assí que cayó sobre él y le quebró una pierna, y el cavallo ovo sacada la una espalda[18], de manera que ninguno dellos se pudo levantar. Amadís, que así lo vio, puso mano a su espada y dio bozes diziendo:

—¡A ellos, hermano Galaor, que yo soy Amadís, que os socorreré!

Y fue para ellos, y vio cómo don Bruneo avía muerto de un encuentro por la garganta a un sobrino del gigante, y con la espada hazía cosas estrañas de que mucho se maravilló; y dio un golpe por cima del yelmo a otro cavallero, que no le prestó el yelmo que le no cortase hasta el caxco[19], y dio con él en el suelo. Galaor saltó en el cavallo y no se quitó de cabe el rey Cildadán; mas llegó Gandalín, y apeóse del suyo y diolo al Rey, y él juntóse con los dos escuderos. Cuando todos cuatro fueron a cavallo, allí pudiérades ver las maravillas que hazían en derribar y matar cuantos delante se les paravan; y los escuderos por su parte hazían gran daño en la gente de pie. Assí que

---

[16] El autor utiliza uno de los topos de la *abbreviatio* para terminar, si bien el único ejemplo que emplea lo había utilizado con anterioridad. Véase nota 12 del capítulo XIII.

[17] *enarmonar:* encabritar.

[18] *espalda:* omóplato.

[19] *caxco:* casquete metálico colocado debajo del yelmo y que cubría el cráneo. Riquer, *Armas,* pág. 371.

en poco rato fueron todos los más muertos y heridos, y los otros huyeron al castillo con miedo de los bravos golpes que les veían dar. Y los cuatro cavalleros ivan en pos dellos por los matar[20], hasta que llegaron a la puerta del castillo, que estava cerrada y no la avían de abrir fasta qu'el gigante viniesse, que assí les era mandado y defendido. Y los que huían, cuando se vieron sin remedio los que a cavallo estavan, apeáronse, y todos juntos echaron las espadas de las manos y fueron contra Amadís, que delante venía; y hincados los inojos ante los pies de su cavallo, le demandaron merced que los no matasse, y traváronle de la falda de la loriga por escapar de los otros que contra ellos venían. Amadís los amparó del rey Cildadán y don Galaor, que por el gran daño que dellos recibieran a su grado no dexaran ninguno bivo; y tomó fiança dellos que farían lo que les él mandasse. Entonces se fueron donde el gigante estava muy desapoderado de su fuerça[21], que el cavallo le yazía sobre la pierna quebrada y teníale tan ahincado, que a pocas[22] le salía el alma. El rey Cildadán se apeó de su cavallo y mandó a los escuderos que le ayudassen; y transtornando[23] el cavallo, quedó el gigante más libre dél, y dexólo holgar; que ahunque por su causa fueron llegados al punto de la muerte él y don Galaor, como avedes oído, no tenía en coraçón[24] de lo matar, no por él, que mala cosa y sobervia era, mas por amor de su hijo Gasquilán, Rey de Suesa, que era muy buen cavallero a quien él amava. Y assí lo rogó a Amadís que le no hiziesse mal. Amadís gelo otorgó, y dixo al gigante, que en más acuerdo estava:

—Madarque, ya veis vuestra hazienda cómo está; y si quisieres tomar mi consejo, hazerte he bivir, y si no, la muerte es contigo.

---

[20] *los matar:* las matar, Z // los matar, RS // .

[21] *desapoderado de toda su fuerça:* sin fuerza alguna. «Seyendo tan viejo commo es, e tan flaco e tan desapoderado que sol non puede sobir en bestia», *Otas de Roma,* 19, 16.

[22] *tan ahincado, que a pocas:* tan apremiado, que por poco.

[23] *transtornando:* dando la vuelta. «Discurría en sus malos pensamientos a muchas partes, sin reposo alguno, espumajando en sus entrañas, e rebolbiendo e trastornando en ellas por muchas e diversas maneras la maldad suya», *Crónica de don Álvaro de Luna,* 300, 22.

[24] *tenía en coraçón:* pensaba.

El gigante le dixo:

—Buen cavallero, pues en mí dexas la muerte y la vida, yo haré tu voluntad por bivir, y dello te haré fiança.

Amadís le dixo:

—Pues lo que yo de ti quiero es que seas christiano y mantengas tú y todos los tuyos esta ley[25], faziendo en este señorío iglesias y monesterios, y que sueltes[26] todos los presos que tienes, y de aquí adelante que no mantengas esta mala costumbre que fasta aquí tuviste.

El gigante, que ál tenía en el coraçón[27], dixo con miedo de la muerte:

—Todo lo haré como lo mandáis, que bien veo, según mis fuerças y de los míos con las de vosotros, que, si por mis pecados no, por otra cosa no pudiera ser vencido, especialmente por un golpe solo como lo fui[28]. Y si os pluguiere, hazedme llevar al castillo, y allí holgaréis, y se fará lo que mandáis.

—Assí se haga —dixo Amadís.

Entonces mandó llamar a sus hombres los que avía asegurado, y tomaron al gigante y lleváronlo al castillo, donde entró él, y Amadís y sus compañeros. Y desque fueron desarmados, abraçáronse muchas vezes Amadís y don Galaor, llorando del plazer que en se ver avían; y estuvieron todos cuatro con mucho plazer fasta que de parte del gigante les dixeron que tenían adresçado de comer, que ya era sazón[29]. Amadís dixo que no comerían hasta que todos los presos allí fuessen venidos, porque delante dellos comiessen.

—Esso luego se hará —dixeron los hombres del gigante—, que ya los ha mandado soltar.

Entonces los hizieron venir, y eran ciento, en que avía

---

[25] *ley:* religión. «Tuvieron la ley de los christianos», *Tristán de Leonís,* 376a. Se recrea el motivo del enemigo de la fe vencido y posteriormente convertido al cristianismo, hecho esporádico en el *Amadís* pero después muy fecundo para las *Sergas.*

[26] *sueltes:* sueltas, Z // sueltes, RS // .

[27] *ál tenía en el coraçón:* otra cosa pensaba. «Los del castillo los recibieron muy bien al parescer, mas al tenian en su coraçon», *Demanda del Sancto Grial,* 267a.

[28] *fui:* fuye, Z // fuy, R // fui, S // .

[29] *tenían adresçado de comer, que ya era sazón:* tenían preparado de comer, que ya era tiempo.

treinta cavalleros y más cuarenta dueñas y donzellas. Todos llegaron con mucha humildad a besar las manos a Amadís, diziéndole que les mandasse lo que fiziessen. Él les dixo:

—Amigos, lo que a mí me plazerá es que os vais[30] a la reina Brisena y le digáis cómo os embía el su cavallero[31] de la Ínsola Firme, y que fallé a don Galaor mi hermano, y besalde las manos por mí[32].

Ellos le dixeron que lo harían todo como lo mandava, assí aquello como todo lo otro en que le servir pudiesen. Luego se sentaron a comer, y fueron muy bien servidos de muchos manjares. Amadís mandó que diessen aquellos presos sus navíos en que se fuessen, y assí se fizo luego; y todos juntos tomaron la vía de donde la reina Brisena estava por cumplir lo que les era mandado. Amadís y sus compañeros, después que ovieron comido, entráronse en la cámara del gigante por le ver, y hallaron que le curava una giganta su hermana, que se llamava Andandona, la más brava y esquiva que en el mundo avía. Esta nació quinze años ante que Madarque, y ella le ayudó a criar. Tenía todos los cabellos blancos y tan crespos, que los no podía peinar; era muy fea de rostro, que no semejava sino diablo. Su grandeza era demasiada, y su ligereza. No avía cavallo, por bravo que fuese, ni otra bestia cualquiera en que no cavalgasse, y las amansava. Tirava con arco y con dardos tan rezio y cierto, que matava muchos ossos y leones y puercos, y de las pieles dellos andava vestida. Todo lo más del tiempo alvergava en aquellas montañas por caçar las bestias fieras. Era muy enemiga de los christianos y hazíales mucho

---

[30] *vais:* vayáis. «El que compuso a *Amadís de Gaula* huelga mucho de dezir *vaiáis* por *vais;* a mí no me contenta», Juan de Valdés, *Diálogo de la lengua,* pág. 208.

[31] *cavallero:* cavavallero, Z // cavallero, RS // .

[32] El tema se convierte en motivo recurrente en los libros de caballerías, como bien conocía don Quijote, aunque los presos suelen presentarse ante la amiga, norte de las hazañas del caballero. Cfr. Clemencín, I, XXII, nota 53. En esta ocasión, Amadís muestra su cortesía al enviar unos liberados a la reina Brisena, a pesar de las relaciones con su marido. A su vez, ha rescatado a Galaor y Cildadán, que posteriormente lucharán contra los propios amigos del héroe, en estructuras narrativas irónicas. La cortesía de Amadís sirve para fundamentar todo el episodio, en claro contraste con el comportamiento de Lisuarte.

mal[33], y mucho más lo fue allí adelante, y lo fizo ser a su hermano Madarque, fasta que en la batalla que el rey Lisuarte ovo con el rey Arávigo y los otros seis Reyes lo mató el rey Perión, assí como adelante se dirá.

Después que aquellos cavalleros estuvieron una pieça con el gigante, y él les prometió de se tornar christiano, salieron a su aposentamiento, donde aquella noche alvergaron. Y otro[34] día entrando en sus navíos, tomaron la vía de Gaula por un braço de mar que de una parte y de otra cercado de grandes arboledas era, en las cuales aquella endiablada giganta Andandona aguardando estava por les hazer algún pesar. Y como los vio dentro en el agua, descendióse por la cuesta ayuso[35] hasta se poner sobre ellos encima de una peña; y escogió el mejor dardo de los que traía, sin que dellos vista fuesse; y como tan cerca los vio, esgrimió el dardo y lançólo muy fuertemente, y dio a don Bruneo con él en la una pierna, que gela passó hasta dar en la galea, donde fue quebrado. Y con la gran fuerça que puso y la codicia[36] de los ferir, fuéronsele los pies de la peña, y dio consigo en el agua tan gran caída, que no semejava sino que cayera una torre. Y aquellos que la miravan[37], y la vieron tan dessemejada y vestida de cueros negros de ossos, cuidaron verdaderamente que algún diablo era, y començáronse a santiguar y acomendarse a Dios. Y luego la vieron salir nadando tan rezio, que era maravilla, y tirávanla con saetas y con arcos; mas ella se metía so el agua fasta que salió en salvo a la ribera. Y al salir en tierra, la hirieron Amadís y el rey Cildadán de sendas saetas por la una espalda; mas como salió fuera, començó de huir por las espessas matas, assí que el rey Cildadán, que

---

[33] De la misma manera que A. D. Deyermond, «El hombre salvaje en la novela sentimental», en *Actas del Segundo Congreso Internacional de Hispanistas*, Nimega, Inst. de la Un. de Nimega, 1967, 265-272, indica la condición momentánea de «salvaje» del héroe en su retiro en la Peña Pobre, las condiciones físicas y la vestimenta de Andandona nos la presentan como una auténtica «mujer salvaje», motivo dispuesto para provocar una situación risible. Por otra parte, su anti-cristianismo es nota común a los gigantes.

[34] *otro:* otra, Z // otro, RS // .

[35] *ayuso:* abajo.

[36] *codicia:* endicia, ZR // codicia, S // .

[37] *miravan:* miranan, Z / miravan, RS // .

assí la vio con las saetas hincadas, no pudo estar que no riesse[38]. Y acorrieron a don Bruneo, haziéndole restañar la sangre y echándole en su cama; mas a poco rato la giganta parescía encima de un otero, y començó a dezir a muy grandes bozes:

—Si pensáis que soy diablo, no lo creáis; mas soy Andandona, que vos haré todo el mal que pudiere, y no lo dexaré por afán ni trabajo que me avenga.

Y fuesse corriendo por aquellas peñas con tanta ligereza, que no avía cosa que la alcançar pudiesse; de lo cual fueron todos maravillados, que bien creían que de las feridas muriera. Entonces supieron toda su hazienda de dos hombres de los presos que Gandalín allí metiera en la galea para los llevar a Gaula, donde eran naturales, de que muy maravillados fueron; y si no fuera por don Bruneo, que muy ahincadamente les rogó que lo más presto que ser pudiesse lo llevassen a algún lugar donde curado de aquella llaga fuesse, querían bolver a la ínsola y buscar por toda aquella endiablada giganta y hazerla quemar.

Assí fueron, como oís, hasta salir de aquella vía, y entraron en la alta mar, y fablando en muchas cosas como aquellos que de coraçón se amavan sin cautela[39] ninguna. Y Amadís les contó cómo era desavenido del rey Lisuarte, y todos sus amigos y parientes que en la corte estavan a su causa, y por cuál razón; y el casamiento de don Galvanes y de la muy hermosa Madasima, y cómo era ido con aquella gran flota a la ínsola de Mongaça para la aver de ganar, pues que de herencia le venía, y diziéndoles todos los cavalleros que con él ivan, y el desseo

---

[38] El episodio resulta cómico desde una perspectiva medieval por varios aspectos. En primer lugar, se utiliza un personaje propicio como es el gigante, inversión del enano, cuya naturaleza se aparta de lo común y provoca el espanto, la maravilla y la risa; en cuanto a su sexo, el gigante resulta un personaje peligroso por su complexión física, pero al proyectarse desde una mujer sus atributos no dejan de ser inversos al estereotipo femenino cortés, lo que posibilita todavía más la risa; contextualmente, después de alguna pelea peligrosa suele haber un momento de distensión risueño; y finalmente, este proceso de «animalización» del personaje, proyectado desde su vestimenta y aspecto, culmina con estas saetas clavadas como si se tratase de cualquier pieza de caza.

[39] *cautela*: engaño. 1.ª doc. según el DCECH, en el *Corbacho*. «Verás que las mugeres por la mayor parte todos sus fechos son cautelas e maneras e con mentiras las coloran e adornan», A. Martínez de Toledo, *Corbacho*, pág. 162.

grande que de le ayudar llevavan. Cuando esto oyó don Galaor, muy triste fue destas nuevas y gran dolor su coraçón sintió, que bien entendía los grandes males que podían recrecer[40]. Y en gran cuita fue puesto, porque ahunque su hermano Amadís, a quien él tanto amava y tanto acatamiento deviesse, fuesse de la una parte, no pudo tanto con su coraçón que no otorgasse de servir al rey Lisuarte, con quien él bivía, como adelante se dirá. Assí que en esto pensando, y acordándose cómo Amadís dél se avía partido de la Ínsola Firme, apart[ándolo a un cabo de la nave, le dixo:

—Señor hermano, ¿qué tan grave ni tan gran cosa os pudo ocurrir que no fuesse mayor el deudo y amor entre nosotros, que assí como de persona estraña de mí vos encubristes?

—Buen hermano —dixo Amadís—, pues la causa dello tuvo tal fuerça de romper aquellas fuertes ataduras dese deudo y amor que dezís, bien podéis creer que sería muy más peligrosa que la misma muerte; y ruégoos mucho que lo no queráis esta vez saber.

Galaor, tornando en mejor semblante, que algo estava sañudo, veyendo que todavía era su voluntad de se encubrir, se dexó dello, y hablaron en otras cosas.

Assí anduvieron cuatro días navegando, en cabo de los[41] cuales aportaron a una villa de Gaula que avía nombre Mostrol; y allí estava a la sazón su padre el rey Perión, y la Reina su madre, porque era puerto de mar descontra[42] la Gran Bretaña, donde mejor podían saber nuevas de aquellos sus hijos; y como vieron la galea, embiaron a saber quién eran los que allí venían. Y llegando el mensajero, mandó Amadís que le respondiessen que dixesse al Rey cómo venía el rey Cildadán, y don Bruneo de Bonamar, que de sí ni de su hermano no quiso que por entonces nada supiessen. Cuando el rey Perión esto oyó, fue mucho alegre, porque el rey Cildadán le diría nuevas de don Galaor, que Amadís le hizo saber cómo entrambos

---

[40] *recrecer:* aumentar. «Visto [...] el mal que se podria rrecresçer por este fecho sy adelante se persiguiese», A. Martínez de Toledo, *Atalaya de las coronicas,* pág. 11b.

[41] *de los:* de las, ZR // de los, S // .

[42] *descontra:* frente a.

eran en casa de Urganda. Y mandó cavalgar toda su compañía, y saliólos a rescebir, que a don Bruneo amava mucho porque avía estado algunas vezes en su corte, y sabía que aguardava[43] a sus hijos.

Amadís y don Galaor cavalgaron en sus cavallos, ricamente vestidos, y fueron por otra parte al palacio de la Reina; y como a su aposentamiento llegaron, dixeron al portero:

—Dezid a la Reina que están aquí dos cavalleros de su linaje que la quieren hablar.

La Reina mandó que entrassen; y como los vio, conosció Amadís, y a don Galaor por él, que mucho se parescían, y no lo viera desde que el gigante gelo hurtó[44], y dixo en una boz:

—¡Ay, Virgen María Señora!, ¿y qué es esto, que mis hijos veo ante mí?

Y cerrándosele la palabra, cayó en el estrado como fuera de sentido. Y ellos hincaron los inojos y besáronle las manos muy humildosamente[45]; y la Reina se descendió del estrado y tomólos entre sus braços y llególos a ssí, y besava al uno y al otro muchas vezes sin que se pudiessen hablar, hasta que entró su hermana Melicia, que la Reina los dexó porque la hablassen, que de su gran fermosura fueron mucho maravillados. ¿Quién podría contar el plazer de aquella noble Reina en ver delante de sí aquellos cavalleros sus hijos tan hermosos, considerando

---

[43] *aguardava:* acompañaba, custodiaba. «E yva con él aquellas compañas aguardándolo», *Gran Conquista de Ultramar,* I, 157.

[44] Si bien en nuestra obra ambos hermanos no son gemelos opuestos como sucede a veces en los relatos tradicionales, su parecido físico es tan notorio, que cumple una función similar. Como señala F. Delpech, «Les jumeaux exclus: cheminements hispaniques d'une mythologie de l'impureté», en Agustín Redondo ed., *Les problèmes de l'exclusion en Espagne (XVᵉ-XVIIᵉ siècles),* París, Pub. de la Sorbonne, 1983, 178-203, pág. 186, en los libros de caballerías «les couples de héros complémentaires ou contrastés (le preux et le sage; l'amant fidèle et le volage) prennent parfois précisément la forme d'une paire de jumeaux dont l'un est plus orienté vers le plaisir, tandis que l'autre, tout entier tendu vers un idéal unique, s'avère plus qualifié pour une vocation souveraine». Estas parejas pueden ser de hermanos, como en nuestra obra, o de auténticos gemelos, como en el *Palmerín de Inglaterra,* o en el *Caballero del Febo.* Véase la nota de D. Eisemberg a Diego Ortúñez de Calahorra, *Espejo de príncipes y cavalleros,* I, pág. 93.

[45] *humildosamente:* humildemente. «Pues aquestos, así ignorantes o maliciosos, humildosamente demanden perdón», Diego de Valera, *Tratado de virtuosas mugeres,* 61a.

las grandes angustias y dolores de que siempre su ánimo atormentado era, sabiendo los peligros en que Amadís andava, esperando su vida o muerte a ella venir lo semejante, y haver
perdido por tal aventura a don Galaor cuando el gigante gelo
llevó, y viéndolo todo reparado con tanta honra, con tanta
fama? Por cierto, ninguno podría bastar a lo[46] dezir si no fuesse ella o otra que en lo semejante stuviesse. Amadís dixo a la
Reina:

—Señora, aquí traemos malherido a don Bruneo de Bonamar; mandalde hazer honra como a uno de los mejores cavalleros del mundo.

—Hijo mío —dixo ella—, así se hará, porque lo queréis vos
y porque mucho nos ha servido; y cuando yo no le pudiere
ver, verlo ha vuestra hermana Melicia.

—Así lo hazed, señora hermana —dixo don Galaor—, pues
que sois donzella, que vos y todas las que lo sois le devéis honrar mucho como aquel que las sirve y honra más que otro alguno. Y por muy bienaventurada se deve tener aquella que él
ama, pues que sin entrevallo[47] pudo ir so el arco encantado de
los leales amadores, que fue cierta señal de la nunca aver
errado.

Cuando Melicia esto oyó, estremiósele[48] el coraçón, que
bien sabía que por ella fue acabada aquella aventura; y respondióle como aquella que muy mesurada era, y dixo:

—Señor, yo haré en ello lo mejor que pudiere, y Dios faga
su querer. Esto faré porque lo mandáis, y porque me dizen que
es buen cavallero y que mucho vos ama.

Estando así la Reina con sus hijos como oís, llegó el rey Perión y el rey Cildadán; y como lo vieron Amadís y Galaor, fueron a él hincando los inojos. Cada uno le besó la una mano, y
él los besó, viniéndole las lágrimas a los ojos del plazer que en
sí avía. El rey Cildadán les dixo:

---

[46] *a lo:* a la, Z // a lo, RS // .
[47] *entrevallo:* obstáculo, dificultad. En R y S, entrevallo. Para Nebrija, entrevalo, *intervalum-i. Intercapedo -inis,* tiene un sentido temporal, si bien puede documentarse el de nuestro texto. Véase la nota 12 del capítulo XCVII.
[48] *estremiósele:* estremeciósele, en R y S, forma habitual en la obra. No obstante, puede pensarse en una influencia de *tremer.*

—Buenos amigos, acuérdeseos de don Bruneo.

Entonces, aviendo ya el rey Cildadán hablado a la Reina y a su fija, fueron todos juntos a don Bruneo, que lo traían de la galea cavalleros en sus braços por mando del rey Perión; y pusiéronlo en un lecho asaz rico en una cámara del aposentamiento de la Reina, que salía una finiestra della a una huerta de muchas rosas y flores. Allí fue la Reina y su hija a lo ver, mostrando la Reina mucho sentimiento de su mal, y él teniéndogelo en gran merced; y desque allí una pieça estuvo, díxole:

—Don Bruneo, yo vos veré lo más que pudiere; y cuando otra cosa me impidiere, será con vos Melicia, vuestra amiga, que vos curará de la herida.

Él le besó las manos por ello, y la Reina se fue, y Melicia y las donzellas que la aguardavan quedaron allí. Y ella se asentó delante de la cama donde él podía muy bien ver el su hermoso rostro que tan ledo le hazía, que si así lo pudiesse tener, no dessearía ser sano, porque aquella vista le curava y sanava otra llaga más cruel y más peligrosa para su vida. Ella le desató la herida[49] y viola grande, mas en estar abierta de ambas partes tuvo esperança de lo presto sanar, y díxole:

—Don Bruneo, yo os cuido sanar desta llaga, mas es menester que me no salgáis de mandado por ninguna guisa, que dello vos podría recrescer gran peligro.

—Señora —dixo don Bruneo—, nunca Dios quiera que de mandado vos salga; que cierto soy, si lo fiziesse, que ninguno me podría poner consejo.

Esta palabra entendió ella a la fin que se dixo mejor que ninguna de las donzellas que y estavan[50]. Entonces le puso un tal ungüento en la pierna y en la herida, que le quitó todo lo más de la hinchazón y dolor que tenía, y diole de comer con aquellas sus muy fermosas manos, y díxole:

—Assosegad agora, que cuando tiempo fuere, yo vos veré.

---

[49] *desató la herida*: se reiteran estructuras similares a las de otras aventuras, puesto que será una mujer la encargada de su curación física —véase la nota 14 del capítulo XXII—, si bien se aprovecha la circunstancia para desarrollar el tema de las heridas causadas por el amor.

[50] *y estavan*: allí estavan. «El rey de Portugal tenía y mucha gente», Fernán Pérez de Guzmán, *Generaciones y semblanzas*, pág. 7.

Y saliendo de la cámara encontró con[51] Lasindo, escudero de don Bruneo, que sabía su hazienda de cómo se amavan, y díxole Melicia:

—Lasindo, vos que sois aquí más conoscido demandad lo que a vuestro señor cumpliere[52].

—Señora —dixo él—, plega a Dios de le llegar a tiempo que vos sirva esta merced que le hazéis.

Y llegándose más a ella, sin que lo oyessen le dixo:

—Señora, quien ha gana de guareçer alguno hale de acorrer a la llaga más peligrosa do mayor cuita le viene[53]. Por Dios, señora, aved dél merced, pues que tanto menester la tiene, no del mal que padesce de la herida, mas de aquel que por vos con tanta crueza sufre y sosti[e]ne[54].

Cuando esto le oyó Melicia, díxole:

—Amigo, a esto que veo porné yo remedio si puedo, que de lo otro no sé ninguna cosa.

—Señora —dixo él—, conoscido es a vos que las mortales cuitas y dolores que por vos passa tuvieron tanta fuerça de le poner ante las imágines de Apolidón y Grimanesa.

—Lasindo —dixo ella—, muchas vezes acaesce sanar las personas de tales dolencias, como esta que dizes que tu señor ha tenido, con la dilación del tiempo, sin que otro remedio se les ponga, y assí puede aver acaeçido a tu señor; y por esto no es menester demandar remedio para él a quien no gelo puede dar.

Y dexándole se fue a su madre. Y comoquiera que esta respuesta se le dixo por Lasindo a don Bruneo, no fue turbado,

---

[51] *encontró con:* se encontró con. «Yendo por su camino encontro con una donzella», *Tristán de Leonís,* 388a.

[52] *cumpliere:* cumpleire, Z // cumpliere, RS // .

[53] La primera parte de la frase tiene una estructura proverbial clara, si bien no la he podido documentar.

[54] Toda la escena se ha basado en la bisemia de palabras como *herida, llaga,* tomadas en su sentido literal y en su sentido metafórico amoroso, también utlizadas en la poesía del xv. Por poner sólo un ejemplo de cada palabra, Jorge Manrique habla de «una llaga mortal, / desigual, / que está en el siniestro lado», núm. 9, vv. 1-3, de la misma manera que «de mi herida / yo nunca puedo morir, / sino de ajena», núm. 13, vv. 34-36, *Cancionero y Coplas a la muerte de su padre,* ed. de Vicente Beltrán Pepió, Barcelona, Bruguera, 1981, págs. 34 y 46, respectivamente.

que creído tenía él tener[55] ella lo contrario de aquello; antes, muchas vezes bendezía a la giganta Andandona porque le avía ferido, pues que con ella gozava de aquel plazer que sin él todo lo ál del mundo le era gran pena y soledad.

Assí como oís estavan en Gaula el rey Cildadán y Amadís y Galaor con el rey Perión de Gaula con mucho vicio y plazer de todos ellos, y don Bruneo en guarda de aquella señora que él tanto amava. Y avino assí que un día, apartando don Galaor al Rey su padre y al rey Cildadán y a su hermano Amadís, les dixo:

—Creído tengo yo, señores, que, ahunque mucho me trabajasse, no podría hallar otros tres que me tanto amassen y mi honra quisiessen como vosotros. Y por esta causa quiero que me deis consejo en aquello que después del ánima en más se deve tener, y esto es que vos, señor hermano Amadís, me pusistes con el rey Lisuarte, mandándome con mucha afición que suyo fuesse. Y agora, veyéndoos con él en tan gran rotura sin ser yo despedido de su bivienda[56], ciertamente, muy atormentado me hallo; porque si a vos acudiesse, mi honra mucho menoscabada sería, y si a él, es para mí el estrago de la muerte pensar de ser en vuestro estorvo; assí que, buenos señores, poned remedio en esto mío que lo propio vuestro es, y quered más mi honra que la satisfación de vuestras voluntades.

El rey Perión le dixo:

—Hijo, no podéis vos errar en seguir a vuestro hermano contra un Rey tan desconoscido[57] y tan desmesurado; que si con él quedastes, fue salvando la voluntad de Amadís; y con justa causa vos podéis dél despedir, pues que como enemigo quiere y procura destruir a vuestro linaje que tanto le han servido.

Don Galaor dixo:

—Señor, esperança tengo yo en Dios y en la vuestra mer-

---

[55] *tener:* pensar.

[56] Galaor, como vasallo del rey Lisuarte, además e irónicamente a instancias de su hermano Amadís, no puede ir contra su señor, por la lealtad debida y su compromiso de prestar *auxilium,* por lo que solamente podría estar exento de su obligación si se hubiera despedido, que equivale a haberse desligado de sus deberes vasalláticos.

[57] *desconoscido:* ingrato.

ced, en quien yo mi honra pongo, que nunca por el mundo dirán que, en tiempo de tal rotura y que tanto ha menester aquel Rey mi servicio, me despedí dél no me haviendo antes despedido.

—Buen hermano —dixo Amadís—, comoquiera que tanto obligados seamos de obedescer el mandamiento de nuestro padre y señor, sabiendo ser su discreción tal, que muy mejor que nosotros lo sabíamos complir, será lo que mandare; atreviéndome a su merced digo que en tal sazón no seáis apartado ni despedido de aquel Rey, si no fuese con tal causa que sin blasmo[58] de ninguno hazerse pudiesse; que en lo que entre él y mí toca no pueden ser ningunos cavalleros de su parte tan fuertes, por fuertes que sean, que lo no sea más el alto Señor que sabe los grandes servicios que le yo hize y el mal gualardón, sin lo yo merescer, que dél ove. Y pues Él es el juez, bien creo yo que dará a cada uno lo que meresce.

Nota razón con dos entendimientos: la una, referirlo a Dios en quien es todo el poder; la otra, conosciendo Amadís la gran afición que su hermano tenía al servicio del rey Lisuarte, no lo tener en mucho[59].

Determinado por todos que Galaor se fuesse al rey Lisuarte, luego el rey Cildadán dixo contra Amadís y don Galaor:

—Buenos amigos, vosotros sabéis la hazienda de mi batalla y de aquel rey Lisuarte, que por bondad de vosotros fue vencido[60]; y me quitastes aquella gran gloria que yo y mi gente alcançáramos. Y tanbién sabéis, señores, las posturas y firmezas[61] que tengo prometidas, que son que el que vencido fuesse sirviese al otro en cierta manera; y pues mi fuerte ventura fue tal que yo vencido fuesse por vosotros, conviéneme cumplirlas, ahunque a mi pesar sea, todos los días de mi vida. Y de la quexa y pesar que desto mi coraçón tiene anda siempre muy

---

  [58] *blasmo:* vituperio, injuria.

  [59] *no lo tener en mucho:* no considerarlo. A´diferencia de otras ocasiones, la glosa discurre estilística e ideológicamente de acuerdo con unos recursos propios de la *abbreviatio.*

  [60] *vencido:* vencido, Z // vencida, RS Place // .

  [61] *postura y firmeza:* concierto y seguridad, promesa. «Fizieron luego sus autos y firmezas de casamiento», *Gran Conquista de Ultramar,* I, 85.

quebrantado; pero como todas las cosas pospongamos[62] por la honra, y la honra sea negar la propia voluntad por seguir aquello a que hombre es obligado, forçado me es de acudir aquel Rey con el número de los cavalleros que le prometí hasta que Dios quiera; y quiérome ir con don Galaor, que oy saliendo de la missa me llegó una carta suya llamándome que le acuda como devo.

Con esto se despidieron de su habla, y otro día[63] despedidos de la Reina y de su hija Melicia, entraron en una nave para passar en la Gran Bretaña, donde sin entrevallo alguno arribaron. Y salidos en tierra fueron derechamente donde supieron que el rey Lisuarte era; el cual tenía muy gran saña de lo que a su gente aviniera en la ínsola de Mongaça, y del gran destroço que sobre ellos fue. Y acordó de no esperar la mucha gente que mandara llamar; antes, ir con aquellos cavalleros que más presto se hallasen. Y tres días antes que en las barcas entrasse, dixo a la Reina que tomasse a Oriana su hija y dueñas y donzellas, porque quería ir a caça a la floresta y folgar allí con ellas. Y ella assí lo hizo, que otro día, llevando tiendas y lo que menester avían, partieron con mucho plazer, y fueron aposentados en una vega cubierta de árboles que en la floresta estava. Y allí folgó el Rey aquel día y ovo gran suma de venados y otras maneras[64] de caça, con que hizo mucha fiesta a todos los que allí se fallaron. Y cierto, comoquiera que allí estava, [su coraçón y pensamiento más estava][65] puesto en el estrago que sus gentes recebido avían en la isla; y passada la fiesta y caça, fizo adereçar las cosas que avía menester para su passaje[66].

[62] *pospongamos:* 1.ª doc. según DCECH, en Juan de Mena y *Corbacho.* «Dexada tota pereza y postpuesta tota covardia», Juan de Flores, *Grimalte y Gradissa,* pág. 66.

[63] *otro día:* otra dia, ZR // otro dia, S // .

[64] *gran suma de venados y otras maneras:* gran cantidad de venados y otras especies.

[65] En el texto de Zaragoza se ha producido un salto de igual a igual, *omissio ex homoioteleuto.*

[66] *passaje:* acción y efecto de pasar. «Enbiaron a pedir [...] que les diese solo un dia de pasaje por los puertos», A Martínes de Toledo, *Atalaya de las coronicas,* 13a.

## Capítulo LXVI

*Cómo el rey Cildadán y don Galaor yendo su camino para la corte del
rey Lisuarte encontraron una dueña que traía un fermoso donzel acompañado de[1] doze cavalleros, y fueles rogado por la dueña que suplicassen
al Rey que lo armasse cavallero, lo cual fue hecho; y después por el mesmo Rey conoció ser su hijo[2].*

Andando por sus jornadas el rey Cildadán y don Galaor
donde el rey Lisuarte estava, dixéronles cómo se aparejava
para passar a la ínsola de Mongaça, y por esta causa se dieron
priessa en su camino por llegar a tiempo de passar con él. Y
acaeçióles que, aviendo dormido en una floresta, al alva del día
oyeron una campana que a missa tañían, y fueron allá para la
oír. Y entrando en la hermita, vieron doze escudos muy hermosos alderredor del altar ricamente pintados, el campo cárdeno y los castillos de oro por él, y en medio dellos estava un escudo blanco muy hermoso horlado con oro y piedras preciosas. Y desque hizieron su oración, preguntaron a unos escuderos que allí estavan cúyos eran aquellos escudos, y ellos les dixeron que en ninguna manera lo podían dezir, mas si ivan a
casa del rey Lisuarte, que cedo lo sabrían[3]. Y ellos assí estando, vieron venir por el cor[r]al los cavalleros señores de los escudos con sendas donzellas por las manos; y tras ellos venía el
novel cavallero hablando con una dueña que no era muy
moça; y él era de muy buen talle, y muy fermoso y apuesto,
que a duro se hallaría quien lo tanto fuesse. Mucho se maravillaron el rey Cildadán y don Galaor de ver hombre tan estraño[4], y bien pensaron que de lueñe tierra venía, pues que en

---

[1] *acompañado de:* acompañado a, Z // acompañado de, RS // .

[2] *conoció ser:* conoció que era. Place edita *conoscido ser,* sin que me parezca necesaria la corrección, dado que la construcción latinizante, *conoció ser,* es bastante habitual en el texto, y presumiblemente corresponde a Montalvo.

[3] *cedo lo sabrían:* pronto lo sabrían. Según el DCECH a partir del XIV *cedo*
queda relegado al lenguaje popular y al estilo arcaizante, por lo que es bastante
habitual en los libros de caballerías. «Mucho era leda Alchidiana en pensar que
muy cedo cería a Palmerín», *Palmerín de Olivia,* 578, 26.

[4] *hombre tan estraño:* hombre de estraño, Z // hombre tan estraño, RS // .

aquélla hasta entonces no ovo dél memoria. Así passaron hasta el altar, donde todos oyeron la missa. Y desque fue dicha, la dueña les preguntó si eran de casa del rey Lisuarte.

—¿Por qué lo preguntáis? —dixeron ellos.

—Porque queríamos, si os pluguiese, vuestra compañía, que el Rey está en aquesta floresta cerca de aquí con la Reina y muchas de sus compañas en tiendas caçando y folgando.

—Pues, ¿qué queréis de nosotros —dixeron ellos— que vuestro plazer sea?

—Queremos —dixo la dueña— por cortesía que roguéis al Rey y a la Reina y a su hija Oriana que se leguen[5] aquí y nos hagan a este escudero cavallero, que él es tal que meresce bien toda la honra que le fuere hecha.

—Dueña —dixeron ellos—, muy de grado haremos esto que nos dezís, y creemos que el Rey lo fará según en todas las cosas es comedido y mesurado.

Estonces luego cavalgaron la dueña y las donzellas y ellos de consuno, y fuéronse poner en un otero que cerca del camino por donde el Rey havía de venir estava. Y no tardó mucho que le vieron venir, y a la Reina y su compaña; y el Rey venía delante, y vio las donzellas y los dos cavalleros armados; y pensando que querían justar, mandó a don Grumedán, que con él venía con treinta cavalleros que le aguardavan, que fuesse a ellos y les dixiesse que no se trabajassen[6] de querer justar sino que se veniessen para él. Don Grumedán se fue a ellos, y el Rey se detuvo; y como el rey Cildadán y don Galaor vieron que se detenía, descendieron del otero con las donzellas y fuéronse contra él. Y cuando alguna pieça anduvieron, conoçió don Galaor a Grumedán, y dixo al rey Cildadán:

—Señor, vedes, allí viene uno de los buenos hombres del mundo.

—¿Quién es? —dixo el Rey.

—Don Grumedán —dixo Galaor—, aquel que tovo la seña del rey Lisuarte en la batalla contra vos.

---

[5] *se leguen:* se acerquen.

[6] *dixiesse que no se trabajassen:* dijese que no intentasen. «Quantas vezes se trabajaron de lo apartar, tantas vezes, rogado, volvió a ella», *Crónica de don Álvaro de Luna,* 66, 28.

—Esso podéis [v]os dezir con verdad —dixo el Rey—, que yo fue[7] el que le travé de la seña, y nunca de sus manos la pude sacar hasta que la asta quebró; y vile hazer tanto en armas en mí y en los míos, que por ninguna guisa se la quisiera haver quebrado.

Desque se quitaron los yelmos porque los conoçiessen, y don Grumedán, que ya más cerca era, conoçió a don Galaor, y dixo en una boz alta, como él havía manera[8] de fablar:

—¡Ay, mi amigo don Galaor, vos seáis tan bien venido como los ángeles del Paraíso!

Y fue cuanto más pudo contra él; y como llegó, díxole Galaor:

—Señor don Grumedán, llegad al rey Cildadán.

Y él fue por le besar las manos, y él lo recibió muy bien; y tornó luego a don Galaor, y abraçáronse muchas veces como aquellos que de coraçón se amavan, y díxoles:

—Señores, venid vuestro passo, y faré saber al Rey vuestra venida.

Y partido dellos, llegó al Rey, y díxole:

—Señor, nuevas os trayo[9] con que seréis ledo, que allí viene vuestro vassallo y amigo don Galaor, que vos nunca faltó en el tiempo del menester[10], y el otro es el rey Cildadán.

—Mucho soy alegre —dixo el Rey— con su venida, que bien sabía yo que, seyendo él sano y en su libre poder, no faltaría de se venir a mí assí como lo yo haría en lo que su honra fuesse.

En esto llegaron los cavalleros, y el Rey los recibió con mucho amor; y don Galaor le quiso besar las manos, mas él no quiso; antes, lo abraçó de tal forma, que bien dio a entender a los que lo miravan que de coraçón le amava[11]. Estonces le di-

---

[7] *que yo fue:* que yo fui. Suele ser bastante frecuente en el texto la utilización de *fue* con el valor de *fui,* fenómeno que podemos atestiguar en otros textos de la época: «E yo tal só en mi cuerpo, como el día en que fue nacida», *Enrique fi de Oliva,* pág. 64.

[8] *dixo en una boz alta, como él havía manera:* dijo en alta voz, como él tenía por costumbre.

[9] *nuevas os trayo:* noticias os traigo.

[10] *menester:* necesidad.

[11] Para entender algunos matices de los recibimientos es preciso tener en

xeron lo que la dueña y las donzellas querían, y cómo vieran
aquel novel que cavallero quería ser, y que era muy hermoso y
de buen talle. El Rey estovo pensando una pieça, porque no
acostumbrava hazer cavallero sino hombre de gran valor, y
preguntó cúyo fijo era. La dueña dixo:

—Esso no sabréis agora, pero yo vos juro por la fe que a
Dios devo que de ambas partes viene de reyes lindos[12].

·El Rey dixo a don Galaor:

—¿Qué vos pareçe que se hará en esto?

—Paréçeme, señor, que lo devéis fazer y no poner en ello
escusa, que el novel es muy estraño en su donaire y hermosura, y no puede errar de [ser] buen cavallero.

—Pues assí vos pareçe —dixo el Rey—, hágase.

Y mandó a don Grumedán que levasse al rey Cildadán y a
don Galaor a la Reina, y le dixesse que se viniesse con ellos a
aquella hermita donde él iva. Ellos se fueron luego; y cómo de
la Reina y de Oriana y de todas las otras fueron recebidos no
es necessario dezirlo, que nunca otros mejor ni con más amor
lo fueron. Y sabido la Reina lo que el Rey mandava, fuéronse
todos tras él hasta que a la hermita llegaron. Y cuando vieron
aquellos escudos, y el blanco tan hermoso y tan rico entre
ellos, maravilláronse dello, mas mucho más de la gran fermosura del novel; y no podían pensar quién fuesse, pues que hasta
estonces nunca dél oyeran dezir. El novel besó las manos al
Rey con gran humildança[13], y la Reina no gelas quiso dar, ni
Oriana, por ser hombre de alto lugar. El Rey le hizo cavallero,
y díxole:

—Tomad la spada de quien más vos pluguiere.

—Si a la vuestra merced plazerá —dixo él—, tomarla he de
Oriana, que con esto será mi voluntad satisfecha y será cumplido aquello que mi coraçón desseava.

---

cuenta dos aspectos del rito: a) quién lo comienza, y b) la posición espacial de
los participantes. La iniciativa de don Galaor y su deseo de besar las manos de
Lisuarte implica una muestra de humildad y de servicio, mientras que el abrazo
de Lisuarte comporta poner a su misma posición a su vasallo y amigo, muestra
de honra y de amistad.

[12] *lindos:* legítimos, de limpio linaje. «Dieron por legítimo lindo al hijo e que
heredasse», *Gran Conquista de Ultramar,* III, 333.

[13] *humildança:* humildad.

—Fágase assí —dixo el Rey— como vos lo dezís, pues que vos plaze.

Y llamando a Oriana, le dixo:

—Mi amada hija, si a vos plaze, dad la spada a este cavallero, que de vuestra mano antes que de otra ninguna la quiere tomar.

Oriana con gran vergüença, como aquella que por muy estraño lo tenía, tomando la spada jela dio, y assí fue cumplida enteramente su cavallería[14]. Esto assí fecho, como havéis oído, la dueña dixo al Rey:

—Señor, a mí me conviene con estas donzellas partirme luego, que assí me es mandado; y en esto ál[15] no puedo hazer, que por mi voluntad bien querría algunos días aquí estar. Y quedará en vuestro servicio, si mandardes, Norandel, este que armastes cavallero, y los otros doze cavalleros que con él vinieron.

Cuando esto oyó el Rey, él huvo gran plazer, que muy pagado del cavallero novel era, y díxole:

—Dueña, a Dios vais.

Ella se despidió de la Reina y de la muy hermosa Oriana, su hija. Y cuando del Rey se huvo de despedir, metióle en la

---

[14] Como ha sucedido con Amadís, Norandel será armado caballero por su padre, de acuerdo también con un motivo reiterado en los relatos artúricos. Por ejemplo, Galaad, a través de una doncella, solicita ser armado caballero por su desconocido padre en la *Quête del Saint Graal.* En la épica pueden encontrarse situaciones similares. Según L. Gautier, *La Chevalerie,* París, Arthaud, 1959, pág. 131, «entre *pater* et *patrinus,* il y a si peu de différence! Rien n'est donc plus fréquent que de voir, dans les Chanson de Geste, un père adouber son fils», detalle que tampoco falta en la realidad. Para B. Martínez Ruiz, «La investidura de armas en Castilla», *CHEsp,* I-II (1944), 190-221, pág. 207, «el padre solía ser el primer caballero en quien se fijaba el doncel para recibir las armas». Sin embargo, la presencia de la mujer en la investidura ya no adquiere las mismas connotaciones que en la de Amadís. Se reiteran unos mismos esquemas, que en los nuevos contextos pierden sus características más sugerentes. En las leyes dictadas por los consejeros en el *Baldus* se dice que «no ninguna donzella ni tampoco ninguna dueña, como se cuenta de otros muchos» ceñirá la espada, ap. Alberto Blecua, «Libros de caballerías, latín macarrónico y novela picaresca: la adaptación castellana del *Baldus* (Sevilla, 1542)», *BRABL,* XXXIV (1971-1972), 147-239, pág. 234.

[15] *ál:* otra cosa.

mano una carta, que ninguno lo vio, y díxole aparte lo más
passo[16] que pudo:

—Leed esta carta sin que ninguno la vea, y después hazed lo
que más vos agradare.

Con esto se fue a su barca. Y el Rey quedó pensando en
aquello que le dixera, y dixo a la Reina que tomasse consigo al
rey Cildadán y a don Galaor, y se fuesse a las tiendas; y si él
tardasse en la caça, que holgassen y comiessen. La Reina assí
lo fizo. Y cuando el Rey fue apartado, abrió la carta.


## CARTA DE LA INFANTA CELINDA AL REY LISUARTE

Muy alto Lisuarte, Rey de la Gran Bretaña: Yo, la infanta
Celinda, fija del rey Hegido, mando besar vuestras manos.
Bien se vos acordará, mi señor, cuando al tiempo que como
cavallero andante buscando las grandes aventuras andávades,
haviendo muchas dellas a vuestra gran honra acabado, que la
ventura y buena dicha vos fizo aportar al reino de mi padre,
que a la sazón partido deste mundo era, donde me vos hallastes cercada, en el mi castillo que del Gran Rosal se nombra, de
Antifón el Bravo, que por ser de mí desechado en casamiento
por no ser en linaje mi igual, toda mi tierra tomarme quería.
Con el cual, aplazada batalla de vuestra persona a la suya, él
confiando en la su gran valentía y vos en ser yo una flaca donzella, a gran peligro de vuestra persona vos combatistes, y, al
cabo, vencido y muerto fue; assí que ganando vos la gloria de
tan esquiva batalla, a mí posistes en libertad y en toda buena
ventura. Pues, entrando vos, mi señor, en el castillo, o porque
mi hermosura lo causasse, o porque la fortuna lo quiso, seyendo yo de vos muy pagada, debaxo de aquel fermoso rosal, teniendo sobre nos muchas rosas y flores, perdiendo yo las
mías[17], que hasta estonces poseyera, fue engendrado esse don-

---

[16] *lo más passo:* lo más despacio.

[17] *mías:* mediante la utilización del zeugma, se evita la utilización de las flores
con el sentido de virginidad, uso bien documentado. «La una dellas perdio su
flor por mala guarda», *Tristán de Leonís,* 373a. Véase también Claude Allaigre,
ed. de *La Lozana Andaluza,* Madrid, Cátedra, 1985, págs. 70-71, y Pierre Alzieu,

zel, que según su gran hermosura fermoso fruto aquel pecado acarreó, y como tal, del más poderoso Señor perdonado será. Y este anillo, que con tanto amor por vos me fue dado y por mí guardado, vos embío con él como testigo que a todo presente fue. Honralde y amalde, mi buen señor, haziéndole cavallero, que de todas partes de reyes viene. Y tomando de la vuestra el gran ardimien[t]o[18] y de la mía el muy sobrado encendimiento de amor que yo vos tuve, mucha esperança se deve tener que todo será en él muy bien empleado.

Leída, pues, la carta, luego le vino en la memoria a la sazón que él anduvo como cavallero andante por el reino de Denamarcha, cuando por sus grandes fechos que en armas passó fue amado de la muy fermosa Brisena, Infanta hija de aquel Rey, y la huvo por muger como ya es contado; y cómo hallara cercada esta infanta Celinda y passara con ella todo aquello que le embiara en la carta; y veyendo el anillo, le hizo más cierto ser aquello verdad. Y comoquiera que la gran fermosura del novel gran esperança de ser bueno le pusiesse[19], acordó de lo encubrir fasta que la obra diesse testimonio de su virtud. Assí se fue a su caça, y tomando mucha della, se tornó a las tiendas, con mucho plazer, donde la Reina estava. Y fuese a la tienda donde le dixeron que estava el rey Cildadán y don Galaor por les dar honra, y iva acompañado de los más honrados cavalle-

---

Robert Jammes, Yvan Lissorgues, *Poesía erótica del Siglo de oro*, Barcelona, Ed. Crítica, 1984.

[18] *ardimien[t]o*: ardimieno, Z // ardimiento, R // ardimento, S // .

[19] El mundo idealizante de nuestra obra recoge un tópico de larga tradición en la antigüedad greco-latina, la relación entre lo físico y lo moral, recreado en la Edad Media y en tiempos posteriores. «Nunca ha podido negarse una cierta influencia en este sentido, pero ir más allá se consideró peligroso, ya que si esta influencia se entendía en términos de determinación resultaba incompatible con la libertad y moralidad», Diego Gracia Guillén, «Judaísmo, medicina y 'mentalidad inquisitorial' en la España del siglo XVI», en Ángel Alcalá y otros, *Inquisición española y mentalidad inquisitorial. Ponencias del Simposio Internacional sobre Inquisición*, Nueva York, abril de 1983, Barcelona, Ariel, 1984, 328-352, pág. 346. Obsérvese que no hay una determinación, sino un indicio para conocer a la persona, tema por otra parte tópico en los libros de caballerías. «Dezían que de su gran apostura e disposición no se podía esperar sino todo bien», Feliciano de Silva, *Lisuarte de Grecia*, Sevilla, Jacobo y Juan Cromberger, 1525, fol. IV r, en adelante citado como *Lisuarte de Grecia*.

ros de su corte y ricamente ataviados; y ante todos los començó mucho de loar de sus grandes hechos, assí como lo mere-
çían, y por la gran ayuda que dellos esperava en aquella guerra
que tenía con los mejores cavalleros del mundo. Y con mucho
plazer les contó la caça que fiziera, y que les no daría della ninguna cosa, riendo y burlando por los agradar; y mandó llevar a
Oriana su fija y a las otras Infantas, y embióles dezir que la[20]
partiessen con el rey Cildadán y don Galaor; y él comió allí
con ellos con mucho plazer. Y desque los manteles alçaron, tomando a don Galaor consigo, se fue debaxo de unos árboles, y
echándole el braço sobre el ombro, le dixo:

—Mi buen amigo don Galaor, de cómo vos yo amo y precio
Dios lo sabe, porque siempre de vuestro gran esfuerço y de
vuestro consejo me vino mucho bien, y en la vuestra fiança
tengo yo gran seguridad, tanto que lo que a vos no descubries-
se no lo diría a mi mismo coraçón. Y dexando las más graves
cosas que siempre por mí manifiestas vos serán, quiero que
una que al presente me ocurre sepáis.

Estonces le dio la carta que la leyesse; y visto por don Galaor que Norandel era su hijo, mucho fue ledo, y díxole:

—Señor, si afán y peligro passastes en el socorro de aquella
Infanta, bien vos lo pagó con tan fermoso fijo; que, sí Dios me
salve, yo creo que él será tan bueno, que aquel cuidado que
agora tenéis de lo encubrir será mucho mayor de lo divulgar.
Y si a vos, señor, plaze, yo lo quiero por compañero todo este
año porque algo del desseo que yo tengo de vos servir sea empleado en aquel que es tan junto a vuestra sangre.

—Mucho vos lo agradezco yo —dixo el Rey— esto que dezís, porque, como ninguna cosa secreta sea, toda la honra que a
éste se hiziere es mía. Mas, ¿cómo vos daré yo por compañero
un rapaz[21] que ahún no sabemos a qué pujará su hecho, pues
que yo me[22] ternía por muy contento y honrado de lo ser?
Pero pues que a vos plaze, assí se faga.

Estonces, tornaron a la tienda donde el rey Cildadán y No-

---

[20] *la:* lo, ZR // la, S // .
[21] *rapaz:* si bien durante la Edad Media constantemente significa criado, la-
cayo o escudero, en este caso, tratándose de un compañero, posiblemente estemos en la acepción de muchacho joven.
[22] *me:* vos, ZR // me, S // .

randel y otros muchos cavalleros de gran guisa estavan. Y cuando todos assossegados fueron, Galaor se levantó, y dixo al Rey:

—Señor, vos sabéis bien que la costumbre de vuestra casa y de todo el reino de Londres es que el primero don que cualquiera cavallero o donzella demandare al cavallero novel le deve ser otorgado con derecho.

—Assí es verdad —dixo el Rey—, mas, ¿por qué lo dezís?

—Porque yo soy cavallero —dixo Galaor—, y pido a Norandel que me otorgue un don que le demandaré: y es que mi compañía y la suya sea por año complido, en el cual nos tengamos buena lealtad, y no nos pueda partir sino la muerte o prisión en que no podamos más hazer[23].

Cuando Norandel esto oyó, fue muy maravillado de lo que Galaor havía dicho, y fue muy alegre, porque ya sabía la gran fama suya y vio la honra que el Rey le hazía estremadamente entre tantos buenos y preciados cavalleros, y que, después de su hermano Amadís, no havía en el mundo otro que de bondad de armas lo passasse; dixo:

—Mi señor don Galaor, según vuestra gran bondad y mereçimiento, y el poco mío, bien pareçe que este don se pide más por vuestra gran virtud que por lo yo mereçer; mas comoquiera que sea, yo vos lo otorgo y gradezco como la cosa que en este mundo, fueras del[24] servicio de mi señor el Rey, me pudiera venir que más alegre fazerme pudiera.

Visto por el rey Cildadán las cosas cómo passavan, dixo:

—Según vuestra edad y hermosura de ambos, con mucha causa se pudo pedir el don y otorgarse; y Dios mande que sea por bien, y assí será como en las cosas que más con razón que con voluntad se piden se haze.

Otorgada compañía entre don Galaor y Norandel, assí como havéis oído, el rey Lisuarte les dixo cómo tenía determi-

---

[23] Una vez investido como caballero, Norandel tiene que conceder el primer «don» solicitado, como sucede en los relatos artúricos. Por ejemplo, el rey Artur, una vez investido Giflete, le solicita un «don»: «Yo os he fecho cavallero, e no os podeys agora escusar que me no otorgueys el primer don que os pidiere», *Baladro del sabio Merlín* (B), 63a.

[24] *fueras del:* excepto del. «Que no pensasse que ál tenían en coraçón fueras vencer o morir», *Gran Conquista de Ultramar*, I, 182.

nado de al tercero día entrar en la mar, porque, según las nuevas de la ínsola de Mongaça le vinieron, era muy necessario su ida.

—En el nombre de Dios será —dixo el rey Cildadán—, y nos vos serviremos en todo lo que vuestra honra fuere.

Y don Galaor le dixo:

—Señor, pues que los coraçones de los vuestros enteramente havéis, no temáis sino a Dios.

—Assí lo tengo yo —dixo el Rey—, que, ahunque el esfuerço de vosotros grande sea, mucho más el amor y afición vuestra me haze seguro[25].

Aquel día passaron allí con gran plazer, y otro día, haviendo oído missa, cavalgaron todos para se tornar a la vil[l]a[26]. Y el Rey dixo a don Galaor y a Grumedán que se fuessen con la Reina; y sacando aparte a don Galaor, le dio licencia para que a Oriana dixesse el secreto de cómo Norandel era su hermano, y que lo tuviesse en poridad[27]. Con esto se fue para sus caçadores, y ellos a la Reina, que ya cavalgava. Y don Galaor llegándose a Oriana la tomó por la rienda, y se fue fablando con el[l]a; a la cual mucho con él le plugo, assí por el gran amor que el Rey su padre le tenía, como porque le pareçía que, seyendo él hermano de su amigo Amadís, le dava su presencia gran descanso. Pues assí hablando en muchas cosas, vinieron a fablar en Norandel, y dixo Oriana:

—¿Sabéis algo de la hazienda deste cavallero?, que os vi venir en su compañía, y agora por compañero lo tomastes. Según vuestro gran valor no deviera ser esto sin ser sabidor[28] de alguna cosa de su hecho, que todos los que vos conoçen no saben otro que igual vos sea, si no es vuestro hermano Amadís.

---

[25] El amor hacia el rey se constituye en motivo indispensable para la armonía del reino. Galaor repite palabras similares a las pronunciadas por Urganda en el capítulo LX, nota 17. «E quando cae sobre cosa firme, es el amor que nasce de debdo de linaje, o de naturaleza, o de bien fecho, que aya avido, o esperan aver de aquella cosa que aman, e tal amor como este es derecho e bueno, porque viene sobre cosa con razon. E deste amor dixeron que deve el pueblo amar al Rey, e non por antojança», *Partidas,* II, XIII, XIV.

[26] *vil[l]a:* la forma *vila* se encuentra atestiguada en Fernández de Heredia, como recoge J. G. Mackenzie.

[27] *tuviesse en poridad:* mantuviese en secreto.

[28] *sabidor:* conocedor.

—Mi señora —dixo don Galaor—, tanto ay de la igualança y ardimento[29] mío al de Amadís, como de la tierra al cielo; y muy gran locura sería de ninguno pensar de ser su igual, porque Dios lo estremó sobre todos cuantos en el mundo son, assí en fortaleza como en todas las otras buenas maneras que cavallero deve tener.

Oriana, cuando esto oyó, començó a pensar consigo misma, y dezía:

—¡Ay, Oriana, si ha de venir algún día que tú te falles sin el amor de tal como Amadís, y sin que por ti sea posseída tal fama, assí en armas como en hermosura!

Y porque no fuesse sentida, hízose muy leda y loçana[30] por tener tal amigo que ninguna otra otro semejante alcançar podría.

—Y en lo que, señora, dezís de la compañía que yo tomé con Norandel, bien creo yo que, según su disposición y en el acto tan honrado que usava, que será hombre bueno. Mas otra cosa yo supe dél que, cuando se supiere, a todos pareçerá muy estraña, que dio causa a que lo hiziesse.

—Assí lo creo yo —dixo Oriana—, que no os moveríades vos, seyendo tal, sin gran causa a lo tomar por compañero; y si dezirse puede sin dañar algo de vuestra honra, plazer havría de lo saber.

—Mucho cara sería la cosa en que vos, señora, plazer hoviéssedes por la saber de mí que la yo callase —dixo él—. Yo lo que desto sé, yo lo os diré, pero es menester que por ninguna guisa[31] otra persona lo sepa.

—Desto seréis bien cierto y seguro —dixo ella— que assí se hará.

---

[29] *igualança y ardimento:* igualdad y valentía. «Crescióle ardimento e esfuerço», *Gran Conquista de Ultramar,* I, 196.

[30] *leda y loçana:* alegre y satisfecha. *«Ledo* por *alegre* se usa en verso [...]; en prosa no lo usan los que scriven bien», Juan de Valdés, *Diálogo de la lengua,* pág. 203.

[31] *por ninguna guisa:* de ninguna manera. Posteriormente, el uso de *guisa* decrecerá considerablemente en el libro IV (5 veces), mientras que el de *manera* es casi exclusivo (45 casos), por su carácter más moderno. Domingo del Campo, 269.

—Pues sabed, señora —dixo Galaor—, que Norandel es hijo de vuestro padre.

Y contóle cómo viera la carta de la infanta Celinda y el anillo, y todo lo que con el Rey su padre fablara.

—Galaor —dixo Oriana—, alegre me hezistes con esto que dexistes, y vos lo gradezco, porque de otro alguno no pudiera saber, como por la gran honra que havéis dado a este cavallero, con quien yo tanto deudo tengo; que, ciertamente, si él ha de ser bueno, en muy mayor grado lo será con vos, y si al contrario, la vuestra gran bondad gelo fará ser.

—En mucha merced tengo, señora, la honra que me dais —dixo él—, ahunque en mí haya lo contrario; pero comoquiera que sea, siempre se porná en vuestro servicio, y del Rey vuestro padre y de vuestra madre.

—Assí lo tengo yo[32], don Galaor —dixo ella—, y a Dios plega por su merced que ellos y yo vos lo podamos gualardonar[33].

Assí llegaron a la villa, donde Oriana quedando con su madre la Reina, Galaor se fue a su posada, llevando consigo a Norandel su compañero.

Y otro día, luego después que el Rey oyó missa, mandó que le llevassen de comer a las naos, que ya toda la gente que con él passava estavan dentro con sus armas y cavallos. Y él llevando consigo al rey Cildadán y Galaor y Norandel, despedido de la Reina y de su hija, y de las dueñas y donzellas, quedando llorando todas, se fue al puerto de Jafoque, donde su armada estava. Y metido en ella, tomó la vía de la ínsola de Mongaça, donde con buen tiempo, y a las vezes contrario, en cabo de cinco días fue llegado al puerto de aquella villa de que la ínsola tomava el nombre. Y halló allí en un real[34] muy fuerte al rey Arbán de Norgales con la gente que ya oístes, y supo cómo havían havido una gran batalla con los cavalleros que la villa te-

---

[32] *lo tengo yo:* lo creo yo. «Quemávanlo en el tal fuego e tenían que éste yba a paraýso», Pedro de Escavias, *Repertorio de Príncipes,* 31.

[33] *gualardonar:* galardonar. «Gualardonad los que os sirvieren», Diego de Valera, *Epístolas,* ed. de M. Penna, en *Prosistas castellanos del siglo XV,* Madrid, BAE, CXVI, 1959, 25a.

[34] *real:* el campo donde está acampado un ejército *(Autoridades).*

nían y que fueran arrincados[35] del campo los suyos, y fueran todos perdidos si el rey Arbán de Norgales no tomara una ventaja de unas muy bravas peñas[36], donde fueron reparados de sus enemigos; y cómo aquel muy esforçado Gasquilán, Rey de Suesa, fuera malherido por don Florestán, y los suyos le havían llevado por la mar donde guareçiesse[37]; y también cómo tenían preso a Brian de Monjaste, que se metiera por herir al rey Arbán de Norgales entre los enemigos; y que después desta pelea nunca más osaron salir de aquellas peñas donde los halló el rey Lisuarte; y que comoquiera que los cavalleros de la ínsola de Mongaça los havían muchas vezes acometido, que nunca los pudieron dañar, por ser el lugar tan fuerte. Esto sabido por el rey Lisuarte, huvo gran saña de los cavalleros de la ínsola, y mandó salir toda la gente de las fustas, y tiendas y otras cosas necessarias, y assentó en el campo fasta saber de sus enemigos.

A Oriana le plugo mucho de la partida del Rey su padre, porque se le llegava el tiempo en que le convenía parir. Y llamó a Mabilia, y díxole que según los desmayos y lo que sentía, que no era otra cosa sino que quería parir[38], y mandando a las otras donzellas que la dexassen, se fue a su cámara, y con ella Mabilia y la Donzella de Denamarcha, que de antes tenía ya guisado[39] todas las cosas que menester havían convenientes al parto. Allí estuvo Oriana con algunos dolores fasta la noche, y con ellos recibiendo algún tanto de fatiga[40]; mas de allí adelan-

---

[35] *arrincados:* ahuyentados, echados. «E tanto fizieron al juntar que se juntaron con los yngleses, que los arrincaron del campo», *Palmerín de Olivia,* 181, 16.

[36] *bravas peñas:* ásperas, fragosas peñas.

[37] *guareçiese:* se curase. «Ella lo vio muerto, e vio que no le avia podido guarecer», *Tristán de Leonís,* 350b.

[38] *quería parir:* estaba a punto de parir. «E dixo que don Tristan se queria morir», *Tristán de Leonís,* 450b. La inserción de la carta en la que se explica el nacimiento de Norandel posibilita esta alternancia de similar temática. Todo se dispone para que el nacimiento de Esplandián se presente de la manera menos brusca posible, como corresponde al héroe destinado a superar a sus antecesores. No obstante, también se dramatiza el relato, puesto que su nacimiento surge en el momento de la enemistad entre Amadís y Lisuarte.

[39] *guisado:* preparado. «Estonce guisaron unas andas», *Demanda del Sancto Grical,* 335a.

[40] *algún tanto de fatiga:* un poco de fatiga. Las construcciones con partitivos son frecuentes en los textos medievales similares: «Sy este donzel oviese en sy tanta de bondat commo yo veo», *Otas de Roma,* 31, 17.

te la afincaron mucho más en cantidad, assí que passó muy
gran cuita y grande afán, como aquella que de aquel menester
fasta entonces nada sabía. Pero el gran miedo que tenía de ser
descubierta de aquella afruenta[41] en que estava la esforçó de
tal suerte, que sin quexarse lo sufría; y a la media noche plugo
al muy alto Señor, remediador de todos, que fue parida de un
fijo, muy apuesta criatura, quedando ella libre, el cual fue luego
embuelto en muy ricos paños. Y Oriana dixo que gelo llegassen[42] a la cama, y tomándolo en sus braços lo besó muchas vezes[43]. La Donzella de Denamarcha dixo a Mabilia:

—¿Vistes lo que este niño tiene en el cuerpo?

—No —dixo ella—, que estoy ocupada, y tanto tengo que
hazer en socorrer a él, y a su madre para que lo pariesse, que
no miré a otra parte.

—Pues, ciertamente —dixo la Donzella—, algo tiene en los
pechos que las otras criaturas no han.

Estonces encendieron una vela, y desembolviéndolo vieron
que tenía debaxo de la teta derecha unas letras tan blancas
como la nieve, y so la teta izquierda siete letras tan coloradas
como brasas bivas[44]; pero ni las unas ni las otras supieron leer,
ni qué dezían, porque las blancas eran de latín muy escuro, y
las coloradas, en lenguaje griego muy cerrado. Y de que esto
vieron, tornáronlo a embolver, y pusiéronlo cabe su madre, y
acordaron que luego fuesse levado donde lo criassen, assí
como lo concertaran. Y assí se fizo, que la Donzella de Denamarcha se salió del palacio encubiertamente y rodeó por de

---

[41] *afruenta:* apuro.

[42] *llegassen:* acercasen.

[43] G. S. Williams, art. cit., pág. 130, ha señalado el paralelismo con este pasaje del *Tristán de Leonís*, ed. cit., pág. 341a: «E quando ella ovo parido, dixo a la
donzella que le pusiesse su fijo en los braços; la donzella hizolo assi. E quando
ella le tomo y le vio tan apuesto, dixo: "¡Oh mi fijo!, ¡como tu eres nascido en
gran tristeza y en gran dolor! [...] Y despues besole tres vezes en la boca, y ben-
dixole, e santiguole, e diole luego a la donzella."»

[44] Se trata de un nuevo motivo folclórico, registrado en el índice de S.
Thompson, *Motif-Index of Folk-Literature...*, Bloomington-Londres, Indiana Uni.
Press, 1966, como el T 563 «Birthmarks», también existente en la tradición artúrica. Si las circunstancias del nacimiento de Amadís habían sido excepcionales, el nuevo héroe supera a su padre desde el comienzo, pues en el pecho lleva
inscrito su propio nombre y el de su enamorada.

fuera a la parte donde la finiestra que a la cámara salía stava, y su hermano Durín con ella, en sus palafrenes. Y Mabilia, en tanto, havía el niño puesto en una canasta, y ligado con una venda por encima; y colgándolo con una cuerda, lo baxó fasta lo poner en las manos de la Donzella; la cual lo tomó y fuese con él la vía de Miraflores, donde como su fijo propio della se havía de criar secretamente. Mas a poco de rato[45], dexando el d[e]recho camino, tomaron un sendero que Durín sabía que por la floresta muy spessa de árboles guiava, y esto fizieron por ir más encubiertos, y Durín iva delante y la Donzella lo seguía; assí llegaron a una fuente que en un llano descombrado[46] de árboles estava. Pero luego ende[47] havía un valle tan spesso y tan esquivo, que ninguna persona a mala vez[48] en él podría entrar, según la braveza y spessura de la montaña, y allí criavan leones y otras fieras animalias. Y en somo deste valle havía una pequeña hermita antigua en que morava aquel Nasciano hermitaño, que por muy santo y devoto hombre de todos era tenido, y acatado en tanto, que era opinión de las gentes comarcanas que algunas vezes era de celestial manjar governado[49]. Y cuando el comer le faltava, ívalo buscar por la tierra, sin qu'el león ni otra animalia alguna mal le fiziesse, ahunque muchos dellos, yendo en su asno, continuamente encontrava; ante, semejava que homildança le fiziessen. Y cerca desta hermita havía una cueva entre unas peñas donde una leona sus fijos pequeñuelos criava; y muchas vezes el hombre bueno los visitava y dava de comer, cuando lo tenía, sin temer la leona;

---

[45] *a poco de rato:* al poco tiempo «Después que fue en la orden, a poco de tiempo finó», *Gran Conquista de Ultramar,* III, 100.

[46] *descombrado:* despejado, libre. El *Diccionario de Autoridades* registra *descombrar* como variante de escombrar, definido como desembarazar, «quitar de delante lo que impide y ocasiona estorvo, para dexarlo llano, descubierto, patente y despejado», mientras que el DCECH señala que «se empleó alguna vez en castellano la variante descombrar *(Aut.)*».

[47] *ende:* allí.

[48] *a mala vez:* apenas. «Estonce respondio el, con tan flaca voz que a mala vez ge la oyan», *Demanda del Sancto Grial,* 247a.

[49] *governado:* alimentado. «Embió [...] una cierva con leche, que les diesse las tetas e los governasse e los criasse», *Gran Conquista de Ultramar,* I, 93. De la misma manera que las circunstancias del nacimiento de Esplandián son sobrenaturales, también lo será el ermitaño encargado de educarlo.

antes ella, cuando con ellos le veía, se apartava dende[50] hasta que él se iva. Con estos leonçillos, después que havía sus horas rezado, passava su tiempo, haviendo plazer de los ver trebejar[51] por la cueva.

Y cuando la Donzella de Denamarcha y su hermano llegaron aquella fuente, ella traía gran sed del trabajo de la noche y del camino, y dixo a su hermano:

—Descendamos, y tomad este niño, que quiero bever.

Él tomó el niño, assí embuelto en sus ricos paños, y púsolo en un tronco de un árbol que aí stava; y queriendo descender a su hermana, oyeron unos grandes bramidos de león que en el espesso valle sonavan, assí que aquellos palafrenes fueron tan espantados, que começaron de fuir al más correr sin que la donzella el suyo tener pudiesse; ante pensó que la mataría entre los árboles, y iva llamando a Dios que la socorriesse, y Durín corriendo tras ella pensándola tomar del freno y detener el palafrén. Y tanto corrió, que le salió delante y lo detuvo, y halló a su hermana tan maltrecha y desacordada, que a duro podía fablar; y fízola deçender, y dixo:

—Hermana, estad aquí, y iré yo en este palafrén por el mío.

—Mas id por el niño —dixo ella—, y traédmelo; no le acaezca alguna cosa.

—Assí lo faré —dixo él—, y tened este palafrén por la rienda, que miedo he, si lo llevasse, de le no poder llevar a la fuente.

Y assí se fue a pie. Pero antes acaeçió una estraña aventura, que aquella leona que criava a sus hijos que ya oístes, y diera el bramido, continuava mucho venir[52] cada día aquella fuente por tomar el rastro de los venados que en ella bevían. Y como allí llegó, anduvo alderredor rastreando a un cabo y a otro; y assí andando, oyó llorar el niño que en el tronco del árbol estava, y fue para él, y tomólo con su boca entre aquellos muy agudos dientes suyos por los paños, sin que en la carne le tocasse, que fue porque assí le plugo a Dios; y conoçiendo ser

---

[50] *dende:* de allí.

[51] *trebejar:* jugar.

[52] *continuava mucho venir:* acostumbraba mucho venir. «El ynfante don Pedro continuaba a salir a una buytrera», *Crónica de don Álvaro de Luna,* 116, 23.

vianda para sus hijos, se fue con él, y esto era ya a tal sazón que el sol salía[53]. Mas aquel Señor del mundo, piadoso con aquellos que misericordia le demandan, y con los inocentes que edad ni sentido para la demandar no tienen, acorriólo en esta guisa: que haviendo aquel santo Nasciano cantado missa al alva del día, y yéndose a la fuente por folgar aí, que la noche havía sido muy calorosa[54], vio cómo la leona llevava el niño en su boca; el cual llorava con flaca boz, como dessa noche naçido; y conoçió ser criatura, de lo cual fue muy spantado adónde tomado lo havía, y luego alçó la mano y santiguólo, y dixo a la leona:

—Vete, bestia mala, y dexa la criatura de Dios, que la no fizo para tu govierno.

Y la leona, blandeando[55] las orejas, como que falagava, se vino a él muy mansa, y puso el niño a sus pies, y luego se fue. Y Nasciano fizo sobre él la señal de la vera cruz, y después tomólo en sus braços y fuese con él a la hermita. Y passando cabe la cueva donde la leona criava sus fijos, viola que les dava la teta, y díxole:

—Yo te mando de la parte de Dios, en cuyo poder son todas las cosas, que quitando las tetas a tus fijos las des a este niño, y, como a ellos, lo guardes de todo mal.

La leona se fue a echar a sus pies, y el hombre bueno puso el niño a las tetas, y echándole de la leche en la boca, le hizo tomar la teta, y mamó[56]; y de allí adelante venía con mucha

---

[53] Según Alfonso X, *General Estoria. Primera Parte*, ed. de A. G. Solalinde, Madrid, 1930, pág. 556, «el leon a por natura de seer piadoso al quise le omilla, e all omne que echa antel en tierra nol faze ningun mal; e que quando mal quiere fazer, quel faze mas ayna alos varones que alas mugieres, e alos moços nunqua va si non con gran arrequexamiento de fanbre». Se trata de un motivo folclórico, R 13.1.2 del índice de S. Thompson, presente desde la leyenda de San Eustaquio, el *Libro del Caballero Zifar*, pág. 114, hasta el *Tirant*, ed. cit., t. I, pág. 120.

[54] *calorosa:* calurosa, en R y S. Mantengo la lectura del texto de 1508, bien documentada en Academia Española, *Diccionario histórico de la lengua española*, Madrid, 1936.

[55] *blandeando:* moviendo con movimiento rápido. 1.ª doc. degún DCECH, en Nebrija.

[56] La crianza por animales es también un claro motivo folclórico, B. 535, presente desde Rómulo y Remo, Gilgamés, hasta *La leyenda del Caballero del Cis-*

mansedad[57] a le dar a mamar todas vezes que era menester. Mas el hermitaño embió luego a un su moçuelo que a las missas le ayudava, que era su sobrino, que muy presto fuesse y llamasse a su madre y a su padre, que luego fuessen con él sin otra compaña alguna, porque mucho los havía menester. El moço fue luego a un lugar donde moravan, que era a la salida de la floresta; pero porque el padre aí en el lugar no estava, no pudieron venir hasta diez días passados, en los cuales el niño muy bien fue governado de la leche de la leona y de una cabra, y una oveja que pariera un cordero[58]. Éstas lo mantenían en tanto que la leona iva a caçar para sus fijos.

Cuando Durín de su hermana se partió, como ya oístes, fuese a pie lo más presto que pudo a la fuente donde el niño dexara; y cuando no lo falló, fue muy spantado, y cató a todas partes, mas no halló sino el rastro de la leona, por donde creyó verdaderamente que ella lo comiera, y con muy gran pesar y tristeza se tornó a su hermana. Y como gelo dixo, ella firió[59] con sus palmas en el rostro y fizo un gran llanto, maldiziendo su ventura y la hora en que naçiera, que assí por tal caso havía perdido todo su bien, no sabiendo cómo ante su señora pareçiesse. Durín la consolava llorando, mas consuelo no era menester, que su passión y tristeza era tan demasiada[60], que por más de dos horas stuvo como fuera de sentido. Durín le dixo:

—Mi buena señora hermana, esto que hazedes es sin provecho, y dello podría recreçer gran daño a vuestra señora y a su

---

*ne,* etc. Para O. Rank, ob. cit., pág. 108, tiene el siguiente significado: «así como la proyección sobre el padre justifica la actitud hostil por parte del hijo, de modo similar al descenso de la madre a la categoría de animal tiene por objeto reivindicar la actitud del hijo que la niega».

[57] *mansedad:* mansedumbre.

[58] Como en el relato tradicional, el texto tiene una lógica interna, pues una vez aceptado que puede ser alimentado por animales, el autor se preocupa por dar cierta verosimilitud a su alimentación. La oveja había parido recientemente, mientras que la leona amamantaba a sus cachorros. En cuanto a la cabra, posteriormente queda relegada a la hora de profetizar las cualidades de Esplandián por los valores que encarna. Para L. Reau, *Iconographie de l'Art Chrétien,* París, PUF, 1955, t. I, pág. 109, «la chèvre est, comme le bouc, l'image du démon, de l'Impureté».

[59] *firió:* golpeó.

[60] *passión y tristeza era demasiada:* sufrimiento y tristeza era tan grande.

arnigo, que algo de su hazienda se supiesse. Ella vio que le dezía verdad, y díxole:

—Pues, ¿qué haremos?, que mi sentido no basta para lo
saber.

—Paréçeme —dixo él— que, pues mi palafrén es perdido,
que nos devemos ir a Miraflores, y estar allí tres o cuatro días
por dar a entender que alguna causa vos allí traxo, y bolviendo
a Oriana no le dezir cosa desto[61], sino que el niño queda a
buen recaudo, fasta que sea sana; y después tomaréis consejo
con Mabilia de lo que fazerse deve.

Ella dixo que lo tenía por bien; y cavalgando entrambos en
su palafrén, se fueron a Miraflores, y en cabo de tres días se
tornaron a Oriana, y mostrando la Donzella buen semblante,
le dixo cómo todo quedava fecho según lo havía concertado.

Pues tornando al hermitaño qu'el niño criava, sabed que a
los diez días llegaron a él su hermana y su marido, y díxoles
cómo hallara aquel niño por gran aventura, y Dios le amava
pues assí le quiso guardar; y que le[s][62] rogava lo criassen en su
casa fasta que hablar supiesse, y gelo traxessen para lo enseñar.
Ellos dixeron que assí como lo él mandava lo harían.

—Pues quiérole batizar[63] —dixo el hombre bueno.

Y assí se fizo, mas cuando aquella dueña lo desembolvió
cabe la pila, viole las letras blancas y coloradas que tenía, y
mostrólas al hombre bueno, que se mucho dello spantó[64]. Y
leyéndolas vio que dezían las blancas en latín: «Esplandián», y
pensó que aquél devía ser su nombre, y assí jelo puso; pero las
coloradas, ahunque mucho se trabajó, no las supo leer, ni entender lo que dezían. Y luego fue baptizado con nombre de
Splandián, con el cual fue conoçido en muchas tierras estrañas
en grandes cosas que por él passaron, assí como adelante será
contado. Esto assí fecho, la ama lo levó con mucho plazer a su
casa, con esperança que por él havía de ser bien librada no

---

[61] *cosa desto:* nada de esto.

[62] *le:* le, ZRS // les, Place // .

[63] *bautizar:* bautizar. Si el nacimiento de Esplandián está recreado sobre el de
su padre, es muy significativo que se aluda a detalles como el del bautismo, ausentes en el de Amadís.

[64] *spantó:* admiró, maravilló.

sólo ella, mas todo su linaje, y con mucha diligencia le criava como quien tenía su esperança en él. Y al tiempo qu'el hermitaño, mandó gelo traxeron muy fermoso y bien criado, que todos los que le veían folgavan mucho de lo ver.

## Capítulo LXVII

*En que se recuenta la cruda batalla que ovo entre el rey Lisuarte y su gente con don Galvanes y sus compañeros, y de la liberalidad y grandeza que fizo el Rey después del vencimiento, dando la tierra a don Galvanes y a Madasima, quedando por sus vasallos en tanto que en ella habitassen.*

Como havéis oído, el rey Lisuarte desembarcó[1] en el puerto de la ínsola de Mongaça, donde halló al rey Arbán de Norgales y la gente que con él eran retraídos en un real metido en unas peñas, la cual[2] mandó salir luego a lo llano y se juntasse con la que[3] él traía. Y supo cómo don Galvanes y sus compañeros, que en el Lago Ferviente estavan, passaron las sierras, que en medio tenían, guisados para les dar batalla. Y luego él movió con todos los suyos contra ellos, esforçándolos cuanto podía, como aquel que lo havía con los mejores cavalleros del mundo; y tanto anduvo que llegó a una legua dellos, ribera de un río, y allí paró aquella noche. Y cuando el alva del día pareçió, oyeron todos missa y armáronse, y hizo el Rey dellos tres hazes. La primera huvo don Galaor, de quinientos cavalleros; y con él iva su compañero Norandel, y don Guilán el Cuidador y su cormano Ladasín, y Grimeo el Valiente, y Cendil de Ganota, y Nicorán de la Puente Medrosa, el muy buen justador. Y la segunda haz dio al rey Cildadán, con setecientos cavalleros; y ivan con él Ganides de Ganota, y Acedís el sobrino del Rey, y Gradasonel Fallistre, y Brandoivas, y Tasián, y Filispinel, que todos éstos eran cavalleros de gran cuenta[4]; y en medio desta

---

[1] *desembarcó:* la 1.ª doc. degún el DCECH, en Nebrija. En el texto la forma habitual anterior era *aportó.*

[2] *la cual:* lo qual, ZR // la qual, S // .

[3] *la que:* lo que, ZR // la que, S // .

[4] *cuenta:* estima, fama.

haz iva don Grumedán de Nuruega, y otros cavalleros que ivan con el rey Arbán de Norgales, que tenían cargo de guardar al Rey sin tener que ver en otra cosa. Assí movieron por el campo, que en gran manera parecía hermosa gente y bien armada, que tantos añafiles y trompas sonavan, que apenas se podían oír; y pusiéronse en un campo llano, y a las spaldas del Rey ivan Baladán y Leonís con treinta cavalleros.

Sabido por don Galvanes, y por los altos hombres que con él estavan, la fazienda del rey Lisuarte y la gente que traía, comoquiera que oviesse para cada uno dellos cinco hombres y[5] les fiziesse gran mengua la prisión de don Brian de Monjaste y la ida de Agrajes para les traer viandas que les faltaron, no desmayaron por esso; antes, con gran esfuerço animava[n][6] su gente, que era poca para la batalla, como aquellos que eran de alto hecho de armas, según esta historia ha contado. Y acordaron de fazer de sí dos hazes; la una fue de ciento y seis cavalleros y la otra, de cient y nueve. En la primera ivan don Florestán y don Cuadragante, y Angriote d'Estraváus y su hermano Grovedán y su sobrino Sarquiles y su cuñado Gasinán, el cual llevava el pendón de las donzellas; y cerca del pendón ivan Branfil y el bueno de Gavarte de Valtemeroso, y Olivas y Baláis de Carsante, y Enil el buen cavallero que Beltenebros metió en la batalla del rey Cildadán. En la otra haz iva don Galvanes, y con él los dos buenos hermanos Palomir y Dragonís, y Listorán de la Torre, y Dandales de Sadoca y Tantalís el Orgulloso, y cabe estas hazes ivan algunos ballesteros y archeros. Con esta compaña, tan desigualada[7] del gran número de la gente del Rey, fueron a entrar en el campo llano, donde los otros los atendían.

Y don Florestán y don Cuadragante llamaron a Elián el Loçano, que era uno de los más apuestos cavalleros, y que mejor parecía armado, que en gran parte se hallava; y dixéronle que fuesse al rey Lisuarte, él y otros dos cavalleros con él que eran

---

[5] *hombres y:* hombres no desmayaron y, ZRS // .
[6] *animava[n]:* animava, ZR // animavan, S // .
[7] *desigualada:* desigual. La enumeración de los combatientes corresponde a un «topos» utilizado con frecuencia en la épica, pero en este caso la desigualdad del número crea una expectativa por el desarrollo de la batalla y justifica su desenlace final.

sus primos, y le dixiessen que, si mandava quitar los ballesteros y archeros de medio de las hazes de los cavalleros, que havrían una de las más hermosas batallas que él viera[8]. Estos tres fueron luego a lo complir, arredrados de las batallas[9], paresçiendo tan bien, que mucho de todos fueron mirados. Y sabed que este Elián el Loçano era sobrino de don Cuadragante, fijo de su hermana y del conde Liquedo, primo cormano del rey Perión de Gaula. Y llegados a la primera haz de don Galaor, demandaron segurança[10], que venían al Rey con mandado. Don Galaor los asseguró y embió con ellos a Cendil de Ganota, porque de los otros seguros fuessen. Y llegados ante el Rey, dixéronle:

—Señor, embíaos dezir don Florestán y don Cuadragante, y los otros cavalleros que allí están para defender la tierra de Madasima, que hagades, si vos plaze, apartar los ballesteros y archeros de entre vos y ellos, y veréis una hermosa batalla.

—En el nombre de Dios —dixo el Rey—, tirad los vuestros y Cendil de Ganota apartará los míos.

Esto fue luego hecho, y aquellos tres cavalleros se fueron a su compaña, y Cendil se fue a don Galaor por le contar con lo que aquéllos havían al Rey venido; y luego movieron las hazes unos contra otros tan de cerca, que no havía tres trecho[s] de arco[11]. Y don Galaor conosçió a su hermano don Florestán por las sobrevistas de las armas, y a don Cuadragante y a Gavarte

---

[8] Según este punto de vista, la batalla alcanzaría un mayor interés si dependiera exclusivamente del esfuerzo personal de los propios caballeros sin la colaboración de otras armas, aunque fueran de corto alcance, disparadas en la lejanía. Como explica Johan Huizinga, *El otoño de la Edad Media,* Madrid, Revista de Occidente, 1967, pág. 159, y muy bien sabía don Quijote, «el interés estratégico y la táctica son casi siempre incompatibles con las ideas caballerescas. La idea de que ni siquiera una batalla campal es otra cosa que una lucha por el derecho, sometida a condiciones honradamente estipuladas, tiende a prevalecer una y otra vez; más raramente encuentra oído frente a las evidentes exigencias de la guerra».

[9] *arredrados de las batallas:* apartados de los cuerpos del ejército.

[10] *segurança:* seguridad. «A muchos la fe e segurança falleçió avia», Enrique de Villena, *Trabajos de Hércules,* 84, 3.

[11] *tres trechos de arco:* distancia correspondiente a tres disparos de arco. «Mas los romanos fueron fechos a fuera más de un trecho de arco», *Otas de Roma,* 43, 23.

de Valtemeroso, que delante los suyos venían. Y dixo contra Norandel:

—Mi buen amigo, ¿vedes allí do están tres cavalleros juntos, los mejores que hombre podría[12] fallar?; aquel de las armas coloradas[13] y leones blancos es don Florestán, y el de las armas indias[14] y flores de oro y leones cárdenos[15] es Angriote d'Estraváus, y aquel que tiene el campo indio y flores de plata es don Cuadragante, y este delantero de todos, de las armas verdes, es Gavarte de Valtemeroso, el muy buen cavallero que mató la sierpe, por donde cobró este nombre. Agora vámoslos ferir.

Y luego movieron, las lanças baxas, y cubiertos de sus escudos, y los tres cavalleros contrarios vinieron a los recebir. Mas Norandel hirió el cavallo de las espuelas y endereçó a Gavarte de Valtemeroso, y hirióloo tan fuertemente[16], que lo lançó del cavallo a tierra y la silla sobr'él; éste fue el primer golpe que hizo, que por todos en muy alto comienço fue tenido. Y don Galaor se juntó con don Cuadragante, y heriéronse ambos tan fieramente, que sus cavallos y ellos fueron a tierra; y Cendil se hirió con Elián el Loçano, y comoquiera que las lanças quebraron y fueron llagados, quedaron en sus cavallos. A esta hora fueron las hazes juntas, y el ruido de las bozes y de las heridas fue tan grande, que los añafiles y trompetas no se oían. Muchos cavalleros fueron muertos y heridos, y otros derribados de los cavallos; gran ira y saña creçía en los coraçones de ambas partes. Pero la mayor priessa[17] fue sobre defender a don Galaor y a don Cuadragante, que se combatían apriessa, travándose a braços y heriéndose con sus espadas por se vencer, que spanto ponían a los que los miravan; y ya eran de un cabo y otro más de cient cavalleros apeados con ellos para los

---

[12] *podría:* pordia, Z // podria, RS // .

[13] *coloradas:* en el siglo xv, según el DCECH, se sobrepuso al antiguo bermejo.

[14] *indias:* índigas, azules.

[15] *cardenos:* cardeños, Z // cardenos, RS // . Equivale al color de púrpura. Véase cap. XLVIII, nota 12.

[16] *fuertemente:* fuertamente, Z // fuertemente, RS // . El verbo herir, como en otras ocasiones, significa acometer, atacar. «E con gran esfuerço hirieron en los moros», *Tirante el Blanco,* I, 38, 2.

[17] *priessa:* multitud de gentes, tropel.

ayudar y dar sus cavallos. Pero ellos estavan tan juntos, y se davan tanta priessa, que los no podían apartar; mas aquella hora lo que hazían sobre don Galaor Norandel y Guilán el Cuidador no se os podría contar, y don Florestán y Angriote sobre don Cuadragante, que, como la gente más que la suya fuesse, cargavan sobre ellos; mas de sus golpes eran tan escarmentados, que les fazían lugar y no se osavan llegar a ellos. Pero en la fin tantos se metieron entre ellos, que don Galaor y don Cuadragante ovieron tiempo de tomar sus cavallos, y como leones sañudos[18] se metieron entre la gente, derribando y feriendo los que delante sí fallavan, ayudando cada uno a los de su parte.

Aquella ora firió el rey Cildadán con su haz tan bravamente, que muchos cavalleros fueron a tierra de ambas partes; pero don Galvanes socorrió luego, y entró tan bravo firiendo en los contrarios, que bien dava a entender que suyo era el debate, y por su causa aquella batalla se avía juntado; que ni muerte ni peligro recelava, ni en nada tenía en comparación de fazer daño aquellos que tanto desamava y venían por le deseredar. Y los de su haz ivan con él teniendo, y como todos eran muy esforçados[19] y escogidos cavalleros, fizieron gran daño en los contrarios.

Don Florestán, que gran saña traía, considerando ser el cabo[20] desta cuestión Amadís su hermano, ahunque allí no estava, y que si aquellos cavalleros de su parte les convenía por su gran valor fazer cosas estrañas, que a él mucho más, andava como un ravioso can buscando en qué mayor daño fazer pudiese. Y vio al rey Cildadán, que bravamente se combatía y mucho daño hazía en los contrarios, tanto que aquella ora a los suyos passava en bien fazer; y dexóse a él ir por medio de los cavalleros, que por muchos golpes que le dieron no le pudieron estorvar; y llegó a él tan rezio y tan codicioso de lo ferir,

---

[18] Las escasas comparaciones del libro suelen reiterarse en bastantes ocasiones, a la vez que pertenecen al acervo más tradicional recomendado por las retóricas, como en esta ocasión. Véase E. Faral, *Les arts poétiques...*, ob. cit., pág. 69. La comparación es habitual en la tradición artúrica. «E fueronse el uno contra otro como unos leones», *Demanda del Sancto Grial*, 224b.

[19] *esforçados:* esforcados, Z // esforçados, RS // .

[20] *el cabo:* el principio.

que otra cosa no pudo fazer sino echar en él los sus fuertes braços, y el Rey los suyos en él. Y luego fueron socorridos de muchos cavalleros que les aguardavan, mas desviándose los cavallos uno de otro, ellos fueron en el suelo de pies, y poniendo mano a sus espadas, se firieron de duros y mortales golpes. Mas Enil el buen cavallero y Angriote d'Estraváus, que a don Florestán aguardavan, fizieron tanto, que le dieron el cavallo; y cuando don Florestán se vio a cavallo, metióse por la priessa faziendo maravillas de armas, teniendo en la memoria lo que su hermano Amadís pudiera fazer si allí estuviera.

Y Norandel, que las armas traía rotas y por muchos lugares le salía[21] la sangre, y traía la su espada fasta el puño de muchos golpes que con ella diera, como vio al rey Cildadán a pie, llamó a don Galaor, y dixo:

—Señor don Galaor, vedes cuál está vuestro amigo el rey Cildadán. Acorrámosle; si no, muerto es.

—Agora, mi buen amigo —dixo don Galaor—, parezca la vuestra gran bondad y démosle cavallo, y quedemos con él.

Entonces entraron por la gente, firiendo y derribando cuantos alcançavan, y con grande afán le pusieron en un cavallo, porqu'él estava mal llagado de un golpe de espada que Dragonís le diera en la cabeça, de que mucha sangre se le iva fasta los ojos. Y aquella ora no pudo tanto la gente del rey Lisuarte a la gran fuerça de los contrarios, que no fuessen movidos del campo, bueltas las espaldas, sin golpe atender, sino don Galaor y algunos otros señalados cavalleros que los ivan amparando y recogiendo fasta llegar donde el rey Lisuarte estava. Él, cuando assí los vio venir vencidos, dixo a altas bozes:

—Agora, mis buenos amigos, parezca vuestra bondad y guardemos la honra del reino de Londres.

Y hirió el cavallo de las espuelas, diziendo: «¡Clarencia, Clarencia!», que era su apellido[22], y dexóse ir a sus enemigos por la mayor priessa; y vido a don Galvanes, que se bravamente

---

[21] *le salía:* se salia, Z // le salia, RS // .

[22] *apellido:* «tanto quiere dezir como boz de llamamiento, que fazen los omnes para ayuntarse, e defender lo suyo quando resciben daño o fuerça», *Partidas,* II, XXVI, XXIV. '¡Clarence!' es el grito de guerra del rey Arturo en la materia de Bretaña como recuerda J. B. Avalle-Arce, *El Amadís primitivo...,* cap. VII.

combatía, y diole tan fuerte encuentro, que la lança fue en pieças, y fízole perder las estriberas, y abraçóse al cuello del cavallo y puso mano a su espada, y començó a herir a todas partes; assí que allí mostró mucha parte de su esfuerço y valentía, y los suyos animosamente tenían, y esforçávanse con él. Mas todo no valía nada, que don Florestán y don Cuadragante y Angriote y Gavarte, que todos juntos se fallaron, fazían tales cosas en armas, que por sus grandes fuerças parescía que los enemigos fuessen vencidos; assí que todos pensaron que de allí adelante no les ternían campo. El rey Lisuarte, que assí vio su gente retraída y maltrecha, fue en todo pavor de ser vencido, y llamó a don Guilán el Cuidador, que malherido estava, y llegóse a él, y también el rey Arbán de Norgales y Grumedán de Nuruega, y díxoles:

—Veo malparar nuestra gente, y témome de Dios, que nunca serví como devía, de me no dar la honra desta batalla. Agora les haremos, que yo rey vencido o muerto se podrá dezir a su honra, mas no vencido biva a su deshonra[23].

Entonces firió el cavallo de las espuelas y metióse por ellos sin ningún pavor de su muerte. Y como vio a don Cuadragante venir para él, él[24] bolvió su cavallo a él, y diéronse con las espadas por cima de los yelmos tan fuertes golpes, que se ovieron de abraçar a las cervizes de sus cavallos; mas como la espada del Rey era mucho mejor, cortó tanto que le hizo en la cabeça una llaga. Mas luego fueron socorridos, el Rey, [de] don[25] Galaor y de Norandel y de aquellos que con él ivan, y don Cuadragante, de don Florestán y de Angriote d'Estraváus. Y el Rey, que vio las maravillas que don Florestán fazía, fue a él, y diole con su espada tal golpe en la cabeça de su cavallo, que lo derribó con él entre los cavalleros. No tardó mucho que no llevó el pago, que Florestán salió del cavallo luego y fue para el Rey, ahunque muchos le aguardavan, y no le alcançó sino en la

23 *les haremos, que yo rey vencido o muerto se podrá dezir a su honra, mas no vencido biva a su deshonra*: atacaremos, que yo rey vencido o muerto se podrá decir que lo he sido honrosamente, mas no que vencido viva con deshonra. Cfr.: «No se puede escusar, que mas amo morir con honrra que bivir con deshonrra entre los cavalleros de Cornualla», *Tristán de Leonís*, 349b.

24 *él, el*: el, y el, Z // el rey el, RS // .

25 *el Rey, [de] don*: del rey don, ZR // el rey de don, S // .

pierna del cavallo, y cortándogelo toda dio con él en tierra. El Rey salió dél muy ligeramente, tanto que don Florestán fue maravillado; y dio a don Florestán dos golpes de la su buena espada, así que las armas no defendieron[26] que la carne no le cortasse. Mas Florestán, acordándose de cómo fuera suyo, y las honras que dél recibiera, sufrióse de le ferir[27], cubriéndose con lo poco que del escudo le avía quedado; mas el Rey, con la gran saña que tenía, no dexava de lo ferir cuanto podía. Y don Florestán ni por eso le quería ferir, mas travóle a braços y no le dexava cavalgar ni apartar de sí. Allí fue muy gran priesa de los unos y de los otros por les socorrer, y el Rey se nombrava porque los suyos lo conosciessen, y a estas bozes acudió don Galaor y llegó al Rey, y dixo:

—Señor, acogedvos a este mi cavallo.

Y ya estavan con él a pie Filispinel y Brandoivas, que le davan sus cavallos. Y Galaor le dixo:

—Señor, a este mi cavallo os acoged.

Mas él, faziéndole que se no apeasse, se acogió al de Filispinel, dexando a don Florestán bien llagado con aquella su buena espada, que nunca golpe le dio que las armas y las carnes no le cortase, sin qu'el otro le quisiesse ferir, como dicho es. Y don Florestán fue puesto en un cavallo que don Cuadragante le traxo.

El Rey, poniendo su cuerpo endonadamente[28] a todo peligro, llamando a don Galaor y a Norandel y al rey Cildadán, y a otros que le seguían, se metió por la mayor priesa de la gente, firiendo y estragando cuanto ante sí fallava, de guisa que a él era otorgado aquella sazón la mejoría de todos los de su parte. Y don Florestán y Cuadragante y Gavarte, y otros preciados cavalleros, resistían al Rey y a los suyos cuanto podían, haziendo maravillas en armas; pero como ellos eran pocos y muchos dellos maltrechos y feridos, y los contrarios gran muchedum-

---

[26] *defendieron:* impidieron.

[27] *sufrióse de le ferir:* contúvose, refrenóse de golpearlo. «Por amor del Duque [...] se sofría de no le dezir nada», *Palmerín de Olivia,* 232, 10.

[28] *endonadamente:* voluntaria, gratuitamente. En los «regimientos de príncipes» el valor del rey se convierte en acicate para los suyos: «Non entienda el tu pueblo en ty cobardía nin temor. E la tu boz sea fortaleza e esfuerço a los tuyos», *Tratado de los doze sabios,* pág. 110.

bre de gente que con el esfuerço del Rey avían cobrado coraçón[29], cargaron tan de golpe y tan fuerteme[n]te sobre ellos,
que, así con las muchas heridas como con la fuerça de los cavallos, los arrancaron del campo hasta los poner al pie de la
sierra[30]; donde don Florestán y don Cuadragante y Angriote y
Gavarte de Valtemeroso, despedaçadas sus armas, recibiendo
muchas heridas, no solamente por reparar los de su parte, mas
por tornar a ganar el campo perdido, muertos los cavallos y
ellos cuasi muertos, quedaron en el campo tendidos en poder
del Rey y de los suyos; y junto con ellos, que así mesmo fueron
presos por los socorrer, Palomir y Elián el Loçano, y Branfil y
Enil y Sarquiles, y Maratros de Lisanda, cormano de don Florestán; y ovo muchos muertos y heridos de ambas partes. Y
don Galvanes se oviera de perder muchas vezes si le Dragonís
no socorriera con su gente; pero al cabo lo sacó de entre la
priessa tan mal llagado, que se no podía tener, así era fuera de
sentido, y hízolo levar al Lago Herviente; y él quedó con aquella compaña poca que escapara defendiendo la sierra a los contrarios.

Así que se puede dezir con mucha razón que por la fortaleza
del Rey, y gran simpleza de don Florestán no le queriendo herir ni estrechar, teniéndole en su poder, fue esta batalla vencida como oídes; que se deve comparar aquel fuerte Éctor cuando uvo la primera batalla con los griegos en la sazón que desenbarcar querían en el su gran puerto de Troya, que, teniéndolos cuasi vencidos, y puesto fuego por muchas partes en la
flota, donde ya resistencia no había, hallóse acaso en aquella
gran priesa su cormano Ajas Talamón, hijo de Ansiona su tía;
y conosciéndose y abraçándose, a ruego suyo sacó de la lid a
los troyanos, quitándoles aquella gran vitoria de las manos, y
los hizo bolver a la cibdad; que fue causa que, salidos los griegos en tierra, fortalecido su real, con[31] tantas muertes, tantos
huegos[32], tan gran destruición, aquella tan fuerte gente, tan fa-

[29] *avían cobrado coraçón:* habían recuperado el ánimo. «E los turcos [...] cobraron coraçones», *Gran Conquista de Ultramar,* III, 258.

[30] *de la sierra:* della sierra, Z // de la sierra, RS // .

[31] *real, con:* real de con, ZR // real con, S // .

[32] *huegos:* fuegos. «La salvasse Dios de aquel peligro de huego», *Enrique fi de
Oliva,* pág. 19.

mosa cibdad en el mundo señalada, aterrada[33] y destruida fuese en tal forma, que nunca de la memoria de las gentes caerá en tanto que el mundo durare[34]; por donde se da a entender que en las semejantes afrentas la piedad y cortesía no se deve obrar con amigo ni pariente fasta qu'el vencimiento aya fin y cabo, porque muchas vezes acaesce por lo semejante aquella buena dicha y ventura que los hombres aparejada por sí tienen, no la sabiendo conocer ni usar della como devían, la tornan en ayuda de aquellos que teniéndola perdida, quitándola de sí, a ellos gela fazen cobrar.

Pues a propósito tornando, como el rey Lisuarte vido sus enemigos fuera del campo y acogidos a la sierra, y qu'el sol se ponía, mandó que ninguno de los suyos no passasse por entonces adelante, y puso sus guardas por estar seguro y porque Dragonís, que con la gente a la montaña se acogiera, tenía los más fuertes passos[35] della tomados. Y mandó levantar sus tiendas de donde antes las tenía[36], y fízolas asentar en la ribera de una agua que al pie de la montaña descendía. Y dixo que levassen al rey Cildadán y a don Galaor, mas fuele dicho que estavan faziendo gran duelo por don Florestán y don Cuadragante, que eran al punto de la muerte llegados. Y como él ya apeado fuesse, demandó el cavallo, más por los consolar que con sabor de mandar poner remedio aquellos cavalleros, por le ser contrarios, comoquiera que algo a piedad fue movido en se

[33] *aterrada*: abatida, derribada. «Almançor tornose a Cordova muy enojado con aquella enfermedat que le aterro del todo», A. Martínez de Toledo, *Atalaya de las coronicas*, pág. 53b.

[34] En la *Crónica Troyana*, ed. cit., págs. 361-362, se cuenta cómo combatieron Éctor y Áyax «et lydarõ moy durament, tãto que sse ouueron de pregũtar por seus linãgẽes. Et achárõsse por moy parẽtes, ca erã primos, fillos de yrmãos. Et tomarõ anbos grã prazer cõsygo [...] Estonçe Ajas Talamõ rrogou a Éytor que tirasse afora sua gente. Et parteusse a batalla aquela vez cõ seu amor, ca senpre tenpo auerýan pera elo mẽtre esta guerra durasse ontre elles». De idéntica manera, en la *Historia troyana en prosa y verso*, pág. 48, se dice que «en lidiando asy anbos, tanto se preguntaron, que se fallaron por parientes e ovieron ende muy grand alegria [...] e abraçaronse e besaronse muchas vezes».

[35] *fuertes passos*: ásperos, fragosos desfiladeros, pasos. A pesar de que la batalla se ha establecido sin arqueros ni ballesteros, no por ello se han descuidado algunos otros aspectos tácticos, como esta retirada en la sierra, de modo que al enemigo le resulta dificultoso atacar.

[36] *las tenía*: les tenia, Z // las tenia, RS // .

le acordar de cómo don Florestán, en la batalla qu'él uvo con el rey Cildadán, puso su cabeça desarmada delante dél y recibió en el escudo aquel gran golpe del valiente Gadancuriel porque al Rey no le diesse; y también cómo aquel día mismo dexó de herir por virtud. Y fuese donde estavan, y consolándolos con palabras amorosas, y de los fazer curar los dexó contentos. Para esto no tuvo tanta fuerça, que antes don Galaor no se amortesciesse muchas vezes sobre su hermano don Florestán. Mas el Rey los mandó llevar a una muy buena tienda, y sus maestros que los curassen; y llevando consigo al rey Cildadán, dio licencia a don Galaor que allí con ellos aquella noche quedasse. Y llevó consigo a la tienda misma los siete cavalleros presos que ya oístes, donde los fizo con los otros curar. Assí fueron, como oídes, en guarda de don Galaor aquellos cavalleros feridos, desacordados, y los que presos fueron; donde con ayuda de Dios, principalmente, y de los maestros, que muy sabios eran, antes qu'el alva del día viniesse fueron todos en su acuerdo, certificando a don Galaor que, según la disposición de sus heridas, que gelos darían sanos y libres.

Otro día estando don Galaor, y Norandel su amigo y don Guilán el Cuidador con él por le hazer compañía en aquella gran tristeza en que por su hermano y por otros de su linaje estava, oyeron tocar las trompetas y añafiles en la tienda del Rey, lo cual era señal de se armar la gente. Y ellos ligaron muy bien sus llagas por la sangre que no saliesse, y armándose, cavalgando en sus cavallos, se fueron luego allá, y hallaron que el Rey estava armado de armas frescas[37], y en un cavallo holgado acordando con el rey Arbán de Norgales y el rey Cildadán y don Grumedán qué faría en el acometimiento de los cavalleros que en la sierra estavan. Y los acuerdos eran diversos, que unos dezían que, según su gente estava malparada, que no era razón, fasta que reparados fuessen, de acometer sus enemigos; y otros dezían que, como por entonces estavan todos encendidos en saña, si para más dilación dexassen, que serían malos de meter en la hazienda, especialmente si Agrajes viniesse en

---

[37] *frescas*: recientes. «Hizo hazer sus armas nuevas e frescas», *Demanda del Sancto Grial*, 287b.

aquella sazón, que a la Pequeña Bretaña fuera por viandas[38] y gente, que con él tomarían grande esfuerço. Y preguntado don Galaor por el Rey qué le parescía que se devía hazer, dixo:

—Señor, si vuestra gente es maltrecha y cansada, assí lo son vuestros contrarios; pues ellos pocos y nosotros muchos, bien sería que luego fuessen acometidos.

—Assí se haga —dixo el Rey.

Entonces, ordenada su gente, acometieron la sierra, siendo don Galaor el delantero, y Norandel su compañero que le seguía, y todos los otros en pos dellos. Y comoquiera que Dragonís con la gente que tenía defendió alguna pieça los passos y sobidas[39] de la sierra, tantos ballesteros y archeros allí cargaron que, hiriendo muchos dellos, se los hizieron mal su grado[40] dexar; y subiendo los cavalleros a lo llano, ovo entr'ellos una batalla asaz peligrosa. Mas en la fin no pudiendo sufrir la gran gente, por fuerça les convino retraer a la villa y castillo. Y luego el Rey llegó, y mandando traer sus tiendas y aparejos, asentó sobr'ellos y cercólos; y mandó venir la flota, que cercassen el castillo por la mar.

Y porque no atañe mucho a esta istoria contar las cosas que allí passaron, pues que es de Amadís, y él no se halló en esta guerra, cessará aquí este cuento[41]. Solamente sabed que el Rey los tuvo cercados treze meses por la tierra y por la mar, que de ninguna parte fueron socorridos, que Agrajes fuera doliente y

---

[38] *viandas:* fiandas, Z // viandos, R // viandas, S //.

[39] *sobidas:* subidas. «Parescía la sobida della a ningund honbre posible», Diego de San Pedro, *Cárcel de amor,* pág. 85.

[40] *mal su grado:* a su pesar. «El duque de Almaçía fue peleando con los griegos fasta que, mal su grado, los fizo dexar el canpo», Gutierre Díez de Games, *El Victorial,* 165, 32. La intervención de los arqueros y ballesteros, evitada con anterioridad, obliga a abandonar la defensa de los pasos, por lo que de nuevo podrán combatirse en campo llano. El autor está interesado en estas disposiciones estratégicas, frente a la redacción de los primeros libros, mucho más rica en combates individuales.

[41] En las razones para finalizar el relato subyacen una estética y unas técnicas narrativas diferentes de las practicadas especialmente en el libro I, con aventuras de distintos personajes. Y si como comenta E. C. Riley, *Teoría de la novela en Cervantes,* Madrid, Taurus, 1971, pág. 63, el autor «en el *Quijote* mantiene, a lo largo de todo el libro, lo que es casi un interrumpido comentario sobre su propia ficción», sin llegar a las complejidades cervantinas, tampoco faltan algunas opiniones sobre el quehacer narrativo en nuestra obra.

tanpoco no tenía tal aparejo que a la gran flota del Rey dañar pudiesse. Y faltando las viandas a los de dentro, se[42] començó pleitesía entr'ellos qu'el Rey soltasse todos los presos libremente, y don Galvanes así mesmo los que en su poder tenía, y que entregasse la villa y castillo del Lago Herviente al Rey, y toviessen treguas por dos años. Y comoquier que esto fuesse vantaja[43] del Rey, según la gran seguridad suya, no lo quería otorgar sino que ovo cartas del conde Argamont[e] su tío, que en la tierra quedara, cómo todos los Reyes de las ínsolas se levantavan contra él, veyéndole en aquella guerra que estava, y que tomavan por mayor y caudillo al rey Arávigo, Señor de las ínsolas de Landas, que era el más poderoso dellos, y que todo esto avía urdido Arcaláus el Encantador, qu'él por su persona anduviera por todas aquellas ínsolas levantándolos y juntándolos, haziéndoles ciertos que no hallarían defensa ninguna y que podrían partir entre sí aquel reino de la Gran Bretaña[44], consejando aquel conde Argamonte[45] al Rey que dexadas todas cosas se bolviesse a su reino.

Esta nueva fue causa de traer al Rey al concierto qu'él por su voluntad no quisiera, sino tomarlos y matarlos todos; así qu'el concierto fecho, el Rey, acompañado de muchos hombres buenos, se fue a la villa, que las puertas halló abiertas, y de allí al castillo. Y salió don Galvanes, y aquellos cavalleros que con él estavan, y Madasima, cayéndole las lágrimas por sus fermosas fazes; y llegó al Rey y diole las llaves, y dixo:

—Señor, hazed desto lo que vuestra voluntad fuere.

El Rey las tomó y las dio a Brandoivas. Galaor se llegó a él y díxole:

—Señor, mesura y merced, que menester es; y si yo's serví, miémbreseos a esta ora.

---

[42] *se:* si, Z // se, RS // .

[43] *vantaja:* ventaja. «E en las otras ligerezas [...] esto façía él muy de vantaja», Gutierre Díez de Games, *El Victorial*, 87, 27.

[44] Las estructuras narrativas son similares a las empleadas en el libro IV, pues el enfrentamiento entre Lisuarte frente a los amigos de Amadís propicia una nueva batalla urdida por Arcaláus y encabezada por el rey Arábigo. En esta ocasión sirve para adelantar los acontecimientos y justificar el final de la batalla, que se había desarrollado por unos cauces de difícil resolución.

[45] *Argamonte:* argomonte, Z // argamonte, RS // .

—Don Galaor —dixo el Rey—, si a los servicios que me avéis fecho yo mirase, no se fallaría el galardón, ahunque yo mill tanto[46] de lo que valgo valiesse; y lo que aquí faré no será contado en lo que a vos devo.

Entonces dixo:

—Don Galvanes, esto que por fuerça contra mi voluntad me tomastes, y por fuerça lo torné a ganar, quiero yo de mi grado, por lo que vos valéis y por la bondad de Madasima, y por don Galaor, que afincadamene me ruega, que sea vuestro, quedando en él mi señorío, y vos en mi servicio y los que de vos vinieren que como suyo lo avrán[47].

—Señor —dixo don Galvanes—, pues que mi ventura no me dio lugar a que lo yo oviesse por aquella vía que mi coraçón desseava, como quien ha complido todo lo que devía sin faltar ninguna cosa, lo recibo en merced a tal condición que en tanto que lo posseyere sea vuestro vassallo; y si otra cosa mi coraçón se otorgare, que dexándooslo libre, libre quede yo para fazer lo que quisiere.

Luego los cavalleros del Rey que allí estavan le besaron las manos por aquello que fiziera, y don Galvanes y Madasima por sus vasallos[48].

Acabada esta guerra, el rey Lisuarte acordó de se tornar luego a su reino, y assí lo fizo, que folgando allí quinze días, en que assí él como los otros que feridos estavan fueron reparados, tomando consigo a don Galvanes, y de los otros los que con él ir quisieron, entró[49] en su flota. Y navegando por la mar aportó en su tierra, donde falló nuevas de aquellos siete

---

[46] *mill tanto:* mil veces.
[47] El enfrentamiento entre la caballería —Amadís y sus amigos— y la realeza —Lisuarte— se ha resuelto de forma satisfactoria para todos, de modo que la injusticia regia inicial queda contrarrestada por este gesto de generosidad, si bien ha aceptado lo que previamente le había solicitado Amadís. Por otra parte, por vez primera se ha propuesto finalizar una pelea con unas paces, lo que evita la derrota total de uno de los contendientes.
[48] Los mismos gestos rituales —el besar las manos— comportan unos diferentes matices, pues los caballeros de Lisuarte le besan las manos en señal de humildad y agradecimiento por la decisión adoptada, mientras que para Galvanes y Madasima implica una declaración de vasallaje. Véase la nota 16 del capítulo XIX.
[49] *entró:* entre, Z // entro, RS // .

Reyes que contra él venían. Y ahunque en mucho lo tuviesse, no lo dava a entender a los suyos; antes, mostrava que lo tenía en tanto como nada. Y salido de la mar fuese donde la Reina estava, de la cual fue recebido con aquel verdadero amor que della amado era. Y allí sabiendo las nuevas ciertas cómo aquellos Reyes venían, no dexando de holgar y aver plazer con la Reina y su fija, y con sus cavalleros, aparejava las cosas necessarias para resistir aquella [a]frenta.

## Capítulo LXVIII

*En que recuenta cómo, desque Amadís y don Bruneo quedaron en Gaula, don*[1] *Bruneo estava muy contento y Amadís triste, y cómo se acordó de apartar don Bruneo de Amadís, yendo a buscar aventuras. Y Amadís y su padre el rey Perión y Florestán acordaron de venir socorrer al rey Lisuarte.*

Como el rey Cildadán y don Galaor partieron de Gaula, quedaron[2] allí Amadís y don Bruneo de Bonamar. Mas ahunque se amavan de voluntad, eran muy diversos en las vidas, que don Bruneo, estando allí donde su señora Melicia era, y hablando con ella, todas las otras cosas del mundo era fuidas y apartadas de su memoria; pero Amadís, siendo alexado de su señora Oriana sin ninguna esperança de la poder ver, ninguna cosa presente le podía ser sino causa de gran tristeza y soledad[3]. Y assí acaesció que cavalgando[4] un día por la ribera de la mar, solamente llevando consigo a Gandalín, fuese poner enci-

---

[1] *Gaula, don:* Gaula y don, ZR // Gaula don, S // .

[2] *Gaula, quedaron:* gaula y quedaron, Z // gaula quedaron, RS // .

[3] *soledad:* añoranza sentida por la ausencia de otra persona. A pesar de la dispersión de los amigos de Amadís como consecuencia de la guerra contra Lisuarte, el héroe emprende su viaje a Gaula con un nuevo compañero, don Bruneo, como viene siendo habitual en la obra. Este nuevo emparejamiento le sirve al autor para contraponer los amores de ambos caballeros, puesto que mientras Amadís se aleja de su amada, don Bruneo va hacia su encuentro.

[4] *cavalgando:* calvangando, Z // cavalgando, RS // .

ma de unas peñas por mirar desde allí si vería algunas fustas que de la Gran Bretaña viniessen, por saber nuevas de aquella tierra donde su señora estava. Y en cabo de una pieça que allí estuvo, vio venir d'aquella parte qu'él desseava una barca; y como al puerto llegó, dixo a Gandalín:

—Ve a saber nuevas d'aquellos que allí vienen, y apréndelas bien, porque me las sepas contar.

Y esto fazía él más por cuidar[5] en su señora, de que siempre Gandalín le estorvava, que por otra cosa alguna. Y como dél se partió, apeóse de su cavallo, y atándolo a unos ramos de un árbol, se asentó en una peña por mejor mirar la Gran Bretaña; y assí estando, trayendo a su memoria los vicios y plazeres [que] en aquella tierra oviera en presencia de su señora, donde por su mandado todas las cosas fazía, tener aquello tan alongado y tan sin esperança de lo cobrar, fue en tan gran cuita puesto, que nunca otra cosa mirava sino la tierra, cayendo de sus ojos en mucha abundancia las lágrimas.

Gandalín se fue a la barca, y mirando los que en ella venían, vio entr'ellos a Durín, hermano de la Donzella de Denamarcha, y descendió presto y llamólo aparte; y abraçáronse mucho, como aquellos que se amavan, y tomándole consigo, lo llevó a Amadís. Y llegando cerca dond'él estava, vieron una forma de diablo de fechura de gigante que tenía las espaldas contra ellos, y estava esgrimiendo un venablo, y lançólo contra Amadís muy rezio, y pasóle por cima de la cabeça, y aquel golpe erró por las grandes bozes que Gandalín dio. Y recordado Amadís[6], vio cómo aquel gran diablo le lançó otro venablo, mas él, dando un salto, le hizo perder el golpe; y poniendo mano a su espada, fue para él por lo ferir, mas violo[7] ir corriendo tan ligeramente, que no avía cosa que lo alcançar pudiesse. Y llegó al cavallo de Amadís, y cavalgando en él, dixo en una boz alta:

—¡Ay, Amadís, mi enemigo! Yo soy Andandona, la giganta de la Ínsola Triste, y si agora no acabé lo que desseava, no faltará tiempo en que me vengue.

---

    [5] *cuidar:* pensar. «No se fizo tan prestamente como ella cuydava», *Palmerín de Olivia,* 579, 27.

    [6] *recordado Amadís:* Amadís, vuelto en sí.

    [7] *violo:* viola, ZR // violo, S // .

Amadís, que en pos della quisiera ir en el cavallo de Gandalín, como vio que era muger[8], dexóse dello y dixo a Gandalín:

—Cavalga en esse cavallo, y si aquel diablo pudieses cortar la cabeça, mucho bien sería.

Gandalín, cavalgando, se fue al más ir que pudo tras ella; y Amadís, cuando a Durín vio, fuelo abraçar con mucho plazer, que bien creía traerle nuevas de su señora. Y llevándolo a la peña donde ante estava, le preguntó de su venida. Durín le dio una carta de Oriana que era de creencia, y Amadís le dixo:

—Agora me di lo que te mandaron.

Él le dixo:

—Señor, vuestra amiga está buena, y salúdaos mucho, y ruégaos que no toméis congoxa, sino que os consoléis como ella fasta que Dios otro tiempo traya[9]. Y fázevos saber cómo parió un fijo, el cual mi hermana y yo llevamos a Dalasta, la abadessa de Miraflores, que por fijo de mi hermana lo críe —mas no le dixo cómo le perdieran—; y ruégaos mucho, por aquel grande amor que vos ha, que no os partáis desta tierra fasta que ayáis su mandado.

Amadís fue ledo en saber de su señora y del niño, pero de aquel mandado que allí estuviese no le plugo, porque con ello menoscabaría su honra según lo que las gentes dél dirían; mas comoquiera que fuese, no passaría él su mandado.

Y estando allí una pieça sabiendo nuevas de Durín, vio venir a Gandalín, que tras aquel diablo fuera, y traía[10] el cavallo de Amadís y la cabeça de Andandona atada al petral[11] por los

---

[8] Amadís, representante de los códigos cortesanos, no pelea contra una mujer, sino que será su escudero quien emprenda esta acción. Cfr.: «Mas en aquel tiempo avia costumbre en la Gran Bretaña que ningun hombre no metiesse mano en donzella para le fazer mal, salvo si quisiesse perder honra para en todos sus dias que biviesse, o si fuesse honbre loco o endiablado», *Demanda del Sancto Grial*, 215a. Con ello se motiva un nuevo tipo de combate, distensivo y risueño, antecedente de la pelea del héroe contra la amazona Calafia en las *Sergas*. Por otra parte, a la luz de todo el episodio, no pueden ser más irónicas las palabras cervantinas puestas en boca de Sancho, al hablar de su mujer: «es ella una bienaventurada, y a no ser celosa, no la trocara yo por la giganta Andandona, que, según mi señor, fue una mujer muy cabal y muy de pro», *Don Quijote de la Mancha*, II, XXV, 229.

[9] *traya*: traiga.

[10] *traía*: trayo, Z // traya, RS // .

[11] *petral*: la correa que ciñe el pecho del cavallo y se ase a la silla, a pectore,

cabellos luengos y canos, de que Amadís y Durín ovieron mucho plazer. Y preguntóle cómo la matara, y él dixo que, yendo tras ella por la alcançar, y queriendo descavalgar del cavallo en que iva para se meter en un barco que enramado[12] tenía, que con la priessa fizo enarmonar el cavallo y la tomó debaxo, así que la quebrantó.

—Y yo llegué y tropelléla[13], de manera que cayó en el suelo tendida; y entonces le corté la cabeça.

Luego cavalgó Amadís, y se fue a la villa[14], y mandó llevar la cabeça de Andandona a don Bruneo para que la viesse, y dixo a Durín:

—Mi amigo, vete a mi señora y dile que le beso las manos por la carta que me embió y por lo que tú de su parte me dixiste, y que le pido por merced aya manzilla[15] de mi honra en no me dexar folgar aquí mucho, pues no tengo de passar su mandado; que los que en tanta folgança me vieren, no sabiendo la causa dello, atribuirlo han a covardía y poquedad de coraçón[16]. Y como la virtud muy dificultosamente se alçance y con pequeño olvido y entrevallo sea dañada, aquella gran gloria y fama que fasta aquí he procurado de ganar con su membrança y favor, si mucho escurescer la dexasse, como todos los hombres naturalmente sean más inclinados a dañar lo bueno que abogados tener con sus malas lenguas, muy presto quedaría en tanta mengua y deshonra, que la misma muerte no sería a ello igual.

---

porque le toma el pecho (Cobarruvias). «Cortole la cabeça, e atola al petral de su cavallo», A. Martínez de Toledo, *Atalaya de las coronicas*, pág. 37b. Véase la nota 36 del capítulo LVII.

[12] *enramado:* cubierto de ramos. «Venían todos enrramados e escaramuçando», *Hechos del condestable don Miguel Lucas de Iranzo,* ed. de Juan de Mata Carriazo, Madrid, Espasa-Cape, 1940, 65, 26.

[13] *tropelléla:* atropelléla. El vocablo es común en los siglos XVI y XVII según Cuervo, s. v. atropellar.

[14] *villa:* vIIla, Z // villa, RS // .

[15] *manzilla:* compasión, lástima. «Con grand manzilla que dellos ovieron, comenzaron a llorar», *Enrique fi de Oliva,* pág. 54.

[16] *poquedad de coraçón:* pusilaminidad de ánimo. De acuerdo con las doctrinas cortesanas, un amante «está obligado a socorrer las necesidades de su amada, compartiendo todos sus sufrimientos y cumpliendo sus justos deseos. Pero aunque sepa que su deseo no es demasiado justo, también ha de estar dispuesto a obedecerla tras advertirla sobre ello», A. Capellanus, *De amore,* pág. 289.

Con esto se tornó Durín por donde viniera.

Y don Bruneo de Bonamar, como ya muy mejorado de la llaga corporal estuviesse, y de la del spíritu más fuerte ferido, como aquel que veía a su señora Melicia muchas vezes, que era causa de ser su coraçón encendido en mayores dolores, considerando que aquello alcançar no se podía sin que gran afán tomasse, y mayor el peligro, haziendo tales cosas que por su gran valor de tan alta señora querido y amado fuesse, acordó de se apartar de aquel gran vicio, por seguir lo qu'el efeto de lo qu'él más desseava alcançar podría. Y seyendo en disposición de tomar armas, estando en el monte con Amadís, que otra vida sino caçar tenía, le dixo:

—Señor, mi edad y lo poco de honra que he ganado me mandan que, dexando esta tan folgada vida, vaya a otra donde con más loor y prez sea ensalçado. Y si vos estáis en disposición de buscar las aventuras, aguardaros he; y si no, demando's licencia, que mañana quiero andar mi camino.

Amadís, que esto le oyó, de gran congoxa fue atormentado, desseando él con mucha afición aquel camino, y por el defendimiento de su señora no lo poder fazer, y dixo:

—Don Bruneo, yo quisiera ser en vuestra compañía, porque mucha honra della me podría ocurrir, pero el mandamiento del Rey mi padre me lo defiende, que me dize averme menester para el reparo de algunas cosas de sus reinos; así que por el presente no puedo ál fazer sino encomendaros a Dios que vos guarde.

Tornados a la villa essa noche, fabló don Bruneo con Melicia, y certificado della que, seyendo voluntad del Rey su padre y de la Reina, le plazería casar con él, se despidió della. Y así se despidió del Rey y de la Reina, teniéndoles en mucha merced el bien que le fizieran, y que siempre en su servicio sería. Se fue a dormir, y al alva del día oyendo missa, y armado en su cavallo, saliendo con él el Rey y Amadís, y con gran humildad dellos despedido, entró en su camino donde la ventura lo guiava; en el cual fizo muchas cosas y estrañas en armas que sería largo de las contar. Mas por agora no se dirá más dél fasta su tiempo[17].

---

[17] Los amores de don Bruneo han servido para contrastar su situación con la

Amadís quedó en Gaula como oís, donde moró treze meses[18] y medio, en tanto qu'el rey Lisuarte tuvo el castillo del Lago Ferviente cercado, andando a caça y monte, que a esto más que a otras cosas era inclinado; y en este medio tiempo[19], aquella su gran fama y alta proeza tan escurescida y tan abiltada[20] de todos, que, bendiziendo a los otros cavalleros que las aventuras de las armas seguían, a él muchas maldiciones davan, diziendo aver dexado en el mejor tiempo de su edad aquello de que Dios tan cumplidamente sobre todos los otros ornado le avía, especialmente las dueñas y donzellas que a él con grandes tuertos y desaguisados[21] venían para que remedio les pusiesse[22], y no lo fallando como solían, ivan con gran pasión por los caminos publicando el menoscabo de su honra. Y comoquiera que todo o la mayor parte a sus oídos viniesse, o por[23] gran desaventura suya lo tuviese, ni por esso ni por otra cosa más grave no osaría passar ni quebrar el mandamiento de su señora. Assí estuvo este dicho tiempo que oís disfamado y abiltado[24] de todos, esperando que su señora le mandasse, fas-

---

de Amadís, por lo que una vez terminados felizmente no interesan sus aventuras caballerescas, que se dejan de contar.

[18] *meses:* mezes, Z // meses, RS // .

[19] *medio tiempo:* intermedio.

[20] *escurezida y abiltada:* oscurecida y afrentada, menospreciada. «Quando este Belquet [...] ovo desonrado e abiltado [...] al emperador de Constantinopla», *Gran Conquista de Ultramar*, I, 29. Se recrean estructuras bien conocidas en el relato artúrico, pues el abandono de las armas (la *recreantise* francesa) implica una pérdida de la fama anterior, como en *Erec y Enide* de Chrétien de Troyes, y como había sucedido en su retiro a la Peña Pobre. Para solucionar tales críticas, deberá emprender una nueva serie de aventuras, aunque para ello necesitará el permiso de la amada.

[21] *tuertos y desaguisados:* injusticias y agravios, en una nueva serie casi sinonímica.

[22] *pusiesse:* pusissee, Z // pusiesse, R // pusiese, S // .

[23] *o por:* donde por. «Dexaron los lugares o los muros [eran] más baxos», *Gran Conquista de Ultramar*, III, 398.

[24] *disfamado y abiltado:* difamado y menospreciado. Place edita diffamado, si bien me parece una lectura errónea, pues *disfamar* puede documentarse en textos del XV y XVI. «Por disfamar la vieja a tuerto o a derecho, pones en mis amores desconfiança», *Celestina*, II, 63. «Fue disfamada con el conde don Pedro», Fernán Pérez de Guzmán, *Generaciones y semblanzas*, pág. 16. «Me place mucho más escrivir, como otros, *disfamar*», Juan de Valdés, *Diálogo de la lengua*, página 109.

ta tanto qu'el rey Lisuarte, sabiendo por nuevas ciertas cómo el rey Arábigo y los otros seis Reyes eran ya con todas sus gentes en la Ínsola Leonida para passar en la Gran Bretaña, y Arcaláus el Encantador, que con mucha acucia[25] los movía, haziéndoles seguros que no estava en más ser señores d'aquel reino de cuanto en él passassen, y otras muchas cosas por los atraer que otro medio no tomassen, adereçava toda cuanta más gente podía para los resistir. Y ahunqu'él con su fuerte coraçón y gran discreción en poco aquella afrenta mostrava tener, no lo fazía así la Reina; antes, con mucha angustia dezía a todos la gran pérdida qu'el Rey hizo [en] perder[26] Amadís y su linaje; que si ellos allí fuessen, en poco ternía[27] lo que aquella gente pudiese fazer.

Pero aquellos cavalleros que en la ínsola de Mongaça desbaratados fueron, ahunque el bien del Rey no desseassen, veyendo de su parte a don Galaor, y a don Brian de Monjaste, que por mandado del rey Ladasán[28] d'España venían con dos mill cavalleros que en su ayuda embió, de qu'él avía de ser caudillo [y] le[29] avía de seguir, y don Galvanes, que era su vasallo, acordaron de ser en su ayuda en aquella batalla donde gran peligro de armas se esperava. Y los que se fallaron allí eran don Cuadragante, y Listorán de la Torre Blanca, y Imosil de Borgoña, y Madansil de la Puente de la Plata, y otros sus compañeros que por amor dellos allí quedaron. Todos ponían acucia en adreçar sus armas y cavallos y lo necessario, esperando que en saliendo aquellos Reyes de aquella ínsola movería el rey Lisuarte contra ellos.

Mabilia fabló un día con Oriana, diziéndole que era mal recaudo en tal tiempo no tomar acuerdo de lo que Amadís hazer devía; que si por ventura fuesse contra su padre, podría recrescer peligro algun[o][30] dellos; que si la parte de su padre fuesse

---

[25] *acucia:* diligencia. «No digo *acucia,* sino *diligencia*», Juan de Valdés, *Diálogo de la lengua,* pág. 194.

[26] *fizo [en] perder:* hizo perder, Z // fizo en perder, R // hizo en perder, S // .

[27] *en poco ternía:* menospreciaría. «Con tu poco preciarte, con tenerte en poco», *Celestina,* XI, 163.

[28] *Ladasán:* lazadan, ZRS // Ladasán, Place // .

[29] *caudillo, [y] le:* caudillo le, ZRS // caudillo y le, Place // .

[30] *algun[o] dellos:* a alguno de ellos. Como en tantas otras ocasiones, se trata de una construcción sintáctica con una «a» embebida en *algunos.*

vencida, demás del gran daño que a ella venía perdiéndose la tierra que suya avía de ser, según su esfuerço cierto estava que allí quedaría muerto; y por el semejante, si la parte donde Amadís se fallasse vencida fuesse. Oriana, conosciendo que verdad dezía, acordó de tomar por partido[31] de escrevir a Amadís que no fuesse en aquella batalla contra su padre, pero que a otra parte que le contentasse pudiesse ir, o estar en Gaula si le agradasse. Esta carta de Oriana fue metida en otra de Mabilia, y levada por una donzella que a la corte era venida con donas de la reina Helisena a Oriana[32] y a Mabilia; la cual, despedida dellas y passando en Gaula, dio la carta a Amadís del mensaje, que después de la aver leído fue tan ledo, que cierto más ser no podía, assí como aquel que semejava salir de la teniebla[33] a la claridad. Pero fue puesto en gran cuidado[34] no se sabiendo determinar en lo que haría, que por su voluntad no avía talante de ser en la batalla a la parte del rey Lisuarte, y contra él no lo podía fazer, porque su señora gelo defendía; así que estava suspenso[35] sin saber qué fiziesse. Y luego se fue al Rey su padre con el continente[36] más alegre que fasta allí lo tuviera, y fablando entrambos se assentaron a la sombra de unos olmos que en una plaça cabe la playa de la mar estavan. Y allí fablaron en algunas cosas, y todo lo más en aquellas

---

[31] *tomar por partido:* determinarse a. «Ovo por partido de fuir prestamente», *Confisión del Amante*, 435, 12.

[32] *a Oriana:* y oriana, Z // a oriana, RS // .

[33] *teniebla:* tiniebla, en R y S. La obediencia, que en el episodio de la Peña Pobre le plantea al héroe un conflicto interno, sirve para resolver el dilema. Las órdenes de Oriana, la de permanecer y la de poderse marchar de Gaula, se relatan en el mismo capítulo cuando han transcurrido trece meses y medio. Si en la novela hubiera coincidido el orden de los acontecimientos con el tiempo novelesco, se hubiera visto con mayor claridad que los mensajes de Oriana eran un simple recurso del autor para evitar una situación conflictiva. Por el contrario, al narrarlo de esta forma, parece como si la estancia de Amadís en Gaula no se hubiera desarrollado paralelamente a la lucha de Lisuarte con los amigos del héroe.

[34] *cuidado:* cuytado, Z // cuydado, RS // J. G. Mackenzie, s. v. cuydado. «Su precio de amar es pasión, fatigas, cuitados», Juan de Flores, *Triunfo de amor*, 99, 40.

[35] *suspenso:* sin determinación, indeciso.

[36] *continente:* semblante. «No le hazia el rey semblante de amor; ni tan buen continente como solia», *Demanda del Sancto Grial*, 314b.

grandes nuevas que de la Gran Bretaña oyeran del levantamiento de aquellos Reyes con tan grandes compañas contra el rey Lisuarte.

Pues así estando como oís, el rey Perión y Amadís vieron venir un cavallero en un cavallo lasso y cansado, y las armas, que un escudero le traía, cortadas por muchos lugares, assí que las sobreseñales no mostravan de qué fuessen, y la loriga rota y malparada, en que poca defensa avía. El cavallero era grande y parescía muy bien armado. Ellos se levantaron de donde estavan y ivan a lo recebir por le fazer toda honra como a cavallero que las aventuras demandava. Y seyendo más cerca, conosciólo Amadís que era su hermano don Florestán, y dixo al Rey:

—Señor, vedes allí el mejor cavallero que después de don Galaor yo sé, y sabed que don Florestán vuestro hijo es.

El Rey fue muy alegre, que lo nunca viera, y sabía su gran fama, y anduvo más que ante; pero llegado don Florestán, apeóse del cavallo, y hincados los inojos quiso besar el pie al Rey, mas el Rey lo levantó y diole la mano, y besólo en la boca[37]. Entonces [lo] levaron[38] consigo al palacio, y hiziéronlo desarmar y lavar su rostro y manos, y Amadís le hizo vestir unos paños suyos muy ricos y bien fechos que fasta entonces no se vistieran[39]; y como él era grande de cuerpo y bien talla-

---

[37] El beso en la boca corresponde al saludo más afectuoso, de uso habitual en los cantares de gesta, tanto españoles como franceses. Véase R. Menéndez Pidal, *Cid,* s. v. beso. Como señala George F. Jones, «El papel del beso en el cantar de gesta», *BRABL,* XXXI (1965-1966), 105-118, pág. 112, «el beso en la boca es el más igualador de los besos, siendo el único beso enteramente mutuo, ya que requiere que ambos participantes estén al mismo nivel».

[38] *Entonces [lo] levaron:* Entonces levaron, Z // entonces los levaron, R // entonces lo levaron, S // .

[39] *paños... que fasta entonces no se vistieran:* ropa que hasta entonces no se había utilizado. Amadís trata de honrar a su hermano con sus mejores vestimentas, que no se habían utilizado, con lo que se destaca la importancia concedida. Como dice Carmen Bernis, *Trajes y modas en la España de los Reyes Católicos. I. Las mujeres,* pág. 57, «en todas las clases sociales crecía la importancia concedida a los trajes. En todos los países de Occidente se sucedieron las leyes suntuarias con una doble finalidad: contener los gastos excesivos que las gentes hacían para vestirse, y establecer diferencias, según las categorías sociales, en la riqueza de los trajes que usaban. La eficacia de estas leyes fue escasa o nula, hasta el punto de que podemos saber lo que comúnmente se usaba por lo que se prohibía».

do y fermoso de rostro, parescía tan bien, que pocos oviera que tan apuestos como él paresciessen. Assí lo levaron a la Reina, que della y de su hija Melicia fue con tanto amor recibido, como lo fuera cualquier de sus hermanos, que en no menos le tenían según los grandes fechos en armas por que avía passado que dél sabían. Y fablando con él en algunos dellos[40], y él respondió como cavallero cuerdo y bien criado, preguntáronle, pues de la Gran Bretaña venía, qué cosa era aquello de los Reyes de las ínsolas y de sus compañas. Don Florestán les dixo:

—Esso sé yo bien cierto; y creed, señores, qu'el poder de aquellos Reyes es tan grande y de tan estraña y fuerte gente, que creo yo qu'el rey Lisuarte no podrá valer a ssí ni a su tierra, de que no nos deve mucho pesar según las cosas passadas.

—Hijo don Florestán —dixo el Rey—, yo tengo al rey Lisuarte, por lo que dél me dizen, en tal possessión, así de esfuerço como de las otras buenas maneras que rey deve tener, que saldrá[41] desta afrenta con la honra que de las otras ha salido; y puesto que[42] al contrario fuesse, no nos deve plazer dello, porque ningún rey deve ser alegre con la destruición de otro rey, si él mismo no les destruyesse por legítimas causas que le a ello obligassen.

Assí estuvieron allí una pieça, y el Rey se acogió a su cámara, y Amadís y don Florestán a la suya. Y cuando solos estavan, Florestán dixo:

—Señor, yo os vine[43] a demandar por vos dezir una cosa que he oído por todas las partes donde anduve, de que gran dolor mi coraçón siente, y no os pese de lo oír.

—Hermano —dixo Amadís—, toda cosa por vos dicha he yo plazer de la oír, y si es tal que deva ser castigado, con vuestro acuerdo lo faré.

Don Florestán dixo:

---

[40] *algunos dellos:* algunas dellas, ZRS // algunos dellos, Place // . La confusión se ha podido producir por considerar *armas* como antecedente.

[41] *salirá:* saldrá. «Salirán e ferirán en la hueste de la una parte, *Gran Conquista de Ultramar,* II, 457.

[42] *puesto que:* aunque. «Mi habla será por darle consuelo, puesto que yo dél sepa poco», Diego de San Pedro, *Cárcel de amor,* pág. 88.

[43] *vine:* viene, Z // vine, RS // .

—Creed, señor, que profaçan[44] de vos todas las gentes, menoscabando vuestra honra, pensando que con maldad avéis dexado las armas y aquello para que señaladamente estremado entre todos nascistes.

Amadís le dixo riendo:

—Ellos cuidan de mí lo que no deven, y de aquí adelante se fará de otra guisa, y de otra guisa lo dirán.

Aquel día pasaron con mucho plazer con la venida de aquel cavallero, al cual muchas gentes ocurrieron[45] por le ver y hacer honra. La noche venida, acostáronse en ricos lechos, y Amadís no podía dormir pensando en dos cosas[46]: la una, en fazer tanto aquel año en armas que lo [que] dél avían dicho con lo contrario se purgasse; el otra, qué faría en aquella batalla que se esperava, que según la grandeza della no podía él sin gran vergüença escusarse no ser en ella, pues ser contra el rey Lisuarte su señora gelo defendía, y ser en su ayuda defendíalo la razón, según le fuera desgradescido[47] y havía malparado a los de su linaje. Pero en la fin, determinóse de ser en la batalla en ayuda del rey Lisuarte por dos cosas: la una, porque su gente era mucho menos que los contrarios, y la otra, porque seyendo vencido perdíase la tierra que de su señora Oriana avía de ser.

Otro[48] día en la mañana Amadís tomó consigo a Florestán y fuese a la cámara del Rey su padre, y mandando salir[49] a todos, le dixo:

—Señor, yo no he dormido esta noche pensando en esta batalla que se apareja entre aquellos Reyes de las ínsolas y el rey Lisuarte; que como ésta será un[a] cosa señalada, todos los que armas traen devían ser en tan gran cosa como ésta será de la una o de la otra parte. Y como yo aya estado tanto tiempo sin

---

[44] *profaçar:* hablar mal, denostar. «O fueren ensangrentadores por pecados, mal diziendo [...] profaçando», A. Martínez de Toledo, *Corbacho,* 227.

[45] *ocurrieron:* acudieron. «Ocurrieron de la çibdad grandes tropeles de gentes», *Crónica de don Álvaro de Luna,* 240, 5.

[46] La construcción es muy característica de Montalvo, de la misma manera que las frases con continuas bimembraciones y las parejas sinonímicas.

[47] *desgradescido:* desagradecido.

[48] *otro:* otra, Z // otro, RS // .

[49] *mandando salir:* mandando a salir, Z // mandando salir, RS // .

exercitar mi persona, y con ello aya cobrado tan mala fama como vos, hermano, sabéis, en fin de mi cuidado determiné ser en ella y de la parte del rey Lisuarte, no por le tener amor, mas por dos cosas que agora oiréis: la primera, por tener menos gente, a que todo bueno deve socorrer; la segunda, porque mi pensamiento es de morir allí, o fazer más que en ninguna parte donde me fallasse. Y si de la parte contraria del rey Lisuarte fuesse, está en ella Galaor, y don Cuadragante y Brian de Monjaste, que cada uno déstos, según su bondad, ternán este mismo pensamiento; y no podiendo escusar de encontrar comigo, ved que desto podrá redundar no otra cosa sino su muerte o la mía. Pero mi ida será tan encubierta, que a todo mi poder no seré conoscido.

El Rey le dixo:

—Fijo, yo soy amigo de los buenos, y como sepa ser este Rey que dezís uno dellos, siempre mi voluntad fue aparejada de le honrar y[50] ayudar en lo que pudiese; y si dello por agora soy apartado, ha sido por estas diferencias que con vos y vuestros amigos ha tenido. Y pues que vuestra intención[51] es tal, también quiero ser en su ayuda y ver las cosas que allí se farán. Pésame qu'el negocio es tan breve[52], que no podré levar la gente que querría, pero con la que pudiere aver iremos.

Oído esto por don Florestán, estuvo una pieça cuidando[53], y después dixo:

—Señores, acordándoseme de la crueza de aquel Rey, y cómo nos dexara morir en el campo si por don Galaor no fuera, y de la enemistad que sin causa nos tiene, no ay en el mundo cosa por que mi coraçón fuesse otorgado a le ayudar; pero dos cosas que al presente me ocurren hazen que mi propósito mudado sea. La una es querer vosotros, señores, a quien yo de servir tengo, ser en su ayuda. Y la otra, que al tiempo que don Galvanes con él pleiteó, cuando la ínsola de Mongaça le fue entregada[54], assentamos treguas por dos años; assí que, pues

---

50  *honrar y:* honrrar a, Z // honrrar et, RS // .
51  *intención:* intentio, Z // intencion, RS // .
52  *breve:* brene, Z // breve, RS // .
53  *estuvo una pieça cuidando:* estuvo un rato pensando.
54  *entregada:* entreguada, Z // entregada, RS // .

yo no le puedo deservir, conviene que a mal de mi grado le sirva. Y quiero ir en vuestra compañía, que siempre en gran congoxa mi ánimo sería si tal batalla passasse sin que yo en ella fuesse en cualquiera de las partes.

Amadís fue muy alegre de cómo se hazía todo a su voluntad, y dixo al Rey:

—Señor, por mucha gente se deve contar vuestra sola persona, y nosotros que os serviremos. Solamente queda en darse orden cómo encubiertos vamos[55], y con armas señaladas y conoçidas que nos guíen a que socorrernos podamos; que si más gente llevássedes, impossible sería nuestra ida ser secreta.

—Pues que assí vos pareçe —dixo el Rey—, vayamos a la mi cámara de las armas y tomemos dellas las más olvidadas y señaladas que allí fallaremos.

Estonces, saliendo de la cámara, entraron en un corral donde havía unos árboles; y seyendo debaxo dellos, vieron venir una donzella ricamente vestida y en un palafrén muy fermoso, y tres escuderos con ella, y un rocín con un lío[56] encima dél. Y llegó al Rey después que los escuderos la apearon, y saludólos. Y el Rey la recibió muy bien y díxole:

—Donzella, ¿queréis a la Reina?

—No —dixo ella—, sino a vos y a essos dos cavalleros, y vengo de parte de la dueña de la Ínsola no Fallada, y vos trayo aquí unas donas que vos embía; por ende, mandad apartar toda la gente, y mostrároslas he.

El Rey mandó que se tirassen afuera. La donzella fizo a sus escuderos desliar el lío que el palafrén traía, y sacó dél tres scudos, el campo de plata y sierpes de oro por él tan estrañamente puestas, que no pareçían sino bivas, y las orlas eran de fino oro con piedras preciosas. Y luego sacó tres sobreseñales de aquella misma obra que los escudos, y tres yelmos, diversos unos de otros, el uno blanco, y el otro cárdeno, y el otro dorado. El blanco con el un escudo y su sobreseñal dio al rey Perión, y lo cárdeno, a don Florestán, y el dorado con lo otro, a Amadís, y díxole:

---

[55] *vamos*: vayamos.

[56] *lío*: «es fardel de cosas puestas sin orden y rebueltas, que porque van atadas y liadas se llamó lío, como lío de ropa» (Cobarruvias).

—Señor Amadís, mi señora os embía estas armas, y dízeos que obréis mejor con ellas que lo havéis fecho después que en esta tierra entrastes.

Amadís huvo recelo que descubriría la causa dello, y dixo:

—Donzella, dezid a vuestra[57] señora que en más tengo esse consejo que me da que las armas, ahunque ricas y fermosas son, y que a todo mi poder, assí como ella lo manda, lo faré.

La donzella dixo:

—Señores, estas armas os embía mi señora, porque por ellas en la batalla os conozcáis[58] y ayudéis donde fuere menester.

—¿Cómo supo vuestra señora —dixo el Rey— que seríamos en la batalla, que ahún nosotros no lo sabemos?

—No sé —dixo la donzella—, sino que me dixo que a esta hora os fallaría juntos en este lugar, y que aquí os diesse las armas.

El Rey mandó que le diessen de comer y le hiziessen mucha honra. La donzella, desque comido huvo, partióse luego a la Gran Bretaña, donde la mandavan ir.

Amadís, como tal aparejo de armas vio, aquexávase mucho por la partida, con recelo que la batalla se daría sin qu'él en ello se fallase, y conoçido esto por el Rey su padre, mandó secretamente que una nave fuesse luego adereçada; en la cual, con achaque de ir a monte, una noche a la media noche entrados en ella, sin ningún entrevallo passaron en la Gran Bretaña, aquella parte donde ante sabían que los siete Reyes eran arribados. Y passaron en una floresta entre espessas matas, donde sus hombres les armaron un tendejón[59], y de allí embiaron un escudero que supiesse lo que hazían los siete Reyes, y en qué parte stavan, que punasse por saber en qué día se daría la batalla. Y assí mesmo embiaron una carta al real del rey Lisuarte para don Galaor, como que de Gaula jela embiavan, y que de palabra le dixesse cómo ellos quedavan en Gaula todos tres, que le rogavan mucho que en passando la batalla les fiziesse saber de su salud. Esto fazían por ser más encubiertos.

---

57 *vuestra:* vuestro, Z // vuestra, RS // .
58 *conozcáis:* conoycays, Z // conozcays, RS // .
59 *tendejón:* tienda. «Halló [...] dos tendejones armados e fermosos e bien fechos de paño de seda bermeja», *Demanda del Sancto Grial,* 182a.

El escudero bolvió otro día tarde, y díxoles que la gente de los Reyes no tenía número, y que entre ellos havía muy estraños hombres y de lenguajes desvariados[60]; y que tenían cercado un castillo de unas donzellas, cuyo era, y ahunque el castillo muy fuerte era, ellas stavan en gran fatiga[61] según oyera dezir; y que andando por el real, viera a Arcaláus el Encantador, que iva hablando con dos Reyes y diziendo que convenía darse la batalla en cabo de seis días, porque las viandas serían malas de haver para tanta gente.

Assí estuvieron en aquel alvergue viciosos y con mucho plazer matando de las aves con sus arcos, que a una fuente que cerca de sí tenían venían a bever, y ahun algunos venados; y al cuarto día llegó el otro mensajero, y díxoles:

—Señores, yo dexo a don Galaor muy bueno y esforçado, tanto que todos se esforçan[62] con él. Y cuando le dixe vuestro mandado, y que quedávades todos tres en Gaula juntos, las lágrimas le vinieron a los ojos, y sospirando dixo: «¡O Señor, si a vos plugiera que assí juntos fueran en esta batalla de parte del Rey como solían, perdiera todo pavor!» Y díxome que si de la batalla bivo saliesse, que luego vos faría saber de su fazienda y de todo lo que passasse.

—Dios le guarde —dixeron ellos—, y agora nos dezid de la gente del rey Lisuarte.

—Señores —dixo él—, muy buena compaña trae, y de cavalleros muy señalados y conoçidos, pero con la de los contrarios muy poca dizen que es. Y el Rey será estos dos días a vista de sus enemigos por socorrer las donzellas que están cercadas.

Y assí fue, que el rey Lisuarte vino con sus gentes, y posó en un monte a media legua de la vega donde sus enemigos estavan, donde se veían los unos a los otros, pero bien serían dos tantos[63] la gente de los Reyes. Allí estuvo aquella noche

---

[60] *lenguajes desvariados:* lenguajes diversos, diferentes. 1.º doc. de desvariados, según DCECH, en Juan de Mena. Puede encontrarse algún ejemplo en la *Confisión del Amante* (h. 1430): «El filosofo fallo desvariados conoçimientos», 374, 9.

[61] *fatiga:* apuro, preocupación. «Destruye el buen juizio que grande fatiga o passión le quita», Juan de Flores, *Triunfo de amor,* 81.

[62] *esforçan:* en S, esfuerçan, frente a Z y R, que editan *esforçan.*

[63] *dos tantos:* el doble. «Bien pensó él que aunque fueran tres tantos así de inojos como estava no le tuvieran campo», *Lisuarte de Grecia,* fol. VII v.

adereçando todas sus armas y cavallos para les dar la batalla otro día. Agora sabed que los seis Reyes y otros grandes señores fizieron aquella noche omenaje al rey Arávigo de le tener en aquella afruenta por mayor y se guiar por su mandado. Y él les juró de no tomar más parte de aquel reino que cualquiera dellos; solamente quería para sí la honra. Y luego fizieron passar toda su gente un río que entre ellos y el rey Lisuarte estava, assí que se pusieron muy cerca dél.

Otro día de mañana armáronse todos y paráronse delante del rey Arávigo tan gran número de gente y tan bien armados, que no tenían a los contrarios en tanto como nada. Y dezían que, pues el Rey les osava dar batalla, que la Gran Bretaña era suya. El rey Arávigo fizo de su gente nueve hazes, cada una de mil cavalleros, pero en la suya havía mil y quinientos; y diolas a los Reyes y otros cavalleros, y púsolas unas tras otras muy juntas.

El rey Lisuarte mandó a don Grumedán y a don Galaor y don Cuadragante y Angriote d'Estraváus que repartiessen sus gentes y las parassen en el campo como havían de pelear, que éstos sabían mucho en todo hecho de armas. Y luego deçendió del monte por el recuesto ayuso[64] a se poner en lo llano, y como era a tal hora que salía el sol, fería en las armas y parecían tan bien y tan apuestos, que aquellos sus contrarios, que de ante en poco los tenían, de otra manera los juzgavan. Aquellos cavalleros que vos digo fizieron de la gente cinco hazes. Y la primera ovo don Brian de Monjaste con mil cavalleros d'España que le aguardavan, que su padre embiara al rey Lisuarte. Y la segunda hovo el rey Cildadán con su gente y con otra que le dieron. La tercera ovo don Galvanes y Agrajes su sobrino, que allí viniera por amor dél y de los amigos que allí eran, más que por servir al Rey. En la cuarta iva Giontes, sobrino del Rey, con asaz de buenos cavalleros. La quinta levava el rey Lisuarte, en que havía dos mil cavalleros, y rogó y mandó a don Galaor, y a don Cuadragante y Angriote d'Estraváus, y a Gavarte de Valtemeroso y a Grimón el Valiente, que le guardassen y mirassen por él. Y por esta causa no les dava cargo de

---

[64] *recuesto ayuso:* cuesta abajo. «Estaba en lo alto del recuesto», *Crónica de don Álvaro de Luna,* 78, 26.

gente. Assí como oís, en esta ordenança movieron por el campo muy passo los unos contra los otros. Mas a esta sazón eran ya llegados a la vega el rey Perión y sus fijos Amadís y Florestán en sus hermosos cavallos y con las armas de las sierpes, que mucho con el sol resplandeçían; y veníanse derechos a poner entre los unos y los otros, blandiendo sus lanças con unos fierros tan limpios, que luzían como estrellas; y iva el padre entre los fijos. Mucho fueron mirados de ambas las partes, y de grado los quisiera cada una dellas de su parte, mas ninguno sabía a quién querían ayudar, ni los conoçían. Y ellos, como vieron que la haz de Brian de Monjaste iva por se juntar con los enemigos, pusieron las spuelas a los cavallos y llegaron cerca de la seña de Brian de Monjaste. Y luego se bolvieron contra el rey Targadán, que contra él venía. Ledo fue don Brian con su ayuda, pero que[65] los no conoçía; y cuando vieron que era tiempo, fueron todos tres a ferir en la haz de aquel rey Targadán tan duramente, que a todos ponían gran pavor. De aquella ida firió el rey Perión aquel Rey tan duramente, que lo puso en tierra, y entróle por el pecho una parte del fierro de la lança. Amadís firió Abdasián el Bravo, que le no prestó armadura[66], y passó la lança de un costado a otro, y cayó como hombre de muerte. Don Florestán derribó a Carduel a los pies del cavallo, y la silla sobre él. Aquestos tres, como los más preciados de aquella haz, vinieron delante por se combatir con los de las sierpes. Y luego pusieron mano a las spadas, y passaron por aquella haz primera derribando cuantos ante sí fallavan, y dieron en la otra segunda. Y cuando assí se vieron en medio de entrambas, allí pudiérades ver las sus grandes maravillas que con las spadas fazían, tanto, que de la una ni otra parte no ha-

---

[65] *pero que:* aunque. *«Pero*, con su antigua significación de sin embargo, fue empleada para encabezar la construcción concesiva, del mismo modo y con igual sentido que nuestra actual locución *a pesar de que»*, José Vallejo, «Sobre un aspecto estilístico de D. Juan Manuel. Notas para la historia de la sintaxis española», en *Homenaje ofrecido a Menéndez Pidal*, II, Madrid, ed. Hernando, 1925, 63-85, pág. 72. En el siglo xv sólo encontramos algunos testimonios de la construcción, arcaizante para la época, y todavía más para los textos en prosa. Véase José Luis Rivarola, *Las conjunciones concesivas en español medieval y clásico. Contribución a la sintaxis histórica española*, Tubinga, Max Niemeyer, 1976, pág. 88.

[66] *le no prestó armadura:* la armadura no le sirvió de nada. «Veyendo el enperador quan poco le prestava la su sotilesa», *Confisión del Amante*, 453, 7.

vía hombre que a ellos se llegasse, y tenían debaxo de sus cavallos más de diez cavalleros que havían derribado. Pero a la fin, como los contrarios viessen que no eran más de tres, cargavan ya sobre ellos de todas partes con grandes golpes; assí que fue bien menester el ayuda de don Brian de Monjaste, que llegó luego con los sus spañoles, que era fuerte gente y bien encavalgada. Y entraron tan rezio por ellos derribando y matando, y dellos también muriendo y cayendo por el suelo, que los de las sierpes fueron socorridos, y los contrarios tan afrontados[67], que por fuerça llevaron aquellas dos hazes fasta dar en la tercera. Y allí fue muy gran priessa y gran peligro de todos, y murieron muchos cavalleros de ambas las partes; pero lo que el rey Perión y sus fijos fazían no se puede contar. La rebuelta fue tan grande, qu'el rey Arávigo temió que los mismos suyos que se havían retraído harían fuir a los otros, y dio grandes bozes a Arcaláus que fiziesse mover todas las hazes y rompiessen de golpe. Y assí se fizo, que todos rompieron juntos y el rey Arávigo con ellos; mas no tardó que lo mismo se hiziesse por el rey Lisuarte. Assí que las batallas todas fueron mezcladas, y las feridas fueron tantas, y las bozes y el estruendo de los cavalleros, que la tierra temblava y los valles reteñían[68].

A esta hora el rey Perión, que muy bravo andava en los delanteros, metióse tan de rondón[69] por ellos, que se oviera de perder, mas luego fue socorrido de sus fijos, que muchos dellos que le ferían fueron por ellos muertos, y dezían las donzellas desde la torre a bozes:

—¡Ea, cavalleros, qu'el del yelmo blanco lo faze mejor!

Pero en este socorro fue el cavallo de Amadís muerto, y cayó con él en la mayor priessa, y los de su padre y hermano

---

[67] *afrontados:* puestos en afrenta, peligro. «Por vos seran libres las donzellas que aqui eran afrontadas e cativas», *Demanda del Sancto Grial, 268a.*

[68] *reteñían:* resonaban. La hipérbole es muy del gusto de Montalvo, pues la reitera en otras ocasiones, convirtiéndose en un auténtico «topos» expresivo del extraordinario ruido de la batalla, de acuerdo también con la tradición anterior. Cfr.: «E oyeron tañer los atambores e los añafiles e las bozinas, e que hazían tan gran ruydo que todo el valle retremía», *Gran Conquista de Ultramar,* II, 208. Véase también la nota 29 del capítulo LXIV.

[69] *de rondón:* de repente. Según el DCECH, la forma sólo aparece con frecuencia desde el siglo XVI, aunque el primer testimonio corresponde al *Libro de buen amor,* 307c.

malferidos. Y como a pie le vieron con tan gran peligro, descavalgaron de los suyos y pusiéronse con él. Allí cargó mucha gente por los matar, y otros por los socorrer; pero en gran peligro stavan, que si no fuera por los duros y crueles golpes de que ferían, que no se osavan a ellos llegar, fueran muertos. Y como el rey Lisuarte anduviesse discurriendo por las batallas[70] a un cabo y a otro con aquellos sus siete compañeros que ya oístes, vio a los de las sierpes en tan gran afrenta, y dixo a don Galaor y a los otros:

—Agora, mis buenos amigos, parezca vuestra bondad: socorramos aquellos que tan bien nos ayudan.

—¡Agora, a ellos! —dixo don Galaor.

Estonces firieron de las espuelas a sus[71] cavallos y entraron por medio de aquella gran priessa fasta llegar a la seña del rey Arávigo, el cual dava bozes esforçando los suyos. Y el rey Lisuarte iva tan bravo, y aquella su muy buena spada en la mano, y dava tantos y tan mortales golpes, que todos eran espantados de lo ver, y sus aguardadores apenas lo podían seguir. Y por muchos que le firieron no pudieron tanto resistir, qu'él no llegasse a la seña y la no sacasse por fuerça de las manos del que la tenía, y echándola a los pies de los cavallos, dixo a grandes bozes:

—¡Clarencia, Clarencia, que yo soy el rey Lisuarte! —que éste era su apel[l]ido.

Tanto fizo y tanto duró entre sus enemigos, que le mataron el cavallo y cayó, de que fue muy quebrantado, assí que los que le aguardavan no le podían subir en otro. Mas llegaron luego allí Angriote y Antimón el Valiente, [y] Landín de Fajarque; descendiendo de su cavallo le pusieron a él en el de Angriote a mal de su grado de los enemigos, con ayuda de aquellos que lo aguardavan. Y comoquiera que malferido y quebrantado estuviesse, no partió de allí fasta que cavalgaron Antimón[72] y Landín de Fajarque, y traxeron otro cavallo a Angriote, de los que el Rey mandara andar por la batalla para se socorrer dellos.

---

[70] *batallas:* cuerpos del ejército.

[71] *a sus:* y sus, Z // a sus, RS // .

[72] *Antimón:* Arcamon, ZRS // . Se trata de un error común en todas las ediciones, pues líneas antes había señalado la presencia de Angriote, Antimón y Landín.

Aquella hora que esto acaeçió quedó todo el fecho de la batalla y afruenta en don Galaor y Cuadragante, y allí mostraron bien la su gran valentía en sufrir y dar golpes mortales. Y sabed que si por ellos no fuera, que con su gran esfuerço detovieron la gente, qu'el rey Lisuarte y los que con él eran, cuando estavan a pie, se vieran en gran peligro; y las donzellas de la torre davan bozes diziendo que aquellos dos cavalleros de las devisas de las flores llevavan lo mejor. Pero ni por esso no se pudo escusar que la gente del rey Arávigo en aquella sazón no toviesse la mejoría, y cobravan campo reziamente; y la causa principal dello fue que entraron de refresco[73] dos cavalleros de tan alto hecho de armas y tan valientes, que con ellos cuidavan vencer a sus enemigos, porque pensavan que a la parte del rey Lisuarte no havía cavallero que les campo tuviesse; el uno havía nombre Brontaxar d'Anfania y el otro, Argomades de la Ínsula Profunda. Éste traía armas verdes y palomas blancas sembradas por ellas, y Brontaxar, de veros de oro[74] y colorado; y como fueron en la batalla pareçían tan grandes, que los yelmos y los ombros mostravan sobre todos, y cuanto las lanças les turaron[75], no les quedó cavallero en la silla; y como quebradas fueron, metieron mano a sus spadas grandes y descomunales. ¿Qué vos diré?[76]. Tales golpes dieron con ellas, que ya cuasi no fallavan a quien ferir, tanto escarmentavan con ellos a todos. Y assí ivan delante librando el campo de todos, y las donzellas de la torre dezían:

—Cavalleros, no fuyáis, que hombres son, que no diablos[77].

---

[73] *refresco:* El DCECH no señala su primera documentación, y no se encuentra recogido ni en el DME ni en el R. S. Boggs y otros, *Tentative Dictionary of Medieval Spanish,* Chapel Hill, N. C., 1946, ni en Al. de Palencia, ni en Nebrija.

[74] *veros de oro:* según Diego de Valera, *Tratado de las armas,* pág. 137, los veros, que en el blasón son unas figuras como copas, o vasos de vidrio, representados en forma de campanitas o sombrerillos pequeños *(Autoridades),* deben ser blancos y azules «e quando acaece que alguno trae veros [...] de otros colores no se deve dezir veros [...] mas dévese dezir "porta veré" [...] o en nuestra lengua "trae [...] verado"». Véase Riquer, *Armas,* págs. 423-424.

[75] *turaron:* duraron.

[76] El texto corresponde al fragmento I del texto manuscrito, columna 1, publicado por Rodríguez Moñino, art. cit., págs. 27-28, aunque no lo transcribiré por estar muy deteriorado.

[77] *diablos:* diadlos, Z // diablos, RS // .

Mas los suyos dieron grandes bozes diziendo:

—Vencido es el rey Lisuarte.

Cuando el Rey esto oyó, començó a esforçar los suyos diziendo:

—Aquí quedaré muerto o vencedor, porque el señorío de la Gran Bretaña no se pierda.

Todos los más se llegavan a él, que mucho era menester. Amadís tomara ya otro cavallo muy bueno y folgado, y atendía a su padre que cavalgasse; y cuando oyó aquellas grandes bozes, y dezir[78] que el rey Lisuarte era vencido, dixo contra don Florestán, que a cavallo estava:

—¿Qué es esto, o por qué brama aquella astrosa gente?[79].

Él le dixo.

—¿No vedes aquellos dos más fuertes y valientes cavalleros que se nunca vieron que estragan y destruyen cuantos ante sí hallan?; y ahún en esta batalla fasta agora no han paresçido, y fazen con su fortaleza ganar campo a las gentes de su parte.

Amadís bolbió la cabeça, y vio venir contra aquella parte do él estava a Brontaxar d'Anfania, firiendo y derribando cavalleros con su spada; y algunas vezes la dexava colgar de una cadena con que travada la tenía, y tomava a braços y a manos los

---

[78] La columna 2 de dicho fragmento continúa así (represento el grafema similar a una sigma por s o por z y el signo tironiano lo transcribo por et; en los demás casos sigo los criterios de esta edición): «oyó descir que era vençido el rey [Li]suarte, non le plugo e dixo contra don Florestán, que ya avía cavalgado: —«¿Qué es esto o por qué brama así aquella gente astrosa?" Et don Florestán le dixo: —«Buen señor, ¿non vedes los dos más fuertes cavalleros que pueden ser nin que más endiabladamente fieren de espada? Cada uno de ellos por do van vencen et estragan quanto pueden et fallan, et aún oy en este día ni[n]guno dellos nunca paresçió en esta vatalla, et folgados llegan et malamente fazen tomar canpo a los del rey Arávigo." Et Amadís alçó la cabeça, et vio venir contra aquella parte do él estava a Brontaxar, et venía feriendo et derribando cavalleros de su espada; et cuando él dexava el ferir de la espada, tan bravamente tomava a manos de los braços, que no fallava cavallero que non derribase de la silla; et traía el espada prendida por una cadena de fierro por el braço, et cuando quería travar a manos, dexávala, et después covrávala cuando quería, et con ella fería et todos le dexavan el campo por do iva et alongávase dél», *ibidem,* págs. 29-30.

[79] *astrosa gente:* despreciable, gente vil. «De perderse tan astrosa cosa como yo no sería mucho», *Palmerín de Olivia,* 37, 29.

cavalleros que alcançava, assí que ninguno le quedava en la silla y todos se alongavan[80] dél fuyendo.

—¡Santa María, val! —dixo Amadís—, ¿qué puede ser esto?

Estonces tomó una fuerte lança que el escudero que el cavallo le dio tenía, y membrándose aquella[81] hora de Oriana y de aquel gran daño, si su padre perdiesse, que ella recibía, enderecóse en la silla y dixo a don Florestán:

—Aguardad a nuestro padre.

A[82] esta hora llegava Brontaxar más cerca, y vio a Amadís cómo endereçava contra él, y cómo tenía el yelmo dorado; y por las nuevas de las grandes cosas que dél le dixeron antes que en la batalla entrasse, andava con gran saña raviando por le encontrar. Y tomó luego una lança muy gruessa, y dixo a una boz alta:

—Agora veréis fermoso golpe si aquel del yelmo de oro me osare atender.

Y firió el cavallo de las espuelas, la lança so el sobaco, y fue contra él, y Amadís, que ya movía, por el semejante; y firiéron-

---

[80] *alongavan:* alejaban. «Seyendo alongado de mi señora», *Confisión del Amante,* 177, 19.

[81] La columna 3 del fragmento I coincide con estas palabras: «quella parte de la villa do le dixiero[n] que estava et dixo muy paso entre sí: —"Oriana, mi buena señora, menester es que vos menbredes de mí, que me ayude en mi honra la vuestra buena et sabrosa menbrança, que me sienpre acorrió et adelantó los mis fechos. Dios poderoso, el vuestro buen acorro me dé oy poder porque sé [si] de aquí no p[ro]spera tan buen rey como vuestro padre et la tierra que ha de ser vuestra, cuando a Dios ploguiere, mi buena señora, que yo, el vuestro leal serviente, et cuántos omnes buenos se podrían perder." Estonçe se endereçó todo en la silla et tornó la cabeça del cavallo contra do vio a Brontaxar d'Anpania, et dixo contra don Florestán: —"Aguardad bien a nuestro padre." *Cómo Amadís derribó a Brontaxar de Canpania et le metió la lança en los pechos».* A. Rodríguez Moñino, art. cit., pág. 30. Obsérvese cómo el manuscrito estaba fragmentado de forma distinta a la actual, con otros epígrafes, y cómo el texto de 1508 abrevia sistemáticamente en estos fragmentos.

[82] El mismo fragmento y columna continúa de la siguiente manera: «[A]quella ora que lo vio Brontaxar enderesçar contra í, dexó colgar la espada de la cadena et tomó una lança muy buena de un escudero que le aguardava que le traía, et dixo a una bos alta et espantable: —"Agora veredes fermoso golpe de la lança si me osare atender aquel cavallero que se me endereçó contra mí." Estonce metió la lança so el sobaco et dexó correr el cavallo contra él, et firiéronse de las lanças en los escudos tan cruamente, que luego fueron falsa[dos].» *Ibidem,* pág. 30.

se con las lanças en los escudos, que luego fueron falsados y las lanças quebradas, y ellos se toparon de los cuerpos de los cavallos uno con otro tan fuertemente[83], que a cada uno le semejó que en una peña dura topara. Y Brontaxar fue tan desvanecido de la cabeça[84], que se no pudo tener en el cavallo, y cayó en el suelo como si fuesse muerto; y con la gran pesadumbre suya dio todo el cuer[p]o sobre el un pie, y quebró la pierna cabe él, y levó un troço de la lança metido[85] por el escudo, maguer[86] fuerte era. El cavallo de Amadís se fizo atrás bien dos braçadas y estovo por caer. Y Amadís fue tan desacordado, que le no pudo dar de las espuelas ni poner mano a la spada para se defender de los que le ferían. Pero el rey Perión, que ya era a cavallo, y vio el gran cavallero y el encuentro que Amadís le diera tan fuerte, fue muy espantado, y dixo:

—Señor Dios, guarda aquel cavallero. Agora, hijo Florestán, acorrámosle.

Estonces llegaron tan bravos, que maravilla era de los ver, y metiéronse por entre todos, firiendo y derribando fasta llegar a Amadís, y díxole el Rey:

—¿Qué es esso, cav[a]llero? Esforçad, esforçad, que aquí estó yo.

Amadís conoció la boz de su padre, ahunque no era enteramente en su acuerdo, y puso mano a su spada, y vio cómo fe-

---

83 *fuertemente:* fuertamente, Z // fuertemente, RS // .

84 La columna 4 del fragmento I está más deteriorada, pero comienza aproximadamente en este mismo lugar.

85 *metido:* metida, Z // metido, RS // .

86 *maguer:* aunque. «No ovo ay quien lo pudiesse conocer [...], maguer muchas vezes lo avia visto», *Demanda del Sancto Grial,* 281a. Como muy bien estudió José Vallejo, art. cit., don Juan Manuel evita la construcción con *maguer,* síntoma de un cambio de utilización en su tiempo. En el siglo XV perdura su empleo en verso, mientras que es más escaso en la prosa. «Incluso en los textos jurídicos, *maguer (que)* aparece muy esporádicamente, y es excepcional el caso de Don Enrique de Villena, en cuyos Trabajos de Hércules (1417) *maguer (que)* tiene la mayoría sobre cinco tipos utilizados. Al final del siglo *maguer(a)* aparece todavía una vez en la Celestina. Agreguemos que en esta época ya ni los pastores de Encina se acuerdan de *maguer (que):* a pesar de que debía ser empleada aún en ambientes rurales, el poeta salmantino prefiere poner en boca de ellos, no ya la vieja partícula, sino la variante vulgar *(onque)* de la conjunción que entonces era el instrumento preferido para la subordinación concesiva: *aunque»,* José Luis Rivarola, ob. cit., pág. 70.

rían muchos a su padre y a su hermano, y començó a dar por los unos y por los otros, ahunque no con mucha fuerça. Y aquí ovieran de recebir mucho peligro porque la gente contraria era muy esforçada, y los del rey Lisuarte havían perdido mucho campo, y estavan muchos sobre ellos por los matar, y muy pocos en su defensa. Mas aquella sazón acudieron allí Agrajes y don Galvanes y Brian de Monjaste, que venían a gran priessa por se encontrar con Brontaxar d'Anfania, que tanto estrago como ya oístes fazía, y vieron los tres cavalleros de las sierpes en tal afruenta. Llegaron en su acorro como aquellos que [en] ninguna cosa de peligro les falleçían los coraçones, y en su llegada fueron muchos de los contrarios muertos y derribados, assí que los de las armas de las sierpes tuvieron lugar de poder ferir más a su salvo[87] a los enemigos.

Amadís, que ya en su acuerdo estava, miró a la diestra parte, y vio al rey Lisuarte con alguna compaña de cavalleros que atendían al rey Arávigo, que contra él venía con gran poder de gentes, y Argomades delante todos, y dos sobrinos del rey Arávigo, valientes cavalleros, y el mismo rey Arávigo dando bozes, esforçando a los suyos, porque oía dezir desde la torre:

—El del yelmo de oro mató al gran diablo.

Entonces dixo:

—Cavalleros, socorramos al Rey, que menester le haze[88].

Luego fueron todos de consuno, y entraron por la priessa de la gente fasta llegar donde el rey Lisuarte estava; el cual, cuando cerca de sí vio los tres cavalleros de las sierpes, mucho fue esforçado, porque vio que el del yelmo dorado havía muerto[89] de un golpe aquel tan valiente Brontaxar d'Anfania. Y luego movió contra el rey Arávigo que cerca dél venía; y Argomades, que venía con su spada en la mano, esgrimiéndola por ferir el rey Lisuarte, parósele delante el del yelmo[90] dorado, y su batalla fue partida por el primero golpe; el del yelmo de oro, de que vio venir la gran spada contra él, alçó el escudo

---

[87] *tuvieron lugar de poder ferir más a su salvo*: tuvieron ocasión de poder acometer más sin peligro.

[88] *menester le haze*: lo necesita.

[89] *havía muerto*: había matado.

[90] *yelmo*: yelma, Z // yelmo, RS // .

y recibió en él el golpe, y la spada deçendió por el brocal bien un palmo, y entró por el yelmo tres dedos, assí que por poco lo oviera muerto, y Amadís lo firió en el ombro[91] siniestro de tal golpe, que le tajó la loriga, que era de muy gruessa malla, y cortóle la carne y los huessos hasta el costado, de guisa qu'el braço con parte del ombro fue del cuerpo colgado. Este fue el más fuerte golpe de spada que en toda la batalla se dio[92]; Argomades començó a fuir como hombre tollido[93] que no sabía de sí, y el cavallo lo tornó por donde viniera. Y los de la torre dezían a grandes bozes:

—El del yelmo dorado espanta las palomas.

Y el uno de aquellos sobrinos del rey Arávigo, que llamavan Ancidel, dexóse ir a Amadís y diole un golpe del spada en el rostro del cavallo, que gelo cortó todo al traviesso[94], y cayó el cavallo muerto en tierra. Don Florestán, cuando esto vio, dexóse ir a él, que se estava alabando, y firiólo por cima del yelmo de tal golpe, que le hizo abaxar al cuello del cavallo, y travóle por el yelmo tan rezio, que al sacar de la cabeça dio con él a los pies de Amadís. Y don Florestán fue llagado en el costado de la punta de la spada de Ancidel.

A esta hora se juntó el rey Lisuarte con el rey Arávigo, y la una gente con la otra, assí que ovo entre ellos una esquiva y cruel batalla, y todos tenían mucho que fazer en se defender los unos de los otros y en socorrer a los que muertos y feridos caían.

---

[91] *ombro:* ombre, Z // ombro, RS // .

[92] Montalvo en el prólogo general a los tres primeros libros había señalado los golpes extraordinarios dados por Godofredo de Bouillon, advirtiendo que se debían a la exageración de los historiadores. Sin embargo, en esta ocasión no se parte a un hombre por la mitad, sino que queda su brazo colgando. Como anota D. Eisenberg, Diego Ortúñez de Calahorra, *Espejo de príncipes,* I, pág. 176, Luis de Zapata, *Miscelánea,* cap. 11, comenta: «aunque los libros de caballerías mienten, pero los buenos autores vanse a la sombra de la verdad, aunque de la verdad a la sombra vaya mucho. Dicen que hendieron el yelmo, ya se ha visto; y que cortaron las mallas de las lorigas, ya también en nuestros tiempos se ha visto. Juan Fernández Galindo cortó a uno a cercén un brazo con una manga de malla y no le dejó sino en las postreras mallas».

[93] *tollido:* tullido, fuera de sí.

[94] *al traviesso:* en R y S, al través. No obstante, cfr.: «aquí viene Florençia a travieso de un canpo», *Otas de Roma,* 100, 12. «Entro Galvan en una carrera que estava en traviesso de la floresta», *Demanda del Sancto Grial,* 206a.

Durín, el donzel de Oriana, que allí viniera por llevar nuevas de la batalla, estava en uno de los cavallos que el rey Lisuarte mandara traer por la batalla para socorro de los cavalleros que menester los oviessen; y cuando vio al del yelmo dorado en tierra, dixo contra los otros donzeles, que en otros cavallos estavan:

—Quiero socorrer con este cavallo aquel buen cavallero, que no puedo fazer mayor servicio al Rey.

Y luego se metió a gran peligro por donde era la menos gente, y llegó a él y dixo:

—Yo no sé quién vos sois, mas por lo que he visto os trayo este cavallo.

Él lo tomó y cavalgó en él, y díxole passo:

—¡Ay, amigo Durín, no es éste el primero servicio que me tú feziste!

Durín le travó del braço, y dixo:

—No vos dexaré fasta que me digáis quién sois.

Y él se abaxó[95] lo más que pudo, y díxole:

—Yo soy Amadís, y no lo sepa de ti ninguno sino aquella que tú sabes.

Y luego se fue donde vio la mayor priessa, haziendo cosas estrañas y maravillosas en armas como las fiziera si su señora estoviera delante; que assí lo tenía[96], estándolo aquel que muy bien gelo sabría contar.

El rey Lisuarte, que se combatía con el rey Arávigo, y diole con la su buena spada tales tres golpes que lo no osó más atender, que, como no sabía que aquél era el cabo y el caudillo de sus enemigos, [no] puso[97] todas sus fuerças por le ferir, y retráxose detrás de los suyos, maldiziendo a Arcaláus el Encantador, que aquella tierra le hizo venir, esforçándole que gela haría ganar.

Don Galaor se herió con Sarmadán, un valiente cavallero, y como el braço traía cansado de los golpes que diera, y la spada no cortava, travóle con sus muy duros braços, y sacándolo de

---

[95] *abaxó:* se agachó. «E Gorvalan se fue para Palomades que dormia, e abaxose tanto, que le echo mano por la visera del yelmo», *Tristán de Leonís,* 379a.

[96] *tenía:* pensaba.

[97] *enemigos, [no] puso:* enemigos puso, ZRS // enemigos no puso, Place // .

la silla, dio con él en tierra, y cayó sobre el pescueço, assí que luego fue muerto.

Y dígovos de Amadís que, membrándose aquella hora del perdido tiempo que en Gaula estuvo, y de cómo su honra fue tan abiltada y menoscabada, y que aquello no se podía cobrar sino con lo contrario, hizo tales cosas, que ya no fallava quien delante se le osasse parar; y ivan teniendo con él su padre y don Florestán, y Agrajes y don Galvanes, y Brian de Monjaste, y Norandel y Guilán el Cuidador, y el rey Lisuarte, que muy bravo aquella hora se mostrava. Assí que tantos derribaron de los contrarios, y tanto los estrecharon y pusieron en pavor, que lo no pudiendo sufrir y haviendo visto el rey Arávigo ir fuyendo ferido, desamparando el campo, se metieron en fuida, trabajando de se acojer a las barcas, y otros a las sierras, que cerca tenían; mas el rey Lisuarte y los suyos los ivan feriendo y matando muy cruelmente, y los de las armas de las sierpes delante todos, que los no dexavan. Y todos los más se acogían a una fusta con el rey Arávigo y a las otras que podían alcançar, mas muchos murieron en el agua, y otros presos.

A esta sazón que la batalla se venció era ya noche cerrada, y el rey Lisuarte se tornó a las tiendas de sus enemigos, y allí alvergó aquella noche con muy gran alegría del vencimiento que Dios le havía dado. Mas los cavalleros de las armas de las sierpes, como vieron el campo despachado, y que no quedava defensa ninguna, desviáronse todos tres del camino por donde cuidavan qu'el Rey tornaría, y metiéronse debaxo de unos árboles donde hallaron una fuente. Y allí descavalgaron y bevieron del agua, y sus cavallos, que lo mucho menester havían según lo que trabajaran aquel día. Y queriendo cavalgar para se ir, vieron venir un escudero en un rocín, y poniéndose los yelmos porque los no conoçiessen, lo llamaron encubiertamente. El escudero dudava, pensando ser de los enemigos, mas como las armas de las sierpes les vio, sin ningún recelo se llegó a ellos. Y Amadís le dixo:

—Buen escudero, dezid nuestro mensaje al Rey, si os pluguiere.

—Dezid lo que vos pluguiere —dixo él—, que yo gelo diré.

—Pues dezilde —dixo él— que los cavalleros de las armas de las sierpes, que en su batalla nos hallamos, le pedimos por merced que nos no culpe porque le no vemos, porque nos conviene de andar muy lexos de aquí a estraña tierra[98], y a nos poner a mesura y merced de quien no creemos que la havrá de nosotros; y que le rogamos que la parte del despojo[99] que a nosotros daría lo mande dar a las donzellas de la torre por el daño que les hizieron; y levalde este cavallo, que tomé a un donzel suyo en la batalla, que no queremos dél otro gualardón más deste que dezimos.

El escudero tomó el cavallo y se partió dellos, que se fue al Rey para gelo dezir. Y ellos cavalgaron, y anduvieron tanto hasta que llegaron a su alvergue, que en la floresta tenían; y después de ser desarmados y lavados sus rostros y manos de la sangre y del polvo, y reparando sus feridas como mejor pudieron, cenaron, que muy bien guisado lo tenían, y acostáronse en sus lechos, donde con mucho reposo durmieron aquella noche.

El rey Lisuarte, como fue tornado a las tiendas de sus enemigos, seyendo ya todos ellos destruidos, preguntó por los tres cavalleros de las armas de las sierpes, mas no halló quien otra cosa le dixesse sino que los vieran ir a más andar hazia la floresta. El Rey dixo a don Galaor:

—¿Por ventura sería aquel del yelmo dorado vuestro hermano Amadís?, que según lo que él hizo, no podía ser otorgado a otro sino a él.

—Creed, señor —dixo Galaor—, que no es él, porque no passan cuatro días que dél supe nuevas, que está en Gaula con su padre y con don Florestán su hermano[100].

—¡Santa María! —dixo el Rey—. ¿Quién será?

---

[98] *estraña tierra:* tierra extranjera. Véase la nota 3 del capítulo XIII.

[99] *despojo:* lo que se halla abandonado por la pérdida de un ejército, o por la muerte o desgracia de alguno *(Autoridades)*. «Tollendoles los despojos en testimonio del vençimiento», Enrique de Villena, *Trabajos de Hércules*, 28, 2. Estos detalles nos muestran una mentalidad narrativa más acorde con las prácticas guerreras, y están casi ausentes en los primeros libros. No obstante, se deja bien claro que los caballeros no han actuado en provecho propio, al entregar su parte correspondiente a las doncellas, muestra de su generosidad.

[100] La carta enviada a Galaor cumple ahora su función, pues el misterio de la personalidad enigmática de los caballeros no ha sido desvelado, sino que se acrecienta con la carta. Como en los relatos tradicionales, los detalles aparentemente gratuitos desempeñarán alguna misión en el texto.

—No sé —dixo don Galaor—, pero quienquier que sea Dios le dé buena ventura, que a grande afán y peligro ganó honra y prez sobre todos.

Estando en esto, llegó el escudero y dixo al Rey todo lo que le mandaron, y mucho le pesó cuando le dixo que ivan a tal peligro como ya oístes; mas si Amadís lo dixo burlando, muy de verdad salió, como adelante se dirá[101]. Assí que los hombres siempre devrían dar buenas anuncias y fados[102] en sus cosas. Y el cavallo qu'el escudero llevava cayó delante del Rey muerto de las grandes feridas que tenía.

Aquella noche alvergaron Galaor y Agrajes y otros muchos de sus amigos en la tienda de Arcaláus, que muy rica y fermosa era, en la cual hallaron broslada[103] de seda la batalla que con Amadís huvo y cómo lo encantó, y otras que havía fecho[104]. Otro día luego el Rey partió el despojo por todos los suyos, y dio gran parte a las donzellas de la torre; y dando licencia a los que quisiessen a sus tierra ir, con[105] los otros se fue a una su villa que Gadampa havía nombre, donde la Reina y su fija stavan. El plazer que de sí ovieron no es de contar, pues que cada uno según lo passado puede pensar qué tal sería.

---

[101] Además de profecías y sueños, algunas palabras pronunciadas por los propios personajes resumen y adelantan acontecimientos futuros. La diferencia fundamental estriba en que dichas palabras pasan desapercibidas para los interlocutores, pues carecen de ninguna marca especial. Se trata de un recurso utilizado de cara a los oyentes, para aumentar la expectación, pues Amadís ha señalado que «nos conviene [...] poner a mesura y merced de quien no creemos que lo havrá de nosotros», motivo de la aventura posterior.

[102] *anuncias y fados:* anuncios y pronósticos.

[103] *broslada:* bordada. «E la señales que de donde Teologomus natural era tres peçes eran, los quales el llevo consigo broslados en el pendon de una lança», *Confisión del Amante,* 359, 11.

[104] Entre las tiendas pintadas con las gestas más sobresalientes de su poseedor destaca la de Alejandro, pues en su cuarto hastial se recogen sus hechos más gloriosos. Para el tema y algunos antecedentes, véase J. M. Cacho Blecua, «La tienda en el "Libro de Alexandre"», en *Actas del Congreso Internacional sobre la Lengua y la Literatura en tiempos de Alfonso X. Murcia, 1984,* Murcia, 1985, págs. 109-134.

[105] *ir, con:* yr y con, ZR // yr con, S // .

## Capítulo LXIX

*Cómo los cavalleros de las armas de las sierpes embarcaron para su rei-
no de Gaula, y fortuna los echó donde por engaño fueron puestos en gran
peligro de la vida en poder de Arcaláus el Encantador; y de cómo, delibrados*[1] *de allí, embarcaron, tornando su viaje, y don Galaor y Norandel vinieron acaso el mesmo camino buscando aventuras, y de lo que les
acaeçió.*

Algunos días holgaron en aquella floresta el rey Perión y sus
fijos, y como el tiempo bueno y endereçado viessen, metiéronse luego a la mar en su galea, pensando ser en breve en Gaula.
Mas de otra guisa les avino, que aquel viento fue presto trocado y fizo embraveçer la mar, assí que por fuerça les convino
tornar a la Gran Bretaña, no a la parte do de ante estavan[2],
sino a otra más desviada. Y llegaron la galea[3] al pie de una
montaña que tocava con la mar en cabo de cinco días de tormenta, y fizieron sacar sus cavallos y armas por andar por
aquella tierra en tanto que la mar assosegasse y les viniesse
más endereçado viento, y los sus hombres metiessen agua dulce en la galea, que les havía faltado. Y desque ovieron comido,
armáronse y cavalgaron, y entraron por la tierra por saber
dónde havían aportado. Y mandaron a los de la galea que los
atendiessen, y llevaron tres escuderos consigo; pero Gandalín
no iva allí porque era muy conoçido[4].

Assí como oís, subieron por un valle, encima del cual fallaron un llano, y no anduvieron mucho por él que fallaron cabe
una fuente una donzella que a su palafrén a bever dava, vestida
ricamente y encima una capa de escarlata que con hevillas y

---

[1] *delibrados:* liberados.

[2] *do de ante estavan:* donde anteriormente estaban. «Nunca fue de ante quitada», *Demanda del Sancto Grial,* 209a.

[3] *llegaron la galea:* acercaron la barca. «Llegad las galeras a la tierra», Gutierre
Díez de Games, *El Victorial,* 131, 25.

[4] El autor justifica la ausencia de Gandalín mediante este detalle, pero el
dato no está en función de una verosimilitud narrativa *per se,* sino que sirve para justificar su presencia poco después, hecho imprescindible para resolver la aventura.

ojales de oro se abrochava[5], y dos escuderos y dos donzellas con ella, que le atraían falcones y canes con que caçava. Y como ella los vio, conoçiólos luego en las armas de las sierpes, y fue haziendo grande alegría contra ellos; y como llegó, saludólos con mucha humildad, faziendo señas que era muda. Ellos la saludaron, y pareçióles muy fermosa, y ovieron manzilla que fuesse muda. Ella se llegava al del yelmo dorado y abraçávalo, y queríale besar las manos, y cuando assí una pieça estuvo, combidávalos por señas que fuessen aquella noche sus huéspedes en un su castillo. Mas ellos no la entendían, y ella fizo señas a sus scuderos que gelo declarassen[6], y assí lo fizieron. Ellos, veyendo aquella buena voluntad y que era ya muy tarde, fuéronse con ella a salva fe[7], y no anduvieron mucho que llegaron a un fermoso castillo. Teniendo a la donzella por muy rica, pues que dél era señora, y entrando en él, hallaron gentes que los recibieron humildosamente y otras dueñas y donzellas, que todas catavan[8] la muda como a señora. Luego les tomaron los cavallos, y subieron a ellos a una rica cámara que sería veinte codos en alto de la tierra. Y faziéndolos desarmar, les traxeron ricos mantos que cubriessen; y desque ovieron hablado con la muda y con las otras donzellas, traxéronles de cenar, y fueron muy bien servidos. Y ellas se fueron a sus aposentamientos, mas no tardó mucho, que luego bolvieron con muchas candelas, y istrumentos acordados[9] para les dar plazer; y cuando fue tiempo de dormir, dexáronlos y fuéronse.

En aquella cámara havía tres camas muy ricas que la donzella muda mandara hazer, y pusiéronles sus armas cabe cada cama. Ellos se acostaron y durmieron muy assosegadamente, como aquellos que trabajados y fatigados andavan; y ahunque

---

[5] La 1.ª documentación de ojal según el DCECH, en Cobarruvias.

[6] *declarasen:* aclarasen, explicasen.

[7] *a salva fe:* se trata de un «sobre seguro», un juramento de seguridad. Como señala Alonso Zamora Vicente, *Poema de Fernán González,* Madrid, Clásicos Castellanos, 1963, v. 592a, «la violación *salva fe* se consideraba como grave culpa y gran traición. "Qui feriere o mesare a uezino, o liuores fiziere sobre salua de, pectec cient morauetis al quereloso" (Fuero de Usagre, cap. 43)».

[8] *catavan:* honraban, acataban. «Non quesiste catar honrra a ti misma nin de mí, nin de tu marido», *Enrique fi de Oliva,* pág. 17. Véase también la nota 30 del capítulo XXI.

[9] *acordados:* dispuestos y templados para que no disuenen.

sus spíritus reposavan, no lo hazían sus vidas, según en el peligroso lazo[10] en que metidos eran, que con mucha causa se puede comparar a las cosas deste mundo; que sabed que aquella cámara era fecha por una engañosa arte, que toda ella se sostenía sobre un estello[11] de fierro fecho como fusillo de lagar[12], encerrado en otro de madero que en medio de la cámara estava, y podía se baxar y alçar por debaxo, trayendo[13] una palanca de hierro alderredor, que la cámara no llegava a pared ninguna; assí que, cuando a la mañana despertaron, halláronse en fondón[14] otros veinte codos que en alto estava cuando en ella entraron.

A esta donzella muda, hermosa, podemos comparar el mundo en que bivimos, que pareçiéndonos hermoso, sin boca, sin lengua, halagándonos, lisonjándonos, nos combida con muchos deleites y plazeres, con los cuales, sin recelo alguno siguiéndole, nos abraçamos; y perdiendo de nuestras memorias las angustias y tribulaciones que por alvergue dellos se nos aparejan después de los haver seguido y tratado, echámonos a dormir con muy reposado sueño; y cuando despertamos, seyendo ya passados de la vida a la muerte, ahunque con más razón se devría dezir de la muerte a la vida, por ser perdurable, hallámonos en tan gran fondura, que ya apartada de nos aquella gran piedad del muy alto Señor, no nos queda redención alguna; y si estos cavalleros la ovieron, fue por ser ahún en esta vida, donde ninguno por malo, por pecador que sea, deve perder la sperança del perdón, tanto que, dexando las malas obras, siga[15] las que son conformes al servicio de aquel Señor que jelo dar puede[16].

---

[10] *lazo:* trampa, engaño, asechanza.

[11] *estello:* estelo, pilar, columna. A pesar de su etimología, véase Vicente García de Diego, *Diccionario Etimológico Español e Hispánico*, 2.ª ed., Madrid, Espasa-Calpe, 1985, s. v. *stilus,* respeto la lectura de *estello,* común en los tres impresos, aunque posteriormente aparece como *estelo.* Véase la nota 6 del capítulo LXXXII.

[12] *fusillo de lagar:* husillo de una viga lagar.

[13] *trayendo alderredor:* dando vueltas.

[14] *en fondón:* al fondo. «Començaron de fuyr e subir en los muros de la barvacana, e dexáronse caer en fondón», *Gran Conquista de Ultramar,* III, 577.

[15] *siga:* sigua, Z // siga, RS // .

[16] El texto narrativo se interpreta de forma alegórica, procedimiento habi-

Pues tornando a los tres cavalleros, cuando fueron despiertos y no vieron señal ninguna de claridad, y sentían cómo la gente del castillo sobre ellos andava, mucho se maravillaron, y levantáronse de los lechos, y buscando a tiento[17] la puerta y las finiestras, falláronlas; pero metiendo las manos por ellas, topavan en el muro del castillo, assí que luego conoçieron que eran traídos a engaño. Estando con gran pesar de se ver en tal peligro, pareçió suso a una finiestra de la cámara un cavallero grande y membrudo, y el rostro havía medroso, y en la barba y cabeça más cabellos blancos que negros. Y vestía paños de duelo, y en la mano diestra tenía una lúa[18] de paño blanco que al codo le llegava, y dixo a una boz alta:

—¿Quién yaze allá dentro, que mal seáis albergados?; que según el gran pesar que me havéis hecho, assí hallaréis la mesura y merced, que serán muy crueles y amargas muertes, y ahún con esto no seré vengado, según lo que de vos recebí en la batalla del falso rey Lisuarte. Sabed que yo soy Arcaláus el Encantador, si me nunca vistes; agora me conoçed, que nunca ninguno me fizo pesar que me dél no vengasse, si no es de uno solo que ahún yo cuido tener donde [v]os[19] estáis, y cortarle las manos por ésta que me él cortó, si yo ante no muero.

Y la donzella, que cabe él estava, dixo:

—Buen tío, aquel mançebo que allí está es el que traía el yelmo dorado.

Y tendía la mano contra Amadís. Cuando ellos esto vieron que aquél era Arcaláus, fueron en gran pavor de muerte, y por estraña cosa tuvieron ver hablar a la donzella muda que los allí traxera. Y sabed que esta donzella se llamava Dinarda, y era fija de Ardán Canileo, y era muy sotil en las maldades. Y vi-

---

tual en numerosos relatos artúricos, si bien excepcional en nuestra obra. Véase la Introducción, págs. 48-49. Por otra parte, el autor retira el tema recurrente del pecador arrepentido y perdonado, muy del gusto de Montalvo.

[17] *a tiento:* a tientas. «Alentar a tiento buscar», Nebrija.

[18] *una lúa:* un guante. Recuérdese que Arcaláus había sido herido por Amadís, habiéndole cortado la mitad de la mano en el capítulo LVII del libro II, pág. 812. Su presentación está sideñada para causar espanto por su rostro medroso, que causa miedo, y por su vestimenta de duelo, de negro, en contraste con el guante blanco. De esta manera se acentúa de forma indirecta la peligrosidad de la aventura.

[19] *[v]os:* os, Z // vosotros, R // vos, S // .

niera a aquella tierra por fazer por algún arte[20] matar a Amadís, y por esso se hazía muda.

Arcaláus les dixo:

—Cavalleros, yo vos faré ante mí tajar las cabeças, y embiarlas he al rey Arávigo en alguna emienda de lo que deservistes.

Y tiróse de la finiestra[21], y mandóla cerrar, y quedó la cámara tan escura, que se no veían unos a otros. El rey Perión les dixo:

—Mis buenos hijos, esto en que somos nos muestra las grandes mudanças de la fortuna. ¿Quién pudiera pensar que seyendo escapados de una tal batalla do tantos cavalleros, donde tantos peligros passamos, con tanta fama, con tanta gloria, que por una flaca donzella sin lengua y sin fabla engañados de tal forma fuéssemos? Por cierto, maravillosa cosa parescería aquellos que en las mundanales y pereçederas cosas ponen su esperança sin se les acordar cuán poco valen y en cuán poco deven ser tenidas. Pero a nosotros, que muchas vezes por la esperiencia lo emos ensayado, no se nos deve hazer estraño ni grave, porque seyendo nuestro principal oficio buscar las aventuras, assí las buenas como las contrarias, conviene de las tomar como vinieren, y poniendo nuestras fuerças en el remedio dellas, lo restante, donde ellas no bastaren, dexarlo aquel alto Señor en quien el poder es entero; assí que, mis hijos, dexando aparte el gran dolor que la humanidad nos acarrea de aver vosotros de mí, y yo más de vosotros, a Él dexemos que, como más su servicio sea, ponga el remedio.

Los hijos, que en más tenían la piedad del padre que el afruenta ni peligro en que estavan, cuando aquel tan gran esfuerço en él sintieron, mucho fueron alegres; y fincando los inojos, le besaron las manos, y él [l]es echó su bendición. Assí como oís, passaron aquel día sin comer y sin bever. Y desque Arcaláus cenó, y passó ya parte de la noche, vínose a la finies-

---

[20] *arte:* engaño. Si en las batallas colectivas se habían reunido los enemigos de Amadís y Lisuarte, en algunas aventuras individuales se relacionan descendientes de sus principales adversarios, como esta hija de Ardán Canileo que ya había aparecido en el cap. LXI.

[21] *tiróse de la finiestra:* se apartó de la ventana.

tra donde ellos estavan con dos fachas encendidas, y Dinarda y dos hombres ancianos con él, y mandóla abrir, y dixo:

—Vos, cavalleros que allá yazéis, cuido que comeríades si tovi[é]ssedes[22] qué.

—De grado —dixo don Florestán—, si nos lo mandássedes dar.

Él dixo:

—Si en voluntad lo tengo, Dios me la quite; pero porque del todo no quedéis desconsolados, en emienda de la comida os quiero dezir unas nuevas. Sabed cómo agora, después que fue noche, vinieron a la puerta del castillo dos escuderos y un enano que preguntavan por los cavalleros de las armas de las sierpes. Y mandélos[23] prender y echar en un[a] prisión que ende debaxo tenéis. Déstos sabré mañana quién sois, o los faré cortar miembro a miembro.

Sabed que esto que Arcaláus les dixo era assí verdad, que los de la galea viendo que tardavan, y tenían el tiempo endereçado para navegar, acordaron que los buscasse Gandalín y el enano y Orfeo, el repostero del Rey, y a éstos tenían en la prisión como es dicho. Mucho les pesó al Rey y a sus hijos destas nuevas, porque muy peligrosas eran. Amadís respondió a Arcaláus, diziendo:

—Bien cierto só yo que, después que sepáis quién somos, que nos no faréis tanto mal como ante, porque, como vos seáis cavallero y ayáis passado por muchas cosas, no ternéis a mal lo que nosotros fezimos en ayudar a nuestros amigos sin ninguna fealdad[24], y así lo fiziéramos seyendo de vuestra parte. Y si alguna bondad en nosotros uvo, por esso devríamos ser en más tenidos y fecha más honra, lo que al contrario dentro en la batalla merescíamos; mas teniéndonos así presos tratarnos de tal manera, no fazéis en ello[25] cortesía.

—¿Quién se pusiesse con vos en disputa sobre esso? —dixo Arcaláus—. La honra que os yo faré será la que faría a Amadís

---

[22] *tovi[é]ssedes:* tovissedes, Z // tuviessedes, R // toviessedes, S // .

[23] *mandélos:* mandolos, Z // mandelos, RS // .

[24] *fealdad:* fealtat, Z // fealdad, RS // .

[25] *en ello:* en ella, Z // en ello, RS // .

de Gaula si aí lo tuviesse, que es el hombre del mundo que yo peor quiero y de quien más me querría vengar.

Dinarda dixo:

—Tío, comoquiera que las cabeças déstos embiéis al rey Arávigo, entre tanto no los matéis de fambre; sostenedles la vida, porque con ella mayor pena sostengan.

—Pues que assí os paresce, sobrina —dixo él—, yo lo faré.

Y díxoles entonces:

—Cavalleros, dezidme en vuestra fe cuál os aquexa más, la hambre o la sed.

—Pues que hemos de dezir verdad —dixeron ellos—, ahunque el comer era más conveniente primero, la sed nos aquexa mucho.

—Entonces —dixo Arcaláus a una donzella—, sobrina, echadles una empanada de tocino, porque no digan que no acorro a su menester[26].

Y fuese de allí, y todos los otros. Aquella donzella vio a Amadís tan apuesto, y sabiendo las grandes cavallerías que en la batalla fiziera, era mucho movida a piedad dél y de los otros; y luego puso en un cesto un bar[r]il de agua y otro de vino y la empanada, y colgándolo por una cuerda, gelo dio diziendo:

—Tomad esto y tenedme poridad[27], que si yo puedo, no lo passaréis mal.

Amadís gelo gradesció mucho, y ella se fue. Con aquello cenaron, y acostáronse en sus camas y mandaron a sus escuderos, que allí con ellos estavan, que tuviessen las armas en tal parte donde las fallassen; que si de fambre no morían, de otra manera ellos venderían bien sus vidas.

Gandalín y Orfeo y el enano fueron metidos en la prisión que era de yuso de aquel sobrado[28] donde sus señores estavan,

---

[26] *no acorro a su menester:* ayudo a su necesidad. «Non los pudieron tan ayna acorren», Gutierre Díez de Games, *El Victorial,* 185, 24.

[27] *tenedme poridad:* guardadme el secreto. «Por la mi fe [...] que yo os terne poridad», *Tristán de Leonís,* 396a.

[28] *de yuso de aquel sobrado:* debajo de aquel piso alto. «Vieron yr al judio e la sangre tan biva que salia de yuso de su tavardo», A. Martínez de Toledo, *Atalaya de las coronicas,* pág. 15b. «Todas las paredes e los sobrados estavan colgados paños françeses», P. Carrillo de Huete, *Crónica del Halconero de Juan II,* 111, 27.

y fallaron allí una dueña y dos cavalleros, el uno, que era su marido y ya de días[29], y el otro, su fijo, asaz mancebo, y avía un año que allí estavan. Y fablando unos con otros, dixo Gandalín cómo, veniendo en busca de los tres cavalleros de las armas de las sierpes, los avían prendido.

—¡Santa María! —dixo el cavallero—. Sabed que essos que dezís fueron en este castillo muy bien recebidos; y estando dormiendo, entraron aquí cuatro hombres, y trayendo aderredor[30] esta palanca de fierro que aquí veis, baxaron con ella este sobrado, assí que han recebido gran traición.

Gandalín, que muy avisado[31] era, entendió luego que su señor y los otros estavan allí, y el peligro grande de muerte en que estavan; y dixo:

—Pues que así es, trabajémonos de lo subir suso; si no, ellos ni nosotros nunca de aquí saliremos[32]. Y creed que si ellos se salvan, que nosotros seremos libres.

Entonces el cavallero y su fijo de una parte, y Gandalín y Orfeo de la otra começaron a rodear[33] la palanca, assí que el sobrado començó luego a subir. Y el rey Perión, que no dormía sosegado, más con cuita de sus fijos que de sí, sintiólo de luego, y dispertólos[34] y díxoles:

—¿Veis cómo el sobrado se alça?; no sé por cuál razón.

Amadís dixo:

---

[29] *ya de días:* anciano. «Era hombre de grandes días», *Gran Conquista de Ultramar,* I, 328.

[30] *trayendo aderredor:* dándole vueltas. «Miro a derredor de si», *Baladro del sabio Merlín* (B), 150b.

[31] *avisado:* astuto, advertido. «Era este adelantado [...] muy avisado e discreto e bien razonado», Fernán Pérez de Guzmán, *Generaciones y semblanzas,* pág. 27.

[32] *saliremos:* saldremos. A diferencia del combate entre Amadís y Arcaláus en el libro I, capítulos XVIII y XIX, en el que intervenía la magia del Encantador para vencer a su adversario, en esta ocasión el episodio se desarrolla por otros derroteros. Predomina el engaño desde el comienzo, pero todo es explicable por unas causas mecánicas humanas. Nos encontramos con otra mentalidad, más acorde con el pensamiento del siglo xv.

[33] *rodear:* girar, dar vueltas a. «Anduve rodeando el mundo», Juan de Flores, *Grimalte y Gradissa,* pág. 8.

[34] *dispertólos:* despertólos, lección de R y S. No obstante, cfr.: «Quando vino la mañana, Tristan disperto», *Tristán de Leonís,* 387b.

—Sea[35] por cualquiera, que morir como cavalleros o como ladrones gran diferencia es.

Y luego saltaron de los lechos y fizieron a sus escuderos que los armassen, y esperaron qué sería aquello. Mas el sobrado fue alçado, a gran afán[36] de los que lo subían, tanto como era menester; y el rey Perión y sus fijos, que a la puerta estavan, vieron por entre las tablas la claridad, y conoscieron que por allí avían entrado. Y travaron della todos tres tan fuerte, que la derribaron, y salieron al muro, donde era[n] los veladores, con tan gran coraje y braveza, que maravilla era; y començaron a matar y derribar del muro cuantos fallavan, y dezir:

—¡Gaula, Gaula, que nuestro es el castillo!

Arcaláus, que lo oyó, fue muy espantado; y cuidando que traición era de alguno de los suyos que allí avía traído sus enemigos, fuyó desnudo a una torre[37], y subió consigo el escalera que andadiza[38] era, y no se temía de los presos, que aquéllos a buen recaudo[39] a su parescer estavan. Y assomándose a una finiestra, vio a los de las armas de las sierpes andar por el castillo a gran priesa; y ahunque los conosció, no osó salir ni baxar a ellos. Mas dava bozes diziendo a los suyos que les no temiessen, que no eran más de tres hombres. Algunos de los suyos que abaxo posavan començáronse armar, mas los tres cavalleros, que ya el muro avían de los veladores delibrado, baxaron luego a ellos, que los oyeron, y en poca de ora[40] los pararon tales, así muertos como feridos, que ninguno paresció ante ellos. Los que estavan en la cárcel, que oyeron lo que se fazía, dieron bozes que los acorriesen. Amadís conosció la boz de su enano, que éste y la dueña avían más temor, y fueron luego para los sacar; y así lo fizieron, que a gran fuerça que-

---

[35] *sea:* sean, Z // sea, RS // .

[36] *a gran afán:* con gran dificultad. «Tuvose en la silla lo mejor que el pudo, do esto fue a gran afan», *Demanda del Sancto Grial,* 226b.

[37] El valiente y esforzado guerrero anterior ha perdido una parte de sus cualidades, presentándose de forma cómica por su huida y por la desnudez, que en muchas ocasiones propiciaba la risa. Véase E. R. Curtius, ob. cit., t. II, págs. 615 y ss.

[38] *andadiza:* portátil.

[39] *recaudo:* recauda, Z // recaudo, RS // .

[40] *en poca de ora:* en poco de ora, Z // en poca de ora, RS // .

brantaron las armellas[41] y abrieron la puerta, por donde salieron. Y buscando por las casas baxas que al cor[r]al salían, fallaron los cavallos suyos y de sus señores, y otros de Arcaláus, que dieron al cavallero y a su fijo, y un palafrén de Dinarda para la dueña, y sacáronlos todos fuera del castillo. Y cuando fueron a cavallo, mandó el Rey poner fuego a las casas que dentro eran, y començó arder tan bravamente, que todo semejava una llama; el fuego era grande, que dava en la torre. El enano dezía a grandes bozes:

—Señor Arcaláus, recebid en paciencia esse fumo como lo yo fazía cuando me colgastes por la pierna, al tiempo que fezistes la gran traición a Amadís[42].

Mucho se pagó el Rey de cómo el enano deshonrava a Arcaláus, y mucho[43] reían todos en ver que aquél era el cabo[44] de su esfuerço. Entonces se fueron por el camino que allí vinieran a la galea, y subiendo una sierra, vieron las grandes llamas[45] del castillo y las bozes de las gentes que ovieron plazer. Así anduvieron fasta ser en el monte alto. Entonces esclaresció el día, y vieron ayuso en la ribera la su galea, y fueron para allá, y entraron dentro, desarmándose para folgar.

La dueña, cuando al Rey vio desarmado, fuésele fincar de inojos delante, y él la conosció, y levantóla por la mano, abraçándola de su buen talante, que la mucho amava. Y la dueña dixo al Rey:

—Señor, ¿cuál de aquéllos es Amadís?

Él le dixo:

---

[41] *armellas:* anillos de metal con espiga o metal para clavarlo en un cuerpo sólido.

[42] Como dice H. Bergson, ob. cit., pág. 45, «tan pronto como interviene la preocupación del cuerpo, es de temer una infiltración cómica». El enano se ha caracterizado desde el primer momento y en este mismo episodio por su temor, por lo que sus palabras provocan la risa de sus acompañantes, por su inadecuación a su comportamiento. Por otra parte, Ardián señala los paralelismos de ambos episodios, aunque hay unas diferencias notorias. El humo infernal de la piedra azufre se diferencia de este otro fuego de venganza y purificador del castillo. Como dice G. Bachelard, *Psicoanálisis del fuego*, Madrid, Alianza Ed., 1966, pág. 172, *«el fuego lo purifica todo* porque suprime los olores nauseabundos».

[43] *mucho:* muchos, Z // mucho, RS // .

[44] *el cabo:* el extremo.

[45] *llamas:* llammas, Z // llamas, RS // .

—Aquel del gambax verde[46].

Entonces se fue a él, y, fincados los inojos, le quiso besar el pie, mas él la levantó y uvo vergüença de aquello. La dueña se le fizo conoscer, diziéndole cómo ella era aquella que en la mar lo echara, al tiempo que nasció, por salvar la vida de su madre, y que le demandava perdón. Amadís le dixo:

—Dueña, agora sé lo que nunca supe, que, ahunque de mi amo, Gandales, avía sabido cómo me falló en la mar, no sabía por qué causa fue; y yo os perdono lo que me no errastes, pues lo que se fizo fue por servicio de aquella a quien yo toda mi vida tengo de servir[47].

El Rey folgó mucho en fablar de aquel tiempo, y estuvo riendo con ellos gran pieça; y así fueron por la mar adelante, mucho alegres de sus aventuras, fasta que llegaron en el reino de Gaula.

Arcaláus, como ya oístes, estava en la torre, desnudo, donde se acogiera, y como la llama dava en la puerta, nunca pudo descendir[48]. El fumo y la calor eran tan demasiados, que se no podía valer ni darse ningún remedio, ahunque se metió en una bóveda; pero allí era el fumo tan espesso, que le puso en gran cuita. Así estuvo dos días, que ninguno en el castillo pudo entrar, tanto era el fuego grande; mas el tercero entraron sin peligro y subieron a la torre, y fallaron Arcaláus tan desacordado, que estava ya para le salir el alma; y echándole del agua por la boca, le fizieron acordar, mas a gran trabajo suyo[49]. Y tomá-

---

[46] «El *gambax*, en francés *gambais*, túnica que tanto se llevaba por encima como por debajo de la loriga y que aparece en textos castellanos de los siglos XIII y XIV con cierta frecuencia, sólo lo encuentro mencionado una vez en el *Amadís de Gaula*, y no como prenda propia del armamento, sino como una veste civil y cortesana», Riquer, *Armas*, 400-401.

[47] No suele ser habitual que una sirvienta tenga una vida propia alejada de las de sus señores, si bien Darioleta aparece en una situación nueva, ahora casada y con un hijo, para reaparecer al final de la obra en las últimas aventuras del héroe, caps. CXXVII y ss. También se ha modificado su función narrativa, pues de auxiliar y confidente de Elisena pasará a ser una «dueña» en situación apurada y salvada de algún peligro por el caballero a quien ayudó a salvar.

[48] *descendir:* descender. «Fizieronlo descendir, e levaronlo a una camara», *Demanda del Sancto Grial,* 178a.

[49] *le fizieron acordar, mas a gran trabajo suyo:* le hicieron volver en sí, pero con gran dificultad suya.

ronle en sus braços para le llevar a la villa; y como vio el castillo quemado y todo muy destroçado, dixo sospirando y con gran dolor de su coraçón:

—¡Ay, Amadís de Gaula, cuánto daño por ti me viene! Si te yo puedo aver, yo faré en ti tantas crueldades, que mi coraçón sea vengado de cuantos daños de ti recebidos tengo; y por tu causa juro y prometo de nunca dar la vida a cavallero que tome, porque si en mis manos cayeres, no escapes dellas como agora lo feziste.

Él estuvo en la villa cuatro días por tomar alguna recreación, y poniéndose en unas andas con siete cavalleros que lo guardassen, se partió para el su castillo de Monte Aldín, y Dinarda la muy fermosa, y otra donzella, con él. Esa noche durmieron en casa de un su amigo, y otro día avía de llegar al su castillo, y siendo ya passadas las dos partes del día que iva por su camino, vieron ir por la falda de una floresta dos cavalleros que cabe una fuente que allí era avían folgado, y ivan muy ricamente armados y cavalgavan muy apuesto. Y como vieron las andas y los cavalleros, atendieron por saber qué cosa era. Y ellos ansí estando, llegóse Dinarda a Arcaláus y dixo:

—Buen tío, vedes allí dos cavalleros estraños.

Él levantó la cabeça, y como los vio, llamó a los suyos y díxoles:

—Tomad vuestras armas y traedme aquellos cavalleros no les diziendo quién soy; y si se defendieren, traedme sus cabeças.

Y sabed que los cavalleros eran don Galaor y su compañero Norandel[50]. Y los cavalleros de Arcaláus les dixeron, llegando a ellos, que dexassen las armas y fuessen a mandado del que en las andas venía.

—En el nombre de Dios —dixo Galaor—, ¿y quién es esse que lo manda, o qué va a él que vamos[51] armados o desarmados?

---

[50] A diferencia de otras ocasiones, el narrador nos aclara desde el primer instante la personalidad de los adversarios, si bien se acrecienta el peligro de la aventura por la promesa del Encantador y por la relación familiar de los adversarios. La persistencia de una misma temática y unos mismos agresores, a la vez que el parentesco de los agredidos, ha posibilitado un entrelazamiento sin nin-

—No sabemos —dixeron ellos—, mas conviene que lo fagáis, o levaremos vuestras cabeças.

—Ahún no estamos en tal punto —dixo Norandel— que lo fazer podáis.

—Agora lo veréis —dixeron ellos.

Entonces se fueron ferir, y de los primeros encuentros cayeron los dos dellos en el suelo feridos de muerte. Pero los otros quebraron en ellos sus lanças y no los movieron de las sillas[52], y luego pusieron mano a sus espadas, y ovieron entre sí una esquiva y cruel batalla; mas a la fin, siendo los tres dellos derribados y malferidos, los dos que quedaran no osaron atender aquellos mortales golpes, y fuéronse por la floresta al más correr de su cavallos. Los dos compañeros no los siguieron; antes, fueron luego a saber quién en las andas venía. Y cuando llegaron, toda la otra compaña que con Arcaláus estava echaron a huir, sino dos hombres en sendos rocines. Y alçaron[53] el paño, y dixeron:

—Don cavallero que Dios maldiga, ¿assí tratáis los cavalleros que van por el camino seguros? Si fuéssedes armado, fazeros íamos conoscer que sois malo y falso a Dios y al mundo. Y pues que sois doliente, embiaros hemos a don Grumedán, que os juzgue y dé la pena que merescéis.

Arcaláus, cuando esto oyó, fue muy espantado, que bien vía, si don Grumedán le viesse, que su muerte era llegada; y como era sotil en todas las cosas, respondió faziendo buen semblante, y dixo:

—Cierto, señores, en vos me embiar a don Grumedán, mi cormano y mi señor, mucha merced me fazéis, que él sabe muy bien mi maldad y mi bondad; pero téngome por malaventurado de ser quexosos de mí contra razón, ni mi pensamiento es sino de servir a todos los cavalleros andantes. Y rúegos, señores, por cortesía, que me oyáis mi desventura, y después fazed de mí lo que vuestra voluntad fuere.

---

guna indicación verbal. Véase J. M. Cacho Blecua, «El entrelazamiento...», art. cit., pág. 249.

[51] *qué va a él que vamos:* que le importa que vayamos. «Es hora que vamos a comer», *Celestina,* IX, 140.

[52] *de las sillas:* de llas sillas, Z // de las sillas, RS // .

[53] *Y alçaron:* ya alçaron, Z // et alçaron, RS // .

Como ellos oyeron dezir que era cormano de don Grumedán, a quien ellos tanto amavan, pesóle[s] por las palabras deshonestas[54] que le avían dicho, y dixéronle:

—Agora dezid, que de grado os oiremos.

Él dixo:

—Sabed, señores, que yo cavalgava un día armado por la
floresta de la Laguna Negra[55], en la cual fallé una dueña que
me se quexó de un tuerto que le fazían; y yo fue[56] con ella y fí-
zele alcançar su derecho ante el conde Guncestra. Y tornándo-
me a un mi castillo, no anduve mucho que encontré con aquel
cavallero que allí matastes, que Dios maldiga, que era muy per-
verso hombre, y con otros dos cavalleros que consigo traía, y
por aver de mí aquel castillo acometióme. Y yo, cuando esto
vi, enderecé mi lança y fuime para ellos, y fize mi poder defen-
diéndome, mas fue vencido y preso, y túvome en un castillo
suyo un año; y si alguna honra me fizo, fue curarme destas llagas.

Entonces gela[s] mostró, que muchas tenía, que él [era] valiente[57] cavallero, y avía dado y recebido muchas.

—Y como yo desesperado fuesse, acordé por salir de su prisión de le entregar el castillo, pero estava tan flaco, que me no
pudo traer sino en estas andas. Y yo tenía pensado de me ir
luego a don Grumedán, mi cormano, y al rey Lisuarte, mi señor, y demandar justicia de aquel traidor que me tenía robado,
lo cual, señores, me paresce que, sin lo yo pedir, partistes mejor que lo yo pensava; y si allí no fallasse remedio, buscar[58] a

---

[54] *deshonestas:* deshonrosas. «Ordenó don Álvaro de sacar al Rey de aquella
prisión, e detenimiento feo e deshonesto», *Crónica de don Álvaro de Luna,* 40, 15.

[55] La geografía fabulosa del *Amadís* se puebla de vez en cuando de algunos
topónimos más cercanos a los lectores hispanos, como por ejemplo, a alguno de
*La Crónica de don Álvaro de Luna,* 215, 6: «el Rey queriendo estonçes partir de
Tordesillas contra la casa de Laguna de Negrillos». No pretendo buscar ninguna correlación exacta con la realidad, y menos con un nombre, Laguna Negra,
de carácter genérico y localizable en diferentes puntos de España, sino señalar
su carácter más acorde con las denominaciones toponímicas hispanas.

[56] *de un tuerto que le fazían; y yo fue:* de un agravio que le hazían; y yo fui.

[57] *él [era] valiente:* el valiente, Z // el eran valiente, S // el era valiente, S // .

[58] *buscar:* buscare, ZR // buscar, S // . Caben las dos lecturas, aunque por
motivos estilísticos me inclino por el infinitivo dada la correlación con *ir* y *demandar.*

1066

Amadís de Gaula, o a su hermano don Galaor, y pedirles que, aviendo piedad de mí, me pusiessen el remedio que a todos los otros que agravio reciben ponen. Y la causa por que aquellos traidores os acometieron fue porque no supiéssedes de mí, que en estas andas venía, la razón que os he dicho.

Cuando esto oyeron, pensaron de todo en todo[59] que verdad dezía, y demandándole perdón por las palabras deshonestas que le avían dicho, le preguntaron cómo avía nombre. Él dixo:

—A mí llaman[60] Granfiles. No sé si de mí avéis noticia.

—Sí he —dixo don Galaor—, y sé que fazéis mucha honra a todos los cavalleros andantes, según me ha dicho vuestro cormano.

—A Dios merced —dixo él—, que ya por esso me conosceréis. Y pues que sabéis mi nombre, mucho os ruego por mesura que os quitéis los yelmos y me digáis vuestros nombres.

Galaor le dixo:

—Sabed que este cavallero ha nombre Norandel y es fijo del rey Lisuarte, y yo he nombre don Galaor, hermano de Amadís.

Y quitáronse los yelmos.

—A Dios merced —dixo Arcaláus—, que de tales cavalleros fue socorrido.

Y mirando mucho a don Galaor por le conoscer para le dañar si la dicha gelo pusiesse en poder, dixo:

—Yo fío en Dios, señores, que ahún tiempo verná[61] que la ventura os ponga en parte donde el deseo que yo contra vos tengo se pueda satisfazer; y ruego's que me digáis lo que faga.

—Lo que vuestra voluntad sea —dixeron ellos.

Él dixo:

—Pues yo quiero andar fasta llegar a mi castillo.

—Dios os guíe —dixeron ellos.

---

[59] *de todo en todo:* totalmente. «Diablo eres tu de todo en todo», *Baladro del sabio Merlín* (B), 55b. El antiguo Encantador se vale de las armas de la dialéctica para engañar a sus adversarios, en una nueva caracterización.

[60] *llaman:* llamen, Z // llaman, RS // .

[61] *verná:* vendrá. «Los cavalleros de todo el mundo vernan a la corte», *Demanda del Sancto Grial*, 163b.

Assí se partió luego a tal ora que era noche cerrada, pero[62] fazía luna clara; y como traspuso un recuesto[63], dexó aquel camino y tomó otro más encubierto que él sabía. Los dos cavalleros acordaron que, pues sus cavallos eran cansados y la noche sobrevenida, que folgassen cabe aquella fuente.

—Pues assí vos paresce —dixo el escudero de don Galaor—, ahún mejor alvergue se os apareja de lo que pensáis.

—¿Cómo es esso? —dixo Norandel.

—Sabed —dixo él— que en aquel edificio antiguo entre aquellos çarçales se escondieron dos donzellas que venían con el cavallero de las andas.

Entonces se apearon de los cavallos cabe la fuente, y lavaron sus rostros y manos; y fuéronse donde las donzellas estavan, y entraron por unos lugares estrechos, y dixo don Galaor a una boz alta:

—¿Quién está aquí escondido? Dame acá fuego, que yo los faré salir.

Dinarda, cuando esto oyó, uvo miedo, y dixo:

—¡Ay, señor cavallero, merced, que yo saldré fuera!

—Pues salid —dixo él—, y veré quién sois.

—Ayudadme —dixo ella—, que de otra guisa no podré salir.

Galaor se allegó, y ella tendió los braços, que con la luna se parescían[64], y él la tomó por las manos, y sacóla de donde estava; y pagóse tanto della, que no viera otra que tan bien le paresciesse, y ella tenía saya de escarlata y capa de xamete blanco[65]. Y Norandel sacó la otra, y leváronlas a la fuente, donde

_____

[62] *pero:* si bien, aunque. Dejando algún caso aislado, la utilización de *pero* con estos significados suele encontrarse en obras poéticas de influencia galaico-portuguesa, o en textos orientales, conservándose en los siglos XIV y XV restos muy aislados. Véase José Vallejo, art. cit., pág. 81, y José Luis Rivarola, ob. cit., pág. 87.

[63] *traspuso un recuesto:* traspuso, lectura de R y S, una pendiente.

[64] *parescían:* veían.

[65] *saya de escarlata y una capa de xamete blanco:* un vestido de lana rojo y una capa de jamete, satén pesado de seda glaseada, blanco. Según Jesusa Alfau de Solalinde, *Nomenclatura de los tejidos españoles del siglo XIII,* Madrid, Anejos del BRAE, 1969, págs. 97-98, «a partir de una época indefinida la escarlata comenzó a conocerse por el tinte con el que se solía teñir y de ahí que *escarlata* se convirtiese en el nombre del rojo vivo». En cuanto al xamete, es una de las sedas

con mucho plazer cenaron de lo que sus escuderos traían y de lo que fallaron en un rocín de Arcaláus.

Dinarda estava con miedo que Galaor sabía cómo ella metiera en la prisión a su padre y hermanos, y avía gana que se pagasse della[66] y quisiesse su amor, el cual fasta entonces a ninguno[67] avía dado, y por esto siempre le reguardava[68] con ojos amorosos y fazía señas a su donzella loando la gran fermosura dél; todo esto con pensamiento que, si aquello con ella passasse, que después no sería tal, que la mal quisiesse fazer. Pero Galaor, que según sus mañas en aquel caso no tenía el pensamiento sino cómo a su grado della por amiga la pudiesse aver, no tardó en aver el conoscimiento que ella tenía mucho; assí que después de la cena, dexando a Norandel con la donzella, él se fue con Dinarda fablando por entre las matas de la floresta, y ívala abraçando, y ella echávale los braços al cuello mostrándole mucho amor, ahunque le desamava, como algunas[69] lo suelen fazer, o por miedo o por codicia de interesse[70] más que por contentamiento; donde se siguió que aquella que fasta allí requerida de muchos por guardar su honestidad, desseándolos por amigos, los desechara, aquel sus enemigo, queriéndolo la su contraria fortuna, teniéndolo ella por merced, de donzella en dueña la tornó. Norandel, que con la donzella quedara, afincóla mucho que le diese su amor porque estava della pagado, mas ella le dixo:

—Por fuerça podéis fazer vuestra voluntad, pero por la mía no será si mi señora Dinarda no lo manda.

Norandel dixo:

—¿Es esta Dinarda la fija de Ardán Canileo, que nos dizen

---

medievales más famosas. «El jamete blanco, como el jaspe, se utilizaba para atuendos de ceremonia, como la coronación de reyes y los funerales», *ibidem*, pág. 187. En ambos casos se trata de prendas distinguidas.

[66] *se pagasse della:* se prendara de ella. «La donzella era fermosa, e mucho se pago della», *Demanda del Sancto Grial*, 182b.

[67] *ninguno:* ninguna, Z // ninguno, RS //.

[68] *reguardava:* miraba. «Y con gran firmeza la cosa amada reguardar», *Triste deleytación*, 13.

[69] *algunas:* algunos, Z // algunas, RS //.

[70] *codicia de interesse:* codicia de interés. «No piense Vuestra Merced ninguna afficíon o interesse me mueva esto desir», Diego de Valera, *Epístolas*, 5b.

que es venida a esta tierra por aver consejo con Arcaláus el Encantador para vengar la muerte de su padre?

—No sé la causa de su venida —dixo ella—, mas ésta es que dezís, y creed que es bienaventurado el cavallero que su amor alcançó, porque es muger de todos codiciada más que otra, y requerida, pero fasta agora no la pudo ninguno aver.

En esto[71] estando, llegaron a ellos Galaor y Dinarda, que mucho avían folgado, no entrambos; antes, digo que en mayor grado era la tristeza della qu'el plazer dél. Y Norandel tomó a don Galaor aparte y díxole:

—¿No sabéis quién es essa donzella?

—No más de lo que vos —dixo él.

—Pues sabed que ésta es Dinarda, fija de Ardán Canileo, aquella que os dixo vuestra cormana Mabilia que viniera a esta tierra por buscar por alguna arte la muerte a Amadís.

Don Galaor estuvo cuidando[72], y dixo:

—De su coraçón no sé nada, mas de lo que paresce mucho muestra que me ama, y por cosa del mundo no le faría mal, que es la muger de cuantas yo vi que más me ha contentado, y no la quiero partir por agora de mí. Y pues que a Gaula vamos, yo torné manera[73] cómo, con alguna emienda que Amadís le faga, della sea perdonado.

En tanto que ellos fablavan, estuvo Dinarda con su donzella, y supo cómo no quisiera consentir en el ruego de Norandel, y cómo la avía descubierto, de que mucho le pesó, y dixo:

—Amiga, en tales tiempos es menester la discreción para negar nuestras voluntades, que de otra guisa seríamos en gran peligro; ruégoos que fagáis mandado de aquel cavallero, y mostrémosles amor fasta que veamos tiempo de ser dellos partidas.

Ella dixo que assí lo faría. Don Galaor y Norandel, desque una pieça fablaron, tornáronse a las donzellas, y estuvieron parte de la noche fablando y jugando con ellas en risa y plazer. Entonces, tomando cada uno la suya, se acostaron en camas de yerva que los escuderos avían fecho, y allí durmieron y fol-

---

[71] *en esto:* en este, Z // en esto, RS // .
[72] *cuidando:* cuytando, Z // cuydando, RS // .
[73] *terné manera:* encontraré el modo.

garon toda aquella noche. Don Galaor preguntó entonces a Dinarda cómo avía por nombre aquel cavallero malo que los quería matar, y dezíalo por el qu' él matara, y entendió que por el de las andas, y díxole:

—¿Cómo no supiestes[74] al allegar[75] de las andas que era Arcaláus? Los cavalleros que desbaratastes suyos eran.

—¿Es cierto —dixo don Galaor— que aquél era Arcaláus?

—Sí, verdaderamente —dixo ella.

—¡O Santa María —dixo él—, cómo escapó de la muerte con tales sotilezas!

Cuando Dinarda oyó que lo no avían muerto, fue la más alegre del mundo, pero no lo mostró, y dixo:

—Ora fue oy que pusiera yo mi vida por la suya; mas agora que soy en vuestro amor y en la vuestra merced y mesura, quisiera que fuera de mala muerte muerto, porque sé que os desama en mucho grado, y lo qu'él os desea y a vuestro linaje a Dios plega que cedo sobre él caya[76].

Y abraçándose con él, le mostrava todo el amor que podía. Así como oís, alvergó aquella noche, y venido el día, armáronse y tomaron sus amigas y sus escuderos, que les levavan las armas, y fuéronse la vía de Gaula a entrar en la mar.

Arcaláus llegó a la media noche a su castillo con gran espanto de lo que le aviniera. Y mandó cerrar las puertas y que persona[77] no entrasse sin su mandado; y fízose curar con entención de ser peor que de ante, y fazer mayores males que de antes, como fazen los malos, que, ahunque Dios en ellos espira, no quieren ni desean ser desatados de aquellas fuertes cadenas que'el enemigo malo les tiene echadas; antes, con ellas son levados al fondón del infierno, como se deve creer que este malo lo fue[78].

---

[74] *supiestes:* supistes, en R y S. Véase la nota 8 del capítulo LXXII.

[75] *allegar:* acercar.

[76] *a Dios plega que cedo sobre él caya:* Dios quiera que pronto recaiga sobre él.

[77] *persona:* nadie.

[78] El arrepentimiento y el castigo divino se convierte en tema recurrente de algunos pasajes, por los que Rodríguez de Montalvo tiene cierta predilección. Cuando algunos infractores de las leyes humanas no han recibido en vida un castigo análogo al de su falta, se alude a su perseverancia y posible resultado final.

Don Galaor y Norandel y sus amigas anduvieron dos días contra un puerto para passar en Gaula, y al tercero día llegaron a un castillo, en el cual acordaron de alvergar. Y fallando la puerta abierta, metiéronse dentro sin fallar persona alguna. Mas luego salió de un palacio un cavallero que era el señor del castillo, y cuando dentro los vio, fizo mal semblante contra los suyos porque dexaran la puerta abierta; mas fízolo bueno contra los cavalleros, y recibiólos muy bien, y fízoles fazer mucha honra, pero contra su voluntad, porque este cavallero avía nombre Anbades y era cormano de Arcaláus el Encantador, y conosció a Dinarda, que era su sobrina, y supo della cómo la traían forçada; y la madre deste Ambades lloró con ella encubiertamente y quisiera fazerlos matar. Mas Dinarda le dixo:

—No entre en vos ni en mi tío tal locura.

Entonces les contó cómo desbarataran a los siete cavalleros de Arcaláus, y todo lo que con él passaron, y dixo:

—Señora, fazeldes honra, que son muy esforçados cavalleros, y a la mañana yo y mi donzella quedaremos çagueras; y como ellos salieren, echen la puerta colgadiza, y assí quedaremos en salvo.

Esto assí concertado con Ambades y su madre, dieron de cenar a don Galaor y Norandel, y a sus escuderos, y buenas camas en que durmiessen. Y Anbades no durmió en toda la noche, tanto estava espantado en tener tales hombres en su castillo. Y como fue la mañana, levantóse y armóse, y fuese a sus huéspedes y dixo:

—Señores, quiero fazeros compañía y mostraros el camino, que éste es mi oficio: andar armado buscando las aventuras.

—Huésped —dixo don Galaor—, mucho os lo agradescemos.

Entonces se armaron, y fizieron cavalgar a sus amigas en sus palafrenes, y salieron del castillo. Mas el huésped y las donzellas quedaron atrás; y como ellos y sus escuderos eran fuera, echaron la puerta colgadiza, de manera que el engaño uvo efecto. Ambades descendió del cavallo con mucho plazer, y subióse al muro, y vio los cavalleros que aguardavan si verían alguno para les pedir las donzellas, y dixo:

—Idvos, malos huéspedes y falsos, a quien Dios confonda y

dé mala noche como a mí la vosotros distes, que las dueñas que goçar pensávades[79] comigo quedan.

Don Galaor le dixo:

—Huésped, ¿qué es esso que dezís? No seréis vos tal que, aviéndonos hecho en esta vuestra casa tanto servicio y plazer, en la fin fagáis tan gran deslealtad en nos tomar nuestras dueñas por fuerça.

—Si ansí fuesse —dixo él—, más plazer avría, porque el enojo sería mayor; mas de su grado las tomé, porque andavan forçadas con sus enemigos.

—Pues parezcan ellas —dixo Galaor—, y veremos si es así como dezís.

—Fazerlo he —dixo él—, no por os dar plazer, mas porque veáis cuán aborrescidos dellas sois.

Entonces se puso Dinarda en el muro, y don Galaor le dixo:

—Dinarda, mi señora, ese cavallero dize que quedáis aquí de vuestro grado. Yo no lo puedo creer, según el gran amor que es entre nosotros.

Dinarda dixo:

—Si yo os mostré amor, fue con sobrado miedo que tenía, pero sabiendo vos ser yo fija de Ardán Canileo, y vos hermano de Amadís, ¿cómo se podía fazer que os amasse, especialmente en me querer llevar a Gaula en poder de mis enemigos? Idos, don Galaor, y si algo por vos fize, no me lo agradescáis, ni se os acuerde de mí sino como de enemiga.

—Agora quedad —dixo Galaor— con la mala ventura que Dios os dé, que de tal raíz como Arcaláus no podía salir sino tal pinpollo[80].

Norandel, que muy sañudo estava, dixo contra su amiga:

—Y vos, ¿qué faréis?

—La voluntad de mi señora —dixo ella.

---

[79] *pensávades:* pensavedes, Z // pensavades, RS // .

[80] *pinpollo:* Galaor le responde con un refrán, de tal raíz, tal pimpollo, aunque no he podido documentar su existencia previa. No lo recoge Eleanor S. O'Kane, ob. cit., si bien su estructura no ofrece ningún género de dudas. Compárese con «De tal cepa, tal sarmiento», «De tal árbol, tal la fruta», o los numerosos recogidos por Luis Martínez Klaiser, *Refranero general ideológico español,* Madrid, Ed. Hernando, 1982, s. v. proporcionalidad.

—Dios confonda su voluntad —dixo él—, y la desse mal hombre que assí nos engañó.

—Si yo soy malo —dixo Ambades—, ahún no sois tales vosotros que me tuviesse por honrado de vencer tales dos hombres.

—Si tú eres cavallero como te alabas —dixo Norandel—, sal fuera y combátete comigo, yo a pie y tú a cavallo. Y si me matas, cree que quitarás un enemigo mortal de Arcaláus, y si te yo venciere, danos las donzellas.

—¡Cómo eres nescio! —dixo Ambades—; a entrambos no tengo en nada. Pues, ¿qué faré a ti solo a pie, estando yo de cavallo? Y en esso que dizes de Arcaláus, mi señor, por tales veinte como tú ni como esse otro, tu compañero, no daría él una paja[81].

Y tomando un arco turquí, les[82] començó a tirar con flechas. Ellos se tiraron afuera y tornaron al camino que de ante ivan, fablando cómo la maldad de Arcaláus alcançava a todos los de su linaje, y riendo mucho uno con otro de la respuesta de Dinarda y de su huésped, y de la gran saña de Norandel, y de cómo el huésped, estando a salvo, en cuán poco le tenía. Assí anduvieron tres días, alvergando en poblados y a su plazer, y al cuarto día llegaron a una villa que era puerto de mar que ávia nombre Alfiad, y fallaron dos barcas que passavan a Gaula[83]. Y entrando en ellas, aportaron sin entrevallo alguno donde era el rey Perión, y Amadís y Florestán. Así acaesció que, estando Amadís en Gaula adereçando para se partir a buscar las aventuras, por emendar y cobrar el tiempo que en tanto menoscabo de su honra allí estuvo, continuando cada día de cavalgar por la ribera del mar, mirando la Gran Bretaña

---

[81] *no daría él una paja:* no daría nada. «Ni valdria una paja», *Demanda del Sancto Grial,* 214b. Véase la nota 25 del capítulo XVIII.

[82] *turquí les:* turquil les, Z // turqui les, RS // . Cfr.: «E el Duque traya un arco turquí muy bueno», *Gran Conquista de Ultramar,* II, 413.

[83] Los personajes emprenden el mismo camino que Florestán, Perión y Amadís, recordando risueñamente, como los anteriores, lo acontecido. No obstante, el autor ahora señala con detenimiento algunos topónimos y la duración de su desplazamiento como antes no había sucedido. En el primer caso se han suprimido todas las indicaciones cronológicas para crear una sensación de rapidez, evitando el alargamiento que pudiera obstaculizar la transición entre una historia y otra.

que allí eran sus desseos y todo su bien, andando un día él y don Florestán passeando, vieron venir las barcas, y fueron allá por saber nuevas. Y llegando a la ribera, venían ya don Galaor y Norandel en un batel por salir en tierra. Amadís conosció a su hermano y dixo:

—¡Sancta María!, aquél es nuestro hermano don Galaor. Él sea muy bien venido.

Y dixo a don Florestán:

—¿Conocéis vos el otro que con él viene?

—Sí —dixo él—, aquél es Norandel, fijo del rey Lisuarte, compañero de don Galaor. Y sabed que es muy buen cavallero, y por tal en la batalla se mostró que con su padre ovimos en la ínsola de Mongaça, pero entonces no era conoscido por su fijo fasta agora, cuando fue la gran batalla de los siete Reyes, que al Rey plugo que se divulgasse por la bondad que en sí tiene.

Mucho fue alegre Amadís con él, por ser hermano de su señora, y que sabía que le ella amava, según Durín gelo avía dicho. En esto llegaron los cavalleros a la ribera, y salieron en tierra, donde fallaron Amadís y Florestán apeados, que los recibieron y abraçaron muchas vezes. Y dándoles sendos palafrenes, se fueron al rey Perión, que quería cavalgar para los recebir. Y cuando a él llegaron, quisiéronle besar las manos, mas el Rey no las dio a Norandel; antes, lo abraçó y fizo mucha honra, y llevólos a la Reina, donde no recibieron menos. Amadís, como ya vos dixe, tenía adereçado para partir de allí al cuarto día. Y un día antes fabló con el Rey y con sus hermanos, diziéndoles cómo le convenía partirse dellos, y que otro día[84] entraría en su camino. El Rey le dixo:

—Mi fijo, Dios sabe la soledad que dello yo siento, pero ni por esso seré en vos destorvar[85] que vayáis a ganar honra y prez, como siempre lo fizistes.

Don Galaor dixo:

—Señor hermano, si no fuesse por una demanda de que con derecho no nos podemos partir, en que Norandel y yo somos

---

[84] *otro día:* otra dia, Z // otro día, RS // .

[85] *destorvar:* estorbar. «Ellos destorvavan que no se conquiriesse la tierra de los moros», *Gran Conquista de Ultramar,* I, 66.

metidos, fazervos íamos compañía; pero conviene que la acabemos o passe primero un año y un día, como es costumbre de la Gran Bretaña[86].

El Rey le dixo:

—Hijo, ¿qué demanda es éssa? ¿Puédese saber?

—Sí, señor —dixo él—, que públicamente la prometimos, y es ésta: sabed, señor, que en la batalla que ovimos con los siete Reyes de las ínsolas fueron de la parte del rey Lisuarte tres cavalleros con unas armas de sierpes de una manera, mas los yelmos eran diferentes, que el uno era blanco y el otro, cárdeno, y el otro, dorado. Éstos hicieron maravillas en armas, tanto que todos somos maravillados, en especial el que traía el yelmo dorado, que a la bondad déste no creo que ninguno se podría igualar. Ciertamente, se cree que si por éstos no fuera, que el rey Lisuarte no oviera la vitoria que uvo. Y como la batalla fue vencida, partieron todos tres del campo tan encubiertos, que no pudieron ser conoscidos, y por lo que dellos se fabla hemos prometido de los buscar y conoscer.

El Rey dixo:

—Aquí nos han dicho desos cavalleros, y Dios vos dé dellos buenas nuevas.

Assí passaron aquel día fasta la noche. Y Amadís apartó a su padre, y a don Florestán, y díxole:

—Señor, yo me quiero partir de mañana, y paréscome que, después de yo ido, [se] deve[87] dezir a don Galaor la verdad desto en qué anda, porque su trabajo sería en vano, que si por nosotros no, por otro ninguno no lo puede saber; y mostradle las armas, que bien las conoscerá[88].

---

[86] Un sistema similar se había empleado con anterioridad sin relacionarlo con ninguna costumbre concreta. Galaor, Florestán y Agrajes habían decidido buscar a Amadís durante el plazo de un año, cuando este último se apartó a la Peña Pobre bajo el nombre de Beltenebros. Véanse los capítulos XLVIII y LIII. El motivo es recurrente en los textos artúricos. Por ejemplo, en la *Quête du Graal,* trad. esp., pág. 43, Galván realiza la siguiente promesa: «mañana por la mañana, sin demora, comenzaré la Demanda, de tal forma que la mantendré durante un año y un día y, si fuera necesario, más tiempo».

[87] *ido, [se] deve:* ydo deve, Z // ydo se deve, R // ydo yo se deve, S // .

[88] En otras ocasiones el descubrimiento de la personalidad de un personaje que había actuado de incógnito se lograba mediante la solicitud de algún «don». Ahora, las estructuras narrativas han variado, pero sigue persistiendo el mismo

—Bien dezís —dixo el Rey—, y así se fará.

Essa noche estuvieron con la Reina y su fija, y con muchas dueñas y donzellas suyas, folgando con gran plazer; mas todas sentían gran soledad de Amadís, que se querría ir, y no sabían dónde. Pues despedido de todas[89] ellas, se fueron a dormir. Y otro día oyeron todos missa, y salieron con Amadís, que iva armado en su cavallo, y Gandalín y el enano sin otro alguno que le fazía compañía, al cual dio la Reina tanto aver[90], que por un año bastasse a su señor. Don Florestán le rogó muy afincadamente que lo llevasse consigo, mas no lo pudo con él acabar por dos cosas; la una, por ser más desembargado[91] para pensar en su señora; y la otra, porque las cosas de grandes afruentas por que él esperava passar, passándolas solas, assí solo la muerte o la gloria alcançasse. Y cuanto una legua anduvieron, despedióse Amadís dellos, entrando en su camino; y el Rey y sus fijos se bolvieron a la villa, donde fabló aparte con don Galaor su fijo, y con Norandel, y díxoles:

—Vosotros sois metidos en una demanda que si aquí no, en todo el mundo no fallaríades recaudo della; de lo cual dó gracias a Dios que a esta parte os guió por vos aver quitado de gran trabajo sin provecho. Agora sabed que los tres cavalleros de las armas de las sierpes que demandáis somos yo y Amadís y don Florestán. Y yo llevava el yelmo blanco, y don Florestán, el cárdeno, y Amadís, el dorado, con que fizo las grandes estremedades[92] que vistes.

Y contóles el concierto que para aquella ida tuvieron, y cómo Urganda les embiara las armas.

—Y porque enteramente lo creáis y tengáis vuestra aventura por acabada, venid comigo.

Y levándolos a otra cámara de las armas, les mostró[93] las de

---

motivo, necesario para la fama de los personajes, en especial la de Amadís, ya que con ello contrarrestaba su inactividad.

[89] *todas:* todos, Z // todas, RS // .

[90] *aver:* riqueza, dinero. «El rey le dio gran aver e cavalleros, e tomaron su camino», *Tristán de Leonís,* 347a. Se reitera una preocupación similar a la señalada en la nota 29 del capítulo LII.

[91] *desembargado:* libre. «Por la [puerta de] Visagra no le estaba el camino tan desembargado», *Crónica de don Álvaro de Luna,* 241, 21.

[92] *estremedades:* grandezas, hechos extraordinarios.

[93] *mostró:* mustro, Z // mostro, RS // .

las sierpes por muchas partes de grandes golpes foradadas[94], las cuales fueron muy bien dellos conocidas, porque mucho en la batalla las miraron, algunas vezes plaziéndoles ser en su ayuda, y otras aviendo grande imbidia[95] de lo que sus señores fazían con ellas.

Don Galaor dixo:

—Señor, mucha merced nos ha fecho Dios, y vos, en nos quitar deste afán, porque nuestro pensamiento era de con todas nuestras fuerças buscar los cavalleros destas armas, y si no nos cayeran en parte que sin gran vergüença no nos pudiéramos de su enojo partir, de nos combatir con ellos fasta la muerte, y dar a entender a todos, ahunque allí en lo general[96] más que todos fizieron, que en lo particular de otra manera se juzgara, o morir sobre ello.

—Mejor lo ha hecho Dios —dixo el Rey— por su merced.

Norandel le demandó aquellas armas con afincamiento, mas con mucha más gravedad por el Rey le fueron otorgadas. Entonces les contó el Rey cómo fueran metidos en la prisión de Arcaláus, y por cuál aventura fueron della salidos. A Galaor le vinieron las lágrimas a los ojos aviendo duelo de tan gran peligro, y contó lo que les aviniera a él y a Norandel con Arcaláus, y cómo llamándose Granfiles se les avía escapado, y todo lo que con Dinarda passaron, y cómo se les quedó en el castillo, y lo que con Anbades, el huésped, les contesció. Assí estuvieron allí catorze[97] días folgando, y despedidos del Rey y Reyna, entraron en una barca llevando consigo aquellas armas de las sierpes, y con buen tiempo pasaron en la Gran Bretaña. Y llegados a la villa donde el rey Lisuarte y la Reina eran, desarmándose en su posada, se fueron al palacio por mostrarle cómo su demanda avían acabado, y llevaron consigo las armas de las sierpes en sus fundas. Bien fueron recebidos del Rey y de todos los de la corte. Galaor dixo al Rey:

---

[94] *foradadas:* agujereadas. «E otro día los turcos ovieron foradado el muro e entraron dentro», *Gran Conquista de Ultramar,* IV, 124.

[95] *imbidia:* envidia. «Movidos de imbidia fueron juntos a ferir en el», *Oliveros de Castilla,* 474b.

[96] *lo general:* la general, Z // lo general, RS // .

[97] *catorze:* quatorze, Z // Xiiij, R // catorze, S // .

—Señor, si os pluguiere mandarnos oír ante la Reina.

—Sí —dixo él.

Y fuéronse luego a su aposentamiento, y todos con ellos por ver lo que traían. La Reina uvo plazer con su venida, y ellos le besaron las manos. Galaor dixo:

—Señores, ya sabéis cómo Norandel y yo salimos de aquí con demanda de buscar los tres cavalleros de las armas de las sierpes, que en vuestra batalla y servicio fueron; y, loado Dios, sin trabajo cumplido lo hemos, así como Norandel lo mostrará. Entonces Norandel tomó en sus manos el yelmo blanco, y dixo:

—Señor, este yelmo ¿bien lo conoscéis?

—Sí —dixo él—, que muchas vezes lo vi donde yo le ver desseava.

—Pues éste traxo en la cabeça el rey Perión, que os mucho ama.

Y luego tomó el cárdeno y dixo:

—Veis aquí, éste traxo don Florestán.

Y sacando el dorado, dixo:

—Veis, señor, éste, que tanto en vuestro servicio fizo cual ninguno otro fazer pudiera, traxo Amadís. Si yo digo verdad en ello o no, vos sois el mejor testigo, que muchas vezes entre ellos vos hallastes, ellos gozando de la fama y vos del vencimiento.

Y contóles cómo vinieran el rey Perión y sus fijos encubiertos a la batalla, y por cuál razón después se havían ido sin que los conoçiessen, y cómo fueran metidos en la prisión de Arcaláus y cómo salieron, quemando el castillo, y cómo lo fallaran en las andas él y don Galaor, y cómo se les escapara llamándose Granfiles, cormano de don Grumedán, de lo cual mucho con él, que allí presente stava, se reían, y él con ellos, diziendo que muy alegre era en aver hallado tal deudo de que no sabía. El Rey preguntó mucho por el rey Perión, y Norandel le dixo:

—Creed, señor, que en el mundo no ay rey de tanta tierra como él tiene que su igual sea.

---

<sup>98</sup> *saludes y encomiendas:* saludos y expresiones corteses. El plural *saludes* está atestiguado desde el *Cantar de Mio Cid.* «Ella le saludo, y el le torno las saludes», *Tristán de Leonís,* 368b.

—Pues no se perderá nada —dixo don Grumedán— por sus fijos.

El Rey calló por no loar a Galaor, que estava presente, ni a los otros, de que muy poco por estonces se pagava; pero mandó poner las armas en el arco de cristal de su palacio, donde otras de hombres famosos eran puestas.

Don Galaor y Norandel hablaron con Oriana y con Mabilia, y dixéronle las saludes y encomiendas[98] de la reina Elisena y de su hija, y por ellas fueron con gran amor recebidas como aquellas que las mucho amavan. Y ovieron gran pesar en que les dixeron que Amadís se iva solo a tierras estrañas de diversos lenguajes a buscar las aventuras más fuertes y peligrosas. Estonces se fueron a sus posadas y el Rey quedó fablando con sus cavalleros en muchas cosas.


## Capítulo LXX

*Que recuenta de Esplandián cómo stava en compañía de Nasciano el hermitaño, y de cómo Amadís, su padre, se fue buscar aventuras, mudado el nombre en el Cavallero de la Verde Spada, y de las grandes aventuras que huvo, recontando sus vencimientos.*

Aviendo Espandián cuatro años que naçiera, Nasciano el hermitaño embió por él que gelo truxessen[1], y él vino bien criado de su tiempo, y violo tan fermoso, que fue maravillado; y santiguándolo, lo llegó a sí, y el niño lo abraçava como si lo conoçiera. Estonces hizo bolver el ama, y quedando allí un su fijo, que de la leche dél criara a Esplandián, y entrambos estos niños andavan trebejando cabe la hermita, de que el santo hombre era muy ledo, y dava gracias a Dios porque havía querido guardar tal criatura[2].

Pues assí acaeçió que, siendo Esplandián cansado de folgar,

---

[1] *truxessen:* trajesen. «No avia y ninguno que truxesse armas», *Demanda del Sancto Grial,* 212b.

[2] De la misma manera que ha sucedido con Amadís y Gandalín, se produce el mismo hermanamiento de leche entre Esplandián y Sargil, futuro escudero del héroe de las *Sergas,* reiterándose las mismas estructuras narrativas.

τ santiguãdolo lo llego a ſi/τ el niño lo abꝛa
çaua como ſi lo conociera. Entõces hizo bol
uer el ama:τ q̃dãdo alli vn ſu fijo:que dela le
che del criara aEſplandian:y entrãbos eſtos
niños andauan jugando cabe la hermita/de
que el ſancto hombꝛe era muy alegre/τ daua
gracias a dios/poꝛq̃ auia q̃rido guardar tal
criatura. Pues aſſi acaeſcio q̃ ſiendo Eſplã

echóse a dormir debaxo de un árbol, y la leona que ya oístes, que algunas vezes venía el hermitaño y él le dava de comer cuando lo havía, vio el niño y fuese a él, y anduvo un poco alderredor[3] oliéndolo y después echóse cabe él. Y el otro niño fue llorando al hombre bueno, diziendo cómo un can grande quería comer a Esplandián. El hombre bueno salió, y vio la leona, y fue allá, mas ella se vino a él, falagándolo, y tomó el niño en sus braços, que era ya despierto; y como vio la leona, dixo:

—Padre, fermoso can es éste; ¿es nuestro?

—No —dixo el hombre bueno—, sino de Dios, cuyas[4] son todas las cosas.

—Mucho querría, padre, que fuesse nuestro.

El hermitaño huvo plazer, y díxole:

—Fijo, ¿queréisle dar de comer?

—Sí —dixo él.

Estonces traxo una pierna de gamo que unos ballesteros le dieran, y el niño diola a la leona, y llegóse a ella, y poníale las manos por las orejas y por la boca. Y sabed que de allí adelante siempre la leona venía cada día, y aguardávalo en tanto que fuera de la hermita andava. Y de que más creçido fue, diole el hermitaño un arco a su medida, y otro a su collaço[5], y con aquéllos después de haver leído tirava, y la leona iva con ellos, que si ferían algún ciervo, ella jelo tomava, y algunas vezes venían allí algunos ballesteros amigos del hermitaño, y ívanse con Esplandián a caçar por amor de la leona, que les alcançava la caça, y de estonces aprendió Splandián a caçar. Assí passava su tiempo debaxo de la doctrina de aquel santo hombre.

Y Amadís se partió de Gaula, como os ya contamos, con voluntad de hazer tales cosas en armas, que aquellos que lo havían profaçado y menoscabado su honra por la luenga estada[6] que por mandado de su señora allí fiziera quedassen por mentirosos; y con este pensamiento se metió por la tierra de Ale-

---

[3] *alderredor:* alrededor. «Mire al derredor», *Demanda del Sancto Grial,* 201b.

[4] *cuyas:* cuyo, Z // cuyas, RS // .

[5] *collaço:* hermano de leche.

[6] *luenga estada:* larga permanencia. «Aquellos cavalleros que con él venían le dixeron que bastaba ya su estada tanto allí», *Crónica de don Alvaro de Luna,* 111, 24.

maña, donde en poco tiempo fue muy conoçido, que muchos y muchas venían a él con tuertos y agravios que les eran fechos, y les fazía alcançar su derecho, passando grandes afruentas y peligros de su persona, combatiéndose en muchas partes con valientes cavalleros, a las vezes con uno, otras vezes con dos y tres, assí como el caso era. ¿Qué os diré? Tanto fizo que por toda Alemaña era conoçido por el mejor cavallero que en toda aquella tierra entrara, y no le sabían otro nombre sino el Cavallero de la Verde Spada, o del Enano, por el enano que consigo traía. Desta ida qu'él fizo en tanto passaron cuatro años que nunca bolvió a Gaula ni a la Ínsola Firme, ni supo de su señora Oriana, que esto le dava mayor tormenta[7], y cuitava tanto su coraçón, que en comparación dello todos los otros peligros y trabajos tenía por folgança, y si algún consuelo sentía, no era sino saber cierto que su señora, seyendo firme en su membrança dél, padeçía[8] otra semejante soledad[9].

Pues assí anduvo por aquella tierra todo el verano, y viniendo el invierno, temiendo el frío[10], acordó de se ir al reino de Bohemia y passarlo allí con un muy buen Rey que tenía guerra con el Patín, que era ya Emperador de Roma, a quien él mucho desamava por lo de Oriana su señora que ya oístes, que a la sazón reinava, llamado Tafinor, del cual grandes bienes y bondades oyera dezir, y fuese luego para allá. Y acaeçió que, llegando a un río, de la otra parte vio andar mucha gente, y lançaron un girifalte[11] a una garça, y vínola a matar a la parte donde el Cavallero de la Verde Spada estava. Y él se apeó assí armado como andava, y dio muchas bozes a los de la otra parte si lo cevaría[12]. Ellos dixeron que sí. Estonces le dio allí de

---

[7] *tormenta:* preocupación, tormentos.

[8] *padeçía:* pareçia, Z // parescia, R // padescia, S // .

[9] *soledad:* añoranza por la ausencia de una persona.

[10] Parece muy significativo que Amadís se muestre temeroso del frío, del invierno poco propicio para la actividad caballeresca. Casi toda su actividad se desarrolla en la estación de amor. Es probable que se hayan abreviado detalles de una redacción primitiva, pues Pedro Ferruz recuerda que «Amadýs el muy fermoso / las lluvias y las ventyscas / nunca las falló aryscas / por leal ser e famoso», *Cancionero de Baena,* ed. cit., t. II, pág. 663.

[11] *girifalte:* gerifalte, el halcón mayor conocido que vive normalmente en el Norte de Europa. «Lançáis neblís de noble plumage o girifaltes que remonten la garça», Rodrigo Sánchez de Arévalo, *Suma de la política,* 252b.

comer aquello que vio que era menester, como aquel que muchas vezes lo avía fecho. El río era bien fondo, y no podían allá passar. Y sabed que era allí el rey Tafinor de Bohemia, y como vio al cavallero y el enano con él, preguntó si lo conoçía alguno de aquéllos. Y no ovo quien lo conoçiesse.

—¿Si será —dixo el Rey— por ventura un cavallero que ha andado por tierra de Alemaña, que ha hecho maravillas de armas, de que todos por milagro fablan dél y dízenle el Cavallero de la Verde Spada, y el Cavallero del Enano? Dígolo por aquel enano que consigo trae.

Havía allí un cavallero que dezían Sadián, y era cabdillo[13] de los que al Rey aguardavan, y dixo:

—Cierto, éste es, que la spada verde trae ceñida.

El Rey se dio priessa[14] en el llegar a un passo del río, porque el de la Verde Spada venía ya con el girifalte en su mano. Y como a él llegó, díxole:

—Mi buen amigo, vos seáis muy bien venido a esta mi tierra.

—¿Sois vos el rey?

—Sí soy —dixo él—, cuanto a Dios pluguiere.

Estonces llegó con mucho acatamiento por le besar las manos, y dixo:

—Señor, perdonadme, ahunque os no erré, que no os conoçía; yo vengo por os ver y servir, que me dixeron que teníades guerra con tal hombre, y tan poderoso, que havéis bien menester el servicio de los vuestros, y ahun de los estraños. Y comoquiera que yo sea uno dellos, en tanto que convusco fuere[15], por vassallo natural me podéis contar.

---

[12] *cevaría:* daría el cebo. Debe tenerse en cuenta que Amadís muestra sus conocimientos de caza, pues «en saber quáles carnes conviene a las aves que caçan es cosa que ayuda mucho en su salud e pueden más durar e serán sanas sin enfermedades», *Tratado de cetrería,* en *Antiguos tratados de cetrería castellanos,* ed. de José Manuel Fradejas Rueda, Madrid, Caïrel Ediciones, 1985, pág. 123.

[13] *cabdillo:* caudillo. «El capitán o cabdillo de la guerra», Rodrigo Sánchez de Arévalo, *Suma de la política,* 271a.

[14] *priessa:* prisa. «El amor defiende con priesa», Diego de San Pedro, *Arnalte y Lucenda,* pág. 119.

[15] *convusco fuere:* fuere con vos. «Vino acá a vos e no tornó a nos, ni lo veo yo convusco», *Gran Conquista de Ultramar, I, 184.*

—Cavallero de la Verde Spada, mi amigo, cómo vos gradez-co esta venida y lo que me dezís; aquel mi coraçón, que con ello ha doblado el esfuerço, lo sabe; y agora acojámonos a la villa.

Assí se fue el Rey hablando con él, y de todos era loado de fermosura y de pareçer mejor armado que otro ninguno que visto oviessen. Llegados al palacio, mandó el Rey que allí le aposentassen. Y desque fue desarmado en una rica cámara, vistióse unos paños loçanos y hermosos que el enano le traía, y fuese donde el Rey estava, con tal presencia, que dava testimonio de ser creídas las grandes proezas que dél se dezían; y allí comió con el Rey, servido como a mesa de tan buen hombre. Y alçados los manteles, estando todos assosegados, el Rey dixo:

—Cavallero de la Verde Spada, mi amigo, las vuestras grandes nuevas y honrada presencia me combidan a vos demandar ayuda, ahunque fasta agora no os lo merezca, pero plazerá a Dios que en algún tiempo será gualardonado. Sabed, mi buen amigo, que yo he guerra contra mi voluntad con el más poderoso hombre de los christianos, que es el Patín, Emperador de Roma, que assí con su gran poder como con su gran sobervia querría este reino que Dios libre me dio que le fuesse sujeto y tributario; pero yo fasta agora con la fiança y fuerça de mis vassallos[16] y amigos hégelo defendido reziamente, y defenderé cuanto la vida me durare. Pero como es cosa de gran trabajo y peligro defenderse mucho tiempo los pocos a los muchos, tengo siempre atormentado mi coraçón en buscar el remedio, pues éste no es, después de Dios, sino la bondad y esfuerço que ay de los unos hombres a los otros; y porque Dios os ha fecho tan estremado en el mundo en bondad y fortaleza, tengo yo mucha esperança en el vuestro gran esfuerço, que, como siempre procura prez y honra, la querrá ganar con los menos. Assí que, buen amigo, ayudad a defender este reino, que siempre a vuestra voluntad será.

El Cavallero de la Verde Spada le dixo:

---

16 *vassallos:* vassallas, Z // vassallos, RS // .

—Señor, yo os serviré, y como mis obras vierdes, assí juzgad mi bondad[17].

Assí como oís, quedó el Cavallero de la Verde Spada en casa del rey Tafinor de Bohemia, donde mucha honra le hazían, y en su compañía por mando del Rey un fijo suyo que Grasandor se llamava, y un conde, cormano del Rey, llamado Galtines, porque más acompañado y honrado stuviesse.

Pues assí avino que un día cavalgava el Rey por el campo con muchos hombres buenos, y iva fablando con su fijo Grasandor y con el Cavallero de la Verde Spada en el fecho de su guerra, que la tregua salía[18] en essos cinco días; y assí yendo en su fabla, vieron venir por el campo doze cavalleros, y las armas traían liadas en palafrenes, y los yelmos y escudos y lanças, sus scuderos. El Rey conoçió entre ellos el scudo de don Garadán, que era primo cormano del emperador Patín, y era el más preciado cavallero de todo el señorío de Roma, y éste fazía la guerra a este Rey de Bohemia, y dixo contra el Cavallero de la Verde Spada, sospirando:

—¡Ay, qué de enojo me ha fecho aquel cuyo es aquel escudo!

Y mostrógelo. Y el escudo[19] havía el campo cárdeno y dos águilas de oro tan mañas[20] como en él cabían. El Cavallero de la Verde Spada le dixo:

---

[17] El tema se convierte en motivo literario recurrente desde distintas perspectivas. Por ejemplo, en los *Bocados de oro*, ed. de M. Crombach, Bonn, Romanisches Seminar des Universität Bonn, 1971, pág. 4, se dice: «Judgar al ome por sus dichos non es bueno, mas por sus obras; que los más de los dichos son vanidades, e por las obras es el pro o el daño.» En el *Quijote*, maese Pedro, retomando a San Juan, dirá: *operibus credite, et non verbis*, II, XXV, pág. 232, frase reiterada en II, L, pág. 432. Véase también la nota 2 del capítulo CXII.

[18] *la tregua salía*: se acababa la tregua. «Porque avía tan poco que eran salidas las treguas», *Hechos del condestable don Miguel Lucas de Iranzo, 76, 20*.

[19] *escudo*: esçudo, Z // escudo, RS // .

[20] *tan mañas*: tan grandes. Como dice Antonio Narbona Jiménez, *Las proposiciones consecutivas en español medieval*, Granada, Un. de Granada, 1978, páginas 117-118, «en competencia con *tan grande* la lengua medieval utiliza *tamaño* [...], escrito con una sola palabra o con sus elementos separados, sin ninguna restricción funcional ni posicional. [...] Las razones que determinan la elección de uno u otro parecen ser puramente estilísticas y derivan del carácter culto de *tamaño*».

—Señor, cuanto más sobervias y demasías[21] de vuestro enemigo recibierdes, estonces tened más fiuza[22] en la vengança
que Dios os dará. Y señor, pues que assí vienen a vuestra tierra a se poner en vuestra mesura, honradlos y habladlos bien,
pero pleitesía no la fagáis sino a vuestra honra y provecho.

El Rey lo abraçó y dixo:

—A Dios pluguiesse por su merced que siempre fuéssedes
comigo, y de lo mío fiziéssedes a vuestra voluntad.

Y llegaron a los cavalleros, y Garadán y sus compañeros
fueron ante el Rey, y él los recibía de mejor palabra que de coraçón, y díxoles que se entrassen a la villa y les harían toda
honra. Don Garadán dixo:

—Yo vengo a dos cosas que ante sabréis, en que no havréis
menester consejo sino de vuestro coraçón; y respondednos
luego, porque no nos podemos detener, que la tregua sale muy
cedo.

Estonces le dio una carta de creencia que era del Emperador en que dezía que él fazía cierto y estable sobre su fe todo lo
que don Garadán con él assentasse[23].

—Paréçeme —dixo el Rey, después de la haver leído— que
no se faze poca fiança de vos. Y agora dezid lo que os mandaron.

—Rey —dixo don Garadán—, comoquiera qu'el Emperador sea de más alto linaje y señorío que [v]os, porque tiene
mucho en otras cosas que entender, quiere dar cabo en vuestra
guerra de dos guisas[24], la una cual más os agradare; la primera,
si quisierdes haver batalla con Salustanquidio, su primo Príncipe de la Calabria[25], de ciento por ciento fasta mil; y la segunda,
de doze por doze cavalleros comigo y con éstos que yo trayo,
que él lo fará a condición que si [v]os vencierdes, seades qui-

---

[21] *demasía:* exceso. «Fazían grandes fuerças e demasías», *Crónica de don Álvaro
de Luna,* 62, 23.

[22] *tened más fiuza:* confiad más.

[23] *assentasse:* pactase.

[24] *dar cabo en vuestra guerra de dos guisas:* finalizar vuestra guerra de dos maneras.

[25] Según J. B. Avalle-Arce, *El Amadís primitivo...,* cap. VII nota 36, el título
de príncipe de Calabria es propio de los años de Montalvo. El duque de Calabria era el príncipe heredero del reino de Nápoles.

to[26] dél para siempre; y si vencido, que quedéis por su vasallo assí como en las historias de Roma se falla que este reino lo fue en los tiempos passados de aquel imperio. Agora tomad lo que os agradare, que si lo refusáis, el Emperador os faze saber que, dexando todas las otras cosas, verná sobre [v]os en persona, y no partirá de aquí fasta vos destruir.

—Don Garadán —dixo el Cavallero de la Verde Spada—, asaz havéis dicho de sobervias, assí de parte del Emperador como de la vuestra, pues Dios muchas vezes las quebranta con poca de su piedad; y el Rey vos dará la respuesta que le pluguiere, pero quiero preguntar, tanto si él tomasse cualquiera desas batallas, ¿cómo sería seguro que se le guardaría lo que dezís?

Don Garadán lo miró y maravillóse cómo respondiera sin esperar a lo que el Rey diría, y díxole:

—Don cavallero, yo no sé quién sois, mas en vuestro lenguaje pareçéis de tierra estraña, y dígoos que os tengo por hombre de poco recaudo en responder sin que el Rey lo mandasse[27]; pero si él ha por bien lo que dezís y otorga lo que le yo pido, mostraré esso que [v]os preguntáis.

—Don Garadán —dixo el Rey—, yo doy por dicho y otorgo todo lo que el Cavallero de la Verde Spada dixere.

Cuando Garadán oyó fablar de hombre de tan alto fecho de armas, mudósele el coraçón en dos guisas: la una, pesarle porque tal cavallero fuesse de la parte del Rey, y la otra, plazerle por se combatir con él. Y según él en sí sentía, pensava vencerle o matarle, y ganar toda aquella honra y gloria que él ha-

---

[26] *seades quito:* seáis libre. Literatura y realidad se influyen mutuamente, pues propuestas similares podemos encontrar en textos históricos. «E avido así el voto de todos, que estonçes el Rey debía así responder al desafío de los reyes, que como quiera que todos los de su consejo eran de acuerdo que él non açebtasse el desafío de los reyes persona por persona, salvo pujança por pujança, que lo aceptaba. E que dixesen a los Reyes de Aragón e de Navarra, que él se mataría con ellos diez por diez, o veynte por veynte, o personas por personas, o como ellos quisiessen devinar», *Crónica de don Álvaro de Luna,* 87-88.

[27] A pesar de que Amadís se ha declarado natural del Rey de Bohemia, y por tanto obligado a prestarle *auxilium* y *consilium,* su intervención no es correcta en ese momento como advierte Garadán. No obstante, se quiere resaltar su protagonismo y está contestando a un personaje caracterizado por su soberbia.

vía ganado por Alemaña y por las tierras donde no se fablava de ninguna bondad de cavallero sino de la dél, y dixo:

—Pues ya os otorga el Rey su voluntad, agora dezid si querrá alguna destas batallas.

El Cavallero de la Verde Spada le dixo:

—Esso el Rey lo dirá como le más pluguiere, pero dígoos que en cualquier dellas que escogiere le serviré yo, si me aí meter querrá, y assí lo faré en la guerra en tanto que en su casa morare.

El Rey le echó el braço al cuello, y dixo:

—Mi buen amigo, en tanto esfuerço me han puesto estas vuestras palabras, que no dudaré de tomar cualquier partido de los que se me ofreçen, y ruégoos mucho que escojáis por mí lo que dello mejor os pareçerá.

—Cierto, señor, esso no faré yo —dixo él—; antes, con vuestros hombres buenos os consejad sobre ello, y tomad lo que mejor fuere; y a mí mandadme en qué vos sirva, que de otra guisa con mucha razón serían quexosos de mí, y yo tomava a cargo aquello que en mi discreción no cabía, pero todavía, señor, digo que devéis ver el recaudo que don Garadán trae para lo fazer firme.

Cuando don Garadán esto oyó, dixo:

—Comoquiera que [v]os, don cavallero, por vuestras razones mostráis en alargar la guerra, yo quiero mostrar lo que pedís por atajar vuestras dilaciones[28].

El Cavallero del Enano le respondió:

—No os maravilléis, don Garadán, desso, porque más sabrosa cosa es la paz que entrar en las batallas peligrosas; pero la vergüenza trae y acarrea lo contrario, y agora despreciáisme que no me conoçéis; mas tanto que el Rey os dé la respuesta, yo fío en Dios que de otra guisa me juzgaréis.

Estonces don Garadán, llamando a un scudero que traía una arqueta, sacó[29] della una carta en que andavan treinta sellos colgados de cuerdas de seda, y todos eran de plata sino el

---

[28] *dilaciones:* 1.ª doc. según DCECH, en Al. de Palencia, si bien pueden encontrarse ejemplos anteriores. Cfr.: «E si se diesse en él tanta dilaçión a que los panes fuessen cogidos e ençerrados, *Crónica de don Álvaro de Luna,* 233, 8.

[29] *arqueta, sacó:* arqueta y saco, Z // arqueta et saco, R // arqueta saco, S // .

que en medio andava, que era de oro y del Emperador, y los otros, de los grandes señores del imperio, y diola al Rey. Y él se apartó con sus hombres buenos, y leyéndola halló ser cierto lo que Garadán dezía, y que sin duda podía tomar cualquiera de las batallas, y demandóles que le consejassen. Pues fablando en ello, huvo algunos que tenían por mejor la batalla de los ciento por ciento, otros, la de los doze por doze, diziendo que en menor cuantidad el Rey podría mejor escojer en sus cavalleros; y otros dezían que sería mejor mantener la guerra como hasta allí, y no poner su reino en aventura de una batalla, assí que los votos eran muy diversos. Estonces el conde Galtines dixo:

—Señor, remitíos al pareçer del Cavallero d[e] la Verde Spada, que por ventura havrá visto muchas cosas, y tiene gran desseo de vos servir.

El Rey y todos se otorgaron en esto, y fiziéronle llamar, que él y Grasandor fablavan con don Garadán; y el Cavallero de la Verde Spada lo mirava mucho, y como le veía tan valiente de cuerpo y que por razón devía haver en sí gran fuerça, algo le hazía dudar su batalla, mas por otra parte veíale dezir tantas palabras vanas y soberviosas[30], que le ponían en esperança que Dios le daría lugar a que la sobervia le quebrantasse. Y como oyó el mandado del Rey, fuese allá, y el Rey le dixo:

—Cavallero del Enano, mi gran amigo, mucho os ruego que os no escuséis de dar aquí vuestro consejo sobre lo que hemos hablado.

Estonces le contaron en las diferencias que estavan. Oído todo por él, dixo:

—Señor, muy grave es la determinación de tan gran cosa, porque la salida está en las manos de Dios, y no en el juizio de los hombres; pero comoquiera que sea, hablando en lo que yo,

---

[30] *soberviosas:* soberbias. «Me defenderás de soberviosas menazas», A. de Palencia, *Tratado de la perfección del triunfo militar,* 345b. Amadís puede contar con la ayuda divina para quebrantar a los soberbios, puesto que, según comenta J. Boccaccio, *Caída de príncipes,* fol. VI r, retomando palabras evangélicas, Dios «es Aquel que cata e vee los humildes en el cielo y en la tierra, y Él solo es el que abaxa y desata los soberbios de las sus sillas muy ensalçados y ensalça a los humildes, y Éste es el que menosprecia a los orgullosos, e a los sus humildes e obedientes da su gracia».

si el caso mío fuesse, faría, digo, señor, que si yo tuviesse un castillo solo y cient cavalleros, y otro mi enemigo teniendo diez castillos y mil cavalleros me lo quisiesse tomar, y Dios guiasse por alguna vía que esto se partiesse por una batalla de iguales partes de gente, faría cuenta que era gran merced que me fazía; y por esto que yo digo, vosotros, cavalleros, no dexéis de consejar al Rey lo que más su servicio sea, que de cualquier guisa que lo determinardes tengo de poner mi persona en ello.

Y quísose ir, mas el Rey lo tomó por la punta del manto y fízolo sentar cabe sí, y díxole:

—Mi buen amigo, todos otorgamos en vuestro pareçer, y quiero la batalla de los doze cavalleros; y Dios, que sabe la fuerça que se me haze, me ayudará, assí como lo fizo al rey Perión de Gaula no ha mucho tiempo, que teniéndole entrada[11] su tierra el rey Abiés de Irlanda con gran poder, y estando en punto de la perder, fue remediado todo por una batalla que un cavallero solo huvo con el mismo rey Abiés, que era a la sazón uno de los más valientes y bravos cavalleros del mundo, y el otro tan mancebo, que no llegava a diez y ocho años; en la cual el Rey de Irlanda murió, y fue el rey Perión restituido en todo su reino. Y dende a pocos días[32] por una aventura maravillosa le conoçió por su fijo. Y estonces se llamava el Donzel del Mar, y dende allá se llamó Amadís de Gaula, aquel que por todo el mundo es nombrado por el más esforçado y valiente que se falla fasta agora; no sé si lo conoçéis[33].

—Nunca le vi —dixo el Cavallero de la Verde Spada—, pero yo moré algún tiempo en aquellas partes, y oí mucho dezir desse Amadís de Gaula, y conozco a dos hermanos suyos que no son peores cavalleros que él.

---

[31] *entrada:* invadida, ocupada. «Seyendo la villa entrada por fuerça en el mayor rigor e escándalo de las armas», Fernán Pérez de Guzmán, *Generaciones y semblanzas,* pág. 49.

[32] *dende a pocos días:* al cabo de pocos días.

[33] Además de recapitular unos hechos anteriores, los acontecimientos se esgrimen como *exemplum* para los propios personajes. Al actuar el héroe de incógnito, se puede producir este desdoblamiento curioso, mediante el que la aventura del Donzel del Mar sirve de paradigma para la del Caballero de la Verde Espada.

—Pues teniendo fiuza en Dios como aquel rey Perión la tuvo, yo acuerdo de tomar la batalla de los doze cavalleros.

—En el nombre de Dios —dixo el Cavallero de la Verde Spada—, ésse me pareçe a mí el mejor acuerdo, porque, ahunque el Emperador sea mayor que vos, y tenga más gentes, para doze cavalleros tan buenos se fallarán en vuestra casa como en la suya. Y si pudierdes fazer con Garadán que ahún fuesse de menos, por bien lo ternía yo, fasta venir de uno por uno; y si él quisiere ser, yo seré el otro, que fío en Dios, según vuestra gran justicia y su demasiada sobervia, que os daré vengança dél, y partiré la guerra[34] que con su señor tenéis.

El Rey gelo gradeçió mucho, y fuéronse para donde Garadán estava quexándose porque tardavan tanto en le reponder. Y como llegaron a él, dixo el Rey:

—Don Garadán, no sé si será vuestro plazer, pero otórgome en tomar la batalla de los doze cavalleros, y sea luego de mañana.

—Assí Dios me salve —dixo Garadán—, vos havéis respondido a mi voluntad, y mucho soy ledo de tal respuesta.

El de la Verde Spada dixo:

—Muchas vezes son los hombres alegres con el comienço, que la fin les sale de otra guisa.

Garadán le cató de mal semblante, y díxole:

—Vos, don cavallero, en cada pleito[35] queréis hablar; bien pareçéis estraño, pues tan estraña y corta es vuestra discreción. Y si supiesse que fuéssedes uno de los doze, darvos ía yo estas lúas[36].

El de la Verde Spada las tomó, y dixo:

—Yo os fago cierto que seré en la batalla, y assí como agora aquí tomo estas lúas de vos, assí en ella entiendo tomar y levar vuestra cabeça, que vuestra gran sobervia y desmesura me la ofreçen.

---

[34] *partiré la guerra:* acabaré la guerra. «E fue partido el torneo e cada uno se torno a su lugar», *Tristán de Leonís,* 353a.

[35] *pleito:* asunto. «De los pleitos mundanales no curo buscar poco ni mucho», *Confisión del Amante,* 405, 20.

[36] *darvos ía yo estas lúas:* os daría yo estos guantes. «Lúas forradas de martas», A. Martínez de Toledo, *Corbacho,* 130.

Cuando le oyó esto Garadán, fue tan sañudo, que tornó como fuera de seso[37], y dixo a una boz alta:

—¡Ay de mí sin ventura! ¡Fuesse ya mañana y estuviéssemos en la batalla, porque todos viessen, don Cavallero del Enano, cómo vuestra locura castigada sería!

El de la Verde Spada le dixo:

—Si de aquí a mañana por luengo plazo tenéis, ahún el día es grande en que el que oviere ventura podrá matar al otro; y armémosnos, si vos quisierdes, y començemos la batalla por tal pleito qu'el que bivo quedare pueda ayudar mañana a sus compañeros.

Don Garadán le dixo:

—Cierto, don cavallero, si como lo havéis dicho lo osáis fazer, agora os perdono lo que contra mí dixistes.

Y começó a pedir sus armas a gran priessa. El Cavallero del Enano mandó a Gandalín que le traxesse las suyas, y assí se hizo. Y a don Garadán armaron sus compañeros, y al de la Verde Spada, el Rey y su fijo, y tiráronse afuera, dexándolo en el campo donde se havían de combatir. Don Garadán cavalgó en un cavallo muy hermoso y grande, y arremetiólo[38] por el campo muy rezio, y bolviéndose a sus compañeros, les dixo:

—Tened buena esperança que desta vez quedará este Rey sujeto al Emperador, y vosotros sin ferir golpe, con mucha honra. Esto os digo porque toda la esperança de vuestros contrarios está en este cavallero, el cual, si esperarme osa, venceré luego; y éste muerto, no osará[n] mañana entrar en campo comigo ni con vosotros.

El Cavallero de la Verde Spada le dixo:

—¿Qué fazes, Garadán? ¿Por qué pones tan poca cuidança[39] que dexas passar el día en alabanças? Pues cerca está de pareçer quién será cada uno, que las lisonjas no han de hazer el hecho.

Y poniendo las espuelas a su cavallo, fue para él, y el otro vino contra él, y firiéronse con las lanças en los escudos, que,

---

[37] *seso:* sezo, Z // seso, RS // .

[38] *arremetiólo:* hizo arrancar con ímpetu.

[39] *cuidança:* cuidado. Obsérvese la semilicadencia entre *cuidança* y *alabanças*, además del tuteo de Amadís.

ahunque muy fuertes eran, fueron falsados, tan grandes se dieron los golpes, y las lanças, quebradas; mas juntáronse uno con
otro de los escudos y de los yelmos tan bravamente, que el cavallo del de la Verde Spada se retraxo desacordado atrás, pero
no cayó, y Garadán salió de la silla, y dio tan fuerte caída en el
suelo, que fue cuasi salido de su memoria. Y el de la Verde
Spada, que lo vio rebolver por el campo por se levantar y no
podía, quiso ir a él, mas el cavallo no pudo moverse, tanto era
cansado; y él era ferido en el braço siniestro de la lança, qu'el
escudo le havía passado; y apeóse luego, como aquel que con
gran saña estava. Y poniendo mano a la su ardiente spada, fue
contra Garadán, que estava assaz maltrecho, pero más acordado, que tenía ya la spada en su mano esgrimiéndola, y bien encubierto[40] de su escudo, mas no tan bravo como ante; y fuéronse ferir tan bravamente y de tan mortales golpes, que mucho se maravillavan los que lo veían. Mas el de la Verde Spada, como le tomó malparado de la caída, y él estava con gran
saña, cargóle de tantos golpes y tan pesados, que no le podiendo el otro sofrir, tiróse ya cuanto afuera[41], y dixo:

—Cierto, Cavallero de la Verde Spada, agora vos conozco
más que ante, y más que ante vos desamo, y comoquiera que
mucha[42] de vuestra bondad me sea manifiesta, ni por esso la
mía no es en tal disposición que sepa determinar cuál de nosotros será vencedor; y si os pareçe que devemos alguna pieça
folgar; si no, venid a la batalla.

El de la Verde Spada le dixo:

—Cierto, don Garadán, en holgar mucho mejor partido me
sería a mí que de combatirme; lo que a vos, según vuestra gran
bondad y alta proeza de armas, sería al contrario según las palabras hoy havéis dicho. Y porque tan buen hombre como vos
no quede envergonçado, no quiero dexar la batalla hasta que
haya fin.

A don Garadán pesó mucho, que se veía muy maltrecho, y
las armas y la carne cortada por muchos lugares, de que le salía

---

[40] *encubierto:* protegido, cubierto.

[41] *tiróse ya cuando afuera:* apartóse un poco afuera. «Una cosa ge lo impide ya
quanto», *Tristán de Leonís,* 414b.

[42] *mucha:* mucho, Z // mucha, RS // .

1094

mucha sangre, y fallávase muy quebrantado de la caída. Estonces le vino a la memoria la sobervia suya, specialmente contra aquel que delante de sí tenía; pero mostrando buen esfuerço, trabajó de llegar al cabo de la mala ventura haziendo todo su poder, y luego se acometieron como de primero. Mas no tardó mucho que el Cavallero del Enano lo traía a toda su guisa y voluntad, de manera que todos los que allí estavan veían que, ahunque dos tanto[43] bueno fuesse, no le ternía pro[44] según su esfuerço. Y andando ambos a dos assí rebueltos, cayó Garadán sin sentido en el campo, maltrecho de un gran golpe que el Cavallero del Enano le diera encima del yelmo, que apenas la spada dél podía sacar; y fue luego sobre él con esfuerço, y quitóle el yelmo de la cabeça, y vio que de aquel golpe gela fendiera tanto, que los meollos eran esparzidos por ella, de lo cual le plugo mucho por el pesar del Emperador y por el plazer del Rey que él desseava servir[45]. Y alimpiando su spada y poniéndola en la vaina, hincó los inojos y dio gracias a Dios por aquella honra y merced que le fiziera. El Rey, como assí lo vio, deçendió[46] del palafrén, y con otros dos cavalleros se puso cabe el de la Verde Spada, y viole las manos tintas de sangre[47], assí de la suya como de la de su contrario, y díxole:

—Mi buen amigo, ¿cómo os sentís?

—Muy bien —dixo él—, merced a Dios, que ahún yo seré de mañana con mis compañeros en la batalla.

Y luego le hizo cavalgar, y leváronlo a la villa con muy gran honra, donde fue en su cámara desarmado y curado de sus feridas. Los cavalleros romanos levaron a Garadán assí muerto a las tiendas, y allí fizieron gran duelo sobre él, que lo mucho

---

[43] *dos tanto:* el doble. «Yo te haré espantar dos tanto», *Celestina,* I, 57.

[44] *no le ternía pro:* no le aprovecharía. «Cosa que vos agora digays no os tendra pro», *Demanda del Sancto Grial,* 222b.

[45] A diferencia de la pelea contra Abiés, el desarrollo de ésta ha sido inverso, puesto que el combate individual se realiza al principio de la confrontación y no al final. No obstante, además de eliminar al principal adversario, se está anunciando el resultado posterior.

[46] *deçendió:* descendió. «Decendera la raposa de los montes», *Baladro del sabio Merlín* (B), 21a.

[47] *tintas de sangre:* teñidas de sangre. «La espiga del espada [...] tinta en sangre», Gutierre Díez de Games, *El Victorial,* 83, 23.

amavan; y fallávanlo mengua[48] en la batalla que otro día esperavan, tanto que mucho les fazía dudar, creyendo que faltando
él y quedando en contra el Cavallero de la Verde Spada, que
no eran para en ninguna guisa la sostener; y hablando en lo
que farían, fallavan dos cosas muy graves: la primera, esta que
oídes de ser muerto aquel valiente compañero suyo, y quedar
su enemigo en guisa de se poder combatir; la otra, que si la batalla dexassen, el Emperador quedava deshonrado y ellos en
aventura de muerte. Pero acogiéronse a no fazer la batalla, y
escusarse delante el Emperador con las sobervias de Garadán,
y cómo contra la voluntad dellos havía tomado la batalla en
que muriera[49]. Todos los más eran en este voto[50], y los otros
callavan. Era allí entre ellos un cavallero mancebo de alto linaje, Arquisil llamado, assí como aquel que venía de la sangre derecha de los emperadores, y tan cerca que, si el Patín muriesse
sin fijo, éste heredava todo el señorío, y por essa causa era desamado dél, y lo traía alongado de sí[51]. Como vio el mal acuerdo de sus compañeros, y hasta allí por ser en tan poca edad,
que no passava de veinte años, no havía osado fablar, díxoles:

—Ciertamente, señores, yo soy maravillado de caer tan buenos hombres como vos en tan gran yerro, que si alguno os lo
consejasse, lo devríades tener por enemigo y no tomarlo de
vuestra voluntad; que si la muerte dudáis, muy mayor es lo que
vuestra flaqueza y desaventura vos acarrea. ¿Qué es lo que dudáis y teméis? ¿Es gran diferencia de onze a doze? Si lo fazéis
por la muerte de don Garadán, antes vos deve plazer que hombre tan sobervio, tan desconcertado, sea fuera de nuestra compañía, porque de su culpa nos pudiera redondar[52] a nosotros la
pena. Pues si es por aquel cavallero que tanto teméis, aquél yo

---

[48] *fallávanlo mengua:* echávanlo de menos.

[49] De la misma manera que ha sucedido con el Patín, rival amoroso de
Amadís, se caracteriza a los romanos desde el principio como malos guerreros,
pues carecen de las principales virtudes de los «buenos lidiadores» a quienes «les
conviene de poner sus cuerpos a peligros de muerte por justicia e por el bien
común»..., no deben «temer de derramar su sangre».., «deven tomar muy gran
vergüenza de fuir torpemente», según *La Glosa castellana al regimiento de príncipes,*
III, 314.

[50] *eran en este voto:* eran de este parecer.

[51] *alongado de sí:* alejado de sí.

[52] *redondar:* redundar, en R y S.

lo tomo a mi cargo, que yo vos prometo de nunca fasta la muerte dél me partir. Pues aquél ocupado alguna pieça de tiempo, mirad la diferencia que queda entre vosotros y los contrarios. Assí que, mis señores, no deis causa de tan gran temor a vuestros ánimos, pues que de vuestro propósito se nos seguirá muerte perpetua deshonrada.

Tanta fuerça tovieron estas palabras deste Arquisil, que el propósito de sus compañeros fue mudado. Y dándole muchas gracias y loando su consejo, se determinaron con gran esfuerço a tomar la batalla[53]. El Cavallero de la Verde Spada, después que fue curado de sus llagas y le dieron de comer, dixo al Rey:

—Señor, bien será que hagáis saber a los cavalleros que han de ser mañana en la batalla porque se adereçen y sean aquí al alva del día a oír missa en vuestra capilla porque salgamos juntos al campo.

—Assí se fará —dixo el Rey—, que mi hijo Grasandor será el uno, y los otros serán tales, que con ayuda de Dios y vuestra ganaremos la vitoria.

—No plega a Dios —dixo él— que, en tanto que yo armas pueda tener, vos ni vuestro hijo las vistáis, pues que los otros serán tales, que a él y ahun a mí podrían escusar.

Grasandor le dixo:

—Señor Cavallero de la Verde Spada, no seré yo escusado donde vuestra persona se pusiere, assí en esta batalla como en todas las otras que en mi presencia se hiziessen; y si yo fu[e]sse[54] tan digno que de tal cavallero como vos me fuesse un don otorgado, desde agora vos demandaría que en vuestra compañía me traxéssedes; assí que por ninguna guisa yo dexaré de ser mañana en esta afruenta[55], siquiera por aprender algo de vuestras grandes maravillas.

El de la Verde Spada se le humilló por la honra que le dava con gran acatamiento, como lo él mereçía, y díxole:

---

[53] Los atributos de los guerreros romanos se contraponen con los de Arquisil, presentado positivamente por el destino que se le depara en la obra, en función del libro IV fundamentalmente.

[54] *fu[e]sse:* fusse, Z // fuesse, R // fuese, S // .

[55] *afruenta:* peligro, lance que ocasiona vergüenza o deshonra.

—Mi señor, pues que assí vos plaze, assí sea con la ayuda de Dios.

El Rey le dixo:

—Mi buen amigo, vuestras armas son tales paradas[56], que no tienen en sí defensa alguna, y yo vos quiero dar unas que se nunca vestieron, que entiendo que vos agradarán, y un cavallo que, ahunque otros muchos havréis visto, no sería ninguno mejor.

Y luego gelo hizo allí traer enfrenado y ensillado de muy rica guarnición. Cuando él lo vi tan hermoso y tan guarnido, sospiró, cuidando que si él estuviesse en tal parte que lo pudiesse embiar al su leal amigo Angriote de Estraváus, que lo hiziera, que en aquél sería bien empleado. Las armas eran muy ricas y havían el campo de oro y leones cárdenos, y las sobreseñales de aquella guisa; pero la spada era la mejor que él nunca vio, fueras de la del rey Lisuarte y de la suya; y desque la huvo mirado, diola a Grasandor, con que entrasse en la batalla.

Otro día bien de mañana oyeron missa con el Rey, y armáronse todos, y besándole las manos, cavalgaron en sus cavallos, y muchos cavalleros con ellos, y fuéronse al campo donde havía de ser la batalla. Y vieron cómo los romanos salían ya armados y cavalgavan ya, tañiendo sus hombres muchas trompas con grande alegría por los esforçar, y Arquisil entre ellos en un cavallo blanco y las armas verdes, y dixo a sus compañeros:

—Miémbreos lo que fablamos, que yo terné lo que prometí[57].

Estonces fueron unos contra otros, y Arquisil vio venir delante al Cavallero de la Verde Spada, y fue contra él, y encontráronse con las lanças, que luego fueron quebradas, y Arquisil salió de la silla a las ancas del cavallo; mas de tanto le avino, que echó mano de los arçones, y como era valiente y ligero, tornóla a cobrar. El de la Verde Spada passó por él, y con un pedaço de la lança que le quedara encontró al primero que ante sí falló en el yelmo, y sacógelo de la cabeça, y oviéralo de-

---

[56] *son tales paradas:* han quedado de tal forma.
[57] *terné lo que prometí:* mantendré lo que prometí.

rribado; mas a él le encontraron dos cavalleros, el uno en el escudo y el otro en la pierna, que, passando por la falda de la loriga, la cuchilla de la lança le fizo una ferida de que mucho se sentió y le fizo ensañar más que ante lo estava. Y poniendo mano a la spada, firió a un cavallero, y el golpe fue en soslayo, y deçendió al cuello del cavallo y cortógelo todo, assí que fue al suelo y cayó sobre la pierna de su señor, y quebrógela. Arquisil, que ya se endereçava en la silla, apretó rezio la spada y fue ferir al Cavallero del Enano de toda su fuerça por cima del yelmo, que las llamas salieron dél y de la spada, y fízole baxar la cabeça ya cuanto[58]; mas no tardó mucho de levar el gualardón, que él le firió por cima del ombro, y cortóle las armas y la carne de manera que Arquisil cuidó que el braço havía perdido. El de la Verde Spada, como assí lo vio, passó por él y fue ferir en los otros, que Grasandor y los suyos los tenían maltrechos. Mas Arquisil lo siguió, y feríale por todas partes, pero no con tanta fuerça como al comienço. El de la Verde Spada bolvía a él y heríale, pero luego iva a dar en los otros, y no havía gana de le herir porque lo tenía en más que a todos los de su parte, que le viera adelantarse de los suyos por se con él encontrar; mas Arquisil no curava de golpes que le diesse; antes, se metía entre todos, y fería al Cavallero de la Verde Spada como mejor podía. Y a esta hora ya los de su parte eran destroçados: dellos muertos, otros feridos[59] y los otros rendidos que se no defendían. Y como el de la Verde Spada vio que Arquisil le siguía[60] sin temer sus golpes, dixo:

—¿No hay quien me defienda deste cavallero?

Grasandor, que lo oyó, fue con otros dos cavalleros, y encontráronle todos juntos; y como le tomaron lasso y cansado, sacáronle por fuerça de la silla y dieron con él en el suelo, y luego fueron con él para lo matar. Mas el Cavallero del Enano le socorrió, y dixo:

—Señores, pues que déste yo he recebido más mal que todos, a mí lo dexad para tomar la emienda.

Luego se quitaron todos afuera, y él llegó y dixo:

---

[58] *fízole baxar la cabeça ya cuanto:* le hizo bajar la cabeza un poco.
[59] *dellos muertos, otros feridos:* unos muertos, otros heridos.
[60] *siguía:* seguía.

—Cavallero, sed preso, y no queráis morir a manos de quien mucha gana lo tiene.

Arquisil, que ya otra cosa sino la muerte no esperava, fue muy alegre, y dixo:

—Señor, pues que mi ventura quiso que más no pudiesse fazer, yo me doy por vuestro preso, y gradézcovos la vida que me dais.

Y él tomóle la spada y diógela luego, faziéndole fiança que faría lo qu'él mandasse, y deçendió de su cavallo y estuvo con él; y faziéndole cavalgar en un cavallo que le mandó traer, y él cavalgando en el suyo, se fueron al Rey, que con gran gozo de ver su peligrosa guerra acabada los atendía; y tomándolos consigo, se fue a su palacio. Y puso en su cámara al Cavallero de la Verde Spada, y él hizo allí estar consigo a su preso por le fazer mucha honra, porque él lo merecía que era buen cavallero y de alta sangre, como ya oístes. Pero él le dixo:

—Señor Cavallero de la Verde Spada, rúegovos por vuestra mesura que, quedando yo por vuestro preso para os acudir cuando vos me llamardes y tener prisión donde por vos me fuere señalada, me des licencia para ir a reparar mis compañeros aquellos que bivos quedaron y fazer llevar los muertos.

El Cavallero de la Verde Spada dixo:

—Yo os lo otorgo, y mémbreseos de la fiança que me fazéis[61].

Y abraçándolo lo despidió, y él se fue a sus compañeros, que los falló cual entender podéis. Y luego dieron orden cómo llevassen a Garadán y los otros muertos, y entraron en su camino. Assí que agora no se hablará más deste cavallero fasta su tiempo, que se contará a qué pujó su gran valor.

El de la Verde Spada estuvo allí con el rey Tafinor fasta que fue sano de sus heridas. Y como vio la guerra del Rey acabada, pensó que las cuitas y los mortales desseos que su señora Oriana le causava, de los cuales en aquella sazón muy ahincado era, que mejor los passaría caminando y en fatiga que en aquel gran vicio y descanso en que estava, y fabló con el Rey diziéndole:

—Señor, pues que ya vuestra guerra es acabada, y el tiempo en que mi ventura assosegar no me dexa es venido, conviene

---

[61] *mémbreseos de la fiança que me fazéis:* recordad la promesa que me hacéis.

que negando mi voluntad la suya siga[62]; y quiérome partir mañana, y Dios por la su merced me lleg[u]e a tiempo que algo de
las honras y mercedes que de vos he recebido vos las pueda
servir.

Cuando el Rey esto lo oyó, fue turbado, y dixo:

—¡Ay, Cavallero de la Verde Espada, mi verdadero amigo,
tomad de mi reino lo que vuestra voluntad fuere, assí del mando como de interesse, y no vos vea apartar de mi compañía!

—Señor —dixo él—, creído tengo yo que, conosciendo el
desseo que yo tengo de vos servir, que assí me faríades la honra y la merced; pero no es en mí más, ni puedo sossegar fasta
que mi coraçón sea en aquella parte donde siempre el pensamiento tiene.

El Rey, viendo su determinada voluntad, y teniéndole por
tan sossegado y cierto en sus cosas, que por ninguna guisa de
aquel propósito sería mudado, díxole con semblante muy
triste:

—Mi leal amigo, pues que assí es, dos cosas vos ruego: la
una, que siempre de mí y deste mi reino se os acuerde en vuestras necessidades si vos ocurrieren; y la otra, que mañana oyáis
missa comigo, que vos quiero hablar.

—Señor —dixo él—, esta palabra que me dais yo la recibo
para se me acordar della si el caso lo ofresciere, y mañana armado y de camino estaré con vos en la missa.

Essa noche mandó el Cavallero de la Verde[63] Espada a
Gandalín que le adereçasse todo lo que era menester, que otro
día de mañana se quería partir, y assí fue por él fecho. Aquella
noche no pudo él dormir, porque así como el trabajo del cuerpo se le avía apartado, assí el del spíritu fallando mayor entrada con grandes cuitas y mortales desseos que de su señora le
venían le dava muy mayor fatiga. Y venida la mañana, aviendo mucho llorado se levantó, y armándose de sus armas, cavalgando en su cavallo, y Gandalín y el enano en sus palafrenes
llevando las cosas necessarias al camino, se fue a la capilla del
Rey, y fallólo que le atendía. Pues allí oída[64] la missa, el Rey

---

[62]  *siga:* sigua, Z // siga, RS // .
[63]  *Verde:* verda, Z // verde, RS // .
[64]  *oída:* oydo, Z // oyda, RS // .

mandando salir a todos fuera, con él solo quedando, le dixo:

—Mi grande amigo, demándovos un don que me otorguéis, y no será en estorvo de vuestro camino ni de vuestra honra.

—Así lo tengo yo —dixo él—, que lo vos, señor, pediréis según vuestra gran virtud, y yo vos lo otorgo.

—Pues, mi buen amigo —dixo el Rey—, demándovos que me digáis vuestro nombre y cúyo fijo sois, y creed que por mí será encubierto fasta que por vos sea divulgado.

El Cavallero de la Verde Espada estuvo una pieça que no fabló, pesándole[65] de lo que prometiera, y dixo:

—Señor, si a la vuestra merced pluguiere dexarse desta pregunta, pues que no le tiene pro.

—Mi buen amigo —dixo él—, no dudéis de me lo dezir, que como por vos por mí será guardado.

Él le dixo:

—Pues que así vos plaze, ahunque por mi voluntad no sea, sabed que yo soy aquel Amadís de Gaula, fijo del rey Perión, del que el otro día fablastes en el concierto de la batalla.

El Rey le dixo:

—¡Ay, cavallero bienaventurado de muy alto linaje, bendita fue la ora en que fuistes engendrado, que tanta honra y provecho ovieron por vos vuestro padre y madre y todo vuestro linaje, y después los que lo no somos! Y havéisme fecho muy alegre en me lo dezir, y fío en Dios que será por vuestro bien y causa de pagar yo algo de las grandes deudas que vos devo.

Y comoquiera que este Rey aquello más con buena voluntad lo dixo que por otra necessidad que él supiesse tener aquel cavallero, así se cumplió adelante en dos maneras: la una, que fizo escrivir todas las cosas que en armas por aquellas tierras passó[66]; y la otra, que le[67] fue muy buen ayudador con su fijo y

---

[65] *pesándole:* pensandole, Z // pesandole, RS // .

[66] Entre otros muchos cambios que se están produciendo en estos episodios, aparece por vez primera la escritura como tributo de la fama, con una larga tradición artúrica. Por ejemplo, en el *Baladro del sabio Merlín* (B), 93b, «el les conto como matara a Ebron el follon, [...] e fizieronlo escrevir en el libro de las aventuras, que en aquel tiempo era començado de nuevo, y los cavalleros de la Tabla Redonda avian puesto, por mandado de Merlin, que metiessen en escrito todas las aventuras e cavallerias que en aquel tiempo aviniessen en la Gran Bretaña en tiempo del rey Artur».

[67] *le:* se, Z // le, RS // .

gentes de su reino en un gran menester en que se vio, como adelante en el libro cuarto se dirá[68].

Esto assí fecho, cavalgó en su cavallo y despidióse del Rey, haziéndole quedar, que con él salir quería. Saliendo con él Grasandor y el conde Galtines y muchos hombres buenos, se puso en el camino con intención de andar por las ínsolas de Romanía y provarse en las aventuras que en ellas fallasse, y cuanto media legua de la villa, tornándose aquellos cavalleros, lo acomendaron a Dios, y él siguía su vía.

## Capítulo LX[X]I

*Cómo el rey Lisuarte salió a caça con la Reina y sus fijas, acompañado bien de cavalleros, y fue a la montaña donde tenía la hermita aquel santo hombre Naciano, donde halló un muy apuesto donzel con una estraña aventura, el cual era fijo de Oriana y de Amadís, y fue por él muy bien tratado sin conoscerle.*

Por dar descanso el rey Lisuarte a su persona y plazer a sus cavalleros, acordó de se ir a caça a la floresta y llevar consigo a la Reina y sus fijas, y a todas sus dueñas y donzellas, y mandó que las tiendas le assentassen a la Fuente de las Siete Hayas, que era lugar muy sabroso[1]. Y sabed que ésta era la floresta donde el hermitaño Nasciano morava, donde criava y tenía consigo a Esplandián. Pues allí llegado el Rey y la Reina con su compaña, quedando la Reina en las tiendas, el Rey se metió con sus caçadores a lo más espesso del monte, y como la tierra guardada era, fizieron gran caça. Y assí acaesció que estando el Rey en su armada[2], vio salir un ciervo muy cansado, y pensándolo matar, corrió tras él en su cavallo fasta entrar en el valle; y allí acaesció una cosa estraña, que vio descender por la cuesta

---

[68]  Se adelantan acontecimientos del libro cuarto, puesto que en su peregrinar por tierras lejanas Amadís está consiguiendo aliados para su enfrentamiento contra Lisuarte y los romanos.

[1]  *sabroso:* grato a los sentidos.

[2]  *armada:* manga de gentes con perros puesta en las batidas para espantar la caza y que vaya a salir donde están los cazadores.

de la otra parte un donzel de fasta cinco o seis años, el más fermoso que él nunca vio, y traía una leona en una traílla[3]; y como vio el ciervo, echógela dando bozes que le tomasse. La leona fue cuanto más pudo, y alcançándolo, derribólo en el suelo y començó a beverle la sangre. Y llegó el donzel muy alegre, y luego otro moço poco mayor que venía tras él, y llegaron al ciervo faziendo gran alegría, y sacando sus cuchillos, cortaron por donde la leona comiese. El Rey estovo entre unas matas maravillado de aquello que veía, y el cavallo se le espantava de la leona, y no podía llegar a ellos; y el fermoso donzel tocó una bozina pequeña que traía a su cuello y vinieron corriendo dos sabuesos, el uno amarillo y el otro negro, y encarnáronlos en el ciervo[4]. Y cuando la leona uvo comido, pusiéronla en la traílla, y el donzel mayor ívase con ella por la montaña, y el otro tras él. Mas el Rey, que ya a pie estava y avía atado el cavallo a un árbol, salió contra ellos y llamó al fermoso donzel, que más çaguero iva, que le atendiesse. El donzel estovo quedo, y el Rey llegó y violo tan hermoso, que mucho fue maravillado, y díxole:

—Buen donzel, que Dios os bendiga y guarde a su servicio, dezidme dónde os criastes y cúyo fijo sois.

Y el donzel le respondió y le dixo:

—Señor, el sancto hombre Nasciano, hermitaño, me crió, y a él tengo por padre.

El Rey estuvo una gran pieça cuidando cómo hombre tan santo y tan viejo tenía fijo tan pequeño y tan fermoso, pero a la fin no lo creyó. Y el donzel quísose ir, mas el Rey le preguntó a qué parte era la casa del hermitaño.

—Acá suso —dixo él— es la casa en que moramos.

---

[3] *traílla:* cuerda o correa con que se lleva el perro atado a las cacerías para soltarlo a su tiempo. «Iba grand quadrilla de monteros, unos a cavallo, e otros a pie, con sus lebreles e canes por las traíllas», *Crónica de don Álvaro de Luna*, 218, 15. De la misma manera que había sucedido con el rey Garínter, al comienzo de la obra, Lisuarte será testigo presencial de un hecho cinegético, que funciona como carta de presentación del personaje. Pero en esta ocasión, en todos los términos excepcional, si bien el león también mata al ciervo, está al servicio de Esplandián como si fuera un perro de caza.

[4] *encarnáronlos en el ciervo:* los cebaron en la carne el ciervo.

Y mostrándole un sendero pequeño no muy follado[5], le dixo:

—Por allí iréis allá, y a Dios seáis, que me quiero ir tras aquel moço, que la leona lieva[6] a una fuente donde tenemos nuestra caça.

Y assí lo fizo. El Rey tornó a su cavallo, y cavalgando en él se fue por el sendero, y no anduvo mucho que vio la hermita metida entre unas hayas y çarçales muy espessos. Y llegándose a ella, no vio persona alguna a quien preguntasse; y apeóse del cavallo, y atándolo debaxo de un portal, entró en la casa y vio un hombre fincado de inojos rezando por un libro, vestido de paños de orden y la cabeça toda blanca, y fizo su oración[7]. El buen hombre, acabado de leer el libro, vínose al Rey, que se le fincó de rodillas delante, rogándole que le diese la bendición. El hombre bueno gela[8] dio, preguntándole qué demandava. El Rey le dixo:

—Buen amigo, yo fallé en esta montaña un donzel muy fermoso caçando con una leona, y díxome que era vuestro criado. Y porque me paresció muy estraño en su fermosura y apostura, y en traer aquella leona, vengo a os rogar que me digáis su fazienda, que yo os prometo como rey que dello no verná a vos ni a él daño ninguno.

---

[5] *follado:* hollado. «Specialmente para algunos que no han follado el mundo», A. Martínez de Toledo, *Corbacho,* 41.

[6] *lieva:* lleva. «Aquel lieva la boz, mas los otros fazen la batalla», Gutierre Díez de Games, *El Victorial,* 165, 5.

[7] El ermitaño aparece sistemáticamente en los relatos artúricos, como también sucede en nuestra obra, cumpliendo diversas funciones: a) su ermita sirve de albergue para los caballeros andantes, en momentos episódicos; b) de forma esporádica, ejerce algunas funciones religiosas, especialmente la confesión; c) su refugio sirve para la penitencia del caballero enamorado y despechado; d) se encarga de la educación de los niños abandonados, raptados o encontrados casualmente, como Galaor y ahora Esplandián. Sin embargo, si el autor no da ninguna noticia del ermitaño encargado de la educación de Galaor, no sucede lo mismo con Nasciano, puesto que, como explica Rodríguez de Montalvo en las *Sergas,* cap. IV, su enseñanza posibilita que Esplandián sea «cathólico y muy piadoso». Sin embargo, el ermitaño pertenecía a la redacción anterior a Montalvo, pues figura conjuntamente con Esplandián en los fragmentos manuscritos. Para el tema del ermitaño, véase bibliografía en Marie-Luce Chênerie, ob. cit., pág. 148, nota 27.

[8] *gela:* gelo, Z // gela, RS // .

Cuando el hombre bueno aquello oyó, miróle más que ante y conosciólo, que otras vezes lo viera, y fincó los inojos ante él por le besar las manos. Mas el Rey lo levantó y le abraçó, y díxole:

—Mi amigo Nasciano, yo vengo con mucha gana de saber lo que os pregunto, y no dudéis de me lo dezir.

El hombre bueno lo levó fuera de la hermita al portal donde su cavallo estava, y sentados en un poyo, le dixo:

—Señor, bien tengo creído todo lo que me dezís, que como rey guardaréis este niño, pues Dios lo quiere guardar. Y pues tanto os agrada de saber dél, dígovos que lo yo fallé y crié por muy estraña aventura.

Entonces le contó cómo lo tomara[9] de la boca de la leona embuelto en aquellos ricos pañales, y cómo lo criara a la leche della y de una oveja fasta que uvo ama natural, que fue una muger de un su hermano que llamaron Sargil.

—Y assí se llama el otro moço que con él vistes.

Y dixo:

—Cierto, señor, yo creo que el niño es de alto lugar, y quiero que sepáis que tiene una cosa la más estraña que se nunca vio, y ésta es que, cuando le baptizé, falléle en la diestra parte del pecho unas letras blancas en escuro latín que dizen «Esplandián», y assí le puse el nombre; y en la parte siniestra en derecho del coraçón tiene siete letras más ardientes y coloradas como un fino rubí, pero no las pude leer que son fuera del latín y de nuestro lenguaje.

El Rey le dixo:

—Maravillas me dezís, padre, de que nunca oí fablar, y bien creo yo que, pues la leona le traxo tan pequeño como dezís, que lo no podría tomar sino cerca de aquí.

—Esso no lo sé yo —dixo el hermitaño—, ni curemos de[10] saber más dello de lo que a Nuestro Señor Dios plaze.

—Pues mucho os ruego —dixo el Rey— que seáis mañana a comer comigo aquí en esta floresta a la Fuente de las Siete Hayas, y allí fallaréis a la Reina y a sus fijas, y otros muchos de

---

[9] *tomara:* tamara, Z // tomara, RS // .

[10] *curemos de:* nos preocupemos de. «Non curó de otra cosa salvo de acompañar al Rey», *Crónica de don Álvaro de Luna,* 337, 12.

nuestra compaña. Y levad a Esplandián con la leona assí como lo yo fallé, y el otro moço vuestro sobrino, que derecho he yo de le fazer bien por su padre Sargil, que fue buen cavallero y sirvió bien al Rey mi hermano.

Cuando esto oyó el santo hombre Nasciano, dixo:

—Yo lo faré como vos, señor, lo mandáis, y a Dios plega por su merced que sea su servicio.

El Rey, cavalgando en su cavallo, se tornó por el sendero que allí viniera, y anduvo tanto, que llegó a las tiendas dos oras después de mediodía; y falló allí a don Galaor y a Norandel y Guilán el Cuidador, que llegavan entonces con dos ciervos muy grandes que avían muerto, con que folgó y rió mucho, pero de su aventura no les dixo nada; y demandando los manteles para comer, llegó don Grumendán y dixo:

—Señor, la Reina no ha comido, y pídeos por merced que, antes que comáis, fabléis con ella, que assí cumple.

Él se levantó luego y fue allá, y la Reina le mostró una carta çerrada con una esmeralda muy fermosa, y passavan por ella unas cuerdas de oro, y tenía unas letras enderredor que dezían: «Este es el sello de Urganda la Desconoscida»[11]. Y dixo:

—Sabed, señor, que cuando yo venía por el camino, paresció allí una donzella muy ricamente vestida en un palafrén, y con ella un enano encima un cavallo hovero[12] fermoso; y ahunque llegaron a ella los que delante de mí ivan, no les quiso dezir quién era, ni tanpoco a Oriana y a las Infantas que con ella ivan. Y como yo llegué, salió a mí y díxome: «Reina, tomá esta carta y leéla[13] con el Rey oy en este día antes que comáis.»

---

[11] Mientras que en otras ocasiones unas doncellas misteriosas enviadas por Urganda se encargaban de transmitir oralmente los mensajes, conforme ha ido avanzando el relato van cobrando más importancia las cartas, en esta ocasión con todo tipo de lujo, desde la presencia del sello hasta la esmeralda y las cuerdas de oro. La presencia de la maga se caracteriza cada vez más por sus signos externos de riqueza, a diferencia del primer libro.

[12] *hovero:* de color parecido al del melocotón. La 1.ª doc. según DCECH, en Nebrija, pero cfr.: «En todo como graçioso y desenbuelto galán, ençima de un hovero trotón bien fermoso», *Hechos del condestable don Miguel Lucas de Iranzo,* 42, 7. Según Cobarruvias, «color de cavallo de pellejo remendado; dizen ser alegre y pomposo, pero no fuerte ni sano, y por eso dize el proverbio: «Cavallo hobero a puerta del albéitar o de cavallero».

[13] *tomá esta carta y leéla:* tomad esta carta y leedla. En ambos casos interpreto

Y partiéndose luego de mí, y el enano tras ella, aguijando el palafrén se apartó tanto y tan presto, que no ove lugar de preguntarle ninguna cosa.

El Rey abrió la carta y leyóla, y dezía assí:

«Al muy alto y muy honrado rey Lisuarte: Yo, Urganda la Desconoscida, que os mucho amo, os consejo de vuestro pro que, al tiempo que el fermoso donzel criado de las tres amas desvariadas paresciere, que lo amedes y guardedes mucho[14], que ahun él os meterá en gran plazer, y quitará del mayor[15] peligro que nunca ovistes. Él es de alto linaje, y sabed, Rey, que de la leche de la su primera ama será tan fuerte, tan bravo de coraçón, que a todos los valientes de su tiempo porná en sus fechos de armas gran escuridad[16]. Y de la su segunda ama será manso, mesurado, humildoso, y de muy buen talante, y sofrido más que otro hombre que en el mundo aya[17]. Y de la criança de la su tercera ama será en gran manera sesudo[18] y de gran entendimiento, muy católico, y de buenas palabras[19]. Y en to-

un tratamiento de vos. «Dezidnos por qué, entre vosotros, unos ponéis algunas veces *d* al fin de las segundas personas de los imperativos, y otros siempre la dexáis, escriviendo unas vezes *tomá*, otras *tomad*, unas *comprá*, otras *comprad*, unas *comé*, otras *comed*. [...] V. Póngola por dos respetos: el uno por hechir más el vocablo, y el otro por que aya diferencia entre el *toma* con el acento en la *o*, que es para quando hablo con un muy inferior, a quien digo *tú*, y *tomá* con el acento en la *a*, que es para quando hablo con un casi igual, a quien digo *vos*», Juan de Valdés, *Diálogo de la lengua*, págs. 170-171.

[14] *amedes y guardedes:* améis y guardéis.

[15] *mayor:* major, Z // mayor, RS //.

[16] La primera ama corresponde a la leona, por lo que se transfieren las cualidades del animal a quien ha sido amamantado con su leche. De acuerdo con los argumentos «científicos» subyacentes, la leche equivalía a la sangre, por lo que formaba parte esencial en la configuración de la persona. Véase J. M. Cacho Blecua, «"Nunca mamó leche de mugier rafez" (Notas sobre la lactancia. De *El Libro de Alexandre* a don Juan Manuel)», en *Actas del I Congreso de la Asociación Hispánica de Literatura Medieval*, Barcelona, PPU, en prensa.

[17] La segunda ama corresponde a la oveja, representación de la mansedumbre. Véase J. Fernando Roig, *Simbología cristiana*, Barcelona, Juan Flor, 1958, pág. 114, y la nota 40 del capítulo LX. Las cualidades de ambos animales son antitéticas, lográndose así una unión de contrarios perfecta.

[18] *sesudo:* inteligente. «Hera muy loada [...], muy sesuda», Gutierre Díez de Games, *El Victorial*, 220, 10.

[19] La tercera ama corresponde a la hermana del ermitaño, aunque en esta ocasión se ha forzado la transmisión de sus cualidades, pues no sabemos nada de ellas.

das las sus cosas será pujado y estremado entre todos, y amado y querido de los buenos, tanto, que ningún cavallero será su igual. Y los sus grandes fechos en armas serán empleados en el servicio del muy alto Dios, despreciando él aquello que los cavalleros desde tiempo más por honra de vanagloria del mundo que de buena conciencia siguen[20], y siempre traerá a sí en la su diestra parte, y a su señora en la siniestra[21]. Y ahún más te digo, buen Rey, que este donzel será ocasión de poner entre ti y Amadís y su linaje paz que durará en tus días, lo cual a otro ninguno es otorgado.»

El Rey, acabando la carta de leer, santiguóse en ver tales razones, diziendo:

—La sabiduría desta muger no se puede pensar ni escrivir.

Y dixo contra la Reina:

—Sabed que oy he fallado este mesmo donzel que Urganda dize.

Y contóle en qué manera le vio con la leona y cómo se fue al hermitaño y lo que dél supo, y cómo avía de ser con ellos el otro día a comer y que traería aquel niño. Mucho fue leda[22] la Reina de lo oír por ver el donzel estraño y por fablar con aquel santo hombre algunas cosas de su conciencia. Y partiéndose el Rey della, diziéndole que de aquello ninguna cosa dixese, se fue a su tienda a comer, donde falló muchos cavalleros que lo atendían; y allí estuvo fablando con ellos en las caças que avían fecho y diziéndoles que otro día ninguno fuesse a caçar porque les quería leer una carta que Urganda la Desconoscida le embiara. Y mandó a los monteros que levasen todas las bestias

---

[20] Se inserta indirectamente una crítica contra la caballería bretona, muy típica de Rodríguez de Montalvo. Véase la Introducción, pág. 53, nota 12.

[21] E. B. Place, pág. 944, interpreta estas palabras como que Esplandián no permitirá que le domine su señora, aunque a mi juicio su sentido es muy distinto. Las letras rojas, correspondientes a su amada y a su pasión, se sitúan en el lado del corazón, como muy bien sabía Melibea: «mi mal es de coraçón, la ysquierda teta es su aposentamiento», *La Celestina*, VI, 155, de la misma manera que de forma similar lo había expresado Jorge Manrique, ed. cit., núm. 9, vv. 1-3, pág. 34: «En una llaga mortal, / desigual, / que está en el siniestro lado».

[22] *leda*: alegre. «Las muchas fiestas y ledos tiempos [...] reconosce», Juan de Flores, *Triunfo de amor*, 95, 22.

que allí eran a un valle apartado, donde todo el día detrás estuviesen. Esto fazía él porque no se espantassen de la leona.

Así como oídes passaron aquel día folgando por aquel prado, que era lleno[23] de flores y de yerva muy fresca y verde. Otro día[24] vinieron todos a la tienda del Rey, y allí oyeron missa; y luego el Rey los tomó a todos consigo y fuese a la tienda de la Reina, que assentada estava cabe una fuente en un prado muy fresco para el tiempo, que era en el mes de mayo, y tenía las alas alçadas, así que todas las dueñas y infantas y otras donzellas de gran guisa se parescían[25] cómo eran en sus estrados. Y allí llegavan los cavalleros de gran cuenta[26] a las fablar. Y seyendo assí todos, mandó el Rey que leyessen la carta de Urganda que ya oístes, la cual oyeron, y fueron maravillados qué donzel tan bienaventurado sería aquél. Mas Oriana, que más que todos en ella catara[27], sospiró por su fijo que perdiera pensando que por ventura podría ser aquél. El Rey les dixo:

—¿Qué os paresce desta carta?

—Ciertamente, señor —dixo don Galaor—, yo no dudo de passar assí como ella lo dize, por otras cosas muchas dichas por Urganda que tan verdaderas han salido, y ahunque por ventura a muchos plega con la venida deste donzel cuando Dios por bien tuviere de nos le mostrar, a mí con razón deve plazer más que a todos, pues que será causa de ser cumplida la cosa que yo más desseo, que es ver en vuestro amor y servicio a mi hermano Amadís con todo su linaje, como lo ya fueron.

El Rey le dixo:

—Todo es en la mano de Dios; Él fará a su voluntad y con ella seremos contentos.

Pues assí estando como oídes fablando en estas cosas, vie-

---

[23] *lleno:* llena, Z // lleno, RS // .

[24] *Otro día:* al día siguiente. «El rey mando pregonar que se aparejassen todos los cavalleros para el torneo el siguiente dia, e assi fue fecho, que otro dia se juntaron todos», *Tristán de Leonís,* 421b.

[25] *guisa se parescían:* de gran linaje se veían. «En esto las naoes non paresçían en la mar; e a terçero día ovieron vista dellas», Gutierre Díez de Games, *El Victorial,* 288, 19.

[26] *cuenta:* estima, fama.

[27] *catara:* prestara atención, se fijara.

ron venir el hermitaño, y sus criados con él. Esplandián venía
delante, y Sargil su collaço[28] tras él, y traía la leona en una
traílla asaz flaca, y en pos dellos venían dos arqueros, aquellos
que ayudaran a criar a Esplandián en la montaña, y traían en
una bestia el ciervo que el Rey viera matar y en otra[29], dos
corços, y liebres y conejos, que matara Esplandián y ellos con
sus arcos. Y los dos sabuesos traía Esplandián en una traílla, y
en pos dellos venía el santo hombre Nasciano. Y cuando los
de las tiendas vieron tal compaña, y la leona tan grande y tan
medrosa[30], levantáronse arrebatadamente y ívanse a poner delante del Rey[31]. Mas él tendió una vara y fizo que estuviessen
en sus lugares, diziendo:

—Aquel que el poder de traer la leona tiene os defenderá
della.

Don Galaor dixo:

—Bien sea esso, mas a mí semeja que flaca defensa tenemos
en el montero que la trae si ella se ensaña, y cosa maravillosa
paresce ver esto.

Los niños y los arqueros atendieron que el hombre bueno
passasse adelante, y seyendo ya cerca, el Rey les dixo:

—Amigos, sabed que éste es el santo hombre Nasciano que
en esta[32] montaña faze su bivienda. Vayamos a él que nos dé
su bendición.

Entonces se fueron fincar de inojos ante él, y el Rey le dixo:

—Siervo de Dios bienaventurado, dadnos la bendición.

Él alçó la mano y díxole:

—En el su nombre la recebid, como de hombre pecador.

Y luego le tomó el Rey y fue con él a la Reina, mas cuando
las mugeres vieron la leona tan fiera que rebolvía los ojos a
una y a otra parte mirándolas y traía a la su lengua bermeja por
los beços, y mostrava los dientes tan fuertes y tan agudos, que

---

[28] *collaço:* hermano de leche.

[29] *otra:* otro, Z // otra, RS // .

[30] *medroso:* pavoroso, que causa miedo.

[31] Los acompañantes de Lisuarte adoptan una actitud similar a la de la mesnada del Cid en la famosa escena del león: «enbraçan los mantos los del Cam-
peador / e çercan el escaño e fincan sobre so señor» *(Cantar de Mio Cid,*
vv. 2284-2285).

[32] *esta:* este, Z // esta, RS // .

gran espanto les tomava en la ver, la Reina y su fija y todas recibieron muy bien a Nasciano, y todas eran mucho maravilla-
das de la gran fermosura del donzel; y él fue ante la Reina con
su caça y dixo:

—Señora, traémosos aquí esta caça.

Y el Rey le llegó a sí, y dixo:

—Buen donzel, partidla como vos quisierdes[33].

Esto fazía por ver lo que él faría en ello. El donzel dixo:

—La caça es vuestra, y vos dadla a quien vos quisierdes.

—Todavía[34] —dixo el Rey— quiero que vos la partáis.

El donzel uvo vergüenza, y vínole una color al rostro como
una rosa, que mucho más hermoso lo fizo, y dixo:

—Señor, tomad vos el ciervo para [v]os y para vuestros
compañeros.

Y fuese a la Reina, que con su amo Nasciano fablava, y fincando los inojos, le besó las manos y diole los corços. Y miró a
su diestro[35], y paresçióle que después de la Reina no avía ninguna más digna de ser honrada, según su presencia, que Oriana su madre, que lo no conosçía. Y llegó a ella, fincadas las
rodillas, y diole las perdizes y conejos, y díxole:

—Señora, nos no caçamos con nuestros arcos otra caça
sino ésta.

Oriana le dixo:

—Fermoso donzel, Dios os haga bienandante en vuestras
caças y en todo lo ál.

El Rey lo llamó, y Galaor y Norandel, que más cerca dél estavan, lo tomaron, y abraçávanlo muchas vezes, como que naturaleza[36] que con él avían los atraía a ello. Entonces mandó el
Rey que todos callassen, y dixo al hombre bueno:

—Padre, amigo de Dios, agora dezid delante todos la fazienda deste donzel como lo a mí dixistes.

El hombre bueno les contó allí cómo, saliendo de su hermi-

---

[33] *quisierdes:* quisiereis. «Demandad vos, hijo, todo lo que quisierdes», *Tristán de Leonís,* 343b. Esplandián es sometido a una prueba cortesana, puesto que deberá repartir la caza de acuerdo con la categoría de las diferentes personas des-
conocidas para él.

[34] *todavía:* a pesar de ello.

[35] *diestro:* diestro, Z // diestra, RS Place // .

[36] *naturaleza:* parentesco, linaje.

ta, viera cómo traía una leona brava aquel donzel en la boca embuelto en ricos paños para govierno[37] de sus fijos, y cómo por la gracia de Dios gelo pusiera a sus pies, y cómo le diera de su leche, assí ella como una oveja que él tenía parida, hasta que lo dio a criar a una ama[38]. Y contóles todas las cosas que en su criança le acaescieron, que no faltó nada, como el libro lo ha contado. Cuando Oriana y Mabilia y la Donzella de Denamarca esto oyeron, mirávanse unas a otras, y las carnes les temblaban de plazer conosciendo verdaderamente ser aquel niño fijo de Amadís y de Oriana, el cual la Donzella de Denamarcha perdiera como ya oístes. Mas cuando vino el hermitaño a dezir de las letras blancas y coloradas que en el pecho le falló, las cuales fizo allí ver a todas, de todo en todo creyeron ser su sospecha verdadera, de lo cual era tan grande alegría en sus ánimos, que se no puede contar, principalmente la muy fermosa Oriana cuando del todo conosció ser aquél su fijo, que por perdido le tenía.

El Rey demandó al santo hombre Naciano los donzeles[39] con mucha eficacia para los fazer criar; el cual, veyendo que más para aquello que para la vida que él les dava los avía Dios fecho, ahunque gran soledad en sí sentiesse, gelos otorgó, mas con gran dolor que en su coraçón quedava, porque amava mucho a Esplandián. Y cuando el Rey en su poder los tuvo, dio a Esplandián a la Reina, que sirviesse ante ella, y dende a poco tiempo le dio ella a su fija Oriana, que le mucho con él plugo, como aquella que lo avía parido. Assí como oídes, fue este niño en guarda de su madre, teniéndole perdido como ya oís-

---

[37] *govierno:* alimento y sustento.

[38] El ermitaño no habla para nada de la cabra —véase la nota 58 del capítulo LXVI—, y al resumir la crianza de Esplandián, centrándola en tres amas, actualiza la carta profética de Urganda.

[39] *donzeles:* donzelles, Z // donzeles, RS // . La forma del texto zaragozano puede también documentarse, por ejemplo, en el *Libro de Apolonio,* 144b y 157b, en Fernández de Heredia, según J. G. Mackenzie, s. v. donzel, y en otros textos de distinta procedencia como en el *Palmerín de Olivia,* 296, 6: «Estos cavallos vuestros llevan estos donzelles», o en el *Lisuarte de Grecia,* fol. III r: «sabida la intención de la venida de los donzelles». Como señala Manuel Alvar, *Libro de Apolonio,* Madrid, March-Castalia, 1976, I, pág. 287, nota 28, en donzelles «habrá que pensar en una repercusión de la grafía de donzellas», por lo que he optado por la forma habitual del texto.

tes, fuyendo con él de gran miedo, sacado de la boca de aquella muy fiera leona, criado a su leche[40].

Estas son maravillas de aquel muy poderoso Dios y guardador de todos nosotros que Él faze cuando es su voluntad[41], y a otros fijos de reyes y de grandes señores ser criados en las ricas sedas y en las cosas muy blandas y delicadas, y con tanto amor de quien las cría, con tanto regalo y cuidado, sin dormir, sin sosegar los que en cargo los tienen, con un pequeño acidente y flaco mal son salidos deste mundo[42]. Quiérelo[43] Dios que así passe, como justo en todo, y así como cosa justa se deve recebir por los padres y madres, dándole gracias porque quiso hazer su voluntad, que como las nuestras errar no puede.

La Reina se confessó con aquel santo hombre, y Oriana assí mesmo, al cual uvo de descobrir todo el secreto suyo y de Amadís, y cómo aquel niño era su fijo y por cuál aventura lo perdiera, lo que fasta allí a persona del mundo lo avía dicho sino a aquellos que lo sabían, rogándole que oviesse dél memoria en sus oraciones. El hombre bueno fue muy maravillado de tal amor en persona de tan alto lugar, que muy más que otra obligada era a dar buen enxemplo de sí[44], y reprehendióla mu-

---

[40] A diferencia de lo que ha sucedido con su padre Amadís y con su tío, Galaor, el reconocimiento y la crianza del niño siguen unos derroteros diferentes: a) la anagnórisis por un miembro de su familia no se produce después de ninguna aventura dramática, como las de Amadís, Galaor o Florestán; b) el niño desde muy joven es criado por su propia y desconocida madre.

[41] El motivo folclórico por excelencia del niño abandonado y criado por animales —B 535— se cristianiza mediante esta aclaración del narrador, quien atribuye a la voluntad divina todos los acontecimientos que salen fuera de la «naturaleza», por expresar la terminología de la época. A partir de esta interpretación, todo puede ser explicable.

[42] La maravilla de la aventura de Esplandián recogido por una leona al poco tiempo de nacer, como la inicial de su padre Amadís, adquieren un sentido de acontecimiento todavía más extraordinario en una sociedad en la que la mortalidad infantil constituye uno de los principales problemas.

[43] *Quiérelo*: quierolo, Z // quierelo, RS // .

[44] *enxemplo de sí*: ejemplo de sí. «Me dexó mi madre la Esperiencia enxemplos sin cuento», A. de Palencia, *Tratado de la perfección del triunfo militar*, 369b. De acuerdo con los principios de la sociedad estamental de la Edad Media, la clase más elevada debería dar un ejemplo de comportamiento para servir de paradigma a los demás. En palabras de J. A. Maravall, *El mundo social de «La Celestina»*, Madrid, Gredos, 1968, págs. 21-22, «La clase de los señores, como clase dominante, es, sin duda, la responsable de la estructura y perfil de la sociedad. Me-

cho diziéndole que se quitasse de tan gran yerro; si no, que la no absolvería y sería su ánima puesta en peligro. Mas ella dixo llorando cómo, al tiempo que Amadís la quitara de Arcaláus el Encantador, donde primero la conosció[45], tenía dél palabra como de marido se podía y devía alcançar. Desto fue el hermitaño muy ledo, y fue causa de mucho bien para muchas gentes que fueron remediadas de las muertes crueles que esperavan, assí como el cuarto libro más largo lo dirá. Entonces la absolvió, y le dio penitencia cual convenía, y luego se fue para el Rey, y tomando a Esplandián consigo, abraçándolo llorando le dixo:

—Criatura de Dios, que por Él me fuiste dado a criar, Él te guarde y defienda y te faga hombre bueno al su santo servicio.

Y besándolo, le echó la bendición y lo entregó al Rey; y despedido dél y de la Reina y de todos, tomando consigo la leona y los arqueros, se tornó a su hermita, donde mucho fará dél mención la istoria adelante. El Rey se tornó con su compaña a la villa.

---

diante su dominio de los recursos de que la sociedad en cuestión dispone, aquella clase determina el puesto de cada grupo social en el conjunto, el sistema de sus funciones, el cuadro de sus deberes y derechos, es decir, la figura moral de cada uno de esos grupos. Como de la clase señorial depende la selección de los bienes y valores que en una sociedad se busca conseguir, es también esa clase superior la que determina los valores que a las demás corresponden y los que ella misma se atribuye y monopoliza.»

[45] *conosció:* conoció carnalmente. «E entonce conosció naturalmente primero a su muger; assí que ella fincó enpreñada de una fija», *Gran Conquista de Ultramar,* I, 168.

## Capítulo LXXII

*De cómo el cavallero de la Verde Espada, después que se partió del rey Tafinor de Boemia para las ínsolas de Romanía, vio venir una muchedumbre de compaña donde venía Grasinda; y un cavallero suyo llamado Bradansidel quiso por fuerça fazer al Cavallero de la Verde Espada venir ante su señora Grasinda, y de cómo se combatió con él y le venció.*

Contado os avemos ya cómo el Cavallero de la Verde Espada, al tiempo que del rey Tafinor de Boemia se partió, su voluntad era de se meter por las ínsolas de Romanía por aver oído ser allí bravas gentes; y assí lo fizo, no por el derecho camino, mas andando a unas y a otras partes, quitando y emendando muchos tuertos y agravios que a personas flacas, assí hombres como mugeres, por cavalleros sobervios se les fazían; en lo cual muchas vezes fue ferido y otras vezes doliente, assí que le convenía, mal su grado, folgar[1]. Pero cuando en las partes de Romanía fue, allí passó él los mortales peligros con fuertes cavalleros y bravos gigantes, que con gran peligro de su vida quiso Dios otorgarle la victoria de todos ellos, ganando tanto prez, tanta honra, que como por maravilla era de todos mirado[2]. Mas ni por esto no tuvieron tanta fuerça estas grandes afruentas y trabajos, que de su coraçón pudiessen apartar aquellas encendidas llamas y mortales cuitas y desseos que por su señora Oriana le venían. Y por cierto, podéis creer que si no fuera por los consejos de Gandalín, que siempre lo esforçava, no tuviera él tanto poder en sí que el su triste y atribulado coraçón no fuesse en lágrimas desfecho.

---

[1] *mal su grado, folgar:* a su pesar, descansar. «Non con pensamiento de folgar nin dormir», *Confisión del Amante,* 447, 33.

[2] A partir de su desplazamiento a tierras orientales, sólo se mencionan las aventuras, como ha sucedido en Alemania, o como de nuevo sucede en Romanía, sin que se nos relate ninguna de ellas. Se alude a sus consecuencias al ser admirado por todos, si bien desconocemos sus peculiaridades. Las aventuras de Romanía son mencionadas con bastante asiduidad en el texto, lo que nos podría hacer pensar en alguna abreviación. De forma significativa, todos los episodios siguientes incidirán directa o indirectamente en el libro IV, del que se responsabiliza Rodríguez de Montalvo.

Pues assí andando por aquellas tierras en la vida que oís, discurriendo por todas las partes que él podía, no teniendo folgança del cuerpo ni del espíritu, aportó a una villa puerto de mar de contra Grecia, assentada en fermoso sitio y muy poblada de grandes torres y huertas al cabo de la tierra firme, y avía nombre Sadiana. Y por ser grande parte del día por passar, no quiso entrar en ella, mas ívala mirando, que le parescía fermosa, y pagávase de ver el mar, que lo no viera después que de Gaula partió, que serían ya passados más de dos años[3]. Y yendo así vio venir por la ribera de la mar contra la villa una gran compaña de cavalleros y dueñas y donzellas, y entre ellos una dueña vestida de muy ricos paños, sobre la cual traían un paño fermoso en cuatro varas por la defender del sol. El Cavallero de la Verde Espada, que no folgava en ver gentes, sino en andar solo pensando en su señora, desvió del camino por no aver razón de los encontrar; y no fue mucho alongado dellos que vio venir contra sí un cavallero en un gran cavallo y bien armado, blandiendo una lança en su mano, que parescía quererla quebrar. El cavallero era valiente de cuerpo, muy membrudo y bien encavalgante[4], así que parescía aver en sí gran fuerça y una donzella de la compaña de la dueña, ricamente vestida, con él; y como vio que contra él venían, estovo quedo. La donzella llegó delante, y dixo:

—Señor cavallero, aquella dueña mi señora, que allí está, os manda dezir que vayáis luego a ella a su mandado: esto[5] os dize por vuestro pro.

El Cavallero del Enano, comoquiera que el lenguaje de la donzella era alemán, entendióla luego muy bien, porque él siempre procurava de aprender los lenguajes por donde andava[6], y respondióle:

[3] Obsérvese esta visión placentera del mar, ya señalada en la Introducción, pág. 169. Para otros puntos de vista, véase A. Navarro González, *El mar en la literatura medieval castellana*, Universidad de La Laguna, 1962, págs. 303-308.

[4] *encavalgante:* cabalgador.

[5] *esto:* este, Z // esto, RS //.

[6] «No cabe duda de que mucho hace el conocer tierras y diversas gentes. Para todo renacentista, el viaje es motivo de interior enriquecimiento, de fructífera adquisición de sabiduría. En todo plan educativo de la época el viajar es un procedimiento de perfeccionarse», José Antonio Maravall, *Utopía y contrautopía*

1117

—Señora donzella, Dios dé honra a vuestra señora y a vos. Mas dezidme, aquel cavallero ¿qué es lo que demanda?

—No os tiene esso pro —dixo ella—, sino fazed lo que os digo.

—No iré con vos en ninguna guisa si me lo no dezís.

En esto respondió ella y dixo:

—Pues assí es, fazerlo he, ahunque no a mi grado. Sabed, señor cavallero, que mi señora os vio y vio esse enano que con vos anda, y porque le han dicho de un cavallero estraño que así anda por estas tierras faziendo maravillas de armas, las cuales nunca se vieron, cuidando[7] que sois vos, quiere fazeros mucha honra y descobriros un secreto que en el su coraçón tiene, el cual fasta agora nunca della persona lo supo. Y como este cavallero entendió su voluntad, dixo que él os faría ir a su mandado, ahunque no quisiéssedes, lo cual puede él bien fazer, según es poderoso en armas más que ninguno destas tierras; y por esto os consejo yo que dexándolo a él vos vengáis comigo.

—Donzella —dixo él—, de [v]os he gran vergüença por no cumplir el mandado de vuestra señora, pero quiero que veáis si fará lo que dixo.

—Pésame —dixo ella—, que muy pagada soy de vuestra palabra y mesura.

Entonces se apartó dél, y el Cavallero de la Verde Espada se fue por el camino como ante iva. Cuando esto vio el otro cavallero, dixo a una boz alta:

—Vos, don cavallero malo que no quisiestes[8] ir con la donzella, descendid luego de vuestro cavallo y cavalgad aviessas[9],

---

*en el «Quijote»*, Santiago de Compostela, Ed. Pico Sacro, 1976, pág. 113. Aunque en el *Amadís* no nos encontremos ante un plan renacentista, en los últimos libros sí que podemos apreciar ciertos matices respecto a la adquisición de conocimientos mediante el viaje.

[7] *cuidando:* cuytando, Z // pensando, R // cuydando, S // .

[8] *quisiestes:* en R, quesistes, y en S, quisistes. La desinencia de la segunda persona del plural del pretérito de algunos verbos aparece de vez en cuando con —ie—. Estas formas son posibles en castellano antiguo, «pero en el siglo XIV el castellano ya estaba muy adelantado en el camino de la conjugación moderna. Los dialectos, sin embargo, guardaron las formas antiguas por mucho más tiempo», Herbert L. Baird, *Análisis lingüístico y filológico de Otas de Roma,* pág. 147.

[9] *aviessas:* al revés, puesto al contrario. «Que non le perdonassen ende del todo, mas que le metiessen una vez por la hueste, o cavalgada, en que lo fiziera,

llevando la cola en la mano por freno y el escudo al revés, y assí os presentad ante aquella señora si no queréis perder la cabeça. Escoged lo que dello quisierdes.

—Cierto, cavallero —dixo él—, no tengo agora en coraçón de escoger ninguno dessos partidos; antes, quiero que sean para vos.

—Pues agora veréis —dixo él— cómo os lo faré tomar.

Y puso las espuelas a su cavallo con esperança que del primer encuentro lo lançaría de la silla, así como a otros muchos lo avía fecho, porque era el mejor justador que avía en gran parte. El Cavallero del Enano, que ya tomara sus armas, movió para él bien cubierto de su escudo, y aquella justa fue partida de los primeros encuentros, que las lanças fueron quebradas y el cavallero amenazador fue fuera de la silla, y el de la Verde Espada su escudo falsado y la loriga, y la cuchilla de la lança le fizo 'una llaga en la garganta, de que[10] se oviera de sentir mal. Y passó por él, y quitando el pedaço de la lança que por el escudo tenía metido, bolvió contra Bradansidel, que assí avía nombre el cavallero, y violo tendido en el campo como muerto, y dixo a Gandalín:

—Desciende y tira el escudo y el yelmo a esse cavallero, y cátalo[11] si es muerto.

Y él assí lo fizo; y el cavallero cogió huelgo y esforçóse ya

cavallero aviessas en una yegua, o asno, e la cola en la mano. E esta pena le pusieron por deshonrrarle», *Partidas*, II, XXVI, III.

[10] El fragmento II del manuscrito publicado por Rodríguez Moñino, en su columna 1, se encuentra deteriorado, pero refleja la lucha contra Bradansidel. En su columna segunda dice así: «de se después sentió muy mal. Et él tiró el pedaço de la lança de sí et de su escudo et del yelmo a gran afán, et cató dó ya[z]ía Brandasidel et viole yazer tendido en el campo tal como muerto, et dixo a Gandalín: —«Dize (desciende), et tírale el escudo del cuello et el yelmo de la cabeça a este cavallero.» Et Gandalín fízolo así como su señor le mandó; et cuando tiró al cavallero el yelmo de la cabeça, estremeció et vínole el fue[l]go et esforçó, mas non en tal manera que non fincase estremeçido del entendimiento que avía perdido. Y [...] o irguióse asentado el de la V[erde] Espada, llegóse contra el as[ ]o estava en el cavallo, et tornara ya su lança de sobre mano, et púsole el fierro de la lança en el rostro de guisa que le ronpió ya cuanto... de la faz; et Brandasidel sintióse ende et tornó más en su ac[uer]do, et en membraça del peligro en que estava baxó el rostro sobre...», A. Rodríguez Moñino, art. cit., págs. 32-33.

[11] *cátalo*: catolo, Z // catalo, RS //.

cuanto, pero no en manera que toviesse sentido. Y el de la Verde Espada le puso la punta de la espada en el rostro y rompióle ya cuanto, y dixo:

—Vos, don cavallero amenazador y desdeñador de quien no conoscéis, conviene que perdáis la cabeça o passéis por la ley que señalastes[12].

Él, con el temor de la muerte, acordó más y baxó el rostro. Y el de la Verde Espada dixo:

—¿No queréis fablar? Tajarvos he la cabeça.

Entonces el otro dixo:

—¡Ay, cavallero, por Dios merced!, que antes faré vuestro mandado que morir en sazón en que perdiesse el alma, según en el estado en que agora estó.

—Pues luego sea fecho sin más tardar.

Bradansidel llamó a sus escuderos que allí tenía, y pusiéronle por su mandado en el cavallo al revés, y metiéronle el rabo en la mano, y echáronle el escudo al revés al cuello, y assí lo levaron por delante de la fermosa dueña y por medio de la villa[13], que lo viessen todos y fuesse enxemplo para aquellos que con su gran sobervia quieren abaxar y menospreciar a los que no conoscen, y ahun a Dios, si alcançarle pudiesen, no pensando en las desaventuras que en este mundo y después en el otro se les aparejan. Y tanto cuanto la dueña y su compaña y las gentes de la villa se maravillavan de la desaventura[14] que aquel

---

[12] La columna 3 de dicho fragmento continúa así: «do de que me después ser tornado, et vos me prometist[e]s que me mataríades o que me faríades levar el escudo al cuello el cospe contra suso et el blocán contra yuso, et que me faríades levar el rabo del cavallo en la mano por freno, et que assí me passase toda la villa que me fuese por do quisiese; et esta promesa quiero yo que sea v[uest]ra, et escoged cual quisierdes». Et Brandasidel dixo con grand pavor de muerte en que se veía: —«¡Ay, buen cavallero!, a mí es tan menester de pensar de mi ánima que aver[á a ser p]erdida si en tal estado morier[e, qu]e ante quiero tomar la vergüen[ç]a de pasar por la villa que morir.» —«Pues luego sea fecho —dixo el de la Verde Espada—, que yo he de ir contra do me Dios guiare.» — «Mucho me plaze e de co[ ]ni[ ]to detener.» Et Brandasid[e]l llamó a sus escuderos que y tenía el cavallo onde cayera et trox», A. Rodríguez Moñino, art. cit., pág. 33.

[13] La columna 4 del fragmento II está muy estropeada.

[14] *desaventura:* desventura. «Non deve poner culpa a las estrellas [...] quando el causador busca su desaventura e es causador de su mal», A. Martínez de Toledo, *Corbacho*, 252.

que por tan fuerte cavallero tenían avía alcançado, tanto y más la fortaleza del que lo venciera ensalçavan y loavan, afirmando ser verdaderas las grandes cosas que fasta allí dél avían oído.

Pues esto assí fecho, el Cavallero de la Verde Espada vio la donzella que le llamara, que la batalla avía mirado, y oído todas las palabras que ante passaran, y yéndose contra ella le dixo:

—Señora donzella, agora iré al mandado de vuestra señora, si a vos pluguiere.

—Mucho me plaze —dixo ella—, y assí lo fará a Grasinda mi señora —que assí avía nombre la dueña.

Assí fueron de consuno, y como llegaron, el de la Verde Espada vio la dueña tan fermosa y tan loçana, que después que de su hermana Melicia partiera, no viera otra alguna que lo tanto fuesse. Y por el semejante paresció él a ella el más apuesto y más fermoso cavallero, y que mejor paresciesse armado de cuantos en su vida viera, y díxole:

—Señor, yo he oído hablar de muchas estrañas cosas que, después que en esta tierra entrastes, en armas avéis fecho. Según vuestra presencia veo, a mí es muy cierto de lo creer. Y también me han dicho que estuviestes[15] en casa del rey Tafinor de Boemia, y la honra y provecho que de vos le ocurrió, y dixéronme que os llaman el Cavallero de la Verde Espada o del Enano, porque todo lo veo junto con vos, yo assí os llamaré. Pero ruégoos mucho por vuestro pro, que os veo llagado, que seáis mi huésped en esta mi villa, y curaros han de vuestras llagas, que tal aparejo[16] no lo fallaréis en toda la comarca.

Él le dixo:

—Mi señora, veyendo yo la voluntad de vuestro ruego, si fuesse cosa en que peligro y afán aventurasse por os servir, lo faría, cuanto más ser lo que tanto a mí necessario es.

La dueña, tomándole consigo, se fue para la villa. Y un cavallero viejo, que de rienda la levava, tendió la mano y diola al Cavallero de la Verde Espada; y él se fue a la villa para adereçar donde el cavallero posasse, que éste era mayordomo de la dueña. El Cavallero del Enano levó la dueña fablando con ella en algunas cosas, y si antes le tenía por su gran fama en mu-

---

[15] *estuviestes:* estuviestes, ZR // estovistes, S // . Véase la nota 8.

[16] *aparejo:* conjunto de objetos necesarios para hacer ciertas cosas.

cho, en más lo estimó viendo su gran discreción y apuesta fabla; y assí lo fue él della, que muy fermosa y graciosa era en todo su razonar. Y entrando por la villa, salían todas las gentes a las puertas y ventanas por ver a su señora, que de todos muy amada era, y al cavallero que por sus grandes fechos en mucho tenían, y parescíales el más fermoso y apuesto que avían visto; y pensavan ellos que no avía fecho mayor cosa en armas que aver vencido a Bradansidel, según era dudado y temido de todos.

Así llegaron al palacio de la dueña, y allí le fizo ella aposentar en una muy rica cámara guarnida, como casa de tal señora, y fízole desarmar y lavar las manos y el rostro del polvo que traía, y diéronle una capa de escarlata rosada que se cubriese. Cuando Grasinda assí lo vio, fue maravillada de su gran fermosura, que no pensava ella que tal hombre humano tener pudiesse; y fizo venir allí luego un maestre[17] de curar llagas suyo, el mejor y más sabio que en gran parte se fallaría, y católe la ferida de la garganta, y díxole:

—Cavallero, vos sois ferido en lugar peligroso, y es menester de folgar; si no, veros íades en gran trabajo[18].

—Maestro —dixo él—, ruégoos, por la fe que a Dios y a vuestra señora que aquí está devéis, que, tanto que yo sea en disposición de poder cavalgar, me lo digáis, porque a mí conviene aver ningún descanso ni reposo hasta que Dios por la su merced me llegue a aquella parte donde mi coraçón dessea.

Y diziendo esto le cresció tal cuidado, que no pudo escusar que las lágrimas a los ojos no le viniessen, de que ovo mucha vergüenza, y alimpiándolas presto fizo alegre semblante[19]. El maestro le curó la ferida y le dio a comer lo que era menester, y Grasinda le dixo:

---

[17] *maestre:* maestro, en R y S. Cfr.: «E el maestre que pensava dél, quando le cató la llaga», *Otas de Roma*, 111, 14.

[18] *veros íades en gran trabajo:* os veríais con gran penalidad, sufrimiento. *Trabajo* conserva todavía parte de sus valores etimológicos. «Pasó mucho trabajo en andar toda aquella noche», P. Carrillo de Huete, *Crónica del Halconero de Juan II,* 172, 5.

[19] *alimpiándolos presto fizo alegre semblante:* limpiándolas pronto mostró un semblante alegre. «Alinpiaron el puerto de los carvones», Gutierre Díez de Games, *El Victorial,* 172, 31.

—Señor, folgad y dormid, y iremos nosotros a comer, y veros hemos cuando fuere tiempo; y mandad a vuestro escudero que sin empacho demande todas las cosas que menester ovierdes[20].

Con esto se despidió. Y él quedó en su lecho pensando muy afincadamente en su señora Oriana, que allí era todo su gozo, toda su alegría, mezclada con tormentos, con passiones que contino en uno batallavan, y ya cansado se adormesció.

De Grasinda os digo que, desque uvo comido, se retraxo a su cámara, y echada en su lecho comencó a pensar en la fermosura del Cavallero de la Verde Espada y en las grandes cosas que dél le avían dicho. Y comoquiera que ella tan fermosa y tan rica fuesse, y de tal linaje como sobrina del rey Tafinor de Boemia y casada con un gran cavallero, con el cual no bivió sino un año sin dexar fijo alguno, determinó de lo aver por marido, ahunque dél otra cosa no veía sino ser un cavallero andante[21]. Y pensando en cuál guisa gelo faría saber, vínole en mente cómo le viera llorar, y cuidó que aquello no sería sino por amor de alguna muger que amasse y la no podía aver. Esto la fizo detener fasta que de su fazienda más saber pudiese; y sabiendo como él era despierto, tomando consigo sus dueñas y donzellas, se fue a su cámara por la honrar y por el gran plazer y deleite que en sí sentía en le ver y hablar. Y no menos lo avía él, pero muy desviado su pensamiento de lo que ella pensava. Así estava aquella dueña faziéndole compañía, dándole todo el plazer que se le podía dar. Mas un día, no lo podiendo más sufrir, apartando a Gandalín, le dixo:

—Buen escudero que Dios os ayude y haga bienaventurado, dezidme una cosa, si la sabéis, que os quiero preguntar, y yo os prometo que por mí nunca será descubierta. Y esto es si sois sabidor de alguna muger que vuestro señor ame estremadamente de ahincado amor[22].

---

[20] *menester ovierdes:* tuviereis necesidad.

[21] Se reiteran las estructuras narrativas, pues de nuevo en la lejanía de la corte surge la posibilidad de unos nuevos amores para el caballero, como ya había sucedido con Briolanja y con la señora de Gantasi.

[22] Como se había narrado de Perión, la mujer pregunta por los amores del caballero a su escudero, ahora con la diferencia de que es la propia interesada quien lo realiza sin la intervención de ninguna confidente.

—Señora —dixo Gandalín—, yo ha poco que bivo con él, y este enano, que por las grandes cosas que dél supimos nos otorgamos a lo servir, y él nos dixo que le no preguntássemos por su nombre ni por su fazienda; si no, que nos fuéssemos luego a buena ventura. Y desque con él quedamos, hemos visto tanto de sus proezas y valentías, que nos ha puesto en gran spanto, como aquel que sin duda, señora, podéis creer que es el mejor cavallero que en el mundo ay; y de su fazienda no sé más.

La dueña tenía la cabeça[23] baxa, y los ojos, y pensava mucho. Gandalín, que assí la vio, pensó que amava a su señor, y quísola quitar de aquello que por ninguna guisa alcançar podía, y díxole:

—Señora, yo le veo muchas vezes llorar, y con tan gran angustia[24] de su coraçón, que me maravillo cómo la vida puede sostener. Y esto creo yo que según su gran esfuerço, que todas las cosas bravas y temerosas en poco tiene, que de otra parte no le puede venir sino de algún demasiado y ahincado amor que de alguna mujer tenga, porque ésta es una tal dolencia, que al remedio della no basta esfuerço ni discreción alguna[25].

—Sí Dios me salve —dixo ella—, yo creo lo que me dezís, y mucho os gradezco. Idvos para él, y Dios le ponga remedio en sus cuitas.

Y ella se fue a sus mugeres con voluntad de no se trabajar de allí adelante en lo que pensava, por le ver tan sossegado en sus fechos y palabras, creyendo que se no mudaría de su propósito.

Assí como oís, estuvo el Cavallero de la Verde Spada en casa de aquella gran señora fermosa y rica dueña Grasinda cu-

---

[23] *cabeça:* cebeça, Z // cabeça, RS // .

[24] *angustia:* angustias, Z // angustia, RS // .

[25] Aparece la consideración del amor como dolencia, enfermedad, de larga trayectoria en la antigüedad, en la Edad Media —véase M.ª Jesús Lacarra, «Amor, música y melancolía en el Libro de Apolonio», en *Actas del I Congreso de la Asociación Hispánica de Literatura Medieval,* Barcelona, PPU, en prensa, y en épocas posteriores— véase Aurora Egido, «La enfermedad de amor en el *Desengaño* de Soto de Rojas, en *Al ave el vuelo. Estudios sobre la obra de Soto de Rojas,* Granada, Un. de Granada, 1984, 32-52. Por otra parte, de nuevo aparece el binomio *esfuerço* y *discreción,* tan grato a Montalvo, que evidentemente no se contaba entre los remedios del amor recomendados por Ovidio o en la época.

rándose de sus llagas, donde recibió tanta honra, tanto plazer como si de cavallero pobre andante que pareçía fuera manifestado a ella ser fijo de tan noble rey como lo era el noble rey Perión de Gaula, su padre. Y cuando en disposición de poderse armar se vio, mandó a Gandalín que le tuviesse aparejado las cosas necessarias al camino. Él le dixo que todo estava endereçado. Y estando en esto fablando, entró Grasinda, y con ella cuatro donzellas suyas, y él a ella saliendo, tomándola por la mano, se assentó en un estrado encima de un paño de seda labrado con oro, y díxole:

—Mi señora, yo soy en disposición de andar camino, y la honra que de vos he recebido me pone gran ciudado cómo la podré servir. Por ende, mi señora, si en algo mi servicio os puede plazer acarrear, con toda voluntad se porná en obra[26].

Ella le respondió:

—Ciertamente, Cavallero de la Verde Spada, señor, assí como lo dezís lo tengo yo creído; y cuando la satisfación del plazer y servicio que aquí fallastes, si alguno fuesse, demandare, estonces sin ningún empacho ni vergüença será descubierto a vos lo que ninguno fasta hoy de mí ha sabido; pero tanto[27] os ruego me digáis a cuál parte se otorga más vuestra voluntad de ir.

—A la parte de Grecia —dixo él—, si Dios lo endereçare, por ver la vida de los griegos y a su Emperador, de quien buenas nuevas he oído.

—Pues yo quiero —dixo ella— ayudar al tal viaje, y esto será que os daré una muy buena nave basteçida de marineros que os serán mandados, y de viandas que para un año basten; y daros he al maestro que os curó, que se llama Elisabad, que a duro de su oficio en gran parte otro tal se fallaría, a condición que, seyendo en vuestro libre poder, seáis en esta villa comigo dentro de un año[28].

---

[26] *se porná en obra:* se realizará.

[27] *tanto:* entre tanto. «Pero tanto os sabre yo dezir, que vuestra muerte sera presto», *Demanda del Sancto Grial,* 216b.

[28] El maestro Elisabad, clérigo en el sentido medieval de la palabra, acompañará al héroe en sus aventuras posteriores, de manera que lo podrá curar de las más dificultosas heridas, cumpliendo, entre otras, esta función anteriormente desempeñada por personajes esporádicos, especialmente mujeres.

El cavallero fue muy alegre del tal socorro, que mucho lo havía menester, y en gran cuidado era puesto pensando dónde lo havría, y díxole:

—Mi señora, si os yo no sirviese estas mercedes que me fazéis, tenerme ía por el cavallero más sin ventura del mundo, y por tal me ternía si por empacho o vergüença supiesse que lo[29] dexávades de demandar.

—Mi señor —dixo ella—, cuando Dios os traxere deste viaje, yo os demandaré aquello que mi coraçón mucho tiempo ha desseado, que será en acreçentamiento de vuestra honra, ahunque algún peligro se aventure.

—Assí sea —dixo él—, y yo fío en la vuestra gran mesura que me no demandará[30] sino cosa que yo con derecho otorgar deva.

—Pues folgaréis aquí —dixo Grasinda— estos cinco días, en tanto que las cosas al camino necessarias se aparejan.

Él acordó de lo fazer, comoquiera que otro día tenía en la voluntad de partir de allí. En este spacio de tiempo fue la nave basteçida de todo aquello que convenía levar. Y el Cavallero de la Verde Spada con el maestro Elisabad, en quien él[31], después de Dios, gran fiuza de su salud tenía, entró en ella. Y despedido de aquella fermosa señora, y alçando las velas y dando a los remos, tomaron su viaje, no d[e]rechamente a Constantinopla, donde el Emperador era, mas a las ínsolas de Romanía que le havían quedado de andar y a otras del señorío de Grecia, por las cuales el Cavallero de la Verde Spada anduvo asaz tiempo[32] faziendo grandes cosas en armas combatiéndose con gentes estrañas, dello con grandes causas que le movían por endereçar sus sobervias, y con otros que a la su gran fama dél eran venidos a esperimentar sus fuerças con las suyas. Assí que muchas afruentas y peligros passó y muchas feridas huvo, las cuales, alcançando la vitoria y honra de todos, por gloria se tenían, y dellas fue curado por aquel gran maestro que consigo levava[33].

---

[29] lo: le, Z // lo, RS // .
[30] demandará: demendara, Z // demandara, RS // .
[31] él: al, Z // el, RS // .
[32] asaz tiempo: asaz a tiempo, Z // asaz tiempo, RS // .
[33] De nuevo nos encontramos ante estructuras reiteradas en esta parte de la

Pues andando en esta gran rebuelta, navegando de unas islas a otras, y de otras a otras, los marineros sintiéndolo por mucha fatiga al maestro se querellaron dello[34]; y él diziéndolo al Cavallero del Enano, acordóse que, comoquiera que su voluntad aparejada estuviesse en acabar de ver todas aquellas tierras, que pues la dellos en fatiga lo sentía, que d[e]rechamente bolviessen la nao la vía de Constantinopla; porque en aquella ida y venida, si Dios no lo conturbasse[35], llegaría el cabo del año a Grasinda prometido. Con este acuerdo, a plazer de todos los de la nave, tomaron el viaje de Constantinopla con viento bueno y endereçado.

En el segundo libro vos contamos cómo el Patín seyendo cavallero sin estado alguno, solamente esperando de lo haver después de la muerte del Siudán[36] su hermano, que emperador de Roma era, por no tener fijo qu'el imperio heredasse, oyendo la gran fama de los cavalleros que a la sazón en la Gran Bretaña eran en servicio del rey Lisuarte, acordó de se venir a provar con ellos. Y comoquiera que a la sazón fuesse muy enamorado de la reina Sardamira, Reina de Cerdeña, y por su servicio aquel camino emprendiesse, llegado a casa del rey Lisuarte, donde muy honradamente según su gran linaje recebido fue, viendo a la muy hermosa Oriana su fija, que en el mundo par de fermosura no tenía, tanto fue della pagado, que olvidando el viejo amor, siguiendo aquel nuevo, a su padre en casamiento la demandó. Y ahunque la respuesta con alguna esperança honesta fuesse, la voluntad del Rey muy apartada del tal juntamiento[37] era; mas él, teniendo que alcançado havía lo que dessea-

obra y ya comentadas. Las aventuras ocurridas en los desplazamientos por las islas de Romanía y por el señorío de Grecia solamente están aludidas, si bien en todas las ocasiones deberían servir de carta de presentación del héroe ante las cortes principales.

[34] Por primera vez en toda la obra unos personajes secundarios hacen oír su voz de protesta ante el intermediario del Caballero de la Verde Espada. Esto implica unos resortes narrativos diferentes a los utilizados con anterioridad, si bien no tienen un valor por sí mismos pues están en función de modificar la ruta viajera del héroe.

[35] *conturbasse:* alterase, turbase.

[36] Sindan, ZRS // Siudán, Place // . Al comienzo del libro II el autor había nombrado a Siudán como emperador de Roma, pág. 658.

[37] *juntamiento:* unión. «Fueron proveedores de aquel juntamiento», Fernando del Pulgar, *Crónica de los Reyes Católicos,* 233, 1.

va, queriendo mostrar sus fuerças, creyendo ser con ello de aquella señora más amado, por aquellas tierras a buscar los cavalleros andantes para se con ellos combatir se fue. Y su desventura, que assí lo guió, fue aportar en la floresta donde Amadís aquella sazón, desesperado de su señora, faziendo un llanto muy dolorido estava. Y allí haviendo primero sus razones el Patín, loándose del amor, y Amadís quexándose dél, ovieron su batalla, en la cual el Patín fue en tierra del justar; y después, cobrando el cavallo, de un solo golpe de la spada fue tan malferido en la cabeça, que llegó muchas vezes al punto de la muerte; por causa de lo cual, dexando en pendencia[38] el casamiento de Oriana[39], se tornó en Roma[40], donde a poco tiempo muriendo el Emperador su hermano, él por emperador tomado fue. Y no se le olvidando aquella passión en que Oriana su coraçón puesto avía, creyendo con el mayor estado en que puesto era más ligeramente la cobrar, acordó de la demandar otra vez al rey Lisuarte en casamiento; lo cual encomendó a un cormano suyo Salustanquidio[41] llamado, Príncipe de Calabria, cavallero famoso en armas, y con él a Brondajel de Roca, su mayordomo mayor, y al Arçobispo de Talancia, y con ellos fasta trezientos hombres, y la reina fermosa Sardamira con copia[42] de dueñas y donzellas para la guarda de Oriana cuando la traxessen. Ellos, veyendo ser aquélla la voluntad del Emperador, començaron adereçar las cosas convenibles[43] al camino, lo cual adelante más largo se contará.

---

[38] *en pendencia:* pendiente.

[39] *Oriana:* Oriona, Z // Oriana, RS // .

[40] *se tornó en Roma:* se volvió a Roma. «Tornaronse en la corte del rey Mares», *Tristán de Leonís,* 387b. El autor recapitula hechos contados en el libro segundo concernientes al Patín justo cuando Amadís va hacia Constantinopla, a la corte del Emperador. Aparte de esta contraposición evidente, se relatan los acontecimientos del Emperador romano en ambas ocasiones tras los fracasos de unas mujeres que solicitaban los amores del héroe, Briolanja y Grasinda.

[41] *Salustanquidio:* salustanquedio, Z // salustanquidio, RS // .

[42] *copia:* gran cantidad, abundancia. «Ovo ayuntados muy grant copia de gentes», *Confisión del Amante, 425, 8.*

[43] *convenibles:* convenientes. «Con las guardas al tal caso convenibles», Juan de Flores, *Triunfo de amor,* 149, 88.

1128

## Capítulo LXXIII

*De cómo el noble Cavallero de la Verde Spada, después de partido de
Grasinda para ir a Constantinopla, le forçó fortuna[1] en el mar de tal
manera, que le arribó en la ínsola del Diablo, donde falló una bestia fiera llamada Endriago, y al fin huvo el vencimiento della[2].*

Por la mar navegando el Cavallero de la Verde Spada con
su compaña la vía de Constantinopla, como oído havéis, con
muy buen viento, súbitamente tornando al contrario, como
muchas vezes acaeçe, fue la mar tan embraveçida, tan fuera de
compás[3], que ni la fuerça de la fusta, que grande era, ni la sabiduría de los mareantes no pudieron tanto resistir, que muchas
vezes en peligro de ser anegada no fuesse. Las lluvias eran tan
espessas y los vientos tan apoderados[4], y el cielo tan escuro,
que en gran desesperación estavan de ser las vidas remediadas
por ninguna manera, assí como el maestro Elisabad y los otros
todos podían creer, si no fuesse por la gran misericordia del
muy alto Señor. Muchas vezes la fusta, assí de día como de noche, se les hinchía de agua[5] que no podían sossegar, ni comer
ni dormir sin grandes sobresaltos, pues otro concierto alguno
en ella no havía sino aquel que la fortuna le plazía que tomassen.

Assí anduvieron ocho días, sin saber ni atinar a cuál parte
de la mar anduviessen, sin que la tormenta un punto ni momento cessasse; en cabo de los cuales con la gran fuerça de los
vientos, una noche antes que amanesciesse, la fusta a la tierra

---

[1] *fortuna:* tormenta. «Ansí estubieron porfiando con la fortuna bien dos
oras», Gutierre Díez de Games, *El Victorial*, 186, 9.

[2] *della:* dello, Z // della, R // omit., S // .

[3] *fuera de compás:* fuera de orden, de medida. 1.ª doc. de *compás* según
DCECH, en Al. Palencia, Nebrija y Torres Naharro. No obstante, puede encontrarse documentación anterior, hacia 1430. Cfr.: «Commo el punto esta derecho en medio del conpas», *Confisión del Amante*, 375, 23.

[4] *apoderados:* poderosos.

[5] *hinchía de agua:* llenaba de agua. «Hinchió un vaso con el agua», *Enrique fi de
Oliva*, pág. 6.

fue llegada tan reziamente, que por ninguna guisa de allí la podrían despegar. Esto dio gran consuelo a todos como si de muerte a la vida tornados fueran. Mas la mañana venida, reconoçiendo los marineros en la parte que stavan, sabiendo ser allí la ínsola que del Diablo se llamava, donde una bestia fiera toda la había despoblado, en dobladas angustias y dolores sus ánimos fueron, teniéndolo en muy mayor grado de peligro qu'el que en la mar esperavan. Y feriéndose con las manos en los rostros, llorando fuertemente, al Cavallero de la Verde Spada se vinieron sin otra cosa le dezir. Él, muy maravillado de ser assí su alegría en tan gran tristeza tornada, no sabiendo la causa dello, stava como embaraçado y preguntándoles qué cosa tan súpita[6] y breve tan presto su plazer en gran lloro mudara.

—¡O cavallero! —dixeron ellos—, tanta es la tribulación, que las fuerças no bastan para la recontar, mas cuéntela esse maestro Elisabad, que bien sabe por qué razón esta ínsola del Diablo tiene nombre.

El maestro, que no menos turbado que ellos era, esforçado por el Cavallero del Enano, temblando sus carnes, turbada la palabra, con mucha gravedad y temor contó al cavallero lo que saber quería, diziendo assí:

—Señor Cavallero del Enano, sabed que desta ínsola a que aportados somos fue señor un gigante Bandaguido llamado, el cual con su braveza grande y esquiveza fizo sus tributarios a todos los más gigantes que con él comarcavan. Éste fue casado con una giganta mansa de buena condición; y tanto cuanto el marido con su maldad de enojo y crueza fazía a los christianos matándolos y destruyéndolos, ella con piedad los reparava cada que podía[7]. En esta dueña ovo Bandaguido una fija que, después que en talle de donzella fue llegada, tanto la natura la ornó y acreçentó en hermosura, que en gran parte del mundo

---

[6] *como embaraçado y preguntándoles qué cosa tan súpita:* desconcertado, confundido, y preguntándoles qué cosa tan súbita. La 1.ª doc. de *embarazado* en DCECH corresponde a Nebrija. La presencia dela ç para Corominas es señal de su procedencia gallego-portuguesa, y el verbo sólo se documenta en la segunda mitad del xv. «De las tales novedades enbaraçado estava», Diego de San Pedro, *Arnalte y Lucenda,* pág. 90.

[7] *cada que podía:* cuando, siempre que podía.

otra mujer de su grandeza ni sangre que su igual fuesse no se podía hallar. Mas como la gran hermosura sea luego junta con la vanagloria, y la vanagloria con el pecado, viéndose esta donzella tan graciosa y loçana, y tan apuesta y digna de ser amada de todos, y ninguno, por la braveza del padre, no la osara emprender, tomó por remedio postrimero amar de amor feo y muy desleal a su padre[8]; assí que muchas vezes, siendo levantada la madre de cabe su marido, la hija veniendo allí, mostrándole mucho amor, burlando [y] riendo con él, lo abraçava y besava. El padre luego al comienço aquello tomava con aquel amor que de padre a fija se devía, pero la muy gran continuación y la gran fermosura demasiada suya, y la muy poca conçiencia y virtud del padre dieron causa que, sentido por él a qué tirava[9] el pensamiento de la fija, que aquel malo y feo desseo della oviesse efecto. De donde devemos tomar enxemplo que ningún hombre en esta vida tenga tanta confiança de sí mismo que dexe de esquivar y apartar la conversación y contratación[10], no solamente de las parientas y hermanas, mas de sus propias fijas[11]; porque esta mala passión venida en el estremo de su natural encendimiento, pocas vezes el juizio, la conçiencia, el temor son bastantes de le poner tal freno con que la retraer puedan. Deste pecado tan feo y yerro tan grande se causó luego otro mayor, assí como acaeçe aquellos que olvidando la piedad de Dios y siguiendo la voluntad del enemigo malo quieren con un gran mal remediar otro, no conoçi[en]do[12] que la melezina verdadera del pecado es el arrepen-

---

[8] «Este fuerte e fiero amor nunca está sin impetuosidad. Enpero entonçe es más rezio et impetuoso en quanto cosas más illíçitas son amadas», *Breviloquio de amor y amicicia*, en *Del Tostado sobre el amor*, noticia preliminar y ed. de Pedro M. Cátedra, Barcelona, «Stelle dell'Orsa», 1986, pág. 92.

[9] *a qué tirava:* hacia dónde se inclinaba.

[10] *contratación:* trato.

[11] Recomendaciones similares se recogen en los *Castigos y dotrinas que vn sabio daua a sus hijas:* «Tanbién avéys de guardar, hijas mías, para ser onestas, de no departir mucho a menudo con ningunos onbres, quanto más en logar apartado, aunque sean vuestros parientes, no por eso (dexando) de hablar con hermanos y parientes, pero nunca (en logar) apartado con ellos, porque aun ellos oslo ternán a honestidat y vos loarán de ello», en *Dos obras didácticas y dos leyendas, sacadas de manuscritos de la Biblioteca del Escorial*, ed. H. Knust, Madrid, Sociedad Bibliófilos Españoles, 1878, págs. 278-279.

[12] *conoçiendo:* conoçido, Z // conoscido, R // conociendo, S //.

timiento verdadero y la penitencia, que le faze ser perdonado de aquel alto Señor que por semejantes yerros se puso después de muchos tormentos en la cruz, donde como hombre verdadero murió y fue como verdadero Dios resucitado. Que siendo este malaventurado padre en el amor de su hija encendido y ella assí mesmo en el suyo, porque más sin empacho el su mal desseo pudiessen gozar, pensaron de matar aquella noble dueña, su mujer dél y madre della. Seyendo el gigante avisado de sus falsos ídolos[13], en quien él adorava, que si con su fija casasse, sería engendrado una tal cosa en ella la más brava y fuerte que en el mundo se podría fallar, y poniéndolo por obra, aquella malaventurada fija que su madre más que a sí mesma amava, andando por una huerta con ella hablando, fingiendo la fija ver en un pozo una cosa estraña y llamando a la madre que lo viesse, diole de las manos[14], y echándola a lo hondo, en poco spacio ahogada fue. Ella dio bozes diziendo que su madre cayera en el pozo. Allí acudieron todos los hombres y el gigante, qu'el engaño sabía, y como vieron la señora, que muy amada de todos ellos era, muerta, hizieron grandes llantos. Mas el gigante les dixo: «No fagáis duelo, que esto los dioses lo han querido, y yo tomaré muger en quien será engendrado tal persona por donde todos seremos muy temidos y enseñoreados[15] sobre aquellos que mal nos quieren.» Todos callaron con miedo del gigante, y no osaron fazer otra cosa. Y luego esse día públicamente ante todos tomó por mujer a su fija Bandaguida, en la cual aquella malaventurada[16] noche fue engendrado una animalia por ordenança[17] de los diablos, en quien ella y su padre y marido creían, de la forma que aquí oiréis. Tenía el cuer-

---

[13] En una de las variantes del mito del héroe, «durante la preñez, o con anterioridad a la misma, se produce una profecía bajo la forma de un sueño u oráculo que advierte contra el nacimiento, por lo común poniendo en peligro al padre o a su representante», Otto Rank, ob. cit., pág. 79. En esta ocasión, los falsos ídolos propician el nacimiento del monstruo, sin que adviertan del resultado final, que se acomoda al arquetipo, pues sus padres morirán.

[14] *diole de las manos:* golpeó con sus manos. «Dio del pie a la barca», *Tristán de Leonís,* 349b.

[15] *seremos enseñoreados:* dominaremos, nos haremos señores de.

[16] *malaventurada:* desgraciada.

[17] *ordenança:* orden. «Veyendo si tenía aquella ordenança que avía mandado», *Crónica de don Álvaro de Luna,* 78, 31.

po y el rostro cubierto de pelo, y encima havía conchas sobre-
puestas unas sobre otras tan fuertes, que ninguna arma las podía passar, y las piernas y pies eran muy gruessos y rezios. Y
encima de los ombros havía alas tan grandes, que fasta los pies
le cubrían, y no de péndolas[18], mas de un cuero negro como la
pez, luziente, velloso, tan fuerte que ninguna arma las podía
empeçer[19], con las cuales se[20] cubría como lo fiziesse un hombre con un escudo. Y debaxo dellas le salían braços muy fuertes assí como de león, todos cubiertos de conchas más menu-
das que las del cuerpo, y las manos havía de fechura de águila
con cinco dedos, y las uñas tan fuertes y tan grandes, que en el
mundo podía ser cosa tan fuerte que entre ellas entrasse que
luego no fuesse desfecha. Dientes tenía dos en cada una de las
quixadas, tan fuertes y tan largos, que de la boca un codo le salían, y los ojos, grandes y redondos, muy bermejos como brasas, assí que de muy lueñe, siendo de noche, eran vistos y todas las gentes huían dél. Saltava y corría tan ligero, que no havía venado que por pies se le pudiesse escapar; comía y bevía
pocas vezes, y algunos tiempos, ningunas, que no sentía en ello
pena ninguna. Toda su holgança era matar hombres y las otras
animalias bivas, y cuando fallava leones y ossos que algo se le
defendían, tornava muy sañudo, y echava por sus narizes un
humo tan spantable, que semejava llamas de huego, y dava
unas bozes roncas espantosas de oír; assí que todas las cosas
bivas huían ant'él como ante la muerte. Olía tan mal, que no
havía cosa que no emponçoñasse; era tan espantoso cuando sa-
cudía las conchas unas con otras y hazía cruxir[21] los dientes y
las alas, que no parecía sino que la tierra fazía estremeçer. Tal
es esta animalia Endriago llamado como vos digo —dixo el
maestro Elisabad—. Y ahún más vos digo, que la fuerça gran-

---

[18] *péndolas:* plumas. «Sy bolare en mis péndolas...», A. Martínez de Toledo,
*Corbacho,* 231.

[19] *empeçer:* dañar. Obsérvese que el Endriago está presentado desde una perspectiva bélica, con sus correspondientes armas ofensivas, brazos, manos,
uñas, etc., y defensivas, especialmente las conchas, de modo que el combate del
héroe contra el monstruo resulta también muy dificultoso desde el punto de
vista físico por las cualidades de su oponente.

[20] *se:* sa, Z // se, RS // .

[21] *cruxir:* crujir.

de del pecado del gigante y de su fija causó que en él entrasse el enemigo malo, que mucho en su fuerça y crueza acreçienta[22].

Mucho fue maravillado el Cavallero de la Verde Spada desto qu'el maestro le contó de aquel diablo Endriago llamado, nascido de hombre y de muger, y la otra gente, muy spantados, mas el cavallero le dixo:

—Maestro, ¿pues cómo cosa tan dessemejada pudo ser naçida de cuerpo de mujer?

—Yo vos lo diré —dixo el maestro— según se falla en un libro que el Emperador de Constantinopla tiene, cuya fue esta ínsola, y hala perdido porque su poder no basta para matar este diablo. Sabé[23] —dixo el maestro— que, sintiéndose preñada aquella Bandaguida, lo dixo al gigante, y él ovo dello mucho plazer, porque veía ser verdad[24] lo que sus dioses le dixeran, y assí creía que sería lo ál. Y dixo que eran menester tres o cuatro amas para lo que pariesse, pues que havía de ser la más fuerte cosa que oviesse en el mundo. Pues creçiendo aquella mala criatura en el vientre de la madre, como era fechura y obra del diablo, hazíala adoleçer muchas vezes, y la color del rostro y de los ojos eran jaldados[25], de color de ponçoña; mas todo lo tenía ella por bien, creyendo que, según los dioses lo havían dicho, que sería aquel su hijo el más fuerte y más bravo que se nunca viera, y que si tal fuesse, que buscaría manera alguna para matar a su padre, y que se casaría con el hijo, que éste es el mayor peligro de los malos: enviciarse y deleitarse tanto en los pecados, que, ahunque la gracia del muy

---

[22] Julio Caro Baroja en su clásico libro *Las brujas y su mundo*, Madrid, Alianza, 1968, pág. 99, señala cómo en la concepción de la sociedad medieval se subraya «la presencia real y continua del Diablo en la vida del mundo: el Diablo como personaje concreto, familiar, tan familiar por lo menos como los santos y los patriarcas y al que los imagineros góticos (y antes los románticos) representaron con atributos muy definidos: Diablo que aparece auxiliado o bajo la forma de todos los genios de orden secundario en la Antigüedad, tales como harpías y sirenas, los centauros, los gigantes monstruosos y los endriagos y sierpes terroríficas».

[23] *Sabé:* sabed. Elisabad, físico y letrado, atestigua la veracidad de su historia remitiéndola a lo escrito.

[24] *vía ser verdad:* veía que era verdad.

[25] *jaldados:* amarillentos, de color de jalde.

alto Señor en ellos espira[26], no solamente no la sienten ni la conoçen, mas como cosa pesada y estraña la aborreçen y desechan, teniendo el pe[n]samiento y la obra en siempre creçer en las maldades como sujetos y vencidos dellas. Venido, pues, el tiempo, parió un fijo, y no con mucha premia[27], porque las malas cosas fasta la fin siempre se muestran agradables. Cuando las amas que para le criar aparejadas estavan vieron criatura tan desemejada, mucho fueron espantadas, pero haviendo gran miedo del gigante, callaron y embolviéronle en los paños que para él tenían; y atreviéndose una dellas más que las otras, dióle la teta y él la tomó, y mamó tan fuertemente[28], que la hizo dar grandes gritos; y cuando se lo quitaron, cayó ella muerta de la mucha ponçoña que la penetrara. Esto fue dicho luego al gigante, y viendo aquel su fijo maravillóse de tan desemejada criatura, y acordó de preguntar a sus dioses por qué le dieran tal hijo, y fuese al templo donde los tenía, y eran tres, el uno, figura de hombre y el otro, de león, y el tercero, de grifo[29]. Y faziendo sus sacrificios les preguntó por qué le havían dado tal fijo. El ídolo que era figura de hombre le dixo: «Tal convenía que fuesse, porque assí como sus cosas serán estrañas y maravillosas, assí conviene que lo sea él, specialmente en destruir los christianos que a nosotros procuran de destruir; y por esto yo le di de mi semejança en le hazer conforme al alvedrío de los hombres, de que todas las bestias careçen.» El otro ídolo le dixo: «Pues yo quise dotarle de gran braveza y fortaleza, tal como los leones lo tenemos.» El otro dixo: «Yo le di alas y

---

[26] *espirar:* infundir espíritu, lo que propiamente se dice del Espíritu Divino y sus soberanos influjos en animar y vivificar y mover las almas *(Autoridades)*. La 1.ª doc. en DCECH, hacia 1400. «Plégale de espirar misiricordiosamente su graçia», Fernán Pérez de Guzmán, *Generaciones y semblanzas*, pág. 35.

[27] *premia:* dificultad, apremio.

[28] *fuertemente:* fuertemente, Z // fuertemente, RS // .

[29] *grifo:* dada la inestabilidad de las representaciones del animal —véase Ignacio Malaxecheverría, *El bestiario esculpido en Navarra*, Pamplona, Institución Príncipe de Viana, 1982, págs. 95-104—, entresaco los aspectos con los que Montalvo se los figura en las *Sergas,* cap. CLVII: se trata de unas aves alimentadas por seres humanos, muy crueles, y de poderosas garras. Como dice Gutierre Díez de Games, «Hizo Alexandre unir dos grifos, que son de las más fuertes aves del mundo», *El Victorial,* págs. 16, 12.

uñas y ligereza sobre cuantas animalias[30] serán en el mundo.»
Oído esto por el gigante, díxoles: «¿Cómo lo criaré, que el ama
fue muerta luego que le dio la teta?». Ellos le dixeron: «Faz que
las otras dos amas le den de mamar, y éstas también morirán,
mas la otra que quedare críelo con la leche de tus ganados fasta
un año, y en este tiempo será tan grande y tan fermoso como
lo somos nosotros, que hemos sido causa de su engendramien-
to. Y cata que te defendemos[31] que por ninguna guisa tú, ni tu
muger, ni otra persona alguna no lo vean en todo este año,
sino aquella muger que te dezimos que dél cure.» El gigante
mandó que lo hiziessen assí como los sus ídolos jelo dixeron[32],
y desta forma fue criada aquella esquiva bestia como oís. En
cabo del año que supo el gigante del ama cómo era muy creci-
do y oíanle dar unas bozes roncas y espantosas, acordó con su
hija, que tenía por muger, de ir a verlo; y luego entraron en la
cámara donde estava, y viéronle andar corriendo y saltando. Y
como el Endriago vio a su madre, vino para ella, y saltando,
echóle las uñas al rostro y fendióle las narizes y quebróle los
ojos, y antes que las sus manos saliesse, fue muerta. Cuando el
gigante lo vio, puso mano a spada para lo matar, y diose con
ella en la una pierna tal ferida, que toda la tajó, y cayó en el
suelo, y a poco rato fue muerto. El Endriago saltó por cima
dél, y saliendo por la puerta de la cámara, dexando toda la
gente del castillo emponçoñados, se fue a las montañas. Y no
passó mucho tiempo que los unos muertos por él, y los que
barcas y fustas pudieron haver para fuir por la mar, que la ín-

---

[30] *animalias:* animales. «Aves, pescados, animalias de todas naturas», Gutierre
Díez de Games, *El Victorial*, 12, 11. Cada uno de los ídolos ha transmitido sus
cualidades al Endriago, creándose así un monstruo producto de la hibridación
de diferentes animales, tradición muy frecuente en la Edad Media. Véase Claude Kappler, ob. cit., págs. 167 y ss., y para una introducción general a la presencia del dragón en la cultura de la Edad Media con representaciones icono-
gráficas y selección de textos, *El drac en la cultura medieval*, Barcelona, Fundació
Caixa de Pensions, 1987. Por otra parte, el sistema supone la inversión de las
cualidades de Esplandián, del que es la perfecta antítesis.

[31] *cata que te defendemos:* mira que te prohibimos. «E defiéndovos que si algún
día tardare, que no me vays a buscar», *Palmerín de Olivia*, 206, 21.

[32] *dixeron:* diexeron, Z // dixeron, RS // . Es posible que en el original figurara *dixieron*.

sola no fuesse despoblada[33], y assí lo está passa ya de cuarenta años. Esto es lo que yo sé desta mala y endiablada bestia —dixo el maestro.

El Cavallero de la Verde Spada dixo:

—Maestro, grandes cosas me havéis dicho, y mucho sufre Dios Nuestro Señor a aquellos que le desirven, pero al fin si se no emiendan, dales pena tan creçida como ha sido su maldad. Y agora os ruego, maestro, que digáis de mañana missa, porque yo quiero ver a esta ínsola, y si Él me endereçare, tornarla a su santo servicio[34].

Aquella noche passaron con gran spanto assí de la mar, que muy brava era, como del miedo que del Endriago tenían, pensando que saldría a ellos de un castillo que allí cerca tenía[35], donde muchas vezes alvergava. Y el alva del día venida, el maestro cantó missa y el Cavallero de la Verde Spada la oyó con mucha humildad, rogando a Dios le ayudasse en aquel peligro que por su servicio se quería poner, y si su voluntad era que su muerte allí fuesse venida, Él por la su piedad le oviesse merced al alma. Y luego se armó y hizo sacar su cavallo en tierra, y Gandalín con él, y dixo a los de la nao:

---

[33] Según Jean Cazeneuve, *Sociología del rito,* Buenos Aires, Amorrortu Ed., 1972, págs. 71-72, «las reglas matrimoniales constituyen uno de los elementos esenciales de la estructura de las sociedades primitivas. Para que la existencia humana goce de alguna estabilidad es necesario que el cuerpo social —del mismo modo que la naturaleza— esté regido por normas sólidas. De la misma manera que el incestuoso es un ente impuro en igual medida y por la misma causa que el animal monstruoso o el fenómeno *measa.* El incesto es un acto numinoso que "amenaza con turbar la regularidad universal" y desencadenar calamidades tales como "temblores de la tierra, lluvia o sequía excesivas, y ante todo esterilidad del suelo"».

[34] Como señala J. B. Avalle-Arce, *Amadís de Gaula,* cap. VII, «la aventura no se emprende por Oriana, como todas las anteriores: la aventura se emprende por Dios, porque es la batalla contra el Mal. El amor divino es el propio motor de la caballería, no el amor humano, ese amor cortés que ha dirigido todo el sentido de la caballeresca hasta ahora, que ha centrado todas las empresas de Amadís. Ha comenzado aquí, en este episodio del Endriago, el desvío de objetivos de la caballeresca tradicional, arturiana, según la nueva interpretación de Montalvo que cambia diametralmente el destino final del *Amadís de Gaula».* No obstante, a pesar de este cambio observado, en el episodio permanecen restos de las anteriores concepciones, pues el personaje representativo de los nuevos ideales es Esplandián.

[35] *tenía:* tenian, Z // tenia, RS // .

—Amigos, yo quiero entrar en aquel castillo, y si allí hallo el Endriago, combatirme con él; y si no le fallo, miraré si está en tal disposición para que allí seáis aposentados en tanto que la mar faze bonança. Y yo buscaré esta bestia por estas montañas; y si della escapo, tornarme he a vosotros; y si no, fazed lo que mejor vierdes.

Cuando esto oyeron ellos, fueron muy espantados más que de ante eran, porque ahun allí dentro en la mar todos sus ánimos no bastavan para sufrir el miedo del Endriago, y por más afrenta y peligro que la braveza grande de la mar le tenían, y que abastasse el de aquel cavallero que de su propia voluntad le fuesse a lo buscar para se con él combatir. Y por cierto, todas las otras grandes cosas que dél oyeran y vieran que en armas fecho havía en comparación désta en nada lo estimavan[36]. Y el maestro Elisabad, que como hombre de letras y de missa fuesse, mucho gelo estrañó[37], trayéndole a la memoria que las semejantes cosas seyendo fuera de la natura de los hombres, por no caer en omicida[38] de sus ánimas se habían de dexar. Mas el Cavallero de la Verde Spada le respondió que si aquel inconveniente qu'él dezía tuviesse en la memoria, escusado le fuera salir de su tierra para buscar las peligrosas aventuras; y que si por él algunas havían passado, sabiéndose que ésta dexava, todas ellas en sí quedavan ningunas[39], así que a él le convenía matar aquella mala y desemejada bestia o morir, como lo devían fazer aquellos que dexando su naturaleza a la agena ivan para ganar prez y honra. Estonces miró a Gandalín, que en tanto qu'él fablava con el maestro y con los de la fusta se había armado de las armas que allí falló para le ayudar[40], y viole estar en su cavallo llorando fuertemente, y díxole:

---

[36] Mediante esta fórmula, muy característica de Montalvo, y propia del *attentum parare*, se resalta la próxima aventura como la más importante de la carrera del héroe, por lo que se incrementa el interés por su resolución.

[37] *estrañó*: reprendió. «Muchas vezes me estrañava porque con el seso pudiendo ser vencedor, a vencido de la voluntad me sometía», Diego de San Pedro, *Arnalte y Lucenda*, pág. 121.

[38] *omicida*: homicida. Argumentos similares había esgrimido un ermitaño a Galaor antes de su combate contra el gigante de la Peña de Galtares en el capítulo IX, pág. 343.

[39] *quedavan ningunas*: quedaban en nada.

[40] Gandalín puede prepararse para ayudar a su amo porque no se trata de

—¿Quién te ha puesto en tal cosa? Desármate, que si lo fazes para me servir y me ayudar, ya sabes tú que no ha de ser
perdiendo la vida, sino quedando con ella para que la forma de
mi muerte puedas recontar en aquella parte que es la principal
causa y membrança por donde yo la recibo.

Y faziéndole por fuerça desarmar, se fue con él la vía del
castillo, y entrando en él falláronlo yermo, sino de las aves; y
vieron que havía dentro buenas casas, ahunque algunas eran
derribadas, y las puertas principales, que eran muy fuertes, y
rezios candados con que se cerrasen, de lo cual le plugo mucho. Y mandó a Gandalín que fuesse llamar a todos los de la
galea y les dixiesse el buen aparejo que en el castillo tenían, y
él assí lo fizo. Todos salieron luego, ahunque con gran temor
del Endriago, pero que[41] la mar no cessava de su gran tormenta, y entraron en el castillo, y el Cavallero de la Verde Spada
les dixo:

—Mis buenos amigos, yo quiero ir a buscar por esta ínsola
al Endriago, y si me fuere bien, tocará esta bozina Gandalín, y
estonces creed qu'él es muerto y yo biuo; y si mal me va, no
será menester de fazeros seña alguna. Y en tanto, cerrad estas
puertas y traed alguna provisión de la galea, que aquí podéis
estar fasta que el tiempo sea para de navegar más endereçado.

Estonces se partió el Cavallero de la Verde Spada dellos,
quedando todos llorando. Mas las cosas de llantos y amarguras
que Ardián su enano fazía, esto no se podría dezir, qu'él messava sus cabellos y fería con sus palmas en el rostro[42], y dava
con la cabeça a las paredes, llamándose cativo porque su fuerte
ventura lo traxera a servir a tal hombre, que mil vezes él llegava al punto de la muerte mirando las estrañas cosas que le vía

---

una lucha contra un caballero, a la vez que de forma indirecta se considera al
adversario como alguien superior. Con distintas técnicas se está encareciendo la
peligrosidad de la pelea con tanta intensidad, como pocas veces sucede en
la obra.

[41] *pero que:* puesto que. No he podido documentar este uso, pues lo habitual
del sintagma es su significado concesivo, del que quedan algunos restos en el siglo XV y en épocas posteriores. Véase la nota 65 del capítulo LXVIII.

[42] *fería con sus palmas en el rostro:* golpeaba con sus palmas en el rostro. «Las
piedras que lanzavan los moros ferían en las galeras», Gutierre Díez de Games,
*El Victorial,* 131, 33.

acometer, y en el cabo aquella donde el Emperador de Constantinopla con todo su gran señorío no osava ni podía poner remedio. Y como vio que su señor iva ya por el campo, subióse por una escalera de piedra en somo del muro[43], cuasi sin ningún sentido, como aquel que mucho se dolía de su señor. Y el maestro Elisabad mandó poner un altar con las reliquias que para dezir missa traía, y fizo tomar cirios encendidos a todos, y hincados de rodillas rogavan a Dios que guardasse aquel cavallero que por su servicio dÉl, y por escapar la vida dellos, assí conoçidamente a la muerte se ofreçía.

El Cavallero de la Verde Spada iva como oís con aquel esfuerço y semblante que su bravo coraçón lo otorgava, y Gandalín en pos dél llorando fuertemente, creyendo que los días de su señor con la fin de aquel día la havrían ellos. El cavallero bolvió a él, y díxole riendo:

—Mi buen hermano, no tengas tan poca esperança en la misericordia de Dios, ni en la vista de mi señora Oriana, que assí te desesperes; que no solamente tengo delante mí la su sabrosa membrança[44], mas su propia persona, y mis ojos la veen, y me está diziendo que la defienda yo desta bestia mala. Pues, ¿qué piensas tú, mi verdadero amigo, que devo yo fazer? ¿No sabes que en la su vida y muerte está la mía? ¿Consejarme has tú que la dexe matar y que yo ante tus ojos muera? No plega a Dios que tal pensasses. Y si tú no la vees, yo la veo, que delante mí está[45]. Pues si su[46] sola membrança me fizo passar a mi gran honra las cosas que tú sabes, qué tanto más deve poder su propia presencia[47].

---

43 *en somo del muro:* en lo más alto del muro. «Subió en somo de un otero», *Gran Conquista de Ultramar,* I, 189.

44 *sabrosa membrança:* agradable recuerdo. «So breves menbranças puedan memorar los mas de los fechos», A. Martínez de Toledo, *Atalaya de las coronicas,* 2b.

45 *delante mí:* delante de mí. «Vi [...] predicadores [...] delante reyes e otros señores, atreverse a dezir la pura verdad», A. Martínez de Toledo, *Corbacho,* 110.

46 *su:* tu, Z // su, RS // .

47 A pesar de que la aventura no se realiza por Oriana como señala Avalle-Arce —véase la nota 34—, el héroe recuerda a su amada, y su presencia se hace notar de forma hiperbólica en el escenario de la batalla, aunque Gandalín no la pueda ver. Amadís muestra su capacidad de transformación del mundo por un acto de voluntad, y, en cierto modo, de locura. La realidad percibida no existe por ella misma, sino como acto volitivo del personaje. Oriana está presente en

Y diziendo esto crecióle tanto el esfuerço, que muy tarde se le fazía en no fallar el Endriago. Y entrando en un valle de brava montaña y peñas de muchas concavidades[48], dixo:

—Da bozes, Gandalín, porque por ellas podrá ser que el Endriago a nosotros acudirá; y ruégote mucho que si aquí muriere, procures de llevar a mi señora Oriana aquello que es suyo enteramente, que será mi coraçón[49]. Y dile que gelo embío por no dar cuenta ante Dios de cómo lo ageno levava comigo.

Cuando Gandalín esto oyó, no solamente dio bozes, mas messando sus cabellos, llorando dio grandes gritos, deseando su muerte antes que ver la de aquel su señor que tanto amava. Y no tardó mucho que vieron salir de entre las peñas el Endriago muy más bravo y fuerte que lo nunca fue, de lo cual fue causa que, como los diablos viessen que este cavallero ponía más esperança en su amiga Oriana que en Dios, tuvieron lugar de entrar más fuertemente[50] en él y le fazer más sañudo, diziendo ellos:

—Si déste le scapamos, no ay en el mundo otro que tan osado ni tan fuerte sea que tal cosa ose acometer[51].

---

el recuerdo, en la memoria del héroe. Por este simple hecho, la amada se convierte en persona cuya existencia puede ser comprobable, al margen de la percepción de Gandalín. El combate contra la encarnación del pecado se convierte, a través del diálogo, en un enfrentamiento contra la bestia para defender a la «bella», según el consabido mito tan rico en interpretaciones simbólicas y encarnaciones folclóricas.

[48] *concavidades:* 1.ª doc. según el DCECH, hacia 1440.

[49] *coraçón:* Amadís reitera un motivo de gran raigambre en la tradición artúrica, pues la reina Ginebra, a punto de morir, ruega «que tanto que yo muera, que me saques el coraçon, e que ge lo leves en este yelmo que fue suyo, e que le digays que en remenbrança de nuestro amor que le embio el coraçon a quien nunca escaescio» (olvidó), *Demanda del Sancto Grial,* 332b. Recuérdese cómo parodia Cervantes el tema en la Cueva de Montesinos, remedando el famoso romance «Oh mi primo Montesinos». Véase Juan Bautista Avalle-Arce, *Don Quijote como forma de vida,* cap. VI.

[50] *fuertemente:* fuertamente, Z // fuertemente, RS // .

[51] La presencia o el recuerdo de la dama proporciona un mayor esfuerzo al caballero, pero en esta ocasión, irónicamente, es motivo para encarecer la lucha, pues Amadís todavía es un héroe humano y cortesano que confía más en su amiga que en Dios, por lo que los diablos proporcionan una mayor fuerza al Endriago. El autor pone en juego todos los recursos novelescos a su alcance para encarecer el combate. Cervantes se hace eco de este mismo motivo con

El Endriago venía tan sañudo, echando por la boca humo mezclado con llamas de fuego, y firiendo los dientes unos con otros, faziendo gran espuma y faziendo cruxir las conchas y las alas tan fuertemente, que gran espanto era de lo ver[52]. Assí lo huvo el Cavallero de la Verde Spada, specialmente oyendo los silvos y las spantosas bozes roncas que dava; y comoquiera que por palabra gelo señalaran, en comparación de la vista era tanto como nada. Y cuando el Endriago lo vido[53], comenzó a dar grandes saltos y bozes, como aquel que mucho tiempo passara sin que hombre ninguno viera, y luego se vino contra ellos. Cuando los cavallos del de la Verde Spada y de Gandalín lo vieron, començaron a fuir tan espantados, que apenas los podían tener, dando muy grandes bufidos[54]. Y cuando el de la Verde Spada vio que a cavallo a él no se podía llegar, deçendió muy presto, y dixo a Gandalín:

—Hermano, tente afuera en esse cavallo porque ambos no nos perdamos, y mira la ventura que Dios me querrá dar contra este diablo tan espantable; y ruégale que por la su piedad me guíe cómo le yo quite de aquí y sea esta tierra tornada a su servicio, y si aquí tengo de morir, que me aya merced del ánima. Y en lo otro faz como te dixe.

Gandalín no le pudo responder, tan reziamente llorava porque su muerte vía tan cierta, si Dios milagrosamente no lo scapasse[55]. El Cavallero de la Verde Spada tomó su lança y cu-

---

otros fines y sin que dependa exclusivamente del episodio del *Amadís,* pues se reitera en multitud de ocasiones en los libros de caballerías, cuando Vivaldo argumenta: «una cosa, entre otras muchas, me parece muy mal de los caballeros andantes, y es que, cuando se ven en ocasión de acometer una grande y peligrosa aventura, en que se vee manifiesto peligro de perder la vida, nunca en aquel instante de acometella se acuerdan de encomendarse a Dios, como cada cristiano está obligado a hacer en peligros semejantes; antes se encomiendan a sus damas, con tanta gana y devoción como si ellas fueran su Dios: cosa que me parece que huele algo a gentilidad», *Don Quijote de la Mancha,* I, XIII, 169-170.

[52] Como señala Harriet Goldberg, «The Several Faces of Ugliness in Medieval Castilian Literature», *La Crónica,* VII (1979), 80-92, pág. 80, «medieval authors most commonly made use of rhetorical topics in describing human beauty or ugliness: *never before seen, whitout equal, not to bee seen soon again, details omitted to avoid prolixity.* For ugliness we can add: *all who beheld the sigth wew terrified».*

[53] *vido:* vio.

[54] *bufido:* 1.ª doc. según DCECH, en nuestra obra.

[55] *no lo scapasse:* no lo librase. «E fallaron que se devia salvar la rreyna en esta

brióse de su escudo. Como hombre que ya la muerte tenía tragada, perdió todo su pavor, y lo más que pudo se fue contra el Endriago, assí a pie como estava.

El diablo, como lo vido, vino luego para él, y echó un fuego por la boca con un humo tan negro, que apenas se podían ver el uno al otro. Y el de la Verde Spada se metió por el humo adelante, y llegando cerca dél, le encontró con la lança por muy gran dicha en el un ojo, assí que gelo quebró. Y el Endriago echó las uñas en la lança y tomóla con la boca, y hízola pedaços, quedando el fierro con un poco del asta metido por la lengua y por las agallas, que tan rezio vino, que él mismo se metió por ella. Y dio un salto por le tomar, mas con el desatiento[56] del ojo quebrado no pudo, y porque el cavallero se guardó con gran esfuerço y biveza de coraçón, assí como aquel que se vía en la misma muerte. Y puso mano a la su muy buena spada y fue a él, que estava como desatentado, assí del ojo como de la mucha sangre que de la boca le salía; y con los grandes resoplidos y resollos[57] que dava, todo lo más della se le entrava por la garganta de manera que cuasi el aliento le quitara, y no podía cerrar la boca ni morder con ella. Y llegó a él por el un costado y diole tan gran golpe por cima de las conchas, que le no pareció sino que diera en una peña dura, y ninguna cosa le cortó. Como el Endriago le vio tan cerca de sí, pensóle tomar entre sus uñas, y no le alcançó sino en el escudo, y levógelo tan rezio, que le fizo dar de manos en tierra. Y en tanto que el diablo lo despedaçó todo con sus muy fuertes y duras uñas, ovo el Cavallero de la Verde Spada lugar de levantarse; y como sin escudo se vio, y que la spada no cortava ninguna cosa, bien entendió que su fecho no era nada si Dios no le endereçasse a que el otro ojo le pudiesse quebrar, que por otra ninguna parte no aprovechava nada trabajar de lo ferir. Y como león sañudo, pospuesto todo temor, fue para el Endriago, que muy desfallecido y flaco estava, assí de la mucha san-

---

guissa: que lidiase un cavallero con dos, e si los vençiese que escapase la rreyna», A. Martínez de Toledo, *Atalaya de las coronicas,* pág. 58a.

[56] *desatiento:* falta de tiento, de sentido.

[57] *resollos:* resuellos; en R y S, resollidos, pero cfr.: «Se sometieron a los pechos y resollos de viles azemilleros», *Celestina,* 1, 28.

gre que perdía y de[l] ojo quebrado. Y como las cosas passadas de su propia servidumbre se caen y pereçen, y ya enojado Nuestro Señor qu'el enemigo malo oviesse tenido tanto poder y fecho tanto mal en aquellos que, ahunque pecadores, en su santa fe cathólica creían, quiso darle esfuerço y gracia special, que sin ella ninguno fuera poderoso de acometer ni osar esperar tan gran peligro, a este cavallero para que sobre toda orden de natura diesse fin aquel que a muchos la havía dado[58], entre los cuales fue[ron] aquellos malaventurados su padre y madre; y pensando acertarle en el otro ojo con la spada, quísole Dios guiar a que gela metió por una de las ventanas de las narizes, que muy anchas las tenía. Y con la gran fuerça que puso y la qu'el Endriago traía, el spada caló, que le llegó a los sesos. Mas el Endriago, como le vido tan cerca, abraçóse con él, y con las sus muy fuertes y agudas uñas rompióle todas las armas de las spaldas, y la carne y los huessos fasta las entrañas; y como él estava afogado de la mucha sangre que bevía, y con el golpe de la spada que a los sesos le passó, y sobre todo la sentencia[59] que de Dios sobr'él era dada y no se podía revocar, no se podiendo ya tener, abrió los braços y cayó a la una parte como muerto sin ningún sentido. El cavallero, como assí lo vio, tiró por la spada y metiógela por la boca cuanto más pudo tantas vezes, que lo acabó de matar. Pero quiero que sepáis que antes qu'el alma le saliesse, salió por su boca el diablo, y fue por el aire con muy gran tronido[60], assí que los que estavan en el castillo lo oyeron como si cabe ellos fuera, de lo cual ovieron gran espanto, y conoçieron cómo el cavallero estava ya en la batalla. Y comoquiera que encerrados stuviessen en tan fuerte lugar y con tales aldabas[61] y candados, no fueron muy seguros

---

[58] Amadís podrá vencer al Endriago por medio de la gracia divina en su aventura más extraordinaria, con lo que nos hallamos muy lejos de las ayudas de Urganda en otras ocasiones. Cuando Esplandián ve la escultura del monstruo en las *Sergas,* cap. XLVIII, pág. 276, piensa que nadie puede superar a su padre, si bien «la diferencia que entre él y mí avrá, será que las fuerzas que Dios me diere serán empleadas contra los malos infieles, sus enemigos, lo que mi padre no fizo». A partir de estas premisas, lo extraordinario se explica por la ayuda de la divinidad.

[59] *sentencia:* sententia, Z // sentencia, RS // .

[60] *tronido:* estruendo, trueno.

[61] *aldabas:* travesaño para asegurar una puerta.

de sus vidas; y si no porque la mar todavía era muy brava, no osaran allí atender que a ella no se fueran. Pero tornáronse a Dios con muchas oraciones que de aquel peligro los sacasse, y guardasse aquel cavallero que por su servicio cosa tan estraña acometía.

Pues como el Endriago fue muerto, el cavallero se quitó afuera, y yéndose para Gandalín, que ya contra él venía, no se pudo tener, y cayó amorteçido cabe un arroyo de agua que por allí passava. Gandalín, como llegó y le vio tan espantables heridas, cuidó que era muerto, y dexándose caer del cavallo, començó a dar muy grandes bozes, messándose. Estonces el cavallero acordó ya cuanto[62], y díxole:

—¡Ay, mi buen hermano y verdadero amigo!, ya veis que yo soy muerto. Yo te ruego por la criança que de tu padre y madre huve, y por el gran amor que te siempre he tenido, que me seas bueno en la muerte como en la vida lo has sido; y como yo fuere muerto, tomes mi coraçón y lo lleves a mi señora Oriana. Y dile que pues siempre fue suyo, y lo tuvo en su poder desde aquel primero día que la yo vi[63], mientra en este cuitado cuerpo encerrado estuvo, y nunca un momento se enojó de la servir, que consigo la tenga en remembrança de aquel cuyo fue, ahunque como ajeno lo posseía, porque desta memoria allá donde mi ánima stuviere recibirá descanso.

Y no pudo más hablar. Gandalín, como assí lo vio, no curó de le responder; antes, cavalgó muy presto en su cavallo, y subiéndose en un otero, tocó la bozina lo más rezio que pudo en señal qu'el Endriago era muerto. Ardián el enano, que en la torre stava, oyólo, y dio muy grandes bozes al maestro Elisabad que acorriesse a su señor, qu'el Endriago era muerto; y él, como estava apercebido, cavalgó con todo el aparejo que menester era, y fue lo más presto que pudo por el derecho que el enano le señaló. Y no anduvo mucho que vio a Gandalín encima del otero, el cual, como el maestro vio, vino corriendo contra él y dixo:

—¡Ay, señor, por Dios y por merced acorred a mi señor, que mucho es menester, que el Endriago es muerto!

---

[62] *acordó ya cuanto:* volvió en sí algo.
[63] *vi:* vio, Z // vi, RS // .

El maestro, cuando esto oyó, uvo un gran plazer con aquellas buenas nuevas que Gandalín dezía, no sabiendo el daño
del cavallero, y aguijó cuanto más pudo, y Gandalín le guiava
fasta que llegaron donde el Cavallero de la Verde Espada estava. Y halláronlo muy desacordado sin ningún sentido y dando
muy grandes gemidos, y el maestro fue a él, y díxole:

—¿Qué es esto, señor cavallero? ¿Dónde es ido el vuestro
gran esfuerço a la ora y sazón que más menester lo avíades?
No temáis de morir, que aquí es vuestro buen amigo y leal servidor maestro Elisabad, que os socorrerá.

Cuando el Caballero de la Verde Espada oyó al maestro Elisabad, comoquiera que muy desacordado estuviesse, conoscio-
lo y abrió los ojos y quiso alçar la cabeça, mas no pudo, y levantó los braços como que le quisiesse abraçar. El maestro
Elisabad quitó luego su manto y tendiólo en el suelo, y tomáronlo él y Gandalín, y poniéndolo encima, le desarmaron lo
más quedo que pudieron. Y cuando el maestro le vido las llagas, ahunque él era uno de los mejores del mundo de aquel
menester y avía visto muchas y grandes heridas, mucho fue espantado y desafuziado[64] de su vida, mas como aquel que lo
amava y tenía por el mejor cavallero del mundo, pensó de poner todo su trabajo por le guarescer. Y catándole las heridas,
vio que todo el daño estava en la carne y en los huessos, y que
no le tocara en las entrañas. Tomó mayor esperança de lo sanar, y concertóle los huessos y las costillas, y cosióle la carne y
púsole tales melezinas, y ligóle tan bien todo el cuerpo alder[r]edor, que le fizo restañar la sangre y el aliento que por
allí salía[65]. Y luego le vino al cavallero mayor acuerdo y esfuerço, de guisa que pudo fablar, y abriendo los ojos dixo:

—¡O Señor Dios todopoderoso que por tu gran piedad qui-

---

64 *desafuziado:* desafusiado, Z // desafuziado, RS // . Equivale a sin esperanza.

65 De la misma manera que se ha mantenido la suspensión del sentido durante todo el relato, se puede detectar idéntico procedimiento en este mínimo
fragmento de su curación. En un principio, Elisabad concibe pocas esperanzas
de salvación, para cambiar de opinión rápidamente tras su examen. Por otra
parte, el «maestro» «vido», «católe», «vio». Son los «greedy eyes», de los que habla J. E. Gillet, *Torres Naharro and the Drama of the Renaissance*, vol. IV, Phila-
delphia, Un. of Pennsilvania Press, 1961, págs. 157 y ss.

siste venir en el mundo y tomaste carne humana en la Virgen María, y por abrir las puertas del Paraíso que cerradas las tenían quesiste sofrir muchas injurias, y al cabo muerte de aquella malvada y malaventurada gente!, pídote, Señor, como uno de los más pecadores, que ayas merced de mi ánima, que el cuerpo condenado es a la tierra.

Y callóse, que no dixo más. El maestro le dixo:

—Señor cavallero, mucho me plaze de os ver con tal conoscimiento, porque de Aquel que vos pedís merced os ha de venir la verdadera melezina, y después de mí como de su siervo, que porné mi vida puesta por la vuestra, y con su ayuda yo os daré guarido[66]. Y no temáis de morir esta vez, solamente que os esforcéis vuestro coraçón, que tenga esperança de bivir como la tiene de morir.

Entonces tomó una esponja confacionada[67] contra la ponçoña, y púsosela en las narizes, assí que le dio gran esfuerço. Gandalín le besava las manos al maestro, hincado de rodillas[68] ante él, rogándole que oviesse piedad de su señor. El maestro le mandó que cavalgando en su cavallo fuese presto al castillo y traxesse algunos hombres para que en andas llevassen al cavallero ante que la noche sobreviniesse. Gandalín así lo hizo, y venidos los hombres, hizieron unas andas de los árboles de aquella montaña como mejor pudieron. Y poniendo en ellas al Cavallero de la Verde Espada, en sus ombros al castillo lo levaron; y adereçando la mejor cámara que allí avía de ricos paños que Grasinda allí en la nave mandara poner, le pusieron en su lecho con tanto desacuerdo, que lo no sentía; y assí estuvo toda la noche, que nunca habló, dando grandes gemidos como aquél que bien llagado estava, y queriendo hablar, mas no podía.

---

[66] *daré guarido:* curaré. «En alguna tierra fallareys quien vos de sano», *Tristán de Leonís,* 390a.

[67] *confacionada:* confeccionada. «Tomó ponçoñas confacionadas e mesc.lólas», A. Martínez de Toledo, *Corbacho,* 151.

[68] *rodillas:* el sintagma habitual en la obra suele ser *hincado de inojos,* si bien el DME sólo documenta rodiella, la forma editada puede atestiguarse, por ejemplo, en el *Libro de Buen Amor,* 27c. «Por lo que dizen *inojos* o *hinojos,* yo digo *rodillas,* no embargante que se puede dezir el uno y el otro», Juan de Valdés, *Diálogo de la lengua,* pág 202.

El maestro mandó fazer allí su cama, y estovo con él por consolarle, poniéndole tales y tan convenientes[69] melezinas para le sacar aquella muy mala ponçoña que del Endriago cobrara, que al alva del día le hizo venir un muy sossegado sueño, tales y tan buenas cosas le puso. Y luego mandó quitar todos afuera porque lo no despertassen, porque sabía que aquel sueño le era mucha consolación[70]. Y a cabo de una gran pieça, el sueño rompido[71], començó a dar bozes con gran pressurança[72], diziendo:

—¡Gandalín, Gandalín, guárdate deste diablo tan cruel y malo, no te mate![73].

El maestro, que lo oyó, fue a él riendo de muy buen talante, mejor que en el coraçón lo tenía, temiendo todavía su vida, y dixo:

—Si así os guardárades vos como él, no sería vuestra fama tan divulgada por el mundo.

Él alçó la cabeça y vio al maestro, y díxole:

—Maestro, ¿dónde estamos?

Él se llegó a él, y tomóle por las manos, y vio que ahún desacordado estava, y mandó que le traxiessen de comer, y diole lo que vio que para le esforçar era necessario. Y él lo comió como hombre fuera de sentido. El maestro estuvo[74] con él poniéndole tales remedios, como aquel que era de aquel oficio el más natural[75] que en el mundo hallarse podría; y antes que ora de bísperas fuesse, le tornó en todo su acuerdo, de manera que a todos conocía y hablava. Y el maestro nunca dél se partió, curando dél y poniéndole tantas cosas necessarias a aquella enfermedad, que assí con ellas como principalmente con la voluntad de Dios, que lo quiso, vio conoscidamente en las llagas que lo podría sanar. Y luego lo dixo[76] a todos los que allí esta-

---

69  *convenientes:* connenientes, Z // convenientes, RS // .

70  *mucha consolación:* mucho consolacion, Z // mucha consolacion, RS // .

71  *rompido:* interrumpido, roto.

72  *pressurança:* aflicción, congoja.

73  Todos los elementos más fantásticos del episodio quedan enmarcados por estos detalles verosímiles, que ya habían aparecido también en el sueño previo a su entrada en la Peña Pobre en el capítulo XLVIII.

74  *estuvo:* estuve, Z // estuvo, RS // .

75  *natural:* excelente, perfecto.

76  *dixo:* dixd, Z // dixo, RS // .

van, que muy gran plazer ovieron, dando gracias aquel soberano Dios porque assí los avía librado de la tormenta de la mar y
del peligro de aquel diablo. Mas sobre todos era el alegría de
Gandalín, su leal escudero, y del enano, como aquellos que de
coraçón entrañable lo amavan, que tornaron de muerte a vida.
Y luego todos se pusieron alderredor, con mucho plazer, de la
cama del Cavallero de la Verde Espada consolándole, diziéndole que no tuviese en nada el mal que tenía, según la honra y
buena ventura que Dios le avía dado, la cual hasta entonces en
caso de armas y de esfuerço nunca diera a hombre terrenal que
igual le fuesse. Y rogaron muy ahincadamente a Gandalín les
quisiesse contar todo el hecho cómo avía passado, pues que
con sus ojos lo avía visto, porque supiessen dar cuenta de tan
gran proeza de cavallero. Y él les dixo que lo faría de muy
buena voluntad a condición que el maestro le tomasse juramento en los santos Evangelios, porque ellos lo creyessen y
con verdad lo pusiessen por escrito, y una cosa tan señalada y
de tan gran fecho no quedasse en olvido de la memoria de las
gentes[77]. El maestro Elisabad assí lo hizo, por ser más cierto
de tan gran hecho. Y Gandalín se lo contó todo enteramente
assí como la istoria lo ha contado, y cuando lo oyeron, espan-
távanse dello como de cosa de la mayor hazaña de que nunca
oyeran hablar. Y ahún ninguno dellos nunca viera el Endriago, que entre unas matas estava caído, y por socorrer al cavallero no pudieron entender en ál[78].

Entonces dixeron todos que querrían ver el Endriago. Y el
maestro les dixo que fuessen, y dioles muchas confeciones para
remediar la ponçoña. Y cuando vieron una cosa tan espantable
y tan dessemejada de todas las otras cosas bivas que fasta allí
ellos vieran, fueron mucho más maravillados que ante, y no
podían creer que en el mundo oviesse tan esforçado coraçón

---

[77] Similares técnicas podemos encontrar en los relatos artúricos. Por ejemplo
en el *Baladro del sabio Merlín* (B), 141a, «truxeron los sanctos evangelios, e juro
el rey Pelinor como los otros. Y el rey Artur le dixo que contasse como le aviniera en su demanda». La ficción se pretende hacer verídica mediante la Escritura Sagrada, convertida en el medio de atestiguar la verdad; y como coincide
con lo explicado por el autor, es también un recurso de éste para hacer el relato
veraz, o al menos creíble.

[78] *entender en ál*: preocuparse de otra cosa.

que tan gran diablura osasse acometer. Y ahunque cierto sabían que el Cavallero de la Verde Espada lo avía muerto, no les parescía sino que lo soñavan. Y desque una gran pieça lo miraron, tornáronse al castillo, y razonando unos con otros de tan gran hecho poder acabar aquel Cavallero de la Verde Espada. ¿Qué vos diré? Sabed que allí estuvieron más de xx días, que nunca el Cavallero de la Verde Espada uvo tanta mejoría que del lecho donde estava le osassen levantar. Pero como por Dios su salud permitida estuviesse, y la gran diligencia de aquel maestro Elisabad la acrescentasse, en este medio tiempo fue tan mejorado, que sin peligro alguno[79] pudiera entrar en la mar. Y como el maestro en tal dispusición[80] le viesse, habló con él un día y díxole:

—Mi señor, ya por la bondad de Dios, que lo ha querido, que otro no fuera poderoso, vos sois llegado a tal punto, que yo me atrevo con su ayuda y vuestro buen esfuerço de os meter en la mar, y que vais donde vos pluguiere. Y porque nos faltan algunas cosas muy necessarias, ansí[81] para lo que toca a vuestra salud como para sostenimiento de la gente, es menester que se dé orden para el remedio dello, porque mientra más aquí estuviéremos más cosas nos faltarán.

El Cavallero del Enano le dixo:

—Señor y verdadero amigo, muchas gracias y mercedes doy a Dios porque ansí me ha querido guardar de tal peligro, más por la su sancta piedad que por mis merescimientos; y al su gran poder no se puede comparar ninguna cosa, porque todo es permitido y guiado por su voluntad, y a Él se deven atribuir todas las buenas cosas que en este mundo passan. Y dexando lo suyo aparte a vos, mi señor, agradesco yo mi vida, que ciertamente yo creo que ninguno de los que oy son nascidos en el mundo no fuera bastante para me poner el remedio que vos me posistes. Y comoquiera que Dios me aya hecho tan gran merced, mi ventura me es muy contraria, que el galardón de tan gran beneficio como de vos he recebido no lo pueda sa-

---

[79] *alguno:* alguuo, Z // alguno, RS // .
[80] *dispusión:* disposición. La forma perdura hasta el siglo XVII.
[81] *ansí:* así. «Adonde vos escrivís *estonces,* y *assí,* y *desde,* otros esciven *entonces, ansí,* y *dende*», Juan de Valdés, *Diálogo de la lengua,* 179.

tisfazer sino como un cavallero pobre que otra cosa sino un cavallo y unas armas possee, assí rotas como las veis.

El maestro dixo:

—Señor, no es menester para mí otra satisfación sino la gloria que yo comigo tengo, que es aver escapado de muerte después de Dios el mejor cavallero que nunca armas traxo, y esto ósolo dezir delante por lo que delante mí avéis fecho. Y el galardón que yo de vos espero es muy mayor que el que ningún rey ni señor grande me podría dar, que es el socorro que en vos hallarán muchos y muchas cuitados que os avrán menester para su ayuda, a los cuales vos socorreréis, y será para mí mayor ganancia que otra ninguna seyendo causa, después de Dios, de su reparo.

El Cavallero de la Verde Espada uvo vergüença de que se oyó loar, y dixo:

—Mi señor, dexando esto en que hablamos, quiero que sepáis en lo que más mi voluntad se determina. Yo quisiera andar todas las ínsolas de Romanía, y por lo que me dexistes de la fatiga de los marineros mudé el propósito y bolvimos la vía de Constantinopla, la cual el tiempo tan contrario que vistes nos la quitó. Y pues que ya es abonado[82], todavía tengo desseo de a él tornar y ver aquel grande Emperador, porque, si Dios me tornare donde mi coraçón dessea, sepa contar algunas cosas estrañas que pocas vezes se pu[e]de ver sino en semejantes casas. Mi señor maestro, por el amor que me avéis, os ruego que en esto no rescibáis enojo, porque algún día será de mí galardonado; y de allí que nos tornemos, plaziendo al soberano Señor Dios, al plazo que aquella muy noble señora Grasinda me puso; porque me es fuerça de lo cumplir, como vos bien sabéis, para que, si ser pudiere, según el desseo tengo, le pueda servir algunas de las grandes mercedes que della, sin gelo merescer, tengo recebido.

---

[82] *abonado:* abonanzado, serenado.

## Capítulo LXXIV

*De cómo el Cavallero de la Verde Espada escrivió al Emperador de Constantinopla, cuya era aquella ínsola, cómo avía muerto aquella fiera bestia, y de la falta que tenía de bastimentos[1]; lo cual el Emperador proveyó con mucha diligencia, y al cavallero pagó con mucha honra y amor la honra y servicio que él avía hecho en le delibrar aquella ínsola que perdida tenía tanto tiempo avía.*

—Pues que ésta es vuestra voluntad, señor —dixo el maestro Elisabad—, menester es que escriváis al Emperador de cómo os ha acaescido, y traerán de allá algunas cosas que para el camino nos faltan[2].

—Maestro —dixó él—, yo nunca le vi ni conozco, y por esto lo remito todo a vos que fagáis lo que mejor os paresciere, y en esto recebiré de vos una señalada merced.

El maestro Elisabad, por le complazer, escrivió luego una carta haziendo saber al Emperador todo lo que al cavallero estraño llamado el de la Verde Espada acaesciera después que de Grasinda, su señora, se partió; y cómo aviendo hecho muy grandes cosas en armas por las ínsolas de Romanía, las que otro cavallero ninguno hazer pudiera, se ivan la vía de donde él estava; y cómo la gran tormenta de la mar los echara a la ínsola del Diablo, donde el Endriago era; y cómo aquel Cavallero de la Verde Espada, de su propria voluntad, contra el querer de todos ellos, lo avía buscado, y combatiéndose con él le matara. Y escriviéndole por estenso cómo la batalla passara, y las heridas con que el Cavallero de la Verde Espada escapó, assí que no faltó nada que saber no le hiziesse; y que, pues aquella ínsola era ya libre de aquel diablo y estava en su señorío, mandasse poner en ella remedio cómo se poblasse; y que el Cavallero de la Verde Espada le pedía por merced que la mandasse llamar la ínsola de Sancta María[3].

---

[1] *bastimentos:* provisiones para el sustento.

[2] La división de la aventura en diferentes capítulos se ha realizado sin tener en cuenta su unidad, puesto que el epígrafe llega a interrumpir la conversación.

[3] La nueva denominación de la isla solicitada por Amadís implica la antíte-

Esta carta, fecha como oís, diola a un escudero su pariente que allí consigo traía, y mandóle que en aquella fusta, tomando los marineros que eran menester, passasse en Constantinopla y la diesse al Emperador, y traxesse de allá las cosas que les faltavan para su provisión. El escudero se metió luego a la mar con su compaña, que ya el tiempo era muy endereçado, y al tercero día fue la fusta[4] llegada al puerto, y saliendo della al palacio del Emperador se fue; el cual halló con muchos hombres buenos[5], como tan gran señor lo devía estar, y hincados los inojos le dixo:

—Vuestro siervo el maestro Elisabad manda besar vuestros pies y vos embía esta carta con que recebiréis muy gran plazer.

El Emperador la tomó, y leyéndola vio aquello que dezía, de que muy espantado fue, y dixo a una boz alta, que todos lo oyeron:

—Cavalleros, unas nuevas me son venidas tan estrañas, que de otras tales nunca se oyó fablar.

Entonces se llegaron más a él Gastiles, su sobrino, hijo de su hermana la Duquesa de Gajaste, que era buen cavallero mancebo, y el conde Saluder, hermano de Grasinda, aquella que tanta honra al Cavallero de la Verde Espada hiziera, y otros muchos con ellos. El Emperador le[s] dixo:

—Sabed que el de la Verde Espada, de que grandes cosas de armas nos han dicho que ha fecho en las ínsolas de Romanía, se combatió con su propia voluntad con el Endriago y lo mató. Y si de tal cosa como ésta todo el mundo no se maravillasse, ¿qué podría venir que espanto no diesse?

Y mostróles la carta de Elisabad, y mandó al mensajero que de palabra les contasse cómo avía passado; el cual lo dixo ente-

---

sis perfecta de la situación anterior. Si el Endriago era producto del incesto, y representaba las fuerzas diabólicas, nada mejor que la Virgen María como antagonista de acuerdo con la tradición cristiana: vencedora del diablo, especialmente es virgen y madre perfecta. Desde el siglo IV cuando san Jerónimo escribió su tratado *De la perpetua virginidad de santa María*, «ésta fue desde entonces la doctrina indiscutida de la Iglesia de oriente y occidente», Hilda Graef, *María. La mariología y el culto mariano a través de la historia*, Barcelona, Herder, 1968, pág. 24.

[4] *fusta:* fuesta, Z // fusta, RS // .

[5] *hombres buenos:* hombres nobles.

ramente, como aquel por quien todo passara seyendo presente[6]. Entonces dixo Gastiles:

—Ciertamente, señor, cosa es ésta de gran milagro, que yo nunca oí dezir que persona mortal con el diablo se combatiesse, si no fuesse aquellos santos con sus armas spirituales[7], porque estos tales bien lo podrían hazer con sus sanctidades. Y pues tal hombre como éste es venido en vuestra tierra con gran desseo de os servir, sin razón sería no le hazer mucha honra.

—Sobrino —dixo él—, bien dezís; y aparejad vos y el conde Saluder algunas fustas y traédmelo, que como cosa que se nunca vio lo devemos mirar. Y llevad con vos maestros que me trayan pintado el Endriago así como es, porque le mandaré hazar de metal, y el cavallero que con él se combatió assí mesmo, de la grandeza y semejança que ambos fueron; y faré poner estas figuras en el mesmo lugar donde la batalla passó, y en una gran tabla de cobre escrivir cómo fue y el nombre de[l] cavallero[8]; y mandaré fazer allí un monasterio en que bivan frailes religiosos que tornen a reformar aquella ínsola en el servicio de Dios, que estava muy dañada la gente de aquella tierra con aquella visión mala de aquel enemigo[9].

---

[6] *seyendo presente:* estando presente. La presencia de un testigo, como he analizado en la Introducción, es uno de los medios tradicionales desde la antigüedad grecolatina para atestiguar la veracidad de los hechos. Según Fernán Pérez de Guzmán, *Generaciones y semblanzas,* para «las estorias se fazer bien o derechamente son neçesarias tres cosas [...] La segunda, que el [historiador] sea presente a los prinçipales e notables abtos de guerra e de paz», pág. 2.

[7] La lucha contra el dragón, bestia generalmente diabólica, se recrea con bastante asiduidad en las hagiografías desde unos transfondos folclóricos y literarios. Véase J. Le Goff, «Cultura eclesiástica y cultura folklórica en la Edad Media: San Marcelo de París y el dragón», en *Tiempo, trabajo...,* ed. cit., páginas 223-263. Para el episodio, véase J. K. Walsh, «The Chivalric Dragon: Hagiographic Parallels in Early Spanish Romances», *BHS,* LIV (1977), 189-198.

[8] La fama, la gloria de una victoria, se plasma también mediante estos recursos escultóricos, visibles posteriormente por los personajes de la obra, especialmente por Esplandián en las *Sergas.* Según Johan Huizinga, ob. cit., pág. 126, «era un uso antiguo erigir un pequeño monumento conmemorativo en el lugar donde se había sostenido un duelo famoso [...] El siglo xv seguía erigiendo semejantes monumentos conmemorativos en recuerdo de los duelos caballerescos famosos».

[9] En estas estructuras narrativas ya no sólo importa la victoria sobre el enemigo, sino las repercusiones espirituales, en aras al servicio de la divinidad,

1154

Mucho fueron todos ledos de aquello que el Emperador dezía, y mucho más que todos Gastiles y el Marqués, porque los mandava ir tal viaje donde podrían ver el Endriago y aquel que lo mató. Y faziendo endereçar las fustas, entraron en la mar y passaron en la ínsola de Santa María, que assí mandó el Emperador que de allí adelante nombrada fuesse. Y como el Cavallero de la Verde Espada supo su venida, mandó ataviar allí donde posava de lo mejor y más rico que en su fusta Grasinda mandara poner; y él era ya en tal disposición, que andava por la cámara algunas vezes. Y ellos llegaron al castillo ricamente vestidos y acompañados de hombres buenos, y el Cavallero de la Verde Espada salió a rescebirlos ya cuanto fuera de la cámara; y allí se fablaron con mucha cortesía, y fízolos sentar en los estrados que para ellos mandara fazer. Y ya sabía él por el maestro Elisabad cómo el Marqués era hermano de su señora Grasinda, y allí le gradesció mucho lo que su hermana avía por él hecho, las honras y las mercedes que della avía recebido, y cómo después de Dios ella le diera la vida dándole aquel maestro que le avía guarescido y librado de la muerte. Los griegos que allí venían miravan mucho[10] al Cavallero de la Verde Espada; y comoquiera que con la flaqueza mucho de su parescer avía perdido, dezían nunca aver visto cavallero más fermoso ni más gracioso en su fablar. Estando assí con mucho plazer, Gastiles le dixo:

—Buen señor, el Emperador mi tío os dessea ver, y por nos os ruega que a él vayáis porque os mande fazer aquella honra que él es obligado, según le servistes en le ganar esta ínsola que tenía perdida, y la que vos merescéis.

—Mi señor —dixo el Cavallero del Enano—, yo faré lo que el Emperador manda, que mi desseo es de le ver y servir cuanto puede alcançar un pobre cavallero estraño como lo yo soy.

—Pues veamos el Endriago —dixo Gastiles—, y verlo han los maestros que el Emperador embía para que figurado gelo lleven muy enteramente según su figura y parescer[11].

—————

tema recurrente en este episodio como analiza J. B. Avalle-Arce, *Amadís de Gaula...*, cap. VII.

[10] *mucho:* muchd, Z // mucho, RS // .

[11] Mientras que por medio de la escritura se puede vencer al tiempo, solamente puede reflejarse lo sucedido imaginativamente. Por el contrario, median-

El maestro le dixo:

—Señor, menester es que vais bien guarnescido[12] para la defensa de la ponçoña[13]; si no, podríades recebir gran peligro en vuestra vida.

Él le dixo:

—Buen amigo, vos lo avéis esso de remediar.

—Assí lo faré —dixo él.

Entonces les dio unas buxetas[14] que a las narizes pusiesen en tanto que lo mirassen; y luego cavalgaron, y Gandalín con ellos para gelo mostrar, y ívales contando lo que les acaesciera a su señor y a él en aquellos lugares por donde ivan, y de la manera que la batalla havía sido, y cómo a los gritos suyos, messándose por ver a su señor tan llegado[15] a la muerte, saliera aquel diablo, y de la forma que a ellos venía, y todo lo que le acaesciera, como oído avéis. En esto llegaron al arroyo donde su señor cayó amortescido, y de allí metiólos por entre las matas cabe las peñas, y fallaron el Endriago muerto, que muy gran espanto les puso, tanto, que no creían que en el mundo ni en el infierno oviesse bestia tan desemejada ni tan temerosa[16]. Y si fasta allí en mucho tenían lo que aquel cavallero avía fecho, en mucho más lo estimaron veyendo aquel diablo, que, ahunque sabían ser muerto, no lo osavan catar ni se llegar a

---

te la escultura, con un alarde de realismo intencional, se pretende fijar los cuerpos, los volúmenes. Además, no requiere conocimientos especiales para ser captada, y podrá conmover directamente a los espectadores. Por ejemplo, en las *Sergas,* cap. XLVII, pág. 272, «Gandalín, que los [las imágenes de Amadís y el Endriago] mirava, y la batalla por sus ojos vio, dezía que tan propiamente como en fecho passó, de aquella guisa estava figurado. Pero dígovos de Esplandián, y Norandel, y Lasindo, que de muy espantados en ver cosa tan esquiva, se santiguaron muchas vezes, no podiendo pensar que ningún esfuerço de hombre humano tan gran miedo pudiesse vencer». Además, de la misma manera que el testigo debe decir lo ocurrido, la representación escultórica debe, imaginariamente, reproducir la realidad.

[12] *vais bien guarnescido:* vayáis bien preparado, defendido.

[13] *ponçoña:* poncoña, Z // ponçoña, RS // .

[14] *buxetas:* cajas. «Hizo ungüente y púsole en una buxeta», *Tirante el Blanco,* IV, 23, 32. La hipérbole de todo el episodio origina estructuras peculiares. El Endriago sigue siendo peligroso incluso una vez muerto, por lo que indirectamente se ensalza la victoria de Amadís, en unas circunstancias diferentes de todas las anteriores.

[15] *llegado:* cercano.

[16] *temerosa:* que causa temor.

1156

él[17]. Y dizía Gastiles que tal esfuerço como osar acometer aquella bestia que se no devía tener en mucho, porque seyendo tan grande no se devía atribuir a ningún hombre mortal sino a Dios, que a Él, sin otro alguno, era devido. Los maestros lo miraron y midieron todo para le sacar propio como él era, y assí lo fizieron porque eran singulares en aquel[18] oficio a maravilla[19].

Entonces se bolvieron al castillo, y fallaron qu'el Cavallero del Enano los atendía a comer, y fueron allí servidos, según el lugar donde estavan, con mucho plazer y alegría. Todos assí folgaron en el castillo tres días mirando aquella tierra, que muy fermosa era, y la huerta y el pozo donde la malaventurada fija lançó a su madre; y el cuarto día entraron todos en la mar, assí que en poco espacio de tiempo fueron aportados en Costantinopla debaxo de los palacios del Emperador. La gente salió a las finiestras[20] por ver el Cavallero de la Verde Espada, que lo mucho desseavan ver. Y el Emperador les mandó llevar unas bestias en que cavalgassen. Aquella ora estava ya el Cavallero de la Verde Espada mucho más mejorado en su salud y fermosura, vestido de unos muy fermosos y ricos paños que el Rey de Boemia le fizo tomar cuando dél se partió, a su cuello echada aquella estraña y rica espada verde que él ganara por el sobrado amor que a su señora tenía; que en la ver y se le acordar del tiempo en que la ganó y el vicio en que entonces en Miraflores estava con aquella que él tanto amava y tan apartada de sí tenía muchas lágrimas derramava assí angustiosas como deleitosas[21], siguiendo el estilo de aquellos que de semejante passión y alegría son sojetos y atormentados[22].

---

[17] *sabían ser muerto, no lo osavan catar ni se llegar a él:* sabían que estaba muerto, no se atrevían a mirarlo ni a acercarse a él.

[18] *aquel:* aquell, Z // aquel, RS // .

[19] Los maestros son en su oficio extraordinariamente singulares, *eminentes,* según define la palabra Al. Palencia, 146d. El cultismo aparece en el *Libro de Alexandre* y en Berceo, si bien su empleo posterior no es muy abundante en la Edad Media. Véase J. J. de Bustos Tovar, *Contribución al estudio del cultismo léxico medieval,* Madrid, Anejos del BRAE, XXVIII, 1974.

[20] *finiestras:* finiesteas, Z // finiestras, RS // .

[21] *deleitosas:* deleytosos, Z // deleytosas, RS // .

[22] *sojetos y atormentados:* sujetos y atormentados. El autor recrea la mezcla paradójica de tristeza y alegría, caracterizadora de los amantes cortesanos.

Pues salidos de la mar, cavalgando en aquellos ricos y ataviados palafrenes que los traxeron, se fueron al Emperador, que ya contra ellos venía muy acompañado de grandes hombres y muy ricamente ataviados. Y apartándose todos, llegó el Cavallero de la Verde Espada, y quísose apear para le besar las manos. Mas el Emperador, cuando esto vio, no gelo consintió; antes, se fue para él y lo tovo abraçado, mostrándole muy gran amor[23], que assí lo tenía con él, y dixo:

—Por Dios, Cavallero de la Verde Espada, mi buen amigo, comoquiera que Dios me aya fecho tan grande hombre y venga del linaje de aquellos que este señorío tan grande tuvieron, más merescéis vos la honra que la yo merezco, que vos la ganastes por vuestro gran esfuerço, passando tan grandes peligros cual nunca otro passó, y yo tengo la que me[24] vino durmiendo y sin merescimiento mío[25].

El Cavallero del Enano le dixo:

—Señor, a las cosas que tienen medida puede hombre satisfazer, pero no a esta que por su gran virtud en tanto loor me ha puesto; y por esto, señor, quedará para que esta mi persona hasta la muerte le sirva en aquellas cosas que me mandare.

Assí fablando, se tornó el Emperador con él a sus palacios, y el de la Verde Espada iva mirando aquella gran ciudad y las cosas estrañas y maravillosas que en ella vía, y tantas gentes que lo salían a ver[26]. Y dava en su coraçón[27] con grande humildad muchas gracias a Dios porque en tal lugar le guiara donde tanta honra del mayor hombre de los christianos rece-

---

[23] El Emperador honra especialmente al caballero andante al salir a recibirlo y acogerlo, impidiéndole el besamanos de respeto y sumisión. Amadís es recibido como simple caballero con la mayor dignidad posible, símbolo de su encumbramiento.

[24] *me:* le, Z // me, RS // .

[25] En esta última parte de la obra se diferencia entre el esfuerzo, debido a las condiciones naturales de la persona, y el linaje, condición apriorística y ajena. Indirectamente se alaba la conducta del héroe que reúne en su persona ambas condiciones en sumo grado.

[26] El personaje ya no sólo es observado como en situaciones anteriores —véase nota 2 del cap. XXX— sino que también mira las cosas extraordinarias de Constantinopla. El espacio se ha urbanizado en esta parte última de la obra, oponiéndose la isla demoniaca a la ciudad cortesana.

[27] *coraçón:* coracon, Z // coraçon, RS // .

bía, y todo cuanto en las otras partes viera le parescía nada en comparación de aquello. Pero mucho más maravillado fue cuando entró en el gran palacio, que allí le paresció ser junta toda la riqueza del mundo. Avía allí un aposentamiento donde el Emperador mandava aposentar los grandes señores que a él venían, que era el más fermoso y deleitoso que en el mundo se podría fallar, así de ricas casas como de fuentes de aguas y árboles muy estraños; y allí mandó quedar al Cavallero de la Verde Espada, y al maestro Elisabad, que lo curasse, y a Gastiles y el marqués Saluder, que le fiziessen compañía; y dexándolo reposar, se fue con sus hombres buenos donde él posava. Toda la gente de la ciudad que vieran al Cavallero de la Verde Espada fablavan mucho en su gran fermosura y mucho más en el grande esfuerço suyo, que era mayor que de cavallero otro ninguno. Y si él se avía maravillado de ver tal ciudad como aquélla y tanto número de gente, mucho más lo eran ellos en le ver a él solo, assí que de todos era loado y honrado más que lo nunca fue rey ni grande ni cavallero que allí de otras tierras estrañas viniessen[28].

El Emperador dixo a su muger la Emperatriz:

—Señora, el Cavallero de la Verde Espada, aquel de que tantas cosas famosas hemos oído, está aquí; y assí por su gran valor como por el servicio que nos fizo en nos ganar aquella ínsola que tanto tiempo en poder de aquel malvado enemigo estava, y pues que tal cosa como ésta fizo, es razón de le fazer mucha honra. Por ende, mandad que vuestra casa sea muy bien adereçada, en tal forma y manera que donde él fuere pueda loarla con gran razón y fable en ella como yo os fablava de otras que en algunos lugares avía[29] visto. Y quiero que vea vuestras dueñas y donzellas con el atavío y aparejo que deven estar personas que a tan alta dueña como vos sois sirven.

Y visto todo lo que él dezía, dixo ella:

---

[28] La contraposición espacial entre lo poblado frente a lo despoblado, en este caso ciudad/isla, se potencia con otra serie, relacionada con el número de las personas. Frente a la soledad del caballero, la grandiosidad numérica de la ciudad. Dados los sistemas mentales de la Edad Media, el mayor número de personas implica un mayor honor y gloria, pero en este caso se concede a un caballero solitario, en contraste con otros reyes con sus posibles cortejos.

[29] *avía:* avian, Z // avia, RS // .

—En el nombre de Dios, que todo se fará como lo vos mandáis.

Otro día de mañana levantóse el Cavallero de la Verde Espada y vistióse de sus paños loçanos y fermosos, según él vestirlos solía, y el Marqués y Gastiles con él, y el maestro Elisabad; y fueron todos de consuno juntos a oír missa con el Enperador a su capilla, donde los atendía, y luego se fueron a ver a la Emperatriz. Pero antes que a ella llegassen, fallaron en comedio[30] muchas dueñas y donzellas muy ricamente ataviadas de ricos paños, que les fazían lugar por do passasen y buen recebimiento. La casa era tan rica y tan bien guarnida, que si la rica cámara defendida de la Ínsola Firme no, otra tal nunca el Cavallero de la Verde Espada viera; y los ojos le cansavan de mirar tantas mugeres y tan fermosas, y las otras cosas estrañas que vía[31]. Y llegando a la Emperatriz, que en su estrado estava, fincó los inojos ante ella con mucha humildad y dixo:

—Señora, mucho agradezco a Dios en me traer donde viesse a vos y a vuestra grande alteza, y el valor que sobre las otras señoras tiene que en el mundo son, y la vuestra casa acompañada y ornada de tantas dueñas y donzellas de tan gran guisa; y a vos, señora, gradezco mucho porque verme quesistes. A Él le plega por la su merced de me llegar a tiempo que algo destas grandes mercedes le pueda servir. Y si yo, señora, no acertare en aquellas cosas que la voluntad y lengua[32] dezir querrían, por ser este lenguaje estraño a mí, mándeme perdonar, que muy poco tiempo ha que del maestro Elisabad lo aprendí.

La Emperatriz le tomó por las manos y díxole que no estuviesse así de inojos, y fízole sentar cerca de sí; y estuvo con él fablando una gran pieça en aquellas cosas que tan alta señora

---

[30] *en comedio*: en el centro de un sitio o paraje. Ante el mayor emperador de los cristianos, el recibimiento debe ser singular, especialmente en el espacio correspondiente al mundo femenino.

[31] *vía*: veía. De nuevo la vista tiene un especial realce en el personaje con esta hipérbole del cansancio de los ojos. Nos encontramos ante un registro ligeramente diferente de los anteriores, pues los ojos ya no sirven exclusivamente para manifestar unos sentimientos internos a través de las lágrimas, sino que miran hasta producir cansancio. El verbo *cansar* durante la Edad Media no necesariamente es reflexivo. El único punto de referencia comparable corresponde a la Ínsula Firme.

[32] *y lengua*: y llengua, Z // y lengua, RS // .

con cavallero estraño que no conoscía devía hablar, y él respondiendo con tanto tiento y tanta gracia, que la Emperatriz, que muy cuerda era y lo mirava, dezía entre sí que no podía ser su esfuerço tan grande que a su mesura y discreción[33] sobrepujar pudiesse. El Emperador estava a esta sazón en su silla sentado, hablando y riendo con las dueñas y donzellas como aquel que haziéndoles muchas mercedes y dándoles grandes casamientos de todas muy amado era; y díxoles en una boz alta, que todas lo oyeron:

—Onradas dueñas y donzellas, vedes aquí el Cavallero de la Verde Espada, vuestro leal sirviente. Honralde y amalde[34], que así lo haze él a todas vosotras cuantas sois en el mundo; que, poniéndose a muy grandes peligros por vos hazer alcançar derecho, muchas vezes es llegado al punto de la muerte, según que dél he oído a aquellos que sus grandes cosas saben.

La Duquesa[35] madre de Gastiles dixo:

—Señor, Dios le honre y lo ame, y gradezca el amparamiento[35] que a nosotras faze.

El Emperador hizo levantar dos Infantas que eran hijas del rey Garandel, que era entonces rey de Ungría, y díxoles:

—Id por mi hija Leonorina, y no vengan con ella sino vos ambas.

Ellas así lo hizieron, y a poco rato vinieron con ella trayéndola entre sí por los braços. Y comoquiera que ella viniesse muy bien guarnida, todo parescía nada ante lo natural de la su gran hermosura[37]; que no avía hombre en el mundo que la viesse que se no maravillase y no alegrasse en la catar. Ella era niña que no passava de nueve años; y llegando donde su ma-

---

[33] *discreción:* discrecicion, Z // discrecion, RS // .

[34] *honralde y amalde:* honradle y amadle.

[35] *Duquesa:* duqueza, Z // duqueza, RS // .

[36] *gradezca el amparamiento:* agradezca el amparo. «Quando vinieron ante el gradescioles mucho lo que dixeran», *Baladro del sabio Merlín* (B), 15a.

[37] Se realza la belleza de Leonorina no sólo por la contraposición entre lo artificial, sino por su propia naturaleza. El contraste adquiere una mayor importancia por el contexto. Téngase en cuenta que nos encontramos ante la hija del Emperador de Constantinopla, por lo que los medios de embellecimiento, aderezos, pueden ser extraordinarios.

dre la Emperatriz estava, besóle las manos con humil[38] reverencia y sentóse en el estrado más baxo que ella estava. El Cavallero de la Verde Espada la mirava muy de grado, maravillándose mucho de su gran hermosura, que le parescía ser más hermosa de las que él visto avía por las partes donde andado avía. Y membróse aquella hora de la muy hermosa Oriana su señora, que más que a sí amava, y del tiempo en que la él començó amar, que sería de aquella edad, y de cómo el amor que entonces con ella pusiera siempre avía crescido y no menguado[39]; y ocurriéndole en la memoria los tiempos prósperos[40] que con ella oviera de muy grandes deleites, y los adversos de tantas cuitas y dolores de su coraçón como a su causa passado avía, assí que en este pensar estuvo gran pieça, y en cómo no esperava verla sin que gran tiempo passasse, tanto fue encendido en esta membrança, que como fuera de sentido le vinieron las lágrimas a los ojos, así que todos le vieron llorar, que por su gran bondad todos en él paravan mientes. Mas él, tornando en sí, aviendo gran vergüenza, alimpió los ojos y fizo buen semblante. Mas el Emperador, que más cerca estava, que assí lo vio llorar, atendió si vería alguna cosa que lo oviesse causado; mas no veyendo en él más señales dello, uvo gran desseo de saber cómo un cavallero tan esforçado, tan discreto, ante él y ante la Emperatriz y tantas otras gentes, avía mostrado tanta[41] flaqueza, que ahun a una muger en tal logar seyendo alegre, como lo él era, le fuera a mal tenido[42]; pero bien

---

[38] *humil:* forma arcaica de humilde. Según DCECH, la acentuación antigua era *humíl*, como en catalán y en lengua de Oc antigua, y no *húmil* como acentúa infundadamente la Academia. «*Húmil* por *humilde* se dize bien en verso, pero parecería muy mal en prosa», Juan de Valdés, *Diálogo de la lengua*, pág. 200.

[39] De acuerdo con las reglas del amor cortés de A. Capellanus, *De amore*, página 363, «IV. Se sabe que el amor siempre crece o disminuye». En el caso de Amadís, amante perfecto, su amor siempre irá en aumento.

[40] *ocurriendo en la memoria los tiempos prósperos:* viniéndole a la memoria los tiempos venturosos. «Finalmente me ocurre aquella gran crueldad de Phrates», *Celestina*, XX, 232-233.

[41] *tanta:* tanto, Z // tanta, RS // .

[42] *le fuera a mal tenido:* le hubiera sido considerado negativamente. El comportamiento de Amadís con su silencio amoroso y las lágrimas derramadas recoge una larga tradición que se plasmará en la poesía. Como dice Aurora Egido «La poética del silencio en el Siglo de Oro. Su pervivencia», *BHi*, LXXXVII (1986), 93-120, págs. 96-97, «la poesía trovadoresca cifró uno de sus motivos

creyó[43] que lo no haría sin algún gran misterio. Gastiles, que cabe él estava, dixo:

—¿Qué será que tal hombre como éste en tal parte assí llorasse?

—Yo no se lo preguntaría —dixo el Emperador—, mas creo que fuerça de amor gelo fizo fazer.

—Pues señor, si lo saber queréis, no ay quien lo sepa sino el maestro Elisabad, en quien mucho se fía, y habla mucho con él apartadamente.

Entonces lo mandó llamar y hízolo sentar ante sí; y mandando que todos se tirassen afuera, le dixo:

—Maestro, quiero que me digáis una verdad[44] si la sabéis; y yo vos prometo como quien soy que por ello a vos ni a otro alguno no verná daño.

El maestro le dixo:

—Señor, tal fiança tengo yo en la vuestra gran alteza y virtud que así lo hará y que siempre me hará merced, ahunque lo no merezca; y si la yo supiere, dezírvosla he de muy buena voluntad.

—¿Por qué lloró agora —dixo el Emperador— el Cavallero de la Verde Espada? Dezídmelo, que de lo ver estoy espantado, que si alguna necessidad tiene en que aya menester mi ayuda, yo gela haré tan entera de que él será bien contento.

Cuando esto [oyó] el maestro, dixo:

—Señor, esso no lo sabría dezir, porque es el hombre del mundo que mejor encubre aquello que él quiere que sabido no sea, porque es el más discreto cavallero que jamás vistes. Pero yo le veo muchas vezes llorar y cuidar tan fieramente, que no paresce aver en él sentido alguno, y sospira con tan gran ansia como si el coraçón en el cuerpo se le quebrasse. Y ciertamen-

---

fundamentales en la guarda del secreto, a través de ocultamientos, silencios y señales minuciosamente codificadas por las *Leys d'amors*. Era norma que también respetaron los poetas latinos de la Edad Media. Los cancioneros españoles recogieron ampliamente esta tradición, así como la proyección petrarquista del motivo. *El Cortesano* de Baltasar de Castiglione sistematizó también las normas del secreto amoroso que alcanzaron así rango de comportamiento social. Junto a ello, la retórica de las lágrimas, sustituto de la lengua y delatora de las causas del silencio, se mostró como uno de los motivos más ampliamente glosados por los poetas del Siglo de Oro».

[43] *creyó:* creyo yo, ZR // creyo, S // .

te, señor, en cuanto yo cuido, es gran fuerça de amor que le atormenta teniendo soledad de aquella que ama; que si otra dolencia fuesse, antes a mí que a otro ninguno soy cierto que se descubriría.

—Ciertamente —dixo el Emperador—, assí lo cuido yo como lo dezís; y si él ama alguna muger, a Dios pluguiesse que acertasse ser en mi señorío, que tanto aver y estado le daría yo, que no ay rey ni príncipe que no oviesse plazer de me dar su hija para él. Y esto faría yo muy de grado por le tener comigo por vasallo, que no le podría hazer tanto bien, que él más no me sirviesse, según su gran valor. Y mucho vos ruego, maestro, que punés[45] con él cómo quede comigo; y todo lo que demandare se le otorgará.

Y estovo una pieça cuidando, que no habló, y después dixo:

—Maestro id a la Emperatriz y dezilde en poridad[46] que ruegue al cavallero que quede comigo; y vos assí se lo consejad por mi amor, y en tanto guisaré yo una cosa que a la memoria me ocurrió.

El maestro se fue a la Emperatriz y al Cavallero del Enano; y el Emperador llamó a la hermosa Leonorina su hija y a las dos Infantas que la aguardavan, y habló con ellas una gran pieça muy ahincadamente[47], mas por ninguno era oído nada de lo que les dezía. Y Leonorina, aviendo él ya acabado su habla, besóle las manos y fuese con las Infantas a su cámara, y él quedó hablando con sus hombres buenos. Y la Emperatriz habló con el de la Verde Espada para que con el Emperador quedasse, y el maestro gelo rogava y consejava. Y comoquiera que aquél le sería el mejor partido y más honroso que turante[48] la vida del rey Perión su padre le podría venir, no lo pudo él acabar con su coraçón, que ningún descanso ni reposo fallava sino en pensar de ser tornado en aquella tierra donde la su muy amada señora Oriana era, assí que ruego ni consejo no le pudo atraer

---

[44] *verdad:* verdand, Z // verdad, RS // .

[45] *punés:* pones, Z // hagays, R // trabajeys, S // .

[46] *dezilde en poridad:* decidle en secreto. «Fuelo dezir al rey en poridad», *Demanda del Sancto Grial*, 233a.

[47] *una gran pieça muy ahincadamente:* un gran rato con mucho ahínco.

[48] *turante:* durante. «Turante esta porfía, la Fortuna...», A. Martínez de Toledo, *Corbacho*, 265.

ni retraer de aquel desseo que tenía. Y la Emperatriz fizo señas al Emperador que el cavallero no acetava su ruego. Él se levantó y fuese para ellos, y dixo:

—Cavallero de la Verde Espada, ¿podría ser por alguna guisa que quedássedes comigo? No ay cosa que para ello me fuesse demandada, si en mi poder fuesse, que la no otorgasse.

—Señor —dixo él—, tan grande es la vuestra virtud y grandeza, que no osaría yo ni sabría pedir tanta merced como por ella me sería otorgada, pero no es en mí tanto poder que mi coraçón lo pudiesse sufrir. Y señor, no me culpéis en que no cumplo vuestro mandado, que si lo fiziesse, no me dexaría la muerte mucho tiempo en vuestro servicio.

El Emperador creyó verdaderamente que su passión no la causava sino gran sobra[49] de amor, y assí lo pensaron todos. Pues a esta sazón entró en el palacio aquella hermosa Leonorina con el su jesto resplandesciente, que todas las hermosuras desatava[50], y las dos Infantas con ella. Y ella traía en su cabeça una muy rica corona y otra muy más rica en la mano, y fuese derechamente al Cavallero de la Verde Espada y díxole:

—Señor Cavallero de la Verde Espada, yo nunca fue llegada[51] a tiempo que pida don sino a mi padre, y agora quiérolo pedir a vos. Dezidme qué faréis.

Y él hincó los inojos ante ella, y dixo:

—Mi buena señora, ¿quién sería aquel de tan poco conoscimiento que dexasse de fazer vuestro mandado podiéndolo cumplir? Y mucho loco sería yo si vuestra voluntad no fiziesse; y agora, mi señora, demanda lo que más vos agradare, que hasta la muerte será cumplido[52].

—Mucho me hezistes alegre —dixo ella—, y mucho os lo gradezco, y quiérovos pedir tres dones.

---

[49] *sobra*: exceso. «E no queráys enojar a la Fortuna, que os es próspera, que grandes sobras le haríades», *Tirante el Blanco*, II, 180.

[50] *con su jesto resplandesciente, que todas las hermosuras desatava*: con su rostro resplandeciente, que anulaba todas las otras hermosuras.

[51] *fue llegada*: fui llegada.

[52] Cuando el hablante quiere poner de relieve, junto con la pertenencia del interlocutor a una clase social elevada, la sumisión cortés a éste, le dará el tratamiento de vos. Por ello es general en la novela el trato de vos a las damas, aunque éstas sean de corta edad, por los caballeros, incluidos los reyes. Domingo del Campo, 35.

Y tirándose la fermosa corona de la cabeça, dixo:

Éste[53] sea el uno, que deis esta corona a la más hermosa donzella que vos sabéis, y saludándola de mi parte le digáis que me embíe su mandado por carta o mensajero, y que le embío yo esta corona, que son las donas que en esta tierra tenemos, ahunque la no conozco.

Y luego tomó la otra corona, en que avía muchas perlas y piedras de muy gran valor, especialmente tres que alumbravan toda una cámara, por escura que estuviesse, y dándola al cavallero, dixo:

—Ésta daréis a la más fermosa dueña que vos sabéis. Y dezilde que gela embío yo por aver su conoscencia[54], y que le ruego yo mucho que se me haga conoscer por su mandado; éste es el otro don. Y antes que el tercero os demande, quiero saber qué faréis de las coronas.

—Lo que yo haré —dixo el cavallero— será cumplir luego el primero don y quitarme dél.

Entonces tomó la primera corona, y poniéndola en la cabeça della, dixo:

—Yo pongo esta corona en la cabeça de la más hermosa donzella que yo agora sé; y si oviere alguno que lo contrario dixere, yo se lo faré conoscer por armas[55].

Todos ovieron mucho plazer de lo que él fizo, y Leonorina no menos, aunque con vergüença estava de se ver loar; y dezían que con derecho se avía quitado del don. Y la Emperatriz dixo:

—Por cierto, Cavallero de la Verde Espada, antes querría yo por mí los que venciéssedes por armas que las que mi fija venciesse con su hermosura.

Él ovo vergüença de se oír loar de tan alta señora, y no respondiendo nada bolvióse a Leonorina, y dixo:

---

[53] *este:* esta, Z // este, RS // .

[54] *por aver su conoscencia:* por conocerla.

[55] En esta respuesta ingeniosa Amadís demuestra su cortesanía, entendida como conjunto de conocimientos propios de la corte, mucho más destacada que en los primeros libros, pero superpuesta también a su esfuerzo demostrado en la batalla contra el Endriago. Para un planteamiento general, véase José Antonio Maravall, «La "cortesía" como saber en la Edad Media», en *Estudios de Historia del pensamiento español*, ob. cit., págs. 273-286.

—Mi señora, ¿queréisme demandar el otro don?

—Sí —dixo ella—, y pídovos que me digáis la razón por que llorastes, y quién es aquella que ha tan gran señorío sobre vos y sobre vuestro coraçón.

Al cavallero se le mudó la color y el buen semblante en que antes era, assí que todos conoçieron que era turbado de aquella demanda[56], y dixo:

—Señora, si a vos pluguiere dexar esta demanda, y demandad otra que sea más vuestro servicio.

Y ella dixo:

—Esto es lo que yo demando, y más no quiero.

Él abaxó la cabeça y estuvo una pieça dudando, assí que muy grave pareçía a todos haverlo él de dezir. Y no tardó mucho que, alçando la cabeça con semblante alegre, miró a Leonorina, que delante dél estava, y dixo:

—Mi señora, pues por ál no me puedo quitar de mi promessa, digo que, cuando aquí primero entrastes y vos miré, acordéme de la edad y del tiempo en que agora sois, y vínome al coraçón una remembrança de otro tal tiempo, en que ya fue bueno y sabroso, tal, que haviéndole ya passado me hizo llorar como vistes.

Y ella dixo:

—Pues agora me dezid quién es aquella por quien se manda vuestro coraçón.

—La vuestra gran mesura —dixo él—, que a ninguno falleçió, es contra mí. Esto haze mi gran desdicha; y pues que más no puedo, conviene que contra mi plazer lo diga. Sabed, señora, que aquella que yo más amo es la misma a quien vos embiáis la corona, que al mi cuidar es la más hermosa dueña de cuantas yo vi, y ahún creo que de cuantas en [e]l mundo hay. Y por Dios, señora, no queráis de mí saber más, pues que soy quito de mi promessa.

—Quito sois —dixo el Emperador—, mas por tal guisa que no sabemos más que ante.

---

[56] *demanda:* petición. Al héroe se le planteaba un nuevo dilema. Si confiesa el nombre de su señora, quebranta una de las normas del código amoroso, el secreto de sus amores; en caso contrario, se comporta descortésmente por incumplir su palabra. Como en la ocasión precedente, sacará a relucir su ingenio.

—Pues a mí pareçe —dixo él— que dixe tanto cual nunca por mi boca salió jamás, y esto causó el desseo que yo tengo de servir a esta fermosa señora.

—Assí Dios me salve —dixo el Emperador—, mucho devéis ser guardado y cerrado en vuestros amores, pues esto tenéis en algo lo haver descubierto. Y pues que mi hija fue la causa dello, menester es que os demande perdón.

—Este yerro —dixo él— han hecho otros muchos, y nunca tanto supieron de mí; assí que, ahunque dellos fuesse yo quexoso, lo suyo desta tan fermosa señora tengo en merced, porque siendo ella tan alta y tan señalada en el mundo, quiso con tanto cuidado saber las cosas de un cavallero andante como lo yo soy[57]. Mas a vos, señor, no perdonaré yo tan ligero, que según la lengua y secreta fabla con ella antes ovistes bien pareçe que no por su voluntad, mas por la vuestra lo fizo.

El Emperador se rió mucho, y dixo:

—En todo os hizo Dios acabado. Sabed que assí es como dezís; por ende, yo quiero corregir lo suyo y lo mío.

El de la Verde Spada hincó los inojos por le besar las manos, mas él no quiso, y dixo:

—Señor, esta emienda recibo yo para la tomar cuando por ventura más sin cuidado della estuvierdes[58].

—Esso no podrá ser —dixo el Emperador—, que vuestra memoria nunca de mí falleçerá, ni la emienda de la mía cuando la quisierdes.

Estas palabras passaron entre aquel Emperador y el de la Verde Spada cuasi como un juego, mas tiempo vino qu'el efecto dellas salió en gran hecho, como en el cuarto libro desta historia será contado.

La fermosa Leonorina dixo:

—Señor Cavallero de la Verde Spada, comoquiera que de mí quexa no ayáis, no soy por ende quita de culpa en vos ahincar tanto contra vuestra voluntad; y en emienda dello quiero que ayáis este anillo.

---

[57] En estos últimos libros hay una mayor insistencia en la condición de caballero andante del personaje, en claro contraste con la situación social de los interlocutores, o de las personas sobre las que habla. De manera indirecta, se están destacando las virtudes del caballero inherentes a su persona.

[58] *sin cuidado della estuvierdes:* cuando estuviereis despreocupado de ella.

Él dixo:

—Señora, la mano que lo trae me havéis vos de dar que la bese como vuestro servidor, que el anillo no puede andar en otra donde quexoso de mí no fuesse.

—Todavía —dixo ella— quiero que sea vuestro, porque se os acuerde de aquel encubierto lazo que os armé[59], y cómo con tanta sotileza dél escapastes.

Estonces sacó el anillo y lançólo ant'el cavallero en el estrado, diziendo:

—Otro tal queda a mí en esta corona, que no sé si con razón me la distes.

—Grandes y buenos testigos —dixo él— son essos lindos ojos y fermosos cabellos, con todo lo ál que Dios por su especial gracia vos dio.

Y tomando el anillo vio que era el más fermoso y más estraño que él nunca viera, ni en el mundo havía sino la otra piedra que en la corona quedava. Y estándolo assí mirando el Cavallero de la Verde Spada, dixo el Emperador:

—Quiero que sepáis de dónde vino esta piedra. Ya vedes cómo la meitad della es el más fino y ardiente rubí que se nunca vio, y la otra media es rubí blanco, que por ventura nunca lo vistes, que mucho más fermoso es y más preciado que el bermejo, y el anillo de una esmeralda que a duro otra tal en gran parte se fallaría. Agora sabed que Apolidón, aquel que por el mundo tanto sonado es, fue mi abuelo; no sé si lo oístes assí.

—Esso sé yo bien —dixo el de la Verde Spada— porque siendo gran tiempo en la Gran Bretaña vi la Ínsola Firme que se llama, donde ay grandes maravillas que él dexó, la cual, según la memoria de las gentes, ganó mucho él a su honra; que llevando a hurto la hermana del Emperador de Roma aportó con gran tormenta a aquella ínsola, y, según la costumbre della, fuele forçado de se combatir con un gigante que a la sazón la señoreava; al cual con gran esfuerço matando, quedó él por señor en la ínsola, donde moró gran tiempo con su amiga Grimanesa. Y según las cosas allí dexó, más passaron de cient años que nunca allí aportó cavallero que de bondad de armas

[59] *lazo que os armé:* trampa que os tendí.

1169

le passasse. Y yo fue ya allí[60], y dígoos, señor, que pareçéis bien ser de aquel linaje según vuestra forma y la de las imágines suyas que so el arco de los leales amadores dexó, que no pareçen sino verdaderamente bivas.

—Mucho me hazéis ledo —dixo el Emperador— en me traer a la memoria las cosas de aquel que en su tiempo par de bondad no tuvo; y ruégovos que me digáis el nombre del cavallero que, mostrándose más valiente y fuerte en armas qu'él, que la Ínsola Firme ganó.

El cavallero dixo:

—Él ha nombre Amadís de Gaula, fijo del rey Perión, de quien tan grandes cosas y tan estrañas por todo el mundo se suenan, aquel que en la mar, en naçiendo, encerrado en una arca fue fallado. Y llamándose el Donzel del Mar, mató en batalla de uno por otro al fuerte rey Abiés de Irlanda, y luego fue conoçido de su padre y madre[61].

—Agora soy más alegre que antes, porque, según sus grandes nuevas, no tengo por mengua que de bondad passasse a mi abuelo, pues que la passa a todos cuantos hoy son naçidos. Y si yo creyesse que, siendo él fijo de tal Rey y tan gran señor, que se atreviera a salir tan lueñe de su tierra, ciertamente creería que érades [v]os; mas esto que digo me lo faze dudar, y también si lo fuéssedes, no me haríades tal desmesura en me lo no dezir.

Mucho fue afrontado con esta razón el de la Verde Spada, mas todavía[62] se quiso encubrir; y no respondiendo a esto nada, dixo:

—Señor, si a vuestra merced plazerá, diga cómo la piedra fue partida.

—Esso os diré —dixo él— de grado. Pues aquel Apolidón, mi abuelo que vos digo, seyendo señor deste imperio, embióle

---

[60] *fue ya allí:* ya estuve allí. Los sucesos de la Ínsola Firme se enlazan a través del anillo con los de la Corte de Constantinopla, proporcionando además un nuevo engarce con las aventuras de Esplandián.

[61] Al actuar Amadís como caballero desconocido, con el nombre de Caballero de la Verde Espada, puede contar acontecimientos de su propia vida sin aclarar su auténtica personalidad, como también había sucedido antes.

[62] *todavía:* en todo momento, a pesar de ello.

Felipanos, que a la sazón rey de Judea era, doze coronas muy ricas y de grandes precios; y ahunque en todas ellas venían grandes perlas y piedras preciosas, en aquella que a mi fija distes venía esta piedra que era toda una. Pues viendo Apolidón ser esta corona por causa de la piedra más hermosa, diola a Grimanesa mi abuela; y ella, porque Apolidón oviesse su parte, mandó a un maestro que la partiesse y fiziesse de la meitad esse anillo; y dándole Apolidón, quedóle la otra media en aquella corona como veis; assí que esse anillo por amor fue partido y por él fue dado. Y assí creo que de buen amor mi fija os le dio, y podrá ser que de otro muy mayor será por vos dado.

Y assí acaeçió adelante como lo el Emperador dixo, hasta que fue tornado a la mano de aquella donde salió por aquel que passando tres años sin verla muchas cosas en armas fizo y muy grandes cuitas y passiones por su amor sufrió, assí como en un ramo[63] que desta historia sale se recuenta, que *Las Sergas de Esplandián* se llama, que quiere tanto dezir como las proezas de Esplandián[64].

Assí como oídes, folgó el Cavallero de la Verde Spada seis días en casa del Emperador, siendo tan honrado dél, y de la Emperatriz y de aquella hermosa Leonorina, que más no podía ser. Y acordándosele lo que a Grasinda prometiera de ser con ella dentro de un año, y el plazo se acercava, habló con el Emperador, diziéndole cómo le convenía partir de allí; y luego que le pedía por merced se mandasse dél servir dondequiera que estuviesse, que no sería en parte con tanta honra ni plazer ni necessidad, que todo por le servir no le dexasse, y que si a su noticia dél viniesse haverle menester para su servicio, que no esperaría su mandado, que sin él tenía de allí acudir.

El Emperador le dixo:

---

[63] De la misma manera que en palabras metafóricas de la profecía la familia se dividía en ramos, analógicamente se aplica a los libros. Una rama de la familia, Esplandián, posibilita la continuación del ciclo, en un nuevo libro.

[64] Como explica R. Foulché-Delbosc, «Sergas», *R Hi,* XXIII (1910), 591-593, la palabra alude a un tapiz con la historia de un personaje, pero para la conciencia lingüística de Montalvo equivale a proezas, pasando quizás de la representación a los hechos representados.

—Mi buen amigo, esta ida tan breve no faréis a mi grado, si escusarse puede sin que vuestra palabra en falta sea.

—Señor —dixo él—, no se puede escusar sin que mi honra y verdad passen gran menoscabo, assí como el maestro Elisabad lo sabe, que tengo de ser a plazo cierto donde lo dexé prometido[65].

—Pues que assí es —dixo él—, ruégoos que folguéis aquí tres días.

Él dixo que lo faría pues que se lo mandava. A esta sazón estava delante la fermosa Leonorina, y tomándole del manto le dixo.

—Mi buen amigo, pues que a ruego de mi padre quedáis tres días, quiero yo que al mío quedéis dos, y éstos siendo mi huésped y de mis donzellas donde yo y ellas posamos, porque queremos fablar con [v]os sin que ninguno os empache[66] sino solamente dos cavalleros cual vos más pluguiere que os fagan compaña a vuestro comer y dormir. Y este don vos demando que le otorguéis[67] de grado; si no, faré que os prendan estas mis donzellas, y no havré[68] qué os gradezca.

Estonces le cercaron más de veinte donzellas muy fermosas y ricamente guarnidas, y Leonorina con gran risa y plazer dixo:

—Dexalde fasta ver lo que dirá.

Él fue muy ledo desto que aquella fermosa señora fazía, teniéndolo por la mayor honra que allí se le havía fecho, y díxole:

—Bienaventurada y fermosa señora, ¿quién sería osado de no otorgar lo que vuestra voluntad es, esperando, si lo no fiziesse, ser puesto en tan esquiva prisión?; y yo lo otorgo como lo mandáis, assí esto como todo lo otro que servicio de vuestro padre y madre y vuestro sea. Y a Dios plega por la su merced, mi buena señora, que las honras y mercedes que dellos y de

---

[65] La existencia del plazo de un año, prometido a Grasinda para su vuelta, posibilita la partida del héroe de la corte, como ya había sucedido en la aventura de Briolanja. Estos aplazamientos se convierten en tópicos en los libros de caballerías.

[66] *empache:* estorbe.

[67] *otorguéis:* otorguays, Z // otorgueys, RS // .

[68] *havrá:* havra, Z // avre, RS // .

[v]os recibo me llegue[n]⁶⁹ a tiempo que de mí y de mi linaje os sean gradeçidas y servidas⁷⁰.

Esto se cumplió muy enteramente, no por este Cavallero de la Verde Spada, mas por aquel su fijo Esplandián, que socorrió a este Emperador en tiempo y sazón que lo mucho havía menester, assí como Urganda la Desconoçida⁷¹ en el cuarto libro lo profetizó, lo cual se dirá adelante en su tiempo. Las donzellas le dixeron:

—Buen acuerdo tomastes; si no, no pudiérades escapar de mayor peligro que lo fue el del Endriago.

—Assí lo tengo yo, señoras —dixo él—, que mayor mal me podría venir enojando a los ángeles que al diablo, como lo él era⁷².

Gran plazer hovo destas razones que passaron el Emperador y la Emperatriz, y todos los hombres buenos que allí eran, y muy bien les pareçió las graciosas respuestas que el Cavallero de la Verde Spada dava a todo lo que le dezían; así que esto le[s] fazía creer, ahún más que el su gran esfuerço, ser él hombre de alto lugar, porque el esfuerço y valentía muchas vezes acierta en las personas de baxa suerte y gruesso juizio⁷³, y pocas, la honesta mesura y polida criança⁷⁴, porque esto es devido aquellos que de limpia y generosa sangre vienen⁷⁵. No afirmo que lo alcançan todos, mas digo que lo devrían alcançar

---

⁶⁹ *llegue[n]:* llegue, ZRS // lleguen, Place // .

⁷⁰ *gradeçidas y servidas:* agradecidas y recompensadas. A través de las palabras del héroe se motiva la posterior presencia de Esplandián. Todo el fragmento está redactado en clara conexión con las *Sergas*.

⁷¹ *Desconoçida:* desconoçido, Z // desconosçida, RS // .

⁷² En contraposición con el episodio anterior del Endriago, todo es extraordinario en gentileza y hermosura. La antítesis retórica entre los ángeles y el diablo se debe a una hipérbole cortés de Amadís, pero nos muestra a un nivel lingüístico el contraste narrativo.

⁷³ *baxa suerte y gruesso juizio:* bajo linaje y juicio vulgar. «Non me parece que es hijo de algún onbre de baxa suerte, ante me parece que es onbre de muy alto linaje», *Enrique fi de Oliva*, pág. 47.

⁷⁴ *honesta mesura y polida criança:* honesto comedimiento y primorosa crianza, educación.

⁷⁵ *limpia y generosa sangre:* limpia, no contaminada, y noble sangre. «Fazía clara e limpia su sangre», *Crónica de don Álvaro de Luna*, 44, 6. «La mi generosa sangre y viejas canas de mi padre aviltava», Juan de Flores, *Triunfo de amor,* 92-93.

como cosa a que tan tenudos[76] y obligados son, como este Cavallero de la Verde Spada lo tenía; que poniendo a la braveza del su fuerte coraçón una orla de gran sofrimiento y contratación amorosa[77], defendía que la sobervia y la ira lugar no fallassen por donde su alta virtud dañar pudiessen[78].

Pues allí folgó el de la Verde Spada tres días con el Emperador, faziendo que Gastiles su sobrino y el marqués Saluder le traxessen por aquella ciudad y le mostrassen las cosas estrañas que en ella havía, como cabeça y más principal cosa que era de toda la christiandad[79]; y después en el palacio siendo todo lo más del tiempo en la cámara de la Emperatriz fablando con ella y con otras grandes señoras de que muy aguardada y acompañada era. Y luego se passó al aposentamiento de la fermosa Leonorina, donde falló muchas fijas de reyes y duques y condes y otros hombres grandes, con las cuales passó la más honrada y graciosa vida que fuera de la presencia de Oriana, su señora, en otro ningún lugar tuvo, preguntándole ellas con mucha afición que les dixesse las maravillas de la Ínsola Firme, pues que en ella había estado, specialmente lo del arco de los leales amadores y de la cámara defendida, y quién y cuántos pudieron ver las fermosas imágines de Apolidón y Grimanesa; as, mesmo que les dixesse la manera de las dueñas y donzellas

---

[76] *tenudos:* obligados. «El Rey e el reyno le devía ser mucho tenudo», *Crónica de don Álvaro de Luna,* 46, 17.

[77] *contratación amorosa:* trato amoroso. Como escribió Guillaume de Lorris, *Le roman de la rose. El libro de la rosa,* introducción, trad. y notas de Carlos Alvar, Barcelona, El Festín de Esopo, 1985, «Amor es el portaestandarte de Cortesía y lleva su bandera, y es de tan buenos modales, tan dulce, tan franco y tan gentil que quien entra a su servicio dispuesto a honrarlo pierde toda villanía, toda maldad y cualquier mala enseñanza», vv. 1963-1971, págs. 144-145. En definitiva, el amor ennoblece al enamorado, concepto clave en el amor cortés, en esta ocasión utilizado para su propio provecho por el autor.

[78] Se produce un cambio en las virtudes destacadas del héroe, pues el autor ahora insiste mucho más en su capacidad para dominar sus pasiones. Obsérvese de nuevo la semilidicadencia entre *fallasen* y *pudiessen.*

[79] Como dice Luciana Stegagno Picchio, «Fortuna ibérica...», págs. 115-116, «esauritu i toni polemici, per gli autori di romanzi di cavalleria iberici, Costantinopoli è ormai solo un mito: un mito accanto al qual è purttroppo inutile misurarsi e di cui, sfumando nell'indeterminatezza le premesse reali, ogni narratore può ricostruire liberamente la fisionomia ancorandola a pochi elementi attinti della storia ma che la letteratura ha ormai cristallizato in atributi supertemporali».

de casa del rey Lisuarte y cómo se llamavan las más fermosas. Él repondióles a todo con mucha discreción y humildad lo que dello sabía como aquel que tantas vezes lo viera y tratara, como la historia lo ha contado.

Y assí acaeçió que, mirando él la gran y sobrada fermosura de aquella Infanta y de sus donzellas, començó a pensar en su señora Oriana, creyendo que si allí ella estuviesse, que toda la beldad del mundo sería junta. Y ocurri[énd]ole en la memoria tenerla tan apartada y alongada de sí, sin ninguna esperança de la poder ver, fue puesto en tan gran desmayo, que cuasi fuera de sentido estava; assí que aquellas señoras conoçieron cómo nada de lo que le fablavan por él era oído. Y assí stovo por una gran pieça, fasta que la reina Menoresa, que era señora de la gran ínsola llamada Gabasta, la más fermosa mujer de toda Grecia después de Leonorina, le tomó por la mano, y le fizo recordar de aquel gran pensamiento tirándolo a sí[80]; del cual se partió gimiendo y sospirando como hombre que gran cuita sentía. Mas de que en su acuerdo fue, huvo gran vergüenza, que bien conoçió que de todas ellas le havía de ser reutado[81], y dixo:

—Señoras, no tengáis por straño ni por maravilla a quien vee vuestras grandes fermosuras y gracias que Dios en vos puso de se membrar de algún bien, si lo ya vio y passó con grandes honras y plazeres, y sin mereçimiento lo perder en tal guisa, que no sé tiempo en que cobrarlo pueda por afán ni por tra[ba]jo que yo pueda haver[82].

Esto les dezía él con aquella tristeza qu'el su atormentado

---

[80] *recordar de aquel gran pensamiento tirándolo a sí*: volver en sí de aquel gran pensamiento tirándole hacia sí.

[81] *reutado*: reprendido. «No sé con quáles palabras comience a reutar, Amor, tus culpas», Juan de Flores, *Triunfo de amor*, 92, 2.

[82] *por afán ni por tra[ba]jo que yo pueda haver*: por esfuerzo ni por trabajo que pueda realizar. El funcionamiento del recuerdo, en nuestra obra, puede relacionarse con algunas características del pensamiento mágico, o del simbólico, o del lenguaje. Metáfora y metonimia, semejanza y contigüidad adquieren una importancia decisiva. La rememoración nace en la mayoría de las ocasiones bien por un objeto, acción, que ha estado en contacto con la persona recordada. v. gr. la cera, el escudo, las armas, el paisaje. En otros casos, como el que nos ocupa, la semejanza entre personajes provoca la asociación de imágenes.

coraçón a su semblante embiava; assí que aquellas señoras fueron a gran priedad dél movidas. Mas él, con gran fuerça retrayendo las lágrimas que del coraçón a los ojos le venían, punó de tornar a sí y a ellas a la perdida alegría. En estas cosas y otras semejantes passó allí el Cavallero de la Verde Spada el tiempo prometido, y queriéndose ya despedir, aquellas señoras le davan joyas muy ricas. Pero él ninguna quiso tomar sino tan solamente seis spadas que la reina Menoresa le dio, que eran de las fermosas y bien guarnidas que en el mundo se podían fallar, diziéndole que no gelas dava sino porque, cuando las diesse a sus amigos, se membrase della y de aquellas señoras que tanto le amavan. La fermosa Leonorina le dixo:

—Señor Cavallero del Enano, pídoos yo por cortesía que, si ser pudiere, cedo nos vengáis a ver y estar con mi padre, que os mucho ama. Y sé yo que le faréis mucho plazer y a todos los altos hombres de su corte, y a nosotras mucho más, porque seremos so vuestro amparo y defensa si alguno nos enojare. Y si esto ser no puede, ruégoos yo, con todas estas señoras, que nos embiéis un cavallero de vuestro linaje, cual entendierdes que será para nos servir do menester nos fuere, y con quien en remembrança vuestra hablemos y perdamos algo de la soledad en que vuestra partida nos dexa: que bien creemos, según lo que en vos pareçe, que los havrá tales, que sin mucha vergüença vos podrán escusar.

—Señora —dixo él—, esso se puede con gran verdad dezir, que en mi linaje ay tales cavalleros, que ante la su bondad la mía en tanto como nada se ternía; y entre ellos ay uno que fío yo por la merced de Dios, si él a vuestro servicio venir puede, que aquellas grandes honras y mercedes que yo de vuestro padre y de vos he recebido, sin jelo mereçer, las satisfará con tales servicios que, dondequiera que yo esté, pueda creer ser ya fuera desta tan gran deuda.

Esto dezía él por su hermano don Galaor, que pensava de le fazer venir allí donde tanta honra le sería, y también serían sus grandes bondades tenidas en aquel grado que devían ser. Mas esto no se cumplió assí como el Cavallero de la Verde Spada lo pensava; antes, en su lugar de don Galaor su hermano, vino allí otro cavallero de su linaje en tal punto y sazón, que fizo aquella hermosa señora sofrir tantas cuitas y tanto afán, que a

duro contarse podría; porque él passó assí por la mar como
por la tierra las aventuras estrañas y peligrosas, cual nunca
otro en su tiempo ni después mucha sazón se supo que igual le
fuesse, assí como en un ramo que destos libros sale llamado
*Las Sergas de Esplandián,* como ya se os ha dicho, se recontará[83]. Pues aquella señora Leonorina con mucha afición le rogando que él, o aquel cavallero que él dezía, les embiasse, y él assí
gelo prometiendo, dándole licencia, subieron todas a las fenestras[84] del palacio, donde, fasta le perder de vista por la mar
donde en su galea iva, no se quitaron.

Ya se os á contado ante cómo el Patín embió a Salustanquidio, su primo, con gran compaña de cavalleros, y la reina Sardamira con muchas dueñas y donzellas, al rey Lisuarte a le demandar a su fija Oriana para casar con ella[85]. Agora sabed que
estos mensajeros, por doquiera que ivan, davan cartas del Emperador a los príncipes y grandes que por el camino fallavan,
en que les rogava que honrassen y sirviessen a la emperatriz
Oriana, hija del rey Lisuarte, que ya por su muger tenía. Ahunque ellos por sus palabras mostrassen buena voluntad a lo fa-

---

[83]  Si este episodio de Constantinopla es episódico en nuestra obra, en las *Sergas* el «topos» se convertirá en estructura narrativa, al ser el Emperador ayudado en la defensa contra el turco por un caballero andante, que heredará el trono al casarse con su hija y heredera. Véase L. Stegagno Picchio, art. cit., páginas 102-103. El tema aparte del antecedente del *Tirant,* en la península se desarrolla en la *Historia de Enrrique fi de Oliva,* y si bien su edición corresponde a 1498, era bien conocido en el siglo XIV. Véase José Fradejas, «Algunas notas sobre "Enrique fi de Oliva" novela del siglo XIV», en *Actas del I Simposio de Literatura Española,* Salamanca, Ed. Universidad de Salamanca, 1981, págs. 309-360.

[84]  *fenestras:* finiestras, en R y en S. Sin embargo, Juan de Valdés, *Diálogo de la lengua,* pág. 201, señalaba: «*Hiniestra* por *fenestra* o *ventana* nunca lo vi, sino en Librixa». Cuando don Quijote remedaba el hablar de los libros de caballerías utilizaba esta forma: «se parará a las fenestras de su real palacio», I, XXI, pág. 255. Por otra parte, en las críticas de Juan de Valdés hacia el *Amadís* anotadas en el primer capítulo de la obra subyace también su enfrentamiento contra Nebrija, evidente en el texto citado. Véase Eugenio Asensio, «Juan de Valdés contra Delicado. Fondo de una polémica», en *Studia Philologica. Homenaje ofrecido a Dámaso Alonso,* I, Madrid, Gredos, 1960, 101-113.

[85]  Se produce un entrelazamiento de historias de contraposición temática, pues mientras se está encumbrando al héroe en su fama individual, peligran sus relaciones amorosas, sin que el personaje sea consciente de ello, a diferencia de los lectores-oyentes, que conocemos todas las acciones.

zer, entre sí rogavan a Dios que tan buena señora, fija de tal Rey, no la llegasse a hombre tan despreciado y desamado de todas las gentes que le conoçían; lo cual era con mucha razón, porque su desmesura y sobervia era tan demasiada, que a ninguno, por grande que fuesse, de los de su señorío y de los otros que él sojuzgar podía no fazía honra; antes, los despreciava y abiltava, como si con aquello creyesse ser su estado más seguro y creçido[86].

¡O loco el tan pensamiento, creer ningún príncipe que seyendo por sus mereçimientos desamado de los suyos, que pueda ser amado de Dios! Pues si de Dios es desamado, ¿qué puede esperar en este mundo y en el otro? Por cierto, no ál, salvo en el uno y en el otro ser desonrado y destruido, y su ánima en los infiernos perpetuamente.

Pues estos embaxadores llegaron a un puerto descontra la Gran Bretaña que llaman Çamando, y allí aguardaron fasta fallar barcas en que passassen, y en tanto fizieron saber al rey Lisuarte cómo ellos ivan a él con mandado del Emperador su señor, con que mucho le plazería.

---

[86] El comportamiento de los romanos se contrapone al del Emperador de Constantinopla, que llega a honrar de forma extraordinaria a un caballero desconocido, mientras que el Emperador romano deshonra a personas de mayor categoría estamental. Este desequilibrio manifiesta la disparidad de comportamientos, en los que implícitamente hay un contraste entre ambos imperios y personajes.

## Capítulo LXXV

*De cómo el Cavallero de la Verde Spada se partió de Constantinopla para cumplir la promessa por él fecha a la muy fermosa[1] Grasinda; y cómo, estando determinado de partir con esta señora a la Gran Bretaña por complir su mandado, acaeçió andando a caça que halló a don Bruneo de Bonamar malamente ferido; y también cuenta la aventura con que Angriote d'Estraváus se topó con ellos, y se vinieron juntos a casa de la fermosa Grasinda.*

Partido el Cavallero de la Verde Spada del puerto de Constantinopla, el tiempo le fizo bueno y endereçado para su viaje, el cual era pensar ir a aquella tierra donde su señora Oriana era. Esto le fazía ser muy ledo, ahunque en aquella sazón fuesse tan cuitado y tan atormentado por ella como nunca tanto lo fue, porque él morara tres años en Alemaña y dos en Romanía y en Grecia, que en este medio tiempo nunca della no solamente no haver havido su mandado, mas ni saber nuevas algunas[2]. Pues tan bien le avino que a los veinte días fue aportado en aquella villa donde Grasinda era. Y cuando ella lo supo, fue muy leda, que ya sabía cómo el Endriago matara, y los fuertes gigantes que en las ínsolas de Romanía havía vencido y muerto. Y ella se adereçó lo mejor que pudo, como rica y gran señora que era, para lo recebir, y mandó que levassen cavallos para él y para el ma[e]stro Elisabad en que de la galea saliessen. Y el de la Verde Spada se vistió de ricos paños, y en un cavallo fermoso y el maestro en un palafrén se fueron a la villa, donde haviendo ya sabido sus strañas y famosas cosas, como por maravilla era mirado y honr[a]do de todos, y assí mesmo al maes-

---

[1] *fermosa:* fermasa, Z // fermosa, R // hermosa, S // .

[2] *ni saber nuevas algunas:* sin conocer ninguna noticia. El autor desde el comienzo del capítulo intenta recapitular unos datos cronológicos, pero cae en algunas contradiciones con otros anteriores. Por ejemplo, en el capítulo LXX había fijado en cuatro años la duración de la estancia de Amadís en Alemania. Se intenta crear una sensación de paso de tiempo, pero todavía los datos carecen de precisión.

tro, que muy emparentado[3] y muy rico en aquella tierra era. Grasinda le salió a recebir al corral[4] con todas sus dueñas y donzellas. Y él, descavalgando, se le humilló mucho y ella a él, como aquellos que de buen amor se amavan. Y Grasinda le dixo:

—Señor Cavallero de la Verde Spada, en todas las cosas os hizo Dios complido, que haviendo passado tantos peligros, tantas estrañas cosas, la vuestra buena ventura, que lo quiso, os traxo a complir y quitar la palabra que me dexastes, que de hoy en cinco días es la fin del año por vos prometido; y a Él plega de os poner en coraçón que tan enteramente me cumpláis el otro don que ahún por demandar está.

—Señora —dixo él—, nunca yo, si Dios quisiere, faltaré lo que por mí fuere prometido, specialmente a tan buena señora como vos sois, que tanto bien me fizo, que si en vuestro servicio la vida pusiere, no se me deve gradeçer, pues que por vuestra causa dándome al maestro Elisabad la tengo.

—Bien empleado sea el servicio —dixo ella—, pues tan bien gradeçido es. Y agora os id a comer, que no puedo yo por voluntad pedir tanto que vuestro gran esfuerço no cumpla más.

Estonces lo levaron al corral de los hermosos árboles, donde ya de la ferida le havían curado, como se os contó. Y allí fue servido él, y el maestro Elisabad, como en casa de señora que tanto los amava; y en una cámara que con aquel corral se contenía alvergó el Cavallero de la Verde Spada aquella noche. Y antes que durmiesse fabló muy gran pieça con Gandalín, diziéndole cómo iva ledo en su coraçón por ir contra la parte donde su señora era, si el don de aquella dueña no le storvasse. Gandalín le dixo:

—Señor, tomad el alegría cuando viniere, y lo ál remitid a Dios Nuestro Señor, que puede ser qu'el don de la dueña será en ayudar acreçentar vuestro plazer.

Assí durmió aquella noche con algo más de sosiego, y a la mañana se levantó y fue a oír missa con Grasinda en su capi-

---

[3] *emparentado:* tenía parientes ilustres y de calidad notoria *(Autoridades).*
[4] *corral:* patio. «E quando llegaron al corral mayor, los del castillo los recibieron muy bien», *Demanda del Sancto Grial,* 267a.

lla, que con sus dueñas y donzellas lo atendía. Y desque fue dicha, mandando a todos apartar, tomándole por la mano, en un poyo que allí estava con él se assentó; y razonando[5] con él dixo:

—Cavallero de la Verde Spada, sabréis cómo un año antes que aquí vos veniéssedes, todas las dueñas que stremadamente sobre las otras fermosas eran se juntaron en unas bodas que el Duque de Vaselia fazía, a las cuales bodas fue yo[6] en guarda del marqués Saluder, mi hermano que vos conoçéis. Y estando todas juntas, y yo con ellas, entraron aí todos los altos hombres que a aquellas fiestas vinieron; y el Marqués mi hermano, no sé si por afición o por locura, dixo en boz alta, que todos lo oyeron, que tan grande era mi hermosura, que vencía a todas las dueñas que allí eran, y si alguno lo contrario dixiesse, que él por armas jelo faría dezir. Y no sé si por su esfuerço dél, o porque assí a los otros como a él pareçi[e]sse[7], basta que no respondiendo ninguno yo quedé y fue juzgada por la más fermosa dueña de todas las fermosas de Romanía, que es tan grande como lo vos sabéis; assí que con esto siempre mi coraçón es muy ledo y muy loçano. Y mucho más lo sería y en muy mayor alteza si por vos pudiesse alcançar lo que tanto mi coraçón dessea; y no dudaría trabajo de mi persona, ni gasto de mi estado, por grande que fuesse.

—Mi señora —dixo él— demandad lo que más os plazerá, y sea cosa que yo cumplir pueda, porque sin duda se porná luego en esecución[8].

—Mi señor —dixo ella—, pues lo que yo os pido por merced es que, seyendo sabidora de cierto haver en la casa del rey Lisuarte, Señor de la Gran Bretaña, las más hermosas mujeres de todo el mundo, me levéis[9] allí, y por armas, si por otra gui-

---

[5] *razonando:* rozonando, Z // razonando, RS // .

[6] *fue yo:* fui yo. La estructura narrativa difiere de otras anteriores al tener el hermano por valedor. Debe tenerse en cuenta que Grasinda es viuda y además está enamorada de Amadís, para posteriormente contraer matrimonio con don Cuadragante.

[7] *pareçi[e]sse:* pareçisse, Z // pareciesse, R // paresciesse, S // .

[8] *porná luego en esecución:* se realizará inmediatamente, pondrá en ejecución. «Nin las cartas avían vigor nin esecución sin voluntad del condestable», Fernán Pérez de Guzmán, *Generaciones y semblanzas*, pág. 40.

[9] *levéis:* levays, Z // lleveys, R // lleves, S // .

1181

sa ser no puede, me fagáis ganar aquella gran gloria de hermosura sobre todas las donzellas que allí oviere que aquí en estas
partes gané sobre las dueñas, como os ya dixe, diziendo que en
su corte no ay ninguna donzella tan fermosa como lo es una
dueña que [v]os levades[10]. Y si alguno lo contradixere, gelo fagáis conoçer por fuerça de armas; y yo levaré una rica corona
que por mi parte pongáis, y assí ponga otra el cavallero que
con vos se oviere de combatir, para que el vencedor en señal
de tener la más fermosa de su parte las lieve ambas. Y si Dios
con honra nos fiziere partir de allí, levarme hedes[11] a una que
llaman la Ínsola Firme, donde me dizen que ay una cámara encantada en que ninguna mujer, dueña ni donzella, entrar puede
sino aquella que de fermosura passare a la muy fermosa Grimanesa, que en su tiempo par no tuvo. Y éste es el don que
vos yo demando.

Cuando esto fue oído por el Cavallero de la Verde Spada,
fue todo demudado, y dixo con semblante muy triste:

—¡Ay, señora, muerto me havéis!; y si gran bien me fezistes, en creçido mal me lo havéis tornado.

Y fue assí tollido[12], que ningún sentido le quedó. Esto fue
cuidando que, si con tal razón a la corte del rey Lisuarte fuesse, era perdido con su señora Oriana, que más que a la muerte
la temía; y sabía bien que en la corte havía muy buenos cavalleros que por ella tomarían la empresa, que teniendo el derecho y la razón de su parte tan enteramente, según la diferencia
tan grande de la hermosura de Oriana a la de todas las del
mundo, que no podía él salir de la tal demanda que tomasse
sino deshonrado o muerto. Y de otra parte pensava, si falleçiesse de su palabra[13] a aquella dueña , que sin le conoçer tan-

---

[10] *levades:* lleváis. «A tuerto la levades», *Baladro del sabio Merlín* (B), 100b. En
relación con estas formas, la solución más utilizada en la obra corresponde a la
que acabará imponiéndose en español *(–áis, –éis, –ís)*. Las formas con —d—
intervocálica van disminuyendo a lo largo de la obra. Su empleo se mantiene en
las mismas proporciones en los libros I y II, disminuye en el libro III y de forma
notoria en el cuarto. En este libro la mayoría de los ejemplos con —d— intervocálica pertenecen a la voz narradora *(oídes)*. Domingo del Campo, 49-50.

[11] *levarme hedes:* me llevaréis.

[12] *tollido:* paralizado, fuera de sus sentidos. «Quedó tan tollido de plazer que
por una gran pie[ç]a no pudo hablar», *Palmerín de Olivia*, 96, 7.

1182

tas honras y mercedes della havía recebido, que sería muy gran confondimiento de su prez y honra[14]; assí que él estava en la mayor afruenta que después que de Gaula saliera estado havía. Y maldezía a sí y a su ventura, y a la hora en que naçiera y a la venida en aquellas tierras de Romanía. Pero luego le vino súpitamente un gran remedio a la memoria, y éste fue acordársele que Oriana no era donzella, que el que por ella la batalla tomasse la tomava a tuerto[15]. Y cuando después él pudiesse ver a Oriana, le faría entender la razón de cómo aquello passava. Y fallado este remedio, dexando el cuidado grande en que estava, que mucho atormentado le havía a le poner en el mayor estrecho que él nunca pensó tener, mas luego tornó muy ledo y de buen semblante, como si por él nada passado oviera; y dixo a Grasinda:

—Mi buena señora, demándoos perdón por el enojo que os he fecho, que yo quiero cumplir todo lo que me pedís, si la voluntad de Dios fuere. Y si en algo dudé, no por mi voluntad, mas por la de mi coraçón, a quien yo resistir[16] no puedo, que a otra parte endereçava su viaje, y de las palabras que yo dixe, él fue la causa como aquel que en todas las cosas sojuzgado me tiene. Mas las grandes honras que yo de [v]os he recebido tu-

---

[13] *falleçiesse de palabra:* faltase a su palabra.

[14] *sería muy gran confondimiento de su prez y honra:* su estima y honra quedaría malparada. Como señala J. D. Fogelquist, ob. cit., pág. 69, estas parejas como la de *honra prez* «funcionan, por una parte, simplemente como intensificaciones mutuas en su forma dual. Por otra, sin embargo, el examen cuidadoso del contexto en el que son empleados en el *Amadís,* junto con el de otros textos castellanos de la Edad Media, revela que cada término de la pareja posee un matiz propio... Tanto "prezio" como "prez" significaban en la Edad Media "honra", "fama", "estimación", "aprecio"». Por otra parte, se trata de un procedimiento retórico muy bien conocido y utilizado durante toda la Edad Media. Como dice Diego de Valera, *Tratado de virtuosas mugeres,* 75a, «Agora podría alguno desir que fue superfluo aquí poner introdución o exordio, pues amos dos a una cosa quieren dezir. Al qual respondo yo que éste es un color rectórico del qual usaron todos los que escrivieron poniendo vocablos que son unívocos, unos ante otros, donde uno sólo podría bastar; esto por alongar la materia quando conviene, lo qual faser es propiamente oficio de la rectórica».

[15] *a tuerto:* injustamente. Se parte de la teoría de los duelos según la cual Dios ayuda al que mantiene la verdad: «Y Tristan dixo que no dexaria la batalla con Morlot, "que creo que ayudara Dios al derecho"», *Tristán de Leonís,* 349b. Véase también la nota 7 del capítulo LXXXIV.

[16] *resistir:* resister, Z // resistir, RS // .

vieron tales fuerças, que las suyas quebrantando me dexan libre para que sin ningún entrevallo[17] aquello que tanto os agrada complir pueda.

Grasinda le dixo:

—Cierto, mi buen señor, yo creo muy bien lo que me dezís. Mas dígovos que fue puesta en muy gran alteración cuando assí os vi.

Y tendiendo los sus muy fermosos braços, poniéndolos en sus ombros, le perdonó aquello que havía passado, y diziendo:

—Mi señor, ¿cuándo veré yo aquel día que la vuestra gran prez de armas me fará en mi cabeça tener aquella corona que de las más hermosas donzellas de la Gran Bretaña por vos ganada será, tornando a mi tierra con aquella gran gloria que, de todas las dueñas de Romanía, della me partí?

Y él le dixo:

—Mi señora, quien tal camino ha de andar no deve perder el cuidado, que havéis de passar por muy estrañas tierras y gentes de lenguajes desvariados, donde gran trabajo y peligro se ofreçe; y si el don yo no oviesse prometido, y mi consejo se demandasse, no sería otro salvo que, persona de tanta honra y estado como lo vos sois, no se devría poner a tal afruenta por ganar aquello que sin ello con tan gran parte de beldad y de fermosura muy bien y con mucha gloria passar puede.

—Mi señor —dixo ella—, más me pago del vuestro buen esfuerço que para el camino tomastes, que del consejo que me daríades, pues que teniendo tal ayudador como [v]os, sin recelo alguno spero satisfazer a mi desseo, que tanto tiempo por lo alcançar con mucha pena ha estado. Y estas estrañas tierras y gentes que dezís muy bien escusarse[18] pueden, pues que por la mar, mejor que por la tierra, se podrá hazer nuestro camino, según de muchos que lo saben soy informada.

—Mi señora —dixo él—, yo os he de aguardar y servir;

---

[17] *entrevallo:* obstáculo. En R y S, entrevalo. Según Cobarruvias, entrevalo equivale al «impedimento o espacio que ay de un lugar a otro, o de un tiempo a otro». Como en otras ocasiones, el héroe se ha encontrado ante un dilema de difícil resolución porque por un lado debía mantener la palabra concedida, y por otro su cumplimiento podía motivar el enojo de Oriana. El propio personaje lo resolverá de forma ingeniosa sin necesidad de ayuda externa.

[18] *escusarse:* escuscar se, Z // escusar se, RS // .

mandad lo que más a vuestra voluntad satisfaze, que aquello por mí en obra será puesto.

—Mucho vos lo gradezco —dixo ella—, y creed que yo llevaré tal atavío y compaña, cual tal caudillo como lo vos sois mereçe.

—En el nombre de Dios —dixo él— sea todo.

Y assí quedó la fabla por estonces. Y desque el Cavallero de la Verde Spada folgó dos días, huvo sabor de ir a correr a monte[19], assí como aquel que, no haviendo en qué las armas exercitar, en otra cosa su tiempo passava. Y tomando consigo algunos cavalleros que allí havía, y monteros sabidores de aquel menester, se fue a un muy espesso monte dos leguas de la villa, donde muchos venados havía. Y pusiéronle a él con dos muy hermosos canes en una armada[20] entre la espessa montaña y una floresta que no muy lexos della stava, donde más contino[21] la caça acostumbrava salir. Y no tardó mucho que mató dos venados muy grandes, y los monteros mataron otro; y seyendo ya cerca de la noche, tocaron los monteros las bozinas. Mas el Cavallero de la Verde Spada, queriendo a ellos ir, vio salir de una gran mata un venado muy fermoso a maravilla; y poniéndole los canes, el venado, como muy aquexado se vio, metióse en una gran laguna, pensando guareçer[22]; mas los canes entraron dentro, como ivan[23] muy codiciosos de la caça, y tomáronlo; y llegando el Cavallero de la Verde Spada, lo mató. Y Gandalín, que con él estava, con quien él gran ale-

---

[19] *huvo sabor de ir a monte:* tuvo ganas de ir a cazar al monte. «Avia gran sabor de lo saber», *Baladro del sabio Merlín* (B), 142a. La caza desempeña funciones preparatorias para la guerra, pues como dice Rodrigo Sánchez de Arévalo, *Vergel de príncipes*, 326a, «la quarta excellencia deste noble exercicio consiste en cierta conformidat e muy apropiable semejança que tiene a los estrenuos actos de guerra».

[20] *armada:* manga de gente con perros que se ponía en las batidas para espantar las reses, obligándoles a salir de frente a los cazadores. «Pusiéronse en sus armadas, e corrieron el monte, e mataron algunos venados», *Crónica de don Álvaro de Luna*, 218-219.

[21] *contino:* continuamente. «Ha sabor de hazer contino escarnio», *Baladro del sabio Merlín* (B), 4b.

[22] *guareçer:* escapar, salvar. «Desta manera lo puedes guarecer de muerte», *Baladro del sabio Merlín* (B), 63a.

[23] *como ivan:* porque iban.

gría recibía, y havía mucho fablado en aquella ida que a la tierra donde su señora estava cedo pensava ir, tomando en ello muy gran descanso, como aquel que no [la]²⁴ havía visto gran tiempo havía, como havéis oído, se apeó muy prestamente de su cavallo y encarnó los canes, que muy buenos eran, como aquel que muchas vezes de aquel arte usado havía.

En este tiempo passando, ya la noche era cerrada, que cuasi nada veían; y poniendo el venado muy prestamente en una mata, echando sobre él de las ramas verdes, cavalgaron en sus cavallos. Prestamente, perdieron el tino donde havían de acudir con la gran spessura de las matas. No sabían qué fiziessen, y sin saber dónde ivan, anduvieron una pieça por la montaña pensando topar algún camino o alguno de su compaña; mas no lo fallando, acaso²⁵ dieron en una fuente. Y allí bevieron sus cavallos, y ya sin sperança de tener otro alvergue, descavalgaron dellos. Quitándoles las sillas y los frenos, los dexaron paçer por la yerva verde que allí cabe ella era. Mas el de la Verde Spada, mandando a Gandalín que los guardasse, se fue contra unos grandes árboles que cerca de allí eran, porque estando solo mejor pudiesse pensar en su fazienda y de su señora²⁶. Y llegando cerca dellos, vio un cavallo blanco muerto, herido de muy grandes golpes, y oyó entre los árboles gemir muy dolorosamente, mas no veía quién, que la noche era escura y los árboles muy espessos. Y sentándose debaxo de un árbol, estuvo escuchando qué podría ser aquello, y no tardó mucho que oyó dezir con gran angustia y dolor:

—¡Ay cativo mezquino sin ventura, Bruneo de Bonamar, ya te conviene que contigo fenezcan y mueran los tus mortales desseos, de que tan atormentado siempre fueste!²⁷. ¡Ya no verás aquel tu grande amigo Amadís de Gaula, por quien tanto afán y trabajo por tierras estrañas has levado, aquel que tan

---

²⁴ *no [la] avia:* no avia, ZR // no la avia, S Place // .

²⁵ *acaso:* por casualidad.

²⁶ Se justifica la separación de Amadís por causas amorosas, aunque, como en la mayoría de las ocasiones, el motivo tendrá una función en el texto. Al ir en solitario, podrá ser confundido por don Bruneo con su escudero Lasindo, dramatizando así la situación.

²⁷ *fueste:* fuiste. «Quanto tu fueste mudable, tanto yo constante», Juan de Flores, *Grimalte y Gradissa,* pág. 33.

preciado y amado de ti sobre todos los del mundo era, pues sin él y sin pariente ni amigo que de ti se duela te conviene passar desta vida a la cruel muerte, que se te ya llega![28].

Y después dixo:

—¡O mi señora Melicia, flor y espejo sobre todas las mujeres del mundo, ya no os verá ni servirá el vuestro leal vassallo Bruneo de Bonamar, aquel que en fecho ni dicho nunca falleçió de vos amar más que a sí! Mi señora, vos perdéis lo que jamás cobrar podéis, que cierto, mi señora, nunca havrá otro que tan lealmente como yo os ame. Vos érades aquella que con vuestra sabrosa membrança era yo mantenido y fecho loçano, donde me venía esfuerço y ardimiento de cavallero sin que os lo pudiesse servir; y agora que en obra lo ponía en buscar este hermano que vos tanto amades, de la demanda del cual jamás me partiera sin lo fallar, ni osara ante vos pareçer, mi fuerte ventura, no me dando lugar a que este servicio os fiziesse, me ha traído a la muerte, la cual siempre temí que por causa vuestra de venirme havía.

Y luego dixo:

—¡Ay mi buen amigo Angriote d'Estraváus!, ¿dónde sois agora [v]os, que tanto tiempo esta demanda mantovimos, y en el fin de mis días que no pueda haver socorro ni ayuda? Cruda fue mi ventura contra mí cuando quiso que ambos anoche partidos fuéssemos; áspero y cuidoso fue aquel partimiento[29], que, ya mientra el mundo durare, nunca más nos veremos; mas Dios reciba la mi ánima y la vuestra gran lealtad guarde como lo ella mereçe.

Estonces callando, gemía y sospirava muy dolorosamente. El Cavallero de la Verde Spada, que todo lo oyera, estava muy fieramente llorando; y como le vio sossegado, fue a él y dixo:

—¡Ay mi señor[30] y buen amigo don Bruneo de Bonamar! No os quexéis, y tened esperança en aquel muy piadoso Dios, que quiso que a tal sazón os fallasse para socorreros con aquello que bien menester havéis, que será melezina para el mal de que vos pena sofrís. Y creed, mi señor don Bruneo, que si

---

[28] *se te llega:* se te acerca.

[29] *áspero y cuidoso fue aquel partimiento:* penosa y preocupante fue la separación.

[30] *señor:* señeor, Z // señor, RS //.

hombre puede haver remedio y salud por sabiduría de persona mortal, que lo vos havréis con ayuda de Nuestro Señor Dios.

Don Bruneo cuidó que Lasindo su scudero era, según tan fieramente lo vio llorar, que havía embiado a buscar algún religioso que lo confessasse[31], y dixo:

—Mi amigo Lasindo, mucho tardastes, que mi muerte se allega. Agora te ruego que, tanto que de aquí me lieves, te vayas d[e]rechamente a Gaula, y besa las manos a la Infanta por mí, y dale esta parte de una manga de mi camisa en que siete letras van scritas con un palo tinto de la mi sangre, que las fuerças no bastaron para más[32]; y yo fío en la su gran mesura que aquella piedad que sosteniendo la vida de mí no huvo, que, veyéndolas con algún doloroso sentimiento, de mi muerte la havrá, considerando haverla[33] en su servicio recebido buscando con tantas afruentas y trabajos aquel hermano que ella tanto amava.

El Cavallero de la Verde Spada le dixo:

—Mi amigo don Bruneo, no só yo Lasindo, sino aquel por quien tanto mal recebistes. Yo soy vuestro amigo Amadís de Gaula, que assí como [v]os vuestro peligro siento. No temáis, que Dios vos acorrerá, y yo, con un tal maestro que con su ayuda, tanto qu'el ánima de las carnes despedida no sea, os dará salud.

Don Bruneo, comoquiera que muy desacordado y flaco stuviesse de la mucha sangre que se le fuera, conocíólo en la palabra, y teniendo los braços contra él, lo tomó y juntó consigo, cayéndole las lágrimas por las sus fazes en gran abundancia. Mas el de la Verde Spada, assí mesmo teniéndolo abraçado y llorando, dio bozes a Gandalín que presto a él viniesse; y llegando le dixo:

---

[31] De nuevo, el motivo tiene su funcionalidad dentro del episodio, pues de esta manera se puede explicar la confusión de don Bruneo y la ausencia de su escudero. Por otro lado, y *a posteriori,* las palabras escuchadas por Amadís constituyen el auténtico testamento espiritual de su amigo.

[32] Si Arbán de Norgales y Angriote de Estraváus, I, LVII, habían escrito una carta con su propia sangre despidiéndose de sus amigos, ahora será un personaje a punto de morir quien fije su testamento escrito. Las siete letras corresponderán al nombre de la enamorada: Melicia. Se trata de cuadros patéticos dispuestos para mover la compasión del lector-oyente.

[33] *haverla:* haever la, Z // averla, RS // .

1188

—¡Ay, Gandalín! Ves aquí a mi señor y leal amigo don Bruneo, que por me buscar ha passado gran afán, y agora es llegado al punto de la muerte. Ayúdame a lo desarmar.

Entonces lo tomaron ambos, y muy passo lo desarmaron y pusieron encima de un tabardo de Gandalín, y cobriéronlo con otro del Cavallero de la Verde Espada. Y mandóle que, lo más presto que pudiesse, subiendo en algún otero, atendiesse la mañana y se fuesse a la villa al maestro Elisabad, y le dixesse de su parte que, por la gran fiança que en él tenía, tomando todas las cosas necessarias se viniesse luego para él a curar de un cavallero que mal llagado estava, y que creyesse que era uno de los mayores amigos que él tenía; y a Grasinda que le pedía mucho por merced mandasse traer aparejo en que lo levassen a la villa tal cual convenía a cavallero de tan alto linaje y de tan gran bondad de armas como lo él era. Y quedando allí con él, teniéndole la cabeça en sus inojos[34] consolándole, se fue luego Gandalín con aquel mandado. Y subido en un otero alto de la floresta, el día venido vio luego la villa, y puso las espuelas a su cavallo y fue para allá. Y assí con aquella priessa que levava entró por ella sin responder ninguna cosa a los que le preguntavan por se no detener; y todos pensavan que alguna ocasión[35] acontesciera a su señor. Y llegó a la casa del maestro Elisabad, el cual, oído el mandado del Cavallero de la Verde Espada y la gran priesa de Gandalín, creyendo que el fecho era muy grande, tomó todo aquello que para tal menester necessario era, y cavalgando en su palafrén aguardó a Gandalín que lo guiasse, que estava contando a Grasinda lo que a su señor le acaesciera y lo que le pedía por merced. Y partiéndose della, tomaron el camino de la montaña, donde en poco de espacio de tiempo fueron llegados al lugar do los cavalleros estavan. Y cuando el maestre[36] Elisabad vio cómo el Cavallero de la Verde Espada, su leal amigo, tenía la cabeça del otro cavallero en su regaço y fieramente llorava, bien cuidó que lo amava mucho; y llegó riendo y dixo:

---

[34] *inojos:* rodillas.

[35] *ocasión:* ocurrencia imprevista, peligro. «Es caýdo Alonso Pérez de la torre ayuso, por desaventurada ocasión que le vino», *Crónica de don Álvaro de Luna,* 353, 7.

[36] *maestre:* en R y S, maestro.

—Mis señores, no temades, que Dios os porná presto consejo con que seréis alegres.

Desí[37] llegóse a don Bruneo y católe las llagas, y fallólas hinchadas y enconadas[38] del frío de la noche. Mas él le puso en ellas tales melezinas, que luego el dolor le fue quitado, así que el sueño se le sobrevino, que le fue gran bien y descanso. Y cuando el de la Verde Espada vio aquello y cómo el maestro en poco el peligro de don Bruneo tenía, fue muy ledo, y abraçándole le dixo:

—¡Ay, maestro Elisabad, mi buen señor y mi amigo, en buen día fue vuestra compañía donde tanto bien y tanto provecho se me ha seguido! Pido yo a Dios por merced que en algún tiempo os lo pueda[39] galardonar, que, ahunque agora me vedes como un pobre cavallero, puede ser que, ante que mucho passe, de otra guisa me juzgaréis.

—Sí Dios me salve[40], Cavallero de la Verde Espada —dixo él—, más contento y agradable es a mí serviros y ayudar a la vuestra vida que lo vos seríades en me dar el galardón; que bien cierto só yo que nunca el vuestro buen gradescimiento me faltará; y en esto no se fable más, y vayamos a comer, que tiempo es.

Y así lo fizieron, que Grasinda gelo mandara llevar muy bien adobado[41], como aquella que, demás de[42] ser tan gran señora, tenía mucho cuidado de dar plazer al Cavallero de la Verde Espada en lo que se ofrescía. Y desque comieron, estavan fablando en cómo eran muy fermosas aquellas hayas que allí veían, y que a su parescer eran los más altos árboles que en ninguna parte avían visto.

Y ellos, estándolas catando, vieron venir un hombre a cava-

---

[37] *desí:* después. «E jurolo luego en los sanctos evangelios que no desdiria la verdad, e desi beso el libro», *Baladro del sabio Merlín* (B), 60a.

[38] *católe las llagas, y fallólas hinchadas y enconadas:* le examinó las llagas, y las encontró hinchadas e inflamadas.

[39] *pueda:* puede, Z // pueda, RS // .

[40] *Sí Dios me salve:* así Dios me salve. «Sý me Dios vala, yo no gelo creo», Teresa de Cartagena, *Arboleda de los enfermos*, 60, 2.

[41] *adobado:* dispuesto. «Adovaron luego las galeas», Gutierre Díez de Games, *El Victorial*, 193, 7.

[42] *demás de:* además de. «Y demás desto», *Celestina*, IV, 85.

llo, y traía dos cabeças de cavalleros colgadas del petral[43], y en sus manos una hacha toda tinta de sangre. Y como vido aquella gente cabe los árboles, estovo quedo, y quísose tirar afuera[44]. Mas el Cavallero de la Verde Espada y Gandalín lo conoscieron, que era Lasindo, escudero de don Bruneo; y temiéndose, si a ellos llegasse, que con inocencia los descubriría, el de la Verde Espada dixo:

—Estad todos quedos, y yo veré quién es aquel que de nos se recela, y por cuál razón trae assí aquellas cabeças.

Entonces, cavalgando en un cavallo y con una lança, se fue para él, y dixo a Gandalín que fuesse en pos dél.

—Y si aquel hombre no me atiende, seguirle has tú.

El escudero, cuando vio que contra él ivan, fuese tirando afuera por la floresta con temor que avía, y el de la Verde Espada tras él. Mas llegando a un valle, que los ya no podían ver ni oír, començólo a llamar, diziendo:

—Atiéndeme, Lasindo; no temas de mí.

Cuando él esto oyó, bolvió la cabeça y conosció que era Amadís[45], y con mucho plazer a él se vino y besóle las manos, y díxole:

—¡Ay, señor, no sabéis las desventuras y tristes nuevas de mi señor [don] Bruneo, aquel que tantos peligrosos afanes en os buscar ha por tierras estrañas passado!

Y començó a fazer gran duelo, diziendo:

—Señor, estos dos cavalleros dixeron a Angriote que muerto aquí cerca en esta floresta lo dexavan, sobre lo cual les tajó estas cabeças y mandóme que las pusiesse cabe él si era muerto, y si bivo, que de su parte gelas presentasse.

—¡Ay Dios! —dixo el Cavallero de la Verde Espada—, ¿qué es esto que me dezís?, que yo fallé a don Bruneo, pero no en tal disposición que ninguna cosa contarme pudiesse. Y agora te detén un poco, y Gandalín contigo como que él te alcan-

---

[43] *petral:* pedral, Z // petral, RS // .

[44] *tirar afuera:* apartar. «Mas el cavallero no gelo sufrió, antes se tiró afuera», *Gran Conquista de Ultramar,* I, 129.

[45] Mientras que en otras ocasiones Amadís no es reconocido puesto que el propio yelmo lo dificultaba, ahora es identificado fácilmente, sin que se nos dé ninguna explicación. Es posible que el personaje fuera con la vestimenta de montero.

çó y te dixo las nuevas de tu señor; y cuando ante mí fueres, no me llames sino el Cavallero de la Verde Espada[46].

—Ya desso —dixo Lasindo— estava yo avisado que assí lo devía fazer.

—Y allá nos contarás las nuevas que sabes.

Y luego se tornó a su compaña y dixo cómo Gandalín iva en pos del escudero, y a poco rato viéronlos venir a entrambos. Y como Lasindo llegó y vio el Cavallero de la Verde Espada, descendió presto y fue fincar los inojos ante él, y dixo:

—Bendito sea Dios que a este lugar os traxo porque seáis ayudador en la vida de mi señor don Bruneo, que vos tanto amades.

Y él lo alçó por la mano y dixo:

—Mi amigo Lasindo, tú seas bien venido, y a tu señor fallarás[47] en buen estado. Mas agora nos cuenta por cuál razón traes assí essas cabeças de hombres.

—Señor —dixo él—, ponedme ante don Bruneo, y allí os lo contaré, que así me es mandado.

Luego se fueron a él donde estava en un tendejón que Grasinda con las otras cosas allí mandara traer. Y Lasindo fincó los inojos ante él y dixo:

—Señor, veis aquí las cabeças de los cavalleros que os tan gran tuerto fizieron, y embíaoslas vuestro leal amigo Angriote de Estraváus, que, sabiendo el aleve que os fizieron, se combatió con ellos ambos y los mató. Y será aquí con vos a poca de ora, que quedó en un monesterio de dueñas que es en cabo desta floresta a se curar de una llaga que en la pierna tiene; y cuando la sangre aya restañada, luego se verná.

—¡Dios val! —dixo don Bruneo—, ¿y cómo acertará acá venir?

—Él me dixo que viniesse a los más altos árboles desta floresta[48], que muerto os fallaría, que él assí lo cuidava según lo

[46] El autor motiva interna y verosímilmente que los personajes no se confunden en la denominación de Amadís, que en este caso sólo es conocido como Caballero de la Verde Espada.

[47] *fallarás:* fallares, Z // hallaras, R // fallaras, S // .

[48] Previamente se ha destacado la belleza y altura de las hayas. Como en tantas otras ocasiones, la mínima descripción adquiere un valor funcional, al servir de punto de referencia para el encuentro entre los personajes. «El paisaje no

que uno destos traidores le dixo antes que lo matasse; y el duelo que por [v]os faze no se puede contar ni dezir.

—¡Ay, Dios! —dixo el Cavallero de la Verde Espada—,
guardadlo de mal y de peligro. Dezid —dixo a Lasindo—,
¿saberme as guiar a esse monesterio?

—Sabré —dixo él.

Entonces dixo al maestro Elisabad que levassen a don Bruneo en andas a la villa. Y armándose de las armas de don Bruneo, cavalgó en su cavallo y metióse por la floresta, y Lasindo
con él, que escudo y yelmo y lança le levava. Y llegando donde
essa noche avía dexado el venado debaxo del árbol, vieron venir Angriote en su cavallo, la cabeça baxa como que duelo fazía, con el cual el de la Verde Espada gran plazer ovo. Y luego
vio venir en pos dél cuatro cavalleros muy bien armados que a
altas bozes le dezían:

—Esperad, don falso cavallero[49]; conviene que la cabeça
perdáis por las que tajastes a los que mucho más que vos
valían.

Angriote bolvió su cavallo contra ellos, y embraçó su escudo y guisóse de se dellos defender sin que al de la Verde Espada viesse; el cual ya tomara sus armas y fue cuanto el cavallo
llevarlo pudo, y llegó a Angriote ante que a los otros llegasse,
y dixo:

—Buen amigo, no temáis, que Dios será por vos.

Angriote cuidó por las armas que don Bruneo era, de que
muy alegre sin comparación fue. Mas el de la Verde Espada firió al primero que delante los otros venía, que era Bradansidel,
aquel con quien ya justara y le fiziera llevar la cola del cavallo
en la mano, cavallero al revés, como ya oístes; que era uno de
los más valientes en armas que en toda aquella comarca se fallava; y encontróle por cima del escudo so la falda del yelmo

---

existe, o carece del más nimio interés, o es tan arbitrariamente imaginado, que
más parece traducción adusta de las pasiones humanas, que natural encanto de
los seres y las cosas», Pedro Corominas, «El sentimiento de realidad en los libros de caballerías», en *Por Castilla adentro*, recogido en *Obra completa en castellano*,
Madrid, Gredos, 1975, pág. 513.

[49] *don falso cavallero:* en esta ocasión el sintagma despectivo «don cavallero» se
ve enriquecido por modificadores que resaltan el carácter injurioso de la frase.
Véase Domingo del Campo, 122, y la nota 31 del capítulo II.

en el pecho tan fuertemente, que lo[50] lançó de la silla en el campo sin que pie ni mano bul[l]iesse. Y los tres firieron a Angriote, y él a ellos, assí como aquel que muy esforçado era. Mas el de la Verde Espada puso mano a ella, y metióse con tanta saña entre ellos firiéndolos de tan fuertes golpes, que de un golpe que al uno dio por cima del ombro no pudieron tanto las armas resistir que cortadas no fuessen con la carne y con los huessos, assí que cayó a los pies de Angriote, que se mucho maravillava de tales feridas, que no pudiera él creer que tanta bondad[51] en don Bruneo oviesse, que ya avía él derribado otro. El que quedava solo vio venir contra sí al de la Verde Espada, y no lo osando atender, començó de fuir al más correr del cavallo, y el de la Verde Espada iva tras él por le ferir; y el otro con el gran miedo erró un passo de un río y cayó en el fondo, assí que, saliendo el cavallo, el cavallero con el peso de las armas afogado fue. Entonces, dando el escudo y el yelmo a Lasindo, se tornó para Angriote, que espantado estava de su gran valentía, cuidando que don Bruneo fuesse, como ya os dixe. Mas llegando cerca conosció que era Amadís, y fue contra él los braços tendidos, dando gracias a Dios que gelo fiziera fallar. Y el de la Verde Espada así mesmo fue a lo abraçar, viniendo al uno y al otro las lágrimas a los ojos de buen talante, que se mucho amavan. Y el de la Verde Espada le dixo:

—Agora paresce, mi señor, aquel leal y verdadero amor que me avéis, en me buscar tanto tiempo con tantos peligros por tierras estrañas.

—Mi señor, no puedo tanto fazer ni trabajar en vuestra honra y servicio, que a más no os sea obligado, pues que me fezistes aver aquella que sin ella no pudiera yo sostener la vida; y dexemos esto, pues que la deuda es tan grande que a duro se podrá pagar. Mas dezidme si sabéis las desaventuradas nuevas del vuestro gran amigo don Bruneo de Bonamar.

—Ya las sé —dixo el de la Verde Espada—, y son de buena ventura, pues Dios por su merced quiso que en tal sazón lo yo fallasse.

---

[50] *que lo:* que la, Z // que lo, RS // .
[51] *bondad:* destreza en el manejo de las armas. «Si no fuesse de gran bondad, no pudiera derribar a Blandalis», *Demanda del Sancto Grial,* 263b.

Entonces le contó por cuál guisa lo fallara y cómo le dexava en guarda del mejor maestro que en el mundo avía con seguridad de la vida. Angriote alçó las manos al cielo gradesciendo a Dios que assí lo avía remediado. Entonces movieron para se ir, y passando cabe los cavalleros que avían vencido, fallaron el uno dellos que bivo estava, y el de la Verde Espada se paró sobre él y díxole:

—Mal cavallero que Dios confonda, dezid por qué a sin guisado[52] queréis matar los cavalleros andantes. Dezidlo luego; si no, tajaros he la cabeça; y si fuestes vos en el mal del cavallero que traía estas armas que yo tengo.

—Esso no lo puede negar —dixo Angriote—, que yo lo dexé con otros dos en su compañía con don Bruneo, y después fallé yo los dos, que se alabavan que avían muerto a don Bruneo, el cual ellos llevavan para les ayudar, diziéndole que les querían quemar una hermana suya; assí que todos devieran ser en la traición, porque don Bruneo se fue con ellos a salva fe[53] por socorrer la donzella que no padeçiesse, y yo me fue[54] con un cavallero viejo, que essa noche nos avía alvergado, por le fazer tornar un fijo suyo que preso le tenían en unas tiendas acá suso en una ribera; y avínome tan bien que gelo fize[55] dar, y metí en su prisión el que preso gelo tenía; y en esta manera nos partimos el uno del otro. Agora diga éste por qué le fizieron tan grande aleve.

El de la Verde Espada dixo a Lasindo:

—Desciende y tájale la cabeça, que traidor es.

El cavallero uvo gran miedo, y dixo:

—Señor, merced por Dios, que yo vos diré la verdad de lo que passó. Sabed, señor cavallero, que nos supimos cómo estos dos cavalleros buscavan al Cavallero de la Verde Espada, que nosotros mortalmente desamamos, y sabiendo cómo eran sus amigos, acordamos de los matar; y no lo pensando acabar tomándolos juntos, movimos aquellas razones que este cavallero ha dicho. Y yendo nuestro camino con achaque de librar la

---

[52] *a sin guisado:* injustamente.
[53] *a salva fe:* con juramento de seguridad.
[54] *fue:* fui.
[55] *fize:* fizo, Z // fize, RS // .

donzella, fablando, desarmadas[56] las cabeças y las manos, llegamos a aquella fuente de las Altas Hayas; y en tanto que el cavallero dava a bever a su cavallo, tomamos las lanças, y yo, que cabe él estava, arrebatéle la espada de la vaina; y antes que él se pudiesse valer, lo derribamos del cavallo y dímosle tantas feridas, que por muerto le dexamos, y assí creo yo que lo estará.

El de la Verde Espada le dixo:

—¿Por qué razón me desamáis, que tal aleve cometistes?

—Y ¡cómo! —dixo él—, ¿vos sois el Cavallero de la Verde Espada?

—Sí soy —dixo él—, y veis aquí que la trayo.

—Pues agora os diré lo que preguntáis. Bien se os acordará cómo avrá un año que pasastes por esta tierra, y combatióse convusco[57] aquel cavallero que allí muerto yaze —y tendió la mano contra Bradansidel—, que era el más rezio y fuerte cavallero de toda esta tierra, y la batalla fue ante la fermosa Grasinda. Y Bradansidel con gran sobervia puso la ley que el vencido avía de guardar, la cual era que cavalgando aviessas en el cavallo, y el scudo al revés y la cola del cavallo en la mano por freno, passasse ante aquella fermosa dueña y por medio de una villa suya; lo cual Bradansidel como vencido le convino complir con gran desonra y mengua suya. Y por esta deshonra que le fezistes os desamava él de muerte, y todos aquellos que sus parientes y amigos somos; y caímos en aquel yerro que avéis visto. Agora mandadme matar o dexar bivo, que dicho os he lo que saber queríades[58].

—No os mataré —dixo el de la Verde Espada—, porque los malos biviendo mueran muchas vezes y paguen aquello que sus malas obras merescen, que según vuestras mañas así se cumplirá como lo digo.

Y mandó a Lasindo que tomasse un cavallo de aquellos que sueltos andavan para levar el venado, y desenfrenando los

---

[56] *desarmadas:* desarmados, Z // desarmadas, RS // .

[57] *convusco:* con vuesco, Z // con vos, RS // .

[58] *queríades:* queríais. Al contar los propios personajes los acontecimientos pasados, el autor no necesita utilizar la técnica del entrelazamiento para relatarnos todo el episodio, solucionándolo de manera mucho más ágil.

otros cavallos, corriéndolos por la floresta, se fueron contra la villa, donde pensavan fallar a don Bruneo, y levaron ante sí en el cavallo el venado.

Y el Cavallero de la Verde Espada avía gran sabor de preguntar a Angriote por nuevas de la Gran Bretaña, y él le contava las que sabía, ahunque ya avía año y medio que él y don Bruneo de allá en su demanda dél avían partido; y entre las otras cosas le dixo:

—Sabed, mi señor, que en casa del rey Lisuarte queda un donzel, el más estraño y más fermoso que se nunca vio, del cual Urganda la Desconoscida ha fecho por su carta saber al Rey y a la Reina las grandes cosas, si bive, a que ha de pujar.

Y contóle cómo el hermitaño lo criara, sacándolo de la boca de una leona, y en la forma que el rey Lisuarte lo falló, y díxole de las letras blancas y coloradas que en el pecho tenía, y cómo el Rey lo criara muy honradamente por lo que Urganda dixera, y cómo, demás de ser el donzel tan fermoso y de buen donaire, era muy bien acostumbrado en todas sus cosas.

—¡Dios val! —dixo el Cavallero de la Verde Espada—, de muy estraño hombre me fabláis. Agora me dezid qué edad avrá.

—Puede ser de fasta doze años[59] —dixo Angriote—. Y él y Ambor de Gadel, mi fijo, sirven ante Oriana, que mucha merced les faze, tanto es bueno su servicio; tanto, que en aquella casa del Rey no ay otros tan honrados ni mirados[60] como ellos. Pero muy diferentes son en el parescer, que el uno es el

---

[59] Difícilmente Esplandián podría tener doce años, si como se dice al comienzo del capítulo en la recapitulación cronológica, Amadís estuvo cinco años ausente de Oriana. La contradicción es explicable porque no se han sabido conciliar dos líneas narrativas antitéticas: por un lado, Amadís no debe permanecer alejado de Oriana durante mucho tiempo; por otro, Esplandián debe crecer rápidamente para que en la terminación de la obra pueda desempeñar las funciones heroicas del padre. Por otra parte, como dice José Amezua, *Metamorfosis del caballero. Sus transformaciones en los libros de caballerías españoles*, México, Univ. Autónoma Metropolitana Iztapalapa, 1984, pág. 36, «en contadas ocasiones se da la edad de los caballeros, o se especifica el tiempo transcurrido para calcularla, pero poco importa, pues la juventud es otro de los rasgos que por evidentes uno tiene que sobreentender, dada la precocidad caballeresca de los protagonistas, en la que se insiste en casi todos los libros de caballerías».

[60] *mirados:* miradds, Z // mirados, RS // .

más hermoso que se fallar podría y muy mejor acostumbrado, y Ambor me semeja muy perezoso[61].

—¡Ay, Angriote! —dixo el Cavallero de la Verde Espada—, no juzg[u]éis a vuestro fijo en la edad que ni bien ni mal puede alcançar a saber. Y dígoos, mi buen amigo, que si él de más días fuesse y Oriana me lo quisiesse dar, que lo traería yo comigo, y faría cavallero a Gandalín, que tanto tiempo ha que me sirve y aguarda.

—Sí Dios me salve —dixo Angriote—, esso meresce él muy bien, y creo que cavallería será en él muy bien empleada como en uno de los mejores escuderos del mundo. Y seyendo él cavallero y mi fijo entrado a vos servir en su lugar, entonces perdería yo la sospecha que tengo, y sería puesto en gran esperança que de vuestra compañía saldría él tal, que mucha honra diesse a todo su linaje. Y dexémoslo agora fasta su tiempo, que Dios lo enderece. —Y luego le dixo: —Sabed, señor, que don Bruneo y yo hemos andado por todas las partes destas ínsolas de Romanía, donde fallamos grandes cosas que en armas avéis fecho, assí contra cavalleros muy sobervios como contra fuertes y esquivos gigantes, que todas las gentes que lo saben quedan con espanto en ver cómo pudo un cuerpo de hombre solo tales afruentas y peligros sofrir. Y allí sopimos de la muerte del temeroso y fuerte Endriago, que nos avéis fecho mucho maravillar cómo osastes acometer al mesmo diablo, que assí nos dizen que es su fechura y que ellos lo engendraron y criaron, comoquiera que fijo de aquel gigante y su fija fuesse; y ruégovos, mi señor, que me digáis cómo con él os ovistes, por oír la más estraña y fuerte cosa que nunca por hombre mortal passó.

Y el Cavallero de la Verde Espada le dixo:

—Desto que preguntáis son mejores testigos que yo Gandalín y el maestro que de don Bruneo cura, y ellos lo dirán.

Assí fablando como oís, llegaron a la villa, donde con mucho plazer de Grasinda recebidos fueron, seyendo ya Angriote avisado que lo no avía de llamar por otro nombre sino de la

---

[61] Como ocurre con otros emparejamientos del texto, Galaor-Amadís, Amadís-Agrajes, las virtudes de los compañeros suelen ser contrapuestas, lo que sirve para realzar las características del héroe principal.

Verde Espada; y fallaron pieça de cavalleros armados que por mandado de Grasinda los querían ir a buscar. Y tomándolos ella consigo los levó a la cámara del Caval[l]ero de la Verde Spada, donde tenían en un lecho a don Bruneo de Bonamar. Y cuando entraron dentro y lo fallaron en buena disposición, ¿quién os podría dezir el plazer que a sus ánimos vino en se ver todos tres juntos? Y assí lo avía aquella señora muy fermosa, teniéndose por mucho honrada en ser en su casa y en guarda de cavalleros tan preciados, donde fallava[n][62] la guarida y reparo que a duro en otra parte no podrían fallar. Y luego fue curado Angriote de la ferida de su pierna, que mucho enconada, con el camino y con la fuerça que en la batalla de los cavalleros puso, traía. Y en otra cama junta con la de don Bruneo fue echado; y cuando ovieron comido aquello que el maestro mandó, saliéronse todos fuera por los dexar dormir y assussegar[63]. Y dieron de comer al Cavallero del Enano en otra cámara, y allí estuvo contando a Grasinda la bondad y gran valor de aquellos sus muy leales amigos. Y desque uvo comido, ella se fue a sus dueñas y donzellas, y el de la Verde Espada, a sus compañeros, que los mucho amava; a los cuales falló despiertos y fablando. Mandó juntar su lecho con los suyos, y allí folgaron con mucho plazer fablando en muchas cosas por que avían passado. Y el Cavallero de la Verde Espada les contó el don que a la dueña avía prometido y lo que ella le demandó, y cómo adereçava para ir por la mar a la Gran Bretaña, de que mucho a don Bruneo y Angriote plugo, porque ya ellos, aviendo fallado a aquel que demandavan, desseavan[64] bolver a aquella tierra.

Estavan, pues, assí como la istoria cuenta, en casa de aquella fermosa dueña Grasinda el de la Verde Espada y don Bruneo de Bonamar y Angriote de Estraváus con mucho vicio y plazer. Y cuando fueron en disposición que sin peligro de sus personas entrar pudiessen en la mar, ya la flota estava guarnescida de viandas para un año, y de gente de mar y de guerra,

---

[62] *fallava[n]:* fallava, Z // fallavan, R // hallavan, S // .

[63] *assussegar:* en R y S, assossegar.

[64] *desseavan:* de esse año, Z R // desseavan, S // .

tanto cuanto convenía. Y un domingo de mañana en el mes de mayo[65] entraron en las naves, y con buen tiempo començaron a navegar la vía de la Gran Bretaña.

## Capítulo LXXVI

*De cómo llegaron a la Alta Bretaña la reina Sardamira con los otros embaxadores que el Emperador de Roma embiava para que le levassen a Oriana, fija del rey Lisuarte, y de lo que les acaesció en una floresta donde se salieron a recrear con un cavallero andante que los embaxadores maltrataron de lengua, y el pago que les dio de las desmesuras que le dixeron.*

Los embaxadores del emperador Patín, que en la Lombardía eran llegados, ovieron barcas y passaron en la Gran Bretaña, y aportaron en Fenusa, donde el rey Lisuarte era, del cual con mucha honra fueron muy bien recebidos, y les mandó dar muy abastadamente buenas posadas y todo lo ál que menester avían. Y a esta sazón eran con el Rey muchos hombres buenos, y atendía a otros por quien avía embiado por aver consejo con ellos de lo que en el casamiento de su fija Oriana faría; y puso plazo a los embaxadores de un mes para les dar la respuesta, poniéndoles en gran esperança que sería tal con que alegres fuessen. Y acordó que la reina Sardamira, que allí el Emperador con veinte dueñas y donzellas avía embiado para que a Oriana por la mar fiziessen compañía y la sirviessen, que se fuesse a Miraflores, donde ella estava, y le contasse las grandezas de Roma y la grande alteza en que sería con aquel casamiento, mandando tantos reyes y príncipes y otros muchos grandes señores. Esto fazía el rey Lisuarte porque de su fija conoscía tomar mucho contra su voluntad aquel casamiento[1], y

---

[65] En todo el capítulo, a pesar de las incoherencias, hay un intento de fijar la cronología con una mayor precisión que en otras ocasiones. No obstante, el regreso del héroe a sus tierras se realiza, de nuevo, en la estación del amor.

[1] La decisión de Lisuarte se contradice con otras palabras suyas comentadas en la nota 7 del capítulo XLVII. De acuerdo con la legalidad, era necesario el consentimiento de la hija para contraer matrimonio, como comenta Peblerio: «¿Devemos hablarlo a nuestra hija, devemos darle parte de tantos como me la

porque esta Reina, que muy cuerda era, la atraxiesse a ello[2]. Pero a esta sazón era Oriana tan cuitada y con tan gran angustia, que el entendimiento y la palabra le faltava, cuidando que su padre contra toda su voluntad la entregaría a los romanos, por donde a ella y a su amigo Amadís la muerte les sobrevernía.

Pues la reina Sardamira partió para Miraflores, y don Grumedán por mandado del Rey con ella, para que la fiziesse servir; y ivan en su guarda cavalleros romanos y de Cerdeña, donde ella era reina. Y assí acaesció que estando en una ribera verde y de fermosas flores, esperando que la calor del sol passasse, los sus cavalleros, que preciados en armas eran, pusieron sus escudos fuera de las tiendas, y eran cinco, y don Grumedán les dixo:

—Señores, fazed meter los escudos en la tienda, si no queréis mantener la costumbre de la tierra, que es que cualquiera cavallero que pone el escudo o la lança fuera de la tienda, o casa o choça, donde posare, le conviene mantener justa a los cavalleros que gela demandaren[3].

—Bien entendemos essa costumbre, y por esso los ponemos fuera —dixeron ellos—; Dios mande que, antes que de aquí vamos, nos sea la justa por algunos demandada.

—En el nombre de Dios —dixo don Grumedán—, pues algunos cavalleros suelen andar por aquí, y si vinieren, miraremos cómo lo fazéis.

Y assí estando como oís, no tardó mucho que vino aquel preciado y valiente don Florestán, que muchas tierras avía andado buscando a su hermano Amadís, que nunca dél ningunas nuevas supo, y andava con gran pesar y tristeza. Y porque

---

piden, para que de su voluntad venga, para que diga quál le agrada? Pues en esto las leyes dan libertad a los hombres y mugeres, aunque estén so el paterno poder, para elegir», *Celestina*, XVI, pág. 209.

[2] *la atraxiesse a ello:* le convenciera para ello. «Fizo que Fernando de Ribadeneyra ge lo dixiesse, e lo atraxiesse a ello por quantas vías pudiese», *Crónica de don Álvaro de Luna*, 344, 19.

[3] Tocar el escudo con la lanza o derribarlo en tierra era señal de desafío: «quanto el vido esto, fue al escudo y echolo en tierra, y el cavallero salio luego, e dixole [...] ¿tan novel soys e avedes vos luego a combatir comigo», *Baladro del sabio Merlín* (B), 64a. Véase la nota de A. Bonilla San Martín.

1201

supo que en casa del rey Lisuarte eran venidas gentes de Roma, y de otras partes, que passaran la mar, vino allí por saber dellos algunas nuevas de su hermano. Y cuando vio las tiendas cerca del camino por donde él iva, fuese para allá por saber quién allí estava; y llegando a la tienda de la reina Sardamira, viola estar en un estrado, y era una de las fermosas mugeres del mundo, y la tienda tenía las alas alçadas, assí que se parescían todas sus dueñas y donzellas. Y por mirar mejor a la Reina, que tan bien y tan apuesta le semejava, llegóse assí a cavallo por entre las cuerdas de la tienda por la mejor mirar, y estóvola catando una pieça. Y assí estando, llegó a él una donzella que le dixo:

—Señor cavallero, no estáis muy cortés a cavallo tan cerca de tan buena Reina y otras señoras de gran guisa que allí están; mejor os estaría catar a aquellos escudos que allí están, que os demandan, y a los señores dellos.

—Cierto, muy buena señora —dixo don Florestán—, vos dezís gran verdad, mas por fuerça mis ojos, desseando ver la muy fermosa Reina, dieron causa que en tan gran yerro cayesse; y pidiendo perdón a la buena señora y a todas vosotras, faré la emienda que por ella me fuere mandada.

—Bien dezís —dixo la donzella—, pero es menester que, antes del perdón, que la emienda se faga.

—Buena donzella —dixo don Florestán—, eso luego lo faré yo, si por mí se puede fazer, con tal que se me no demande que dexe de fazer lo que devo contra aquellos escudos, o los mandad poner dentro en la tienda.

—Señor cavallero —dixo ella—, no creáis que tan ligeramente los escudos allí se pusieron, que antes que sean quitados avrán ganado por el gran esfuerço de sus señores todos los otros que por aquí passaren que defenderse les quisieren, para los levar a Roma, y los nombres de los cavalleros cuyos fueron, escritos en los brocales[4] en señal que paresca la bondad[5] que los romanos han sobre los cavallos de otras tierras. Y si queréis guardaros de [en] vergüença caer, tornadvos por do

---

[4] *brocales:* refuerzos «del escudo que hacía más resistente la parte superior del arma», Riquer, *Armas,* pág. 411. Los vencidos deben dejar dos aspectos de su personalidad: su principal arma defensiva, el escudo, y su nombre.

venistes, y no será levado vuestro escudo y nombre donde con pregón vuestra honra será menoscabada.

—Donzella —dixo él—, si a Dios pluguiere, yo me guardaré dessas vergüenças que me dezís; ni me fío tanto en vuestro amor, que a ninguno destos consejos me atenga; antes, entiendo levar estos escudos a la Ínsola Firme.

Entonces dixo a la Reina:

—Señora, a Dios seáis encomendada, y Él, que tan fermosa os fizo, vos dé mucha alegría y plazer.

Y movió contra los escudos. Y don Grumedán, que bien oyera todo lo que con la donzella passó, preció lo mucho, y más cuando en la Ínsola Firme le oyó fablar, que luego cuidó que del linaje de aquel muy esforçado Amadís sería, y bien creyó que faría lo que a la donzella avía dicho, de levar los escudos a la Ínsola Firme; y plúgole mucho por ver los cavalleros romanos qué tales eran en armas. Y no conoscía él a don Florestán, pero paresciole muy bien armado a maravilla y muy fermoso cavalgante, y así lo era, y teníale por muy esforçado en cometer tan gran cosa, y desseávale todo bien; y más lo fiziera si supiera ser don Florestán, que le mucho amava y preciava. Y don Florestán, que se veía delante dél, que sabía no aver en toda la corte cavallero que tanto conoscimiento de las cosas de las armas como él oviesse, crecíale el coraçón y ardimiento[6] porque en él punto de cobardía no sintiesse. Y llegóse a los escudos, y puso el cuento[7] de la lança en el primero y segundo y tercero y cuarto y quinto; y esto fazía él porque assí avían de ir a las justas, uno en pos de otro según los escudos tocados fueron. Esto fecho, apartóse en el campo cuanto un trecho de arco, y echó su escudo al cuello, y tomó una lança gruessa y buena; y endereçándose en la silla, estuvo atendiendo. Y don Florestán traía siempre consigo cada que[8] podía dos o tres escuderos por ser mejor servido, y porque le traxiessen lanças y hachas, de que él muy bien se sabía ayudar, que en muchas tierras no se fallaría otro cavallero que tan bien justase como él.

---

[5] *paresca la bondad:* se muestre la destreza en el manejo de las armas.

[6] *crecíale el coraçón y ardimiento:* le aumentaba el ánimo y valor.

[7] *cuento:* contera. «Hiriola con el cuento de la lança», *Tristán de Leonís,* 363b.

[8] *cada que:* cuando.

Y estando así atendiendo los romanos, que armados estavan en una tienda, arrebatáronse a cavalgar presto[9] y ir a él; y don Florestán les dixo:

—¿Qué es esso, señores? ¿Queréis venir todos a uno? Quebrades[10] la costumbre desta tierra.

Gradamor, un cavallero romano por quien los otros se mandavan, dixo a don Grumedán que les dixesse cómo devían fazer, pues que él mejor que otro lo sabía. Don Grumedán le dixo:

—Assí como los escudos fueron tocados uno en pos de otro, así los cavalleros han de ir a las justas. Y si me creyerdes[11], no iredes locamente, que, según lo que de aquel cavallero paresce, no querrá para sí la vergüença.

—Don Grumedán —dixo Gradamor—, no son los romanos de la condición de vosotros, que vos loáis antes que el fecho venga; y nosotros ahun lo que fazemos lo dexamos olvidar. Y por esto no ay ningunos que nos iguales sean, y a Dios pluguiesse que sobre esta razón fuesse nuestra batalla y de aquel cavallero, ahunque mis compañeros no metiessen aí la mano.

Don Grumedán le dixo:

—Señor, passad agora con aquel cavallero lo que a Dios pluguiere; y si él quedare libre y sano destas justas, yo faré que sobre esta razón que dezís se combata con vos. Y si por ventura tal impedimento oviere que lo no pueda fazer, yo tomaré la batalla en mí en [el] nombre de Dios. Y id agora a vuestra justa, y si della bien escapardes, quedaremos delante desta noble Reina, que nos no podamos tirar afuera.

Gradamor rió como en desdén, y dixo:

—Agora tuviéssemos essa batalla que dezís tan cerca como la justa de aquel cavallero sandío que nos atender osa[12].

Y dixo al cavallero del primero escudo que se tocó:

---

[9]  *arrebatáronse a cavalgar presto:* se precipitaron a cabalgar inmediatamente.

[10]  *a uno? Quebrades:* o uno? Quebradas, Z // a uno? Quebrades, R // o uno? Quebrades, S // .

[11]  *creyerdes:* creryedes, Z // creyerdes, RS // .

[12]  *sandío que nos atender osa:* loco, idiota, que se atreve a esperarnos. «*Atender* por *esperar* ya no se dize», Juan de Valdés, *Diálogo de la lengua,* pág. 196.

1204

—Id luego y fazed de guisa que nos libredes del poco prez que en vencer a aquel cavallero se ganaría.

—Agora folgad —dixo el cavallero—, que yo os lo traeré a toda vuestra voluntad; y [d]el escudo y de su nombre fazed como os es mandado del Emperador; y el cavallo, que me semeja bueno, será mío.

Entonces en su cavallo passó el agua y fuese endereçando sus armas contra don Florestán; el cual, que lo assí vio venir y que el agua passara, firió el cavallo de las espuelas y fue para él, y el romano assí mesmo. Y juntáronse de los cavallos y escudos uno con otro, que de los encuentros de las lanças fallescieron; y el romano, que peor cavalgante era, fue en tierra sin detenimiento. Y fue la caída tan grande, que el braço diestro ovo quebrado, y fue muy mal tollido, assí que a los que miravan les semejava que muerto era, tal le vieron. Y don Florestán mandó descender a un escudero de los suyos que le tomasse el escudo y lo colgasse de un árbol, y assí mesmo le fizo tomar el cavallo; y él se tornó al lugar donde ante estava, faziendo señales como que se quexava contra sí porque el encuentro errara; y puso el cuento de la lança en tierra atendiendo. Y luego vio venir otro cavallero contra sí, y fue para él lo más rezio que el cavallo lo pudo levar, mas no erró aquella vez el golpe; antes, lo firió tan fuertemente en el escudo, que gelo falsó, y puxó tan rezio[13], que lo lançó del cavallo, y la silla sobre él en el campo y la lança metida por el escudo y por la carne, que de la otra parte le apuntó[14]. Y don Florestán passó por él muy apuesto y buen cavalgante, y luego tornó sobre él, y díxole:

—Don cavallero romano, la silla que con vos levastes sea vuestra, y el cavallo sea mío; y si estas fuerças en Roma quisierdes contar, yo os lo otorgo.

Y esto dezía él en boz tan alta, que bien lo oían la Reina y sus dueñas y donzellas. Y dígoos de don Grumedán que en

---

[13] *puxó tan rezio:* empujó tan fuertemente. «Hirio el mayor de los hermanos tan rezio, que le fendio todo», *Demanda del Sancto Grial,* 212b.

[14] *apuntó:* empezarse a manifestar una cosa, como si se dijera aparecer la punta (Cuervo). «Assí quel hierro de la lança apuntó a las espaldas», *Gran Conquista de Ultramar,* I, 456.

gran manera fue ledo cuando esto oyó que el cavallero de la Gran Bretaña dezía y fazía con el de Roma; y dixo contra Gradamor:

—Señor, si vos y vuestros compañeros mejores no os mostráis, no es razón que os derriben los muros de Roma por donde entréis cuando allá llegardes[15].

Gradamor le dixo:

—En mucho tenéis lo que passó; pues si mis compañeros acabassen sus justas, yo faré que ál digáis, y no con tanta ufanía como agora tenéis.

—Cerca estamos de lo ver —dixo don Grumedán—, que, según me paresce, aquel cavallero de la Insola Firme bien defiende su ropa; y yo fío tanto en él, que escusará la batalla que yo con vos tengo puesta.

Gradamor començó a reír sin gana, y dixo:

—Cuando a mí viniere el fecho, yo os otorgaré todo lo que dezís.

—En el nombre de Dios —dixo don Grumedán—, y yo terné mi cavallo y mis armas presto para cumplir lo que dixe, que, según vuestro parescer, poco os durará aquel cavallero en el campo; ahunque yo creo que el su pensamiento es muy diverso del vuestro.

Y a la Reina pesava mucho en oír las locuras de Gradamor y de los otros romanos. Mas don Florestán fizo tomar el escudo y el cavallo al cavallero, que como muerto sin ningún sentido en el suelo estava; y cuando le sacaron el troço de la lança, dio el cavallero una boz dolorida demandando confessión.

Y don Florestán, tomando una lança, se tornó al mesmo lugar do ante estava. Y no tardó que vio venir otro cavallero en un grande y fermoso cavallo, pero no con tanto esfuerço como el primero, y fue cuanto pudo a don Florestán, y salió el encuentro en soslayo, así que la lança barahustó[16] y fue partido el encuentro[17]. Y don Florestán lo firió en el yelmo, y quebrándole los lazos, gelo derribó de la cabeça rodando por el campo,

_____

[15] _llegardes:_ llegareis.

[16] _barahustó:_ barahuesto, Z // barahusto, RS // . Significa dar al soslayo o desviar las armas o sus golpes.

[17] _fue partido el encuentro:_ finalizó la acción de encontrarse los caballeros.

y fízole abraçar a las cervizes del cavallo, mas no cayó. Y don Florestán tomó la lança a sobremano[18], y vino a él muy sañudo; y el cavallero, que lo vio venir assí, alçó el escudo, y don Florestán le dio un tal golpe en él, que se le fizo juntar al rostro, assí que fue atordido y perdió la rienda de la mano. Y como lo vio con tal desacuerdo, don Florestán dexó caer la lança, y tiró por el escudo tan rezio, que gelo sacó del cuello; y diole con él por encima de la cabeça dos golpes tan pesados, que lo fizo caer del cavallo tan sin sentido, que no fazía sino rebolverse por el campo. Y mandó tomar el cavallo y a él que le diessen su lança, y fue al romano y díxole:

—De oy más, si pudierdes[19], podéis ir a Roma a loaros[20] de los cavalleros de la Gran Bretaña.

Y endereçándose en la silla, fue contra el cuarto cavallero, que vio venir contra sí. Mas su justa fue por los primeros encuentros partida, que don Florestán lo encontró tan duramente, que él y el cavallo fueron en tierra, y el cavallero ovo la pierna quebrada cabe el pie; y levantándose el cavallo, el cavallero quedó en el suelo sin se poder levantar. Y fízole tomar el escudo y el cavallo como a los otros.

Y él tomó una muy buena lança de sus escuderos, y vio que venía contra él Gradamor con unas armas muy fermosas y frescas, y en un cavallo overo grande y fermoso, y blandiendo la lança como que la quebrar quería. Déste tenía don Florestán gran saña porque la amenazara. Y Gradamor dezía a una boz alta:

—Don Grumedán, no dexéis de os armar, que antes que en vuestro cavallo seáis yo faré que este cavallero que me atiende os aya menester[21] en su ayuda.

—Agora lo veremos —dixo don Grumedán—, mas por es-

---

[18] *laça a sobremano:* lanza que en el momento del ataque se mantiene en posición horizontal bien sujeta por el puño, descansando sobre el antebrazo, y formando un ángulo recto con el brazo. Véase Riquer, *Armas,* 346.

[19] *De oy más, si pudierdes:* de hoy en adelante, si pudiereis. «De hoy más, en sosiego tus deseos, y en paz tu vevir, debes poner», Diego de San Pedro, *Arnalte y Lucenda,* pág. 108.

[20] *loaros:* lloraros, Z // loar vos, R // loaros, S // .

[21] *que me atiende os aya menester:* que me espera os necesite.

sas alabanças no me quiero poner en esse trabajo fasta que vea cómo lo passáis.

Gradamor, que ya el agua passara, vio a don Florestán contra sí venir al más correr de su cavallo, muy bien cubierto de su escudo, y la lança baxo[22] por lo ferir, y él movió contra él a gran correr de su cavallo. Y ambos los cavalleros eran fuertes y valientes, y encontráronse de las lanças, y Gradamor le passó el escudo y metió por él bien un palmo de la hasta de la lança, y allí quebró. Y don Florestán le passó el escudo en derecho del costado sini[e]stro y quebrantó las fojas por fuerça del golpe, que fue grande, y lançólo fuera de la silla en una cava[23] que aí avía, que yazía llena de agua y de lodo; y passó por él, y mandóle tomar el cavallo a sus escuderos. Y don Grumedán, que esto vio, dixo contra la Reina:

—Señora, seméjame que ya podré una pieça folgar en cuanto Gradamor enxuga[24] sus armas y busca otro cavallo en que se combata.

La Reina dixo:

—Malditas sean sus locuras y sobervias dellos, que a todo el mundo fazen ensañar[25] contra sí, y después pássanlo a su vergüença.

Gradamor se yugo rebolviendo en el agua y en el lodo una pieça; y cuando dello salió, ovo gran pesar de lo que le aveniera. Y quitó el yelmo de la cabeça, y limpióse con su mano los ojos y el rostro del agua y del lodo que en él tenía, y sacudióse dello lo más que pudo; desí laçó[26] el yelmo en la cabeça. Y don Florestán, que lo así vio, llegóse a él y díxole:

—Señor cavallero amenazador, dígoos que si no os ayudáis mejor de la espada que de la lança, no será por vos levado mi escudo ni mi nombre a Roma.

---

[22] *baxo:* aunque Place interpreta la palabra como forma verbal, *baxó,* a mi juicio se trata o bien de una confusión por *baxa,* como leen R y S, o bien una forma adverbial, hacia abajo, interpretación avalada por la construcción de la frase.

[23] *cava:* foso de la fortaleza. «Las gentes cayan en las cavas por entrar en la cibdad», *Tristán de Leonís,* 392b.

[24] *enxuga:* quita la humedad, seca. «Era todo lleno de agua e muy pesado, e enxugólo, e fazía muy buen sol», *Otas de Roma,* 108-109.

[25] *ensañar:* enseñar, Z // ensañar, RS // .

[26] *laçó:* lanço, ZR // puso, S // . Significa enlazar el yelmo, pues va sujeto con lazos.

Gradamor le dixo:

—Pésame de la prueva de las lanças, mas no trayo esta espada sino para me vengar, y esto os haré yo luego ver si la costumbre desta tierra osardes mantener.

Y don Florestán, que muy mejor que él la sabía, le dixo:

—¿Y qué costumbre es esta que dezís?

—Que me deis mi cavallo —dixo él—, o descendid del vuestro, y a pie nos ensayaremos a las spadas; y será el juego comunal[27], y el que peor lo jugare quede sin mesura y mercé[d][28].

Don Florestán le dixo:

—Bien creo que yo que esta costumbre no la manterníades vos seyendo vencedor; pero yo quiero descendir de mi cavallo, porque no es razón que cavallero romano tan hermoso como vos sois suba en cavallo que le[29] otro derribasse.

Estonces se apeó y dio el cavallo a sus escuderos, y metió mano a su spada. Y cubriéndose muy bien de su escudo, fue a gran passo contra él con muy gran saña, y firiéronse de las spadas muy bravamente, assí que la batalla era asaz brava y parecía a todos bien peligrosa por la saña que entre ellos era. Mas no duró, que don Florestán, que más rezio y fuerte era en bondad de armas, viendo que la Reina y las sus mugeres lo miravan, y don Grumedán, que muy mejor que ellas sabía de tales fechos, provó toda su fuerça dándole tan grandes y pesados golpes, que Gradamor, ahunque muy valiente era, no lo pudo sofrir; y ívale dexando el campo, tirándose afuera contra la tienda de la Reina, a fiuza[30] que don Florestán por su acatamiento della lo dexaría. Mas don Florestán se le paró delante, y a su pesar le fizo bolver contra donde viniera; y tanto lo cansó, que Gradamor cayó tendido en el campo, desapoderado de toda su fuerça. Y la espada le cayó de la mano, y don Florestán le tomó el escudo y diolo a sus escuderos; desí travóle del yelmo, y tirógelo tan fuertemente de la cabeça[31], que una pieça lo

---

27  *comunal:* común. «Esta Reyna era de comunal estatura», Fernando del Pulgar, *Crónica de los Reyes Católicos,* 76, 8.

28  *mesura y mercé[d]:* gracia y merced.

29  *que lo:* que lo, ZRS // que le, Place // .

30  *a fiuza:* con la confianza.

31  *cabeça:* cabaça, Z // cabeça RS // .

arrastró por el campo, y lançó el yelmo en la cava del lodo que ya oístes. Y tornó a él, y tomándolo de la una pierna, quísolo assí mesmo echar con el yelmo; y Gradamor començó a dezir a altas bozes que por Dios le oviesse piedad. Y la Reina, que lo veía, dixo:

—Mal ha baratado aquel desventurado cuando sacó[32] que el vencedor no oviesse mesura ni merced del vencido.

Y don Florestán dixo a Gradamor:

—Postura que tan honrado cavallero como vos puso no es razón que quebrada sea, y yo vos lo terné muy complidamente[33], assí como lo agora veréis.

Él, cuando esto oyó, dixo:

—¡Ay, cativo, que muerto soy!

—Assí es —dixo don Florestán— si no fazéis mi mandado en dos cosas.

—Dezidlas —dixo él—, que yo las faré.

—La una —dixo don Florestán—, que por vuestra mano, y de la sangre vuestra y de vuestros compañeros, scriváis vuestro nombre y los suyos en los brocales de los escudos; y esto hecho, deziros he la otra cosa que quiero que hagáis.

Y diziéndole esto, tenía sobre él su spada esgrimiéndola, y el otro, debaxo tremiendo con gran espanto. Y fixo llamar un scrivano suyo, y mandóle que, quitando la tinta de su tintero, lo hinchiesse[34] de su sangre y escriviesse su nombre en el escudo, pues que él no podía, y todos los nombres de sus compañeros en los otros sus escudos, y que lo hiziesse presto porque él no perdiesse la cabeça. Esto fue luego assí fecho, y don Florestán limpió su spada y púsola en la vaina, y fue cavalgar en el cavallo suyo; y cavalgó muy ligeramente, assí que semejava que no havía aquel día trabajado ninguna cosa. Y dio su escudo al scudero, mas el yelmo no quitó porque don Grumedán no lo conoçiesse. Y el cavallo en que estava era grande y fermoso y de estraña color, y el cavallero era de una grandeza y talle tan apuesto, que pocos se fallarían que tan bien como él pareçies-

---

[32] *Mal ha baratado...cuando sacó:* Mal ha negociado...cuando propuso.
[33] *postura ...y yo vos lo terné muy complidamente:* pacto...y yo os lo mantendré íntegramente.
[34] *hinchiesse:* llenase. «Se me hinchen los ojos de agua», *Celestina*, VII, 118.

sen armados. Y tomó en su mano una lança con un pendón rico y hermoso, y paróse sobre Gradamor, que se ya levantara, y blandiendo la lança le dixo:

—Vuestra vida no está sino en que don Grumedán me os pida que os no mate ante él.

Él començó a dar grandes bozes llamando a Grumedán que por Dios le acorriesse, pues que en él era su vida o su muerte. Y luego don Grumedán vino assí a pie como estava, y dixo:

—Cierto, Gradamor, si os no vale merced ni piedad, esto es con gran derecho, porque con vuestra sobervia assí lo pedistes a este señor, mas yo le ruego que os dexe bivir, porque mucho gelo agradeçeré y serviré.

—Esso haré yo de grado —dixo don Florestán— por vos, y todo lo ál que vuestra honra y plazer sea.

Y luego dixo:

—Vos, don cavallero romano, de hoy más, cuando vos pluguiere, podréis contar en el juizio de Roma, si allí fuerdes, las grandes sobervias y amenazas[35] que [v]os contra los cavalleros de la Gran Bretaña havéis dicho, y cómo con ellos vos mantovistes, y la gran prez y honra que dellos ganastes en tan poco espacio de un día; y assí lo dezid al vuestro Emperador y a las potestades[36] porque dello hayan plazer. Y yo faré saber en la Ínsola Firme cómo los cavalleros de Roma son tan liberales y francos[37] que dan ligeramente sus cavallos y armas a los que no conoçen. Mas yo desta dádiva que a mí fezistes no tengo que os agradeçer, y agradézcolo yo a Dios, que sin vuestro grado me lo quiso dar.

Gradamor, que tan maltrecho estava, cerca de le salir el alma, que esto oía, más grave le eran estas palabras que las feridas. Y don Florestán le dixo:

---

[35] *amenazas:* amenezas, Z // amenazas, RS // .

[36] *potestades:* si en el *Cantar de Mio Cid* «son los ricos omnes investidos con un alto cargo, inferior al de los condes, que consistía en el gobierno o tenencia de un territorio del reino» (Menéndez Pidal, *Cid,* s. v. podestades), según las *Partidas,* II, I, XIII, «potestades llaman en Italia a los que escogen por regidores de las villas e los grandes castillos».

[37] *francos:* generosos, en pareja sinonímica con liberales, muy del gusto de la obra. «No fue franco segunt tenía la renta», Fernán Pérez de Guzmán, *Generaciones y semblanzas,* pág. 21.

—Señor cavallero, vos llevaréis a Roma toda la sobervia que de allá traxistes, pues que la aman y precian, que en esta tierra los cavalleros della no la dessean, ni conoçen sino aquello que vosotros aborreçéis, que es mesura y buen talante. Y si vos, mi señor, sois tan enamorado como valiente en armas, y quisierdes que a la Ínsola Firme os lieve, provaréis el arco encantado de los leales amadores que allí van con lealtad de sus amigas. Y con este prez y honras que de la Gran Bretaña levardes preciaros ha mucho más vuestra amiga; y si es de buen conoçimiento, no vos trocará por otro alguno[38].

Dígoos de don Grumedán que havía gran sabor de oír aquellas palabras, y reía de mucha gana en ver quebrantada la sobervia de los romanos. Mas no lo fazía assí Gradamor; antes, las oía con gran quebranto de su coraçón, y dixo a don Grumedán:

—Buen señor, por Dios mandadme levar a las tiendas, que mucho soy maltrecho.

—Bien pareçe en vos y en vuestras armas —dixo él—, y vuestra es la culpa.

Estonces lo fizo tomar a sus escuderos que lo levassen. Y dixo a don Florestán:

—Señor, si vos pluguiere, dezidnos vuestro nombre, que tan buen hombre como [v]os no lo deve encubrir.

Y él le dixo:

—Mi señor don Grumedán, ruégovos que no os pese de vos lo no dezir, porque según la descortesía que yo fize a aquella muy fermosa Reina por ninguna guisa no querría que lo supiesse, que por muy culpado me siento, ahunque ella y sus donzellas lo son más, que la su gran fermosura fue ocasión de me hazer errar, que de mi entendimiento me sacaron. Y ruégoos, señor don Grumedán, que fagáis con ellas que tomando de mí la emienda que yo complir pueda me perdonen, y me

---

[38] En las palabras irónicas de don Florestán puede descubrirse cómo están íntimamente ligados en la obra el comportamiento moral, el caballeresco y el amoroso. Frente a la soberbia, la cobardía romana y la posible imperfección amorosa de los romanos, se levanta la mesura y valentía de los caballeros de la Ínsula Firme, perfectos enamorados. No obstante, Florestán no era la persona más adecuada para acusar a los romanos, cuando él ni siquiera se atrevió a probar la aventura.

embiéis la respuesta dello a la hermita redonda que es cerca de aquí, que allí alvergaré hoy.

Don Grumedán[39] le dixo:

—Yo lo faré al mi poder como lo queréis, y con el recaudo que hallare os embiaré un mi escudero, y al mi grado el mandado que vos llevará será bueno, como lo vos mereçéis.

El cavallero de la Ínsola Firme le dixo:

—Ruégoos, señor don Grumedán, que si algunas nuevas de Amadís sabéis, me las digáis.

Y don Grumedán, que mucho amava a aquel por quien le preguntava, viniéronle las lágrimas a los ojos con soledad dél, y dixo:

—Sí Dios me salve, buen cavallero, desde aquel tiempo que se él partió de Gaula, de casa de su padre el rey Perión, nunca dél oí nuevas ningunas; y mucho sería ledo de las oír y las dezir a vos y a todos los sus amigos.

—Esso creo yo bien —dixo don Florestán—, según vuestro buen talante y la gran lealtad que en vos, señor, mora; que si todos tales fuessen, la desmesura y deslealtad no fallarían posada en ningún lugar donde alvergassen, y salirían[40] por fuerça fuera del mundo. Y a Dios seáis encomendado, que me voy a la hermita que vos dixe a esperar vuestro escudero.

—A Dios vayáis —dixo don Grumedán.

Y fuese a las tiendas, y don Florestán, a donde sus scuderos estavan. Y mandó que los cavallos que havía ganado los levassen a las tiendas, y el cavallo overo lo diessen a don Grumedán de su parte porque le pareçía bueno, y los otros cuatro los diessen a la donzella que con él hablara, q[ue] fiziesse dellos a su voluntad[41], y le dixiessen que se los embiava don Florestán. Mucho fue alegre don Grumedán con el cavallo por haver sido de los romanos, y mucho más en saber que aquél era don Florestán, a quien él mucho amava y preciava. Y los escuderos dieron los otros cavallos a la donzella, y dixéronle:

—Señora donzella, aquel cavallero que con vuestras palabras hoy despreciastes en loor de los vuestros romanos os em-

---

[39] *Grumedán:* grumedon, Z // Grumedan, RS // .
[40] *salirían:* salerian, Z // salirian, RS // . Equivale a saldrían.
[41] *voluntad:* vonluntad, Z // voluntad, RS // .

bía estos cavallos que los deis a quien os plazerá, y que los to- méis en señal de hazer verdad las palabras que él dixo.

—Mucho gelo gradezco —dixo ella—, y cierto, él los ganó con gran prez y alta bondad, pero más me pluguiera que dexa- ra él aquí el suyo solo que recebir estos cuatro.

—Bien puede ser —dixo uno de los escuderos—, mas quien el suyo oviere de ganar menester havrá mejores cavalleros que estos que gelo demandavan.

La donzella dixo:

—No vos maravilléis en que yo desseo más la honra déstos que la del que no conozco ni sé quién es. Pero comoquiera que ello sea, él me embió fermoso don, y pésame de haver dicho a tan buen hombre cosa que le diesse enojo; mas yo lo emendaré en lo que él mandare.

Con esto se tornaron a su señor, que los atendía, y contá- ronle lo que havían passado, de que plazer huvo. Él, mandan- do tomar los escudos de los romanos a sus escuderos, se fue a la hermita redonda por atender allí el mandado de don Gru- medán y porque aquél era el derecho camino de la Ínsola Fir- me, que no havía a voluntad de entrar en la corte del rey Li- suarte y querría fablar a don Gandales, que la ínsola tenía, y preguntarle si sabía algunas nuevas de su hermano, y poner allí los escudos que levava.

Mas dígoos de don Grumedán que luego fue delante la reina Sardamira y muy humildosamente le dixo lo que don Florestán le encomendara, y díxole su nombre. La Reina lo escuchó muy bien, y dixo:

—¿Si será éste don Florestán fijo del rey Perión y de la Con- dessa de Selandia?

—Este es [el] mismo[42] que [v]os, señora, dezís; y creed que es uno de los esforçados y mesurados cavalleros del mundo[43].

—Acá no sé cómo le ha ido —dixo ella—, mas dígovos, don Grumedán, que estrañamente hablan dél los fijos del Mar- qués de Ancona[44], de su alta bondad de armas y su alto hecho,

---

[42] *es [el] mismo:* es mismo, ZRS // es el mismo, Place // .

[43] *mundo:* mundon, Z // mundo, RS // .

[44] «El primer título de marqués que se otorgó en Castilla fue el de Villena, por Enrique II el de las Mercedes en cabeza de Alfonso de Aragón, pero el títu-

y de cómo es entendido y mesurado; y dévese creer, porque éstos fueron sus compañeros en las grandes guerras que en Roma huvo, donde él tres años moró cuando era él cavallero mançebo. Pero la su bondad no la osan dezir ante el Emperador, que lo no ama, ni quiere oír que dél bien digan.

—¿Sabéis vos —dixo don Grumedán— por qué lo no ama el Emperador?

—Sí —dixo la Reina—, por razón de su hermano Amadís, de que el Emperador ha gran quexa porque conquirió[45] las aventuras de la Ínsola Firme, que él iva a ganar, y fue allí primero que él; y por esto lo desama mucho en le haver quitado la honra y el prez que en ello ganar alcançava.

Don Grumedán se sonrió ende[46] y dixo:

—Ciertamente, señora, su quexa es sin razón; antes, entiendo que por solo esto le devía amar, pues le quitó que no alcançasse allí la mayor deshonra que por ventura nunca le avino, assí como la ovieron otros muchos cavalleros que lo provaron de alta bondad de armas, y no la pudo ganar sino aquel a quien Dios estremado sobre todos los del mundo fizo en esfuerço y en todas las otras maneras que buen cavallero deve haver. Y creed, mi señora, que otra aventura fue por que el Emperador lo desama.

La Reina dixo:

—Por la fe que a Dios devéis, don Grumedán, que me lo digáis.

—Señora —dixo él—, yo os lo diré, y no os enojés[47] dello.

Y ella riendo le dixo:

—Comoquiera que sea, saberlo quiero.

---

lo cesó con la muerte del dignatario. El próximo título de marqués que se concedió en Castilla fue en 1455 por Juan II en cabeza de don Íñigo López de Mendoza, y fue el mismísimo de Santillana. O sea que el título de marqués es algo propio de la Castilla de los años de Montalvo: Enrique IV concedió cuatro, los Reyes Católicos, nueve.» Véase J. B. Avalle-Arce: *El Amadís primitivo...*, cap. VII, nota 37 y su ref. bibliográfica.

[45] *conquirió:* superó.

[46] *ende:* por ello.

[47] *enojés:* enojéis. En los cómputos realizados por Domingo del Campo, pág. 50, las formas con monoptongación —ás— és se utilizan esporádicamente: si el libro I presenta un mayor número de casos (10), el libro III sólo tiene tres, mientras que en el I y en el IV sólo se resgistra 1 en cada libro.

—En el nombre de Dios —dixo él.

Estonces le contó todo cuanto aviniera al Emperador con Amadís en la floresta de noche cuando se iva loando del amor y Amadís quexando, y todas las palabras que entre ellos passaron, y en qué guisa la batalla fue, assí como lo ya en el segundo libro oístes. Mucho se pagava la Reina de lo oír, y fízogelo contar tres vezes, y dixo:

—Sí Dios me salve, don Grumedán, según lo que me dezís, bien dio a entender esse cavallero que puede servir al amor siendo dél contento, y hazer lo contrario cuando el amor lo hiziesse. Pero a mi pareçer, no fue éssa pequeña causa para poner desamor entre el Emperador y Amadís.

## Capítulo LXXVII

*Cómo la reina Sardamira embió su mensaje a don Florestán, rogándole, pues que havía vencido los cavalleros poniéndolos malparados, que quisiesse ser su aguardador fasta el castillo de Miraflores, donde ella iva a hablar con Oriana; y de lo que allí passaron.*

Assí estando fablando la reina Sardamira y don Grumedán en esto que oído havéis, y ella lo escuchava ledamente porque aquel camino que el Emperador estonces fiziera, llamándose el Patín, fue por su amor della, que la mucho amava, y pensando ganarla vino en la Gran Bretaña a se provar con los buenos cavalleros que allí havía, y desto que con Amadís le avino nunca nada le dixo, y reíase mucho entre sí de cómo gelo encubriera[1]. Y don Grumedán le dixo:

—Señora, dadme el recaudo que vos más pluguiere que embíe a don Florestán.

Ella estuvo una pieça cuidando; desí dixo:

—Don Grumedán, vos veis a mis cavalleros tan maltrechos, que no pueden aguardar a mí ni a sí, y conviéneles quedar para

---

[1] La misma aventura se ha contado en diferentes ocasiones desde distintas perspectivas. En primer lugar, la ha relatado el narrador directamente, caps. XLVI y XLVII, y posteriormente Durín a Oriana, cap. XLIX. Su rememoración implica el recuerdo de la derrota de el Patín.

su salud. Y querría, pues los cavalleros desta tierra son tales, que don Florestán fuesse mi aguardador con vos.

Él dixo:

—Yo os digo, mi señora, que don Florestán es tan mesurado, que no ha cosa que dueña o donzella le ruegue que la no faga, cuanto más por vos, que sois tal señora y a quien ha de hazer emienda del yerro que fizo.

—Mucho me plaze —dixo ella— de lo que me dezís; y agora me dad quien guíe a aquella donzella, y embiarle he mi mandado.

Él le dio cuatro escuderos, y la Reina embió con una carta de creencia a la donzella que ovo los cavallos, y dixo en poridad lo que dixesse. Y cavalgando en su palafrén y los escuderos con ella, se acuitó mucho por andar[2] el camino; assí que llegando a la hermita redonda halló a don Florestán, que con el hermitaño hablava, y hízose apear del palafrén. Y como el rostro llevava descubierto, conoçióla luego don Florestán y recibióla muy bien. Ella le dixo:

—Señor, tal hora fue hoy que no cuidava buscaros, porque mi pensamiento era que de otra guisa passara el hecho entre vos y los nuestros cavalleros.

—Buena señora —dixo él—, ellos ovieron la culpa, que me demandaron lo que no podía escusar sin mi vergüença. Mas tanto me dezid si la Reina vuestra señora alvergará aí esta noche donde la yo dexé.

La donzella le dixo:

—Mi señor, la Reina os embía a saludar, y tomad esta carta que della trayo.

Él la vio y dixo:

—Señora, dezid lo que os mandaron, y yo faré su mandado.

—No es sin razón —dixo ella— que assí lo fagáis; antes, es vuestra honra y cortesía de buen cavallero; y dígoos que me mandó que vos dixiesse que los cavalleros que la aguardavan dexastes tan maltrechos, que no se puede dellos servir; y pues de [v]os le vino este estorvo, quiere que seáis su aguardador della fasta la poner en Miraflores, do ella va a ver a Oriana.

—Mucho gradezco yo a vuestra señora lo que me embía a

---

[2] *se acuitó mucho por nadar:* se apresuró para andar.

mandar, y en grande honra y merced lo tengo para gelo servir.
.Y partamos de aquí a tal hora que a la luz del alva seamos en
su tienda.

—En el nombre de Dios —dixo la dueña—. Y agora os
digo que sois bien conoçido de don Grumedán, que él dixo a la
Reina que tal respuesta como dais se fallaría en vos.

Mucho fue pagada la donzella de la buena palabra y gran
mesura de don Florestán, y de cómo era fermoso y de buen
donaire[3], y en todo le semejava hombre de alto lugar, assí
como él era. Pues allí cenaron de consuno y stuvieron fablando en muchas cosas gran pieça de la noche. Y cuando fue sazón de dormir, hizieron en la hermita a la donzella en qué al-
vergasse, y don Florestán estuvo so los árboles con los escuderos, y durmió aquella noche muy sossegado del afán del día.
Mas cuando fue tiempo, despertáronlo los escuderos, y armándose tomó consigo la donzella y la otra compaña, y fuese camino de las tiendas, y llegaron a ellas bien de mañana. La donzella se fue a la Reina, y don Florestán a la tienda de don Grumedán, que ya era levantado y andava hablando con sus cavalleros, y quería oír missa. Y cuando vio a don Florestán, en
gran manera fue ledo; y abraçáronse ambos con mucho plazer,
y fuéronse luego a la tienda de la Reina. Y don Grumedán le

—Señor, esta Reina quiere vuestro aguardamiento[4]; bien es
que lo hagáis, que mucho es noble señora. Y paréçeme que no
barata mal ganando a vos y perdiendo sus cavalleros.

Esto le dezía en riendo[5].

—Assí Dios me salve —dixo don Florestán—, mucho querría poderla servir en algo que le pluguiesse, especialmente
yendo en vuestra compañía, que ha mucho que os no vi.

—Señor, cómo a mí plaze con vuestra vista —dixo él—
Dios lo sabe. Y dezidme qué fezistes de los escudos que de
aquí llevastes.

---

[3] *donaire:* «vale gracia y buen parecer en lo que dize o haze; porque aire lo
mesmo es que gracia y espíritu, promptitud, viveza» (Cobarruvias). «¿Quién
será el que no ríese sy tu donaire viese?», Alfonso Martínez de Toledo, *Corbacho,*
pág. 253.

[4] *aguardamiento:* guarda, custodia.

[5] *en riendo:* la utilización de en + gerundio tiene siempre un cariz temporal.
Keniston, 38, 215.

—Embiélos esta noche con un mi escudero a la Ínsola Firme a vuestro amigo don Gandales, que los ponga en lugar que sean vistos de cuantos allí vinieron y lo sepan los de Roma si los querrán venir a demandar.

—Si esso ellos fazen —dixo don Grumedán—, bien basteçida será la ínsola de sus escudos y armas.

Assí hablando llegaron donde la Reina era, que ya sabía su venida. Y don Florestán fue ante ella y quísole besar las manos, mas ella no quiso, y púsole su mano en la manga de la loriga en señal de buen recebimiento, y díxole:

—Don Florestán, mucho os agradezco vuestra venida y el afán que en mi servicio queréis tomar. Pues que assí havéis emendado el mal que a mis cavalleros fezistes, razón es que perdonado os sea.

—Mi buena señora —dixo él—, no siento yo afán ni trabajo en os servir; antes, mucho más lo sintiera si con enojo os dexara; y en esto yo recibo honra y gran merced, y en lo que más fuere vos pido yo, señora, que como a vuestro cavallero y servidor me mandéis, y aquello con toda afición por mí se cumplirá.

La Reina preguntó a don Grumedán si estava aparejado para el camino. Oído lo que dezía, dixo él:

—Señora, cuando vos plazerá, podéis andar, y estos cavalleros feridos hazerlos he llevar a una villa que cerca de aquí es, donde curarán dellos hasta que guaridos sean, porque según sus heridas no po[d]rían ir con nos fasta que sean sanos.

—Assí se haga —dixo ella.

Estonces traxeron a la Reina un palafrén blanco como la nieve, y venía ensillado de una silla toda guarnida de oro, muy bien labrada a maravilla, y assí mesmo el freno; y ella vestida de muy ricos paños, y al cuello, perlas y piedras de gran valor que mucho en su gran fermosura acrecentavan. Y luego cavalgaron sus dueñas y donzellas ricamente ataviadas; y tomando don Florestán a la Reina por la rienda, entraron en el camino de Miraflores.

Dígoos de Oriana que ya sabía su venida, de que mucho le pesava, que en el mundo no havía cosa que más grave le fuesse que oír hablar en el Emperador de Roma, y sabía cierto que esta Reina no venía a otra cosa. Mas mucho le plugo con la venida de don Florestán, cuando supo que con ella venía, por le preguntar por nuevas de Amadís y por se le quexar del Rey su padre. Pero comoquiera que su turbación grande fuesse, tovo por bien de mandar adreçar la casa de fermosos y ricos estrados para los recebir, y vistióse ella de lo mejor que tenía, y assí lo fizo Mabilia y las otras sus donzellas.

Y cuando la reina Sardamira entró por el palacio donde Oriana estava, llevávala por el braço don Florestán y Grumedán. Y cuando Oriana la vio venir, mucho le pareció bien, y pensó que, si su demanda no fuesse tal, que gran plazer oviera con ella. Y llegando la Reina, homillóse ante Oriana y quísole besar las manos, mas ella las tiró a sí, y díxole que ella era reina y señora, y ella una donzella pobre a quien sus pecados querían fazer mal. Estonces la saludaron Mabilia y las otras donzellas, mostrando muy gran plazer por le dar a la Reina. Mas esso no fazía Oriana, que nunca lo oviera después que los romanos fueron en casa de su padre. Mas dígoos que con don Florestán y don Grumedán holgó mucho, como que su coraçón con ellos algo descansava. Y todos se assentaron en un estrado, y Oriana fizo assentar ante sí a don Florestán y a don Grumedán; y desque habló algo con la Reina, bolvióse a don Florestán y díxole:

—Buen amigo, muy gran tiempo ha que no os vi, y pésame dello, que mucho os amo, assí como lo fazen todos aquellos que os conoçen. Y grande es la mengua que vos y Amadís y vuestros amigos hazéis en ser fuera de la Gran Bretaña, según los grandes tuertos y agravios que en ella emendar hazíades. Y malditos sean aquellos que fueron causa de vos apartar de mi padre, que si aquí agora os fallárades juntos, como solía, alguna desaventurada, que agora su mal atiende en ser desheredada y llegada fasta el punto de la muerte, pudiera tener esperança de algún remedio. Y si allí fuéssedes, razonaríades por ella y seríades en su defensa como siempre lo hezistes, que nunca desamparastes a los cuitados que os ovieron menester. Mas tal fue la ventura desta que digo, que todo le falleçe sino la muerte[6].

---

[6] *todo le falleçe sino la muerte:* todo le falta salvo la muerte. «Vieron que no le fallecia nada», *Demanda del Sancto Grial,* 287b. Oriana plantea el problema de su

Y cuando esto dezía, llorava fuertemente, y esto por dos cosas: la una, porque si su padre la entregasse[7] a los romanos, esperava de echarse en la mar; y la otra, con soledad de Amadís, que la remembrança de don Florestán, que delante sí tenía, le dava, que le mucho semejava. Y don Florestán, que mucho entendido era, bien conoçió que por sí misma lo dezía, y dixo:

—Mi buena señora, a las grandes cuitas acorre Dios con la su piedad, y en Él tened vos, señora, esperança que porná consejo en vuestras cosas, y de lo que dezís de Amadís mi señor hermano, aquel que yo mucho desseo ver; y assí[8] como en las unas partes falleçe su socorro, assí en las otras lo fallan aquellos que menester lo han; y creed, mi buena señora, que él es sano y en su libre poder, y anda por tierras estrañas haziendo maravillas en armas y socorriendo a los que tuerto reciben, assí como aquel que Dios estremó en este mundo sobre cuantos en él naçer fizo.

La reina Sardamira, que cerca estava dellos y oía toda la fabla, dixo:

—¡Ay! Dios le guarde a Amadís de caer en las manos del Emperador, que muy mortalmente lo desama; y yo havría pesar de su enojo por él, que tan preciado es, y por vos, don Florestán, que es vuestro hermano.

—Señora —dixo él—, otros muchos lo aman y dessean su bien y honra.

—Yo os digo —dixo la Reina— que según he sabido no ay hombre que tanto desame el Emperador como a él, si no es un cavallero que moró un tiempo en casa del rey Tafinor de Bohemia en tiempo que gentes del Emperador le guerreavan; y aquel cavallero que os digo mató en batalla a don Garadán, que era el mejor cavallero que en todo el linaje del Emperador havía, y en todo el señorío de Roma, si no es Salustanquidio, este Príncipe muy honrado que vino con mandado del Empe-

desheredamiento, pero no el del matrimonio impuesto contra su voluntad. Téngase en cuenta que, a pesar de la legislación, podría ser una práctica habitual que le afectaba personalmente, mientras que su desheredamiento era un asunto también de todo el reino. Véase la nota 7 del capítulo XLVII.

[7] *entregasse:* entreguasse, Z // entregasse, RS // .

rador a vuestro padre en fecho de vuestro casamiento. Y aquel cavallero que os digo fizo vencer otro día después que mató a don Garadán, por la su gran bondad de armas, otros onze cavalleros del Emperador de los mejores que en toda Roma havía. Y con estas dos batallas que os digo hizo aquel cavallero quedar libre de la guerra al Rey de Bohemia, que con el Emperador tenía, donde no esperava remedio sino de perder todo su reino; así que en buen día entró en su casa tan noble cavallero para sus males remediar.

Estonces les contó la reina Sardamira la razón de las batallas mucho por estenso, y cómo la guerra fue partida tanto a honra y provecho del rey Tafinor, así como este libro os lo ha contado[9]. Y desque ella se calló, dixo don Florestán:

—Mi buena señora, ¿sabéis [v]os cómo ha nombre esse cavallero que todas essas cosas passó a su honra?

—Sí —dixo la Reina—, que lo llaman el Cavallero de la Verde Spada o el Cavallero del Enano, y a cada uno dessos nombres responde él cuando lo llaman; pero bien creído tienen todos que no es aquél su derecho nombre, mas porque dizen que trae una grande spada de un guarnimiento verde, y un enano en su compañía, le llaman estos nombres. Y comoquiera que otro scudero consigo trae, nunca el enano dél se parte.

Cuando don Florestán esto oyó, fue muy ledo, y creía verdaderamente que Amadís su hermano sería, según las señales dél oía. Y así lo creyeron Oriana y Mabilia. Y don Florestán estuvo una pieça pensando que, tanto que aquellas cortes del rey Lisuarte se partiessen, lo iría a buscar. Y Oriana, que moría por fablar con Mabilia, dixo a la Reina:

—Buena señora, [v]os venís de lueñe y havéis menester de folgar, y será bien que descanséis en las buenas posadas que tenéis.

—Assí se haga —dixo ella—, pues que, señora, lo mandáis.

Estonces se fueron todas juntas al aposentamiento de la

---

8 *ver; y assí:* ver y assi, ZRS // ver, assí, Place // .

9 De la misma manera que el triunfo de Amadís sobre el Patín ha sido referido en diferentes ocasiones, de nuevo se cuenta la victoria del Caballero de la Verde Espada, Amadís, sobre los romanos. Esta insistencia, aparte de proporcionar nuevas noticias a personajes que las desconocen, está anunciando los desenlaces finales de la obra.

Reina, que muy sabroso era, assí de árboles y fuentes como de casas muy ricas. Y dexándola allí con sus dueñas y donzellas y don Grumedán, que las fazía servir, Oriana se tornó a su cámara, y apartando a Mabilia y a la Donzella de Denamarcha, les dixo cómo creía verdaderamente que aquel cavallero que la reina Sardamira dixera sería Amadís. Y ellas dixeron que assí lo cuidavan y creían, y Mabilia dixo:

—Señora, agora es suelto[10] un sueño que esta noche soñava, que es que me pareçía que estávamos metidas en una cámara muy cerrada, y oíamos de fuera muy gran ruido, assí que nos ponía en pavor. Y el vuestro cavallero quebrantava la puerta y preguntava a grandes bozes por vos, y yo os mostrava, que estávades echada en un estrado; y tomándoos por la mano, nos sacava a todas de allí y nos ponía una muy alta torre a maravilla, y dezía: «Vos estad en esta torre y no temáis de ninguno»; y a esta sazón desperté. Y por esto, señora, mi coraçón es mucho esforçado, y él vos acorrerá[11].

Cuando esto oyó Oriana, fue muy leda, y abraçóla llorando de sus ojos, que las lágrimas le caían por las sus muy fermosas fazes, y díxole:

—¡Ay Mabilia, mi buena señora y verdadera amiga, qué bien me acorréis con vuestro esfuerço y buenas palabras! Y Dios mande por la su merced que assí avenga de vuestro sueño como lo dezís; y si esto no es su voluntad, que haga de guisa que viniendo Amadís ambos muramos y no quede ninguno de nos bivo.

—Dexados[12] desso —dixo Mabilia—, que Dios, que tan bienaventurado en las cosas estrañas le fizo, no le desamparará en las suyas propias. Y fablad con don Florestán, mostrándole

---

[10] *suelto:* aclarado. «En esta guisa solto Daniel el sueño al rrey de Bavilonia», *Confisión del Amante,* 11, 22.

[11] *acorrerá:* socorrerá. El sueño de Mabilia anuncia, de nuevo, un futuro novelesco, aunque a diferencia de los anteriores sus significantes no son muy enigmáticos, y ella misma lo interpreta. Ante una situación comprometida para el personaje, Oriana, el autor adelanta predicciones halagüeñas en un claro contraste. Para los sueños, véase Jacques Le Goff, «Los sueños en la cultura y la psicología colectiva del Occidente medieval», en *Tiempo, trabajo, cultura,* páginas 282-288.

[12] *Dexados:* dejaos.

mucho amor, y rogadle qu'él y sus amigos punen cuanto pudieren cómo no seáis fuera desta tierra llevada, y que assí lo diga a don Galaor de vuestra parte y de la suya.

Mas dígoos que don Galaor[13], sin que ninguno gelo dixesse, estava ya él en este cuidado puesto, de lo assí consejar al Rey, y deziros hemos en qué manera. Sabed que el rey Lisuarte fuera a caça, y con él don Galaor; y desque ovieron caçado, yendo el Rey por un valle tovo la rienda a su palafrén, y passando todos adelante llamó a do[n] Galaor y díxole:

—Mi buen amigo y leal servidor, nunca en cosa vos demandé consejo que me bien dello no fallasse. Ya sabéis el gran poder y alteza del Emperador de Roma, que a mi fija embía a pedir para emperatriz. Y yo entiendo en ello dos cosas mucho de mi pro: la una, casar a mi fija tan honradamente, siendo señora de un tan alto señorío, y tener aquel Emperador para mi ayuda cada que menester oviesse[14]; y la otra, que mi hija Leonoreta quedará señora y heredera de la Gran Bretaña. Y esto quiérolo hablar con mis hombres buenos[15], por quien he embiado, para ver en este casamiento qué me consejarán; y en tanto dezidme vos aquí donde apartados estamos, si os plazerá, qué os pareçe desto; que bien conoçido de [v]os, tengo que en este caso me consejaréis todo aquello que mucho a mi honra será.

Don Galaor, cuando esto le oyó, estuvo una pieça cuidando[16]; desí dixo:

—Señor, no soy yo de tan gran seso, ni por mí han passado tantas cosas desta cualidad, que en una cosa de tan gran fecho como ésta supiesse dar entrada ni salida. Y por esto, señor, sea yo escusado dello, si vos pluguiere, porque essos que dezís, con quien se ha de platicar, os dirán mucho mejor lo que vuestra honra y servicio sea, porque muy mejor que yo lo alcançarán.

—Don Galaor —dixo el Rey—, todavía quiero que me lo

---

[13] En esta ocasión el autor ha sabido utilizar el entrelazamiento sin ningún tipo de nexo interno, propiciado porque sigue tratando los mismos problemas con otros personajes, y aprovecha la mención realizada de don Galaor en la frase anterior para insertar el texto.

[14] *cada que menester oviesse:* cuando lo necesitara.

[15] *hombres buenos:* los que forman parte del consejo del Rey.

[16] *estuvo una pieça cuidando:* estuvo un rato pensando.

digáis; si no, recibiría el mayor pesar del mundo, especialmente que hasta hoy nunca de vos recibí sino mucho plazer y servicio.

—Dios me guarde de os enojar —dixo don Galaor—; pues que todavía vos plaze provar mi simpleza, quiérolo hazer. Y digo que en lo que dezís que casaréis vuestra fija muy honradamente y con gran señorío, esto me pareçe muy al contrario, porque, siendo ella vuestra sucessora heredera destos reinos después de vuestros días, no le podéis fazer mayor mal que quitárselos y ponerla en sujeción de hombre estraño donde mando ni poder terná. Y puesto caso[17] que alcançe aquello que es el cabo de semejantes señoras, que son los fijos, y éstos vea casados, luego será puesta en mayor sujeción y pobreza que ante, viendo mandar otra emperatriz. En esto que dezís de os ayudar dél, cierto, señor, según vuestra persona y vuestros cavalleros y amigos que tanto valen, con que havéis adelantado vuestros señoríos y gran fama por el mundo, antes vos sería mengua pensar y creer que aquél os havía de sacar de necessidades; que según sus maneras soberviosas que dizen todos que tiene, tornárseos ía[18] al revés, que siempre recibiríedes por su causa afrentas y gastos muy sin provecho. Y lo que peor destos sería es que como servicio que le fiziéssedes sería sojuzgado[19], y assí quedaríades perpetuamente en sus libros y crónicas; assí que, señor, esto que vos por gran honra tenéis tengo yo por la mayor deshonra que os podría venir. Y en lo que dezís de heredar a vuestra fija Leonoreta en la Gran Bretaña, éste es un muy mayor yerro, que assí acaeçe de uno venir muchos si la buena discreción no lo ataja. Quitar [v]os, señor, este señorío a una tal hija en el mundo señalada, viniéndole de derecho, y darlo a quien no lo deve haver, nunca Dios plega que

---

[17] *puesto caso:* aunque. Según José Luis Rivarola, ob. cit., pág. 92, «unas pocas veces aparece en el s. xv esta variante de *puesto que*. Con *caso* parece subrayarse el carácter hipotético del enunciado». Véase también H. Keniston, § 28.44.

[18] *tornarseos -ía:* se os volvería.

[19] *sería sojuzgado:* seria sojuzgado, ZR // seriades a el subjeto, S // seria juzgado, Place // . Mantengo el texto de la edición zaragozana, porque creo que es la lectura original, pues la de Sevilla es una interpretación incorrecta de la anterior. El sentido es el de juzgado, pero se ha producido una confusión entre *juzgar* y *sojuzgar*.

tal consejo yo diesse; y no digo a vuestra hija, mas a la más pobre mujer del mundo no sería en qu'el suyo se le quitasse. Esto he dicho por la lealtad que a Dios y a vos y a mi ánima devo, y a vuestra fija, que por yo ser vuestro vassallo por señora la tengo; y yo me voy mañana, si a Dios pluguiere, camino de Gaula, que el Rey mi padre, no sé por cuál razón, me embió a llamar[20]. Y si os pluguiere, yo dexaré un scripto de mi mano, que fagáis mostrar a todos vuestros hombres buenos, de lo que os he dicho; y si cavallero oviere que lo contrario diga, teniéndolo por mejor, yo se lo combatiré y le faré conoçer ser verdad todo lo que dicho tengo.

El Rey, cuando esto le oyó, fue mal pagado[21] de sus razones, ahunque no se lo demostró, y díxole:

—Don Galaor amigo, pues que vos ir queréis, dexadme el scripto.

Mas esto no lo demandava él para lo mostrar[22], sino en caso que mucho menester fuesse.

Assí como oído havéis, se fue el rey Lisuarte con don Galaor hasta que llegaron a su palacio; y aquella noche folgaron con mucho plazer y hablando todos en este casamiento, principalmente el Rey, que lo mucha gana[23] tenía. Y otro día de mañana don Galaor diole el scripto y despidióse dél y de los hombres buenos, y partióse para Gaula. Y sabed que la intención de don Galaor en este fecho era estorvar aquel casamiento porque no sentía ser pro del Rey, y también que sospechava lo de Amadís y de Oriana, fija del rey Lisuarte, ahunque ninguno no se lo dixera, y quiso fallarse fuera, donde más en ello fablar no pudiesse, conoçiendo estar ya de todo en todo el Rey determinado a lo fazer. Y desto no sabía nada Oriana, y por esto

---

[20] Galaor, como fiel vasallo, debe prestarle *auxilium* a Lisuarte, pero como hermano de Amadís, y caballero casi perfecto, no puede estar presente en la entrega de Oriana a los romanos. El problema se resuelve por vía expeditiva, recurso normal en todo el relato, pero se justifica internamente por el ardid tramado por el propio personaje como se comentará más adelante, detalle poco habitual en los primeros libros.

[21] *mal pagado:* insatisfecho, descontento.

[22] *lo mostrar:* la mostrar, Z // lo mostrar, RS // .

[23] *mucho gana:* mucho gano, Z // mucho gana, R // mucha gana, S // .

rogava ella a don Florestán, como ya oístes, que lo fablasse de su parte a don Galaor[24].

Pues assí passaron aquel día como oís en Miraflores, siendo la reina Sardamira espantada mucho de la gran fermosura de Oriana, que no pudiera ceer que persona mortal tanto lo fuesse, ahunque muy menoscabada[25] era de lo que solía por las grandes angustias y tribulaciones de su coraçón que muy propincas[26] le eran, temiendo aquel casamiento del Emperador y no sabiendo ningunas nuevas del su amado amigo Amadís de Gaula. Y no quiso la Reina fablarla[27] por estonces en hecho del Emperador, salvo en otras cosas de nuevas y de plazer. Mas otro día que en ello le fabló, ovo tal respuesta de Oriana, comoquiera que honesta y con cortesía fuesse, que nunca más osó dezirle ni fablarle en ello.

Pues Oriana, sabiendo cómo don Florestán se quería partir, tomólo consigo y levólo so unos árboles que allí eran, donde havía un muy rico estrado; y faziéndolo sentar ante sí, díxole descubiertamente toda su voluntad y la gran fuerça que su padre le fazía[28] queriéndola desheredar y embiarla a tierras estrañas, rogándole que della se doliesse, pues que no esperava otra cosa sino la muerte, y que no solamente a él, que ella tanto amava y en quien tanta esperança y fiuza tenía, mas a todos los grandes de aquellos reinos se quería quexar, y a todos los cava-

---

[24] Una vez que se ha terminado el episodio intercalado, se vuelve a la historia suspendida, sin que tampoco utilice de nuevo ningún nexo. Para Frida Weber de Kurlat, «Estructura novelesca...», art. cit., pág. 30, «esta técnica de pasar de unos personajes, situaciones y encuentros a otros sin nexo alguno que los eslabone, se da en toda la novela, tanto entre capítulos, como en el interior de éstos, si bien la frecuencia de las transiciones sin nexo explícito disminuye notablemente en el libro IV».

[25] *menoscabada:* deteriorada.

[26] *propincas:* próximas, cercanas. «Aunque tu pariente propinco sea», A. Martínez de Toledo, *Corbacho,* 50.

[27] *fablarla:* hablarle. «Para fablarla dispuesto estava», Diego de San Pedro, *Arnalte y Lucenda,* pág. 114. Aunque en la actualidad sería un caso de laísmo, en su contexto histórico no lo es. El verbo se utilizaba mucho como transitivo y se acompañaba muy frecuentemente de *lo, las, los, las,* según Rafael Lapesa, «Sobre los orígenes y evolución del leísmo, laísmo y loísmo», en *Festchrift Walther von Wartburg zum 80. Geburtstag,* I, Tübingen, Max Niemeyer, 1968, t. I, 523-551, pág. 553, nota 15. Véase también la nota 15 del capítulo L.

[28] *gran fuerça que su padre le fazía:* gran coacción, agravio, que su padre le hazía.

lleros andantes, que oviessen della duelo y gran piedad, y rogassen a su padre que de tal propósito mudado fuesse.

—Y vos, mi buen señor y amigo don Florestán —dixo ella—, assí gelo rogad y consejad que lo faga faziéndole entender el gran pecado en que está por esta tan gran crueza y tuerto[29] que me fazer quiere.

Don Florestán le dixo:

—Mi buena señora, sin duda podéis bien creer que os tengo de servir en todo lo que por vos me fuere mandado con tanta voluntad y humildad como lo faría a mi señor el rey Perión mi padre. Mas esto que me dezís que a vuestro padre ruegue, no lo puedo fazer en ninguna manera porque yo no soy su vassallo ni él me pornía en su consejo sabiendo que lo desamo por el mal que a mí y a mi linaje ha fecho. Y si algún servicio de mí hovo, no ay por qué me lo deva gradeçer, que yo lo hize por mandado de mi hermano y mi señor Amadís, a quien yo contradezir no podía ni devía; el cual, no por el Rey vuestro padre, mas porque si esta tierra se perdiesse, la perderíades [v]os, se dispuso a ser en aquella batalla de los siete Reyes y traer consigo al rey Perión y a mí, assí como ya supistes. Porque él os tiene por una de las mejores infantas del mundo, y si él agora supiesse esta fuerça y agravio que tanto contra vuestra voluntad se os faze, creed, mi señora, que con todas sus fuerças y amigos se pornía al remedio della; y no digo por vos que tan alta señora sois, mas por la más pobre mujer de todo el mundo lo faría[30]. Y vos, mi buena señora, tened buena esperança, que ahún plazo havrá para vos poder socorrer si a Dios pluguiere, que yo no pararé fasta ser en la Ínsola Firme, donde es el cavallero Agrajes, que mucho en gran grado os dessea servir por aquella criança que su padre y madre vos fizieron y por el gran amor que a su hermana Mabilia tenéis. Y allí havremos consejo de lo que fazerse puede.

---

[29] *crueza y tuerto:* crueldad y agravio. «Fue muy espantado quando vio hazer la crueza», *Tristán de Leonís,* 347b.

[30] Tanto Galaor como Florestán esgrimen unos argumentos similares en relación con Oriana y utilizan unas palabras semejantes. En esta ocasión, se acomodan al contexto caballeresco, de modo que la resolución del problema debería constituir para Amadís su primordial objetivo, pues se trata una injusticia cometida sobre una mujer, dejando a un lado que se trata de su enamorada.

—¿Sabéis [v]os —dixo Oriana— ser allí cierto[31] Agrajes?

—Sélo —dixo él—, que don Grumedán me lo dixo que lo sabía por un scudero suyo que le embió.

—A Dios merced —dixo ella—, y Él lo guíe, y mucho me lo saludad. Y dezidle que en él tengo yo aquella verdadera esperança que con razón de haver tengo. Y si en este medio tiempo algunas nuevas supierdes de vuestro hermano Amadís, fazédmelo saber porque las diga a Mabilia su cormana, que muere con soledad dél. Y Dios guíe cómo [v]os y Agrajes ayáis algún buen acuerdo en mi fazienda.

Don Florestán, besando las manos a Oriana, se despidió della; y tomando consigo a don Grumedán, se fue a la reina Sardamira, y díxole:

—Señora, yo quiero andar, y por doquiera que fuere soy vuestro cavallero y servidor; y así vos ruego yo que lo tengáis y me mandéis en qué os sirva.

La Reina le dixo:

—Mucho sería sin conoscimiento la que no quisiesse servicio y honra de hombre de tanto valor como vos, don Florestán, lo sois, y si Dios quisiere, en tal yerro no caeré yo; antes, recibo vuestra buena cortesía y os lo gradezco cuanto puedo, y siempre terné memoria de os rogar lo que por mí fazer pudierdes.

Don Florestán, que la mucho mirando estava, dixo:

—Dios, que os tan fermosa fizo, os gradezca por mí essa respuesta, pues que yo por agora no puedo sino con la voluntad y con la palabra.

Y con esto se despidió della, y de Mabilia y de todas las otras señoras que allí estavan, y rogando a don Grumedán que si nuevas de Amadís supiesse, se las fiziesse saber en la Ínsola Firme. Y fue a su posada y armóse, y cavalgó en su cavallo, y con sus escuderos entró en el derecho camino de la Ínsola Firme, donde él quería ir con intención de hablar con Agrajes y dar orden cómo con sus amigos Oriana socorrida fuesse si su padre la diesse a los romanos[32].

---

[31] *ser allí cierto:* estar allí con certeza.

[32] Los paralelismos y geminaciones de los personajes posibilitan estas estructuras narrativas, pues don Florestán realiza funciones propias de su hermano Amadís cuando éste se encuentra ausente.

## Capítulo LXXVIII

*De cómo el Cavallero de la Verde Espada, que después llamaron el Cavallero Griego, y don Bruneo de Bonamar[1] y Angriote de Estraváus se vinieron juntos por el mar acompañando aquella muy fermosa Grasinda, que venía a la corte del rey Lisuarte, el cual estava delibrado[2] de embiar su fija Oriana al Emperador de Roma por muger; y de las cosas que passaron declarando su demanda[3].*

Con Grasinda fueron navegando por la mar el Cavallero de la Verde Espada y don Bruneo de Bonamar y Angriote de Estraváus, a las vezes con buen tiempo y otras con contrario, assí como Dios lo embiava, fasta que llegaron al mar Océano[4], que es en derecho de la costa de España[5]. Y cuando el de la Verde Espada se vio tan llegado[6] a la Gran Bretaña, gradescióle mucho a Dios porque, aviéndole escapado de tantos peligros y de tantas tormentas como por la mar passado avía, le traxiera donde ver pudiesse aquella tierra donde su señora era; assí que muy grande alegría le sobrevino a su coraçón. Entonces con gran alegría fizo juntar todas las fustas, y rogó a todos los hombres que en ellas eran que lo no llamassen por otro nombre sino el Cavallero Griego[7], y mandóles que punassen de se llegar a la Gran Bretaña. Entonces se assentó con Grasinda en su estrado, y díxole:

---

[1] *Bonamar:* Buenamar, Z // Bonamar, RS // .

[2] *delibrado:* determinado. «E pensadas todas estas cosas con delibrada voluntad de casarse con ella, le dixo», *Palmerín de Olivia,* 499, 31.

[3] *declarando su demanda:* explicando su petición. «Conviene aquí declarar cómo e de dónde los rreyes de Navarra vinieron», Pedro de Escavias, *Repertorio de Príncipes,* 173.

[4] *mar Océano:* «mar océano es que ciñe la tierra a defuera y todos los días parece desigual en los movimientos», Al. Palencia, 319b.

[5] *en derecho de la costa de España:* en dirección de la costa de España. «Dióle un golpe de la espada sobre el yelmo en derecho del rostro», *Gran Conquista de Ultramar,* I, 149. En los espacios ficticios del *Amadís* ésta es una de las pocas ocasiones en las que se hace referencia a la geografía española.

[6] *llegado:* cercano.

[7] El nombre alude a su estancia en dichas tierras, pero de forma clara se debe relacionar con su próximo enfrentamiento contra el Emperador romano.

—Fermosa señora, ya se llega el tiempo por vos desseado, en que, si a Dios pluguiere, será cumplido lo que tanto vuestro coraçón ha desseado y dessea. Y cierto, creed, señora, que por afán ni[8] peligro de mi persona no dexaré de os pagar algo de las mercedes que me hezistes.

—Cavallero Griego, mi amigo —dixo ella—, tal fiança tengo yo en Dios que assí lo guiará, que si otra cosa su voluntad fuera, no me diera por guardador tal cavallero como vos; y mucho os gradezco lo que me dezís, pues que estando tan cerca de tal afruenta paresce qu'el coraçón dobla su ardimento.

El Cavallero Griego mandó a Gandalín que le traxesse las seis espadas que la reina Menoresa en Constantinopla le diera, y Gandalín las traxo y se las puso delante. Y dio las dos dellas a don Bruneo y Angriote, que maravillados fueron de ver la riqueza de sus guarnimientos. Y el Cavallero Griego tomó otra para sí, y mandó a Gandalín que, guardando la verde suya donde la no viessen, aquélla pusiesse con sus armas[9]. Esto fazía él porque en la corte del rey Lisuarte, donde él iva y se quería encubrir, no fuesse por la verde espada descubierto. Y cuando assí en esto que oís estavan, siendo entre nona y bísperas[10], Grasinda, que muy enojada de la mar andava, hizo[11] con el Cavallero Griego y con don Bruneo y Angriote que la sacassen al borde[12] de la fusta porque viendo la tierra algún descanso sentiesse. Y allí estando todos cuatro hablando en lo que más les agradava, siguiendo su viaje, a la hora que el sol se quería poner[13] vieron una fusta que queda estava en la mar, y

---

8   *ni:* mi, Z // ni, RS // .
9   La personalidad del guerrero se identifica con el manejo de sus armas, especialmente la espada, que llega a ser prolongación suya. Por ello no resulta extraño que los cambios de nombres hayan ido parejos con los cambios de armamento. Además, la Verde Espada se ha convertido en signo identificador del héroe.
10   *nona y bísperas:* entre las tres y las seis, al atardecer. De acuerdo con los ritmos cronológicos habituales en la obra, en esos momentos no puede desarrollarse más que el comienzo de alguna aventura que se resolverá al día siguiente, o algún acontecimiento de carácter informativo.
11   *hizo:* hize, Z // fizo, R // hizo, S // .
12   *borde:* bordo o lado de la nave.
13   *se quería poner:* se comenzaba a poner. «Vieron que quería amanescer el día», *Demanda del Sancto Grial,* 220a.

el Cavallero Griego mandó a los marineros que endereçassen contra ella. Y llegando cerca, que se bien podrían oír, dixo el Cavallero Griego a Angriote que preguntasse a los de la fusta por algunas nuevas. Y Angriote los saludó muy cortésmente, y dixo:

—¿Cúya es esta fusta y quién anda en ella?

Ellos, cuando oyeron esta pregunta, le dixeron:

—La fusta es de la Ínsola Firme y andan en ella dos cavalleros que os dirán lo que os pluguiere.

Y cuando el Cavallero Griego oyó fablar de la Ínsola Firme, alegrósele el coraçón, y a sus compañeros, por los oír hablar de lo que desseavan saber. Y Angriote dixo:

—Amigos, ruégovos por cortesía que digáis a esos cavalleros que se lleguen ende[14], y preguntarles emos por nuevas que queríamos saber; y si vos pluguiere, dezi[d]nos quién son.

—Esso no faremos nos, mas dezirles emos vuestro mandado.

Y llamándolos, se pusieron los dos cavalleros allí cabe sus hombres. Entonces Angriote dixo:

—Señores, querríamos saber de vos en qué lugar es el rey Lisuarte, si por ventura lo sabéis.

—Todo lo que sabemos —dixeron ellos— se os dirá. Pero antes querríamos saber una cosa que por della ser certificados emos llevado mucho afán, y ahún llevar más esperamos fasta lo saber.

—Dezid lo que vos pluguiere —dixo Angriote—, que si lo sé, saberlo eis[15] vos.

Ellos dixeron:

—Amigo, lo que nos desseamos es saber nuevas de un cavallero que se llama Amadís de Gaula, aquel que por le hallar andan todos sus amigos muriendo y lazerando por tierras estrañas[16].

---

[14] *se lleguen ende:* se acerquen aquí. De los derivados de INDE, es la forma más estable en el curso de la lengua medieval, de modo que llega a ser la más usada en los últimos tiempos del romance medieval castellano. A. M.ª Badía Margarit, *Los complementos pronominalo-adverbiales derivados de Ibi e Inde en la Península Ibérica,* Madrid, Anejos de la RFE, XXXVIII, 1947, págs. 92-93.

[15] *saberlo eis:* lo sabréis.

[16] A partir del libro III, especialmente, el *Amadís* se configura mediante unos

Cuando el Cavallero Griego esto oyó, las lágrimas le vinieron a los ojos muy cedo con el gran plazer que su ánimo sintió en ver cómo sus parientes todos y amigos le eran tan leales, pero estovo callado. Y Angriote les dixo:

—Agora me dezid quién sois, y yo os diré lo que desso supiere.

El uno dellos dixo:

—Sabed que yo he nombre Deagonís, y este mi compañero, Henil, y queremos correr el mar Mediterráneo y los puertos de la una y otra parte si pudiéremos saber nuevas deste por quien preguntamos.

—Señores —dixo Angriote—, Dios vos dé buenas nuevas dél. Y en estas fustas vienen gentes de muchas partes. Yo preguntaré si algo dello saben y os lo diré de grado.

Esto dezía él por mandado del Cavallero Griego, y díxoles:

—Agora vos ruego que me digáis dónde es el rey Lisuarte, y qué nuevas dél sabéis y de la reina Brisena su mujer, y de su corte.

—Esso os diré yo —dixo Dragonís—. Sabed que él es en una su villa que Tagades se llama, que es un gran puerto de mar contra Normandía; y ha fecho cortes en que están todos sus hombres buenos por aver con ellos consejo si dará a su fija Oriana al Emperador de Roma, que por muger la pide. Y allí son para la llevar muchos romanos, entre los cuales es el mayor Salustanquidio, Príncipe de Calabria, y otros muchos a quien él manda, que son cavalleros de cuenta[17]. Y tienen consigo una reina, que Sardamira se llama, para acompañar a Oriana, y que el Emperador la llamava ya Emperatriz de Roma.

---

viajes marítimos de largo alcance, que, de acuerdo con diversas tradiciones literarias, propician los encuentros afortunados. Se reitera un motivo convertido en estructura narrativa en otras ocasiones: Amadís —alejado o retirado voluntariamente de sus espacios habituales— es buscado por diversos personajes —ya sea don Bruneo, ya sea la Doncella de Dinamarca—, quienes encontrarán al héroe en una aventura en la que interviene la casualidad. En esta ocasión, el personaje no se da a conocer en un principio ante los caballeros de la Ínsula Firme, pues importa más destacar los preparativos para las futuras acciones, que desarrollar el encuentro.

[17] *de cuenta:* estimados, famosos. «Los de la yglesia eran gente mucho escogida, e honbres de mucha cuenta», *Crónica de don Álvaro de Luna,* 195, 14.

Cuando esto oyó el Cavallero Griego, estremesciósele el coraçón, y estuvo una pieça desmayado. Mas cuando Dragonís vino a contar las cosas que Oriana fazía de amarguras y llantos, y cómo se avía embiado a quexar a todos los altos hombres de la Gran Bretaña, sosegósele el coraçón y esforçóse, pensando que, pues a ella pesava, que los romanos no serían tantos ni tan fuertes, que él no se la tomasse por la mar o por la tierra; y que aquello haría él por la más pobre donzella del mundo[18], pues ¿qué devía fazer por la que solo un momento, perdiendo la esperança della, él no podría bivir? Y dava muchas gracias a Dios porque en tal sazón lo arribara en aquella tierra donde pudiesse servir a su señora algo de las grandes mercedes que le avía fecho, y que tomándola la ternía como lo él desseava sin su culpa della. Y con esto se hazía tan alegre y tan loçano como si ya fecho y acabado lo tuviesse. Y díxo[le] passo[19] Angriote que preguntasse[20] a Dragonís dónde sabía él aquellas nuevas. Y preguntado por él, Dragonís le dixo:

—Oy ha cuatro días que llegaron a la Ínsola Firme, donde nos partimos, don Cuadragante y su sobrino Landín, y Gavarte de Valtemeroso, y Madancián de la Puente de la Plata y Helián el Loçano. Estos cinco vinieron por aver consejo con Florestán y con Agrajes, que aí son, cómo les paresce que deven entrar en la demanda de Amadís, aquel que nos buscamos; y don Cuadragante quería embiar a la corte del rey Lisuarte por saber de aquellas gentes estrañas que allí son algunas nuevas de aquel muy esforçado Amadís. Mas don Florestán le dixo que lo no fiziesse, que él venía de allá y no sabían ningunas nuevas; y sus escuderos han dicho de una contienda que él con los romanos uvo, de que su prez[21] será loada en tanto que el mundo durare.

Cuando esto oyó[22] Angriote, dixo:

---

[18] La misma expresión se ha puesto en boca de don Galaor (cap. LXVII) de don Florestán (cap. LXVII, nota 30) y ahora en boca de Amadís. El sintagma se convierte en tema recurrente de esta parte de la obra, explicándose el rescate de Oriana como una acción emprendida por el deber caballeresco.

[19] *díxo[le] passo:* dixo su passo: ZR // dixole passo, S // .

[20] *preguntasse:* pregontasse, Z // preguntasse, RS // .

[21] *prez:* pres, Z // prez, RS // .

[22] *oyó:* oydo, Z // oyo, RS // .

—Señor cavallero, vos digáis[23] qué hombre es ésse, y qué cosas hizo tan loadas[24] son.

—Éste es —dixo Dragonís[25]— fijo del rey Perión de Gaula, y bien paresce en la su gran bondad a sus ermanos.

Y contóle todo que le acaesciera con los cavalleros romanos delante de la reina Sardamira, y cómo levó los escudos dellos a la Ínsola Firme, y los nombres de los señores de los escritos de su sangre.

—Y este don Florestán contó allí las nuevas que os dezimos, y cómo siendo los cavalleros de la reina Sardamira tan maltrechos, que por ruego suyo della la aguardó don Florestán hasta la poner en Miraflores, donde ella iva a ver a Oriana, la fija del rey Lisuarte.

Mucho fueron alegres el Cavallero Griego y sus compañeros de aquella buena ventura de don Florestán. Y cuando el Cavallero Griego oyó mentar a Miraflores, el coraçón le saltava, que lo no podía sosegar, veniéndole a la memoria el sabroso tiempo que allí passó con aquella que de allí señora era; y dexando a Grasinda y a los otros cavalleros, se apartó con Gandalín, y díxole:

—Mi verdadero amigo, ya has oído las nuevas de Oriana, que si así passasse, passaríamos ella y yo por la muerte. Ruégote mucho que tomes gran cuidado[26] en esto que te yo mandaré, y esto es: que te despidas tú, y Ardián el enano, de mí y de Grasinda, diziendo que os queréis ir con aquellos de la fusta a buscar a Amadís. Y di a mi cormano Dragonís y a Enil todas las nuevas de mí y que luego se tornen a la Ínsola Firme. Y cuando allí llegardes, diréis a don Cuadragante y Agrajes que les ruego yo mucho que no se partan dende[27], que yo seré con ellos en estos quize días y que detengan consigo todos essos

---

[23] *vos digáis:* vos digays, Z // dezidnos, RS // .

[24] *loadas:* loados, Z // loadas, RS // .

[25] *—Éste es— dixo Dragonís:* Esto es dicho dragonis, Z // Este es dixo dragonis, R // Esto es dixo Dragonis, S // .

[26] *cuidado:* cuytado, Z // cuydado, RS // .

[27] *dende:* de allí. «Se yba para Soria, e dende para Agreda», P. Carrillo de Huete, *Crónica del Halconero de Juan II,* 68, 21.

cavalleros nuestros amigos que ende están, y embíen por más si dellos supieren. Y di a don Florestán y a tu padre don Gandales que hagan bastecer todas las fustas que se aí hallaren de viandas y armas, porque tengo de ir con ellas a un lugar que prometido tengo, lo cual de mí sabrán cuando los viere; en esto con gran recaudo, que ya sabéis lo que en ello me va.

Entonces llamó el enano, y díxole:

—Ardián, vete con Gandalín y haz lo que te mandare.

Gandalín, que mucho desseava cumplir el mandado de su señor, fuese para Grasinda y díxole:

—Señora, nosotros queremos dexar al Cavallero Griego por entrar en la demanda con aquellos cavalleros que en aquella fusta andan buscando a Amadís; y Dios vos agradesca las mercedes que de vos, señora, recebidas tenemos.

Y assí mesmo se despidieron del Cavallero Griego, y de don Bruneo y Angriote, y ellos los encomendaron a Dios, y entraron en la fusta. Y Angriote les dixo:

—Señores, veis ende un escudero y un enano que andan en la demanda que vos andáis.

Mas cuando ellos vieron que eran Gandalín y el enano, mucho fueron alegres. Y como supieron las nuevas ciertas dellos, partiéronse de la flota con su galea y llevaron el camino de la Ínsola Firme.

Y el Cavallero Griego y Grasinda con su compaña fueron corriendo su mar contra Tagades, donde el rey Lisuarte era. El rey Lisuarte era en Tagades, aquella su villa, y estavan con él juntos muchos grandes y otros hombres buenos de su reino, que los hiziera llamar para consejarse con ellos lo que haría del casamiento de Oriana su fija, que el Emperador de Roma para se casar con ella le embiava muy ahincadamente a demandar. Y todos le dezían que lo no hiziesse, que era cosa en que mucho contra Dios erraría quitando su hija aquel señorío de que eredera avía de ser y ponerla en sujeción de hombre estraño de condición liviana y muy mudable, que así como por el presente aquello mucho desseava, assí a poco espacio de tiempo otra cosa se le antojaría; y muy cierto es que ésta es la manera de los hombres livianos. Pero el Rey, pesándole deste tal consejo, siempre en su propósito firme estava, permitiéndolo Dios que, aquel Amadís que tantas vezes le asseguró su reino y su vida haziéndole tan señalados servicios, poniéndole en la mayor[28] fama, en la mayor alteza que ningún rey de su tiempo estava, y tan malas gracias dello sacó sin lo merescer de aquel mismo, su grandeza, su gran honra menoscabada y abatida fuese, como en el cuarto libro más largo se dirá. Pero ahún este rey Lisuarte, no para se bolver de su propósito, mas porque su porfía y riguridad[29] más clara a todos manifiesta fuesse, tuvo por bien que al mismo consejo fuesse llamado el conde Argamonte, su tío, que muy viejo y doliente de gota estava; el cual a sabiendas no quería salir de su casa, conosciendo la voluntad errada que el Rey en aquel caso tenía, pues que en todo le avía de contradezir; mas como el mandado del Rey vio, fue luego para allá. Y llegando a la puerta del palacio, allí salió el Rey a lo rescebir, y tomándole por la mano, se fue con él a su estrado, y fízole sentar cabe sí, y díxole:

—Buen tío, yo os fize llamar, y a estos hombres buenos que aquí veis, por aver consejo de lo que hazer devo en este casamiento de mi fijá con el Emperador de Roma, y mucho os ruego que me digáis vuestro parescer, y ellos assí mesmo.

—Mi señor —dixo él—, muy grave cosa paresce consejar en esto que mandáis, porque aquí ay dos cosas: la una, queriendo seguir vuestra voluntad, y la otra, queriéndola contradezir; que si la contradezimos, tomaréis enojo assí como por la mayor parte los reyes lo hazen, que con el su gran poder querían contentar y satisfazer sus opiniones no seyendo encrepados[30] ni contrariados de aquellos que mandar pueden. La otra, que si la otorgamos, ponéisnos a todos en gran condición con Dios y con su justicia, y con el mundo en gran deslealtad y aleve que por nos sea otorgado que vuestra hija, siendo eredera destos reinos después de vuestros días, los pierda; porque aquel mesmo derecho y ahún más fuerte tiene ella a ellos que vos tovistes de los aver del Rey vuestro hermano. Pues mirad bien, señor, qué tanto[31] sintiérades vos al tiempo que vuestro

[28] *mayor*: major, Z // mayor, RS // .
[29] *riguridad*: rigor, rigurosidad.
[30] *encrepados*: increpados. La 1.ª doc. del DCECH, hacia 1440.
[31] *qué tanto*: cuánto. «Preguntaron que tanto avia fasta la cibdad, *Tristán de Leonís*, 390b.

hermano murió, que, haziendo a vos estraño de lo que de razón aver devíades, lo dieran a otro que le no pertenescía. Y si por ventura vuestra intención es que, haziendo a Oriana emperatriz y a Leonoreta señora destos vuestros reinos, a entrambas las dexáis muy grandes y muy honradas señoras, y si lo miráis todo por razón, puede al contrario salir, que no pudiendo vos de derecho remover la orden de vuestros antecessores, que fueron señores destos reinos, quitando ni acrescentando, el Emperador teniendo por muger a Oriana vuestra hija terná por sí el derecho de los heredar con ella; y como es poderoso, si vos faltássedes, no con mucho trabajo los podría tomar, así que, entrambas seyendo desheredadas, sería esta tierra, tan honrada y señalada en el mundo, sujeta a los Emperadores de Roma sin que Oriana en ella más mando toviese de lo que le fuesse otorgado por el Emperador, de manera que de señora la dexáis sujeta. Y por esto, mi señor, si Dios quisiere, yo me escusaré de dar consejo a quien muy mejor que yo sabe lo que hazer deve.

—Tío —dixo el Rey—, bien entiendo lo que me dezís, pero más me pluguiera que me loárades[32] vos y ellos esto que tengo dicho y prometido a los romanos, pues que en ninguna guisa dello no me puedo retraer[33].

—En esso no os detengáis —dixo el Conde—, que todas las cosas consisten en el cómo se han de hazer y assegurar; y allí, guardando vuestra vergüença y palabra honestamente, podéis desviar o allegar lo que mejor vos estuviere.

—Bien dezís —dixo el Rey—, y por agora no se hable más.

Assí se desbarató aquel consistorio[34], y fueron a sus podadas.

Y los marineros[35] q[ue] en las fustas de la fermosa Grasinda venían, donde estava el Cavallero Griego, y don Bruneo[36] de Bonamar y Angriote d'Estraváus, que por la mar navegavan

---

[32] *loárades*: loaredes, Z // loarades, RS // .

[33] *retraer*: volver atrás, apartar.

[34] *se desbarató aquel consistorio*: se deshizo aquella reunión. «Todos los en aquel cónclave e consistorio juntados partieron dende muy amigos», *Crónica de don Álvaro de Luna*, 267, 24.

[35] *marineros*: mareneros, Z // marineros, RS // .

[36] *Bruneo*: Brueneo, Z // Bruneo, RS // .

como ya oístes, devisaron una mañana la montaña que Tagades avía nombre, por donde se llamó así la villa do era el rey
Lisuarte, que al pie de la montaña estava; y fueron donde su
señora estava fablando con el Cavallero Griego y con sus compañeros, y dixéronles:

—Señores, dadnos albricias, que si este viento no se cambia,
antes de una ora seréis[37] arribados en el puerto de Tagades
donde ir queréis.

Grasinda fue muy leda y el Cavallero Griego assí mismo, y
fuéronse todos al borde de la nao y miravan con gran gozo
aquella tierra que tanto ver desseavan; y Grasinda dava muchas gracias a Dios por la assí aver guiado, y con mucha humildad le rogava que endereçase su hazienda y la fiziesse ir de
allí con la honra que desseava. Mas del Cavallero Griego os
digo que mucho folgavan sus ojos en ver aquella tierra donde
era su señora, de quien tanto tiempo tan alongado anduviera.
Y no pudo tanto resistir que las lágrimas no le viniessen, y
bolvió el rostro de Grasinda porque se las no viesse, y alimpió-
las lo más cubierto que pudo. Y faziendo buen semblante, se
bolvió a ella, y díxole:

—Mi señora, tened esperança que iréis desta tierra con la
honra que desseáis, q[ue] yo muy esforçado estoy viendo la
vuestra gran fermosura, que me faze cierto de tener el derecho
y razón de mi parte; y pues Dios es el juez, querrá que assí lo
sea la honra.

Grasinda, que temerosa estava como quien ya al estrecho[38]
era llegada, esforçóse mucho y díxole:

—Cavallero Griego, mi señor, mucha más fiuza tengo yo en
vuestra buena ventura y buena dicha que en la fermosura que
dezís[39]; y aquello teniendo vos en la memoria, hará que vuestro buen prez[40] se adelante como en todas las otras grandes
cosas que con ello avéis acabado, y a mí la más alegre de cuantas biven.

---

37 *seréis:* serays, Z // sereys, RS // .
38 *estrecho:* aprieto, apuro. «¿Qué fizieron en tan fuerte estrecho estas nuevas
maestras de mi oficio?», *Celestina*, V, 96.
39 *dezís:* dexis, Z // dezís, RS // .
40 *prez:* pres, Z // pres, RS // .

—Dexémoslo a Dios —dixo él—; fablemos en lo que conviene que se faga.

Entonces llamaron a Grinfesa, una donzella fija del mayordomo, que era buena y entendida y sabía ya cuanto del lenguaje francés[41], lo cual el rey Lisuarte entendía; y diéronle un escrito en latín que de ante tenían fecho para que lo diese al rey Lisuarte y a la reina Brisena; y mandáronla que no fablasse ni respondiesse sino por el lenguaje francés en tanto que entre ellos estuviesse, y que tomando la respuesta se bolviesse a las fustas. La donzella, tomando el escrito, se fue a la cámara de su señora y vistióse unos paños muy ricos y fermosos; y como ella era en floresciente edad y asaz fermosa, paresció muy bien y apuesta a los que la miravan. Y su padre el mayordomo mandó sacar de una fusta palafrenes y cavallos muy bien guarnidos, y los marineros lançaron un batel en el agua y tomaron la donzella y dos sus hermanos, buenos cavalleros, y dos escuderos que las armas les levavan, y pasáronlos prestamente en tierra contra la villa. Y el Cavallero Griego mandó sacar de la mar en otro batel a Lasindo, escudero de don Bruneo, y díxole que se fuesse por otro camino a la villa y preguntasse si allá sabían nuevas de su señor, diziendo que él quedara doliente en su tierra al tiempo que don Bruneo se metió en la demanda de Amadís; y que con este achaque punase mucho en saber qué recaudo se le dava a su donzella, y que en todo caso se bolviesse a él a la mañana, que él faría que con un batel lo atendiessen. Lasindo se partió dél y fue a recadar su mandado[42].

Y dígoos de la donzella, cuando entró por la villa, que todos avían plazer de la mirar, y dezían que a maravilla venía bien guarnida y acompañada de aquellos dos cavalleros; y ella iva preguntando dó eran los palacios del Rey. Pues assí acaesció que el fermoso donzel Esplandián y Ambor de Gadel, fijo de Angriote, que por mando de la Reina allí estavan para la servir en tanto que aquella gente estraña allí estuviesse, salían ambos a caça de esmerejones[43], y encontraron la donzella. Y como viessen que preguntava por los palacios del Rey, dio Esplan-

---

[41] *ya cuanto del lenguaje francés:* un poco de francés.
[42] *recadar su mandado:* realizar su orden.
[43] *esmerejones:* azores, aves de rapiña.

dián el esmerejón a Sargil y fuese para ella, que la vio estrañamente vestida, y díxole por el lenguaje francés:

—Mi buena señora, yo os guiaré si os pluguiere, y vos mostraré al Rey si lo no conoscéis.

La donzella lo cató y fue muy maravillada de su gran fermosura y buen donaire, tanto, que a su parescer nunca en su vida
viera hombre ni muger tan hermosa, y dixo:

—Gentil donzel, a quien Dios haga tan bienaventurado
como fermoso, mucho os lo gradezco lo que me dezís, y a Dios
que con tan buen aguardador me encontró.

Entonce su ermano dio la rienda al donzel, y él tomándola
se fue con ellos fasta llegar al palacio. Y a esta sazón estava el
Rey en el corral debaxo de unos portales muy bien labrados, y
con él muchos hombres buenos y todos los de Roma. Y entonce acabava de les prometer a su fija Oriana para que la levassen
al Emperador, y ellos de la recebir por su señora. Y la donzella, siendo ya apeada de su palafrén, entró por la puerta, leván-
dola de la mano Esplandián, y sus ermanos con ella; y como
llegó al Rey, fincó los inojos y quísole besar las manos, mas él
no las dio porque lo no acostumbrava sino cuando fazía merced señalada alguna donzella[44]. Y dándole la carta, le dixo:

—Señor, menester es que la oya la Reina y todas sus donzellas, y si por ventura las donzellas se enojaren de oír lo que
ende viene, procuren de aver de su parte algún buen cavallero,
como le mi señora trae, por cuyo mandado aquí vengo.

El Rey mandó al rey Arbán de Norgales y a su tío el conde
Argamón que fuessen por la Reina y atraxessen[45] consigo todas las infantas y donzellas que en su palacio eran. Esto fue
assí fecho, que la Reina vio con tanta compaña de señoras, assí
de hermosura como guarnidas ricamente, cual en todo el mundo a duro se podría fallar, y sentóse cerca del Rey, y las infantas y todas las otras enderredor della. La donzella mandadera
fue a besar las manos a la Reina, y díxole:

—Señora, si mi demanda estraña os paresciere, n'os maravilléis, pues que para semejantes cosas estremó Dios esta vuestra

---

[44] *alguna donzella*: a alguna doncella, de nuevo con una «a» embebida.

[45] *atraxessen*: trajesen. «E demandó agua a manos; e atraxérongela en baçines
de oro», *Gran Conquista de Ultramar*, II, 333.

corte de todas las del mundo, y esto causa la gran bondad del Rey y vuestra. Y pues aquí se falla el remedio que en otras partes fallesce, oíd esta carta y otorgad lo que por ella se os pide, y verná a vuestra corte una fermosa dueña y el valiente Cavallero Griego que la aguarda.

El Rey mandóla leer, y dezía assí:

«Al muy alto y honrado Lisuarte, Rey de la Gran Bretaña: yo, Grasinda, señora de la fermosura de todas las dueñas de Romanía, mando besar vuestras manos y fágoos saber, mi señor, en cómo yo soy venida en vuestra tierra en guarda del Cavallero Griego. Y la causa dello es porque así como yo fue juzgada[46] por la más hermosa dueña de todas las de Romanía, así, siguiendo aquella gloria que mi coraçón tan ledo fizo, lo quiero ser más que ninguna de cuantas donzellas en vuestra corte son, porque con el vencimiento de las unas y de las otras yo pueda quedar en aquella folgança que tanto deseo. Y si tal cavallero oviere que por alguna de vuestras donzellas esto quiera contradezir, aparéjese a dos cosas: la primera, a la batalla con el Cavallero Griego, y la otra, a poner en el campo una rica corona, como la yo trayo, para que el vencedor las pueda, en señal de aver ganado aquella vitoria, dar aquella por quien se combatiere. Y muy alto Rey, si esto a que vengo os plaze que en efecto venga, mandadme segurar con toda mi compaña, y al Cavallero Griego, sino solamente de aquellos que con él la batalla querrán aver. Y si el cavallero que por las donzellas se combatiere fuere vencido, venga el segundo, assí el tercero, que a todos manterná campo con la su alta bondad»[47].

Leída la carta, el Rey dixo:

—Assí Dios me salve, yo creo que la dueña es muy hermosa, y el cavallero no se precia poco de armas, mas comoquiera

---

[46] *fue juzgada:* fui juzgada.

[47] Como dicen Sylvia Roubaud y Monique Joly, «Cartas son cartas. Apuntes sobre la carta fuera del género epistolar», *Criticón,* 30 (1985), 104-125, «los diferentes tipos de cartas incluidas en el *Amadís* son sumamente escasos, y al versar exclusivamente sobre dos temas —la guerra y el amor— constituyen un material epistolar específico y, por así decirlo, reglamentado, de formas y contenidos fijos», pág. 107, aunque en el caso que nos ocupa la carta corresponde a otro campo semántico que no es estrictamente ni guerrero ni amoroso, sino que lo podríamos incluir en el ámbito de lo cortesano-deportivo.

que ello sea, ellos han começado gran fantasía de que sin su daño se podrían escusar. Pero las voluntades de las personas son en diversas maneras, y en ellas ponen sus coraçones y no dudan las aventuras que les podrán venir. Y vos, donzella, os podéis ir, y yo mandaré pregonar la segurança como lo pide vuestra señora, assí que ella podrá venir cuando le plazerá; y si no fallare quien su demanda contradiga, avrá satisfecho su voluntad.

—Mi señor —dixo ella—, vos respondéis assí como lo atendíamos, que de vuestra corte ninguno con razón puede ir con querella. Y porque el Cavallero Griego trae consigo dos compañeros que justas demandarán, es menester que la misma segurança ayan.

—Assí sea —dixo el Rey.

—En el nombre de Dios —dixo la donzella—, pues mañana los veréis en vuestra corte. Y vos, mi señora —dixo a la Reina—, mandad estar vuestras donzellas donde vean cómo su honra se adelanta o menoscaba[48] por sus aguardadores, que assí lo hará mi señora; y a Dios seáis encomendada.

Entonces se despidió dellos y se fue a las barcas, donde con gran plazer fue recebida. Y contándoles cómo avía su mensaje librado[49], mandaron luego sacar de las fustas sus armas y cavallos, y fizieron armar una muy rica tienda y dos tendejones en la ribera de la mar; mas aquella noche no salió en tierra sino el mayordomo con algunos sirvientes para la guarda dello.

Y agora sabed que, al tiempo que la donzella mandadera de Grasinda se partió del rey Lisuarte y de la Reina con el recaudo que ya oístes, Salustanquidio, cormano del Emperador de Roma, que presente estava, se levantó en pie y bien c cavalleros romanos con él, y dixo al Rey en alta boz, assí que todos lo oyeron:

—Mi señor, yo y estos hombres buenos de Roma que aquí ante vos somos os queremos pedir un don que será vuestra pro y honra nuestra.

---

[48] *menoscaba:* menoscaban, Z // menoscaba, RS // .
[49] *librado:* despachado.

—Mucho me plaze de os dar cualquier don que demandardes —dixo el Rey—, endemás[50] tal como el que dezís.

—Pues dadnos —dixo Salustanquidio— que podamos tomar la demanda por las donzellas, que muy mejor recaudo daremos della que los cavalleros desta[51] vuestra tierra, porque nosotros y los griegos nos conoscemos bien, y más nos temerán solamente por el nombre de romanos que por el fecho y obra de los de acá.

Don Grumedán, que allí estava, se levantó en pie, y fue ante el Rey y dixo:

—Señor, comoquiera que grande honra sea a los príncipes venir las estrañas aventuras a sus cortes y mucho sus honras y reales estados acrescienten, muy presto se podrían tornar en deshonras y menguas si no son con buena discreción rescebidas y governadas. Y esto digo yo, señor, por este Cavallero Griego que nuevamente[52] con tal demanda es venido; y si su gran sobervia oviesse lugar a que por él fuessen vencidos aquellos que en vuestra corte contradezirle quisiessen, ahunque el peligro y daño fuesse suyo dellos, la honra y mengua vuestra sería; assí que, señor, parésceme que sería bien, antes que por vos ninguna cosa se determine, que esperéis a don Galaor y a Norandel vuestro fijo, que según he sabido serán aquí dentro de cinco días; y en este[53] tiempo será mejorado don Guilán el Cuidador y podrá tomar armas. Y éstos tomarán la empresa de forma que vuestra honra, y la suya, sea guardada[54].

—Esso no puede ser —dixo el Rey—, que ya les he el don otorgado; y tales son que a mayor fecho que éste darán buen fin.

—Bien puede ser —dixo don Grumedán—, mas yo faré que las donzellas a que esto atañe no lo otorguen.

—Dexadvos desso —dixo el Rey—, que todo lo que yo fago

---

[50] *endemás:* particularmente.

[51] *desta:* deste, Z // desta, RS // .

[52] *nuevamente:* recientemente. «Estonce era niño e començava a reynar nuevamente», *Demanda del Sancto Grial,* 212a.

[53] *en este:* en esto, Z // en este, RS // .

[54] Grumedán, personaje caracterizado desde el principio como conocedor de los asuntos de honra, aconseja a Lisuarte en esta materia, advirtiéndole de las consecuencias posteriores.

por las donzellas de mi casa fecho es; demás, esto que a mí es demandado[55].

Salustanquidio fue besar las manos al Rey, y dixo a don Grumedán:

—Yo passaré esta batalla a mi honra y de las donzellas; y pues vos, don Grumedán, en tanto tenéis essos cavalleros que dezís y a vos, creyendo que mejor ellos que nosotros la passarían, si tal de la batalla saliere que armas pueda tomar, yo tomaré dos compañeros y me combatiré con éssos y con vos; y si yo no pudiere, daré otro en mi lugar que ligeramente me podrá escusar.

—En el nombre de Dios —dixo don Grumedán— yo tomo esta batalla por mí y por aquellos que comigo entrar quisieren.

Y sacando un anillo de su dedo, lo tendió contra el Rey, y díxole:

—Señor, veis aquí mi gaje[56] por mí y por los que comigo metiere en la batalla. Y pues esto por ellos se demandó, no lo podéis negar de derecho si se no otorgan por vencidos.

Salustanquilio dixo:

—Antes las mares serán secas que palabra de romano se torne atrás, sino a su honra[57]. Y si vuestra vejez os quitó el seso, el cuerpo lo pagará si lo en la batalla metierdes[58].

—Ciertamente —dixo don Grumedán—, no soy tan mancebo que no ay'asaz de días; y esto que vos pensáis que me será contrario, esto tengo por mayor remedio, que con ellos he visto muchas cosas entre las cuales sé que la sobervia nunca ovo buena fin; y assí espero yo que os acaescerá, pues que según vuestra alabança sois capitán y caudillo della[59].

---

[55] *demás, esto que a mí es demandado:* además, esto que me han solicitado.

[56] *gaje:* prenda entregada en señal de desafío.

[57] Como muestra de su soberbia, Salustanquidio relaciona su palabra con un hecho imposible de la naturaleza, secarse los mares, con un tipo de estructura sintáctica que tiende hacia lo sentencioso.

[58] *metierdes:* metiereis.

[59] Los romanos se caracterizan en todas estas actuaciones por su comportamiento soberbio, uno de los vicios más condenados en todo el relato. Para el tema, véase Winstons A. Reynols, «Los caballeros soberbiosos del *Amadís*», *CHa*, 350 (1979), 387-396. Generalmente, estos personajes suelen pronunciar unas palabras en las que se jactan de sus actuaciones o de su palabra. Normal-

El rey Arbán de Norgales se levantó para responder a los romanos y bien xxx cavalleros que las aventuras demandavan con él, y más otros ciento. Mas el Rey, que lo conosció, tendió un vara[60] y mandóles que en aquello no fablassen, y assí lo mandó a don Grumedán. El conde Argamón dixo al Rey:

—Mandad, señor, a los unos y a los otros que se vayan a sus posadas, que mengua es vuestra passar ante vos tales razones.

Y el Rey así lo fizo, y el Conde le dixo:

—¿Qué os paresce, señor, de la locura desta gente romana que assí amenguan[61] a los de vuestra corte, no os teniendo ningún acatamiento?[62]. Pues, ¿qué farán estando en su tierra, o en qué vuestra fija será tenida?, que me dizen, señor, que se la avéis ya prometido. No sé qué engaño es éste, hombre tan cuerdo y que tantas buenas venturas por el querer de Dios ha avido y por el vuestro buen seso: en lugar de le dar gracias por ello queréisle tentar y enojar. Catad que muy presto podría fazer que la fortuna su rueda rebolviese; y cuando así es enojado de aquellos que muchos bienes fizo, no con un açote solo, mas con muchos muy crueles los castiga. Y como las cosas deste mundo sean transitorias, perescederas, no tura[63] más la gloria, la fama dellas, de cuanto ante los ojos andan; ni es juzgado cada uno sino como al presente le veen, que todas aquellas buenas venturas vuestras y grande alteza en que sois agora serían en olvido puestas, somidas so la tierra[64], si la fortuna os fuesse contraria; y si alguna recordación dellas se oviesse, no sería sino para que culpándoos en lo passado os menguassen en lo presente. Acuérdeseos, señor, del yerro tan grande que sin causa ninguna fezistes en apartar de vuestra casa tan honrada cavallería como lo era Amadís de Gaula, y sus hermanos

---

mente, las bravatas tienen un desarrollo narrativo irónico, antitético e inverso a lo pronunciado.

[60] Lisuarte tiende la vara en señal de mando para dejar zanjada la discusión. Véase la nota 31 del capítulo XVI.

[61] *amenguan:* deshonran. «Non amenguan con la vida los fechos de los sus pasados», *Crónica de don Álvaro de Luna*, 7, 17.

[62] *acatamiento:* respeto, consideración. «Revolviendo los ojos del justo acatamiento por estas cosas», *Crónica de don Álvaro de Luna*, 3, 9.

[63] *tura:* dura.

[64] *somidas so la tierras:* sumidas debajo de la tierra.

y los de su linaje, y otros muchos cavalleros que por causa suya os dexaron, con que tan honrado y temido por todo el mundo érades; y cuasi no siendo aún salido de aquel yerro, ¿queréis entrar en otro peor?[65]. Pues esto no os viene sino de gran parte de sobervia; que si así no fuesse, temeríades a Dios y tomaríades consejo de los que os han de servir lealmente. Y yo, señor, con esto descargo aquella fe y vasallaje que os devo, y quiérome ir a mi tierra, que si Dios quisiere, no veré yo llantos y amarguras que vuestra fija Oriana hará al tiempo que la entregardes, que me han dicho que para ello la mandáis venir de Miraflores.

—Tío —dixo el Rey—, no fabléis más en esto, que es fecho y desfazer no se puede. Y ruégoos que os detengáis fasta tercero día por ver a qué fin vernán estas batallas que aquí son puestas, y seréis juez dellas con otros cavalleros cuales quisierdes. Esto fazed porque mejor que hombre de mi tierra entendéis el lenguaje griego, según el tiempo que en Grecia morastes[66].

Argamón le dixo:

—Pues assí os plaze, yo lo faré; pero passadas las batallas no me deterné más, que no lo podría sofrir.

Quedando la fabla, se fue el Conde a su posada, y el Rey quedó en su palacio.

Lasindo, el escudero de don Bruneo, que por mandado del Cavallero Griego allí viniera, aprendió bien todo lo que ante el Rey passara después que la donzella de allí partiera. Y fuese luego a las naos, y contó cómo los romanos pidieran al Rey las batallas y él se las otorgara, y las palabras que Grumedán passó con Salustanquilio, y cómo tenían su batalla aplazada, y todas

---

[65] A través del conde Argamón se engarzan los episodios que han motivado la estructura narrativa desde la segunda mitad del libro II, la enemistad con Amadís y el casamiento de Oriana. En ambas ocasiones Lisuarte actúa incorrectamente, pero la decisión del matrimonio de su hija es considerada como algo todavía peor, en una clara gradación.

[66] Desde el libro III se produce un desplazamiento hacia lo griego, que no sólo afecta al viaje emprendido por el héroe hacia esas tierras, pues su presencia es constante. Previamente, la figura de Apolidón del libro II se relacionaba con dicho espacio, de la misma manera que lo harán otros personajes del libro IV como la Doncella Encantadora o Balán.

las otras que ya oístes que allí passaron. Y assí mesmo dixo cómo el Rey avía embiado por su fija Oriana para la entregar a los romanos tanto que las batallas passassen. Cuando el Cavallero Griego oyó dezir que los romanos avían de fazer las batallas y se avían de combatir por las donzellas, fue muy ledo, porque lo que él más dudava en aquella afrenta era pensar que su hermano don Galaor tomaría aquella batalla por las donzellas, que esto tenía él en más que otra afrenta que le venir pudiesse, porque don Galaor fue el cavallero que en más estrecho le puso que ninguno con quien él se combatiera, ahunque gigante fuesse, así como lo cuenta[67] el primer libro desta istoria, que bien creía que, si en la corte se fallara, que como el más preciado en armas de todos los que en ella avía tomara esta recuesta[68]; de la cual no podía redundar sino de dos cosas la una: o morir él, o matar a su hermano don Galaor, que antes sufriera la muerte que otorgar cosa que en mengua le tornasse. Y por esto fue ledo en saber que en la corte no era, y demás desto porque no se avía de combatir con ninguno de sus amigos que en la corte eran. Y dixo a Grasinda:

—Señora, en la mañana oyamos missa en aquella tienda; y guisadvos[69] muy apuestamente, y llevad las donzellas que os pluguiere bien ataviadas, y iremos a dar cabo en esto en que estamos, que fío en la merced de Dios alcançaréis aquella honra por vos tanto desseada y por que a esta tierra venistes.

Con esto se acogió Grasinda a su cámara, y el Cavallero Griego y sus compañeros, a su fusta.

---

[67] *cuenta:* cuento, Z // cuenta, RS // .

[68] *recuesta:* demanda, petición. «Sabido por el rey el término en que la requesta está, asigna plaça, término, día e ora, e armas con que devan conbatir», Diego de Valera, *Tratado de las armas*, 119b.

[69] *guisadvos:* preparaos.

## Capítulo LXXIX

*De cómo el Cavallero Griego y sus compañeros sacaron del mar a Gra-*
*sinda y la llevaron con su compaña a la plaça de las batallas, donde su*
*cavallero avía de defender su partido, cumpliendo su demanda.*

De la mar sacaron a Grasinda con cuatro donzellas, y fuéronse a oír missa a la tienda; y de allí cavalgaron ellos todos
tres armados en sus cavallos, y Grasinda tan apuesta ella y su
palafrén de paños[1] de oro y de seda, con piedras y perlas tan
preciadas, que la mayor emperatriz del mundo no pudiera más
llevar; porque esperando ella siempre aquel día en que estava,
mucho antes se apercebía de tener para ello las más fermosas y
ricas cosas que pudo aver como gran señora que era, que no
teniendo marido ni fijos ni gente, y siendo abastada de gran
tierra y renta, no pensava en lo gastar salvo en esto que oís, y
sus donzellas assí memos de preciosas ropas vestidas. Y como
Grasinda de su natural fermosa fuese, aquellas riquezas artificiales tanto la acrescentavan, que por maravilla lo tenían todos
los que la miravan, y gran esfuerço dava su parescer aquel que
por ella se avía de combatir. Y llevava encima de su cabeça solamente la corona que en señal de ser más fermosa que todas
las dueñas de Romanía avía ganado, como ya oístes. Y el Cavallero Griego la levava de rienda, y armado de unas armas
que Grasinda le mandara fazer, y la loriga era tan alva como la
luna, y las sobreseñales de la misma librea[2] y colores que Gra-

---

[1] *de paños:* y paños, Z // de paños, RS // .

[2] *librea:* prenda de vestir que los príncipes, señores y algunas otras personas
dan a sus criados, por lo común uniforme y con distintivos. 1.ª doc. según
DCECH, en Nebrija, si bien se puede encontrar bastante antes, por ejemplo en
Villasandino. Véase Alicia Puigvert Ocal, *Contribución al estudio de la lengua en la*
*obra de Villasandino (Aspectos léxico-semánticos),* Madrid, Un. Complutense, 1987,
2 vols. Cfr.: «Fizo allí estraña librea, e muy debisada, e diola a quantos avía en
su casa, mayores e menores», Gutierre Díez de Games, *El Victorial,* 288, 29.
Para Pedro Corominas, «El sentimiento de realidad en los libros de caballerías»,
pág. 519, parece mentira que una obra como el *Amadís de Gaula* «sea tan sobria
en la descripción de los vestidos y de las joyas, que, sin embargo, tanta brillan-
tez podrían dar a los cortejos y a los torneos en que justan y pelean a espada los

sinda era vestida, y abrochávase de una y otra parte con cuerdas texidas de oro, y el yelmo y el escudo eran pintados de las
mesmas señales de la sobrevista[3]. Y don Bruneo llevava unas
armas verdes, y en el escudo havía figurada una donzella, y
ante ella un cavallero armado de ondas de oro y de cárdeno, y
semejava que le demandava merced[4]. Y Angriote d'Estraváus
iva en un cavallo rezio y ligero, y levava unas armas de veros
de plata y de oro[5], y llevava por la rienda a la donzella que ya
oístes que fuera al Rey con el mensaje; y don Bruneo llevava
otra su hermana, y todos levavan los yelmos enlazados, y el
mayordomo y sus fijos con ellos. Con tal compaña llegaron a
una plaça en cabo de la villa donde las batallas se acostumbravan fazer. En medio de la plaça havía un padrón de mármol
alto como un estado de hombre[6], y los que justas y batallas allí
venían a demandar ponían sobre él el escudo o yelmo, o ramo
de flores o guante, en señal dello. Y llegado allí el Cavallero
Griego y su compaña, vieron al Rey al un cabo del campo, y al
otro los romanos, y entre ellos Salustanquidio con unas armas
prietas[7], y por ellas unas sierpes de oro y de plata; y era tan
grande que parecía un gigante, y estava en un cavallo muy cre-
cido a maravilla. La Reina estava a sus finiestras, y las Infantas
cabe ella, y Olinda la fermosa, que entre sus ricos atavíos tenía
encima de sus fermosos cabellos una rica corona[8].

---

caballeros andantes». No obstante, se percibe una mayor inclinación a estas mí-
nimas descripciones conforme avanza el relato y la intervención de Rodríguez
de Montalvo es más acusada.

[3] *sobrevista:* túnica ligera que vestía el caballero por encima de las armas y
adornaba con colores arbitrarios o con los esmaltes propios de su escudo heráldico. Riquer, *Armas,* 399.

[4] Para Riquer, *Armas,* 425, el texto «se inspira directamente en un pasaje del
*Lancelot,* cuando el protagonista, en l'Ille de Joie, se hace confeccionar un
escudo».

[5] *veros de oro y plata:* «en el blasón son unas figuras, como copas, o vasos de
vidrio, representándose en las armerías en forma de campanitas, o sombrerillos
pequeños, que son siempre de plata y azul» *(Autoridades),* por lo que la representación es inadecuada. Véase la nota 21 del capítulo CIX.

[6] *estado de hombre:* la estatura de un hombre. «Non avía más alta bela que
quanto un estado de honbre», Gutierre Díez de Games, *El Victorial,* 191, 7.

[7] *prietas:* negras. «Llegaron dos cavalleros armados: el uno de armas blancas,
y el otro de armas prietas», *Demanda del Sancto Grial,* 231b.

[8] El detalle no es puramente ornamental, sino que, siguiendo las pautas del

Cuando el Cavallero Griego llegó al campo, vio la Reina y las Infantas y otras dueñas y donzellas de gran guisa; y como no vio a su señora Oriana, que entre ellas ver solía, stremeciósele el coraçón con soledad della[9]. Y cuando vio estar a Salustanquidio bravo y fuerte, tornó el rostro contra Grasinda y viola estar ya cuanto desmayada, y díxole:

—Mi señora, no os espantéis por ver hombre tan desmesurado de cuerpo, que Dios será por vos, y yo os faré ganar aquello que a vuestro coraçón folgança dará.

—Assí plega a Él por la su piedad —dixo ella.

Estonces le tomó él la rica corona que en la cabeça tenía, y fue su passo en su cavallo, y púsola encima del padrón de mármol; y desí tornóse luego a do estavan sus escuderos, que le tenían tres lanças muy fuertes con pendones ricos de diversas colores. Y tomando la que mejor le pareçió, echó su scudo al cuello y fuese do el Rey estava, y díxole, haviéndosele homillado, en lenguaje griego:

—Sálvete Dios, Rey. Yo soy un cavallero estraño que del imperio de Grecia vengo con pensamiento de me provar con tus cavalleros que tan buenos son; y no por mi voluntad, mas por la de aquella que en este caso mandarme puede. Y aora, guiándolo mi dicha, paréceme que la recuesta será entre mí y los romanos. Mandaldes que pongan en el padrón la corona de las donzellas, assí como contigo mi donzella lo assentó.

Estonces, blandió la lança rezio y arremetió su cavallo cuanto pudo, y púsose al un cabo del campo. El Rey no entendió lo que le dixo, que no sabía el lenguaje griego, pero dixo a Argamón, que cabe él stava:

—Seméjame, tío, que aquel cavallero no querrá la mengua para sí, según parece.

—Cierto, señor —dixo el Conde—, ahunque alguna vergüença passássedes por estar esta gente de Roma en vuestra

relato tradicional, desempeñará una función en el texto al ser solicitada posteriormente por Salustanquidio, a la vez que se contrapone a la corona de Grasinda.

[9] *soledad ella:* añoranza por la ausencia de ella. «Beviré en soledad de ti», Diego de San Pedro, *Cárcel de amor,* pág. 135. De nuevo el autor desea evitar una posible situación conflictiva, alejando del lugar a uno de los posibles implicados.

casa, muy ledo sería en que algo de su sobervia quebrantada fuesse.

—No sé lo que será —dixo el Rey—, mas creo que fermosa justa se apareja.

Los cavalleros y la otra gente de la casa del Rey, que vieron lo qu'el Cavallero Griego fiziera, maravilláronse y dezían que nunca vieran tan apuesto ni tan fermoso cavallero armado sino Amadís. Salustanquidio, que cerca stava y vio cómo toda la gente tenían los ojos en el Cavallero Griego y lo loavan, dixo con gran saña:

—¿Qué es esso, gente de la Gran Bretaña? ¿Por qué vos maravilláis en ver un cavallero griego loco que no sabe ál sino trebejar por el campo?[10]. Bien parece que los no conoçéis como nosotros, que como al fuego el nombre romano temen. Que [es] señal[11] de haver visto ni passado por vosotros grandes fechos de armas cuando deste tan pequeño os spantáis. Pues ahora veréis cómo aquel que tan fermoso armado y a cavallo os parece cuán frío y deshonrado en el suelo os parecerá.

Estonces se fue a la parte donde la Reina stava, y dixo contra Olinda:

—Mi señora, dadme essa vuestra corona, que vos sois la que yo amo y precio sobre todas; dádmela, mi señora, y no dudéis, que yo vos la tornaré luego con aquella que en el padrón está, y con ella entraréis en Roma, qu'el Rey y la Reina serán contentos que os yo con Oriana lleve, y os faga señora de mí y de mi tierra.

Olinda, que esto oía, no tuvo en nada sus locuras, y estremeçiósele el coraçón y las carnes, y vínole una color biva al rostro, pero no le dio la corona. Salustanquidio, que assí la vio, dixo:

—No temáis, mi señora, de me dar la corona, que yo faré que, quedando vos con esta honra, sin ella vaya de aquí aquella dueña loca que la quiso poner en la fuerça de aquel griego covarde.

Mas por todo esto Olinda nunca se la quiso dar, hasta que la

---

[10] *ál sino trebejar por el campo:* otra cosa excepto jugar por el campo, «Jugando e trebejando segun que los niños suelen fazer», *Confisión del Amante,* 127, 30.

[11] *que [es] señal:* que señal, ZR // que es señal, S // .

Reina se la tomó de la cabeça y se la embió. Y tomándola en su mano, la fue poner en el padrón cabe la otra. Y demandó sus armas a gran priessa, y diéronselas presto tres cavalleros de Roma; y tomó su escudo y echóle al cuello, y puso el yelmo en su cabeça; y tomando una lança más gruessa que otra, con un fierro grande y agudo, se asossegó en su cavallo. Y como se vio tan grande y tan bien armado, y que todos le miravan, creçióle el esfuerço y la sobervia, y dixo contra el Rey:

—Agora quiero que vean vuestros cavalleros la diferencia dellos y de los romanos, que yo venceré aquel griego; y si él dixo que venciendo a mí se combatiría con dos, yo me combatiré con los dos mejores qu'él trae; y si el esfuerço les faltare, entre el tercero.

Don Grumedán, que stava herviendo con saña en oír aquello y en ver la paciencia del Rey, díxole[12]:

—Salustanquidio, olvídaseos la batalla que havéis de haver comigo si désta escapáis, y demandáis otra.

—Ligero es esso de passar —dixo Salustanquidio.

Y el Cavallero Griego dixo a altas bozes:

—Bestia mala dessemejada, ¿qué estás fablando? ¿Cómo dexas passar el día? Entiende en lo que has de fazer.

Cuando esto oyó, bolvió el cavallo contra él, y movieron uno contra otro a gran correr de los cavallos, las lanças baxas y cubiertos de sus escudos. Los cavallos eran ligeros y corredores, y los cavalleros fuertes y sañudos, y juntáronse ambos en medio de la plaça y ninguno faltó de su golpe. Y el Cavallero Griego lo firió so el brocal del escudo y falsógele, y la lança topó en unas hojas fuertes y no las pudo passar. Mas puxólo tan fuertemente, que lo echó fuera de la silla, assí que todos fueron maravillados; y passó por él muy apuesto llevando la lança de Salustanquidio metida por el escudo y por la manga de la loriga, assí que todos pensaron que iva ferido, mas no era assí. Y tirando la lança del escudo, la tomó a sobremano y fuese donde estava Salustanquidio, y viole que no bullía y yazía como muerto. Y no era maravilla, que él era grande y pesado, y cayera del cavallo, que era alto, y las armas pesadas y el campo muy duro; assí que todo fue causa de le llegar cerca de la

---

[12] *dixole:* y díxole, Z // dixole, RS // .

muerte como lo estava. Y sobre todo, huvo el braço siniestro, sobre que cayera, quebrado cabe la mano, y las más costillas movidas de su lugar. El Cavallero Griego, que pensó que más esforçado estava, paróse sobr'él, assí a cavallo, y púsole el fierro de la lança en el rostro, qu'el yelmo le cayera de la cabeça con la fuerça de la caída, y díxole:

—Cavallero, no seáis de tan mal talante en no otorgar la corona de las donzellas aquella fermosa dueña, pues que la mereçe.

Salustanquidio no respondió, y dexándole allí se fue para el Rey, y dixo en su lenguaje:

—Buen Rey, aquel cavallero, ahunque ya está sin sobervia, no quiere otorgar la corona aquella señora que la atiende, ni la quiere defender ni responder. Otorgalda vos por juizio como es d[e]recho; si no, cortarle he la cabeça y será la corona otorgada.

Estonces se tornó donde el cavallero estava, y el Rey preguntó[13] lo que dixera, y el Conde su tío se lo hizo entender, y díxole:

—Vuestra es la culpa en dexar morir aquel cavallero ante [v]os; pues que no puede defenderse, con d[e]recho podéis juzgar las coronas para el Cavallero Griego.

—Señor —dixo don Grumedán—, dexad al cavallero faga lo que quisiere, que en los romanos ay más artes que en la raposa[14], que si él bive, dirá que ahún estava en dispusición de mantener la batalla si vos no aquexárades tanto en el juizio.

Todos se reían de lo que don Grumedán dixo, y a los romanos les quebravan los coraçones. Y el Rey, que vio al Cavallero Griego decendir del cavallo y querer cortar la cabeça a Salustanquidio, dixo a Argamón:

—Tío, acorred presto y dezilde que se sufra de lo matar y que tome las coronas, que yo gelas otorgo, y las dé donde deve.

---

[13] *Rey preguntó:* rey que pregunto, ZRS // rey preguntó, Place // .

[14] *más artes que la raposa:* más engaños que la raposa. Se trata de una caracterización común en los bestiarios. Por ejemplo, *El Fisiólogo. Bestiario medieval,* trad. de Marino Ayerra Redín y Nilda Guglielmi, introd. y notas de Nilda Guglielmi, Buenos Aires, Eudeba, 1971, pág. 60, dice: «la zorra es un animal astuto y artero en extremo», características bien presentes en los *exempla* medievales.

Argamón fue contra él dando bozes que oyesse mandado del Rey. El Cavallero Griego tiróse afuera y puso la spada sobre el ombro. En esto llegó el Conde, y díxole:

—Cavallero, el Rey os ruega que por él os sufráis de matar esse cavallero, y mándaos que toméis las coronas.

—Plázeme —dixo él—; y sabed, señor, que si me yo combatiesse con algún vassallo del Rey, no lo mataría si por otra cualquier guisa pudiesse acabar lo que començasse; mas a los romanos, matarlos y deshonrarlos como a malos que ellos son, siguiendo las falsas maneras de aquel sobervio Emperador, su señor, de quien todos ellos aprenden a ser sobervios, y a la fin covardes.

El Conde se tornó al Rey, y díxole cuanto el cavallero dixera. Y el cavallero cavalgó en su cavallo, y tomando del padrón ambas las coronas, las llevó a Grasinda. Y púsole en la cabeça la corona de las donzellas, y la otra diola a una su donzella que la guardasse. El Cavallero Griego dixo a Grasinda:

—Mi señora, vuestro fecho es en el estado que desseávades, y yo por la merced de Dios, quito del don que os prometí. Idvos, si os pluguiere, a las tiendas a folgar y yo atenderé si los romanos con este pesar que han havido saldrán al campo.

—Mi señor —dixo ella—, yo no me partiré de [v]os por ninguna guisa, que no puedo yo haver mayor descanso ni folgura en cosa que en ver vuestras grandes cavallerías.

—Fágase —dixo él— vuestra voluntad.

Estonces arremetió el cavallo y fallólo rezio y folgado, que poco afán levara aquel día; y echó su escudo al cuello y tomó una lança con un pendón muy fermoso. Y llamó a la donzella que allí viniera con el mensaje de Grasinda, y díxole:

—Amiga, id al Rey y dezilde que ya sabe cómo quedó: que si de la primera batalla yo quedasse para me combatir, que ternía campo a dos cavalleros que juntos a mí viniessen. Y agora conviéneme complir aquella locura y que le pido de merced que no mande combatir comigo ninguno de sus cavalleros, porque ellos son tales, que no ganarían honra comigo en me vencer; mas déxeme con los romanos, que han començado sus batallas, y verá si por yo ser griego los temeré.

La donzella se fue al Rey, y por el lenguaje francés le dixo aquello qu'el Cavallero Griego le mandava dezir.

—Donzella —dixo el Rey—, a mí no me plaze que ninguno de mi casa ni de mi señorío se combata con él. Él lo ha passado hoy a su honra y yo le precio mucho; y si le plugui[e]sse quedar comigo, fazerle ía mucho bien[15]. Y a los de mi mesnada y tierra defiendo yo que lo dexen, que en ál tengo que fazer; pero los de Roma, que son sobre sí, fagan lo que les pluguiere.

Esto dezía el Rey porque tenía mucho que fazer en la partida de Oriana su fija, y porque no tenía a essa sazón en su corte ninguno de sus preciados cavalleros, que por no ver la crueza y sinrazón que a su fija fazía de allí se havían partido. Solamente eran en la corte Guilán el Cuidador, que doliente stava, y Cendil de Ganota, que las piernas tenía passadas de una frecha[16] con que le ferió Brondajel de Roca, romano, en un monte qu'el Rey corría por dar a un venado.

Oída la respuesta por la donzella qu'el Rey le dio, díxole:

—Señor, muchas mercedes hayáis del bien y merced que al Cavallero Griego fazéis, mas sed cierto que si él en Grecia quisiesse quedar con el Emperador, todo lo qu'él demandara le fuera otorgado; pero su voluntad no es sino de andar suelto por el mundo socorriendo a las dueñas y donzellas que tuerto reciben, y a otros muchos que se lo piden justamente. Y en estas cosas y otras que siempre se le descubren ha fecho tanto, que no tardará de venir a vuestra noticia, por do en mucho más de vos, señor, y de los otros que lo no conoçen será tenido y preciado.

—Sí Dios os salve, donzella, dezidme de quién será esse mandado.

—Cierto, señor, yo no lo sé; pero si en su fuerte coraçón de alguna cosa es sojuzgado, creo que no será sino de alguna que en estremo ama, que debaxo de su señorío es puesto. Y a Dios quedad encomendado, que a él me buelvo con esta respuesta; y quien lo quisiere allí en este campo lo fallará fasta mediodía.

Oída la respuesta, el Cavallero Griego fuese yendo a passo contra donde Grasinda estava, y dio al uno de los fijos del

---

[15] *fazerle ía mucho bien:* le haría mucho bien.
[16] *frecha:* flecha, lectura de R y S, aunque la primera está abundantemente atestiguada en el xv, y la recogen desde Nebrija hasta Cobarruvias. Véase F. Rodríguez Marín, *Dos mil quinientas voces...*

mayordomo el scudo y al otro la lança, y no se quitó el yelmo por no ser conoçido. Y dixo al que le tomara el escudo que le fuesse poner encima del padrón, y que dixesse qu'el Cavallero Griego lo mandara poner contra los cavalleros de Roma para atener[17] lo que havía prometido. Y él tomó a Grasinda por la rienda y estovo con ella fablando.

Havía entre los romanos un cavallero que después de Salustanquidio en mayor prez de armas lo tenían, que Maganil havía nombre, y bien cuidavan ellos que dos cavalleros de aquella tierra no le ternían campo; y él traía dos hermanos consigo, otrosí buenos cavalleros. Y como el escudo fue en el padrón puesto, miravan los romanos a este Maganil como que dél esperavan la honra y la vengança. Pero él les dixo:

—Amigos, no me catéis, que no puedo en aquello fazer ninguna cosa, que yo tengo prometido al príncipe Salustanquidio, si saliesse de su batalla en guisa que se combatir no pudiesse, que tomaré a mi cargo la batalla de don Grumedán, y mis hermanos comigo. Y si él no osare combatir con nosotros, y sus compañeros, que por él la he de tomar, estonces yo os vengaré del cavallero.

Y ellos estando assí fablando, vinieron dos cavalleros de su compaña, romanos, bien armados de ricas armas y en hermosos cavallos. Al uno dezían Gradamor[18] y al otro Lasanor, y ambos eran hermanos, y sobrinos de Brondajel de Roca, fijos de su hermana, que era brava y sobervia. Y assí lo era el marido y los fijos, por causa de lo cual eran muy temidos de los suyos y por ser sobrinos de Brondajel, que era mayordomo mayor del Emperador. Y éstos llegados al campo, como oís, sin fablar ni se homillar al Rey fuéronse al padrón, y el uno dellos tomó el scudo del Cavallero Griego y dio con él tal golpe en el padrón, que lo fizo pedaços; y dixo en boz alta:

—¡Mal haya quien consiente que delante romanos se ponga escudo de griego contra ellos!

El Cavallero Griego, cuando su escudo vio quebrado, fue tan sañudo, qu'el coraçón le ardía con saña, y dexando a Grasinda,

---

[17] *atener:* cumplir. «Otorgaronse amos de atenerse lo que prometieron», *Demanda del Sancto Grial,* 290a-b.

[18] *Gradamor:* Gradomor, Z // Gradamor, RS // .

fue a tomar la lança que el escudero le tenía; y no cató por escudo, ahunque Angriote le dezía que tomasse el suyo; y dexóse ir a los cavalleros de Roma, y ellos a él. Y firió de la lança al que le quebrara el scudo tan duramente, que lo lançó de la silla, y de la caída le saltó el yelmo de la cabeça; assí que quedó tollido sin se poder levantar, y todos cuidaron que muerto era. Y allí perdió la lança el Cavallero Griego, y echó mano a su spada y bolvió a Lasanor, que de grandes golpes le fería, y diole por cima del ombro y cortóle las armas y la carne fasta los huessos, y fízole caer la lança de la mano; y diole otro golpe por cima del yelmo que perdiendo las estriberas le hizo abraçar a la cerviz del cavallo. Y como assí lo vio, passó presto la spada a la mano siniestra, y travóle del escudo y llevóselo del cuello; y el cavallero cayó en el campo, mas levantóse luego con el temor de la muerte; y vio a su hermano, que estava a pie, la spada en la mano, y fuese juntar con él. Y el Cavallero Griego, temiendo qu'el cavallo le matarían, descavalgó dél y embraçó su escudo qu'él tomara, y con su espada se fue para ellos y firiólos tan rezio, que los hermanos no lo pudieron sufrir ni tener campo, así que los que le miravan se espantavan de le ver tan valiente que en poco los estimava[19]. Assí fizo él conoçer a los romanos la bondad dél y la flaqueza dellos. Y dio luego a Lasanor un golpe en la pierna siniestra que se no pudo tener, pidiéndole merced, mas él fizo que lo no entendía, y diole del pie en los pechos y lançóle en el campo tendido. Y tornó contra el otro, qu'el scudo le quebrara, mas no le osó atender, que mucho dudava la muerte que contra él venía; y fuese a donde el Rey estava, pidiéndole merced a altas bozes que lo no dexasse matar. Mas aquel que lo siguía se le paró delante, y a grandes golpes que le dio le fizo tornar al padrón; y cuando a él llegó, andava alderredor por se guardar de los golpes. Y el Cavallero Griego, que gran saña tenía, queríale ferir, y a las vezes acertava en el padrón, que de piedra muy dura era, y fazía dél y de la spada salir llamas de fuego. Y como le vio cansado que ya no se mudava, tomóle entre sus braços y apretóle tan fuerte, que de toda su fuerça lo desapoderó, y dexólo caer en el campo. Estonces tomóle el escudo y diole con él tal golpe en-

---

[19] *estimava:* estimavan, Z // estimava, RS // .

cima de la cabeça, que fue fecho pieças, y el romano quedó tal como muerto. Y púsole la punta de la spada en el rostro y puxóla ya cuanto[20], y Gradamor estremeçióse, y ascondía el rostro del gran miedo, y ponía sus braços sobre la cabeça con temor de la spada, y començó a dezir:

—¡Ay, buen griego, señor!, no me matéis, y mandad lo que haga.

Mas el Cavallero Griego mostrava que lo no entendía; y como lo vio acordado, tomóle por la mano, y dándole de llano con la espada en la cabeça le hizo mal de su grado poner en pie, y hízole señal que se subiesse en el padrón. Mas él era tan flaco que no podía, y el Griego le ayudó; y estando assí de pies, sossegado, diole de las manos tan rezio, que le fizo caer tendido. Y como él era grande y pesado, y cayera de alto, quedó tan quebrantado, que no bullía; y el Griego le puso las pieças del escudo sobre los pechos, y yendo a Lasanor, tomóle por la pierna y llevólo arrastrando cabe su hermano. Y todos cuidavan que los quería descabeçar; y don Grumedán, que con plazer lo mirava, dixo:

—Paréçeme qu'el Griego bien ha vengado su escudo.

Esplandián el donzel, que la batalla mirava, cuidando que el Cavallero Griego quería matar los dos cavalleros que vencidos tenía, haviendo duelo dellos dio de las espuelas a su palafrén y llamó a Ambor su compañero, y fue donde los cavalleros estavan. El Cavallero Griego, que assí lo vio venir, esperóle por ver lo que quería, y como cerca llegó, pareçióle el más fermoso donzel de cuantos en su vida viera; y Esplandián se llegó a él y díxole:

—Señor, pues que estos cavalleros son en tal estado que se no pueden defender, y es conoçida la vuestra bondad, hazedme gracia dellos, pues con vos queda toda la honra.

Él dava a conocer que lo no entendía. Y Esplandián començó a llamar a altas bozes al conde Argamón que se llegasse allí, que el Cavallero Griego no le entendía su lenguaje. El Conde vino luego, y el Griego le preguntó qué demandava el donzel, y él le dixo:

—Pídevos essos cavalleros, que gelos deis.

---

[20] *puxóla ya cuanto:* empujóla un poco.

—Mucho sabor havía de los matar —dixo él—, pero yo gelos otorgo.

Y dixo al Conde:

—Señor, ¿quién es este tan fermoso donzel, y cúyo fijo es?

El Conde le dixo:

—Cierto cavallero, esso no os diré yo, que no lo sé, ni ninguno que en esta tierra sea.

Y contóle la manera de su criança.

—Ya yo oí hablar desde donzel en Romanía, y pienso que
se llama Esplandián[21]. Y dixéronme que tenía en los pechos
unas letras.

—Verdad es —dixo el Conde—, y bien las podéis ver si
quisierdes.

—Mucho os lo gradeçeré, y a él que me las muestre, que estraña cosa es de oír y más de ver.

El Conde le rogó a Esplandián que gelas mostrasse. Y llegóse más cerca, y traía cota y capirote francés trenado[22] con leones de oro y una cinta de oro estrecha ceñida, y la saya y capirote se brochava con brochas[23] de oro. Y quitando algunas de
las brochas, mostró el Cavallero Griego las letras, de que fue
maravillado, teniéndolo por la más estraña cosa que nunca
oyera. Y las letras blancas dezían Esplandián, mas las coloradas no las pudo entender, ahunque bien tajadas y fechas eran;
y díxole:

—Donzel fermoso, Dios vos faga bienaventurado.

Estonces se despidió del Conde y cavalgó en su cavallo,

---

[21] Frente a los otros reconocimientos por sus desconocidos familiares, la
anagnórisis de Esplandián por su padre se ha realizado de forma diferente. No
existe el motivo de los celos de Perión, ni el combate entre los hermanos.
Como había anunciado Urganda la Desconocida es un símbolo de paz. Posteriormente, tras su reconoci̇miento público cesará la pelea entre Lisuarte y
Amadís.

[22] *cota y capirote francés trenado:* jubón y capuchón con falda que caía sobre los
hombros formado en redecilla o trenza. «Las referencias a prendas y modas
francesas son continuas en los textos. Cuando un cronista presenta a un personaje vestido a la francesa, hace sobreentender que va vestido con elegancia y
distinción», Carmen Bernis, *Trajes y modas en la España de los Reyes Católicos,* I,
pág. 29.

[23] *se brochava con brochas:* se abrochaba con broches.

que allí su escudero le tenía, y fuese donde Grasinda stava, y díxole:

—Mi señora, enojada havéis estado en esperar mis locuras; mas p[o]ned la culpa a la sobervia de los romanos que lo han causado.

—Sí Dios me salve —dixo ella—, antes, las vuestras venturas buenas me fazen ser muy leda.

Estonces movieron de allí contra las fustas, y Grasinda con gran gloria y alegría de su ánimo, y no menos el griego cavallero en haver parado tales a los romanos, de que muchas gracias a Dios dava. Pues llegados a las barcas, faziendo poner las tiendas dentro, movieron luego la vía de la Ínsola Firme.

Mas dígoos de Angriote d'Estraváus y don Bruneo que quedaron por mandado del Cavallero Griego en una galea porque ascondidamente ayudassen[24] a don Grumedán en la batalla que puesta tenía con los romanos, rogándoles que, passando aquella afrenta como a Dios pluguiesse, procurassen de saber algunas nuevas de Oriana y se fuessen luego a la Ínsola Firme.

Al buen donzel Esplandián fue mucho gradeçido lo que fizo por los cavalleros romanos en les quitar de muerte a que tan llegados estavan.


CAPÍTULO LXXX

*De cómo el rey Lisuarte embió por Oriana para la entregar a los romanos, y de lo que le acaeçió con un cavallero de la Ínsola Firme, y de la batalla que passó entre don Grumedán y los compañeros del Cavallero Griego contra los tres romanos desafiadores; y de cómo, después de ser vencidos los romanos, se fueron a la Ínsola Firme los compañeros del Cavallero Griego, y de lo que allí fizieron.*

Oído havéis cómo Oriana estava en Miraflores, y la reina Sardamira con ella, que por mandado del rey Lisuarte la fue a ver para le contar las grandezas de Roma y el mando tan creçido que con aquel casamiento del Emperador se le aparejava.

---

[24] *porque ascondidamente ayudassen:* para que ayudasen a escondidas. «Ascondidamente trato esto», A. Martínez de Toledo, *Atalaya de las coronicas*, 37b.

Agora sabed que, haviéndola ya el Rey su padre prometido a los romanos, acordó de embiar por ella para dar orden cómo la levassen. Y mandó a Giontes, su sobrino, que tomasse consigo otros dos cavalleros y algunos servientes y la traxiesse, y no consintiesse que ningún cavallero con ella fablasse. Giontes tomó a Ganjel de Sadoca y a Lasanor, y otros servidores, y fuese donde Oriana estava; y tomándola en unas andas, que de otra guisa venir no podía, según estava desmayada del mucho llorar, y sus donzellas y la reina Sardamira con su compaña, partieron de Miraflores y veníanse camino de Tagades, donde el Rey estava.

Y al segundo día acaeçió lo que agora oiréis: que cerca del camino, debaxo de unos árboles, cabe una fuente estava un cavallero en un cavallo pardo, y él muy bien armado; y sobre su loriga vestía una sobreseñal verde que de una parte y otra se brochava con cuerdas verdes en ojales de oro, assí que les pareçió en gran manera hermoso. Y tomó un escudo y echólo al cuello, y tomó una lança con un pendón verde y esblandeçióla[1] un poco; desí[2] dixo a su escudero:

—Ve y di a aquellos aguardadores de Oriana que les ruego yo que me den lugar cómo la yo fable, que no será daño dellos ni della; y que si lo fizieren, que gelo gradeçeré; y si no, que me pesará, pero será forçado de provar lo que puedo.

El escudero llegó a ellos y díxoles el mensaje; y cuando les dixo que faría su poder por la fablar, riéronse dello, y dixéronle:

—Dezid a vuestro señor que la no dexaremos ver, y que cuando su poder provare, no havrá fecho nada.

Mas Oriana, que lo oyó, dixo:

—¿Qué os faze[3] a vosotros que el cavallero me fable? Quiçá me trae algunas nuevas de mi plazer.

—Señora —dixo Giontes—, el Rey vuestro padre nos mandó que no consintiéssemos que ninguno se llegasse a os fablar.

El escudero se fue con esta respuesta, y Giontes se aparejó para la batalla. Y como el cavallero de las armas verdes la oyó,

---

[1] *esblandencióla:* la movió de una parte a otra, la blandió.
[2] *desí:* después.
[3] *qué os faze:* qué os importa.

fue luego contra él, y diéronse grandes encuentros en los escudos, assí que las lanças fueron en pieças; mas el cavallo de Giontes con la gran fuerça del encuentro hovo la una pierna salida de su lugar, y cayó con su señor; y tomándole el un pie debaxo con la estribera donde le tenía, no se pudo levantar. El cavallero de las armas verdes passó por él, fermoso cavalgante, y tornó luego y dixo:

—Cavallero, ruégoos que me dexéis hablar con Oriana.

Él le dixo:

—Ya por mi defensa no lo perderéis, ahunque mi cavallo ha la culpa.

Estonces Ganjel de Sadoca le dio bozes que se guardasse y no pusiesse las manos en el cavallero, que moriría por ello.

—Ya os tuviesse a vos en tal estado —dixo él.

Y movió contra él cuanto el cavallo lo pudo levar con otra lança que su escudero le dio, y erró el encuentro; y Ganjel de Sadoca lo encontró en el escudo donde quebró la lança, mas otro mal no le fizo. Y el cavallero tornó a él, que le vio estar con su spada en la mano, y encontróle tan fuertemente, que la lança boló en pieças, y Ganjel fue fuera de la silla y dio gran caída. Y luego sobrevino Lasanor, mas el cavallero, que muy diestro era en aquel menester, guardóse tan bien, que le fizo perder el golpe de la lança, assí que Lasanor la perdió de la mano, y juntáronse tan bravamente uno con otro, que los scudos fueron quebrados y Lasanor ovo el braço en que lo tenía quebrado; y el de las armas verdes, que a él bolvió con la espada en la mano, vio cómo estava desacordado, y no lo quiso ferir; mas desenfrenóle el cavallo y diole de llano[4] con la spada en la cabeça, y fízole ir fuyendo por el campo con su señor. Y como lo assí vio ir, no pudo estar que no riesse.

Estonces tomó una carta que traía y fuese contra donde Oriana en sus andas stava. Y ella, que assí lo vio vencer aquellos tres cavalleros tan buenos en armas, cuidó que era Amadís, y estremeçiósele el coraçón. Mas el cavallero llegó a ella con mucha humildad, y tendió la carta y dixo:

---

[4] *de llano*: con la parte no cortante de la espada. «Diole un golpe de llano en la cabeça», P. Carrillo de Huete, *Crónica del Halconero de Juan II*, 3, 22. «Dio al rey un gran golpe de llano que lo derribo en tierra», *Tristán de Leonís*, 384a.

—Señora, Agrajes y don Florestán os embían esta carta, en la cual fallaréis tales nuevas, que vos dará[n] plazer. Y a Dios quedéis, señora, que yo me buelvo a aquellos que a vos me embiaron; que sé cierto que me havrán bien menester, ahunque sea de poco valor.

—Al contrario desso me pareçe a mí —dixo Oriana—, según lo que he visto; y ruégoos que me digáis vuestro nombre, que tanto afán passastes por me dar plazer.

—Señora —dixo él—, yo soy Gavarte de Valtemeroso, a quien mucho pesa de lo qu'el Rey vuestro padre contra [v]os haze. Mas yo fío en Dios que muy duro[5] le será de acabar; antes, morirán tantos de vuestros naturales y de otros, que por todo el mundo será sabido.

—¡Ay, don Gavarte, mi buen amigo, a Dios plega por la su merced de me llegar a tiempo que esta vuestra gran lealtad de mí os sea gualardonada!

—Señora —dixo él—, siempre fue mi desseo os servir en todas las cosas como a mi señora natural, y en ésta mucho más, conoçiendo la gran sinrazón que os fazen; y yo seré en vuestro socorro con aquellos que la servir quis[i]eren.

—Mi amigo —dixo ella—, ruégoos mucho que assí lo razonés[6] donde vos fallardes.

—Assí lo faré —dixo él—, pues que con lealtad fazerlo puedo.

Estonces se despidió della. Y Oriana se fue a Mabilia, que estava con la reina Sardamira, y la Reina le dixo:

—Paréçeme, mi señora, que iguales hemos sido en nuestros aguardadores. No sé si lo ha fecho su flaqueza o la desdicha deste camino, que aquí donde los vuestros, los míos fueron vencidos y maltrechos.

Desto que la Reina dixo reyeron todas mucho, mas los cavalleros estavan avergonçados y corridos, que no osavan ante ellas pareçer. Oriana estuvo allí una pieça en tanto que los ca-

---

[5] *duro:* difícil. En dos ocasiones diferentes, los caballeros de la Ínsula Firme han vencido a los acompañantes de Sardamira y a los de Oriana, ambos, futuros enemigos, por lo que se está anunciando el resultado final de la batalla posterior.

[6] *razonés:* esgrimáis, razonéis.

valleros se remediavan[7], que el cavallo que levava Lasanor no le pudo bolver fasta gran pieça; y apartóse con Mabilia, y leyeron la carta, en la cual hallaron cómo Agrajes y don Florestán y don Gandales la hazían saber cómo era ya en la Ínsola Firme Gandalín, y Ardián el enano, y que essos ocho días sería con ellos Amadís; y cómo por ellos les embiava dezir que tuviessen una gran flota aparejada, que la havía menester para ir a un lugar muy señalado, y que assí la tenían ellos; que oviesse plazer y tuviesse esperança que Dios sería por ella. Mucho fueron alegres de aquellas nuevas sin comparación, como quien por ellas esperavan bivir, que por muertas se tenían si aquel casamiento passasse. Y Mabilia confortava a Oriana y rogávala que comiesse, y ella fasta allí con la gran tristeza no quería ni podía comer, ni con la mucha alegría.

Assí fueron por su camino fasta que llegaron a la villa donde el Rey era, pero antes salió el Rey y los romanos a las recebir, y otras muchas gentes. Cuando Oriana los vio, començó a llorar fuertemente, y fízose deçendir de las andas, y todas sus donzellas con ella; y como la veían fazer aquel llanto tan dolorido, lloravan ellas y messavan sus cabellos y besávanle las manos y los vestidos como si muerta ante sí la tuviessen, assí que a todos ponían gran dolor[8]. El Rey, que assí las vio, pesóle mucho, y dixo al rey Arbán de Norgales:

—Id a Oriana y dezidle que siento el mayor pesar del mundo en aquello que faze, y que la embío a mandar que se acoja a sus andas y sus donzellas, y faga mejor semblante y se vaya a su madre, que yo le diré tales nuevas de que será alegre.

El rey Arbán gelo dixo como le fue mandado, mas Oriana respondió:

—¡Oh Rey de Norgales, mi buen cormano!, pues que mi gran desventura me ha sido tan cruel, que [v]os y aquellos que por

---

[7] *se remediavan*: 1.º doc. según DCECH, en Nebrija; no lo recoge el DME, pero pueden encontrarse ejemplos anteriores. «Buscó otra vía para se remediar», *Crónica de don Álvaro de Luna*, 25, 34. «Fisicos nunca le pudieron rremediar», A. Martínez de Toledo, *Atalaya de las coronicas*, pág. 9b.

[8] Como en tantas otras ocasiones, los sentimientos se exteriorizan mediante estas manifestaciones de dolor, cuadros patéticos para «mover» a los lectores-oyentes. De esta manera se acentúa todavía más el comportamiento «injusto» de Lisuarte, como rey y como padre.

socorrer las tristes y cuitadas donzellas muchos peligros havéis passado no me podéis con las armas socorrer, acorredme siquiera con vuestra palabra; consejad al Rey mi padre no me faga tanto mal, y no quiera tentar a Dios, porque las sus buenas venturas que fasta aquí le ha dado al contrario no gelas torne; y trabajad [v]os, mi cormano, cómo aquí me lo fagáis llegar, y vengan con él el conde Argamón y don Grumedán, que en ninguna guisa de aquí no partiré fasta que esto se faga.

El rey Arbán en todo esto no hazía sino llorar muy fieramente, y no le podiendo responder, se tornó al Rey y díxole el mandado de Oriana; mas a él se le fazía grave ponerse con ella en plaça[9] en aquella afruenta, porque mientra más sus dolores y angustias eran a todos notorias, más la culpa dél era creçida. El conde Argamón, veyéndole dudar, rogójelo mucho que lo fiziesse, y tanto le ahincó, que, venido don Grumedán, el Rey con ellos tres se fue a su fija. Y cuando ella le vio, fue contra él assí de inojos como estava, y sus donzellas con ella; pero el Rey se apeó luego, y alçándola por la mano, la abraçó. Y ella le dixo:

—Mi padre, mi señor, aved piedad desta fija que en fuerte punto de vos fue engendrada, y oídme ante estos hombres buenos.

—Fija —dixo el Rey—, dezid lo que os pluguiere, que con el amor de padre que os devo os oiré.

Ella se dexó caer en tierra por le besar los pies. Y él se tiró afuera y levantóla suso[10]. Ella dixo:

—Mi señor, vuestra voluntad es de me embiar al Emperador de Roma y partirme de [v]os y de la Reina mi madre y desta tierra donde Dios natural me fizo. Y porque desta ida yo no spero sino la muerte, o que ella me venga, o que yo mesma me la dé, así que por ninguna guisa se puede complir vuestro querer, de lo que a vos se sigue gran pecado en dos maneras: la una, ser yo a vuestro cargo desobediente, y la otra, morir a

---

[9] *se le fazía grave ponerse en plaça:* le resultaba molesto ponerse en público. «En plaça no osaban fazer semblantes tanto más tristes», *Crónica de don Álvaro de Luna,* 31, 11.

[10] *se tiró afuera y levantóla suso:* se apartó y la levantó. Oriana agradece a su padre su atención con la acción anterior de arrojarse a sus pies.

causa vuestra. Y porque todo esto sea escusado y Dios sea de nosotros servido, yo quiero ponerme en orden y allí bivir, dexá[n]doos libre para que de vuestros reinos y señoríos dispongáis a vuestra voluntad; y yo renunciaré todo el derecho que Dios me dio en ellos a Leonoreta mi hermana, o a otro, cual vos más quisierdes. Y señor, mejor seréis servido del que con ella casare que de los romanos, que por causa mía, allá me teniendo, luego vuestros enemigos serán; assí que por esta vía que los ganar cuidáis, por esta misma no solamente los perdéis, mas, como dixe, los fazéis enemigos mortales vuestros, que nunca en ál pensarán sino en cómo havrán esta tierra.

—Mi fija —dixo el Rey—, bien entiendo lo que me dezís, y yo os daré la respuesta ante vuestra madre. Acojedos[11] a vuestras andas y idvos para ella.

Estonces aquellos señores la pusieron en las andas y la levaron a la Reina su madre; y a ella llegada, recibióla con mucho amor, pero llorando, que mucho contra su voluntad se hazía aquel casamiento.

Mas ni ella ni todos los grandes del reino ni los otros menores nunca pudieron mudar al Rey de su propósito. Y esto causó que ya la fortuna, enojada y cansada de le haver puesto en tan gran alteza y buenas venturas, por causa de las cualès mucho más que solía de la ira, de la sobervia, se iva faziendo sujeto, quiso, más por reparo de su ánima que de su honra, mudársele al contrario, como en el libro desta grande historia vos será contado, porque aí se declarará más largamente.

Mas la Reina con mucha piedad que tenía consolava a la fija; y la fija con muchas lágrimas, con mucha humildad, hincados los inojos, le demandava misericordia, diziendo que, pues ella señalada en el mundo fuesse para consejar las mugeres tristes, para buscar remedio a las atribuladas, que cuál más que ella, ni tanto, en todo el mundo fallarse podría. En esto, y en otras cosas de gran piedad a quien las veía, estovieron abraçadas la madre y la fija, mezclando con los grandes deleites passados las angustias y grandes dolores que muchas vezes a las personas

---

[11] *Acojedos:* acogeos.

les son sobrevenidos[12] sin que ninguno, por grande y por discreto que sea, los puede fuir.

Y el conde Argamón y el rey Arbán de Norgales y don Grumedán apartaron al Rey debaxo de unos árboles, y el Conde le dixo:

—Señor, por dicho me tenía de os no fablar más en este caso, porque siendo vuestra gran discreción tan estremada entre todos, conoçiendo mejor lo bueno y contrario, bien y honestamente[13] me podría escusar. Pero como yo sea de vuestra sangre y vuestro vasallo, no me contento ni satisfago con lo dicho, porque veo, señor, que assí como los cuerdos muchas vezes aciertan, assí cuando una yerran, es mayor que de ningún loco; porque atreviéndose en su saber, no tomando consejo, cegándoles amor, desamor, codicia, o sobervia, caen donde muy a duro levantarse pueden. Catad, señor, que fazéis gran crueza y pecado, y muy presto podríades haver tal açote del Señor muy alto con que la vuestra gran claridad y gloria en mucha escuridad puesta fuesse. Acojedos[14] a consejo esta vez, considerando cuántos cuerdos, desechando los suyos, doblando sus voluntades, los vuestros y la vuestra siguieron; porque si dello mal os viniere, dellos más que de vos quexaros podéis, que éste es un gran remedio y descanso de los errados.

—Buen tío —dixo el Rey—, bien tengo en la memoria todo lo que ante me havéis dicho, mas no puedo más fazer sino cumplir lo que a éstos tengo prometido.

—Pues, señor —dixo el Conde—, demándoos licencia para que a mi tierra me vaya.

—A Dios vayáis —dixo el Rey.

Assí se partieron de aquella fabla, y el Rey se fue a comer. Y los manteles alçados, mandó llamar a Brondajel de Roca y díxole:

—Mi amigo, ya vedes cuánto contra voluntad de mi fija y de todos mis vasallos, que la mucho aman, se faze este casamiento. Pero yo, conoçiendo darla a hombre tan honrado y ponerla entre vosotros, no me quitaré de lo que os he prometi-

12 *sobrevenidos:* sobrevenidas, Z // sobrevenidos, RS // .
13 *honestamente:* honestemente, Z // honestamente, RS // .
14 *Acojedos:* acogeos.

do. Por ende, aparejad las fustas, que dentro el tercero día vos entregaré a Oriana con todas sus dueñas y donzellas. Y poned en ella recaudo que os no salga de una cámara, porque no acaezca algún desastre.

Brondajel le dixo:

—Todo se fará, señor, como lo mandáis; y ahunque agora se le faga grave a la Emperatriz mi señora salir de su tierra, donde a todos conoçe, veyendo las grandezas de Roma y el su gran señorío, cómo los reyes y príncipes ante ella para la servir se homillaren, no passará mucho tiempo que su voluntad con mucho contentamiento será satisfecha; y tales nuevas antes de mucho os serán, señor, escritas.

El Rey lo abraçó riendo y díxole:

—Sí me Dios salve, Brondajel, mi amigo, yo creo que tales sois vosotros que muy bien sabréis fazer cómo ella sea en su alegría cobrada.

Y Salustanquidio, que se ya levantara, le pidió por merced que mandasse ir con su fija a Olinda, y que él le prometía que, seyendo él rey como el Emperador gelo prometiera, en llegando con Oriana él la tomaría por su muger. Al Rey plugo dello, y estúvogela loando mucho, diziendo que, según su discreción y honestidad y gran fermosura, que muy bien merescía ser reina y señora de gran tierra. Assí como oís passaron aquella noche, y otro día pusieron en las barcas todo lo que avían de levar. Y Maganil y sus hermanos parescieron ante el Rey, y con gran orgullo dixeron a don Grumedán:

—Ya vedes cómo se acerca el día de vuestra vergüença, que mañana se cumple el plazo en que la batalla que con sandez demandastes se ha de fazer. No penséis[15] que la partida la ha de estorvar ni otra cosa ninguna; que necesario es, si no os otorgáis por vencido, que paguéis los desvaríos que dexistes como hombre de muy mayor edad que seso ni tiento[16].

Don Grumedán, que cuasi fuera de sentido estava oyendo aquello, levantóse para responder. Mas el Rey, que lo conoscía

---

[15] *penséis:* pensays, Z // penseys, RS // .

[16] *seso ni tiento:* sentido ni moderación, cordura. «Todo ello fue con muy grant tiento e discreción proveýdo», *Hechos del condestable don Miguel Lucas de Iranzo,* 61, 1.

ser muy sentible[17] en las cosas de honra, uvo recelo dél y dixo:

—Don Grumedán, ruégoos por mi servicio que no fabléis en esto; y aparejados[18] a la batalla, pues que vos mejor que ninguno sabéis que semejantes autos más consisten en obras que en palabras.

—Señor —dixo él—, faré lo que mandáis por vuestro acatamiento, y mañana yo seré en el campo con mis compañeros. Y allí parescerá la bondad o maldad de cada uno.

Los romanos se fueron a sus posadas. Y el Rey llamó aparte a don Grumedán y díxole:

—¿Quién tenéis que os ayude contra estos cavalleros?, que me parescen rezios y valientes.

—Señor —dixo él—, yo he por mí a Dios, y este cuerpo y coraçón y manos que él me dio; y si don Galaor viniere mañana fasta la tercia, averlo he, que soy cierto que manterná él mi razón, y no me quexaría con el tercero. Y si no viniere, combatirm'é[19] con ellos, uno a uno si de derecho fazerse puede.

—¿No vedes —dixo el Rey— que la batalla fue demandada de tres por tres, y vos así lo otorgastes, y no la querrán mudar, porque assí lo tienen puesto y jurado en las manos de Salustanquidio? Y don Grumedán —dixo el Rey—, sí me Dios salve, mucho he gran pesar en el mi coraçón porque os veo menguado de tales compañeros cuales avedes menester en tal afruenta[20]; y mucho me temo de cómo esta vuestra fazienda irá.

—Señor —dixo él—, no temáis; en poca de ora faze Dios gran merced y acorro a quien le plaze, y yo fue[21] contra la sobervia con la mesura y buen talante; y ello, que es conforme a Dios, me ayudará. Y si don Galaor no viniere, ni otro de los buenos cavalleros de vuestra casa, meteré comigo dos destos míos cuales mejor viere.

—No es esso nada —dixo el Rey—, que lo avéis con fuertes

---

[17] *sentible:* sensible. «Vuestros sentibles y muy agravados males reciban de mi boca alguna consolacion», Juan de Flores, *Grimalte y Gradissa*, 48.

[18] *aparejados:* preparaos, aparejaos.

[19] *combatirm'é:* me combatiré.

[20] *avedes menester en tal afruenta:* tenéis necesidad, necesitáis, en tal afrenta.

[21] *fue:* fui. «Sabed que yo fue muger de un cavallero», *Palmerín de Olivia*, 84, 32.

hombres y usados de tal menester[22], y no os cumple tales compañeros. Mas, mi amigo don Grumedán, yo os daré mejor consejo. Yo quiero secretamente meter mi cuerpo con el vuestro en esta batalla, que muchas vezes lo aventurastes vos en mi servicio; y, mi amigo leal, mucho sería yo desagradescido si en tal sazón no pusiesse[23] yo por vos mi vida y mi honra en pago de cuantas vezes posistes la vuestra en el estremo y filo de la muerte por me servir.

Y en todo esto lo tenía abraçado el Rey, cayéndole las lágrimas de los ojos. Don Grumedán le besó las manos y le dixo:

—No plega a Dios que tan leal rey como lo vos sois caesse[24] en tal yerro por aquel que siempre en crescer vuestra fama y honra será; y comoquiera, señor, que esto tenga en una de las más señaladas mercedes que de vos he recebido, y mis servicios no puedan ser bastantes para lo servir, no se recibirá por mí por ser vos rey y señor y juez que assí a los estraños como a los vuestros justamente juzgar en tal caso deve.

Bienaventurados los vasallos a quien Dios tales reyes da, que teniendo en más el amor que les deven que los servicios que le[s] fazen, olvidando sus vidas, sus grandezas, quieren poner sus cuerpos a la muerte por ellos como lo éste fazer quería por un pobre cavallero, ahunque muy rico y abastado de virtudes[25].

—Pues que assí es —dixo el Rey—, no puedo fazer ál sino rogar a Dios que os ayude.

Don Grumedán se fue a su posada, y mandó a dos cavalleros de los suyos que se adereçassen para otro día ser con él en la batalla. Mas dígoos que, ahunque muy esforçado y fuerte era, y usado en las armas, que tenía su coraçón quebrantado, porque los que consigo metía en la batalla no eran cuales él avía menester para tan gran fecho; que él era de tan alto y fuerte coraçón, que antes la muerte que cosa en que vergüença

<hr>

[22] *usados de tal menester:* acostumbrados a tal ejercicio. «Deve ser acostumbrado y exercitado en travajos de guerra, ca los no usados ligeramente fallecen», Rodrigo Sánchez de Arévalo, *Suma de la política,* 277b.

[23] *pusiesse:* osasse, Z // pusiesse, RS // .

[24] *caesse:* cayese, en R y S.

[25] *abastado de virtudes:* bien dotado de virtudes.

se le tornasse faría ni diría. Pero esto no lo mostrava, sino al contrario todo. Aquella noche alvergó en la capilla de Santa María, y a la mañana oyeron missa con mucha devoción, y don Grumedán rogando a Dios que le dexasse acabar aquella batalla a su honra, y si su voluntad fuesse de ser allí sus días acabados[26], le oviese merced al ánima.

Y luego con gran esfuerço demandó sus armas; y desque vestió su loriga fuerte y muy blanca, vistió encima una sobre-señal de sus colores que era cárdena y cisnes blancos. Y ahún no era acabado de armar, cuando entró por la puerta la fermo-sa donzella que con mandado de Grasinda y del Cavallero Griego allí avía venido, y con ella venían dos donzellas y dos escuderos; y traía en su mano una muy fermosa espada y rica-mente guarnida, y preguntava por don Grumedán, y luego gelo mostraron. Ella le dixo por el lenguaje francés:

—Señor don Grumedán, el Cavallero Griego, que os mucho ama por las nuevas que de vos ha oído después que en esta tie-rra es, y porque ha sabido una batalla que con los romanos te-néis aplazada, déxaos dos cavalleros muy buenos que vistes que le aguardavan. Y embíaos dezir que no queráis otros para esta batalla y que sobre su fe los toméis sin otra cosa temer; y embíaos esta fermosa espada que por muy buena es ya prova-da, según vistes, en los grandes golpes que con ella dio en el padrón de piedra cuando el cavallero le andava fuyendo.

Muy alegre fue don Grumedán cuando esto oyó, conside-rando en la necessidad que puesto estava y que en compañía de tal hombre como el Cavallero Griego no podía andar sino quien mucho valiesse. Y díxole:

—Donzella, aya buena ventura el buen Cavallero Griego que tan cortés es contra quien no conosce; y esto causa la su gran mesura. A Dios plega de me llegar a tiempo que gelo pueda servir.

—Señor —dixo ella—, mucho lo preciarí[a]des[27] si lo co-nosciéssedes, y así lo faréis a estos compañeros suyos tanto que los ayáis provado. Y cavalgad luego, que a la entrada del campo do avéis a lidiar os esperan.

---

26 *acabados:* acabadas, Z // acabados, RS // .
27 *preciarí[a]des:* preciarides, Z // preciariades, R // presciariades, S // .

Don Grumedán sacó la espada y católa cómo era muy limpia y no parescía en ella señal alguna de los golpes que en el padrón diera, y santiguándola la ciñó y dexó la suya. Y cavalgando en el cavallo que don Florestán le diera cuando le ganó a los romanos[28], como ya oístes, paresciendo en él fermoso viejo y valiente, se fue a los cavalleros que lo atendían; y todos tres se recibieron muy ledamente, mas don Grumedán nunca ninguno dellos pudo conoscer; y assí entraron en el campo tan bien apuestos[29], que los que a don Grumedán bien querían ovieron gran plazer. El Rey, que ya venido era, fue maravillado cómo aquellos cavalleros, sin causa ninguna, no conosciendo a don Grumedán, se querían poner a tan gran peligro; y como vio la donzella, mandóla llamar. Ella vino ant'él, y díxole:

—Donzella, ¿por cuál razón estos dos cavalleros de vuestra compaña han querido ser en batalla tan peligrosa no conosciendo a aquel por quien la fazen?

—Señor —dixo ella—, los buenos assí como los malos por sus nuevas son conoscidos; y oyendo el Cavallero Griego las buenas maneras de don Grumedán y la batalla que aplazada tenía, sabiendo que a esta sazón son aquí pocos de los vuestros buenos cavalleros, tuvo por bien de dexar estos dos compañeros suyos que le ayudassen; que son de tan alta bondad y prez de armas, que ante que el mediodía passado sea será ahún más quebrantada la gran sobervia de los romanos, y la honra de los vuestros muy guardada. Y no quiso que don Grumedán lo supiesse fasta los fallar en el campo[30], como vos, señor, avéis visto.

Mucho fue alegre el Rey con tal socorro, que el coraçón tenía quebrantado temiendo alguna desventura que a don Grumedán, por falta de ayudarle en aquella batalla, le podría sobrevenir; y mucho lo gradesció al Cavallero Griego, ahunque lo no mostrava tanto como en la voluntad lo tenía.

Los tres cavalleros, yendo don Grumedán en medio, se pusieron a un cabo de la plaça atendiendo a sus enemigos. Y lue-

---

[28] *romanos:* ramanos, Z // romanos, RS // .
[29] *apuestos:* apuestas, Z // apuestos, RS // .
[30] *campo:* campan, Z // campo, RS // .

go entraron en ella el rey Arbán de Norgales y el Conde de Clara por su parte para los juzgar, y por parte de los romanos fueron Salustanquidio y Brondajel de Roca, todos por mandado del Rey. Y a poco rato llegaron los romanos que se avían de combatir, y venían en fermosos cavallos y armas frescas y ricas; y como eran membrudos y altos, mucho parescía que devían en sí gran fuerça y valentía aver. Y traían consigo gaitas y trompetas y otras cosas que gran ruido fazían, y todos los cavalleros de Roma que los acompañavan; y assí llegaron ante el Rey, y dixéronle:

—Señor, nosotros queremos llevar las cabeças de aquellos cavalleros griegos a Roma, y no os pese que assí lo fagamos en la de don Grumedán, que de vuestro enojo nos pesaría, o mandadle que se desdiga de lo que ha dicho, y que otorgue ser los romanos los mejores cavalleros de todas las otras t[i]erras.

El Rey no les respondió a aquello que dezían, mas dixo:

—Id a fazer vuestra batalla, y los que ganaren las cabeças de los otros fagan dellas lo que por bien tuvieren.

Ellos entraron en el campo, y Salustanquidio y Brondajel los pusieron a una parte de la plaça[31]; y el rey Arbán y el Conde de Clara pusieron a don Grumedán y sus compañeros a la otra. Entonces llegó la Reina con sus dueñas y donzellas a las finiestras por ver la batalla; y mandó venir allí a don Guilán el Cuidador, que flaco estava de su dolencia, y a don Cendil de Ganota, que ahún no era bien sano de su llaga, y dixo contra don Guilán:

—Mi amigo, ¿qué os paresce que será en esto que mi padre don Grumedán está puesto?— que la Reina siempre[32] le llamava padre porque él la criara[33]—, que veo aquellos diablos tan grandes y tan valientes que me ponen grande espanto.

—Mi señora —dixo él—, todo el fecho de las armas en la mano de Dios es y en la razón que los hombres por sí toman,

---

[31] *plaça:* blaça, Z // plaça, RS // .
[32] *siempre:* simepre, Z // siempre, RS // .
[33] El relato se conduce por unos derroteros diferentes de los anteriores, puesto que se aportan unos nuevos datos, como este que comentamos, o se recrean otros, que le confieren unas notas melodramáticas familiares. Brisena, además de la preocupación por su hija, se siente angustiada por el destino de su amo, considerado como padre. Véase la nota 17 del capítulo XLV.

que es a Él conforme, y no en la gran valentía. Y señora, conosciendo yo a don Grumedán por un cavallero muy cuerdo, temeroso de Dios y defendiendo justicia, y a los romanos ser tan desmesurados, tan sobervios, tomando las cosas por sola voluntad, dígoos que si yo estuviesse donde Grumedán está con aquellos dos compañeros, que no temería estos tres romanos, ahunque el cuarto a ellos se llegasse.

Mucho fue la Reina consolada y esforçada con lo que don Guilán le dixo, y rogava a Dios de coraçón que ayudasse a su amo y le sacasse con honra de aquel peligro. Los cavalleros que en el campo estavan endereçaron los cavallos contra sí, y movieron al más correr dellos; y como ellos fuessen muy diestros en las armas y en las sillas, parescían unos y otros muy apuestos. Y encontráronse muy bravamente en los escudos, que ninguno fallesció de su encuentro, assí que las lanças fueron quebradas; y acaesció entonces lo que se nunca viera en batalla que en casa del Rey se fiziesse de tantos por tantos, que todos tres romanos fueron lançados de las sillas en el campo, y don Grumedán y sus compañeros passaron muy apuestos sin ser de las sillas movidos por ellos. Desí tornaron luego los cavallos contra ellos, y viéronlos cómo punavan de se levantar y juntar de consuno. Don Bruneo ovo una ferida no grande en el costado siniestro de la lança de aquel con quien justara. Muy grande fue el pesar que los romanos uvieron de la justa, y grande el plazer de las otras gentes, que los desamavan y amavan a don Grumedán. El cavallero de las armas verdes dixo a don Grumedán:

—Pues que les avéis mostrado cómo saben justar, no es razón que a cavallo los acometamos seyendo ellos a pie.

Don Grumedán y el otro cavallero dixeron que dezía bien. Y descavalgaron de sus cavallos y diéronlos a quien los tuviesse, y fueron todos tres juntos contra los romanos, que ya no estavan tan bravos como ante; y el de las armas verdes dixo:

—Señores cavalleros de Roma, dexastes vuestros cavallos; esto no deve ser sino por nos tener en poco, pues, ahunque no seamos de tal nombradía como la vuestra, no quisimos que esta honra nos levássedes, y por esso descendimos de los nuestros.

Los romanos, que antes muy locos eran, estavan espantados de se ver tan ligeramente en el suelo, y no respondían ninguna cosa y tenían sus espadas en las manos y sus escudos ante sí. Y luego se cometieron muy bravamente y dávanse muy duros y esquivos golpes, tanto que a todos los que los miravan fazían maravillar; y en poco espacio paresció en sus armas la valentía y saña dellos, que por muchas partes fueron rotas y la sangre salía por ellas, y assí mesmo los yelmos y escudos eran malparados. Mas don Grumedán, que con la grande enemiga y saña que tenía aquexóse mucho, adelantávase[34] de sus compañeros, de manera que resciviendo más golpes era malferido. Y sus compañeros, que eran los que sabéis, y que más temían vergüenza que muerte, veyendo que los romanos se defendían, provaron todas sus fuerças y començaron a los cargar de grandes golpes que fasta allí avían sofrido; así que los romanos fueron espantados creyendo que las fuerças se les doblavan. Y tanto fueron afrontados y apartados, que ya en otra cosa no entendían sino en se guardar, y tirávanse afuera tan desacordados, que no tenían tiento para se juntar. Mas los otros, que de vencida los levavan, no los dexavan folgar ni descansar, que entonces fazían sus enemigos maravillas, como si en todo el día no ferieran golpe. Maganil, que el mejor de los hermanos era y el más valiente, que en todo el día mucho dello se avía señalado, veyendo su escudo fecho pieças y el yelmo cortado y abollado en muchas partes, y en la loriga que no avía defensa, fuese cuanto más pudo contra las finiestras de la Reina, y el de las armas de los veros, que lo seguía, no lo dexava descansar, mas él dava bozes diziendo:

—Señora, merced por Dios, no me dexéis matar, que yo otorgo ser verdad todo lo que don Grumedán dixo.

—Mal ayáis —dixo el de los veros—, que eso conocido es.

Y tomándole por el yelmo, gelo sacó de la cabeça y fizo infinta[35] que gela quería tajar. Y la Reina, que lo vio, tiróse de la finiestra[36]. Don Guilán, que allí estava a las finiestras de la Reina, como ya oístes, díxole:

---

[34] *adelantávase:* y adelantavase, ZR // adelantavase, S // .

[35] *fizo infinta:* fingió, simuló, hizo engaño. «Me alegraré que el nonbre de Jhesu Christo sea loado con verdad o con infinta», Fernán Pérez de Guzmán, *Generaciones y semblanzas*, pág. 31.

[36] *tiróse de la finiestra:* se apartó de la ventana. «La reyna tirose de las finiestras», *Tristán de Leonís*, 377b.

—Señor cavallero de Grecia, no os tome codicia de levar a vuestra tierra cabeça tan soberviosa como éssa. Dexadla, si os pluguiere, bolver a Roma, donde son preciadas sus maneras, y allá serán aborrescidas.

—Fazerlo he —dixo él— porque pidió merced a la señora Reina y por vos que lo queréis, ahunque no vos conozco. Yo os lo dexo; mandadle sanar las feridas, que de la locura curado es.

Y bolviéndose a sus compañeros, vio cómo don Grumedán tenía al uno de los romanos de espaldas en el suelo, y él las rodillas sobre sus pechos, y dávale en el rostro grandes golpes de la mançana de la espada; y el romano dezía a grandes bozes:

—¡Ay, señor don Grumedán!, no me matéis, que yo otorgo ser verdad todo lo que vos dexistes en loor de los cavalleros de la Gran Bretaña, y lo mío es mentira.

El cavallero de las armas de los veros, que mucho plazer avía de cómo don Grumedán estava, llamó los fieles[37] que oyessen lo que el cavallero dezía y cómo el de las armas verdes avía echado del campo al otro, que le ya fuyera[38]. Mas Salustanquidio y Brondajel de Roca fueron tan tristes y tan quebrantados en veer aquel vencimiento tan abiltado, que sin fablar al Rey se salieron del campo y se fueron a sus posadas, y mandaron que les llevassen aquellos cavalleros que se desdixeran, pues que su fuerte ventura les fuera tan contraria. Y don Grumedán, veyendo que no quedava qué hazer, con[39] licencia de los fieles cavalgó él, y sus compañeros, y fueron besar las manos del Rey. Y el de las armas verdes le dixo:

—Señor, a Dios finquéis encomendado[40], que nos vamos al Cavallero Griego, en cuya compaña somos muy honrados y bienaventurados.

---

[37] *fieles*: oficiales o árbitros encargados de velar por las leyes y ceremonias del «duelo». «Y entregáronle a los fieles que muerto o bivo se lo oviessen de restituyr», *Tirante el Blanco*, I, 168.

[38] De acuerdo con las costumbres establecidas, al salirse voluntaria o por la fuerza del adversario de los límites establecidos en el campo de desafío queda vencido.

[39] *hazer con*: hazer que con, Z // hazer con, RS // .

[40] *encomendado*: encomentado, Z // encomendado, RS // .

—Dios vos guíe —dixo el Rey—, que bien nos avéis mostrado él y vosotros que sois de alto fecho de armas.

Así se despidieron dél. Y la donzella que allí con ellos viniera llegó al Rey y dixo:

—Mi señor, oídme a poridad[41], si vos pluguiere, antes que me vaya.

El Rey fizo apartar a todos, y díxole:

—Agora dezid [lo] que vos pluguiere.

—Señor —dixo ella—, vos fuistes fasta aquí el más preciado rey de los christianos y siempre vuestro buen prez levastes adelante, y entre las vuestras buenas maneras tovistes siempre en la memoria el fecho de las donzellas, faziéndoles mercedes y compliéndoles de derecho, seyendo muy cruel contra aquellos que tuerto les fazían. Y agora perdida aquella grande esperança que en vos tenían, tiénense todas por desamparadas de vos, veyendo lo que contra vuestra fija Oriana fazéis queriéndola tan sin causa ni razón deseredar de aquello de que Dios heredera la fizo. Mucho son espavoridas[42] y espantadas cómo aquella vuestra noble condición así es tan al contrario en este caso tornada, que muy poca fiuza ternán en sus remedios cuando assí contra Dios, contra vuestra fija y de todos vuestros naturales usáis de tanta crueza, seyendo más que otro ninguno obligado, no como rey, que a todos derecho ha de guardar, mas como padre; que ahunque de todo el mundo ella fuese desamparada, de vos avía con mucho amor ser acogida y consolada. Y no solamente al mundo es mal enxemplo, mas ante Dios sus llantos, sus lágrimas reclamarán. Miraldo, señor, y conformad el fin de vuestros días con el principio dellos, pues que más gloria y fama vos han dado que a ninguno de los que oy biven. Y, mi señor, a Dios seáis encomendado, que yo me voy aquellos cavalleros que me atienden[43].

—A Dios vayáis —dixo el Rey—, que, sí Dios me salve, yo vos tengo por buena y de buen entendimiento.

---

[41] *a poridad:* en secreto. «Apartólos el Marqués a poridad», *Enrique fi de Oliva*, pág. 27.

[42] *espavoridas:* despavoridas.

[43] *me voy aquellos cavalleros que me atienden:* me voy a aquellos caballeros que me esperan.

Ella se fue para sus aguardadores, y tomándola entre sí fueron a la galea, que el tiempo les fazía enderecado para su viaje. Pues luego movieron del puerto; y como sabían que el Rey Lisuarte avía de entregar su fija Oriana a los romanos, y qué día avía de ser, cuitáronse mucho de andar[44] porque lo supiesse el Cavallero Griego; assí que en dos días y dos noches le alcançaron porque él los iva esperando. Mucho bien se recibieron y con gran plazer por así aver acabado aquellas aventuras tanto a su honra. La donzella les contó cómo la batalla passara, y lo que se avía hecho en ayuda de don Grumedán y la necessidad tan grande que tenía por falta de compañeros, y el plazer que con ella ovo y las gracias que embiava al Cavallero Griego por tal socorro: todo lo contó, que no faltó nada.

Grasinda le dixo:

—¿Supistes lo que el Rey ordena de fazer de su fija?

—Sí, señora —dixo la donzella—, que en cuatro días después que de allí partistes la han de meter en la mar en poder de los romanos para que la lieven. Mas ver, señora, los llantos que ella y sus donzellas fazen, y todos los del reino, no ay persona que lo pueda contar.

A Grasinda le vinieron las lágrimas a los ojos, y rogava a Dios que mostrando la su misericordia en esta gran sinrazón le embiasse algún remedio. Mas el Cavallero Griego fue muy alegre de aquellas nuevas porque ya tenía él en su coraçón de la tomar, y no vía la ora de estar enbuelto con los romanos[45], y que esto hecho, gozaría de su señora con descanso de su triste coraçón, y por otra guisa no le podía aver; que lo del rey Lisuarte ni del Emperador no lo tenía en mucho, que bien pensava de les[46] dar harto que fazer. Y lo que más a su ánimo alegría dava era pensar que sin culpa de su señora esto se fazía.

Pues así fablando y folgando como oís, llegaron un día a ora de tercia al gran puerto de la Ínsola Firme. Y los de la Ínsola, que ya por Gandalín sabían el tiempo de su venida, vieron de

---

[44] *cuitáronse mucho de andar:* se apresuraron mucho. «Estonce se cuyto de andar, e subio a la montaña», *Demanda del Sancto Grial,* 205a.

[45] *no vía la ora de estar enbuelto con los romanos:* no veía el momento de estar metido entre los romanos.

[46] *les:* las, Z // les, RS // .

muy lexos las fustas y conoscieron según las señas que él era. El alegría fue muy grande en todos ellos, que lo mucho amavan, y acudieron con mucha priessa a la ribera, y con ellos todos los grandes hombres de su linaje y amigos que lo atendían. Y cuando Grasinda llegó al puerto y vio tanta gente y el alegría que a todas partes fazían, mucho fue maravillada, y más cuando oyó dezir a muchos: «Bien venga nuestro señor, que tanto tiempo de nos ha sido alongado.» Y dixo contra el Cavallero Griego:

—Señor, ¿por qué causa vos fazen estas gentes tanto acatamiento y honra, diziendo «bien venga nuestro señor»?

Él le dixo:

—Señora, demand'os perdón porque tan luengamente de vos me encobrí, que no pude menos fazer sin gran peligro de mi vergüenza, y assí lo he fecho por todas las tierras estrañas que anduve, que ninguno mi nombre saber pudo. Y agora quiero que sepáis que yo soy el señor desta ínsola, y soy aquel Amadís de Gaula de que algunas vezes oiríades fablar; y aquellos cavalleros que allí vedes son del mi linaje y mis amigos, y las otras gentes, mis vasallos. Y a duro se fallarían en el mundo otros tantos cavalleros que en gran valor se les igualassen.

—Si yo, señor —dixo Grasinda— plazer siento en saber vuestro nombre, assí mi coraçón es triste en no vos aver hecho aquel servicio que hombre tan alto y de tal linaje meresçía; y aviend'os tratado como un pobre cavallero andante siéntome por muy desdichada. Y si alguna cosa me consuela, no es ál salvo que la honra que en mi tierra se vos fizo, si alguna fue que vos agradasse[47], se puede atribuir al valor de vuestra sola persona, sin dar parte ninguna al vuestro grande estado ni alto linaje, ni tanpoco a estos cavalleros que me tanto loáis.

Amadís le dixo:

—Señora, no se fable más en esto, que las honras y mercedes que de vos recebí fueron tantas y tales y en tal sazón, que comigo ni con aquellos que allí veis, que más que yo valen, no las podría pagar.

Entonces se llegaron al puerto, donde todos los atendían, y allí era don Gandales con xx palafrenes en que las mugeres su-

---

[47] *agradasse:* agradasce, Z // agradasse, RS // agradesce, Place // .

biessen arriba al castillo. Mas para Grasinda sacaron de las naos un palafrén muy hermoso con guarniciones de oro y plata esmaltados, y ella se vistió de paños ricos a maravilla. Y desde el batel donde ella y Amadís venían echaron tablas muy fuertes fasta el arena por donde salieron. Y a la ribera los atendían Agrajes[48], y don Cuadragante, y don Florestán, y Gavarte de Valtemeroso, y el bueno de don Dragonís, y Orlandín, y Ganjes de Sadoca, y Argamón el Valiente, y Sardonán, hermano de Angriote de Estraváus, y sus sobrinos Pinores y Sarquiles, y Madansil de la Puente de la Plata, y otros muchos hombres buenos que las aventuras demandavan, más de treinta. Y Enil, el bueno y entendido, estava ya dentro en el batel fablando con Amadís, y Ardián el enano y Gandalín con las donzellas de Grasinda. Entonces tomó Amadís a Grasinda por el braço y sacóla del batel fasta la poner en tierra, donde con mucho acatamiento y cortesía de todos aquellos señores fue recebida, y diola Agrajes y a Florestán, que en el palafrén la pusieron. Mucho fueron todos pagados de su gran fermosura y rico atavío. Así la levaron como oís, y a sus dueñas y donzellas, a la ínsola, donde en las fermosas casas que Amadís y sus hermanos alvergaron cuando fue la ínsola ganada la fizieron ser[49]. Allí por le fazer mayor fiesta comieron con ella todos los más de aquellos cavalleros, que don Gandales lo fiziera tener muy bien aparejado, siendo maestresala[50] Ardián el enano, que de plazer no cabía consigo, diziendo muchas cosas con que les fa-

---

[48] *Agrajes:* a agrajes, Z // Agrajes, RS // .

[49] *la fizieron ser:* la hicieron aposentar. Como señala J. Huizinga, ob. cit., página 69, «no cabe insistir bastante en que aquel aparato de bellas y nobles formas de vida alberga un elemento litúrgico que ha elevado el valor de las mismas a una esfera cuasi religiosa. Solo este elemento puede explicar la extraordinaria importancia que no solo en la última Edad Media se ha concedido siempre a todas las cuestiones de jerarquía y de ceremonial».

[50] *maestresala:* criado principal que asistía a la mesa de un señor y presentaba y distribuía la comida. «Fue fecho don Álvaro maestresala del Rey», *Crónica de don Álvaro de Luna,* 19, 9. Según L. G. de Valdeavellano, ob. cit., pág. 492, «durante la baja Edad Media, los servicios de la mesa del Rey estuvieron confiados en Castilla a "Maestresalas" y "Trinchantes", con funciones equivalentes a las del antiguo *Dapifer* germánico, y el "Copero" parece haber quedado reducido en esta época [...] a la condición de un oficial o servidor subalterno dependiente del Mayordomo».

zía reír[51]. Mas Amadís en toda esta rebuelta nunca de sí tiró al maestro Elisabad; antes, lo traía por la mano, y mostrándolo a todos les dezía que Dios y aquél le fiziera bivir, y a la mesa lo fizo sentar entre él y don Gavarte de Valtemeroso. Pero estos todos plazeres y a la vista de aquellos cavalleros que Amadís tanto amava no podían tanto que el coraçón suyo no fuesse en grande apretura puesto, pensando que los romanos podrían con Oriana passar por la mar antes que él los encontrasse; y no podía sosegar ni aver descanso con otra ninguna cosa, porque en comparación d'aquella que él tanto amava todo lo otro le era causa de gran soledad.

Pues aviendo todos con gran plazer comido, y levantados los manteles, Amadís les rogó que ninguno de su lugar no se moviesse, que les quería fablar, y ellos lo fizieron assí. Veyendo, pues, Amadís sosegados aquellos cavalleros que a las mesas estavan atendiendo lo que él diría, fablóles en esta guisa:

—Después que no me vistes, mis buenos señores, muchas tierras estrañas he andado, grandes aventuras han pasado por mí que largas serían de contar; pero las que más me ocuparon y mayores peligros me atraxeron fue socorrer dueñas y donzellas en muchos tuertos y agravios que les fazían, porque assí como éstas nascieron para obedescer con flacos ánimos y las más fuertes armas suyas sean lágrimas y sospiros, así los de fuertes coraçones estremadamente entre las otras cosas las suyas deven tomar, amparándolas, defendiéndolas de aquellos

---

[51] «El enano Ardián es en *Amadís de Gaula* figura gemela del escudero Gandalín en cuya compañía casi constante aparece, pero principalmente en los libros primero y tercero; de ahí que sus funciones a veces se superpongan oscureciéndose lo individual de sus orígenes y papeles. Mientras que por la comicidad del aspecto, palabras y acciones del enano su presencia pueda considerarse un elemento desmitificador satírico-burlesco, su participación indica un estado mixto atribuible tanto a la diversidad del tipo de que procede como a la misma influencia del escudero con quien forma pareja. Ardián es, pues, tan leal como Gandalín y sirve a su señor, con idéntico fervor, de compañero risueño y eficaz mensajero. Su ignorancia, su grotesca deformidad y cómica insuficiencia ocasionan efectos contrarios. Es a veces mascota y bufón que divierte y entretiene y otras inconsciente antagonista del interés amoroso de Amadís», Eduardo Urbina, «El enano artúrico en la génesis literaria de Sancho Panza», en *Actas del Séptimo Congreso Internacional de Hispanistas*, Roma, Bulzoni, 1982, vol. II, páginas 1023-1030, pág. 1028.

que con poca virtud las maltratan y deshonran, como los griegos [y] los[52] romanos en los tiempos antiguos lo fizieron, passando las mares, destruyendo las tierras, venciendo batallas, matando reyes y de sus reinos los echando, solamente por satisfazer las fuerças y injurias a ellas fechas, por donde tanta fama y gloria dellos en sus istorias ha quedado, y quedará en cuanto el mundo durare. Pues lo que en nuestros tiempos passa, ¿quién mejor que vosotros, mis buenos señores, lo sabe?, que sois testigos por quien muchas afruentas y peligros por esta causa cada día passan. No vos hago tan luenga fabla poniendo delante los enxemplos antiguos verdaderos, pensando con ellos esforçar vuestros coraçones, que ellos son en sí tan fuertes, que si lo que les sobra por el mundo repartirse pudiese, ningún covarde en él quedaría, mas porque las buenas hazañas passadas recordadas en las memorias, con mayor cuidado, con mayor desseo las presentes se procuran y toman[53]. Pues veniendo al caso, yo he sabido después que a esta tierra vine el gran tuerto y agravio que el rey Lisuarte a su fija Oriana fazer quiere, que seyendo ella la legítima sucessora de sus reinos, él contra todo derecho desechándola dellos, al Emperador de Roma por muger la embía, y según me dizen, mucho contra la voluntad de todos sus naturales[54], y más della, que con grandes llantos, grandes querellas a Dios y al mundo reclamando, de tan gran fuerça se querella. Pues si es verdad que este rey Lisuarte sin temor de Dios ni de las gentes tal crueza faze, dígovos que en fuerte punto acá nascimos si por nosotros remediada no fuesse; pues que dexándola passar se passava[n] y ponían en olvido los peligros y trabajos que por ganar honra y prez fasta aquí tomado[55] avemos. Agora diga cada uno, si

---

[52] *griegos [y] los:* griegos, los, ZR // griegos y los, S // .

[53] Amadís con su comportamiento demuestra tener las cualidades del buen capitán. Según Rodrigo Sánchez de Arévalo, *Suma de la política,* 271b, «deve ser todo capitán y cabdillo muy industrioso, discreto y bien fablante. Ca muchas vezes la discreción y prudencia y eloquencia del capitán mucho anima a los cavalleros y aun les quita el pavor y espanto de los enemigos; señaladamente al tiempo que se quiere començar la batalla».

[54] *contra la voluntad de todos sus naturales:* contra la voluntad de todos sus naturales y contra la voluntad de todos sus naturales, Z // contra la voluntad de todos sus naturales, RS // .

[55] *tomado:* tomada, ZR // tomado, S // .

vos pluguiere, su parecer, que el mío ya vos he manifestado.

Luego respondió Agrajes por ruego de todos aquellos cavalleros, y dixo:

—Ahunque vuestra presencia, mi señor y buen cormano, nuestras fuerças doblado aya, y las cosas que ante mucho dudávamos con ella livianas y de poca sustancia parezcan, nosotros con poca[56] esperança de vuestra venida, aviendo sabido esto que el rey Lisuarte hazer quiere, determinados éramos al remedio y socorro dello, no dexando tan gran fuerça passar, antes o ellos o nosotros ser passados de la vida a la muerte. Y pues que en la voluntad conformes somos, seámoslo en la obra, y tan presto, que aquella gloria que deseamos alcançar se pueda sin que por nuestra negligencia se pierda.

Oído por aquellos cavalleros la respuesta de Agrajes, todos a una boz teniéndola por buena, dixeron que el socorro de Oriana se devía fazer y que se no tardasse; que si era verdad que por muchas cosas livianas sus vidas aventuravan, con más voluntad lo devían fazer en ésta tan señalada que perpetua gloria en este mundo les daría.

Como Grasinda vio el concierto, abraçando a Amadís le dixo:

—¡Ay Amadís, mi señor! Agora paresce bien el[57] vuestro gran valor y de los vuestros amigos y parientes en fazer el mejor acorro[58] que nunca cavalleros fizieron, que no solamente a esta tan buena señora, mas a todas las dueñas y donzellas del mundo se faze; porque los buenos y esforçados cavalleros[59] de otras tierras tomando enxemplo en esto con mayor cuidado y osadía se pornán en lo que con razón por ellas deven fazer; y los desmesurados y sin virtud, aviendo temor de ser tan duramente costreñidos, refrenarse han de les fazer tuertos y agravios[60]. Y, mi señor, id con la bendición de Dios, y Él vos guíe

---

[56] con poca: con poco, Z // con poca, RS // .

[57] bien el: bien en, Z // bien el, RS // .

[58] acorro: socorro. «Y si por aventura no oviessen otro día acorro», Gran Conquista de Ultramar, I, 450.

[59] cavalleros: canalleros, Z // cavalleros, RS // .

[60] El comportamiento de Amadís, en palabras de Grasinda, se propone como ejemplo digno de ser imitado por los demás caballeros, pero en la realidad los libros de caballerías podían desempeñar algunas funciones similares. Altami-

y enderesce. Yo vos atenderé aquí fasta ver el cabo, y después faré lo que demandardes.

Amadís gelo gradesció mucho, y dexóla en guarda de Isanjo, el governador de la ínsola, que la fiziesse servir y le mostrasse todas las cosas sabrosas que por la ínsola eran, y fiziesse mucha honra al su gran amigo maestro Elisabad. Mas el maestro le dixo:

—Buen señor, si yo en algo vos puedo servir, no es sino en semejantes cosas que estas a que vais, que con las armas, según mi ábito, escusado me avréis, assí que por ninguna guisa quedaré; antes quiero ser en socorro vuestro con esto que Dios me dio, si a vos, señor, pluguiere, que bien sé, según la gran locura de los romanos y la porfía de vosotros, que seréis de mí bien servidos y ayudados.

Amadís lo abraçó, y dixo:

—¡Ay maestro, mi verdadero amigo!, a Dios plega por la su merced que lo que por mí havéis fecho y fazéis, de mí vos sea galardonado. Y pues vos plaze de ir, entremos luego en la mar con la ayuda de Dios.

Como la flota aparejada estuviesse de todo lo necessario al viaje y la gente apercebida, a la prima noche[61], mandando Amadís que todos los caminos se tornassen porque nuevas algunas dellos no fuessen sabidas, entraron todos en la flota, y sin fazer roído ni bullicio començaron a navegar contra aquella parte que los romanos avían de acudir según el camino que les pertenescía llevar, para que en la delantera los fallassen.

---

rano, uno de los interlocutores del *Diálogo de la verdadera honra militar,* Zaragoça, Diego Dormer, 1642, de Gerónimo Ximénez de Urrea, señala: «A la verdad yo estudié poco, porque salí más inclinado a las armas, que a las letras, y assí no aprendí sino romances viejos, y cavallerías, que cierto me levantaron el ánimo a seguir cosas heroycas», fol. 11 r.

[61] *prima noche:* a primeras horas de la noche, Al. Palencia, 192b.

## Capítulo LXXXI

*De cómo el rey Lisuarte entregó su fija muy contra su gana, y del socorro que Amadís con todos los otros cavalleros de la Ínsola Firme fizieron a la muy hermosa Oriana, y la levaron a la Ínsola Firme.*

Como determinado estuviesse el rey Lisuarte en entregar a su fija Oriana a los romanos, y el pensamiento tan firme en ello que ninguna cosa de las que havéis oído le pudo remover[1], llegado el plazo por él prometido, fabló con ella tentando muchas maneras para la atraer[2] que por su voluntad tomasse aquel camino que a él tanto le agradava, mas por ninguna guisa pudo sus llantos y dolores amansar; así que, seyendo muy sañudo, se apartó della, y se fue a la Reina, diziéndole que amansasse a su fija pues que poco le aprovechava lo que fazía, que se no podía escusar aquello que él prometiera. La Reina, que muchas vezes con él fablara sobre ello, pensando fallar algún estorvo, y siempre en su propósito le falló sin le poder ninguna cosa dél mudar, no quiso dezirle otra cosa sino fazer su mandado, ahunque tanta angustia su coraçón sintiesse que más ser no podía; y mandó a todas las Infantas y otras donzellas que con Oriana avían de ir que luego a las barcas se acogiessen. Solamente dexó con ella a Mabilia y Olinda y la Donzella de Denamarcha; y mandó llevar a las naves todos los paños y atavíos ricos que ella le dava. Mas Oriana, cuando vio a su madre y a su hermana, fuese para ellas faziendo muy gran duelo, y travando de la mano a su madre començógela de besar; y ella le dixo:

—Buena fija, ruégovos agora que seáis allegre[3] en esto que

---

[1] *remover:* apartar.

[2] *tentando muchas maneras para la atraer:* intentando por muchos medios convencerla. «Començó aquel Infante de mover grandes partidos [...] por que quisiese atraer al Rey a que consintiese en algunas cosas», *Crónica de don Alvaro de Luna*, 44, 27.

[3] *allegre:* en RS, alegre. Pueden encontrarse ejemplos de allegrar —véase DME— y también de allegre: «Fue allegre ella e toda su gente», *Tristán de Leo-*

vos el Rey manda, que fío en la merced de Dios que será por vuestro bien y no querrá desamparar a vos y a mí.

Oriana le dixo[4]:

—Señora, yo creyo que este apartamiento de vos y de mí será para siempre porque la mi muerte es muy cerca.

Y diziendo esto, cayó[5] amortecida y la Reina otrosí, assí que no sabían de sí parte[6]. Mas el Rey, que luego allí sobrevino, fizo tomar a Oriana así como estava y la llevassen a las naos[7] y Olinda con ella; la cual, fincados los inojos, le pedía por merced con muchas lágrimas que la dexasse[8] ir a casa de su padre, no la mandasse ir a Roma. Pero él era tan sañudo, que lo no quiso oír, y fízola luego llevar tras Oriana, y mandó a Mabilia y a la Donzella de Denamarcha que así mesmo se fuessen luego. Pues todas recogidas a la mar, y los romanos, como oídes, el rey Lisuarte cavalgó y fuese al puerto donde la flota estava, y allí consolava a su fija con piedad de padre, mas no de forma que esperança le pusiesse de ser su propósito mudado. Y como vio que esto no tenía tanta fuerça que a su passión algún descanso diesse, uvo en alguna manera piedad, así que las lágrimas le vinieron a los ojos; y partiéndose della fabló con Salustanquidio, y con Brondajel de Roca y el Arçobispo de Talancia, encomendándogela que la guardassen y serviessen, que de allí gela entregava como lo prometiera. Y bolvióse[9] a su palacio dexando en las naves los mayores llantos y cuitas en las dueñas y donzellas, cuando ir lo vieron, que escrevir ni contarse podrían[10].

_____

*nís,* 392b, por lo que, ante la duda, mantengo la lectura del texto zaragozano, aunque es probable que se trate de una errata.

[4] *dixo:* dicho, Z // dixo, RS // .

[5] *cayó:* caio, Z // cayo, RS // .

[6] *no sabían de sí parte:* no sabían nada de sí, estaban fuera de sus sentidos. «Ella no sabia parte», *Confisión del Amante,* 31, 11.

[7] *las naos:* los naos, Z // las naos, RS // .

[8] *dexasse:* denxasse, Z // dexasse, RS // .

[9] *bolvióse:* bolviese, Z // bolviose, RS // .

[10] El autor utiliza el «topos» de la inefabilidad para expresar esta despedida de Oriana, incluso describiendo la piedad de Lisuarte con sus lágrimas paternales, recurso con el que se intentan no dejar malparado al personaje. En casi todas las ocasiones, tras la despedida de Amadís y los suyos, el comportamiento negativo de Lisuarte está paliado por algún otro de carácter inverso en su actuación, por lo que sus acciones serán bastante variables en función del contexto.

Salustanquidio y Brondajel de Roca, después que el rey Lisuarte fue dellos partido, teniendo ya en su poder a Oriana, y a todas sus donzellas metidas en las naves, acordaron de la poner en una cámara que para ella muy ricamente estava ataviada; y puesta allí y con ella Mabilia, que sabían ser ésta la donzella del mundo que ella más amava, cerraron la puerta con fuertes candados; y dexaron en la nave a la reina Sardamira con su compaña y otras muchas dueñas y donzellas de las de Oriana. Y Salustanquidio, que moría por los amores de Olinda, hízola llevar a su nave con otra pieça[11] de donzellas, no sin grandes llantos por se ver assí apartar de Oriana su señora; la cual, oyendo en la cámara donde estava lo que ellas fazían, y cómo se llegavan a la puerta de la cámara abraçándola y llamándola a ella que las socorriesse, muchas vezes se amortescía en los braços de Mabilia.

Pues assí todo endereçado, dieron las velas al viento y movieron su vía con gran plazer por aver acabado aquello que el Emperador su señor tanto desseava. Y fizieron poner una muy gran seña del Emperador encima del mástil[12] de la nave donde Oriana iva, y todas las otras naves alder[r]edor[13] della guardándola. Y yendo assí muy loçanos y alegres, cataron a su diestro, y vieron la flota de Amadís, que mucho se les llegava en la delantera, entrando entr'ellos y la tierra donde salir querían; y assí era ello, que Agrajes y don Cuadragante y Dragonís y Listorán de la Torre Blanca pusieron entre sí que, antes que Amadís llegasse, ellos se enbolviessen con los romanos y punassen de socorrer a Oriana, y por esso se metían entre su flota y la tierra.

Mas don Florestán y el bueno de don Gavarte de Valtemeroso, y Orlandín y Imosil de Borgoña otrosí avían puesto con sus amigos y vassallos de ser los primeros en el socorro, y ivan a más andar metidos entre la flota de los romanos y la nave de Agrajes. Y Amadís con sus naves muy acompañadas de gen-

---

[11] *pieça:* cantidad, número. «Entonçe movieron grant pieça de cavalleros», *Otas de Roma*, 42, 32.

[12] *mástel:* mástil. «Quebró el mástel de la nao», P. Carrillo de Huete, *Crónica del Halconero de Juan II*, 190, 9.

[13] *alde[r]redor:* al deredor, Z // al derredo, R // al derredor, S // .

tes, assí de sus amigos como de los de la Ínsola Firme, venían a más andar porque el primero que el socorro hiziesse fuesse él. Dígovos de los romanos que, cuando la flota de lueñe vieron, cuidaron que alguna gente de paz sería que por la mar de un cabo a otro passavan; mas veyendo que en tres partes se partían y que las dos les tomavan la delantera a la parte de la tierra y la otra los siguía, mucho fueron espantados y luego fue entre ellos hecho gran ruido, diziendo a altas bozes:

—Armas, armas, que estraña gente viene.

Y luego se armaron muy presto y pusieron los ballesteros, que muy buenos traían, donde havían de estar, y la otra gente. Y Brondajel de Roca con muchos y buenos cavalleros de la mesnada del Emperador estava en la nave donde Oriana era, y donde pusieran la seña que ya oístes del Emperador. A esta sazón se juntaron los unos y otros; y Agrajes y don Cuadragante se juntaron a la nave de Salustanquidio, donde la fermosa Olinda levavan, y començáronse de herir muy bravamente. Y don Florestán y Gavarte de Valtemeroso, que por medio de las flotas entraron, ferieron en las naves que ivan el Duque de Ancona y el Arçobispo de Talancia, que gran gente tenían de sus vassallos, que muy armados y rezios eran, assí que la batalla era fuerte entre ellos. Y Amadís hizo endreçar[14] su flota a la que la seña del Emperador levava, y mandó a los suyos que lo aguardassen; y poniendo la mano en el ombro de Angriote, le dixo assí:

—Señor Angriote, mi buen amigo, mémbreseos[15] la gran

---

[14] *endreçar:* dirigir. Las tres partes en las que se dividen Amadís y los suyos, aparte de un problema táctico, se convierten en problema narrativo, puesto que Florestán y Gavarte atacarán a los acompañantes de Salustanquidio, Agrajes se dirigirá hacia la nave en donde se encuentra su enamorada, de la misma manera que lo hará Amadís. Por otra parte, en las batallas de este tercer libro, en la primera están ausentes Amadís y Lisuarte. En la segunda, está presente Lisuarte, pero ausente Amadís. En la tercera batalla campal, la de los siete Reyes, participan ambos, aunque en un mismo bando, mientras que en la última está presente Amadís y ausente Lisuarte. Véase J. B. Avalle-Arce: *El Amadís primitivo...*, cap. VII. Se ha evitado el enfrentamiento entre los dos personajes para dejarlo como colofón narrativo y bélico del cuarto libro.

[15] *mémbreseos:* acuérdeseos. En R y S, *miembreseos*, aunque se puede atestiguar la forma editada: «menbresevos, amigo, en las batallas que fuerdes, como yo vos ceñí la espada», *Enrique fi de Oliva*, pág. 65.

lealtad que siempre ovistes y tenéis a los vuestros amigos; punad de me ayudar[16] esforçadamente en este fecho. Y si Dios quiere que lo yo con bien acabe, aquí acabaré toda mi honra y toda mi buena ventura complidamente; y no vos partáis de mí en tanto que pudierdes.

Él le dixo:

—Mi señor, no puedo más fazer sino perder la vida en vuestro favor y ayuda porque vuestra honra sea guardada; y Dios sea por vos.

Luego fueron juntas las naves. Grande era allí el ferir de saetas y piedras y lanças de la una y de la otra parte, que no semejava sino que llovía[17], tan espessas andavan. Y Amadís no entendía con los suyos en ál[18] sino en juntar a su fusta con la de los contrarios; mas no podían, que ellos, ahunque muchos más eran, no se osavan llegar, viendo cuán denodadamente eran acometidos, y defendíanse con grandes garfios de fierro y otras armas muchas de diversas guisas[19]. Estonces Tantiles[20] de Sobradisa, mayordomo de la reina Briolanja, que en el castillo estava, como vio que la voluntad de Amadís no podía haver efeto, mandó traer una áncora muy gruessa y pesada travada a una fuerte cadena, y desd'el castillo lançáronla en la nave de los enemigos; y assí él como otros muchos que le ayudavan tiraron tan fuerte por ella, que por gran fuerça fizieron juntar las naves una con otra, assí que se no podían partir en ninguna manera si la cadena no quebrasse. Cuando Amadís esto vio, passó por toda la gente con gran afán, que estavan muy apretados, y por la vía qu'él entrava ivan tras él Angriote y don Bruneo; y como llegó en los delanteros, puso el un pie en el

---

[16] *punad de me ayudar:* tratad de ayudarme.

[17] *lluvia:* llovía. «E todavía que llubía, que es una cosa que atormenta mucho los marineros», Gutierre Díez de Games, *El Victorial,* 191, 14. La comparación tiene una larga tradición, visible en múltiples textos medievales. Cfr.: «Allí volavan dardos e saetas e piedras tan espesas que semejavan lluvia quando cae», *Otas de Roma,* 71, 16. «Comiençan a lançar del castillo tantas piedras que paresçían lluvia, e saetas», *Crónica de don Álvaro de Luna,* 107, 26.

[18] *no entendía con los suyos en ál:* no se preocupaba con los suyos de otra cosa.

[19] *diversas guisas:* diversas clases. «Fallaron dentro muchas armas de todas guisas», Gutierre Díez de Games, *El Victorial,* 207, 33.

[20] *Tantiles:* tantalis, ZRS // Tantiles, Place // .

borde de su nave[21] y saltó en la otra, que nunca los contrarios quitar ni estorvarlo pudieron. Y como el salto era grande y él iva con gran furia, cayó de inojos y allí le dieron muchos golpes, pero él se levantó mal de su grado[22] de los que le ferían tan malamente, y puso mano a su buena spada ardiente. Y vio cómo Angriote y don Bruneo havían con él entrado y ferían a los enemigos de muy fuertes y duros golpes, deziendo a grandes bozes: «Gaula, Gaula, que aquí es Amadís», que assí gelo rogara él que lo dixiessen si la nave pudiessen entrar.

Mabilia, que en la cámara encerrada estava con Oriana, que oyó el ruido y las bozes y después aquel apellido[23], tomó a Oriana por los brazos, que más muerta que biva estava, y díxole:

—Esforçad, señora, que socorrida sois de aquel bienaventurado cavallero vuestro vassallo y leal amigo.

Y ella se levantó en pie preguntando qué sería aquello, que del llorar estava tan desvanescida, que no oía ninguna cosa, y la vista de los ojos cuasi perdida.

Y después que Amadís se levantó y puso mano a la su espada, y vio las maravillas que Angriote y don Bruneo hazían y cómo los otros de su nave se metían de rendón[24] con ellos, fue con su espada en la mano contra Brondajel de Roca, que delante sí halló, y diole por cima del yelmo tan fuerte golpe, que dio con él tendido a sus pies; y si el yelmo tal no fuera, hiziera la cabeça dos partes. Y no passó adelante porque vio que los contrarios suyos eran rendidos y demandavan merced. Y como vio las armas muy ricas que Brondajel tenía, bien cuidó que aquél era al que los otros aguardavan; y quitándole el yelmo de la cabeça, dávale con la mançana de la espada en el rostro, preguntándole dónde estava Oriana. Y él le mostró la cámara de los candados diziendo que allí la fallaría. Amadís se fue apriessa contra allá[25] y llamó a Angriote y a don Bruneo; y con la gran fuerça que de consuno pusieron, derribaron la

---

[21] *borde de la nave:* flanco de la nave. 1.ª doc. de borde según DCECH, en Nebrija. En el *Amadís* se utiliza también la forma bordo.

[22] *mal de su grado:* a su pesar.

[23] *apellido:* grito de guerra.

[24] *de rendón:* de rondón, repentinamente.

[25] *apriesa contra allá:* apriša hacia allá.

puerta y entraron dentro, y vieron a Oriana y a Mabilia. Y Amadís fue hincar los inojos ante ella por le besar las manos, mas ella lo abraçó y tomóle por la manga de la loriga, que toda era tinta de sangre de los enemigos.

—¡Ay, Amadís! —dixo ella—, lumbre de todas las cuitadas, agora pareçe la vuestra gran bondad en haver hecho este socorro a mí y a estas Infantas, que en tanta amargura y tribulación puestas éramos. Por todas las tierras del mundo será sabido y ensalçado vuestro loor.

Mabilia estava de inojos ante él y teníale por la falda de la loriga, que teniendo él los ojos en su señora no la havía visto; mas como la vio, levantóla, y abraçándola con mucho amor, le dixo:

—Mi señora y mi cormana, mucho vos he desseado.

Y quísose partir dellas por ver lo que se hazía, mas Oriana le tomó por la mano y dixo:

—Por Dios, señor, no me desamparéis.

—Mi señora —dixo él—, no temáis, que dentro en esta fusta está Angriote d'Estraváus, y don Bruneo y Gandales con treinta cavalleros que vos aguardarán; y yo iré acorrer a los nuestros, que mucho han gran batalla.

Estonces salió Amadís de la cámara, y vio a Landín de Fajarque, que havía combatido los que en el castillo estavan, y se le havían dado; y mandó que, pues a prisión se davan, que no matassen ninguno. Y luego se passó a una muy fermosa galea en que estavan Enil y Gandalín con hasta cuarenta cavalleros de la Ínsola Firme; y mandóla guiar contra aquella parte que oía el apellido de Agrajes, que se combatía con los de la gran nave de Salustanquidio. Y cuando él llegó, vio que ya la havían entrado; y llegóse con su galea hasta el borde por entrar en la nao, y el que le ayudó fue don Cuadragante, que ya dentro estava. Y la priessa y el ruido era muy grande, que Agrajes y los de su compaña los andavan heriendo y matando muy cruelmente. Mas desque a Amadís vieron, los romanos saltavan en los bateles y otros en el agua, y dellos murían y otros se passavan a las otras naves que ahún no eran perdidas. Mas Amadís iva todavía[26] adelante por entre la gente preguntando por

---

[26] *todavía:* en todo momento, siempre. «Aquel aguardava todavía al Cavallero del Cisne», *Gran Conquista de Ultramar,* I, 190.

Agrajes su cormano, y hallólo, y vio que tenía a sus pies a Salustanquidio, que le diera una gran herida en un braço, y pedíale merced. Mas Agrajes, que de ante sabía cómo amava a Olinda, no dexava de lo herir y llegarlo a la muerte como aquel que mucho desamava. Y don Cuadragante le dezía que lo no matasse, que buen preso ternía en él. Mas Amadís le dixo riendo:

—Señor don Cuadragante, dexad a Agrajes cumpla su voluntad, que si ende[27] lo partimos, todos somos muertos cuantos de nos hallare, que no dexará hombre a vida.

Pero en estas razones la cabeça de Salustanquidio fue cortada, y la nave libre de todos, y los pendones de Agrajes y de don Cuadragante puestos encima de los castillos, y ambos muy bien guardados de muchos buenos cavalleros y muy esforçados. Esto fecho, Agrajes se fue luego a la cámara donde le dixeron que estava Olinda su señora, que demandava por él.

Y Amadís y don Cuadragante, y Landín y Listorán de la Torre Blanca, todos juntos, fueron ver cómo le iva a don Florestán y a los que le aguardavan; y luego entraron en la galea que allí Amadís traxera, y luego encontraron otra galea de las de don Florestán, en que venía un cavallero, su pariente de parte de su madre, que havía nombre Isanes, y díxoles:

—Señores, don Florestán y Gavarte de Valtemeroso vos hazen saber cómo han muerto[28] y preso todos los de aquellas fustas, y tienen al Duque de Ancona y al Arçobispo de Talancia.

Amadís, que dello mucho plazer ovo, embióles dezir que juntassen su galea con la que él havía tomado donde estava Oriana, y que allí havrían consejo de lo que hiziessen. Estonces cataron a todas partes, y vieron que la flota de los romanos era destroçada, que ninguno dellos se pudo salvar, ahunque lo provaron en algunos bateles; mas luego fueron alcançados y

---

[27] *ende:* de ello. En el transcurso narrativo, la caracterización de Agrajes como caballero airado, impetuoso, se ha mantenido de manera sistemática, por lo que es el personaje que menos ha evolucionado en la obra a través de las diferentes redacciones. Para el personaje en los primeros libros, véase Martín de Riquer, «Agora los veredes, dixo Agrajes», art. cit., págs. 43 y ss. Para la acentuación del nombre, véase la nota 4, del capítulo XCVIII.

[28] *muerto:* matado. «Tu me has muerto mi fijo», *Tristán de Leonís,* 344a.

tomados, de forma que no quedó quien la nueva pudiesse llevar[29]. Y fuéronse derechamente a la nave de Oriana, y allí era preso Brondajel de Roca. Entrados dentro, desarmaron las cabeças y las manos, y laváronse de la sangre y sudor; y Amadís preguntó por don Florestán, que no le veía allí. Landín de Fajarque le dixo:

—Está con la reina Sardamira en su cámara, que a altas bozes demandava por él, diziendo que gelo llamassen prestamente, que él sería su ayudador; y ella está ante los pies de Oriana pidiéndole merced que la no dexe matar ni deshonrar.

Amadís se fue allá y preguntó por la reina Sardamira, y Mabilia gela mostró, que estava con ella abraçada, y don Florestán la tenía por la mano. Y fue ante ella muy homildoso, y quísole besar las manos; y ella las tiró a sí, y díxole:

—Buena señora, no temáis nada, que teniendo a vuestro servicio y mandado a don Florestán, a quien todos aguardamos y seguimos, todo [se fará] a[30] vuestra voluntad, dexando aparte nuestro desseo, que es servir y honrar todas las mugeres, a cada una según su mereçimiento. Y como vos, buena señora, entre todas muy señalada y estremada seáis, assí estremadamente es razón que se mucho mire vuestro contentamiento.

La Reina dixo contra don Florestán:

—Dezidme, buen señor, ¿quién es este cavallero tan mesurado y tan vuestro amigo?

—Señora —dixo él—, es Amadís, mi señor y mi hermano, con quien aquí todos somos en este socorro de Oriana.

Cuando ella esto oyó, levantóse a él con gran plazer, y dixo:

—Buen señor Amadís, si vos no recebí como devía, no me culpéis, que el no tener conoçimiento de vos fue la causa. Y mucho gradezco a Dios que en esta tanta tribulación me haya puesto en la vuestra mesura y en la guarda y mamparo[31] de don Florestán.

---

[29] Por primera vez en la obra se ofrece una pelea íntegramente en el mar, por otra parte muy del gusto de Montalvo como lo manifestará en diversas ocasiones en las *Sergas*. De acuerdo con las *Partidas*, II, XXIV, I, «la guerra de la mar es como cosa desamparada, e de mayor peligro, que la de la tierra por las grandes desaventuras que pueden y venir e acaescer».

[30] *todo [se fará] a:* todo a, ZR // todo se fara a, S // .

[31] *mamparo:* amparo.

Amadís la tomó por la otra mano, y lleváronla al estrado de Oriana y allí la hizieron sentar; y él se assentó con Mabilia, su cormana, que mucho desseo tenía de la hablar. Mas en todo esto la Reina Sardamira, comoquiera que supiesse ser la flota de los romanos vencida[32] y destroçada, y la gente, muchos muertos y otros presos, ahún no havía venido a su noticia la muerte del príncipe Salustanquidio, a quien ella de bueno y leal amor mucho amava y tenía por el más principal y grande de todos los del señorío de Roma, ni lo supo dessa gran pieça. Estando assí sentados como oís, Oriana dixo a la Reina Sardamira:

—Reina señora, fasta aquí fue[33] yo enojada de vuestras palabras que al comienço me dexistes, porque eran dichas sobre cosa que tan aborreçida tenía; mas conoçiendo cómo vos dellas partistes, y la mesura y cortesía vuestra en todo lo otro que por vos passa, dígovos que siempre os amaré y honraré de todo coraçón, porque a lo que a mí pesava érades costreñida sin poder fazer otra cosa, y lo que me dava contentamiento manava y sucedía de vuestra noble condición y propia virtud.

—Señora —dixo ella—, pues que tal es vuestro conoçimiento, escusado será hazer yo dello más salva[34].

En esto hablando, llegó Agrajes con Olinda y las donzellas que con ella havían apartado. Cuando Oriana la vio, levantóse a ella y abraçávala como si mucho tiempo passara que la no viera, y ella le besava las manos. Y bolviéndose a Agrajes, lo abraçó con gran amor, y assí recibió a todos los cavalleros que con él venían; y dixo contra Gavarte de Valtemeroso:

—Mi amigo Gavarte, bien os quitastes de la promessa que me distes; y cómo os lo yo gradezco, y el desseo que tengo de lo gualardonar, el Señor del mundo lo sabe.

—Señora —dixo él—, yo he hecho lo que devía como vuestro vassallo que soy. Y vos, señora[35], como mi señora natural,

---

[32] *vencida:* ser vencida, Z // vencida, RS // .

[33] *fue:* fui.

[34] *salva:* excusa, declaración de inocencia. «Yo vos mando que seades detenydo. E el infante rrespondió sus salvas», P. Carrillo de Huete, *Crónica del Halconero de Juan II,* 8, 15.

[35] *señora:* soñora, Z // señora, RS // .

cuando el tiempo fuere, acuérdesevos de mí, que siempre seré en vuestro servicio.

A esta razón eran allí juntos todos los más honrados[36] cavalleros de aquella compaña, los cuales a un cabo de la nao se apartaron por hablar qué consejo tomarían. Y Oriana llamó a Amadís a un cabo del estrado, y muy passo le dixo:

—Mi verdadero amigo, yo vos ruego y mando, por aquel verdadero amor que me tenéis, que agora más que nunca se guarde el secreto de nuestros amores; y no habléis comigo apartadamente sino ante todos, y lo que vos pluguiere dezir-secreto, hablando con Mabilia. Y punad cómo de aquí nos levéis a la Ínsola Firme, porque estando en lugar seguro, Dios proveerá en mis cosas, como Él sabe que tengo la justicia.

—Señora —dixo Amadís—, yo no bivo sino en esperança de vos servir, que si ésta me faltasse, faltarme ía[37] la vida; y como lo mandáis se fará. Y en esta ida de la ínsola[38] bien será que con Mabilia lo embiéis a dezir a estos cavalleros, porque parezca que más de vuestra gana y voluntad que de la mía procede.

—Assí lo haré —dixo ella—, y bien me pareçe. Agora vos id —dixo— aquellos[39] cavalleros.

Amadís assí lo fizo, y hablaron en lo que adelante se devía hazer, mas como eran muchos, los acuerdos eran diversos, que a los unos pareçía que devían llevar a Oriana a la Ínsola Firme, otros a Gaula, y otros a Escocia, a la tierra de Agrajes, assí que se no acordavan[40]. En esto llegó la infanta Mabilia y cuatro donzellas[41] con ella. Todos la recibieron muy bien, y la pusieron entre sí. Y ella les dixo:

—Señores, Oriana vos ruega, por vuestras bondades y por el amor que en este socorro le havéis mostrado, que la levéis a la Ínsola Firme, que allí quiere estar fasta que sea en el amor de su padre y madre; y ruégavos, señores, que a tan buen co-

---

[36] *honrados:* honrradas, Z // honrrados, R // honrados, S // .

[37] *faltarme ía:* me faltaría.

[38] *ínsola:* insolo, Z // insola, RS // .

[39] *aquellos:* a aquellos, con «a» embebida.

[40] *acordavan:* ponían de acuerdo.

miénço deis el cabo mirando su gran fortuna y fuerça que se le haze, y hagáis por ella lo que por las otras donzellas hazer soléis que no son de tan alta guisa.

—Mi buena señora —dixo don Cuadragante—, el bueno y muy esforçado de Amadís y todos los cavalleros que en su socorro hemos sido estamos de voluntad de la servir hasta la muerte, assí en nuestras personas como con las de nuestros parientes y amigos, que mucho pueden y muchos serán; y todos seremos juntos en su defensa contra su padre y contra el Emperador de Roma, si a la razón y justicia no se allegaren con ella. Y dezilde que, si Dios quisiere, que assí como dicho tengo se hará sin falta, y assí lo tenga firme en su pensamiento, y, ayudándonos Dios, por nosotros no faltará. Y si con deliberación y esfuerço este servicio se le ha fecho, que assí con otro mayor y mayor acuerdo será por nos socorrida, hasta [que] su seguridad y nuestras honras satisfechas sean.

Todos aquellos cavalleros tuvieron por bien aquello que don Cuadragante respondió, y con mucho esfuerço otorgaron que desta demanda nunca serían partidos hasta que Oriana en su libertad y señoríos restituida fuesse, seyendo cierta y segura de los haver si ella más que su padre y madre la vida poseyesse. La infanta Mabilia se despidió dellos y se fue a Oriana, que, por ella sabida la respuesta y recaudo que de su mensaje le traía, fue muy consolada, creyendo que la permissión[42] del justo Juez lo guiaría de forma que la fin fuesse la que ella deseava. Con este acuerdo se fueron aquellos cavalleros a sus naves por mandar poner reparo en los presos y despojo, que muchos eran. Dexaron con Oriana todas sus donzellas y a la reina Sardamira con las suyas, y a don Bruneo de Bonamar y Landín de Fajarque, y a don Gordán, hermano de Angriote de Estraváus, y a Sarquiles su sobrino y a Orlandín, hijo del Conde de Urlanda, y a Enil, que andava llagado de tres llagas, las cuales él encubría como aquel que era esforçado y sofrido de todo afán. A estos cavalleros fue encomendada la guarda de Oriana y de

---

[41] *donzellas:* donzellos, Z // donzellas, RS // .

[42] *permissión:* permiso. «Con su mano reparte segund la permisión de la divinal providencia», Diego de Valera, *Tratado de vistuosas mugeres,* 65b.

aquellas señoras de gran guisa que con ella eran, y se no partiessen dellas hasta que en la Insola Firme puestas fuessen, donde tenían acordado de las llevar.

ACÁBASE EL TERCERO LIBRO DEL NOBLE Y VIRTUOSO CAVA-
LLERO AMADÍS DE GAULA

℧ Aqui comiença el Quarto libro del noble ꝛ
virtuoso cauallero Amadis de Gaula hijo y del rey Perió y dela reyna Elisena
en que tracta de sus proezas y grandes fechos de armas que el y otros caualleros
de su linaje hizieron.

## LIBRO CUARTO

Aquí comiença el cuarto libro del noble y virtuoso cavallero Amadís de Gaula, fijo del rey Perión y de la reina Elisena, en que trata de sus proezas y grandes hechos de armas que él y otros cavalleros de su linaje hizieron.

## PRÓLOGO

Assí como la largueza[1] y antigüedad del tiempo passado muchas y grandes cosas nos dexaron en memoria, assí se puede creer que otras infinitas quedaron ocultas sin que dellas ninguna quedasse. Y por esto creo yo que aquel famoso y gracioso dotor Juan Bocacio no fizo mención en las sus *Caídas de príncipes* de cosa alguna que en la primera edad desde el primer padre fasta Nembrot acaeçiesse que de contar sea, ni desde Nembrot fasta el rey Cadmo[2], dando aquellas tan grandes boladas[3] de tanta distancia de tiempo, en el cual con mucha causa se deve creer que grandes cosas acaescerían, pero, perdida ya dellas toda la memoria, no supo ni pudo dar cuenta de lo

---

[1] *largueza:* amplitud.

[2] *Cadmo:* Ladino, ZR // S, om. // . Se trata de un error común posibilitado por una mala lectura del nombre de Cadmo, hijo de Agenor de Tiro y encargado de la búsqueda de Europa, raptada por Júpiter. «Muy luengo tiempo y espacio de muchos años fue entre Membrot y Cadmo, [...] e assí de otros muchos príncipes e muy antiguos e famosos assí como [...] de los reyes y príncipes de los Citas, en cuyo tiempo muy grandes guerras hovo en el mundo, e como que ya olvidado quedasse la memoria destos, ca yo ny historiadores que leo dellos no podemos fallar escriptura», J. Boccaccio, *Caída de príncipes,* ed. cit., fol. VIr.

que passó. Y a esta causa se hallan por el mundo muy estrañas cosas y muchos y grandes edificios, sin que los primeros fundadores y obradores dellas se sepa quién fueron; y no solamente de aquellos tiempos tan antiguos, mas ahun de los nuestros otras semejantes podríamos contar.

Pues luego no ternemos por estraño haver pareçido en cabo de tantos años[4] este libro que oculto y encerrado se halló en aquella muy antigua sepultura que en el prólogo primero de los tres libros de Amadís se recuenta[5]; en el cual se haze mención de aquel cathólico y virtuoso príncipe Esplandián[6], su hijo, en quien estos dos nombres muy bien empleados fueron, como los más de cerimonia[7] preciados, y por tales quiso ser dellos intitulado, desechando todos los otros que, ahunque más altos parescan, son más a lo temporal que a lo divinal conformes, pues que, la vida fallesciendo, ellos en uno[8] con ella falleçen, assí como el espesso y alto fumo, que, faltando el fuego donde procede, en el aire es resolvido[9] y desfecho sin que dello señal ni memoria quede; considerando él que seyendo cathólico sería amigo de Dios, [y] havría conoçimiento ser en aquellos gran-

---

[3]  *boladas:* vuelos.

[4]  *haver pareçido en cabo de tantos años:* haber aparecido al cabo de tantos años.

[5]  Formalmente, el *Amadís* tiene dos diferentes prólogos, dejando aparte unos capítulos introductorios sin numeración. El primero sirve de introducción a los tres primeros libros, que Montalvo atribuye a otros escritores, mientras que el segundo de los prólogos corresponde al libro cuarto. Este último necesariamente debe ser posterior al primero puesto que alude a él, como he señalado en la Introducción.

[6]  *cathólico y virtuoso:* desde un principio se designan unas cualidades diferentes a las de los héroes anteriores, y muy acordes con la época si recordamos que Alejandro VI concederá a Fernando e Isabel el título de Reyes Católicos en 1494. La correspondencia la señala J. B. Avalle-Arce, *El Amadís primitivo...,* cap. VIII. Se trata de un proceso que podríamos resumir con palabras de J. Caro Baroja, *Las formas complejas de la vida religiosa. (Religión, sociedad y carácter en la España de los siglos XVI y XVII),* Madrid, Akal, 1978, pág. 427: «descendemos en el tiempo, de San Miguel a Santiago y de Santiago al mítico San Jorge, y de San Jorge a San Ignacio. La imagen del santo guerrero se perfila y humaniza, hasta pictóricamente. Al lado de ella tendremos la del "capitán cristiano". También la del "caballero cristiano"».

[7]  *cerimonia:* ceremonia.

[8]  *en uno:* conjuntamente. «Sería necesario que se viesen en uno para platicar», Fernando del Pulgar, *Crónica de los Reyes Católicos,* 46, 26.

[9]  *resolvido:* disipado.

des imperios y señoríos su lugarteniente, su visorey[10], temerlo y servirlo, tratar su gran estado no como suyo dél, mas como quien prestado lo tenía, esperando dar muy estrecha cuenta al su Señor recordándose de la triste muerte, del temeroso infierno, y del glorioso Paraíso por donde fuiría de lo dañado y se allegaría a lo firme y seguro, que sería causa de alcançar su ánima aquella folgança que fin no tiene, pues seyendo virtuoso que sería humano, sería gracioso[11], liberal en franqueza[12], no donde el afición mas la razón le guiasse, piadoso, acompañado de aquellas maneras por donde los príncipes y grandes hombres son de los suyos amados y con toda voluntad servidos, assí con las oraciones y rogarias[13] al muy alto Señor como con sus armadas personas poniéndolas en su servicio mil vezes en el filo de la muerte. Y con esto las faziendas, ahunque dellos muy amadas fuessen, sin ninguna premia[14] ni dolor gelas entregaría donde en los autos[15] cathólicos y virtuosos fuessen bien empleadas. Pues, ¿osaremos dezir que el desseo deste Príncipe en efeto vino y assí como por la voluntad por la obra lo esperimentó? Por cierto sí, si alguna fe, tal que fengida no fuesse, se deve dar de aquello que dél en estas sus *Sergas* se scrive; porque, según en ellas pareçe, en tanto que la tierna edad sostuvo, siempre temió a Dios perseverando en toda virginidad[16], en vida santa, en acreçentar la su santa fe, desviarse

---

[10] *visorey:* el que está en alguna provincia representando como ministro supremo la persona del rey (Cobarruvias). La 1.ª doc. del DCECH, en 1517, pero se pueden encontrar ejemplos anteriores: «Embio un visorey que en su lugar estuviesse en el reyno Dalgarbe», *Oliveros de Castilla,* 498a.

[11] *gracioso:* «Gratis... gracious se dize el que faze gracia a otros mas liberalmente de lo que tenia merecido y es amigable a muchos por les fazer bien», Al. Palencia, 184d.

[12] *liberal en franqueza:* generoso en liberalidad. «Era ome linpio, liberal, osado, mesurado», A. Martínez de Toledo, *Atalaya de las coronicas,* 43b.

[13] *rogarias:* rogarias: «Hizo sus offiertas con devotas rogarias», Juan de Flores, *Grimalte y Gradissa,* 18.

[14] *premia:* fuerza, coacción.

[15] *autos:* actos. «En tal auto entre las manos y los cabellos guerra cruel se pregona», Diego de San Pedro, *Arnalte y Lucenda,* pág. 102.

[16] Frente a su padre y a su tío, se exalta otro tipo de héroe, que contaba con antecedentes artúricos como Galaad, o históricos como Godofredo de Bouillon, recordado en el prólogo a los tres primeros libros por sus grandes golpes. En los *Castigos e documentos,* págs. 38-39, se explica su fortaleza por don divino debi-

de emplear sus grandes fuerças, el ardimiento del su bravo coraçón contra los de su ley, ponerlo todo muchas vezes en el
punto de la muerte contra los infieles enemigos del Redemptor
del mundo. Y después que a la más edad fue llegado y en tan
gran estado puesto como ser emperador de Costantinopla,
rey de la Gran Bretaña y Gaula[17], estonces siguiendo la vía
virtuosa fue más humano, más liberal, más conoçido[18] a los
suyos, faziéndoles mercedes, allegándolos, honrándolos como
amigos, castigándolos en sus yerros con piadosa mano, con coraçón tierno sin ninguna dureza de sobervia ni vengança, queriendo antes con la razón que con la ira ser la justicia esecutada[19]; y otras muchas buenas maneras que en sí huvo que muy
largas serían de contar, que dan testimonio cómo con justa
causa y razón justamente se pudo intitular en aquellos dos tan
excellentes nombres como cathólico y virtuoso, por donde el
Señor del mundo permitió que demás de lo que su ánima en la
gloria alcançar pudo en el fin de sus días, seyendo ya tanto
tiempo passado, quedando la recordación de los sus grandes
fechos tan oculta y encerrada como ya se dixo, que a todos
manifiesta fuesse, no por lo a él necessario, mas porque sea enxemplo aquellos que más en efecto de verdad que él los muy
grandes estados y señoríos possen, que esta su historia leer
querrán para que, apartadas las sobervias, las iras y sañas inde-
vidas que los faze enemigos de aquel que amigos y servidores
deven ser, las[20] tornen y executen en aquellos infieles enemi-

---

do a «dos cosas. La primera, que nunca en su mano derecha jurara cosa contra
conçiençia que non deviese jurar. La segunda, porque nunca las sus manos pusiera en lugar lixoso nin feziera con ellas obras lixosas. E tu deves saber que este
duc Godofre fue virgen en toda su vida, e virgen entro so tierra quando murio». Esplandián no llegará a tanto.

[17] Esplandián, conjuntamente con sus familiares, al final de las *Sergas* es encantado por Urganda la Desconocida, por lo que en la continuación de Rodríguez de Montalvo no llega a ser rey de la Gran Bretaña ni de Gaula. Es posible
que se deba a un cambio en el final de la obra.

[18] *conoçido:* agradecido. «El rey don Enrrique, como aquel que era muy conoscido e muy virtuoso príncipe, non se le olvidó la mucha honrra [...] que [...] le
avía fecho», *Crónica de don Álvaro de Luna, 11, 12.*

[19] *esecutada:* ejecutada. «Mando esecutar su justiçia», Alfonso Martínez de Toledo, *Atalaya de las coronicas,* 34a.

[20] *las:* les, ZR // las, Place // .

1304

gos de la nuestra santa fe cathólica[21], pues que sus trabajos y gastos, y en cabo la muerte, puesto caso que les sobreviniesse, sería todo muy bien empleado porque con ello se gana la perpetua y bienaventurada vida.

## Capítulo LXXXII

*Del grande duelo que fizo la reina Sardamira por la muerte del príncipe Salustanquidio.*

La parte tercera desta gran historia vos ha contado en el fin y cabo della cómo el rey Lisuarte, contra la voluntad de todos los grandes y pequeños de sus reinos y de otros muchos que su servicio deseavan, entregó a los romanos a su fija Oriana para la casar con el Patín, Emperador de Roma; y cómo fue por Amadís y sus compañeros, que en la Ínsola Firme juntos se fallaron, en la mar tomada, y muerto el príncipe Salustanquidio y presos Brondajel de Roca, mayordomo mayor del Emperador, y el Duque de Ancona y el Arçobispo de Talancia, y otros muchos de los suyos muertos y presos, y destroçada toda la flota en que la levavan[1]. Y agora os diremos lo que desto sucedió.

Sabed que vencida esta gran batalla que Amadís con otros cavalleros de su parte, dexando a Oriana y a la reina Sardamira, y a todas las otras dueñas y donzellas que con ella estavan, en su nao, y ciertos cavalleros que las guardassen, entraron en otra nave y fueron a mandar poner recaudo en la flota de los romanos y en el despojo, que muy grande era, y los presos, que

---

[21] Este espíritu de Cruzada se respiraba en la época de Montalvo, y no sólo a nivel nacional con la conquista de Granada. Por ejemplo, según Luis Suárez Fernández, *Política internacional...*, ob. cit., t. IV, pág. 82, el 31 de marzo de 1495 «se había publicado en Venecia la Liga entre Maximiliano, los Reyes Católicos, Milán, el Papa y la Serenísima República, que habría de llamarse comúnmente Santa porque el objetivo que se proponía era la defensa de la Cristiandad contra los turcos».

[1] *levavan:* llevaban. Se inicia el libro con una recapitulación de los hechos anteriores, pero sin ningún capítulo carente de numeración como ha sucedido en los libros precedentes.

demás de ser muchos, la mayor parte eran de gran valor, que tales convenía embiar en semejante embaxada. Y llegados a la fusta donde el príncipe Salustanquidio muerto estava, oyeron grandes bozes y llantos. Y sabida la causa de ello, era que los suyos, assí cavalleros como otra gente, estavan arededor[2] dél faziendo el mayor duelo del mundo y retrayendo[3] sus bondades y grandeza; assí que los de Agrajes, que la fusta ocupada tenían, no los podían quitar ni apartar de allí. Amadís mandó que a otra nave los passassen porque cessassen el duelo que hazían, y mandó poner el cuerpo de Salustanquidio en una arca para le fazer dar la sepultura que a tal señor convenía, comoquiera que enemigo fuesse, pues que como bueno muriera en servicio de su señor. Y ésta fue la causa que, assí dél como de los otros que bivos quedaron, ovieron compassión mandando espressamente que la vida les fuesse dada; lo cual en los virtuosos cavalleros acaeçer deve, que, apartada la ira y la saña, la razón quedando libre dé connoçimiento al juizio que siga la virtud.

El mormul[l]o[4] deste llanto fue tan grande, que la nueva llegó a la nao donde Oriana estava cómo aquella gente hazían aquel duelo por aquel Príncipe, de guisa que por la reina Sardamira fue sabido. Ahunque fasta entonces supiesse y por sus ojos oviesse visto ser toda la flota de su parte destruida y muchos muertos y presos, no havía llegado a su noticia la muerte de aquel cavallero. Y como lo oyó[5], salió con el gran pesar de todo su sentido, y olvidando el miedo y gran temor que hasta allí tuviera, desseando más la muerte que la vida, con mucha passión y gran alteración torciendo sus manos una con otra, llorando muy fuertemente, se dexó caer en el suelo diziendo estas palabras:

—¡O Príncipe generoso de muy alto linaje, luz, espejo de todo el imperio romano, qué dolor y pesar será la tu muerte a muchos y muchas que te amavan y servían y de ti esperavan

---

[2] *arededor:* alrededor.

[3] *retrayendo:* refiriendo, contando.

[4] *mormul[l]o:* mormulo, Z // murmullo, RS // .

[5] *como lo oyó:* cuando lo oyó. Como + indicativo tiene un valor temporal. «E como amanesció, pusieron fuego al castillo», *Palmerín de Olivia*, 88, 33.

grandes bienes y mercedes! ¡O qué nueva tan dolorida será para ellos cuando supieren la tu malaventurada y desastrada fin! ¡O gran Emperador de Roma, qué angustia y dolor havrás en saber la muerte deste Príncipe tu cormano a quien tanto tú amavas y le tenías como un fuerte estelo[6] o escudo de tu imperio, y la destrución de tu flota con muertes tan amanzilladas de tus nobles cavalleros, y sobre todo haberte tomado por fuerça de armas en tan gran deshonra tuya la cosa del mundo que más amavas y desseavas! Bien puedes dezir que si la fortuna de un cavallero andante que las aventuras seguía, y de tan pequeño estado, te ensalçó a te poner en tal alta cumbre como es la silla, cetro y corona imperial, que con duro açote quiso abaxar tu honra fasta la poner en el abismo y centro de la tierra; que deste tal golpe no se te puede seguir sino uno de dos estremos: o la desimular quedando el más deshonrado príncipe del mundo, o lo vengar poniendo tu persona y gran estado en mucha congoxa y fatiga de spíritu y al cabo tener dello la salida muy dudosa, que por cierto en lo que yo he visto, después que en la Gran Bretaña mi desastrada ventura me traxo, no ay en el mundo tan alto emperador ni rey a que[7] estos cavalleros y los de su linaje, que muchos y poderosos son, no den guerra y batalla; y creído tengo, comoquiera que dellos tanto mal y dolor me ha venido, ser la flor de toda la cavallería del mundo. Y más llora ya mi afligido coraçón los bivos, y los males que desta desaventura adelante se spera, que los muertos, que ya su deuda han pagado[8].

Oriana, que assí la vio, huvo della piedad porque la tenía

---

[6] *estelo:* pilar, columna. Cfr.: «E estavan quatro leones muy grandes de cobre e quatro figuras de omnes [...] los quales tenian con las manos sendos estelos todos de muy fino oro», Leomarte, *Sumas de historia troyana,* 219, 14. «Vio el escudo de Galaz colgado de un estelo», *Demanda del Sancto Grial,* 258b. Vicente García Diego, «Notas léxicas», *RFE,* XV (1928), 336-342, señala algún ejemplo en Gómez Manrique. Véase también la nota 11 del capítulo LXIX.

[7] *a que:* que a, ZR // a quien, S // .

[8] El soliloquio de Sardamira comienza con la incidencia de la muerte de Salustanquidio sobre los suyos, para después centrarse en el Emperador romano. Se pasa de una mínima alabanza del muerto a las consecuencias de su fallecimiento, pues importa más el desarrollo narrativo futuro por el que se crea cierta expectativa, que la rememoración del pasado de un personaje poco glorioso y ejemplar.

por muy cuerda y de buen talante, si no fue la primera vez que la fabló en el fecho del Emperador, de que ella huvo gran enojo y le rogó que en ello más no le fablasse. Siempre la falló con mucho comedimiento y como persona de gran discreción para la nunca más enojar; antes, diziéndole cosas con que plazer le diesse. Y llamó a Mabilia y díxole:

—Mi amiga, poned remedio en aquel llanto de la Reina y consolalda como lo [v]os sabéis fazer, y no miréis a cosa que diga ni faga, porque como veis está cuasi fuera de sentido teniendo mucha razón de se quexar. Mas a lo que soy obligada es lo que deve fazer el vencedor al vencido teniéndolo en su poder.

Mabilia, que era de muy buen talante, llegó a la Reina, y hincados los inojos, tomándola por las manos, le dixo:

—Noble Reina y señora, no conviene a persona de tan alto lugar como [v]os assí se vencer y sojuzgar de la fortuna; que ahunque todas las mugeres naturalmente seamos de flaca complixión y coraçón, mucho bien pareçe en los antiguos enxemplos de aquellas que con sus fuertes ánimos quisieron pagar la deuda a sus antecessores mostrando en las cosas adversas la nobleza del linaje y sangre donde vienen[9]. Y comoquiera que agora sintáis este tan gran golpe de la contraria fortuna vuestra, acuérdesevos que ella misma vos puso en gran honra y alteza, no para que más tiempo dello gozar pudiéssedes de cuanto la su movible voluntad os otorgasse, y que más a su cargo y culpa que vuestra la havéis perdido, porque siempre le plugo y

---

[9] Mabilia, caracterizada como eficaz consoladora de los afligidos, por mandato de Oriana ejercerá su misión con Sardamira. Como señala fray Martín de Córdoba, «las mugeres, naturalmente, son flacas e temerosas, pero, si contece que cobran coraçón e desechen el temor, nunga gigantes osarían atender lo que ellas cometen [...] Así diremos aquí del temor e flaqueza que a la muger compete naturalmente; el qual temor o flaqueza, si por alguna causa lo pierde, no hay cosa más osada ni más invencible que la muger. Esto no lo quiero aquí provar por raçones, mas en exemplos», III, II, *Jardín de nobles doncellas,* ed. de Fernando Rubio, en *Prosistas castellanos del siglo XV,* II, Madrid, BAE CLXXI, 1964, pág. 103. Mabilia se hace eco de un tema de moda, las claras y virtuosas mujeres, inspirador de diversos tratados, de los que podría entresacar numerosos ejemplos a partir de Boccaccio, Álvaro de Luna, Alonso de Cartagena, Diego Valera o el propio Martín de Córdoba, etc.

plaze de trabucar[10] y ensayar estos semejantes juegos. Y con esto devéis mirar que sois en poder desta noble Princesa que con mucho amor y voluntad que vos tiene se duele de vuestra passión, teniendo en la memoria de os fazer aquella compañía y cortesía que vuestra virtud y real estado demanda.

La Reina le dixo:

—O muy noble y graciosa Infanta, ahunque la discreción de vuestras palabras es de tanta virtud que a todo desconsuelo consolar podrían, por grande que él fuesse, la mi desastrada suerte es en tanto grado, que mis apassionados y flacos spíritus no la pueden sofrir[11]. Y si alguna esperança para esta gran desesperança a la memoria me ocurre[12], no es otra sino verme como dezís en poder desta tan alta y noble señora, que por su gran virtud no consentiría que mi estima y fama sea menoscabada, porque éste es el mayor thesoro que toda muger más guardar deve y haver temor de lo perder[13].

Estonces la infanta Mabilia con grandes promessas la hizo cierta y segura que assí como lo ella quería Oriana lo mandaría complir. Y levantándola por las manos, la fizo sentar en un estrado, donde muchas de aquellas señoras que allí estavan le vinieron a hazer compañía.

---

[10] *trabucar:* transtornar. La 1.ª documentación, según DCELC, en el 2.º cuarto del xv.

[11] *sofrir:* soportar.

[12] *a la memoria me ocurre:* me viene a la memoria. Obsérvense los continuos juegos etimológicos del autor, muy queridos de Montalvo, *desconsuelo-consolar, sperança-desesperança.*

[13] El tesoro mayor de la mujer suele corresponder tradicionalmente a la virginidad —véase la *Glosa castellana al regimiento de príncipes,* II, 214 y ss.—, sin que tampoco queden suficientemente explicados por el autor los aspectos comprendidos en esa fama ni estima. En cuanto a esta última palabra, la 1.ª documentación del DCECH corresponde a Alonso de Palencia y a Nebrija.

## Capítulo LXXXIII

*Cómo con acuerdo y mandamiento de la princessa Oriana aquellos cava-*
*lleros la levaron a la Ínsola Firme.*

Después que Amadís y aquellos cavalleros salieron de la fusta de Salustanquidio y vieron cómo la flota toda de los romanos era en poder de los suyos sin ninguna contradición[1], juntáronse todos en la nave de don Florestán, y ovieron su acuerdo que, pues el querer de Oriana y el pareçer dellos era que se
fuessen a la Ínsola Firme, que sería bueno ponerlo luego por
obra. Y mandaron poner todos los presos en una fusta que
Gavarte de Valtemeroso y Landín, sobrino de don Cuadragante, con copia[2] de cavalleros los guardassen y posiessen a recaudo. Y en otra nave mandaron poner el despojo, que muy grande era, y lo guardassen don Gandales, amo de Amadís, y Sadamón, que dos muy cuerdos y fieles cavalleros eran. Y en todas
las otras naves repartieron gente de armas y marineros para
que las guiassen, y ellos se quedaron cada uno en las suyas assí
como de la Ínsola Firme salieron.

Esto aparejado, rogaron a don Bruneo de Bonamar y a Angriote d'Estraváus que lo hiziessen saber a Oriana y les truxessen[3] su querer de lo que mandava, porque assí se compliesse.
Estos dos cavalleros entraron en una barca, y passaron a la
nave donde ella estava y entraron en su cámara; hincaron los
inojos ante ella y dixéronle:

—Buena señora, todos los cavalleros que aquí son ayuntados en vuestro acorro para seguir vuestro servicio os hazen saber cómo toda la flota es aparejada y en dispusición de mover
de aquí. Quieren saber vuestra voluntad, porque aquélla complirán con toda afición.

---

[1] *contradición:* obstáculo. «Fasta las tierras de Oriente no hallarán contradición ninguna», *Gran Conquista de Ultramar,* I, 327.

[2] *copia:* gran cantidad, abundancia. «Aviendo copia de riquezas», Sánchez de
Arévalo, *Vergel de príncipes,* 315b.

[3] *truxessen:* trajesen.

Oriana les dixo:

—Mis grandes amigos, si este amor que todos me mostráis y a lo que por mí os havéis puesto yo en algún tiempo no oviesse lugar de gualardonarlo, desde agora desesperaría de mi vida. Mas yo tengo fiuza en Nuestro Señor que por la su merced querrá que, assí como en la voluntad lo tengo, por obra lo pueda complir. Y dezid a essos nobles cavalleros que el acuerdo que sobre esto se tomó se deve poner en obra, que es ir a la Ínsola Firme, y allí llegados, tomarse ha consejo de lo que se deve fazer, que sperança tengo en Dios, que es el justo juez y conoçe todas las cosas, que esto que agora pareçe en tanta rotura[4] lo guiará y reduzirá[5] en mucha honra y plazer; porque de las cosas justas y verdaderas como ésta lo es, ahunque al comienço se muestra áspero y trabajoso como al presente pareçe, de la fin no se deve esperar sino buen fruto, y de las contrarias, aquello que la falsedad y deslealtad suele dar.

Con esta respuesta se tornaron estos dos cavalleros. Y sabida por aquellos que la esperavan, mandaron tocar las trompetas, de las cuales la flota muy guarnida estava, y con mucha alegría y gran grita de la más baxa gente de allí movieron. Todos aquellos grandes señores y cavalleros ivan muy alegres y con gran esfuerço, y puesto en sus voluntades de se no partir de consuno ni de aquella Princesa fasta dar cabo y buena cima en aquello que començado havían. Y como todos fuessen de gran linaje y en gran hecho de armas, creçíales el esfuerço y coraçones en saber el gran derecho que de su parte tenían, y por se ver en discordia con dos tan altos Príncipes, donde no esperavan sino ganar mucha honra, comoquiera que las cosas prósperas o adversas les viniessen, y que ellos harían en esta demanda, si en rotura parasse, cosas de grandes hazañas, donde para siempre loados fuessen y en el mundo dellos quedasse perpetua memoria. Y como ivan todos armados de armas muy ricas y eran muchos, ahun a los que de sus grandezas y grandes proezas noticia no oviessen les pareçería una compaña de un gran emperador, y por cierto assí era ello, que a duro se podría

---

[4] *rotura*: ruptura. Ese último duplicado culto lo documenta el DCECH en 1555. «Por escusar toda rrotura e ynconvinientes [...] sienpre estovo aparejado a la paz», Pedro de Escavias, *Repertorio de príncipes*, 356.

[5] *reduzirá*: volverá, cambiará.

fallar en ninguna casa de príncipe, por grande que fuesse, tantos cavalleros juntos de tal linaje y de tanto valor.

Pues ¿qué se puede aquí dezir sino que tú, rey Lisuarte[6], devieras pensar que de infante desheredado la ventura te havía puesto en tan grandes reinos y señoríos, dándote seso, esfuerço, virtud, templança, y la preciosa franqueza más complidamente que a ninguno de los mortales que en tu tiempo fuesse; y por te poner la diadema o corona preciosa, fazerte señor de tal cavallería por la cual en todas las partes del mundo eras preciado y en gran estima tenido? Y no se sabe si por la misma ventura ser tornada en desventura o por tu mal conoscimiento lo as perdido, recibiendo tan gran revés en tu gran estima y honrada fama, que la satisfación desto en la mano de Dios es para te la dar o quitar; pero a la mi fe antes entiendo que para que con ella bivas lastimado, menoscabado de aquella alteza en que puesto estavas, que tanto más lo sentirás cuanto más los tiempos prósperos oviste sin ninguna contradición que te mucho doliesse. Y si desto tal te quexares, quéxate de ti mismo que quesiste sojuzgar las orejas a hombres de poca virtud y menos verdad, creyendo antes lo que dellos oíste que lo que tú con tus propios ojos veías. Y junto con esto sin ninguna piedad y conciencia diste tanto lugar a tu alvedrío, que, no imprimiendo en tu coraçón los amonestamientos, que muchos y de muchos fueron, los doloridos llantos de tu fija, la quesiste poner en destierro y en toda tribulación, aviéndola Dios adornado de tanta fermosura, de tanta nobleza y virtud sobre todas las de su tiempo. Y si en algo de su honra se puede travar[7], según su bondad y sano pensamiento, y en la fin que dello redundó, más se deve atribuir a permissión de Dios, que lo quiso y fu[e] su voluntad, que a otro yerro ni pecado, assí que si la fortuna bolviendo la rueda te fuere contraria, tú la desataste donde ligada estava[8].

---

[6] Si en la mayoría de los casos el narrador interrumpe el relato para insertar una glosa, ahora utiliza un procedimiento similar con unos matices diferentes. El apóstrofe, la interpelación a Lisuarte, además de amplificar el relato, sirve también para dramatizarlo, para «conmover».

[7] *travar:* censurar, reprochar. «E Berta no havía otra fealtad en que el hombre le pudiesse hallar ni travar», *Gran Conquista de Ultramar,* I, 566.

[8] *ligada estava:* estaba atada. «Adnodare es ligar y atar», Al. Palencia, 8d.

Pues tornando al propósito, assí como oís fue la flota navegando por la mar, y a los siete días amanescieron en el puerto de la Ínsola Firme, donde en señal de alegría fueron tirados muchos tiros de lombardas[9]. Cuando los de la ínsola vieron allí arribadas tantas fustas, fueron maravillados, y todos con sus armas ocurrieron a la marina[10]; mas desque llegados, conoscieron ser de su señor Amadís por los pendones y devisas que en las gavias[11] traían, que eran los mismos que de allí avían levado. Y luego echando los bateles, salió gente y don Gandales con ellos, assí para fazer el aposentamiento como para que de barcas se fiziesse una puente desde la tierra fasta las fustas por donde Oriana y aquellas señoras salir pudiessen.

## Capítulo LXXXIV

*Cómo la infanta Grasinda, sabida la vitoria que Amadís avía avido, se atavió[1], acompañada de muchos cavalleros y damas[2], para salir a recebir a Oriana.*

Destos que vos digo la muy fermosa Grasinda, que allí avía quedado, supo la venida y todas las cosas como passaron, y luego con mucha diligencia[3] se aparejó para recebir a Oriana, que por las grandes nuevas que della sonavan por todas partes deseava mucho ver más que a persona que en el mundo fuesse.

---

[9] *lombardas:* lombardes, Z // lombardas, RS // . Las armas de fuego son usadas en nuestra obra como manifestación de alegría, pero no como medio común de combate, pues sería ajeno a la esencia caballeresca como muy bien sabía don Quijote. De la ausencia de su empleo no puede derivarse ninguna explicación sobre su autoría ni sobre su fecha de composición, a pesar de algunos críticos portugueses. Véase F. Paxeco, art. cit., pág. 415.

[10] *ocurrieron a la marina:* corrieron a la costa. «Pararon sus azes muy bien regidas por ese canpo de contra la marina», *Otas de Roma,* 35, 29.

[11] *devisas que en las gavias traían:* divisas que traían en la plataforma circular en lo alto del palo mayor». Cfr.: «E hallarán allá por devisa una gavia de mar puesta sobre un árbol», *Tirante el Blanco,* I, 218, con la correspondiente nota de Martín de Riquer.

[1] *atavió:* atavieo, Z // atavio, RS // .

[2] *damas:* es bastante infrecuente la utilización de esta palabra en la obra, pues habitualmente se emplea dueña o doncella.

[3] *diligencia:* diligentia, Z // diligencia, RS // .

Y assí como dueña de gran guisa y muy rica que ella era se quiso mostrar, que luego se vistió saya y cota[4] con rosas de oro sembradas, puestas por estraña arte, guarnidas y cercadas de perlas y piedras preciosas de gran valor, que fasta entonces no lo avía vestido ni mostrado a persona porque lo tenía para se provar en la cámara defendida, como después lo fizo; y encima de sus fermosos cabellos no quiso poner salvo la corona, que muy rica era, que por su fermosura y gran bondad del Cavallero Griego avía ganado de todas las donzellas que a la sazón en la corte del rey Lisuarte se fallaron, con mucha vitoria del uno y del otro. Y cavalgó en un palafrén blanco guarnido de silla y freno y las otras guarniciones, todo cubierto de oro esmaltado de lavores fechas por gran arte, que esto tenía ella para que, si su ventura la dexasse acabar aquella aventura de la cámara defendida, de se tornar por la corte del rey Lisuarte con estos ricos y grandes atavíos y se fazer conoscer con la reina Brisena y con Oriana su fija y con las otras Infantas y dueñas y donzellas, y con gran gloria se bolver a su tierra. Mas esto tenía y estava muy alexado de lo acabar como lo cuidava, porque ahunque ella muy guarnida y fermosa al parescer de muchos fuesse, y mucho más al suyo, no se igualava con gran parte con la muy fermosa reina Briolanja, que ya aquella aventura provado avía sin la poder acabar[5].

Pues con este gran atavío que oís que esta señora Grasinda

---

[4] *saya y cota:* como señala Carmen Bernis, *Traje y moda*, t. II, s. v. *saya*, en un sentido general, significa traje de debajo. Antes de 1490, los textos parecen señalar diferencias entre *saya* y *brial*. El primero de ellos sería una prenda utilizada por la generalidad de las mujeres. A partir de esa fecha aparece en los textos también como nombre de un traje muy rico y muy largo, riqueza que se avendría bien con el contexto de nuestra obra, sin que sea posible interpretar su significado con precisión. En cuanto a la *cota, ibidem,* s. v. *cota,* pertenece a la familia de los vestidos que podían llevarse sobre sayas y briales, y bajo el manto. Como traje de encima, podía tener forro de piel. No se encuentra en los textos de la segunda mitad del xv con la misma frecuencia que los otros trajes femeninos, pero también lo utilizaban la realeza y las clases nobles.

[5] El autor relaciona ambos personajes, que poseen muchas notas en común, pues Grasinda se modela sobre Briolanja, con un claro desdoblamiento funcional y narrativo. 1) Las dos mujeres se caracterizan por su extraordinaria hermosura. 2) Ambas se encuentran solas, bien por su orfandad, Briolanja, o por su viudedad, Grasinda. 3) Las dos se enamoran de Amadís. 4) Ambas intentan superar la aventura de la cámara defendida en la Ínsola Firme.

levava, movió de su posada, y con ella sus dueñas y donzellas ricamente vestidas, y diez cavalleros suyos a pie, que de las riendas la levavan sin otro alguno a ella llegar. Y así fue a la ribera de la mar, donde con mucha priessa se avía acabado de fazer la puente que ya oístes fasta la nave donde Oriana venía; y allí llegada, estuvo queda a la entrada de la puente esperando la salida de Oriana, la cual estava ya aparejada, y todos aquellos cavalleros passados a su fusta para la compañar. Y vestida más convenible a su fortuna y honestidad a ella conforme que en acrescentamiento de su fermosura, vio esta dueña y preguntó a don Bruneo si era aquella la dueña que viniera a la corte del Rey su padre y ganara la corona de las donzellas. Don Bruneo le dixo que aquélla era, y que la honrasse y allegasse, que era una de las buenas dueñas del mundo de su manera[6]. Y contóle mucho de su fecho y de las grandes honras que della Amadís y Angriote y él avían recebido. Oriana le dixo:

—Cosa muy aguisada es que vosotros y vuestros amigos la honren y amen mucho, y yo assí lo faré.

Entonces la tomaron por los braços don Cuadragante y Agrajes, y a la reina Sardamira, don Florestán y Angriote, y a Mabilia, Amadís solo, y a Olinda, don Bruneo y Dragonís, y a las otras Infantas y dueñas, otros cavalleros, y todos venían armados y muy alegres riendo por las esforçar y dar plazer. Assí como Oriana llegó cerca de tierra, Grasinda se apeó del palafrén y fincó las rodillas al cabo de la puente, y tomóle las manos para gelas besar. Mas Oriana las tiró a ssí y no gelas quiso dar; antes, la abraçó con mucho amor como aquella que por costumbre tenía de ser muy humilde y graciosa con quien lo devía ser. Grasinda, como tan cerca la vio y miró la su gran fermosura, fue muy espantada, ahunque mucho gela avían loado. Según la diferencia por la vista fallava, no pudiera creer que persona mortal pudiesse alcançar tan gran belleza; y así como estava de inojos, que nunca Oriana la pudo fazer levantar, le dixo:

—Agora, mi buena señora, con mucha razón devo dar muchas gracias a Nuestro Señor y le servir la gran merced que me fizo en no estar vos en la corte del Rey vuestro padre a la sa-

---

[6] *manera*: condición.

zón que yo a ella vine; porque ciertamente, ahunque en mi guarda y anparo traía el mejor cavallero del mundo, según mi demanda ser por razón de fermosura, digo que él se pudiera ver en gran peligro si en las armas ayuda Dios al derecho como se dize[7], y yo fuera en aventura de ganar la honra que gané, que, según la gran estremidad[8] y ventaja tiene vuestra fermosura a la mía, no tuviera en mucho, ahunque el cavallero que por vos se combatiera fuera muy flaco, que mi demanda no uviera la fin que uvo.

Entonces miró contra Amadís, y díxole:

—Señor, si desto que he dicho recebís injuria, perdonadme, porque mis ojos nunca vieron lo semejante que delante sí tienen.

Amadís, que muy ledo estava porque assí loavan a su señora, dixo:

—Mi señora, a gran sinrazón ternía aver por mal lo que a esta noble señora avéis dicho; que si dello me quexase, sería contra la mayor verdad que nunca se pudo dezir.

Oriana, que algún tanto con vergüença estava de así se oír loar, y más con pensamiento de la fortuna que a la sazón tenía que de se preciar de su fermosura, respondió:

—Mi señora, no quiero responder a lo que me avéis dicho, porque si lo contradixesse, erraría contra persona de tan buen conoscimiento, y si lo afirmase, sería gran vergüença y denuesto para mí. Solamente quiero que sepáis que tal cual yo soy seré muy contenta de acrescentar en vuestra honra, assí como lo puede hazer una donzella pobre deseredada como yo soy.

Entonces rogó a Agrajes que la tomasse y la pusiesse cabe Olinda y la acompañasse, y ella quedó con don Cuadragante, y él assí lo fizo. Y salidos todos de la puente, pusieron a Oriana en un palafrén el más ricamente guarnido que nunca se vio,

---

[7] Expresión similar encuentro en el *Yvain* de Chrétien de Troyes, vv. 444-6, sin que por ello sea necesario ver una relación directa, pues la frase pertenece al acervo común de la caballería. «Et, qui le voir dire an voudroit, / Deus se retient devers le droit / Et deus et droiz à un se tiennent»: «Y si se quiere decir el principio, Dios está al lado del derecho. Y Dios y el derecho se mantienen unidos.» Véase Gustave Cohen, *Histoire de la Chevalerie en France au Moyen Age*, París, Richard-Masse, 1949, pág. 131, y también la nota 15 del capítulo LXXV.

[8] *estremidad*: inmensidad, grandeza.

que su madre la reina Brisena le avía dado para cuando en Roma entrasse, y la reina Sardamira en otro, y assí a todas las otras, y Grasinda en el suyo. Y por mucho que Oriana porfió, nunca pudo escusar ni quitar a todos aquellos señores y cavalleros que a pie no fuessen con ella, de lo cual mucho enpacho levava; pero ellos consideravan que toda la honra y servicio que le fiziessen a ellos en loor suyo se tornava.

Assí como oís entraron en la ínsola por el castillo, y llevaron aquellas señoras con Oriana a la torre de la huerta, donde don Gandales les avía fecho aparejar sus aposentamientos, que era la más principal cosa de toda la ínsola, que ahunque en muchas partes della oviesse casas ricas y de grandes lavores, donde Apolidón avía dexado los encantamentos que en la parte segunda más largo lo recuenta, la su principal morada donde más contino su estancia era aquella torre. Y por esta causa obró en ella tantas cosas y de tanta riqueza, que el mayor emperador del mundo no se atreviera ni emprendiera a otra semejante fazer[9]. Avía en ella nueve aposentamientos de tres en tres a la par, unos encima de otros, cada uno de su manera; y ahunque algunos dellos fuessen fechos por ingenio de hombres que mucho sabían, todo lo otro era por la arte y gran sabiduría de Apolidón tan estrañamente labrado[10], que persona del mundo no sería bastante de lo saber ni poder estimar, ni menos entender su gran sotileza[11]. Y porque gran trabajo sería contarlo todo por menudo, solamente se dirá cómo esta torre estava assentada en medio de una huerta; era cercada de alto

---

[9] Como sucede en otras ocasiones, los datos ofrecidos en un primer momento, al comienzo del libro II, se van ampliando de acuerdo con las necesidades del relato. Honorio Cortés, «Algunas reminiscencias de Apuleyo en la literatura española», *RFE*, XXI (1935), 44-53, pretendió buscar la influencia de Apuleyo en los encantamientos de la Ínsula Firme, mientras que para Enrique Rull, «El arquetipo del caballero en el *Quijote*, a través de los "topoi" de la laguna y el palacio encantados», *Anales Cervantinos*, XIX (1981), 57-67, pág. 59, «esta aparente fuente no es sino una coincidencia subterránea con un "topos" muy extendido en su superficial estrato por toda la literatura caballeresca, y en un más profundo estrato por la literatura folklórica de tradición oral», opinión que comparto.

[10] *labrado:* labrados, ZRS // labrado, Place // .

[11] *persona del mundo no sería bastante de ...entender su gran sotileza:* nadie del mundo sería suficiente para ...entender su gran sutileza. La imagen de Apolidón no

muro de muy fermoso canto y betún[12], la más fermosa de árboles y otras yervas de todas naturas, y fuentes de aguas muy dulces, que nunca se vio. Muchos árboles avía que todo el año tenían fruta[13], otros que tenían flores fermosas. Esta huerta tenía por de dentro pegado al muro unos portales ricos cerrados todos con redes doradas desde donde aquella verdura se parescía[14], y por ellos se andava todo alderredor sin que salir pudiessen dellos sino por algunas puertas. El suelo era losado[15] de piedras blancas como el cristal y otras coloradas y claras como rubís, y otras de diversas maneras, las cuales Apolidón mandara traer de unas ínsolas que son a la parte de Oriente donde se crían las piedras preciosas y se fallan en ellas mucho oro y otras cosas estrañas y diversas de las que acá en las otras tierras parescen, las cuales cría el gran fervor del sol que allí contino fiere[16]; pero no son pobladas salvo de bestias fieras, de guisa que fasta aquel tiempo deste gran sabidor Apolidón, que con su ingenio fizo tales artificios en que sus hombres sin temor de se perder pudieron a ellas passar, donde los otros comarcanos tomaron aviso, ninguno antes a ellas avía passado; assí que desde entonces se pobló el mundo de muchas cosas de

se proyecta desde un principio como un Encantador al estilo de Arcaláus o de otro modo Urganda, sino que se destaca por sus conocimientos, su sabiduría libresca. Por otro lado, se distingue entre el ingenio humano y los saberes especiales de Apolidón.

[12] *canto y betún:* piedra y betún. Esta última palabra, la documenta por vez 1.ª el DCECH en 1475.

[13] En este paraíso amoroso conseguido por la fortaleza y lealtad de Amadís todo se sitúa en plenitud, sin que el paso del tiempo, de las estaciones, se deje notar en estos árboles prodigiosos. Por ejemplo, en *Le voyage de Saint Brandan* de Benedit, trad. de María José Lemarchand, Madrid, Ed. Siruela, 1983, pág. 57, «árboles y flores a diario crecen y dan sus frutos, sin que les retrasen las estaciones; allí cada día reina su suave verano, cada día florecen los árboles y se van cargando de fruta, cada día están los bosques repletos de venado, y todos los ríos, de sabroso pescado». El tema tiene su vertiente folclórica que culminará en la tierra de Jauja, como estudia François Delpech, «La legende de la *Tierra de Jauja* dan ses contextes historique, folklorique et literaire», *Texte et contexte (XVᵉ Congrès de la Société des Hispanistes français,* Limoges, 1979), en *Trames,* número especial, Limoges, 1980, págs. 79-98.

[14] *redes doradas desde donde aquella verdura se parescía:* verjas doradas desde donde se veía aquel verdor.

[15] *losado:* enlosado, cubierto de losas. 1.ª doc. según DCECH, en Nebrija.

[16] *contino fiere:* continuamente da, alumbra.

las que fasta allí no se avían visto, y de allí ovo Apolidón grandes riquezas[17].

A las cuatro partes desta torre venían de una alta sierra cuatro fuentes que la cercavan[18], traídas por caños de metal, y el agua dellas salía tan alto por unos pilares de cobre dorados, y por bocas de animalias, que desde las ventanas primeras bien podían tomar el agua, que se recogía en unas pilas redondas doradas que engastadas en los mismos pilares estavan. Destas cuatro fuentes se regava toda la huerta.

Pues en esta torre que oís fue aposentada la infanta Oriana y aquellas señoras que oístes, cada una en su aposentamiento asssí como lo merescía y la infanta Mabilia gelo mandó repartir. Aquí eran servidas de dueñas y donzellas de todas las cosas, y abastadamente, que Amadís les mandara dar. Y ningún cavallero en la huerta, ni donde ellas posavan, entrava, que assí le plugo a Oriana que se fiziesse[19], y assí lo embió a rogar aquellos señores todos que lo tuviessen por bien, por cuanto ella quería estar como en orden fasta que con el Rey su padre algún asiento[20] de concordia y paz se tomasse. Todos gelo tuvieron a mucha virtud y loaron su buen propósito, y le embiaron

---

[17]  Para J. Le Goff, «El Occidente medieval y el océano Indico...», pág. 275, «el primer sueño hindú del Occidente medieval es el de un mundo de riqueza. En este dominio indigente de la Cristiandad occidental —*latinitas penuriosa est*, dice Alain de Lille—, el océano Índico parece rebosar riquezas, ser la fuente de una oleada de lujo. Sueño vinculado sobre todo a las islas, las innumerables "islas afortunadas", islas felices y colmadas, que son el premio del océano Índico, mar sembrado de islas». La idea estaba muy presente en tiempos de Rodríguez de Montalvo, como muy bien puede verse en los *Diarios* de Colón.

[18]  Como señala María Rosa Lida, «La visión del trasmundo en las literaturas hispánicas», en H. R. Patch, *El otro mundo en la literatura medieval*, pág. 412, «la huerta está cercada de ricos portales y redes doradas, y regada por cuatro fuentes que, aunque descritas en su artificio, parecen reminiscencia de los cuatro ríos del paraíso».

[19]  *le plugo a Oriana que se fiziesse:* le agradó a Oriana que se hiciera. Obsérvese la creciente preocupación de Oriana por la honra en estas circunstancias en las que se encuentra alejada de sus padres, con un comportamiento muy diferente del de los primeros libros. Para la necesidad de alejarse de los hombres, véase la nota 21 del capítulo I y la 11 del LXXIII.

[20]  *asiento:* convenio o ajuste de paces. «No embargante los dichos tratos y asientos que con el dicho rey de Portogal en Gibraltar fizo», *Hechos del condestable don Miguel Lucas de Iranzo*, 188, 33.

a dezir que, assí en aquello como en todo lo otro que su servicio fuesse, no avían de seguir sino su voluntad.

Amadís, comoquiera que su cuitado coraçón a una parte ni a otra fallasse assiento ni reparo sino cuando en la presencia de su señora se fallava, porque aquel era todo el fin de su descanso, y sin él las grandes cuitas y mortales dess[e]os contino le atormentavan, como muchas vezes en esta²¹ grande istoria avéis oído, queriendo más el contentamiento della y temiendo más el menoscabo de su honra que cient mill vezes su muerte dél, más que ninguno mostró contentamiento y plazer de aquello que aquella señora por bueno y onesto tenía, tomando por remedio de sus passiones y cuidados tenerla ya en su poder en tal parte donde al restante del mundo no temía y donde antes que la perdiesse perdería su vida, en que cessarían y serían resfriadas aquellas grandes llamas que a su triste coraçón continuamente abrasavan.

Todos aquellos señores y cavalleros y la otra gente más baxa fueron aposentados a sus guisas²² en aquellos lugares de la ínsola que más a sus condiciones y cualidades conformes eran, donde muy abastadamente se les dava[n]²³ las cosas necesarias a la buena y sabrosa vida; que ahunque Amadís siempre anduvo como un cavallero pobre, falló²⁴ en aquella ínsola grandes tesoros de la renta della, y otras muchas joyas de gran valor que²⁵ la Reina su madre y otras grandes señoras le avían dado, que por las no aver menester fueron allí embiadas. Y demás desto, todos los vezinos y moradores de la ínsola, que muy ricos y muy guardados²⁶ eran, avían a muy buena dicha de le servir con grandes provisiones de pan y carnes y vinos, y las otras cosas que darle podían.

Pues assí como oís fue traída la princesa Oriana a la Ínsola Firme con aquellas señoras y aposentada, y todos los cavalleros que en su servicio y acorro estavan.

---

²¹ *en esta:* en este, Z // , en esta, RS // .

²² *a sus guisas:* a su voluntad, gusto.

²³ *dava[n]:* dava, ZS // davan, R // .

²⁴ *pobre, falló:* pobre y fallo, Z // pobre fallo, R // pobre hallo, S // .

²⁵ *valor que:* valor y que, Z // valor que, RS // .

²⁶ *guardados:* aparte de indicar su carácter de poco gastadores, también en este contexto puede relacionarse con su condición de respetuosos.

## Capítulo LXXXV

*Cómo Amadís fizo juntar aquellos señores, y el razonamiento que les fizo y lo que sobre ello[1] acordaron.*

Amadís, comoquiera que gran esfuerço mostrase, como lo él tenía, mucho pensava en la salida que deste gran negocio[2] podía ocurrir, como aquel sobre quien todo cargava[3], ahunque allí estuviessen muchos príncipes y grandes señores y cavalleros de alta guisa, y tenía ya su vida condenada a muerte o salir con aquella gran empresa que a su honra amenazava y en gran cuidado[4] ponía. Y cuando todos dormían, él velava pensando en el remedio que ponerse devía. Y con este cuidado, con acuerdo y consejo de don Cuadragante y de su cormano Agrajes, fizo llamar a todos aquellos señores que en la posada de don Cuadragante se juntassen en una gran sala que en ella avía, que de las más ricas de toda la ínsola era. Y allí venidos todos, que ninguno faltó, Amadís se levantó en pie teniendo por la mano al maestro Elisabad, a quien él siempre mucha honra fazía, y fablóles en esta guisa:

—Nobles Príncipes y cavalleros, yo os fize aquí juntar por traer a vuestras memorias cómo por todas las partes del mundo donde vuestra fama corre se sabe los grandes linajes y estados de donde vosotros venís, y que cada uno de vos en sus tierras podía bivir con muchos vicios y plazeres, teniendo muchos servidores con otros grandes aparejos que para recreación de la vida viciosa y folgada[5] se suelen procurar y tener, allegando riquezas a riquezas[6]. Pero vosotros, considerando aver tan grande diferencia en el seguir de las armas, o en los vicios y ganar los bienes temporales, como es entre el juizio de los

---

[1] *ello:* ellos, Z // ello, RS // .

[2] *negocio:* asunto. «La grandeza de Laureola, la graveza del negocio», Diego de San Pedro, *Cárcel de amor,* pág. 93.

[3] *cargava:* recaía la responsabilidad.

[4] *cuidado:* cuytado, Z // cuydado, RS // .

[5] *folgada:* folgado, Z // folgada, RS // .

[6] *allegando riquezas a riquezas:* acumulando riquezas sobre riquezas.

hombres y las animalias brutas, avéis desechado aquello que muchos se pierden, queriendo passar grandes fortunas[7] por dexar fama loada siguiendo este oficio militar de las armas, que desde el comienço del mundo fasta este nuestro tiempo ninguna buena ventura de las terrenales al vencimiento y gloria suya se pudo ni puede igualar; por donde fasta aquí otros intereses ni señoríos avéis cobrado sino poner vuestras personas, llenas de muchas feridas, en grandes trabajos peligrosos fasta las llegar mill vezes al punto y estrecho de la muerte, esperando y desseando más la gloria y fama que otra alguna ganancia que dello venir pudiesse; en galardón de lo cual, si lo conoscer queréis, la próspera y favorable fortuna vuestra ha querido traer a vuestras manos una tan gran vitoria como al presente tenéis. Y esto no lo digo por el vencimiento fecho a los romanos, que según la diferencia de vuestra virtud a la suya no se deve tener en mucho[8], mas por ser por vosotros socorrida y remediada esta tan alta Princesa y de tanta bondad, que no recebiesse el mayor desaguisado y tuerto[9] que ha grandes tiempos que persona de tan gran guisa recibió; por causa de lo cual, demás de aver mucho acrescentado en vuestras famas, avéis fecho gran servicio a Dios usando de aquello para que nasciestes, que es socorrer a los corridos[10], quitando los agravios y

---

[7] *fortunas*: adversidades. «Los fuertes en las grandes fortunas muestran mayor coraçón», Diego de San Pedro, *Cárcel de amor*, 105. Como dice María Rosa Lida, *La idea de la fama...*, pág. 261, «la deliberación en el consejo de guerra brinda la oportunidad de explayar el ansia de la fama de los adalides. De las varias muestras que contiene el libro IV es curiosa la que pronuncia Amadís (IV, 4) amplificando el contraste entre los "muchos vicios y placeres" con que sus caballeros podrían vivir en sus tierras y los trabajos sin recompensa que abrazan para ganar fama, contraste que parece eco lejano de la respuesta de Fernán González en el Exemplo XVI del *Conde Lucanor*».

[8] *tener en mucho*: estimar. «Los castellanos no acostunbraron tener en mucho las riquezas, mas la virtud», Al. de Cartagena, *Discurso sobre la precedencia*, 228b. La idea de que la victoria se inclina del lado de los virtuosos se ve reflejada también en textos del xv. «Deve tomar enxemplo el buen político capitán en aquel Lelio, virtuoso y famoso cavallero romano [...], del qual dize Valerio que solía dezir que más confiava en la virtud y limpieza de sus cavalleros que en las fuerças ni armas dellos», Rodrigo Sánchez de Arévalo, *Suma de la política*, 270a.

[9] *desaguisado y tuerto*: agravio e injusticia.

[10] *socorrer a los corridos*: socorrer a los afrentados. En la aventura principal del libro IV se le plantea a Amadís, en claro *crescendo* narrativo, la posibilidad de

fuerças que les son fechas. Y lo que en más se deve tener y más contentamiento nos deve dar es aver descontentado y enojado a dos tan alto y poderosos Príncipes como es el Emperador de Roma y el rey Lisuarte, con los cuales, si a la justicia y razón llegar no se quisieren, nos converná tener grandes debates y guerras. Pues de aquí, nobles señores, ¿qué se puede esperar? Por cierto otra cosa no, salvo como aquellos que la razón y verdad mantienen en mengua y menoscabo suyo dellos[11], que la desechan y menosprecian, ganar nosotros muy grandes vitorias que por todo el mundo suenen. Y si de su grandeza algo se puede temer, pues no estamos tan despojados de otros muchos y grandes señores, parientes y amigos, que ligeramente no podamos enchir[12] estos campos de cavalleros y gentes en tan gran número, que ningunos contrarios, por muchos que sean, puedan ver con una jornada la Ínsola Firme; assí que, buenos señores, sobre esto cada uno[13] diga su parescer, no de lo que quiere, que mucho mejor que yo conoscéis y queréis la virtud y a lo que sois obligados, mas de lo que para sostener esto y lo llevar adelante con aquel esfuerço y discreción se deve fazer.

Con mucha voluntad aquella graciosa y esforçada fabla que por Amadís se fizo de todos aquellos[14] señores oída fue; los cuales, considerando aver entre ellos tantos que muy bien según su gran discreción y esfuerço responder sabrían, por una pieça estuvieron callados, combidándose los unos a los otros que fablassen. Entonces don Cuadragante dixo:

—Mis señores, si por bien lo ovierdes[15], pues que to-

practicar la esencia de la cavallería en favor de su dama, quien ha sufrido el agravio de su padre. Como dice Gaaad en la *Demanda del Sancto Grial*, 271b, «se yo bien e de los cavalleros andantes es tal costumbre, e bien lo devedes vos saber, que deven poner consejo a los tuertos de las biudas, e dueñas e donzellas; e si alguno les haze algun tuerto, los cavalleros andantes devense trabajar de fazerles derecho si ovieren».

[11] *dellos:* dellos, ZRS // de los, Place // .

[12] *enchir:* llenar. *«Henchir* parece feo y grossero vocablo, y algunas vezes forçosamente lo uso por no tener otro que sinifique lo que él, porque *llenar* no quadra bien en todas partes», Juan de Valdés, *Diálogo de la lengua*, pág. 200.

[13] *cada uno:* quada uno, Z // cada uno, RS // .

[14] *todos aquellos:* todas aquellos, Z // todos aquelllas, R // todos aquellos, S // .

[15] *ovierdes:* onierdes, Z // tuvierdes, R // ovierdes, S // .

dos calláis, diré lo que mi juizio a conoscer y responder me da.

Agrajes le dixo:

—Señor don Cuadragante, todos os lo rogamos que así lo fagáis, porque según quien vos sois y las grandes cosas que por vos han passado y con tanta honra al fin dellas llegastes, a vos más que a ninguno de nosotros conviene la respuesta.

Don Cuadragante le gradesció la honra que le dava, y dixo contra Amadís:

—Noble cavallero, vuestra gran discreción y buen comedimiento ha tanto contentado nuestras voluntades, y assí avéis dicho lo que fazerse deve, que aver de responder replicando a todo sería cosa de gran prolixidad y enojo[16] a quien lo oyesse. Solamente será por mi dicho lo que al presente remediarse deve, lo cual es que pues vuestra voluntad en lo pasado no ha sido proseguir passión ni enemistad, sino solamente por servir a Dios y guardar lo que como cavalleros tenéis jurado, que es quitar las fuerças, especialmente de las dueñas y donzellas que fuerça ni reparo tienen sino de Dios y vuestro, que sea esto por vuestros mensajeros manifestado al rey Lisuarte, y de vuestra parte sea requerido aya conoscimiento del yerro passado y se ponga en justicia y razón con esta Infanta su fija, desatando la gran fuerça que por él se le faze, dando tales seguridades, que con mucha causa y certinidad[17] de no ser nuestras honras menoscabadas gela podamos y devamos restituir; y de lo que dél a nosotros toca no se le hazer mención alguna, porque esto acabado, si acabarse puede, yo fío tanto en vuestra virtud y esfuerço grande, que ahun él nos demandará la paz y se terná por muy contento si por vos le fuere otorgada. Y entre tanto que la embaxada va, por cuanto no sabemos cómo las cosas sucederán y quién demandarnos quisiere nos falle, no como cavalleros andantes, mas como príncipes y grandes señores, sería bien que nuestros amigos y parientes, que muchos son, por nosotros sean requeridos para que, cuando llamarse convengan, puedan venir a tiempo que su trabajo aya aquel efecto que deve.

---

[16] *enojo:* ynojo, Z // enojo, RS // .

[17] *certinidad:* certeza. «Avida nueva e çertinidad cómo el Maestre no era absentado», *Crónica de don Álvaro de Luna,* 389, 22.

## Capítulo LXXXVI

*Cómo todos los cavalleros fueron muy contentos de todo lo que don Cuadragante propuso.*

De la respuesta de don Cuadragante fueron muy contentos aquellos cavalleros, porque a su parescer no fincava nada por dezir. Y luego fue acordado que Amadís lo fiziesse saber al rey Perión su padre, pidiéndole toda la ayuda y favor, assí dél y de los suyos como de los otros que sus amigos y servidores fuessen, para cuando llamado fuesse; así mesmo embiasse a todos los otros que él sabía que le podrían y querrían acudir, que muchos eran por los cuales grandes cosas en su honra y provecho fiziera con gran peligro de su persona; y que Agrajes embiasse o fuesse al Rey de Escocia su padre a lo semejante; y don Bruneo embiasse al Marqués su padre, y a Branfil su hermano, que con gran diligencia aparejasse toda la más gente que aver pudiesse, y no partiesse de allí fasta saber su mandado; y que assí lo fiziessen todos los otros cavalleros que allí estavan que estados y amigos tenían.

Don Cuadragante dixo que embiaría a Landín su sobrino a la Reina de Irlanda, y que creía que si el rey Cildadán su marido acudía al rey Lisuarte con el número de la gente que le era obligado, que ella daría lugar a todos los de su reino que le quisiessen venir a servir, y que assí de aquéllos como de sus vasallos y otros amigos suyos se llegaría buena gente[1].

Esto assí acordado, rogaron a Agrajes y a don Florestán que lo fiziessen saber a la infanta Oriana porque sobre todo mandasse lo que más su servicio fuesse. Y assí se salieron todos juntos del ayuntamiento con mucho esfuerço, especial los que eran de más baxa condición, que en alguna manera tenían este negocio por muy grave[2], temiendo la salida dél más que lo

---

[1] *se llegaría buena gente:* se juntaría mucha gente.

[2] *tenían este negocio por muy grave:* consideraban este asunto como muy difícil. «Era muy grave de ver y de muy áspera conversaçión», Fernán Pérez de Guzmán, *Generaciones y semblanzas*, pág. 5.

mostravan; y como agora veían el gran cuidado y proveimiento[3] de los grandes, y por razón dello gran socorro se esperasse, crescíales el esfuerço y perdían todo temor.

Y llegando a la puerta del castillo por aquella que toda la ínsola se mandava, vieron por la cuesta subir un cavallero armado en su cavallo y cinco escuderos con él, que las armas le traían y otros atavíos de su persona. Todos estuvieron quedos fasta saber quién sería. Y como de más cerca lo vieron, conoscieron que era don Brian de Monjaste, de que muy gran plazer se les siguió, porque de todos era amado y tenido por buen cavallero, y por cierto tal era, que dexando aparte ser de tan alto lugar como fijo de Ladasán, Rey de España, él por su persona en discreción y esfuerço era tenido en todas partes donde le conoscían en gran reputación; y demás desto era el cavallero del mundo que más a sus amigos amasse, y nunca con ellos estava sino en burlas de plazer, como aquel que muy discreto y de linda criança era[4]. Y assí ellos lo amavan y holgavan mucho con él. Y todos juntos descendieron por la cuesta ayuso[5] a pie como estavan; y él, cuando los vio, mucho fue maravillado, y no pudo pensar qué ventura los fiziera juntar, ahunque algo le havían dicho después que de la mar salió en aquella tierra. Y apeóse del cavallo y fue contra ellos los braços tendidos, y dixo:

—Juntos vos quiero abraçar, que a todos tengo por uno.

Entonces llegaron los que delante ivan, y tras ellos Amadís. Y cuando don Brian lo vido, si uvo dello gran plazer, esto no es de contar, porque, demás del gran deudo que con él tenía como ser fijos de dos hermanos, que la madre deste don Brian, muger del Rey de España[6], era hermana del rey Perión, era el cavallero del mundo que más amava. Y díxole riendo:

---

[3] *proveimiento:* provisión.

[4] Brian de Monjaste representa un modelo de caballero amante de las burlas de placer, discreto, esforzado, en definitiva un perfecto cortesano. Parece significativo que sea español teniendo en cuenta que Castiglione y otros autores habían señalado la predisposición del español para determinado tipo de burlas. Véase Antonio Prieto, *La prosa española del siglo XVI. I,* Madrid, Cátedra, 1986, págs. 23 y ss.

[5] *ayuso:* abajo. «Avia el rey miedo que la reyna se echase de la torre ayuso», *Tristán de Leonís,* 450b.

[6] *Rey de España:* rey del españa, Z // rey de España, RS // .

—¿Aquí sois vos? Pues en vuestra busca venía yo, que, ahunque todas las aventuras nos faltassen, terníamos harto que hazer en vos buscar según os escondéis.

Amadís le abraçó y díxole:

—Dezid lo que quisierdes, que venido sois en parte donde presto tomaré la emienda. Y estos señores os mandan que subáis en vuestro cavallo y os metáis en esta ínsola, donde una prisión está aparejada para los semejantes que vos.

Entonces llegaron todos los otros a lo abraçar; y ahunque contra su voluntad, le fizieron subir en su cavallo[7], y ellos a pie se fueron con él por la cuesta arriba, fasta que llegaron a la posada de Amadís, donde descavalgó, y sus cormanos Agrajes y don Florestán lo desarmaron y le mandaron traer un manto de escarlata que se cubriesse. Y como desarmado fue, y enderredor de sí vio tantos y tan nobles cavalleros de quien sus bondades y proezas sabía, díxoles:

—Compaña de tantos buenos no pudo sin gran misterio y causa ser aquí allegada. Dezídmelo, señores, que mucho lo desseo saber porque algo he oído después que en esta tierra entré.

Todos rogaron a Agrajes que por él la relación[8] le fuesse fecha; el cual, como aquel que en todo lo passado presente avía sido, y assí en ello, y en lo por venir gran gana tuviese de lo acrescentar y favorescer, gelo dixo todo assí como la istoria lo ha contado, culpando al rey Lisuarte y loando y aprovando con gran afición lo que aquellos cavalleros avían fecho y querían adelante fazer. Cuando Brian de Monjaste esto oyó, en mucho lo tuvo como persona de gran discreción que antes a la salida que al entrada mira. Y si por fazer estuviera, no sabiendo el secreto de los amores de Amadís, pudiera ser que su consejo fuera al contrario, o a lo menos que por otras vías más honestas se templara el negocio sin venir en tanto rigor como al presente estava; que según el conocimiento él tenía del rey Lisuarte en ser tan sospechoso[9] y guardador de su honra y la

---

[7] *cavallo:* cavallero, Z // cavallo, RS // .

[8] *relación:* la narración o informe que se hace de alguna cosa que sucedió *(Autoridades)*. «E si por aventura en esta relación fueren enbueltos algunos fechos pocos...», Fernán Pérez de Guzmán, *Generaciones y semblanzas*, pág. 4.

[9] *sospechoso:* que sospecha, *suspiciosus-a -um. Suspicax -cis,* Nebrija. «Era este

injuria fuesse tan crescida, bien consideró que así tan crescida se avía de buscar la vengança. Pero veyendo la cosa ser llegada en tal estado que más ayuda que consejo se requería, especial seyendo[10] el cabo dello Amadís, con mucha afición aprovó[11] lo fecho, loando la gran virtud que con Oriana avían usado, faziéndoles cierta su persona con la más gente de su padre que él aver pudiese para lo sostener. Y díxoles que quería ver la infanta Oriana porque dél supiesse cómo enteramente avía de seguir su servicio. Amadís le dixo:

—Señor cormano, vos venís de camino y estos señores no han comido, y en tanto que vuestra venida se les embía dezir, reposéis[12] y comáis, y a la tarde se podrá mejor fazer.

Don Brian lo tuvo por bueno; y con esto aquellos señores, dél despedidos, se fueron a sus posadas. Y la tarde venida, Agrajes y don Florestán, que señalados por aquellos estavan para fablar con Oriana, como dicho es, tomaron consigo a don Brian, y todos tres se fueron ricamente vestidos a donde Oriana estava. Y falláronla que los esperava en el aposentamiento de la reina Sardamira, acompañada de todas aquellas señoras que avéis oído y la istoria os ha recontado. Pues llegados allí, don Brian se fue a Oriana y fincó los inojos por le besar las manos, mas tirólas ella a ssí y no gelas quiso dar; antes, le abraçó y lo recibió con mucha cortesía, assí como en aquella que toda la nobleza del mundo se fallava, y díxole:

—Mi señor don Brian, vos seáis muy bien venido, que ahunque, según vuestra nobleza y virtud, en cualquiera tiempo ser muy bien recebido merescía, en este presente mucho más lo deve ser. Y porque tengo creído que aquellos nobles cavalleros amigos vuestros os avrán fecho relación de todo lo passado, remitiéndome a ellos será escusado dezir yo ninguna cosa, ni tampoco traeros a la memoria lo que en ello fazer devéis, porque, según lo avéis usado y acostumbrado, más para dar consejo que para lo pedir basta vuestra discreción.

---

condestable mucho sospechoso naturalmente», Fernán Pérez de Guzmán, *Generaciones y semblanzas*, pág. 46.

[10] *seyendo:* seiendo, Z // seyendo, R // siendo, S // .
[11] *aprovó:* aprova, Z // aprovo, RS // .
[12] *reposéis:* reposays, Z // reposeys, R // reposad, S // .

Don Brian le dixo:

—Mi señora, la causa de mi venida ha sido como ha mucho tiempo que me yo partiesse de la batalla qu'el Rey vuestro padre uvo con los siete Reyes de las ínsolas, y en España me fuesse a mi padre, estando en una cuestión qu'él tenía con los africanos, supe cómo mi cormano y señor Amadís era ido en tierras estrañas donde dél ningunas nuevas se sabían; y como éste sea la flor y espejo de todo mi linaje y aquel a quien yo más precio y amor tenga, tanto dolor me puso su ausencia en mi coraçón, que trabajé cómo en aquel debate algún assiento se diesse por me poner en demanda de lo buscar. Y considerando que en esta ínsola suya antes que en otra alguna parte podría algunas nuevas fallar de mi cormano, fue por aquí, donde[13] mi buena dicha y ventura me guió, assí por lo aver fallado como ser venido en tiempo qu'el desseo que siempre tuve de os servir por obra pueda parescer. Y como, señora, avéis dicho, ya sé lo que ha passado, y aun pienso algo de lo que dello puede redundar, según la dura condición del Rey vuestro padre; y comoquiera que venga y la ventura lo guiare y a mi persona pudiere aver, está con toda voluntad ofrescida y aparejada al remedio dello.

Oriana le rendió muchas gracias[14] por ello.

---

[13] *algunas nuevas fallar de mi cormano, fue por aquí, donde:* algunas nuevas fallar fue por aqui mi cormano donde, Z // algunas nuevas fallar fue por aqui mi camino donde, R // algunas nuevas hallar de mi primo fui por aqui donde, S // .

[14] *rendió muchas gracias:* dio las gracias, agradeció.

## Capítulo LXXXVII

*Cómo todos los cavalleros tenían mucha gana del servicio y honra de la infanta Oriana.*

Grand razón es que se sepa y no quede en olvido por qué causa estos señores cavalleros, y otros muchos que adelante se dirán, con tanto amor y voluntad desseavan el servicio desta señora, poniéndose en el estremo de las afrentas como con tan altos Príncipes puestos estavan[1]. ¿Sería por ventura por las mercedes que della havían recebido, o porque sabían el secreto y cabo de los amores della y Amadís y por causa suya a ello se disponían? Por cierto, digo que ni lo uno ni lo otro fizo a ello mover sus voluntades, porque comoquiera que ella fuesse de tan alto estado, el tiempo no le avía dado lugar a que a ninguno pudiese hazer merced, pues otra cosa no posseía más que una pobre donzella. Pues en lo que a sus amores y de Amadís toca, ya la grande istoria, si leído la avéis, os da testimonio del secreto dellos. Pues por alguna causa será, ¿sabéis cuál? Porque esta Infanta siempre fue la más mansa, de mejor criança y cortesía, y sobre todo la templada humildad que en su tiempo se falló, teniendo memoria de honrar y bien tratar a cada uno según lo merescía; que este es un lazo, una red, en que los grandes que assí lo fazen prenden muchos de los que poco cargo tienen de su servicio, como cada[2] día lo vemos, que sin otro interesse a[l]guno de sus bocas son loados, de sus voluntades muy amados, obligados a los servir como estos señores fazían aquella noble Princesa.

Pues, ¿qué se dirá aquí de los grandes que mucha[3] esquiveza y demasiada presunción [tienen] con[4] aquellos que la no devían tener? Yo os lo diré: que queriéndose con los menores

---

[1] De nuevo el autor glosa el texto, intentando extraer las consecuencias didácticas del comportamiento de los caballeros y de Oriana, con proliferación de interrogaciones retóricas, exclamaciones, etc.

[2] *cada:* quada, Z // cada, RS // .

[3] *que mucha:* que con mucha, ZR // que mucha, S // .

[4] *presunción [tienen] con:* presuncion con, ZR // presuncion tienen con, S // .

poner en respuestas desabridas, con gestos sañudos, teniendo en poco sus cortesías y profertas[5], son en menos tenidos, menos acatados, maltratados de sus lenguas, desseando que algún revés les viniesse para los deservir y enojar. ¡O, qué yerro tan grande, y qué poco conoscimiento por merced tan pequeña como dar la habla graciosa, el gesto amoroso que tan poco cuesta, perder de ser queridos, amados, y servidos de aquellos a quien nunca merced ni bien fizieron! ¿Queréis saber lo que muchas veces a estos desdeñosos despreciadores acaesce? Yo os lo diré: que como aquellos que lo suyo despienden y gastan, no mirando lugares ni tiempos, dándolo donde no deven, son tenidos en lugar de francos y liberales por torpes y por indiscretos, así éstos, por el semejante dexando de honrar aquellos que por virtud les sería reputado, omillándose y sojuzgándose a otros mayores, o por ventura sus iguales, que más por servicio y poco esfuerço que por virtud es tenido.

Pues al propósito tornando, acabada la habla de Brian de Monjaste y fecha[6] reverencia a la reina Sardamira y aquellas Infantas con Grasinda, Agrajes y[7] don Florestán llegaron a Oriana, y con mucho acatamiento todo lo que aquellos cavalleros les encomendaron le dixeron; lo cual, aviendo por buen acuerdo, les remitió y dexó el cargo de lo que fazerse devía, pues el auto y efecto dello más de cavalleros que de donzellas era, embiándoles mucho a rogar que siempre tuviessen[8] en la memoria, cumpliendo con sus honras, de querer y allegar la paz con el Rey su padre por lo que a ella y a su fama tocava. Esto fecho, Oriana, dexando a don Florestán y a Brian de Monjaste con la reina Sardamira y aquellas señoras, tomó por la mano Agrajes, y con él a una parte de la sala se fue assentar. Y assí le dixo:

—Mi buen señor y verdadero hermano Agrajes, ahunque la fiuza y esperança que en[9] vuestro cormano Amadís y en aquellos nobles cavalleros que yo tengo sea muy grande, que con

---

[5] *profertas:* ofrecimientos. «En las buenas obras se descubre mucho la verdad o engaño de las profertas», Juan de Flores, *Triunfo de amor,* 79, 14.

[6] *fecha:* fecho, ZR // hecha, S // .

[7] *Agrajes y don:* Agrajes a don, Z // Agrajes y don, RS // .

[8] *tuviessen:* estuviessen, Z // tuviessen, R // toviessen, S // .

[9] *en:* el, Z // en, RS // .

todo cuidado y gran diligencia mirando por sus honras complirán muy enteramente con lo que a mí toca, muy mayor la tengo en vos, como sea cierto averme criado mucho tiempo en la casa del Rey vuestro padre, donde assí dél como de la Reina vuestra madre recebí muchas honras y plazeres, y sobre todo averme dado a la infanta Mabilia vuestra hermana, de la cual puedo bien dezir que si Dios Nuestro Señor me dio el primero ser de la vida, assí después d'Él ésta me la ha dado muchas vezes; que si por su gran discreción y consuelos no fuesse, según mis dolencias y sobre todo la mi contraria fortuna, que después que los romanos en casa de mi padre vinieron me ha fatigado, si sus remedios me faltaran, impossible fuera poder sostener la vida. Y assí por esto como por otras causas muchas que dezir podría, a que, si Dios lugar me diesse para lo satisfazer, soy tan obligada; y creyendo que assí como en mis entrañas lo tengo, conoscéis que venido el tiempo por obra lo pornía como dicho tengo, me da causa a que los secretos de mi apassionado coraçón antes a vos que a otro ninguno se digan, y así lo faré, que lo que a todos será encubierto a vos solo manifiesto será. Y por el presente solamente os encargo, con la mayor afición que yo puedo, que, dexando aparte la saña y sentimiento que de mi padre tengáis, se ponga toda la paz y concordia por vuestra mano y consejo entre él y vuestro cormano Amadís; porque, según su grandeza de coraçón y enemistad de tanto tiempo acá tan endurescida, no dudo sino que ninguna razón que se atraviesse de buen amor le pueda satisfazer; y si por vos, mi verdadero hermano y amigo, en esto algún remedio se puede poner, no solamente muchos de grandes muertes serán quitados y reparados, mas mi honra y fama, que por ventura en muchas partes está en disputa, será aclarada con aquel remedio que a su honestidad se conviene[10].

---

[10] En esta parte del relato se hace un mayor hincapié en la importancia de la honra y la fama, como también sucede en algunas «novelas sentimentales». Como dice el personaje femenino en *Arnalte y Lucenda*, pág. 127, «no menos yo mi fama que tú su muerte debo temer; e pues ya tú sabes cuán[t]o la honra de las mugeres cae cuando el mal de los hombres pone en pie, no quieras para mí lo que para ti negarías». Por otra parte, así como las frases del narrador en sus glosas suelen ser muy largas, los parlamentos de los personajes se prolongan, amplificándose con multitud de recursos retóricos. Este tipo de diálogo es muy

Oído esto por Agrajes, con mucha cortesía y humildad assí respondió:

—Con mucha razón se puede y deve otorgar todo lo que por vos, señora, se ha dicho, que según lo que del Rey mi padre y mi madre conoscéis ser su desseo[11] en cuanto pudiessen ayudar a crescer vuestra honra y gran estado, como agora por obra parecerá; pues de mi hermana Mabilia y de mí no será menester dezirlo, que las obras dan testimonio de muy enteramente querer y dessear vuestro servicio. Y viniendo a lo que me manda, digo que verdad es, señora, que más que otro ninguno soy en más descontentamiento del Rey vuestro padre; que assí como soy testigo de los grandes y señalados servicios que Amadís mi cormano y todo su linaje le fezimos, como a todo el mundo notorio es, assí lo só del gran desconoçimiento[12] y desagradeçimiento suyo; que por nosotros nunca merced le fue pedida si no fue la ínsola de Mongaça para mi tío don Galvanes, la cual fue ganada a la más honra de su corte y al mayor peligro de la vida de quien la ganó que pensar ni dezirse podría, assí como [v]os, mi buena señora, por vuestros ojos vistes, y que no bastássemos todos, ni la bondad y gran mereçimiento de mi tío para que alcançarse pudiesse una tan pequeña cosa, quedando en su vasallaje y señorío; ante, sacudirse de nosotros, desechando nuestra suplicación con tanta descortesía como si de servidores que éramos le fuéramos enemigos. Y por esto negar no puedo que en cuanto en mí fuesse no havría gran plazer de ayudar a qu'él en tal estrecho y necessidad fuesse puesto, que arrepentiéndose de lo fecho diesse a todo el mundo a conoçer la gran pérdida que en nosotros fizo, sabiéndose la honra que nuestros servicios le davan. Pero assí como negando y apremiando hombre su voluntad gana ante Dios más mérito faziéndolo en su servicio, assí yo, señora, compliendo con el vuestro quiero negar y forçar mi saña, por-

---

similar al calificado por María Rosa Lida de Malkiel como oratorio, *La originalidad artística de La Celestina*, Buenos Aires, Eudeba, 1970, págs. 108 y ss., muy utilizado en la «novela sentimental».

[11] *conoscéis ser su desseo:* conosci es ser su desseo, Z // conoceys ser su desseo, R // conoceys su desseo es, S // .

[12] *desconoçimiento:* ingratitud. «No hay pecado más abominable ni más grave de perdonar quel desconocimiento», Diego de San Pedro, *Cárcel de amor*, 156.

que en esto, que tan grave me es, pueda conoçer en las otras cosas qué tanto obligado me tiene para la servir; pero esto será con mucha templança, porque como yo sea entre estos señores tenido por muy principal acreçentador de vuestra honra, sería gran causa de poner flaqueza en muchos dellos, si en mí la sintiessen.

—Assí lo pido yo, mi buen amigo —dixo Oriana—, que bien conozco, según la calidad de lo passado y con quien este gran debate es, que no solamente es menester del fuerte esfuerço fazer flaco, mas del muy flaco con mucho cuidado fazer fuerte. Y porque muy mejor que yo lo sabría pedir, sabréis [v]os lo que conviene y en qué tiempo os puede aprovechar o dañar, yo os lo remito con aquel verdadero amor que entre nosotros está.

Assí acabaron su habla y se tornaron adonde aquellas señoras y cavalleros estavan. Agrajes no podía partir los ojos de su señora Olinda, como aquella que dél con mucha afición era muy amada, lo cual assí se deve creer, pues que por su causa mereçió passar por el arco encantado de los leales amadores, assí como el segundo libro desta historia lo ha contado; mas como él fuesse de noble sangre y criança, que los tales no con mucha premia son obligados, desechando la passión y afición a seguir la virtud, y sabiendo la vida honesta que Oriana le plazía tener, determinado estava de sojuzgar su voluntad ahunque en ello mucha graveza[13] sintiesse fasta ver en qué los negocios començados paravan. Assí stuviero[n][14] una pieça fablando en muchas cosas, y aquellos cavalleros, como muy esforçados, esforçando su partido, quitándoles el temor que las mugeres en autos tan estraños para ellas[15] como aquel en que estavan suelen tener; pues despedidos dellas y dada la respuesta de Oriana aquellos que a ella les havían embiado, con mucha diligencia començaron a poner en obra lo que acordado havían y despedir los embaxadores que al rey Lisuarte fuessen, lo cual fue encomendado por todos a don Cuadragante y don Brian de Monjaste, que eran tales que a tal embaxada convenían.

---

[13] *graveza:* gravedad, molestia.
[14] *stuviero[n]:* stuviero, Z // estuvieron, R // estovieron, S // .
[15] *ellas:* ellos, ZR // ellas, S // .

## Capítulo LXXXVIII

*Cómo Amadís habló con Grasinda, y lo que ella respondió.*

Amadís se fue a la posada de Grasinda, que él mucho amava y preciava, assí por quien ella era como por las muchas honras que havía recebido; y no pensava que pagadas fuessen, ahunque por ella havía fecho lo que la historia ha contado, considerando haver muy gran diferencia entre los que por su virtud hazen las proezas, no haviendo mucho conoçimiento de aquellos que las reciben, o los que después de recebidas las satisfazen y pagan; porque lo primero es de coraçón generoso, y lo segundo, comoquiera que sea buen conoçimiento y gradeçimiento, pero es deuda conoçida que se paga[1]. Y sentado con ella en un estrado, assí le dixo:

—Mi señora, si assí como yo desseo y querría por mí no se os faze el servicio y plazer que vuestra virtud mereçe, séame perdonado, porque el tiempo que veis es la culpa dello; y porque vuestra noble condición assí lo juzgará, dexando esto aparte, acordé de os fablar y pedir por merced me digáis el cabo de vuestro querer y voluntad, porque ha mucho tiempo que de vuestra tierra salistes, y no sé si en ello vuestro ánimo recibe alguna congoxa, porque sabido se ponga vuestro mando en exsecución.

Grasinda le dixo:

—Mi señor, si no tuviesse creído que de vuestra compaña y amistad no se me haya seguido la mayor honra que de ninguna cosa me podría venir, y ser pagado y satisfecho todo el servicio

---

[1] En el transfondo de estas distinciones sobre el comportamiento y la honra, creo que subyacen aspectos similares a los utilizados por los autores medievales para sus clasificaciones sobre el amor. Según la *Glosa castellana al regimiento de príncipes,* I, 240 «Eso mismo Anselmo en el libro Cur Deus Homo, departe el amor así diciendo, que hay amor de justicia, el que nasce de querer el bien de honestad, e ésta es virtud; e hay otro amor de provecho, que es amor de cobdicia, e éste nasce de bien provechoso; e hay amor de delectación, e éste nasce del bien deleitable». De acuerdo con el pensamiento de Amadís, él ha realizado sus proezas por virtud.

y plazer que en mi casa os fizieron, si alguno fue que contentamiento os diesse, sería de juzgar por la persona del peor conoçimiento del mundo. Y porque esto es muy cierto y sabido por todos, quiero, mi señor, que mi voluntad entera, assí como lo tengo, os sea manifiesta; yo veo que ahunque aquí son juntos tantos príncipes y cavalleros de gran valor a este socorro desta Princesa, que vos, mi buen señor, sois aquel a quien todos miran y acatan, de manera que en vuestro seso y esfuerço está toda la sperança y buena ventura que esperan; y según vuestro gran coraçón y condición, no podéis escusaros de no tomar el cargo de todo enteramente, porque a ninguno assí justo ni devido como a vos viene, donde será forçado que vuestros amigos y valedores acudan y procuren de sostener vuestra honra y gran estado. Y porque yo en la voluntad principalmente por uno dellos me tenga, quiero que assí en la obra parezca mi desseo, y tengo acordado qu'el maestro Elisabad se vaya a mi tierra, y con mucho cuidado todos mis vassallos y amigos con una gran flota tenga apercebidos y aparejados para cuando menester fueren que vengan, señor, a serviros en lo que les mandardes. Y entre tanto quedaré yo en compaña y servicio desta señora, con las otras que consigo tiene, y della ni de vos no me partiré hasta que el cabo deste negocio me diga lo que fazer devo.

Cuando Amadís esto le oyó, abraçóla riendo y dixo:

—Yo creo que si toda la virtud y nobleza que en el mundo ay se perdiesse, que en vos, mi buena señora, se podría cobrar; y pues assí os plaze, assí se haga. Es menester que por servicio vuestro y ruego mío el maestre[2] Elisabad, ahunque en ello fatiga reciba, vaya al Emperador de Constantinopla, con mi mandado, que según la graciosa proferta por él me fue dada, y el mal contentamiento que muchos me dixeron cuando aquellas partes fue que del Emperador de Roma tiene, y sabiendo que la cuistión principalmente con él es, por dicho me tengo que usando de su gran virtud acostumbrada me mandará ayudar como si mucho servido le oviesse.

---

[2] *maestre:* maestre, ZR // maestro, S // . Aunque el título normal es el de maestro, lectura de S, no modifico el texto por estar la forma editada suficientemente atestiguada en el xv.

Grasinda dixo que lo tenía por buen acuerdo, y qu'el maestro, según la gran afición le tenía, que escusado era su mandamiento para lo que su servicio fuesse, y que éste tal camino con mensaje de tal persona más por honra y descanso lo ternía que por trabajo. Amadís le dixo:

—Mi señora, pues vuestra voluntad es de quedar con esta señora, razón será que assí como las[3] otras Infantas y grandes señoras como vos sois están cabe ella y en su aposentamiento, assí vos lo estéis y della recibáis aquella honra y cortesía que vuestra gran virtud mereçe.

Y luego mandó llamar a su amo don Gandales, y le rogó que fuesse a Oriana y le dixesse la gran voluntad que aquella señora a su servicio tenía y cómo lo ponía por obra, y le suplicasse de su parte la tomasse consigo y le hiziesse aquella honra que a las más principales de aquéllas hazía; lo cual assí fue fecho, que Oriana la recibió con aquel amor y voluntad que acostumbrava de acoger y recebir las tales personas, pero no tanto por el servicio presente como por el passado que a Amadís havía fecho en le dar tal aparejo para passar en Grecia[4]; y sobre todo el maestro Elisabad, que después de Dios, como la historia lo ha contado en la tercera parte, dio la vida a él y a ella, que un día no pudiera bivir ella después de su muerte[5], y esto fue cuanto le sanó de las grandes feridas que huvo cuando mató al Endriago.

Esto assí fecho después que Grasinda dio todo el despacho que necessario era al maestro Elisabad para hazer lo susodicho, y le rogó y mandó que, sabiendo lo que Amadís quería que por él hiziesse, lo pussiesse assí en obra que en semejante cosa de tan gran fecho se devía poner. El maestro le respondió que por falta de no poner su persona a todo peligro y trabajo no se

---

[3] *como las:* como a las, Z // como las, RS // .

[4] *passar en Grecia:* pasar a Grecia. «Entrando en una nao passaron en Irlanda», *Lisuarte de Grecia,* fol. III v. Obsérvese el cambio de Oriana que, de estar caracterizada como una mujer extraordinariamente celosa en el libro I y II, especialmente, agradece los servicios prestados por otras mujeres que han ayudado a Amadís.

[5] En una redacción anterior a la de Montalvo, como he analizado en la Introducción, Oriana se arrojaba por la ventana una vez conocida la muerte de Amadís, con lo que el tópico se convertía en estructura narrativa.

dexaría de complir lo que le mandassen. Amadís gelo gradeçió mucho; y luego acordó d'escrevir una carta al Emperador, la cual assí dezía:

Carta de Amadís al Emperador de Constantinopla

«Muy alto Emperador: aquel Cavallero de la Verde Spada que por su propio nombre Amadís de Gaula es llamado mando besar vuestras manos y le traer a la memoria aquel ofreçimiento que más por su gran virtud y nobleza que por mis servicios le plugo de me fazer; y porque agora es venido el tiempo[6] en que principalmente a vuestra grandeza y a todos mis amigos y valedores que justicia y razón querrán seguir, como el maestro Elisabad más largo le dirá, he menester, le suplico mande dar fe y aya su embaxada aquel efeto que yo con mi persona y todos los que han de guardar y seguir pornían en vuestro servicio»[7].

Acabada la carta y dada[8] por extenso la creencia al maestro como adelante pareçerá, tomando licencia dél y de su señora Grasinda, se metió a la mar para fazer su viaje, el cual acabó tan complidamente como en su tiempo se dirá.


Capítulo LXXXIX

*Cómo Amadís embió otro mensajero a la reina Briolanja.*

La historia dize que después que Amadís ovo despachado[1] al maestro Elisabad y aposentado a Grasinda con la infanta Oriana, que mandó llamar a Tantiles, el mayordomo de la fermosa reina Briolanja, y díxole:

—Mi buen amigo, yo quería que por mí tomássedes el trabajo y cuidado que en las cosas que a vos tocassen tomaría, y

---

[6] *el tiempo:* en tiempo, Z // el tiempo, RS // .
[7] *pornían en vuestro servicio:* pondrían en vuestro servicio.
[8] *dada:* dado, Z // dada, RS // .
[1] *ovo despachado:* hubo dejado libre para irse dándole la respuesta u otra cosa que aguardaba (Cuervo).

esto es que, mirando en el punto que mi honra tengo, y cuanto con buen recaudo y aparejo acreçentarse puede, y con el contrario lo que menoscabarse podría, vais[2] a vuestra señora, y como quien todo lo ha visto le digáis lo que conviene, trabajando mucho cómo toda su gente y amigos mande aparejar para cuando menester será. Y dezilde que ya sabe que lo que a mí toca suyo es, pues que, yo perdiendo, lo de su servicio se pierde.

Tantiles le respondió:

—Señor, assí como lo mandáis se hará luego por mí; y podéis ser bien cierto que no pudiera venir cosa[3] en que la Reina mi señora oviesse tanto plazer como en ser llegado el tiempo en que conozcáis el gran amor y voluntad que tiene para seguir todo lo que della y de todo su reino mandar quisierdes. Y de lo que a esto toca perded cuidado, que yo verné cuando menester será con aquel recaudo y aparejo que gran señora, tal como lo ésta es, deve embiar a quien, después de Dios, le dio todo su reino.

Amadís jelo gradeçió mucho y diole una carta de creencia que para con él, como persona que todo su estado governava, bastava. Él se metió luego a la mar en una nave que allí havía venido y fizo lo que delante se dirá. Esto fecho, Amadís se apartó con Gandalín, y díxole:

—Mi amigo Gandalín, si yo he menester amigos y parientes en esta necessidad que sin la poder escusar me he puesto, tú lo vees; y ahunque mucha graveza sienta verte alongado[4] de mí, la razón me obliga que lo faga. Ya vees cómo por todos estos cavalleros es acordado que sean todos nuestros amigos requeridos y apercebidos, porque con tiempo puedan venir a sostener nuestras honras. Y ahunque en muchos por quien yo mucho he fecho, como tú sabes, tengo gran esperança que querrán pagar la deuda en que me son, mucho más la tengo en el

---

[2] *vais:* vayáis.

[3] *cosa:* nada. Para E. L. Llorens, *La negación en español antiguo con referencias a otros idiomas,* Madrid, RFE, Anejo XI, 1929, § 76, «El sustantivo "cosa", derivado del latín "causa(m)", se empelaba con mayor frecuencia que "nada" en español antiguo para expresar la idea de "nihil", acompañado siempre de una negación».

[4] *alongado:* alongagodo, Z // alongado, RS // .

rey Perión mi padre, que éste con razón o sin ella ha de acudir a lo que me tocare. Y porque tú mejor que otro y más sin empacho[5] le dirás qué tanto[6] esto me toca, y cómo en la voluntad y pensamiento de todos, ahunque aquí aya tantos cavalleros famosos y de gran linaje, a mí solo, como a más principal, lo atribuyen, será bien que a él te partas luego y le digas lo que has visto y sabes que conviene a la necessidad en que me dexas. Y abueltas[7] de las otras cosas le dirás cómo yo no temo fuerça ninguna de todo el restante del mundo según esta fuerça es, pero que harta fuerça sería para él si yo, que su fijo y el mayor soy[8], no pudiesse responder a estos dos Príncipes, si contra mí viniessen, en la forma y manera que ellos me llamassen. Y porque entiendo que estás al cabo de todo, no será menester que más te diga, sino antes que te partas vayas a fablar con mi cormana Mabilia si manda algo para su tía y Melicia, mi hermana; y verás a mi señora Oriana qué tal está, porque ahunque a los otros se encubra, a ti solo descubrirá su querer y voluntad. Y esto fecho, partirte has luego con esta creencia que por scripto te doy, la cual dize assí:

«Dirás al Rey mi señor que ya su merced sabe cómo, después que Dios quiso que por su mano yo fuesse cavallero, nunca mi pensamiento fue de seguir otro estado sino de cavallero andante, a todo mi poder quitar los tuertos y desaguisados de muchos que lo recibían, specialmente de las dueñas y donze-

---

[5] *empacho:* impedimento. «Los de la çibdad cargassen hazia aquella parte, de guisa que sus caballeros tornassen sin enpacho nin estorvo alguno», *Crónica de don Álvaro de Luna,* 237, 23.

[6] *qué tanto:* cuánto. «Ni te pregunto esso [...] sino qué tanto ha que tiene el mal», *Celestina,* IV, 92.

[7] *abueltas:* conjuntamente. «Aquello en tu falleçe, a bueltas de otras cosas», Juan de Flores, *Grimalte y Gradissa,* pág. 37.

[8] Por vez primera Amadís alude a su primogenitura, que de acuerdo con el pensamiento y la realidad medieval implicaba una jerarquización familiar. Como señala Georges Duby, «la conciencia genealógica aparece en el instante mismo en que la riqueza y el poder de los condes, de los castellanos y de los simples caballeros, revisten decididamente un cariz patrimonial y, en consecuencia, comienzan a entrar en juego las reglas sucesorias que favorecen a los hijos a expensas de las hijas, a los mayores a expensas de los menores y que valorizan, pues, a la vez la rama paterna y la primogenitura», «Estructuras de parentesco y nobleza en la Francia del Norte en los siglos XI y XII», en *Hombres y estructuras...,* págs. 182-183. Para España, véase la nota 12, pág. 139.

llas, que ante que otros algunos acorridos deven ser. Y por esto he puesto mi persona a muchos trabajos y peligros, sin que dello otro interesse esperasse sino servir a Dios y cobrar prez y fama entre las gentes; y con este desseo cuando de su reino partí quise andar por las tierras estrañas, buscando los que mi acorro y defensa avían menester, viendo lo que visto no havía, donde por muchas aventuras passé, como tú le puedes bien dezir si saber lo quisiere; y que a cabo de mucho tiempo veniéndome a esta ínsola, supe cómo el rey Lisuarte, no catando al temor de Dios, ni a consejo de sus naturales ni de otros que lo no son y su honra y servicio desseavan, antes con toda crueza y gran menoscabo de su fama, quiso desheredar a la infanta Oriana su hija, que después de sus días ha de ser señora de sus reinos, por heredar a otra fija menor, que por ningún derecho le venía, dándola al Emperador de Roma por muger. Y como se querellasse esta Princesa a todos cuantos la vían[9], y a los otros por sus mensajeros, con muchos llantos y angustias por ella fechas que della oviessen piedad y no consintiessen que a tan gran sinrazón desheredada fuesse, aquel justo Juez, emperador de todas las cosas, la oyó, y por su voluntad y permissión fueron juntos en esta ínsola muchos príncipes y grandes cavalleros para el remedio della, donde yo, cuando vine, los fallé y dellos supe esta fuerça tan grande que passava y con acuerdo y consejo suyo se consideró que, pues a las cosas desta calidad más que a otras ningunas son los cavalleros más obligados, en esta que tan señalada era se pusiesse remedio porque lo que fasta aquí con mucho peligro y trabajo de nuestras personas havíamos ganado en una sola no se perdiesse, pues razón no lo mandava, porque según la grandeza de su cualidad más a covardía y poco esfuerço que a otra causa juzgarse devría. Y assí se fizo que, desbaratada la flota de los romanos y muertos muchos y los otros presos, fue por nosotros tomada y socorrida esta Princesa con todas sus dueñas y donzellas; sobre que tenemos acordado de embiar a don Cuadragante de Irlanda y a mi cormano don Brian de Monjaste al rey Lisuarte a le requerir de nuestra parte se quiera poner en

---

[9] *vían:* veían. «Todos los que los vian se maravillavan», *Tristán de Leonís,* 364a.

toda razón; y que si caso fuere que no la quiera, antes el rigor, será menester principalmente su ayuda y después de todos aquellos que nuestros amigos son, la cual le suplico esté presta, con toda la más gente que haverse pudiere, para cuando fuere llamada. Y a la Reina mi señora besa las manos por mí, y le suplica mande venir aquí a mi hermana Melicia, que tenga compañía a Oriana, y porque su nobleza y gran hermosura sea conoçida de muchos por vista assí como lo es por fama»[10].

Esto fecho, díxole:

—Adereça para te ir en una fusta dessas que mejor proveída hallares, y lieva quien te guíe, y habla con mi cormana Mabilia ante, como te dixe.

Gandalín le dixo que assí lo faría.

Agrajes fabló con don Gandales, amo de Amadís, para que se partiesse a Escocia al Rey su padre, y con éste bien se pudo escusar el trabajo d'escrevir, porque era tanto suyo y de tan largo tiempo y tan fiable en todas las cosas que ya más por deudo y consejero que por vasallo era tenido, pues de creer es que este cavallero con toda afición y diligencia procuraría el efecto deste viaje tocando tanto a su criado[11] Amadís, que era la cosa del mundo que más amava; y cómo lo fizo adelante se dirá.

---

[10] A diferencia de los libros anteriores en los que la utilización de las cartas era bastante escasa, ahora incluso se transcriben las cartas de creencia, como antes no había sucedido.

[11] *su criado:* sua criado, Z // su criado, RS // . Tiene aquí el sentido de persona que ha recibido de otra la primera crianza y el alimento, como el alumnus latino. Nebrija distingue entre criado que criamos, *alumnus-i,* y criado que sirve, *famulus-i. Mercenarius-ii.*

*Cómo don Cuadragante fabló con su sobrino Landín y le dixo fuesse a Irlanda y fablasse con la Reina su sobrina para que diesse lugar a algunos de sus vasallos le viniessen a servir.*

Don Cuadragante habló con Landín su sobrino, que muy buen cavallero era, y díxole:

—Amado sobrino, menester es que con toda diligencia partáis y seáis en Irlanda, y fabléis con la Reina mi sobrina sin qu'el rey Cildadán ninguna cosa sepa, porque, según lo que tiene jurado y prometido al rey Lisuarte, no sería razón que ninguna cosa desto se le diga[1]. Y contalde en lo que estoy puesto, y que, ahunque aquí aya muchos cavalleros de gran guisa, en mí por quien yo soy y del linaje donde vengo se tiene mucha esperança y se haze gran cuenta[2], como vos, sobrino, lo veis; que le pido mucho a su merced dé lugar a los que de sus vassallos me querrán venir a servir, y que crea que la rebuelta es acá tan grande que destas semejantes cosas muchas vezes acaeçe trabucarse los estados y señoríos, de suerte y forma que los vasallos quedan por señores, y los señores por vasallos, y que por esto no dude de mandar esto que le suplico, y assí con los que déstos haver pudieres, como de mis vassallos y amigos, adreça una flota, la mayor que ser pudiere, y con ella staréis prestos para cuando mi llamamiento veáis.

Landín le respondió que con ayuda de Dios él pornía tal recaudo[3] de que fuesse contento, y se mostraría mucho de su valor y grandeza. Con esto se despidió dél, y en una nave de las que a los romanos tomaron se metió en la mar, y lo que recaudó deste camino adelante se dirá.

Don Bruneo de Bonamar habló con Lasindo, su escudero,

---

[1] Tras su derrota, el rey Cildadán había quedado como vasallo del rey Lisuarte, por lo que no podría ayudar a sus enemigos sin faltar a su pacto de fidelidad.

[2] *se haze gran cuenta:* se me estima mucho.

[3] *pornía tal recaudo:* lo realizaría de tal forma que.

que luego partiesse para su padre el Marqués y para Branfil su hermano con su carta, y que muy ahincadamente hablasse con su hermano, y de su parte le rogasse que, sin otra cosa se entremeter[4], trabajasse en juntar la más gente que ser pudiesse, y navíos para ella, y que se no partiesse de allí hasta ver su mandado. Y demás desto le dixo:

—Lasindo, mi buen amigo, ahunque tú vees aquí tantos cavalleros, y de tan gran cuenta, bien deves creer que toda la mayor parte deste fecho es de Amadís; pues si yo tengo razón de le ayudar, dexando aparte el grande amor que comigo tiene, que a ello mucho me obliga, ya tú lo sabes[5], que éste es hermano de mi señora Melicia, éste es el que ella ama y precia más que a ninguno de su linaje. Pues si éste mi enemigo fuesse, a mí no me convenía otra cosa sino seguir su voluntad y mandamiento, porque esto sería seguir el servicio y voluntad suya della; pues seyendo al contrario en ser el hombre del mundo que yo más amo, con más afición y voluntad me tengo de aparejar a sostener su honra y estado, especial en este caso en que ninguno más que yo está puesto, ni más que a mí le toca. Todo esto, mi buen amigo, dexando aparte lo de mi señora, puedes fablar con mi padre y con mi hermano, porque les fará mover a lo que con gran razón se deve complir con mi honra, ahunque de Branfil, mi hermano, cierto yo soy que antes querría estar aquí y haver sido en lo passado que ganar un gran señorío, porque su condición y desseo más inclinado es a ganar prez y fama de cavallero que a otras cosas de las que otros, mirando más a los vicios que a la virtud, dessean.

Lasindo le dixo:

—Señor, para mí no es menester de me dezir más de lo que sé que es necessario. Yo fío en Dios que de allí os traeremos tal aparejo, que vuestra señora sea muy servida y vuestro estado puesto en mucha más honra.

Con esto se partió en otra fusta, y lo que fizo la historia lo contará cuando tiempo fuere, que este Lasindo era muy buen

---

[4] *entremeter:* emprender, dedicarse a. «Diziendo e suplicándole que non le mandase entender, nin entremeterse en tal fecho», *Crónica de don Álvaro de Luna*, 321, 16.

[5] *sabes:* sabeys, Z // sabes, RS //.

escudero y de gran linaje, y iva con toda afición y voluntad; y assí puso en obra su viaje en servicio de su señor, que con honra suya acreçentó en el negocio grande ayuda.

## Capítulo XCI

*Cómo Amadís embió al Rey de Bohemia.*

Amadís, como aquel que sobre sí tenía tan gran carga, especial tocando a su señora, nunca su pensamiento apartava de proveer en lo que menester era, acordó de embiar a Isanjo, cavallero muy honrado y de muy gran discreción, el cual halló por governador en la Ínsola Firme al tiempo que la ganó, el cual cargo le havía sucedido de sus antecessores, como más largo lo cuenta el segundo libro desta historia. Y apartado con él, le dixo:

—Mi buen señor y gran amigo, conoçiendo vuestra virtud y buen seso[1], y el desseo que siempre, desque me conoçistes, havéis tenido de guardar mi honra, y el que yo de lo gualardonar tengo, cuando[2] el caso viniesse, he acordado de os poner en un poco de trabajo, porque según a quien vos embío no se requiere sino semejante mensajero; y esto es que havéis de ir luego al rey Tafinor de Bohemia con una mi carta y más la creencia que os será remitida, en que muy por entero le diréis este caso cómo passa, y cuánta fiuza y esperança tengo en la su merced. Y yo fío en Dios que de vuestra embaxada se nos seguirá gran provecho, porque aquél es un muy noble rey, y con mucho amor y afición me quedó ofreçido al tiempo que de su casa me partí.

Isanjo le respondió, y dixo:

—Señor, para mucho más que vuestro servicio sea mi voluntad aparejada está, que este camino más por honra que por pena ni trabajo lo tengo. Y en cuanto en mí fuere, podéis, señor, ser cierto que assí en esto como en todo lo que acreçenta-

---

[1] *seso:* sentido, discreción. «Era niño de días e viejo de consejo e de seso», A. Martínez de Toledo, *Atalaya de las coronicas,* pág. 23a.
[2] *tengo, cuando:* tengo que quando, Z // tengo quando, RS // .

miento de vuestro estado fuere tengo de poner mi persona fasta el punto de la muerte. Y por esto, señor, no es menester sino qu'el despacho se haga, que mi partida será cuando por bien tovierdes.

Amadís jelo[3] gradeçió con mucho amor, conoçiendo con la voluntad que le respondía que en no menos la buena voluntad reputarse deve que la buena obra, porque de allí naçe y aquel es el fundamento della. Pues con este concierto Amadís scrivía una carta al Rey, la cual assí dezía:

«Noble rey Tafinor de Bohemia, si en el tiempo que en vuestra casa como cavallero andante estuve algún servicio os fize, yo me tengo por muy bien pagado dello según las honras y buenas obras, assí de vuestra persona como de todos los vuestros, yo he recebido. Y si agora embió a requerir a la merced vuestra[4], pidiendo ayuda en mi necessidad, no es teniendo en la memoria otra cosa sino conoçer vuestro noble desseo y mucha virtud, que siempre en aquel poco tiempo que en vuestra corte me fallé la vi aparejada a seguir toda cosa justa y conforme a toda virtud y buena conciencia, y porque este cavallero que de mi parte dirá el caso más por estenso como passa, le pido, después de le mandar dar fe, aya aquel efecto su embaxada que havría la que de vuestra parte a mí embiada fuesse.»

Acabada la carta y dicha la creencia, Isanjo fizo aparejar una nave, y luego, como le era mandado, se partió; y muy bien se puede dezir ser su camino bien empleado, según la gente que este buen Rey embió a Amadís, como adelante se dirá.

---

[3] *jelo:* se lo. «La espirençia je lo fará conoçer», Teresa de Cartagena, *Arboleda de los enfermos,* pág. 49, 8.

[4] *a la merced vuestra:* a vuestra voluntad, gracia. Como señala Domingo del Campo, pág. 104, «la fórmula *vuestra merced* no aparece usada en ningún momento como fórmula de tratamiento [...] Esta ausencia, junto con la de *vuestra señoría, vuestra alteza,* sería un arcaísmo más de la novela».

## Capítulo XCII

*De cómo Gandalín habló con Mabilia y con Oriana, y lo que le manda-*
*ron que dixesse a Amadís.*

Cuenta la historia que, partidos estos mensajeros como oído
havéis, Gandalín estava muy aquexado por ir donde su señor[1]
le mandava, porque le mandó que se no partiesse hasta ver a
su cormana Mabilia. Fuese luego al aposentamiento de Oriana,
donde hombre alguno entrar no podía sin su especial mandado, que era aquella torre que ya oístes, la cual no era guardada
ni cerrada[2] sino por dueñas y donzellas; y llegando a la puerta
de la huerta, dixo que dixessen a Mabilia cómo estava allí Gandalín, que se partía para Gaula, y que la quería ver ante que se
partiesse. Sabido por Mabilia, díxolo a Oriana, y cuando lo
oyó, plugóle mucho dello y mandó que entrasse. Y como llegó
donde Oriana estava, hincó los inojos ante ella y besóle las manos. Y luego se fue a Mabilia y díxole lo que su señor le havía
mandado. Mabilia dixo a Oriana tan alto que todos[3] lo oyeron:

—Señora, Gandalín parte para Gaula. Ved si le mandáis que
diga algo a la Reina y a Melicia mi cormana.

Oriana le dixo que havía plazer de les embiar con él su mandado, y llegóse donde ellos estavan apartados de todos los
otros, y díxole:

—¡Ay amigo Gandalín!, ¿qué te pareçe de mi contraria fortuna?; que la cosa del mundo que más desseava era estar en
parte donde nunca pudiesse de mis ojos partir a tu señor; ¡y
que mi dicha me haya puesto en su poder en caso de tal calidad, que le no ose ver sin que su honra y la mía mucho menoscabada sean! Puedes creer que mi cuitado coraçón siente dello
tan gran fatiga, que si sentir lo pudiesses, muy gran piedad
havrías de mí. Y porque desto se le dé la cuenta, assí para su
consuelo como para desculpa mía, dezirle has que tenga mane-

---

[1] *señor:* señora, Z // señor, RS // .
[2] *cerrada:* cerrado, Z // cerrada, RS // .
[3] *todos:* todas, Z // todos, RS // .

ra cómo él y todos essos cavalleros me vengan a ver; y buscarse ha medio cómo delante todos, no oyendo alguno lo que passa, le pueda fablar. Y esto será con achaque[4] desta tu partida.

Gandalín le dixo:

—¡O señora, cuánta razón tenéis de tener en la memoria el remedio que a este cavallero conviene, que tantas fortunas en este camino que hezimos he tenido por le sostener la vida! Si lo yo pudiesse dezir, mucho mayor dolor y angustia vuestro spíritu recibiría de lo que siente; que es cierto, señora, que las grandes cosas que en armas fizo y passó por aquellas tierras estrañas, que fueron tales y tantas, que no solamente[5] ser fechas por otro, mas ni pensadas, no pusieron en su vida de mil vezes la una el estrecho de la muerte que vuestra membrança y apartamiento de vuestra vista le ponía. Y porque hablar en esto es muy escusado pues que cabo[6] no tiene, solamente queda que hayáis, señora, dél piedad y le consoléis, pues que según yo he visto, y lo creo verdaderamente, en su vida está la vuestra.

Oriana le dixo:

—Mi buen amigo, esso puedes tú dezir con gran verdad, que sin él no podría yo bivir ni lo querría, que la vida me sería muy más penosa y grave que la muerte; y en esto no hablemos más, sino que luego te vayas a él y le digas lo que te mando.

—Assí se hará, señora, y se porná en obra.

Con esto se despidió dellas, y se fue para su señor. Pero antes le mandó Oriana delante todas las que allí estavan que se no partiesse fasta que le mandasse dar una carta para la reina Elisena y otra para su fija Melicia; y él le dixo que assí lo faría, y que le suplicava le mandasse luego despachar, porque ya todos los otros mensajeros eran idos, y no quedava otro alguno sino él. Assí se despidió, y se fue a Amadís y díxole todo lo que Oriana le dixera y la respuesta suya, y cómo le embiava mandar que él y aquellos señores todos la fuessen a ver con algún achaque porque le quería fablar. Amadís, cuando aquello oyó, estuvo una pieça cuidando, y díxole:

---

[4] *con achaque de:* con pretexto de. «Ninguna achaque hallaste para quitarle de mí y darte a ella», Juan de Flores, *Grimalte y Gradissa*, pág. 33.

[5] *solamente:* salamente, Z // solamente, RS // .

[6] *cabo:* final.

—¿Sabes[7] cómo se podrá esso mejor fazer? Fabla con mi cormano Agrajes y dile cómo hablando tú con Mabilia si mandava algo para Gaula te dixo que le pareçía que sería bueno qu'él tuviesse manera[8] con todos estos señores que aquí están cómo fuessen a ver y esforçar a Oriana, porque según la gravedad del caso en que estava y tan estraño para ella que necessario le era su vista y esfuerço; y demás lo que tú vieres que será necessario dezirle, y por este camino se fará mucho mejor lo que ella manda. —Y luego le dixo:— Dime qué te pareçió de mi señora; ¿está triste en se ver assí?

Gandalín le dixo:

—Ya, señor, sabéis su gran cordura, y cómo con ella no puede mostrar sino la virtud de su noble coraçón; pero, ciertamente, me pareçió su semblante más conforme a tristeza que alegría.

Amadís alçó las manos al cielo y dixo:

—O Señor muy poderoso, plégaos de me dar lugar que yo pueda dar el remedio que a la honra y servicio desta señora conviene, y mi muerte o mi vida passe como la ventura lo guiare.

Gandalín le dixo:

—Señor, no toméis congoxa, que assí como en las otras cosas siempre Dios por vos fizo y adelantó más vuestra honra que de otro cavallero ninguno, assí en esta que con tanta razón y justicia havéis tomado lo hará.

Assí se partió Gandalín de Amadís, y se fue a Agrajes y le dixo todo lo que su señor mandó y lo que más vio que cumplía. Agrajes le dixo:

—Mi amigo Gandalín, mucha razón es que assí se faga como mi hermana lo manda, y luego se cumplirá; que si hasta aquí no se ha hecho, no es la causa salvo conoçer estos cavalleros la voluntad de Oriana ser conforme a tener la vida más honesta que ser pudiere, y bien será que lo vayamos a dezir a Amadís mi cormano.

---

[7] *Sabes:* Sabeys, Z // Sabes, RS // .
[8] *tuviesse manera:* encontrase el modo. «Rogando mucho al arçobispo su tío que toviese con él manera cómo luego se viniese», *Crónica de don Álvaro de Luna,* 17, 17.

Y tomándole consigo, se fue a la posada de Amadís, y le dixo aquello que Mabilia su hermana le mandó por Gandalín dezir. Él respondió como si nada supiera, que lo remitía a su pareçer. Estonces Agrajes habló con aquellos cavalleros, y tuvo manera que, sin saber que Oriana lo quería, la fuessen a ver y consolar, diziéndoles que en los semejantes casos ahun los muy esforçados havían menester consuelo, que más se devía fazer a las febles[9] mujeres. Todos lo tuvieron por bien, y les plugo mucho dello; y acordaron de la ver otro día en la tarde. Y assí lo fizieron, que vestidos de muy ricos paños de guerra, y en sus palafrenes bien guarnidos y con sus spadas todas guarnidas de oro, llegaron al aposentamiento donde Oriana estava; y como todos eran mançebos y fermosos, pareçían tan bien que maravilla era. Y ya Agrajes havía embiado a dezir a Oriana cómo la quería ver, y ella embió por la reina Sardamira y por Grasinda, y por todas las Infantas, dueñas, y donzellas de gran guisa que con ella estavan porque con ella juntas stuviessen para los recebir.

## Capítulo XCIII

*Cómo Amadís y Agrajes, y todos aquellos cavalleros de alta guisa que con él estavan, fueron ver y consolar a Oriana y a aquellas señoras que con ella estavan, y de las cosas que passaron.*

Donde Oriana estava llegando aquellos cavalleros, saludáronla todos con gran reverencia y acatamiento, y después a todas las otras. Y ella los recibió con muy buen talante, como aquella que de muy noble condición y criança era. Amadís dixo a don Cuadragante y a Brian de Monjaste que se fuessen para Oriana, y él se fue a Mabilia, y Agrajes a donde Olinda estava con otras dueñas, y don Florestán, a la reina Sardamira, y don Bruneo y Angriote, a Grasinda, que ellos mucho amavan y preciavan, y los otros cavalleros, a las otras dueñas y donzellas, cada uno a la que más le agradava y de quien espera-

---

[9] *febles:* débiles. No es raro en la Edad Media, aunque poco popular. Para Nebrija, *feble:* cosa flaca.

va recebir más honra y favor. Assí stuvieron todos[1] fablando con mucho plazer en las cosas que más les agradava[n].

Estonces Mabilia tomó por la mano a su cormano Amadís, y a una parte de la sala se fue con él, y díxole que todos lo oyeron:

—Señor, mandad llamar a Gandalín, porque en presencia vuestra le mande lo que diga a la Reina mi tía y a Melicia mi cormana; y aquello le encargad vos, pues con vuestro mandado va al rey Perión a Gaula.

Oriana, cuando esto oyó, dixo:

—Pues también quiero que lleve mi mandado a la Reina y a su fija con el vuestro.

Amadís mandó llamar a Gandalín, el cual en la huerta estava con otros scuderos, que él bien sabía que lo havían de llamar. Y desque fue venido, fuese a la parte de la sala donde él y Mabilia estavan, y fablaron con él una gran pieça. Y Mabilia dixo contra Oriana:

—Señora, yo he despachado[2] con Gandalín; ved si le mandáis algo.

Oriana se bolvió contra la reina Sardamira, y díxole:

—Señora, tomad con vos a don Cuadragante[3] mientra yo voy a despachar aquel escudero.

Y tomando por la mano a don Brian de Monjaste, se fue donde Mabilia stava. Y como ella llegó, don Brian de Monjaste le dixo, como aquel que muy gracioso y comedido era en todas las cosas que a cavallero convenían:

—Pues que estoy elegido para ser embaxador a vuestro padre, no quiero ser presente a embaxada de donzellas, que he miedo, según vosotras sois engañosas y la gracia que en todo lo que havéis gana tenéis, que me pornéis en más cortesía de lo que conviene a lo que estos cavalleros me han mandado que diga.

Oriana le dixo, riendo muy hermoso[4]:

---

[1] *todos:* todas, Z // todos, RS // .

[2] *despachar:* dejar a uno libre dándole la respuesta u otra cosa que aguardaba (Cuervo).

[3] *Cuadragante:* quadragante, Z // quadragante, RS // .

[4] *riendo muy hermoso:* riendo muy hermosamente. El adjetivo adquiere en nuestra obra funciones adverbiales en múltiples ocasiones. Como muy bien re-

—Mi señor don Brian, por esso os traxe yo aquí comigo, porque viéndolo de nosotras templéis algo de vuestra saña con mi padre; mas he miedo que vuestro coraçón no está tan sojuzgado ni aficionado a las cosas de las mujeres que en ninguna guisa puedan quitar ni estorvar nada de vuestro propósito.

Esto le dezía aquella muy fermosa princesa en burla con tanta gracia que era maravilla; porque don Brian, ahunque mancebo fuesse y muy fermoso, más se dava a las armas y cosas de palacio con los cavalleros que sojuzgar ni aficionar a ninguna muger, comoquiera que en las cosas que ellas su defensa y amparo havían menester ponía su persona a toda afrenta y peligro por les hazer alcançar su derecho[5]; y a todas amava y de todas era muy amado, pero no ninguna en particular.

Don Brian le dixo:

—Mi señora, ahun por esso me quiero quitar de vosotras y de vuestras lisonjas, por no perder en poco tiempo lo que en tan grande he ganado.

Y assí riendo todos, se partió de Oriana y se tornó donde Grasinda estava, qu'él mucho desseava conoçer por lo que della le havían dicho.

Cuando Amadís se vio ante su señora, que tanto amava y que tanto tiempo havía que la no viera, que no contava por vista la de la mar porque con tan gran rebuelta y entre tanta gente havía sido, como lo ha contado la historia tercera, todas las carnes y el coraçón le tremían[6] con plazer en ver la su gran fermosura y a su pareçer con más alegría que él la esperava hallar; y estava tan fuera de sí, que dezir ni hablar cosa alguna podía, de manera que Oriana, que los ojos dél no partía, lo conoçió luego, y llegóse a él, y tomóle las manos por debaxo del manto, y apretógelas en señal de le mostrar mucho amor y como si le abraçasse, y díxole:

---

cuerda Domingo del Campo, págs. 283 y 311, nota 25, la forma *fermoso* en función adverbial aparece ya en el *Cantar de Mio Cid:* «fermoso sonrrisava» (v. 873).

[5] De nuevo, el español Brian de Monjaste representa un estereotipo caballeresco diferente, pues el amor no se convierte en el motor de sus cualidades, ni de su actividad.

[6] *tremían:* temblaban. «Tremia toda con pavor», *Baladro del sabio Merlín* (B), 59b.

—Mi verdadero amigo sobre cuantos en el mundo son, ahunque mi ventura me haya traído a la cosa que en este mundo más dess[e]ava, que es estar en vuestro poder donde nunca mis ojos, assí como el coraçón, de vos apartar pudiesse, ha querido mi gran desdicha que en tal manera sea que agora más que nunca me convenga apartar de vuestra conversación porque este caso, tan señalado y tan publicado[7] que por el mundo será, sea a todos manifiesto con aquella fama que a la grandeza de mi estado y a la virtud a que ella me obliga se deve; y parezca que [v]os, mi amado amigo, más por seguir aquella nobleza que siempre procurastes en socorrer a los cuitados y menesterosos que socorro han menester, manteniendo siempre razón y justicia, que por otra causa alguna vos movistes a una tan grande y señalada empresa como al presente paresce; porque si la causa principal de nuestros amores[8] publicada fuesse, assí de los vuestros como de los contrarios en diversas maneras sería juzgado. Y por esto es necessario que lo que con mucha congoxa y grandes fatigas fasta aquí emos encubierto, de aquí adelante con aquellas mismas, y ahunque mayores fuessen, lo sostengamos. Y tomemos por remedio ser en nuestra libertad, tomar aquello que más a la voluntad de nuestros desseos pueda satisfazer en cualquiera tiempo que más nos agrade, pero esto sea cuando remedio ninguno hallarse pudiere; y assí passemos fasta que a Dios plega de lo traer aquel fin que desseamos.

Amadís le dixo:

—¡Ay, señora, por Dios no se me dé a mí cuenta ni escusa para lo que a vuestro servicio tocare, que yo no nascí en este mundo sino para ser vuestro y os servir mientra esta ánima en el cuerpo toviere!; que en mí no hay otro querer ni otra buena ventura sino seguir lo que vuestra voluntad sea. Y lo que yo, señora, pido en galardón de mis mortales cuitas y desseos no es ál salvo que nunca de vuestra memoria se aparte el cuidado de me mandar en que la sirva; que esto será gran parte del re-

---

[7] *publicado:* notorio, conocido.
[8] No se menciona para nada el matrimonio secreto en esta conversación íntima, por lo que puede deducirse que se trata más bien de una superposición ideológica a unas estructuras narrativas previas y desarrolladas sin tenerlo en cuenta.

medio y descanso que a mi apassionado coraçón conviene[9].

Y cuando esto Amadís dezía, Oriana le estava mirando, y víale caer las lágrimas de los ojos que todo el rostro le mojavan, y díxole:

—Mi buen amigo, así lo tengo yo como me lo dezís; y no es nuevo para mí creer que en todo seguiríades mi voluntad, pues cómo yo querría contentar y satisfazer a la vuestra aquel Señor, a quien nada se esconde, lo sabe; mas conviene, como dicho tengo, que por agora se sufra. Y entre tanto que Él lo remedia, si mi amor queréis con aquella afición que siempre quesistes, os pido que las ansias[10] y fatigas de vuestro coraçón sean por vos apartadas, que no puede ya mucho tardar que de una manera o de otra no se sepa nuestro secreto, y con paz o con guerra no seamos juntos en aquella forma que tanto tiempo emos desseado. Y porque emos hablado gran pieça quiérome tornar aquellos señores cavalleros que no ayan alguna sospición[11]. Y vos, señor, limpiad essas lágrimas de los ojos lo más encubierto que ser pueda, y quedad con Mabilia, que ella os dirá algunas cosas que vos, mi señor, no sabéis, ni fasta aquí he avido lugar para os las dezir, con que mucho plazer y alegría vuestro coraçón sentirá.

Entonces mandó llamar a don Cuadragante y a don Brian de Monjaste, y con ellos se tornó donde antes estava. Amadís quedó con Mabilia, y allí le contó ella todo el hecho de Esplandián, cómo era su hijo y de Oriana, y todas las cosas que acaescieron, así en su nascimiento como en su criança, y cómo la Donzella de Denamarcha y Durín su hermano llevándolo a criar a Miraflores lo perdieron, y lo tomó la leona, y la criança que el hermitaño en él hizo. Todo gelo contó mucho por estenso, que no faltó nada, como la tercera parte desta gran isto-

[9] Frente al desarollo inicial en el que los mortales deseos de Amadís correspondían a la posesión física de la amada, ahora se concretan mediante una fórmula cortés de servicio, diferente de las anteriores. Además de un cambio posible de autor, el personaje debe tener cuidado en sus relaciones porque Oriana está bajo sus dominios.

[10] *ansias:* congojas, angustias. «Más por temor de los parientes de Elierso que por ansias de enamorado dirán que lo fazes», Diego de San Pedro, *Arnalte y Lucenda,* pág. 166.

[11] *sospición:* sospecha.

ria lo cuenta. Amadís, cuando esto lo oyó, fue muy ledo de lo oír, que más no podía ser; y estuvo una gran pieça que no la habló, y después que aquella alteración de alegría que su coraçón sintió le fue passada, díxole assí:

—Mi señora y buena cormana, sabed que, estando yo con esta muy noble dueña Grasinda en aquel tiempo que allí llegaron aquellos cavalleros Angriote de Estraváus y don Bruneo, acaso me contó Angriote todo el hecho de Esplandián, mas no me supo dezir cúyo hijo era; y luego me ocurrió a la memoria la carta que con mi amo Gandales a esta ínsola me embiastes, por la cual me hazíades saber que avía acrescentado en mi linaje, y pensé según en el tiempo que me escrivistes, el cual me lo dixo, y que no se sabían de dónde ni cúyo hijo fuesse aquel donzel, que podría ser mi hijo y de Oriana; pero esto fue por sospecha, y no por otra alguna certenidad[12]. Mas agora que lo sé cierto, creed, señora y amada cormana, que soy más alegre dello que si de la meitad del mundo me hiziesen señor. Y esto no lo digo yo por ser el donzel tal y tan estraño, mas por ser hijo de tal madre; que como Dios la señaló y apartó, assí en fermosura como en todas las otras bondades que buena señora deve tener, de todas las que en este mundo son nascidas, assí quiso que las cosas que della proceden, de dulçura, de amargura, sean estremadas de las otras; que yo como aquel que por la esperiencia lo prueva y siente lo puedo muy bien dezir. ¡O, señora cormana, si pudiesse contaros las angustias y grandes congoxas que en este tiempo que me no avéis visto mi cativo coraçón ha passado, que sin duda podéis creer que en comparación dellas todos los peligros y afrentas que por aquellas tierras estrañas passé no se deven juzgar sino como el miedo y espanto que se sueña, o el que en efecto y verdad passa! Y Dios queriendo aver piedad de mí, me quiso traer a tiempo que a ella de gran afrenta y a mí de la más dolorosa muerte que nunca cavallero murió quitasse; donde ya mi coraçón, que hasta aquí en ninguna parte descanso ni reposo fallava, está seguro, porque desto no puede redundar sino ganarla del todo a la satisfación de sus desseos y míos, o perder la vida donde con ella todas las cosas temporales fenescen. Y pues mi buena ven-

---

[12] *certenidad:* certeza. «Alargarle he la certenidad del remedio», *Celestina*, I, 38.

tura ha querido remediar y socorrer mis fatigas, es gran razón que todos seamos en reparar las suyas, que como persona que nunca en tal se vio, ni a ella es dado saber en qué cae, entiendo que no estará sin las tener muy grandes; y vos, mi señora, que en los tiempos passados avéis sido el mayor reparo de su vida, en este presente la aconsejad y esforçad, poniéndole delante que ni ante Dios ni su padre no es en cargo desto que passó, ni con razón por ninguna persona del mundo puede ser culpada. Pues si teme el gran poder de su padre con el del Emperador de Roma, podéis, mi señora, dezirle que tantos y tales somos en su servicio, que si su enojo no temiesse, yo los buscaría en sus reinos; y esto podrá muy bien ver tanto que don Cuadragante y don Brian de Monjaste vengan deste camino que a su padre van, donde sabremos si quiere la paz o tenemos guerra. Y entre tanto siempre me avisad de aquello en que más plazer y servicio aya, porque assí como su voluntad fuere se cumpla.

Mabilia le dixo:

—Mi señor, si quisiesse contaros lo que yo he passado, después que desta tierra partistes, por la consolar y remediar sus angustias y dolores, especial después que los romanos a casa de su padre vinieron, sería causa de nunca acabar. Y por esto, y porque enteramente conoscéis el gran amor que os tiene, os dexaré de más en ello hablar; y esto que, mi señor, mandáis, yo lo hago siempre, ahunque su discreción es tan crescida que, así en las cosas en que se ha criado, conformes a la cualidad y flaqueza de las mugeres, como en todas las otras que para nosotras son muy nuevas y estrañas, las conoce y siente con aquel ánimo y coraçón que a su real estado se requiere; y si no es en lo vuestro, que la haze salir de todo sentido, en todo lo otro ella basta para consolar a todo el mundo[13]. Y de las cosas que ella avrá plazer seréis siempre por mí avisado.

---

[13] En el último libro se insiste en las cualidades morales extraordinarias de Oriana, acordes con su alta posición social, si bien desde esta perspectiva se considera el amor como una pasión que enajena a la persona, pues la conduce a perder el dominio sobre sí misma. El tema se convierte en motivo recurrente de la poesía cancioneril del xv, hasta el punto de que Antony van Beystervelt, *La poesía amatoria del siglo XV y el teatro profano de Juan del Encina*, Madrid, Ínsula, 1972, cap. X, consideró la enajenación como la *fruta amarga* del amor cortés español.

Con esto acabaron su habla, y se tornaron donde Oriana estava. Gandalín se despidió dellos, y fue a entrar en la mar para ir a Gaula, del cual se dirá en su tiempo. Después que estos señores estovieron gran pieça con la princesa Oriana y con aquellas señoras que con ella estavan, hablando en muchas cosas de gran solaz, y mucho esforçando su partido, despidiéronse dellas y tornáronse a sus posadas, donde con mucho plazer y alegría estavan todos teniendo las cosas necessarias muy abastadamente, y viendo todas las cosas maravillosas de aquella ínsola, las cuales otras semejantes que ellas en ninguna parte del mundo se podrían ver, hechas y ordenadas por aquel gran sabidor Apolidón, que, seyendo señor della, allí las dexó.

Mas agora dexará la istoria de hablar dellos por contar del rey Lisuarte, que desto nada sabía.

## Capítulo XCIV

*Cómo llegó la nueva deste desbarato[1] de los romanos y tomada de Oriana al rey Lisuarte, y de lo que en ello fizo.*

Salió el rey Lisuarte, el día que entregó a su hija a los romanos, con ella una pieça de la villa, y ívala consolando algo con gran piedad como padre, y otras[2] vezes con passión demasiada por le quitar esperança que su propósito por ninguna manera se podía mudar; mas lo uno y lo otro poco consuelo ni remedio le dava, y sus llantos y dolores eran tan grandes, que no avía hombre en el mundo que le no moviesse a piedad. Y comoquiere que el Rey su padre en aquel caso avía estado muy duro y muy crudo[3], no pudo negar aquel amor paternal que a su hija tan acabada devía, y las lágrimas le vinieron a los ojos

---

[1] *desbarato:* acción de poner en confusión al enemigo. «En aquel desbarato ovo muchos cristianos que perdieron la memoria con miedo», *Gran Conquista de Ultramar*, IV, 131.

[2] *y otras:* a otras, ZR // y otras, S // .

[3] *crudo:* cruel, despiadado. «Es más penoso al delinquente esperar la cruda y capital sentencia, que el acto de la ya sabida muerte», *Celestina*, V, 99.

[4] *sin su grado:* sin su voluntad. La despedida de Lisuarte y Oriana se relata en varias ocasiones desde distintas perspectivas.

sin su grado[4]; y sin más le dezir se bolvió muy más triste que en el semblante mostrava, y antes habló con Salustanquidio y con Brondajel de Roca, encomendándogela mucho. Y tornóse a su palacio donde grandes llantos así en hombres como en mugeres halló por la partida de Oriana, que no bastó para el remedio dello el mandamiento muy estrecho que por él se les hizo, porque esta Infanta era la más querida, y más amada de todos que nunca persona en la Gran Bretaña lo fue[5].

El Rey miró por el palacio y no vio cavallero ninguno como ver solía, si no fue a Brandoivas, que le dixo cómo la Reina estava en su cámara llorando con mucho dolor. Él se fue para ella, y no halló en su aposentamiento ninguna de las dueñas y Infantas y otras donzellas de que muy acompañada estar solía. Y como assí lo vio todo tan desierto y mudado de como solía, assí de cavalleros como de mugeres, y los que en él estavan con tan gran tristeza, ovo tan gran pesar, que el coraçón se le cubrió de una nuve[6] escura, de manera que por una pieça no habló[7]. Y entró en la cámara donde la Reina estava, y cuando ella le vio entrar, cayó amortescida en un estrado sin ningún sentido. El Rey la levantó y la llegó a sí, teniéndola en sus braços fasta que en acuerdo fue tornada. Y como ya en mejor disposición la viesse y más reposada, díxole:

—Dueña, no conviene a vuestra discreción ni virtud mostrar tanta flaqueza por ninguna adversidad, cuanto más por esto en que tanta honra y provecho se recibe; y si mi amor y amistança[8] queréis vos aver, cesse, de manera que esto sea lo postrimero, que vuestra hija no va tan despojada que no se pueda tener por la mayor princesa que nunca en su linaje uvo.

La Reina no le pudo responder ninguna cosa, sino assí como estava se dexó caer de rostro sobre[9] una cama sospiran-

---

    [5] El amor de los súbditos por la desheredada Oriana, señal necesaria para un reinado venturoso, implica indirectamente la injusticia de la decisión adoptada por su padre, y, en consecuencia, un mayor acrecentamiento del dolor.

    [6] *nuve:* nueve, ZS // nuve, R // .

    [7] *por una pieça no habló:* no habló durante un rato. «Estuvo assi una pieça catandolo», *Demanda del Sancto Grial,* 279b.

    [8] *amistança:* amistad. «Aliaron en perpetua amistança los franceses con los de España», Alonso de Palencia, *Tratado de la perfección del triunfo militar,* 357b.

    [9] *sobre:* sobie, Z // sobre, RS // .

do con gran cuita de su coraçón. El Rey la dexó y se tornó a su palacio, donde no halló a quien hablar, si no fue al rey Arbán de Norgales y a don Grumedán, los cuales demostravan en sus gestos y semblantes la tristeza que en sus coraçones tenían; y ahunque él era muy cuerdo y sofrido y mejor que otro hombre supiesse desimular todas las cosas, no pudo tanto consigo que bien no mostrasse en su gesto y fabla el dolor que en lo secreto tenía. Y luego pensó que sería bien de se apartar por las florestas con sus caçadores hasta dar lugar al tiempo que curasse aquello que por entonces mal remedio tenía[10]; y mandó al rey Arbán que le fiziesse llevar tiendas y todo el aparejo que para la caça convenía a la floresta, porque se quería ir a correr monte luego otro día de mañana[11]. Y assí se fizo, que essa noche no quiso dormir en la cámara de la Reina por le no dar más passión de la que tenía; y otro día en oyendo missa se fue a su caça, en la cual, como solo se fallasse, mucho más la tristeza y pensamiento le agraviavan[12], de manera que en ninguna parte fallava descanso; que como éste fuesse un rey tan noble, tan gracioso, cudicioso de tener los mejores cavalleros que aver pudiesse, como los ya tuviera, y con ellos le aver venido todas las honras y buenas dichas y venturas a la medida de sus desseos, y agora en tan poco espacio verlo todo trocado, y tanto al contrario de lo que solía y su condición deseava, no tuvo tanto poder su discreción ni fuerte coraçón, que muchas vezes no se pusiese en grandes congoxas. Pero como muchas

---

[10] Sin llegar a tener la aguda conciencia del paso del tiempo de la *Celestina*, en los últimos libros del *Amadís* nos encontramos ante una mayor preocupación por él, en esta ocasión como atemperador de las pasiones, tema por otra parte tópico. Por otra parte, la caza se recomendaba como remedio para la tristeza. Cfr.: «de lo qual disen los sabios: entre otras cosas e causas por que fue fallado este honesto deporte de caça fue para apartar tristezas e cuidados del coraçón humano, e quitar e desterrar dél los pensamientos malos e dañosas imaginaciones, las quales apremian e consumen los cuerpos e los spíritus de los omes», R. Sánchez Arévalo, *Vergel de los príncipes*, 328a.

[11] *correr monte luego otro día de mañana*: cazar inmediatamente al día siguiente por la mañana. «O si avían de correr monte, él fería el puerco o el oso ante todos», *Crónica de don Álvaro de Luna*, 20, 8.

[12] La soledad produce un acrecentamiento de la tristeza. «Bien sabes tú que el descanso de los tristes es cuando su pena es comunicada, porque la recreación del habla el dolor del sentimiento afloxa», Diego de San Pedro, *Arnalte y Lucenda*, pág. 118. Véase también la nota 39 del capítulo XLIV.

vezes acaesce cuando la fortuna comiença a mandar sus vezes no ser contenta con los enojos que los hombres de su propia voluntad toman, antes ella con mucha crueza desseando los aumentar y crescer, siguiendo la orden de su estilo, que es en ninguna cosa ser ordenada, allí donde este Rey estava lo quiso mostrar, que, olvidando aquel pesar que a parescer della por tan liviana causa y de su grado avía tomado, se doliesse de otro más duro açote de que él no sabía[13]; que venidos algunos de los romanos que de la Ínsola Firme avían fuido, y sabiendo cómo el Rey allí estava, se fueron para él y le contaron todo lo que les avía acaescido, assí como la istoria lo ha contado, que no faltó ninguna cosa como aquellos que presentes avían seído a todo ello.

Cuando el Rey esto oyó, comoquiera que el dolor fuese muy grande, como de cosa tan estraña para él y que tanto le tocava, con buen semblante, no mostrando ningún pesar como los reyes suelen hazer, les dixo:

—Amigos, de la muerte de Salustanquidio y de la pérdida de vosotros me pesa mucho, que de lo que a mí toca usado soy de recebir afrentar y darlas a otros. Y no os partáis de mi corte, que yo os mandaré remediar de todo lo que menester ovierdes[14].

Ellos le besaron[15] las manos y le pidieron por merced que

---

[13] Algunas de las características de la fortuna coinciden con las señaladas por Juan de Mena, *El Laberinto de Fortuna*, est. 10: «Mas bien acatada tu varia mudança, / por ley te goviernas, maguer discrepante, / ca tu firmeza es non ser constante, / tu tenperamento es destenperança, / tu más çierta orden es desordenança, / es la tu regla ser muy enorme, / tu conformidad es non ser conforme, / tú desesperas a toda esperança.» Por otra parte, de la misma manera que una de las misiones caballerescas consiste en ensalzar a los humildes y rebajar a los soberbios, retomando palabras evangélicas, lo mismo sucede con los hechos regios, aunque de ello se encargan las fuerzas exteriores de la Fortuna. «Así lo dize Boecio en persona de la Fortuna en el segundo de Consolación: Aquéste, dize ella, es nuestro continuo juego, gozámosnos de abaxar los altos e de alçar los baxos», Martín de Córdoba, *Compendio de la fortuna*, ed. de Fernando Rubio, en *Prosistas castellanos del siglo XV*, II, Madrid, BAE CLXXI, 1964, 37a.

[14] *menester ovierdes:* necesitareis. «Luego vos darán todo quanto menester ovierdes», *Enrique fi de Oliva*, pág. 51. Como dice Nebrija, *Gramática*, pág. 256, «la segunda persona del plural puede recebir cortamiento desta letra *e*, que por amáredes, leiéredes, oiéredes, dezimos *amardes, leierdes, oierdes*».

[15] *le besaron:* se besaron, Z // le besaron, RS // .

se les acordasse de los otros sus compañeros y de aquellos señores que con ellos estavan presos. Él les dixo:

—Amigos, desso no tengáis cuidado, que ello se remediará
como a la honra de vuestro señor y mía cumple.

Y mandóles que a la villa se fuessen donde la Reina estava,
y que nada dixessen de aquello fasta que él fuesse; y ellos assí
lo fizieron. El Rey anduvo caçando tres días con el cuidado
que podéis entender, y luego se tornó adonde la Reina estava,
y al parescer de todos con alegre semblante, ahunque el coraçón sentía lo que en tal caso devía sentir[16]. Y en descavalgando, se fue a la cámara de la Reina. Y como ella era una de las
nobles y cuerdas del mundo, por le no dar más passión, viendo
que con ella poco se remediava su desseo, mostrósele mucho
más consolada. Pues el Rey llegado, mandó que todos saliessen
fuera de la cámara, y assentándose con ella en su estrado assí
le dixo:

—En las cosas de poca sustancia que por acidente vienen
tienen las personas alguna facultad y licencia para mostrar alguna passión y malenconía[17], porque assí como sobre pequeña
causa vienen, así livianamente con pequeño remedio se pueden dello partir. Pero en las muy graves que mucho duelen, especialmente en los casos de honra, es por el contrario, que
destas tales ha de ser y se ha de mostrar la graveza[18] pequeña,
y la vengança y el rigor muy grande. Y viniendo al caso, vos,
Reina, avéis sentido mucho la ausencia de vuestra fija, como es
costumbre de las madres[19]; y sobre ello avéis mostrado mucho

---

[16] Lisuarte contiene y refrena sus pasiones, sin exteriorizar su preocupación,
norma recomendada en la época para las personas de su categoría. «Era muy
discreto en saber disimular los fechos quando el casso lo requería —la qual cosa
es çiertamente en los actos humanos una grand sabieza, especialmente en las
personas de altos estados— [...]; ca non es dado ni conviene a la persona prudente magnifestar nin mostrar por esteriores muestras las turbaçiones y movimientos del ánimo suyo», *Crónica de don Álvaro de Luna*, 257, 5.

[17] *passión y malenconía*: sufrimiento y tristeza, melancolía.

[18] *graveza*: gravedad. «Muéstrase la grandeza e graveza deste pecado», Rodrigo Sánchez de Arévalo, *Suma de la política*, 275a.

[19] Para María Rosa Lida de Malkiel, *La originalidad artística de La Celestina*,
pág. 493, «sorprende al lector de los libros de caballerías hispánicos lo distante
de la relación entre las princesas enamoradas y sus madres». Dejando aparte las
conclusiones últimas de sus hipótesis, me parece que, con los matices que se

sentimiento, assí como en semejantes casamientos por otros muchos se suele fazer. Pero por dicho me tenía que en breve tiempo se pusiera en olvido; mas lo que desto sucede es de cualidad que, no mostrando sobrado enojo, con mucha diligencia y coraçón grande se ha de buscar la emienda dello. Sabed que los romanos que a vuestra hija llevaron con toda su flota son destruidos y presos, y muertos dellos muchos con su príncipe Salustanquidio, y ella con todas sus dueñas y donzellas tomada por Amadís y por los cavalleros que en la Ínsola Firme están, donde con mucha vitoria y plazer la tienen; assí que bien se puede dezir que cosa tan señalada en grandeza como ésta no es en memoria de hombres que en el mundo aya passado. Y por esto es menester que vos con mucha discreción como muger, y yo con gran esfuerço como rey y cavallero, pongamos el remedio que más con obra que con demasiado sentimiento a vuestra honestidad y a mi honra ponerse deve.

Oído esto por la Reina, estuvo una pieça que no respondió. Y como ésta fuesse una de las dueñas del mundo que más a su marido amasse, pensó que en cosa tal como ésta y con tales hombres más era menester de poner concordia que de encender la discordia, y dixo:

—Señor, ahunque vos tengáis en mucho lo que ha passado y sabéis de vuestra fija, si lo juzgardes considerando aquel tiempo que fuistes cavallero andante, pensaréis que según los clamores[20] y dolores de Oriana y de todas sus donzellas, y el grande espacio de tiempo que en ello turaron[21], donde se dio causa de ser por muchas partes publicados, que paresciendo en boz de todos, ahunque lo no fuesse una grandísima fuerça, que no se deve hombre maravillar que aquellos cavalleros, como hombres que en otro estilo no tengan sino acorrer dueñas y donzellas cuando algún tuerto y desaguisado reciben, se atre-

quiera, se ha producido un cambio desde el primer libro hasta estas adiciones de Montalvo, acorde también con un cambio de sensibilidad, que ha valorado más las relaciones maternales y la consideración del propio niño, independientemente de la ascendencia racial o religiosa de los autores.

[20] *clamor:* grito o voz que se profiere con vigor y esfuerzo. «Mine... menazas claromes bozes espantosas», Al. Palencia, 281f. «El clamor comun contava la su vergüença», *Confisión del Amante,* 451, 24.

[21] *turaron:* permanecieron.

viessen a lo que han fecho. Y comoquiera, señor, que vuestra fija sea, ya la entregastes aquellos que por parte del Emperador por ella vinieron; y la fuerça o injuria más a él que a vos toca, y agora al comienço se deve tomar con aquella templança que no paresca ser vos el cabo desta afruenta; que de otra manera se faziendo, muy mal se podría desimular.

El Rey le dixo:

—Agora, dueña, tened vos memoria de lo que a vuestra honestidad, como dicho tengo, conviene, que en lo que a mí toca, con ayuda de Dios, se tomará la emienda que a la grandeza de vuestro estado y mío se requiere.

Con esto se partió della, y se fue a su palacio. Y mandó llamar al rey Arbán de Norgales y a don Grumedán, y a Guilán el Cuidador[22], que ya de su dolencia mejor estava. Y apartado con ellos, les dixo todo el negocio de su hija y de lo que con la Reina avía passado, porque estos tres eran los cavalleros de todo su reino de quien él más confiava. Y rogóles y mandóles que mucho en ello pensassen y le dixessen su parescer porque tomasse lo que más a su honra cumpliesse, y que por entonces sin más deliberación no quería que nada le respondiessen.

Así estovo el Rey pensando algunos días lo que devía fazer. La Reina quedó con gran pensamiento y congoxa por ver la reguridad[23] del Rey su marido, y tenerla contra aquellos que bien sabía que antes perderían las vidas que un punto de sus honras, lo cual assí mismo del Rey esperava; assí que ningunas afruentas que le oviessen venido, ahunque muy grandes fueron, como esta gran istoria vos lo ha contado, en comparación désta no las tenía en ninguna cosa[24].

Pues, estando en su cámara rebolviendo en su sentido muchas y infinitas cosas para procurar el remedio de tanta rotura, entró una donzella que le dixo cómo Durín, hermano de la Donzella de Denamarcha, era allí llegado de la Ínsola Firme, y que la quería fablar. La Reina mandó que entrasse, y él fincó

---

[22] *Cuidador:* cuytador, Z // cuydador, RS // .

[23] *reguridad:* rigurosidad.

[24] La comparación con acontecimientos pasados internos de la propia obra encarece las dificultades presentes, de manera que llama la atención del lector, y funciona como tópico de sobrepujamiento, manteniendo la expectación del futuro narrativo.

los inojos y le besó las manos, y le dio una carta de Oriana su fija, que paresce ser que como Oriana vio la determinación de los cavalleros de la Ínsola Firme, que fue de embiar a don Cuadragante y a Brian de Monjaste al Rey su padre con el mandado que ya oístes, acordó que sería bueno para endereçar su embaxada que antes que ellos llegassen a la corte del Rey su padre de escrevir a la Reina su madre con este Durín una carta y así lo fizo[25]. Pues recebida la Reina la carta, viniéronle las lágrimas a los ojos con soledad de su fija y porque no la podía cobrar[26] si Dios por su misericordia no lo remediasse sin gran peligro y afruenta del Rey su señor. Y assí estuvo una pieça callada, que no pudo dezir a Durín ninguna cosa; y antes que más le preguntasse, abrió la carta para [la] leer, la cual dezía assí:

## Capítulo XCV

*De la carta que la infanta Oriana embió a la reina Brisena, su madre, desde la Ínsola Firme, donde estava.*

«Muy poderosa reina Brisena, mi señora madre: yo la triste y desdichada Oriana, vuestra hija, con mucha humildad mando besar vuestros pies y manos. Mi buena señora, ya sabéis cómo la mi adversa fortuna, queriendo me ser más contraria y enemiga que a ninguna muger de las que fueron ni serán, no lo meresciendo yo, dio causa a que de vuestra presencia y reinos desterrada fuesse con tanta crueza del Rey mi señor y padre, y tanto dolor y angustia de mi triste coraçón, que yo misma me maravillo cómo sólo un día la vida puede sostener. Pues no contenta mi gran desaventura con lo primero, veyendo cómo

---

[25] En las ocasiones anteriores, los relatos se narraban desde su comienzo, intentando dar una sensación de simultaneidad de diversas acciones a través del entrelazamiento. Ahora, el autor nos refiere la carta de Oriana desde su recepción final, evitando la práctica de la alternancia, por lo que el relato gana en unidad. Se incluyen los hechos en este momento para componer una escena con la que conmover a los lectores-oyentes.

[26] *cobrar*: recuperar. «Bolvió a cobrar su corona rreal», Pedro de Escavias, *Repertorio de príncipes*, 360.

antes a la cruel muerte que a contradezir el mandamiento del Rey mi padre[1], con la obediencia que con razón o sin ella le devo, estava dispuesta a la complir, quiso darme el remedio[2] muy más cruel para mí que la passión y triste vida que en lo primero tener esperava; porque en fenescer yo[3], sola fenescía una triste donzella que según sus grandes fortunas mucho más conveniente y aplazible la muerte le fuera que la vida. Mas de lo que agora se espera, si[4], después de Dios, vos, señora, haviendo piedad de mí no procuráis el remedio, no solamente yo, mas muchas otras gentes que culpa no tienen, con muy crueles y amargas muertes fenescerán sus vidas. Y la causa dello es que, o por permissión de Dios, que sabe el gran tuerto y agravio que se me faze, o porque mi fortuna, como dicho tengo, lo ha querido, los cavalleros que en la Ínsola Firme se fallaron desbaratando la flota de los romanos con grandes muertes y prisiones de los que defenderse quisieron, yo fue[5] tomada con todas mis dueñas y donzellas, y llevada a la misma ínsola, donde con tanta reverencia y honestidad como si en vuestra real casa estuviesse me tienen [y] soy tratada. Y porque ellos embían al Rey mi señor y mi padre ciertos cavalleros con intención de paz si en lo que a mí toca algún medio se diesse, acordé de antes que ellos allá llegassen escrevir esta carta, por la cual y por las muchas lágrimas que con ella se derramaron y sin ella se derraman, suplico yo a vuestra gran nobleza y virtud ruegue al Rey mi padre que aya manzilla[6] y compassión de mí, dando más lugar al servicio de Dios que a la gloria y honra perescedera deste mundo, y no quiera poner en condición el gran estado en que la movible fortuna hasta aquí con mucho favor le ha puesto, pues que mejor él que otro alguno sabe la gran fuerça y sin justicia que, sin lo yo merescer, se me fizo»[7].

---

[1] *padre:* papre, Z // padre, RS // .

[2] *el remedio:* al remedio, Z // el remedio, RS // .

[3] *fenescer yo:* fenescer y yo, Z // fenescer yo, RS // .

[4] *espera, si:* esperava si, Z // espera si, RS // .

[5] *fue:* fui. «Aquí fue yo traýda en este mismo lugar», *Enrique fi de Oliva,* pág. 92.

[6] *manzilla:* lástima, pena. «A las vezes verguença de cara manzilla es de coraçon», A. Martínez de Toledo, *Atalaya de las coronicas,* 27a-b.

[7] Como ya ha ocurrido en otras ocasiones, la segmentación externa de la obra en capítulos a veces no corresponde a unidades semánticas autónomas in-

Acabada la carta de leer, la Reina mandó a Durín que sin su respuesta no se partiesse porque convenía ante fablar con el Rey. Y dixo que así lo faría como lo mandava y díxole cómo todas las Infantas y dueñas y donzellas que con su señora quedavan le besavan las manos. La Reina embió a rogar al Rey que sin otro alguno se viniesse a su cámara porque le quería hablar, y él así lo fizo. Y como en la cámara solos quedaron, fincó la Reina los inojos delante dél llorando, y díxole:

—Señor, leed esta carta que vuestra hija Oriana me ha embiado[8], y aved piedad della y de mí.

El Rey la levantó por las manos y tomó la carta y leyóla, y por darle algún contentamiento díxole:

—Reina, pues que Oriana escrive aquí que aquellos cavalleros embían a mí, podrá ser tal embaxada que con ella se satisfaga la mengua recebida. Y si tal no fuere, aved por vos mejor que con algún peligro sea sostenida mi honra, que sin él sea menoscabada mi fama[9].

Y rogándola mucho que remitiéndolo todo a Dios, en cuya mano y voluntad estava, se dexasse de tomar más congoxas, y con esto se partió della y se tornó a su palacio. La Reina mandó llamar a Durín, y díxole:

—Amigo Durín, vete y di a mi fija que fasta que estos cavalleros vengan, como por su carta escrive, y se sepa la embaxada que traen, que no ay qué le pueda responder ni el Rey su padre se sabe determinar; y que venidos, si camino de concordia se puede fallar, que con todas mis fuerças lo procuraré. Y salúdamela mucho y a todas sus dueñas y donzellas, y dile que agora es tiempo en que se deve mostrar quién es; lo principal, en su fama, que sin ésta ninguna cosa que de preciar ni estimar

dependientes, divididas con coherencia. En este caso se ha dejado para un capítulo distinto el contenido de la carta. También habrá de tener en cuenta que en muchas ocasiones los capítulos y los epígrafes se colocan *a posteriori*.

[8] *embiado:* ambiada, Z // embiado, RS // .

[9] De la misma manera que en el llamado «mester de clerecía» el último verso de la cuarteta alcanza una «relevancia más marcada» como muy bien estudió F. Ynduráin, «Una nota sobre la composición del *Libro de Buen Amor*», en *El Arcipreste de Hita. El libro, el autor, la tierra, la época. Actas del I Congreso Internacional sobre el Arcipreste de Hita,* Barcelona, Seresa, 1973, 217-231, en el *Amadís* se suele dejar para el final de los parlamentos las frases sentenciosas que resumen conceptualmente lo dicho.

fuesse le quedaría, y lo otro, en sufrir las angustias y passiones como persona de tan alto lugar[10]; que así como Dios los estados y grandes señoríos a las personas da, assí sus angustias y cuidados son muy diferentes en grandeza de los de las otras más baxas personas; y que la encomiendo yo a Dios que la guarde y traya con mucha honra a mi poder.

Durín le besó las manos y se tornó por su camino; del cual no se dirá más porque en este viaje no llevó concierto alguno, ni Oriana con la respuesta de la Reina su madre quedó con esperança de lo que ella desseava[11].

La istoria dize que el rey Lisuarte estando un día después de aver oído missa en su palacio con sus ricos hombres queriendo comer, que entró por la puerta un escudero y dio una carta al Rey, la cual era de creencia; y el Rey la tomó, y leyéndola le dixo:

—Amigo, ¿qué es lo que queréis, y cúyo sois?[12].

—Señor —dixo él—, yo soy de don Cuadragante de Irlanda, que vengo a vos con su mandado.

—Pues dezid lo que queréis —dixo el Rey—, que de grado os oiré.

El escudero dixo:

—Señor don Cuadragante y Brian de Monjaste son llegados de la Ínsola Firme en vuestro reino con mandado de Amadís de Gaula y de los Príncipes y cavalleros que con él están; y antes que en vuestra corte entrassen, quisieron que lo supiéssedes, porque, si ante vos pueden venir seguros, dezirvos han su embaxada, y si no, publicarlo han por muchas partes y bolverse han adonde vinieron. Por ende, señor, respondedme lo que vos plazerá porque no se detengan.

---

[10] *angustias y passiones como persona de tan alto lugar:* angustias y sufrimientos como persona de tan elevada condición. «Si pasión tienes, súfrela en tu casa», *Celestina,* XI, 162. Se manifiestan dos de las cualidades exigidas a las personas de alta categoría: por un lado la fama, y por otro, la discreción en el sufrimiento.

[11] El narrador argumenta la abreviación del relato porque los personajes no han alcanzado los propósitos perseguidos, aspecto en el que insiste sobre todo cuando no se trata del héroe principal. Una explicación similar utilizó para no contar las aventuras de Agrajes, Galaor y Florestán en su fracasada búsqueda de Amadís, cap. LVIII.

[12] *cúyo sois:* de quién sois. «Yo le dire la verdaddel escudo [...] e cuyo fue primero», *Demanda del Sancto Grial,* 179a.

Oído esto por el Rey, estuvo un poco sin nada dezir, lo cual todo gran señor deve hazer por dar lugar al pensamiento[13]. Y considerando que de las embaxadas de los contrarios siempre se sigue más provecho que otro inconveniente alguno, porque si lo que traen es su servicio, tómanlo, y si al contrario, les quedan grandes avisos, y también porque paresce poco sufrimiento rehusar de no oír a los semejantes, dixo al escudero:

—Amigo, dezid a essos cavalleros que con toda seguridad mientra[14] en mi reino estuvieren pueden venir a mi corte, y que yo los oiré todo lo que me dezir querrán.

Con esto se tornó el mensajero. Y sabida la respuesta del Rey, salieron de la nave don Cuadragante y Brian de Monjaste armados de muy ricas armas, y al tercero día llegaron a la villa cuando el Rey acabava de comer. Y como ivan por las calles mucho los miravan todos, que muy bien los conoscían, y dezían unos a otros:

—¡Malditos sean los traidores que con sus mezclas falsas hizieron perder tales cavalleros y otros muchos de gran valor a nuestro señor el Rey!

Pero otros, que más sabían de cómo avía passado, toda la culpa cargavan al Rey que quiso sojuzgar su discreción a hombres escandalosos y embidiosos. Así fueron por la villa hasta que llegaron al palacio; y entrados en el patín[15], descavalgaron de sus cavallos y entraron donde el Rey estava, y salváronlo[16] con mucha cortesía, y él los recibió con buen talante. Y don Cuadragante le dixo:

—A los grandes príncipes conviene oír los mensajeros que a

---

[13] Lisuarte tras su disensión con Amadís se comporta de forma ambivalente, actuando de vez en cuando ejemplarmente en aspectos secundarios del relato pero destacados por el narrador. En esta ocasión practica las recomendaciones de los «regimientos de príncipes» de actuar sin precipitación, y más todavía delante de sus enemigos, refrenando su «saña», de gran tradición en este tipo de literatura. Véase María Jesús Lacarra, *Cuentística medieval española: los orígenes*, Zaragoza, Universidad de Zaragoza, 1979, págs. 157 y ss.

[14] *mientra*: mientras. La forma todavía se recoge en Al. de Palencia y se utiliza en *La Celestina*. «Procuremos provecho mientra pendiere la contienda», III, 68.

[15] *patín*: el patio pequeño que suele estar en lo interior de una casa (Cobarruvias). «Lleváronlos al patín, donde se abían de convatir a pie», P. Carrillo de Huete, *Crónica del Halconero de Juan II*, 27, 13.

ellos vienen quitada y apartada de sí toda passión, porque si la embaxada que les traen les contenta, mucho alegres deven ser averla graciosamente recebido; y si al contrario, más con fuertes ánimos y rezios coraçones deven poner el remedio que con respuestas desabridas. Y a los embaxadores se requiere dezir honestamente lo que les es encomendado sin temer ningún peligro que dello les pueda venir.

La causa de nuestra venida a vos, rey Lisuarte, es por mandado y ruego de Amadís de Gaula y de otros muchos grandes cavalleros que en la Ínsola Firme quedan, los cuales vos hazen saber cómo andando por las tierras estrañas buscando las aventuras peligrosas, tomando las justas y castigando las contrarias assí como la grandeza de su virtud y fuertes coraçones requiere, supieron de muchos cómo vos, más por seguir voluntad que razón y justicia, no curando de los grandes amonestamientos[17] de los grandes de vuestros reinos ni de las muchas lágrimas de la gente más baxa[18], ni aviendo memoria de lo que a Dios de buena consciencia se deve, quesistes deseredar a vuestra fija Oriana, sucessora de vuestros reinos después de vuestra vida, por heredar otra vuestra hija menor; la cual con muchos llantos y dolores muy doloridos sin ninguna piedad entregastes a los romanos, dándola por muger al Emperador de Roma contra todo derecho y fuera de la voluntad, assí suya[19] como de todos vuestros naturales. Y como estas tales cosas sean muy señaladas ante Dios, y Él sea el remediador dellas, quiso permitir que, sabido por nosotros, pusiéssemos remedio en cosa que tan gran tuerto se hazía contra su servicio.

---

[16] *salváronlo:* saludáronlo. «E quando ellos entraron a el salvaronle», Leomarte, *Sumas de historia troyana,* 183.

[17] *no curando de los grandes amonestamientos:* sin preocuparse de las grandes advertencias. «Aquel día, por amonestamiento de la boz del angel, e por mandado de Dios, el donzel e cavallero novel fue a la corte», *Tristán de Leonís,* 445b.

[18] Mientras los «buenos hombres» muestran su opinión al rey Lisuarte a través del consejo, la gente baja manifiesta su adhesión mediante manifestaciones externas como las lágrimas. Téngase en cuenta que el Rey actúa injustamente, dando un ejemplo poco recomendable. Uno de los consejos de la *Glosa castellana al regimiento de príncipes* es que «los heredamientos e las posesiones vengan a sus herederos e a aquellos que las deven haver de derecho, ca si así no fuese, turbarse havía la paz mucho e el buen estado del reyno e de la cibdad», III, 129.

[19] *suya:* suyo, Z // suya, RS // .

Y assí se hizo no con voluntad ni intención de injuriar, mas de quitar tan gran fuerça y desaguisado, de la cual sin mucha vergüença nuestra no nos podíamos partir, que, vencidos los romanos que la levavan, fue por nosotros tomada y levada con tan gran acatamiento y reverencia como a la su nobleza y real estado convenía a la Ínsola Firme, donde acompañada de muchas nobles señoras y grandes cavalleros la dexamos. Y porque nuestra intención no fue sino servir a Dios y mantener derecho[20], aquellos señores y grandes cavalleros acuerdan de vos requerir que en lo que aquella noble Infanta toca queráis dar algún medio cómo, cessando el grande agravio y tan conoscida fuerça, sea restituida en vuestro amor con aquellas firmezas que a la verdad y buena conciencia se requieren dar. Y si por ventura vos, Rey, algún sentimiento de nosotros tenéis, quede para su tiempo, porque no sería razón que lo cierto d'aquella Princesa con lo dudoso de nosotros se mezclasse.

El Rey, después que don Cuadragante ovo acabada su razón, respondió en esta guisa:

—Cavalleros, porque las demasiadas palabras y duras respuestas no acarrean virtud ni de los coraçones flacos fazen fuertes, será mi respuesta breve y con más paciencia que vuestra demanda lo meresce. Vosotros avéis complido aquello que según vuestro juizio más a vuestras honras satisfaze con más sobrada sobervia que con demasiado esfuerço, porque no a gran gloria se deve contar saltear y vencer a los que sin ningún recelo y con toda seguridad caminan, no teniendo en las memorias cómo yo, seyendo lugarteniente de Dios, a Él y no a otro ninguno soy obligado de dar la cuenta de lo que por mí fuere fecho[21]. Y cuando la emienda desto tomada fuere, se po-

---

[20] *mantener derecho:* mantener, obrar en justicia. «Yo la provare en tal manera, que vos digays que yo mantengo derecho», *Tristán de Leonís,* 346b.

[21] El problema planteado por Lisuarte tuvo diversas vicisitudes durante la Edad Media. Como muy bien señala Joaquín Gimeno Casalduero, *La imagen del monarca en la Castilla del siglo XIV,* Madrid, Rev. de Occidente, 1972, págs. 18-19, «se atribuyó a Dios, de acuerdo con los Santos Padres, la autoridad del soberano; y un número de teorizadores afirmó, apoyándose en San Agustín, que a Dios únicamente debía dar cuenta el monarca, que solo Dios podía juzgarle y podía deponerle. La mayoría concluyó, por el contrario, que al ser el propósito del gobernante el bienestar del pueblo, debía responder ante el pueblo de sus actos y decisiones».

día fablar en el medio que por vos se pide; y porque lo demás
será sin ningún fruto, no es menester replicación.

Don Brian de Monjaste le dixo:

—Ni a nosotros otra cosa conviene sino que, sabida vuestra
voluntad y la cuenta que de lo passado a Dios devemos, pongan cada una de las partes en exsecución aquello que más a su
honra cumple[22].

Y despedidos del Rey, cavalgaron en sus cavallos y salieron
del palacio; y don Grumedán con ellos, a quien el Rey mandó
que los aguardasse hasta que de la villa saliessen. Cuando don
Grumedán se vio con ellos fuera de la presencia del Rey,
díxoles:

—Mis buenos señores, mucho me pesa de lo que veo, porque yo, conosciendo la gran discreción del Rey y la nobleza de
Amadís y de todos vosotros, y los grandes amigos que acá teníades, mucha esperança tenía que este enojo avría algún buen
fin; y parésceme que, siendo todo al contrario, agora más que
nunca dañado lo veo fasta que a Nuestro Señor plega poner en
ello aquella concordia que menester es. Pero tanto[23] os ruego
que me digáis cómo se falló en la Ínsola Firme Amadís a tal
tiempo, que mucho ha que dél no se supieron nuevas ningunas, ahunque muchos de sus amigos lo han buscado con grandes afanes por tierras estrañas.

Don Brian de Monjaste le dixo:

—Mi señor don Grumedán, en lo que dezís del Rey y de
nosotros no será menester a vos, que tan sabido lo tenéis, daros la cuenta muy larga, sino que conoscido está la gran fuerça
qu'el Rey a su hija hizo, y la razón que a nosotros nos obliga de
la quitar, y, ciertamente, dexando su enojo y nuestro aparte,

---

[22] Desde un punto de vista narrativo, la embajada no posibilita un avance
del relato, e incluso los caballeros a la vez que la paz con Lisuarte han solicitado
ayuda a sus aliados. No obstante, esta amplificación retórica nos muestra otra
forma de narrar y una ideología diferente de la de los primeros libros. Se intenta
evitar, por distintos medios, la guerra, persuadir al enemigo, y dejar memoria de
lo acontecido con una ostentación no tanto de hechos sino cuanto de formas.
Como señala Rodrigo Sánchez de Arévalo, *Suma de la política*, 268-269, «el
prudente político deve ante todas las cosas tomar un fundamento y conclusión
inviolable que en esta parte ponen los filósofos: la qual es que siempre la guerra
se deve escusar, salvo en los casos de necessidad o de evidente utilidad».

[23] *Pero tanto:* pero entre tanto.

plazer oviéramos que algún medio se tomara en lo que a él y a la infanta Oriana toca. Mas, pues todavía[24] con mucho rigor le plaze proceder contra nosotros más que con justa causa, él verá que la salida dello le será más trabajosa que la entrada le paresce[25]. Y a lo que, mi buen señor, preguntáis de Amadís sabréis que fasta qu'él desta corte fue, llamándose el Cavallero Griego, y levó consigo aquella dueña por quien los romanos fueron vencidos, y la[26] corona ganada de las donzellas, nunca ninguno de nosotros supimos nuevas dél.

—¡Santa María, val! —dixo don Grumedán—. ¿Qué me dezís? ¿Es verdad qu'el Cavallero Griego que aquí vino era Amadís?

—Verdad sin dubda ninguna es —dixo don Brian.

—Agora os digo yo —dixo don Grumedán—, que me tengo por hombre de mal conoscimiento, que bien deviera yo pensar que, cavallero que tales estrañezas fazía en armas sobre todos los otros, que no deviera ser sino él. Agora vos pregunto: los dos cavalleros que aquí dexó que me ayudassen en la batalla que tenía aplazada con los romanos ¿quién eran?

Don Brian le dixo riendo:

—Vuestros amigos Angriote d'Estraváus y don Bruneo de Bonamar.

—A Dios merced —dixo él—, que si yo los conosciera, no temiera tanto mi batalla como la temía; y agora conozco que gané en ella muy poco prez, pues que con tales ayudadores no tuviera en mucho vencer a dos tantos[27] de los que fueron.

—Sí Dios me vala —dixo don Cuadragante—, yo creo que

---

[24] *todavía*: a pesar de ello, en todo momento. «Con mayor ynstaçia suplicaban al Rey que no le reçibiese escusaçión que pusiese, mas que todavía lo fiziese venir», *Crónica de don Álvaro de Luna*, 64, 32.

[25] De acuerdo con los argumentos de la propia obra, el hombre mesurado se preocupa antes por la salida, por el final de las situaciones, que por su entrada, comienzo. Como dice Alfonso Martínez de Toledo, *Corbacho*, pág. 142, «por ende, dixo Salomón: «Non por el comienço la loor es cantada, mas por la fin syenpre fue comendada». Asý que muchas cosas tyenen buenos comienços que sus fines son diversos. Por eso dise el enxienplo bulgar: «Quien adelante cata a atrás cae.» Según estas premisas, la ausencia de una solución factible —la salida— posibilita el encuentro bélico final de difícil resolución.

[26] *y la:* y a la, Z // y la, RS // .

[27] *dos tantos:* el doble.

si por vuestro coraçón se juzgasse, vos solo bastávades[28] para ellos.

—Señor —dixo don Grumedán—, cualquier que yo sea, soy mucho en el amor y voluntad de todos vosotros, si a Dios pluguiesse de dar algún cabo bueno en esto sobre que venís[29].

Assí fueron fablando fasta salir de la villa y una pieça más adelante. Y queriéndose don Grumedán despedir dellos, vieron venir a Esplandián, el fermoso donzel, de caça, y Anbor, fijo de Angriote d'Estraváus, con él; y él traía un gavilán, y cavalgando en un palafrén muy fermoso y ricamente guarnido que la reina Brisena le avía dado, y vestidos de ricos paños, que assí por su fermosura tan estremada[30] como por lo que dél Urganda la Desconoscida avía scripto al rey Lisuarte, como la tercera parte desta istoria más largo lo cuenta, el Rey y la Reina le mandava[n] dar complidamente lo que menester avía[31]. Y cuando llegó donde ellos estavan, salvólos, y ellos a él. Y Brian de Monjaste preguntó a don Grumedán quién era aquel tan fermoso donzel, y él le dixo:

—Mi señor, éste se llama Esplandián, y fue criado por grande aventura, y muy grandes cosas dél escrivió Urganda al Rey de lo que dél será.

—Valme Dios —dixo don Cuadragante—, mucho emos allá en la Ínsola Firme oído dezir deste donzel; y bien será que lo llaméis y oiremos lo que dize.

Entonces don Grumedán lo llamó, que era ya passado, y díxole:

—Buen donzel, tornad, y embiaréis encomiendas[32] al Cavallero Griego, que con vos de tanta cortesía usó en daros los romanos que para matar tenía.

Entonces Esplandián se tornó, y dixo:

—Mi señor, mucho alegre sería en saber de aquel tan noble cavallero dónde gelas pudiesse embiar, como lo vos mandáis y él lo meresce.

---

[28] *bastávades:* bastevedes, Z // bastavades, RS // .
[29] *dar algún cabo bueno en esto sobre que venís:* terminar felizmente esto sobre lo que venís.
[30] *estremada:* estramada, Z // estremada, RS // .
[31] *complidamente lo que menester avía:* suficientemente lo que necesitaba.

—Estos cavalleros van dond'él está —dixo don Grumedán.

—Dízevos verdad —dixo don Cuadragante—, que nosotros llevaremos vuestro mandado al que se llamava el Cavallero Griego, y agora se llama Amadís

Cuando Esplandián esto oyó, dixo:

—¡Cómo, señores!, ¿es éste Amadís de que todos tan altamente fablan de sus grandes cavallerías, y tan estremado es entre todos?

—Sí, sin falta —dixo don Cuadragante— éste es.

—Yo os digo, ciertamente —dixo Esplandián—, en mucho se deve tener su gran valor, pues tan señalado es entre tantos buenos. Y la embidia que dél se tiene no pone osadía a muchos de se fazer sus iguales, pues no menos deve ser loado por su gran mesura y cortesía; que ahunque yo le tomé con gran ira y saña, no dexó por esso de me fazer gran honra, que me dio aquellos cavalleros que vencidos tenía, de que gran enojo avía recebido, lo cual mucho le gradezco. Y plega a Dios de me llegar a tiempo que con tanta honra como lo él fizo, con otra tal gelo pueda pagar.

Mucho fueron contentos aquellos cavalleros de lo que le oyeron dezir, y por estraña cosa tenían su gran hermosura y lo que dél les havía dicho don Grumedán, y sobre todo la gracia y discreción con que con ellos fablava. Y don Brian de Monjaste le dixo:

—Buen donzel, Dios os faga hombre bueno, assí como os hizo fermoso.

—Muchas mercedes —dixo él— por lo que me dezís; mas si algún bien me tiene guardado, agora[33] lo quisiera para poder servir al Rey mi señor, que tanto ha menester el servicio de los suyos. Y señores, a Dios quedéis encomendados, que ha gran pieça que de la villa salí.

Y don Grumedán se despidió dellos y se fue con él, y ellos se fueron a entrar en su nave para se tornar a la Ínsola Firme. Mas agora dexa la historia de fablar dellos, y torna al rey Lisuarte.

---

[32] *encomiendas:* expresiones de cortesía.
[33] *agora:* agoro, Z // agora, RS // .

## Capítulo XCVI

*Cómo el rey Lisuarte demandó consejo al rey Arbán de Norgales, y a don Grumedán y a Guilán el Cuidador, y lo que ellos le respondieron.*

Después que aquellos cavalleros del rey Lisuarte se partieron, mandó llamar al rey Arbán de Norgales, y a don Grumedán y a Guilán el Cuidador, y díxoles:

—Amigos, ya sabéis en lo que estoy puesto con estos cavalleros de la Ínsola Firme, y la gran mengua que dellos he recebido; y ciertamente, si yo no tomasse la emienda de manera que aquel gran orgullo que tienen no sea quebrantado, no me ternía por rey, ni pensaría que por tal ninguno me toviesse. Y por dar aquella cuenta de mí que los cuerdos deven dar, que es fazer sus cosas con gran consejo y mucha deliberación, quiero, como vos huve dicho, me digáis vuestro pareçer porque sobre ello yo tome lo que más a mi servicio cumple[1].

El rey Arbán, que era buen cav[a]llero y muy cuerdo, y que mucho desseava la honra del Rey, le dixo:

—Señor, estos cavalleros y yo hemos mucho pensado y fablado, como nos lo mandastes, por vos dar el mejor consejo que nuestros juizios alcançaren, y fallamos que, pues vuestra voluntad es de no venir en ninguna concordia con aquellos cavalleros, que con mucha diligencia y gran discreción se deve buscar el aparejo[2] para que sean apremiados y su locura refrenada; que nosotros, señor, de una parte vemos que los cavalleros que en la Ínsola Firme están son muchos y muy poderosos en armas, como vos lo sabéis; que ya por la bondad de Dios todos ellos fueron mucho tiempo en vuestro servicio. Y demás

---

[1] *porque sobre ello yo tome lo que más a mi servicio cumple:* para que yo disponga sobre el asunto lo que más importa para mi servicio. «Mas sabemos los vuestros parientes naturales que cunple a vos», Alfonso Martínez de Toledo, *Atalaya de las coronicas*, 91b.

[2] *aparejo:* el dispositivo, objetos necesarios para hacer ciertas cosas. «Y los apareios que yo vi alli para tormentar a la mas que tormentada Fiometa, por ser increhibles cosas de creher las callo», Juan de Flores, *Grimalte y Gradissa*, página 71.

de lo que ellos pueden y valen, somos certificados que han embiado a muchas partes por grandes ayudas, las cuales creemos que hallarán, porque son de gran linaje, assí como fijos y hermanos de reyes y de otros grandes hombres, y por sus personas han ganado otros muchos amigos. Y cuando assí vienen gentes de muchas partes prestamente se llega[3] gran hueste. Y de la otra parte, señor, vemos vuestra casa y corte muy despojada de cavalleros, más que en ningún tiempo que en la memoria tengamos. Y la grandeza de vuestro estado ha traído en os poner en muchas enemistades que agora mostrarán las malas voluntades que contra vos tienen, que muchas dolencias déstas acostumbran a descobrir las necessidades que con las bonanças están suspensas y calladas. Y assí por estas causas como por otras muchas que dezirse podrían sería bien que vuestros servidores y amigos sean requeridos, y se sepa lo que en ellos tenéis, en especial el Emperador de Roma, a quien ya más que a vos toca esto, como la Reina vos dixo. Y visto el poder que se os apareja, assí, señor, podéis tomar el rigor, o el partido que se vos ofreçe.

El Rey se tuvo por bien aconsejado, y dixo que assí lo quería hazer. Y mandó a don Guilán que él tomasse cargo[4] de ser el mensajero para el Emperador, que a tal cavallero como él convenía tal embaxada. El le respondió:

—Señor, para esto y mucho más está mi voluntad presta a vos servir. Y a Dios plega por la su merced que assí como lo yo desseo se cumpla en acreçentamiento de vuestra honra y gran estado; y el despacho sea presto, que vuestro mandamiento será puesto luego en exsecución.

El Rey le dixo:

—Con vos no será menester sino creencia, y es ésta: que digáis al Emperador cómo él de su voluntad me embió a Salustanquidio y Brondajel de Roca, su mayordomo mayor, con otros asaz cavalleros que con ellos vinieron a demandar mi fija Oriana para se casar con ella; que yo, por le contentar y le to-

---

[3] *se llega:* se reúne. «Llegó en poco tienpo grande tesoro», Fernán Pérez de Guzmán, *Generaciones y semblanzas*, pág. 6.

[4] *tomasse cargo:* se encargase. «Tomava cargo en fablar por los pobres», Gutierre Díez de Games, *El Victorial*, 88, 20.

mar en mi deudo, contra la voluntad de todos mis naturales teniendo a ésta por señora dellos después de mis días, me dispuse a gela embiar comoquiera que con mucha piedad mía y mucho dolor y angustia de su madre por la ver apartar de nosotros en tierras tan estrañas; y que recebida por los suyos con sus dueñas y donzellas, y entrados en la mar fuera de los términos[5] de mis reinos, que Amadís de Gaula con otros cavalleros sus amigos salieron con otra flota de la Ínsola Firme, y que, desbaratados todos los suyos y muerto Salustanquidio, fue por ellos tomada mi hija con todos los que bivos quedaron, y levada a la misma ínsola, donde la tienen; y que han embiado a mí sus mensajeros, por los cuales me profieren algunos partidos[6]; pero que yo, conoçiendo que a él más que a mí toca este negocio, no he querido venir con ellos en ninguna contratación hasta gelo fazer saber[7], y que sepa que con lo que yo más satisfecho sería es que allí donde ellos la tienen por nosotros cercados fuessen, de tal suerte que diéssemos a todo el mundo a conoçer que ellos como ladrones y salteadores y nosotros como grandes príncipes avíamos castigado este insulto tan grande, que tanto nos toca. Y vos dezilde lo que en este caso vos pareçiere allende desto[8]; y si en esto acuerda[9], que se ponga luego en exsecución, porque las injurias siempre creçen con la dilación de la enmienda que dellas se deve tomar[10].

---

[5] *términos:* límites.

[6] *profieren algunos partidos:* me ofrecen voluntariamente algunos tratos. «Estaría más ynclinado a fazer algún partido que fuese ygual et razonable a amas las partes», Fernando del Pulgar, *Crónica de los Reyes Católicos*, 222, 29.

[7] *saber:* sober, Z // saber, RS // .

[8] *allende desto:* además de esto. «Poseerá allende desto cerimonias e honores», Alonso de Palencia, *Tratado de la perfección del triunfo militar*, 368a.

[9] *en esto acuerda:* en esto coincide, conviene. «A todos los troyanos plogo con este consejo e acordaron en el», *Historia de Bretaña*, 53, 3.

[10] Uno de los caracteres de la venganza implica la diligencia de su ejecución, como también recordarán en el Siglo de Oro. «Todo titubeo en ella es una cobardía.

> Nunca un español dilata,
> la muerte a quien le maltrata,
> ni da a su venganza espera.»

Tirso, *El celoso prudente* (Jorn. II. Esc. 21)», como señala R. Menéndez Pidal, «Del honor en el teatro español», en *De Cervantes y Lope de Vega*, ob. cit., pág. 147.

Don Guilán le dixo:

—Señor, todo se hará como lo mandáis; y a Dios plega que mi viaje aya aquel efecto que en mi voluntad está de os servir.

Y tomando una carta por do creído fuesse, se partió a entrar en la mar, y lo que hizo la historia lo contará adelante.

Esto fecho, mandó el Rey llamar a Brandoivas, y mandóle que fuesse a la ínsola de Mongaça a don Galvanes, que luego con toda la gente de la ínsola para él se viniesse; y desdende[11] se passasse en Irlanda al rey Cildadán y le dixesse otro tanto, y trabajasse con él cómo con el mayor aparejo de guerra que haver podiesse se viniesse a él donde supiesse que estava. Y assí mesmo mandó a Filispinel que fuesse a Gasquilán, Rey de Suesa, y le dixesse en lo que estava, y pues que era cavallero tan famoso y tanto se agradava y procurava hazañas, que agora tenía tiempo de mostrar la virtud y ardimiento de su coraçón. Y assí embió a otros muchos sus amigos, aliados y servidores, y a todo su reino, que estuviessen apercebidos para cuando estos mensajeros tornassen. Y mandó buscar muchos cavallos y armas por todas partes para hazer la más gente de cavallo que pudiesse.

Mas agora dexaremos esto, que no se dirá más fasta su tiempo por dezir lo que Arcaláus el Encantador hizo. Cuenta la historia que estando Arcaláus el Encantador en sus castillos, esperando siempre de hazer algún mal como él y todos los malos de costumbre lo tienen, llególe esta gran nueva de la discordia y gran rotura que entre el rey Lisuarte y Amadís estava, y si dello ovo plazer, no es de contar, porque éstos eran los dos hombres del mundo a quien él más desamava, y nunca de su pensamiento ni cuidado se partía pensar en cómo sería causa de su destruición; y pensó qué podría hazer en tal coyuntura como ésta con que dañar les pudiesse, que su coraçón no se podía otorgar de ser en ayuda de ninguno dellos. Y como en todas las maldades era muy sotil, acordó de trabajar en que se juntasse otra tercera hueste, assí de los enemigos del rey Lisuarte como de Amadís, y ponerla en tal parte, que si batalla oviessen, que muy ligeramente pudiessen los de su parte vencer y destruir los que quedasen. Y con este pensamiento y des-

---

[11] *desdende:* desde allí.

seo cavalgó en su cavallo, tomando consigo los servidores que menester havía, y fuese por sus jornadas, assí por tierra como por la mar al rey Arávigo, que tan maltrecho avía quedado de la batalla qu'él y los otros seis Reyes sus compañeros ovieron con el rey Lisuarte, como lo cuenta la parte tercera desta historia del gran daño y mengua que en ella de Amadís y de su linaje havía recebido; y como a él llegó, le dixo:

—O rey Arávigo, si aquel coraçón y esfuerço que a la grandeza de tu real estado se requiere tener tienes, y aquella discreción con que governarlo deves, aquella contraria fortuna qu'el tiempo passado te fue tan enemiga con mucho arrepentimiento dello te quiere dar la emienda tal, que con doblada vitoria el gran menoscabo de tu honra sea satisfecha; lo cual, si sabio eres, conoçerás ser en tu mano el remedio dello. Y tú, Rey, sabrás cómo yo, estando en mis castillos con gran cuidado de pensar en tu pérdida y buscar cómo reparada fuesse, porque [d]el[12] acreçentamiento de tu real estado ocurre a mí, como a servidor tuyo, muy grandíssimo provecho, supe por nueva muy cierta cómo los tus grandes enemigos y míos, el rey Lisuarte y Amadís de Gaula, son el todo el estremo de rotura el uno contra el otro, y sobre causa de tal calidad, que ningún medio ni remedio se espera ni puede haver sino gran batalla y cuestión con destruición de uno dellos, o, por ventura, de entrambos; y si mi consejo quisierdes tomar, es cierto que no solamente será remedio de la pérdida que por el passado de mí oviste, mas para que con muchos más señoríos tu estado será creçido, y después de todos aquellos[13] que tu servicio queremos.

El rey Arávigo, cuando esto le oyó, y vio Arcaláus llegar de tan lueñes tierras y con tanta priessa, dixo:

—Amigo Arcaláus, la grandeza del camino y la fatiga de vuestra persona me dan causa a que vuestra venida en mucho tenga, y creer todo aquello que me dixierdes; y quiero que por estenso me sea declarado esto que me dizes, porque mi voluntad nunca por tiempo adverso dexará de seguir lo que a la grandeza de mi persona conviene.

---

<sup>12</sup> *porque [d]el:* porque el, ZR // porque del, S // .
<sup>13</sup> *aquellos:* aquelloss, Z // aquellos, RS // .

Estonces Arcaláus le dixo:

—Sabrás, Rey, que el Emperador de Roma, queriendo tomar muger, embió al rey Lisuarte que le diesse a su hija Oriana; el cual, viendo su grandeza, ahunque esta Infanta es su derecha heredera de la Gran Bretaña, se dispuso a gela dar, y entrególa a un primo cormano del mismo Emperador llamado Salustanquidio, Príncipe muy poderoso, y llevándola con gran compaña de romanos por la mar, salió a ellos Amadís de Gaula con muchos cavalleros sus amigos. Y muerto este Príncipe y destruida toda su flota, y presos y muertos otros muchos de los que en ella fallaron, fue robada y tomada Oriana, y llevada a la Ínsola Firme, donde la tienen. La mengua que desto viene al rey Lisuarte y al Emperador ya lo puedes conoçer. Y quiero que sepas que este Amadís de quien te fablo es uno de los cavalleros de las armas de las sierpes que contra ti fueron, y contra los otros seis Reyes que contigo estuvieron en la gran batalla que con el rey Lisuarte oviste. Y éste fue el que el yelmo dorado traía, que por virtud de su alta proeza y gran esfuerço la vitoria de las tus manos fue quitada. Assí que por esto que te digo el rey Lisuarte de un cabo y Amadís del otro llaman la más gente que pueden; donde con razón se deve y puede juzgar que el mismo Emperador por vengar tan gran lástima de su coraçón y mengua de su honra verná en persona; pues de aquí puedes juzgar haviendo batalla qué daño della les puede ocurrir. Y si tú quieres llamar tus compañas, yo te daré por ayudador a Barsinán, señor de Sans[u]eña, hijo del otro Barsinán que el rey Lisuarte hizo matar en Londres; y darte he más a todo el gran linaje del buen cavallero Dardán el Sobervio, que Amadís en Vindilisora[14] mató, que será gran compaña de muy buenos cavalleros. Y assí mismo faré venir al Rey de la Profunda Ínsola, que contigo escapó de la batalla[15]; y con toda esta gente nos podremos poner en tal parte, donde por mí serán guiados, que dada la batalla por ellos, assí a los vencidos como a los vencedores llevarás muy seguramente en las manos

---

[14] *Vindilisora:* vindelisora, Z // vindilisora, RS // .

[15] Como ya había sucedido en el libro III en la batalla de los siete Reyes, se utilizan las mismas técnicas en este combate que ocupa el centro del libro IV, al concentrarse todos los enemigos de Lisuarte y de Amadís, en una clara gradación.

sin ningún peligro de tus gentes; pues, ¿qué puede de aquí redundar sino que, demás de ganar tan gran vitoria, toda la Gran Bretaña te será sujeta y tu real estado puesto en la más alta cumbre que de ningún Emperador del mundo? Agora, mira, Rey poderoso, si por tan pequeño trabajo y peligro, quieres perder tan gran gloria y señorío.

Cuando el rey Arávigo esto oyó, mucho fue alegre, y díxole:

—Mi amigo Arcaláus, gran cosa es ésta que me havéis dicho, y comoquiera que mi voluntad tenga de no tentar más la fortuna, gran locura sería dexar las cosas que con mucha razón a dar grande honra y provecho se ofreçen; porque si como se espera salen, y la misma razón las guía, reciben los hombres aquel fruto que su trabajo mereçe. Y si al contrario les sale, hazen aquello que por virtud son obligados, dando la cuenta de sus honras que darse deve, no teniendo en tanto las desaventuras passadas, que el remedio dellas, cuando el caso se ofreçe, dexen de provar sin los tener somidos[16], abatidos, y deshonrados todos los días de su vida. Y pues que assí es, lo que en mí será de mis gentes y amigos perded cuidado; en lo otro proveed con aquella afición y diligencia que veis que para semejante caso conviene.

Arcaláus, tomada esta palabra del Rey, se partió para Sansueña[17], y fabló con Barsinán, trayéndole a la memoria la muerte de su padre y de su hermano Gandalod, el que venció don Guilán el Cuidador y lo llevó preso al rey Lisuarte, el cual le mandó despeñar de una torre al pie de la cual su padre fuera quemado. Y assí mesmo le dixo cómo en aquel tiempo le tenía su fecho acabado para que su padre fuesse rey de la Gran Bretaña, que tenía preso al rey Lisuarte y a su hija, y cómo por el traidor de Amadís le fuera todo quitado; que agora tenía tiempo de no solamente ser vengado de sus enemigos a su voluntad, mas que aquel gran señorío que su padre errado havía él estava en disposición de lo cobrar, y que tuviesse coraçón[18],

---

[16] *somidos:* sumidos, hundidos.

[17] Parece significativo que Arcaláus después de hablar con el rey Arábigo vaya a Sansueña, creándose de esta forma una relación por proximidad, presente en algunos autores del xvi que pensaban que Sansueña era una ciudad mora. Véase la nota 13 del capítulo XXXI, vol. I.

[18] *tuviesse coraçón:* se animara, se esforzara.

que sin él las grandes cosas pocas vezes se podían alcançar, y que si la fortuna a su padre fue tan contraria, que dello arrepentida a él quería hazer la satisfación del daño recebido. Y assí mesmo le dixo cómo el rey Arávigo con todo su poder se aparejava, porque veía la cosa tan vencida, que se no podía errar en ninguna manera, y todas las otras ayudas que para este negocio tenía ciertas, y otras cosas muchas, como aquel que tal oficio siempre havía usado, y muy gran maestro de maldades havía salido.

Como Barsinán fuesse mancebo muy orgulloso, y en lo malo a su padre pareçiesse, con poca premia[19] y trabajo le traxo a todo lo que quiso; y con coraçón muy ardiente y sobervia muy demasiada le respondió que con toda afición y voluntad sería en este viaje, llevando consigo toda la más gente de su señorío, y de fuera dél todos los que seguirle quisiessen. Arcaláus, cuando oyó estas razones, fue muy alegre de cómo fallava aparejo al contentamiento de su voluntad, y díxole que luego fuesse todo apercebido para cuando él el aviso embiasse, porque esto era muy necessario que fuesse mirado con diligencia.

Y desde allí fue muy prestamente y con coraçón muy alegre al Rey de la Profunda Ínsola, y razonó con él muy gran pieça. Y tanto le dixo y tales razones le dio, que assí como a éstos, le fizo mover y apercebir toda su gente muy en orden como aquel que de[l]lo[20] tal necessidad tenía.

Esto hecho, se tornó a su tierra y habló con los parientes de Dardán el Sobervio, por cuanto creía a todos con la semejante habla venir mucho provecho; y lo más secreto que pudo se concertó con ellos, diziéndoles el grande aparejo que tenía. Assí estuvo esperando al tiempo para poner en obra lo que havéis oído.

Mas agora no habla la historia dél hasta su tiempo, y torna a contar lo que les acaeçió a don Cuadragante y a don Brian de Monjaste después que de la corte del rey Lisuarte partieron.

---

[19] *premia:* apremio, coacción, dificultad.
[20] *del[l]o:* de lo, RSZ // .

*Cómo don Cuadragante y Brian de Monjaste con fortuna*[1] *se perdieron en la mar, y cómo la ventura les hizo hallar a la reina Briolanja, y lo que con ella les avino*

Don Cuadragante y don Brian de Monjaste, después que de don Grumedán se partieron, como la historia lo ha contado, anduvieron por su camino hasta que llegaron al puerto donde su nave tenían, en la cual entraron por se ir a la Ínsola Firme con la respuesta que del rey Lisuarte levavan. Y todo aquel día les fue la mar muy agradable con viento próspero para su viaje, mas la noche venida, la mar se començó a embraveçer con tanta fortuna y tan reziamente, que de todo pensaron ser perdidos y anegados. Y fue la tormenta tan grande, que los marineros perdieron el tino que levavan con tanto desconcierto, que la fusta iva por la mar sin ningún governalle[2], y assí anduvieron toda la noche con harto temor, porque a semejante caso no bastan armas ni coraçón. Y cuando el alva del día pareçió, los marineros podieron más reconoçer; hallaron que estavan mucho allegados al reino de Sobradisa, donde la muy hermosa reina Briolanja reina era. Y en aquella hora la mar començó en más bonança, y queriendo bolver a su derecho camino, ahunque a muy gran traviessa[3] havían de tornar, vieron a su diestro[4] venir una nao muy grande a maravilla. Y como su nave fuese muy ligera que de aquélla no podría recebir ningún daño, ahunque de enemigos fuesse, acordaron de la esperar; y como cerca fueron y la vieron más a su voluntad, pareçíales la más hermosa que nunca vieron, assí de grandeza como de rico atavío, que las velas y cuerdas eran todas de seda y guarneçida, todo lo que verse podía, de muy ricos paños. Y al borde della

---

[1] *fortuna:* tormenta. «Allí binieron las naoes muy desbaratadas de las fortunas que avían pasadas», Gutierre Díez de Games, *El Victorial,* 288, 22.

[2] *governalle:* timón. «Fazerlos meter en una nave sin maestro e sin remos, sin governalle», *Baladro del sabio Merlín* (B), 71b.

[3] *traviessa:* travesía.

vieron cavalleros y donzellas que estavan fablando, muy ricamente vestidas. Mucho fueron maravillados don Cuadragante y Brian de Monjaste de la ver, y no podían pensar qué en ella viniesse. Y luego mandaron a un scudero de los suyos que en un batel fuesse a saber cúya era aquella gran nao y quién en ella venía. El escudero assí lo fizo, y preguntando a aquellos cavalleros que por cortesía jelo dixessen, ellos respondieron que allí venía la reina Briolanja, que passava a la Ínsola Firme.

—A Dios merced —dixo el escudero—, con tan buenas nuevas, que mucho plazer havrán de las saber aquellos que acá me embiaron.

—Buen scudero —dixeron las donzellas—, dezidnos, si os plaze, quién son estos que dezís.

—Señoras —dixo él—, son dos cavalleros que este mismo camino lievan que vosotras, y la fortuna de la mar los ha echado a esta parte donde, según lo que fallan, será para su trabajo gran descanso. Y porque ellos se vos mostrarán tanto que yo buelva, no es menester de mí saber más.

Con esto que oídes se tornó, y díxoles:

—Señores, mucho os deve plazer con las nuevas que trayo, y por bien empleada[5] se deve tener la tormenta passada, y el rodeo del camino, pues tenéis tal compaña para ir donde queréis. Sabed que en la nao viene la reina Briolanja, que a la Ínsola Firme va[6].

Mucho fueron alegres aquellos dos cavalleros con lo que el escudero les dixo, y luego mandaron endereçar su nave para se llegar a la nao. Y cuando ellos más cerca fueron, las donzellas los conoçieron, que ya otra vez los vieran en la corte del rey

---

[4]  *diestro:* en R y S, diestra, lectura que adopta Place. No me parece necesaria, pues la expresión puede encontrarse en otros textos: «Estando ellos assi fablando, miraron a su diestro, e vieron una hermita», *Baladro del sabio Merlín* (B), 95a; «llego a un castillo que estava en una montaña, y era el castillo a diestro cerca del mar», *ibidem,* 115b. «E partieronse, e Galvan se fue a diestro», *Demanda del Sancto Grial,* 209b.

[5]  *empleada:* empleado, RS // empleada, S // .

[6]  La intervención del azar en estos encuentros es constante, puesto que ambas naves se dirigen hacia el mismo lugar. La tormenta se convierte en medio expeditivo utilizado por el autor para reunir a personajes que participarán conjuntamente en el próximo episodio, en cuya resolución será necesaria la colaboración de todos.

Lisuarte cuando la Reina, su señora, allí algún tiempo estuvo; y muy alegres lo fueron dezir a su señora cómo allí estavan dos cavalleros mucho amigos de Amadís, qu'el uno era don Cuadragante y el otro don Brian de Monjaste. La Reina, cuando lo oyó, fue muy leda, y salió de su cámara con las dueñas que consigo traía para los recebir, que Tantiles, su mayordomo, le havía dicho cómo los dexava en la Ínsola Firme de camino para ir al rey Lisuarte. Y cuando ella salió, ya ellos estavan dentro en la nao, y fueron para le besar las manos, mas ella no quiso; ante los tomó a entrambos cada uno con su braço, y assí les tovo un rato abraçados con mucho plazer; y desque se levantaron, los tornó abraçar, y díxoles:

—Mis buenos señores y amigos, mucho gradezco a Dios porque vos hallé, que no me pudiera venir agora cosa[7] con que más me pluguiera que con vosotros, si no fuesse ver Amadís de Gaula, aquel a quien yo tanto derecho y razón devo amar, como vosotros sabéis.

—Mi buena señora —dixo don Cuadragante—, gran sinrazón sería si assí no fuesse como lo dezís; y el plazer que con nosotros haveís Dios os lo gradezca, y nos lo serviremos en lo que mandardes.

—Muchas mercedes —dixo ella—; agora me dezid cómo aportastes en esta tierra.

Ellos le dixeron cómo havían partido de la Ínsola Firme con mandado de aquellos señores que allí estavan para el rey Lisuarte, y todo lo que con él havían passado, y cómo quedavan sin ningún concierto en toda rotura, que no faltó nada; y que queriéndose tornar, la gran tormenta dessa noche los había echado aquella parte, donde davan por muy bien empleada su fatiga y su trabajo, pues que en aquel camino la podían servir y guardar hasta la poner donde quería. La Reina les dixo:

—Pues yo no he estado muy segura, ni sin grande spanto de la tormenta que dezís, que, ciertamente, nunca pensé que pudiéramos guareçer[8], pero como esta mi nao es muy gruessa y grande, y las áncoras y maromas muy rezias, plugo a la volun-

---

[7] *cosa*: nada. «No vos encubriré cosa», *Palmerín de Olivia*, 117, 6. Véase la nota 3 del capítulo LXXXIX.

[8] *guareçer*: escapar.

tad de Dios que nunca la fortuna las pudo quebrar ni arrancar. Y en esto del rey Lisuarte que me dezís, yo supe de mi mayordomo Tantiles cómo vosotros ívades a él con esta embaxada; y bien me tuve por dicho que como éste sea un rey tan entero y que tan complidamente la fortuna le ha favoreçido y ensalçado en todas las cosas, que, teniendo en mucho el caso de Oriana, querrá antes tentar y provar su poder que dar forma de ningún assiento[9]. Y por esta causa yo acordé de juntar todo mi reino y otros mis amigos que de fuera dél son, y con mucha afición les rogar y mandar que estén prestos y aparejados de guerra para cuando mi carta vean. Y a todos dexo con gran voluntad de me servir, y mi mayordomo con ellos para que los guíe y traya. Y entre tanto pensé que sería bien de ir yo a la Ínsola Firme a estar con la infanta Oriana, y passar con ella la aventura que le Dios diere. Esto es la causa por donde aquí me falléis, y soy muy alegre porque iremos juntos.

—Mi señora —dixo don Brian de Monjaste—, de tal señora y fermosa como vos no se espera sino toda virtud y nobleza, assí como por obra pareçe.

La Reina les rogó que mandassen ir su nave cabe la suya y ellos se fuessen con ella; y assí se fizo, que los aposentaron en una muy rica cámara, y siempre con ella y a su mesa comían, fablando en las cosas que les más agradavan.

Pues assí como os digo, fueron por su mar adelante contra la Ínsola Firme. Agora sabed aquí que al tiempo que Abiseos, tío desta Reina, fue muerto con los dos sus fijos en vengança[10] de la muerte qu'él fizo a su hermano el Rey, padre de Briolanja, y le havía tomado el reino por Amadís y Agrajes, como más largamente lo cuenta el primero libro desta historia, que dél quedó otro fijo pequeño que un cavallero mucho suyo le criava. Este moço era ya cavallero muy rezio y esforçado según havía pareçido en las cosas de grandes afrentas que se falló. Y como fasta allí havía seído muy moço, no pensava, ni discreción le dava lugar, sino en seguir más las armas que en procu-

---

[9] *dar forma de ningún assiento:* formalizar ningún concierto. «E para mostrar las escrituras y el asiento que pasó entre él y el rey de Aragón, enbió un dotor», F. Pérez de Guzmán, *Crónica de los Reyes Católicos*, 69, 13.

[10] *vengança:* venganço, Z // vengança, RS // .

rar las cosas de provecho. Y como ya de mayor edad fuesse, ovo algunos de los servidores de su padre que fuidos andavan, que a la memoria le traxeron la muerte de su padre y de sus hermanos, y como aquel reino de Sobradisa de d[e]recho era suyo, y aquella Reina jelo tenía forçosamente, y que si el coraçón tuviesse para el reparo de cosa que tanto le cumplía como para las otras cosas, que con poco trabajo podría recobrar aquella gran pérdida y ser gran señor, agora tornando al reino o sacando tal partido, que honradamente como fijo de quien era pudiesse passar. Pues este cavallero, que Trion havía nombre, como ya fuesse codicioso de señorear, siempre estava pensando en esto que aquellos criados de su padre le dezían y aguardando tiempo convenible para el remedio de su desseo. Y como agora supiesse esta tan gran discordia que entre el rey Lisuarte y Amadís estava, pensó que tanto ternía que fazer Amadís en aquello que de lo otro no ternía memoria[11]; y puesto que la tuviesse, que su poder no bastaría para socorrer a todas partes según con tan grandes hombres estava rebuelto; que este cavallero era el mayor entrevallo[12] qu'él fallava; y sabiendo la partida de la reina Briolanja cómo tan desacompañada fuesse, que en toda su nao no llevava veinte hombres de pelea, y ninguno dellos de mucha afruenta[13], salió luego de un castillo muy fuerte que de su padre Abiseos le avía quedado, del cual y no de más era señor cuando a su hermano el Rey mató, y fue por casa de sus amigos, y no les diziendo el caso allegó fasta cincuenta hombres bien armados y algunos ballesteros y archeros. Y guarneçiendo dos navíos, se metió a la mar con

---

[11] *ternía memoria*: se acordaría. Como ya ha sucedido en otras ocasiones, episodios que aparecían ya olvidados se reactualizan por la aparición de nuevos enemigos, descendientes de los anteriormente vencidos, y de los que no se había realizado ninguna mención.

[12] *entrevallo*: obstáculo. En R, intrevalo; en S, entrevalo. «No me pongáis entrevalos», Bartolomé de Torres Naharro, *Comedia Seraphina*, V, 265, ed. de Joseph E. Gillet, *Propalladia and other Works of Bartolomé de Torres Naharro*, Bryn Mawr: Pennsylvania, 1946, vol. II. Véase abundante documentación con el mismo significado en la nota correspondiente, *ibidem*, vol. III, Bryns Mawr: Pennsylvania, 1951, pág. 303.

[13] *ninguno de ellos de mucha afruenta*: ninguno de ellos acostumbrado a las afrentas, peligros.

intención de prender la Reina y con ella sacar gran partido[14], y si tal tiempo viesse, le tomar todo el reino. Y sabiendo la vía que llevava, una tarde le salió a la delantera sin sospecha que dél se toviesse; y como de lueñe los de la nao viessen aquellos dos navíos, dixéronlo a la Reina[15], y salieron luego don Cuadragante y Brian de Monjaste al borde de la nao, y vieron cómo derechamente venían contra ellos, y fizieron armar essos que ende[16] estavan, y ellos se armaron y no curaron sino ir su camino, y assí los otros que venían llegaron tan cerca, que bien se podían oír lo que dixessen. Estonces Trion dixo en una boz alta:

—Cavalleros que en essa nao venís, dezid a la reina Briolanja que está aquí Trion, su cormano, que la quiere hablar, y que mande a los suyos que se no defiendan; si no, que uno dellos no escapará de ser muerto.

Cuando la Reina esto oyó, huvo gran miedo y spanto, y dixo:

—Señores, éste es el mayor enemigo que yo tengo, y pues agora se atrevió a fazer esto no es sin gran causa y sin gran compaña.

Don Cuadragante le dixo:

—Mi buena señora, no temades nada, que plaziendo a Dios muy presto será castigado de su locura.

Estonces mandó a uno que le dixesse que si él sólo quería entrar donde la Reina estava, que de grado lo recibiría. Y dixo él:

—Pues assí es, yo la veré mal su grado y de todos vosotros.

Estonces mandó a un cavallero, criado de su padre, que con la una nave acometiesse la nao por la otra parte y que punasse de la entrar, y él assí lo fizo. Como don Brian de Monjaste los vio apartar, dixo a don Cuadragante que tomasse de aquella gente lo que le pluguiesse y guardasse[17] la una parte, y que él con lo otro defendería la otra; y assí lo fizieron, que don Cuadragante quedó a la parte donde Trion quería combatir, y

---

[14] *partido:* interés, beneficio.
[15] *Reina:* rerna, Z // reyna, RS // .
[16] *ende:* allí.
[17] *guardasse:* guardarse, Z // guardase, R // guardasse, S // .

Brian de Monjaste, a la del otro cavallero. Don Cuadragante mandó a los suyos que estoviessen adelante, y él quedó lo más encubierto que pudo tras ellos; y díxoles que si Trion quisiesse entrar, que gelo no estorvassen.

Estando assí el negocio, la nao fue acometida por ambas partes y muy reziamente, porque los que la combatían sabían muy bien cómo en ella no havía defensa ni peligro para ellos, que de los dos cavalleros de la Ínsola Firme ninguna cosa sabían. Y como llegaron, Trion, con la sobervia grande que traía y la gana de acabar su fecho, en llegando saltó en la nao sin ningún recelo, y la gente de la Reina se començó a retraer[18] como les era mandado. Don Cuadragante, como dentro lo vio, passó por los suyos, y como era muy grande de cuerpo, como la historia vos lo ha contado en la parte segunda, y le vio Trion, bien conoció que aquél no era de los qu'él sabía; pero por esso no perdió el coraçón; antes, se fue para él con mucho denuedo, y diéronse tan grandes golpes por cima de los yelmos, qu'el fuego salió dellos y de las spadas. Mas como don Cuadragante era de mayor fuerça y le dio a su voluntad, fue Trion tan cargado del golpe, que la spada se le cayó de la mano y cayó de rodillas en el suelo. Y don Cuadragante miró y vio cómo los contrarios entravan en la nao a más andar. Dixo a los suyos:

—Tomad este cavallero.

Estonces passó a los otros, y al primero que delante sí halló diole por cima de la cabeça tan gran golpe, que no huvo menester maestro. Los otros, cuando vieron preso su señor y aquel cavallero muerto y los grandes golpes que don Cuadragante dava a unos y a otros, punaron cuanto pudieron por se tornar a su nave. Y con la priessa que don Cuadragante y los suyos les dieron, algunos se salvaron y otros murieron en el agua, assí que en poca de hora fueron todos vencidos y echados de la nao, que ya como suya tenían. Estonces miró a la otra parte donde Brian se combatía, y vio cómo estava dentro en la nao con los enemigos, y que fazía gran estrago en ellos, y embióle de los que él tenía que lo fuessen ayudar, y él quedó con los otros atendiendo a los contrarios si le querían acometer. Y con esta ayuda que a don Brian le llegó, y con los que él tenía, muy prestamente fueron todos vencidos, porque aquel cavallero, su capitán, fue allí muerto, y vieron cómo la nave de Trion se apartava como cosa vencida. Estonces los que estavan bivos demandavan merced, y don Brian mandó que ninguno muriesse, pues que se no defendían. Y assí se fizo, que los tomaron presos y se apoderaron de la nao.

La reina Briolanja en toda esta rebuelta estuvo metida en su cámara con todas sus dueñas y donzellas, rogando a Dios, hincadas de rodillas, que las guardasse d'aquel peligro y a aquellos cavalleros que la ayudavan y defendían. Assí estando, llegó uno de los suyos, y dixo:

—Señora, salid fuera, y veréis cómo Trion es preso y toda su compaña maltrecha y desbaratada, que estos cavalleros de la Ínsola Firme han fecho grandes maravillas de armas, las cuales ningunos otros pudieran hazer.

Cuando la Reina esto oyó, fue tan alegre como podéis pensar, y alçó las manos y dixo:

—Señor Dios todopoderoso, bendito vos seáis porque en tal tiempo y por tal aventura me traxistes estos cavalleros, que de Amadís y sus amigos no me puede venir sino toda buena ventura.

Y salida de la cámara, vio cómo los suyos tenían preso a Trion, y que don Cuadragante guardava que los enemigos no llegassen a combatir; y vio cómo la nao que don Brian de Monjaste había ganado estavan los suyos apoderados della. Y llegóse a don Cuadragante, y díxole:

—Mi señor, mucho gradezco a Dios y a vos lo que por mí havéis hecho, que ciertamente yo estava en gran peligro de mi persona y de mi reino.

Él le dixo:

—Mi buena señora, veis ende a vuestro enemigo; mandad dél hazer justicia.

Trion, cuando esto oyó, no estuvo seguro de la vida, y hincó los inojos ante la Reina y dixo:

—Señora, demándoos merced que no muera, y mirad a vuestra gran mesura, y que soy de vuestra sangre; y si vos he enojado algún tiempo, os lo podré servir.

Como la Reina era muy noble, ovo piedad dél, y dixo:

---

[18] *retraer:* apartar, retirar.

—Trion, no por lo que vos merecéis, mas por lo que a mí toca, yo vos seguro la vida hasta que más con estos cavalleros sobre ello vea.

Y mandó que lo metiessen en su cámara y lo guardassen.

Assí estando don Brian de Monjaste se vino a la Reina, y ella le fue abraçar, y díxole:

—Mi buen señor, ¿qué tal venís?

Él le dixo:

—Señora, muy bueno, y mucho alegre de haver avido tal dicha que en alguna cosa os pudiesse servir. Una herida trayo, mas, merced a Dios[19], no es peligrosa.

Estonces mostró el escudo, y vieron cómo una saeta gelo havía passado con parte del braço en que lo tenía. La Reina con las sus hermosas manos gelo quitó lo más passo[20] que pudo, y le ayudó a desarmar, y curáronjela como otras muchas vezes otras mayores le havían curado, que sus escuderos, assí dél como de todos los otros cavalleros andantes, siempre andavan apercebidos de las cosas que para de presto eran necessarias a las feridas[21]. Todos fueron muy alegres d'aquella buena dicha que les vino; y cuando quisieron ir tras la nave de Trion, vieron cómo estava muy lueñe, y dexáronse dello. Y alçaron sus velas y fuéronse su camino derechamente a la Ínsola Firme sin ningún entrevallo que les viniesse.

Acaeçió, pues, que a la hora que ellos al puerto llegaron que Amadís y todos los más de aquellos señores andavan en sus

---

[19] *merced a Dios*: gracias a Dios.

[20] *lo más passo*: lo más despacio. «Y fabla con aquel señor, y que venga muy paso», *Celestina*, X, 160.

[21] Aparece por vez primera este dato que desea proporcionar una explicación verosímil de las curaciones, cuando en los episodios anteriores los encargados de ello o bien eran personas a cuyas casas se dirigían para curar sus heridas, o bien se encargaba el maestro Elisabad. Se manifiesta, por parte de Montalvo, un deseo de explicar ese mundo idealizante de la caballería con datos más realistas. En la ley 10.ª dictada por los consejeros en el *Baldus* se comenta como «cosa muy increíble que un cavallero herido pudiesse andar assí muchos días y tornar a pelear saliéndosele la sangre. Conviene, pues, que lleve consigo medicinas y bálsamos, que se los llevarán sus mozos acompañantes». Ap. Alberto Blecua, «Libros de caballerías, latín macarrónico...», art. cit., pág. 235. Por su parte, Sancho deseaba curar a su amo con lo que él llevaba. «Lo que ruego a vuestra merced es que se cure; que le va mucha sangre de esa oreja; que aquí traigo hilas y un poco de ungüento blanco en las alforjas», *Don Quijote*, I, X, 147.

palafrenes folgando por una gran vega que debaxo de la cuesta del castillo estava, como otras muchas vezes lo hazían. Y como viessen aquellas fustas al puerto llegar, fuéronse hazia allá por saber cúyas fuessen; y llegando a la mar, hallaron los escuderos de don Cuadragante y de don Brian de Monjaste, que salían de un batel y ivan a les hazer saber su venida y de la reina Briolanja porque la saliessen a recebir. Y como vieron Amadís y aquellos cavalleros, dixéronles el mandado de sus señores con que muy alegres fueron; y llegáronse todos a la ribera de la mar y los otros desde la nao; se saludaron con mucha risa y gran alegría, y don Brian de Monjaste les dixo:

—¿Qué vos parece cómo venimos más ricos que de aquí fuemos?[22]. No lo havéis assí hecho vosotros, sino estar encerrados como gente perdida.

Todos se començaron a reír, y le dixeron que, pues tan hufano[23] venía, que mostrasse la ganancia que havía hecho. Estonces echaron en la mar una barca asaz grande, y entraron en ella la Reina y ellos ambos, y otros hombres que los pusieron en tierra. Y todos aquellos cavalleros se apearon de sus palafrenes y fueron a besar las manos a la Reina, mas ella no las quiso dar; antes, los abraçó con mucho amor. Amadís llegó a ella y quísole besar las manos, mas cuando lo vio, tomóle entre sus muy fermosos braços, y assí lo tuvo un rato que le nunca dexó, y las lágrimas le vinieron a los ojos, que le caían por sus muy fermosas hazes con el plazer que huvo en lo ver, porque desde la batalla que el rey Lisuarte huvo con el rey Cildadán, que lo vio en Fenusa, aquella villa donde el Rey estava, no lo havía visto. Y ahunque ya su pensamiento fuesse apartado de pensar de lo haver por casamiento, y ninguna esperança dello toviesse, éste era el cavallero del mundo que ella más amava y por quien ante pornía su persona y estado en peligro de lo perder. Y cuando le dexó, no le pudo hablar, tanto estava turbada de la gran alegría. Amadís le dixo:

—Señora, muchas gracias a Dios doy que me traxo donde os pudiesse ver, que mucho lo desseava, y agora más que en

---

[22] *fuemos:* fuimos. «Fuemos muy bien recibidos en esta real corte», *Oliveros de Castilla,* 515b.

[23] *hufano:* ufano, lozano, orgulloso.

otro tiempo, porque con vuestra vista daréis mucho plazer a estos cavalleros, y mucho más a vuestra buena amiga, la infanta Oriana, que creo que ninguna persona le pudiera venir que tanta alegría le diesse como vos, mi buena señora, le daréis.

Ella respondió y dixo:

—Mi buen señor, por esso partí yo de mi reino, principalmente por os ver, que era la cosa del mundo que yo más desseava; y Dios sabe la congoxa que hasta aquí he tenido en passar tan largo tiempo sin que de [v]os, mi señor, yo pudiesse saber ningunas nuevas, ahunque mucho lo he procurado. Y agora cuando mi mayordomo me dixo de vuestra venida y me dio vuestra carta, luego pensé, dexando todo lo que mandastes a buen recaudo, de me venir a vos y a esta señora que dezís, porque agora es tiempo que sus amigos y servidores le muestren el desseo y amor que le tienen. Mas si no fuera por Dios y por estos cavalleros que por gran ventura comigo juntó, mucho peligro de mi persona pudiera passar en este viaje; lo cual ellos dirán como quien lo remedió por su gran esfuerço, y esto quede para más espacio.

Después que la Reina salió, salieron todas sus dueñas y donzellas y cavalleros, y sacaron las bestias que traían, y para la Reina un palafrén tan guarnido como a tal señora convenía. Y cavalgaron todos y fuéronse al castillo donde Oriana estava, la cual, como su venida supo, uvo tan gran plazer que fue cosa estraña; y rogó a Mabilia y a Grasinda, y a las otras Infantas que a la entrada de la huerta la saliessen a recebir, y ella quedó con la reina Sardamira en la torre. Cuando la reina Sardamira vio el plazer que todos mostravan con las nuevas que les traxeron, dixo a Oriana:

—Mi señora, ¿quién es esta que viene que tanto plazer ha dado a todos?

Oriana le dixo:

—Es una reina la más hermosa, assí de su parescer como de su fama, que yo en el mundo sé, como agora la veréis.

Cuando la reina Briolanja llegó a la puerta de la huerta y vio tantas señoras y tan bien guarnidas, mucho fue maravillada, y uvo el mayor plazer del mundo por aver allí venido. Y bolvióse contra aquellos cavalleros y díxoles:

—Mis buenos señores, a Dios seáis encomendados, que

aquellas señoras me quitan que no quiera vuestra compañía más.

Y riendo muy hermoso, se hizo apear, y se metió con ellas, y luego la puerta fue cerrada. Todas vinieron a ella y saludáronla con mucha cortesía, y Grasinda fue mucho maravillada de su hermosura y gran apostura. Y si a Oriana no oviera visto, que ésta no tenía par, bien creyera que en el mundo no avía muger que tan bien como aquélla paresciesse. Así la llevaron a la torre donde Oriana estava; y cuando se vieron, fueron la una a la otra los braços tendidos, y con mucho amor se abraçaron. Oriana la tomó por la mano y llególa a la reina Sardamira, y díxole:

—Reina señora, hablad a la reina Sardamira, y hazelde mucha honra, que bien lo meresce.

Y ella así lo fizo, que con gran cortesía se saludaron guardando cada una dellas lo que a sus reales estados convenía; y tomando a Oriana en medio, se assentaron en su estrado, y todas las otras señoras alderredor dellas. Oriana dixo a la reina Briolanja:

—Mi buena señora, gran cortesía ha sido la vuestra en me venir a ver de tan lueñe tierra, y mucho vos lo gradezco, porque tal camino no se pudo hazer sino con sobra de mucho amor.

—Mi señora —dixo la Reina—, gran desconoscimiento y muy mal comedimiento me deviera ser contado si en este tiempo en que estáis, no diesse a entender a todo el mundo el desseo que tengo de vuestra honra y de crescer vuestro estado, especialmente seyendo este cargo tan principal de Amadís de Gaula, a quien yo tanto amo y devo, como vos, mi señora, sabéis. Y cuando esto supe de Tantiles que aquí se halló, luego mandé apercebir todo mi reino que vengan a lo que él mandare; y parescióme que entre tanto devía hazer este camino para os acompañar o ver a él, que ver mucho desseava, más que a ninguna persona deste mundo, y estar, mi señora, con vos hasta que vuestro negocio se despache, que a Nuestro Señor plega que sea como vos lo desseáis.

—Assí le plega a Él —dixo Oriana— por su santa piedad, y esperança tengo que don Cuadragante y don Brian de Monjaste traerán algún assiento con mi padre.

Briolanja, que sabía la verdad, que ninguno traían, no gelo quiso dezir. Así estuvieron hablando gran pieça en las cosas que más plazer les davan. Y cuando fue ora de cenar, la Donzella[24] de Denamarcha dixo a Oriana:

—Acuérdeseos, señora, que la Reina viene de camino, y querrá cenar y descansar, y es ya tiempo que os passéis a vuestro aposentamiento, y la llevéis con vos, pues es vuestra huéspeda.

Oriana le preguntó si estava todo endereçado. Ella dixo que sí. Entonces tomó a la reina Briolanja por la mano y despidióse de la reina Sardamira y de Grasinda, las cuales se fueron a sus aposentamientos, y fuese con ella a su cámara mostrándole mucho amor. Y desque fueron llegadas, Briolanja preguntó quién era aquella tan bien guarnida y fermosa dueña que cabe la reina Sardamira estava. Mabilia le dixo cómo se llamava Grasinda, y que era muy noble dueña y muy rica, y díxole la causa por que avía venido a la corte del rey Lisuarte y la grande honra que allí Amadís le hizo ganar, y la honra que ella le hizo no le conosciendo. Y contóle muy por estenso todo lo que avía passado con Amadís, que ella mucho amava, llamándose el Cavallero de la Verde Spada, y cómo llegó al punto de la muerte cuando mató al Endriago, y le sanó un maestro que esta dueña le dio, el mejor que en gran tierra se podría hallar; todo gelo contó, que no faltó ninguna cosa[25]. Cuando la Reina esto oyó, dixo:

—Mezquina de mí, porque ante no lo supe, que llegó a me fablar, y passé por ella muy livianamente. Pero remedio avrá, que, ahunque su merescimiento no lo meresciese, sólo por aver hecho tanta honra con tanto provecho a Amadís soy yo mucho obligada de la honrar y hazer plazer todos los días de mi vida, porque después de Dios no tengo yo otro reparo de mis trabajos, ni que a mi coraçón contentamiento dé, sino este cavallero; y en cenando la mandad llamar porque quiero que me conozca.

---

[24] *donzella*: donzelia, Z // donzella, RS // .

[25] Si en los primeros capítulos los encargados de contar las hazañas del héroe realizadas lejos de Oriana eran personajes secundarios, doncellas y escuderos, por el contrario ahora realizarán la misma función personajes de mayor categoría.

Oriana dixo:

—Reina, mi amiga, no sola sois vos la que por esta causa honrarla deve, que véisme a mí aquí, que si por esse cavallero que avéis dicho no fuesse, yo sería oy la más perdida y desventurada muger que nunca nasció, porque estaría en tierras estrañas con tanta soledad que me no fuera sino la muerte, y deseredada de aquello de que Dios me hizo señora. Y como ya avréis sabido, este noble cavallero socorredor y amparador de los corridos, sin a ello le mover otra cosa sino su noble virtud, se ha puesto en esto que veis porque mi justicia sea guardada.

—Amiga señora —dixo la Reina—, no hablemos en Amadís, que éste no nasció sino para semejantes cosas; que assí como Dios lo estremó y apartó en gran esfuerço de todos los del mundo, assí quiso que fuesse en todas las otras bondades y virtudes.

Pues sentadas a la mesa, fueron de muchos manjares y diversos servidas, assí como convenía a tan grandes princesas, y hablavan en muchas cosas que les agradava. Y desque ovieron cenado, mandaron a la Donzella de Denamarcha que fuesse por Grasinda y le dixesse que la Reina la quería hablar. La donzella assí lo hizo, y Grasinda vino luego con ella; y cuando entró donde ellas estavan, la reina Briolanja la fue abraçar, y díxole:

—Mi buena amiga, perdonadme que no supe quién érades cuando aquí vine, que si lo supiera, con más amor y afición os recibiera, porque vuestra virtud lo meresce; y por la gran honra y buena obra que de vos Amadís recibió somos sus amigos mucho obligados a vos lo agradescer, y de mí vos digo que nunca en tiempo seré que lo pueda pagar que lo no haga, porque, ahunque de lo mío lo dé, de lo suyo lo doy, que todo lo que tengo es suyo y por suyo lo tengo.

—Mi buena señora —dixo Grasinda—, si alguna honra hize a este cavallero que dezís, yo soy tan satisfecha y contenta dello como nunca persona lo fue de persona a quien plazer oviesse hecho; y lo que me dezís gradezco yo mucho más a vuestra virtud que a la deuda en que él me sea, que pluguiesse a Dios que lo demás en que él me ha pagado lo que de mí recibió me dé lugar a que yo gelo sirva.

Entonces Mabilia le dixo:

—Mi buena señora, dezidnos, si vos pluguiere, cómo ovistes conoscimiento de Amadís, por qué causa en vos halló tan buen acogimiento, pues que lo no conoscíades ni sabíades su nombre.

Ella gelo contó todo como la tercera parte desta istoria más largo lo cuenta. Y mucho rieron de Bradansidel, el que hizo ir en el cavallo cavalgando aviessas[26] y la cola en la mano. Y díxoles cómo lo avía tenido mal llagado en su casa algunos días, y cómo, antes que en aquella tierra fuesse, avía oído dezir dél muy grandes y estrañas cosas en armas que avía hecho por todas las ínsolas de Romanía y de Alemaña, donde todos los que las sabían eran maravillados de cómo por un solo cavallero fueran tales cosas tan peligrosas acabadas, y de los tuertos y grandes agravios que avía emendado por muchas dueñas y donzellas, y otras personas que su ayuda y acorro ovieron menester; y cómo lo avía conoscido por el enano y por la verde spada que traía, cuyo nombre él se llamava. Y así mesmo les contó toda la batalla que con don Garadán uvo, y la que después passó con los otros onze cavalleros, y que por los vencer quitó al Rey de Boemia de muy cruda guerra con el Emperador de Roma, y otras muchas cosas les contó que dél en aquellas partes avía sabido, que serían largas de escrevir. Y entonces les dixo:

—Por estas cosas que dél oía, y por lo que dél vi en presencia quiero, señoras, que sepáis lo que comigo mesma me contesció. Yo fue tan pagada[27] dél y de sus grandes hechos que, comoquiera que yo fuesse para en aquella tierra asaz rica y grand señora, y él anduviesse como un pobre cavallero sin que dél más noticia oviesse sino lo dicho, toviera por bien de lo tomar en casamiento, y pensara yo que en tener su persona ninguna reina de todo el mundo me fuera igual. Y como le vi tan mesurado y con grandes pensamientos y congoxas, y sabiendo la fortaleza de su coraçón, sospeché que aquello no le venía sino por causa de alguna muger que él amasse. Y por más me certificar hablé con Gandalín, que me paresció muy cuerdo escudero, y preguntégelo, y él, conosciendo dónde mi pensa-

---

[26] *aviessas:* al revés, al contrario.
[27] *fue tan pagada:* estuve tan contenta, satisfecha.

miento tirava, por una parte me lo negó y por otra me dio a entender que no sería su cuita por ál sino por alguna que amasse; y bien vi yo que lo dixo porque me quitasse de aquel pensamiento, y no procediesse más adelante, pues que dello no avría fruto ninguno. Yo gelo gradescí mucho, y de aquella hora adelante me aparté de más pensar en ello.

Briolanja, cuando esto le oyó, miró contra Oriana riendo, y díxole:

—Mi señora, parésceme que este cavallero por más partes que yo pensava anda sembrando esta dolencia; y acuérdeseos lo que os uve dicho en este caso en el castillo de Miraflores.

—Bien se me acuerda —dixo Oriana.

Esto fue que la reina Briolanja, yendo a ver a Oriana a este castillo de Miraflores, como el segundo libro lo dize, le dixo cuasi otro tanto que con Amadís le avía acaescido[28].

Pues assí en aquello como en otras cosas estuvieron hablando fasta que fue ora de dormir; y Grasinda se despidió dellas y se tornó a su cámara, y ellas quedaron en la suya. Y a la Reina Briolanja hizieron en la cámara de Oriana una cama cabe la suya, porque ella y Mabilia dormían juntas, y allí se echaron a dormir, donde aquella noche descansaron y folgaron.


CAPÍTULO XCVIII

*De la embaxada que don Cuadragante y Brian de Monjaste traxeron del rey Lisuarte, y lo que todos los cavalleros y señores que allí estavan acordaron sobre ello.*


Otro día de mañana todos aquellos señores y cavalleros se juntaron a oír missa, y a la embaxada que don Cuadragante y don Brian de Monjaste del rey Lisuarte traían. Y la missa oída, estando allí todos juntos, don Cuadragante les dixo:

—Buenos señores, nuestro mensaje y la respuesta dél fue tan breve, que no os podemos dezir otra cosa sino que devéis

---

[28] *avía acaescido:* había sucedido. Los paralelismos entre la reina Sardamira y la reina Briolanja llegan hasta el extremo de haber mantenido unas conversaciones similares con Oriana, llevando la geminación de escenas hasta el grado de ser recordado por el autor.

dar gracias a Dios porque con mucha justicia y razón, y ganando gran prez y fama, podéis esperimentar la virtud de vuestros nobles coraçones, que el rey Lisuarte no quiere otro medio sino el rigor.

Y con esto les dixo todo lo que con él avían passado, y cómo sabían cierto que embiava al Emperador de Roma y a otros sus amigos. Agrages, a quien nada desto pesava, ahunque por el mandado y ruego de Oriana hasta allí mucho se templasse, dixo:

—Por cierto, buenos señores, yo tengo creído que, según el estado en que este negocio está, que muy más dificultoso sería buscar seguridad para esta Princesa y para la fama de nuestras honras que remedio para esta guerra; y fasta aquí, porque ella con gran afición me mandó y rogó que en lo que pudiesse templasse vuestras sañas y la mía, me he escusado de hablar tanto como mi coraçón desseava. Pero agora que se sabe el cabo de su esperança, que era pensar que con el Rey su padre se podría tomar algún medio, y no se halla, yo quedo libre de lo que más por la servir que por mi voluntad le avía prometido; y digo, señores, que en cuanto a mi querer y gana toca, que soy mucho más alegre de lo que traéis que si el rey Lisuarte otorgara lo que de nuestra parte le pedistes, porque pudiera ser que so color[1] de paz y concordia se pusiera con nosotros en contrataciones cautelosas donde pudiéramos recebir algún engaño, porque el rey Lisuarte y el Emperador, como poderosos, con poca pena pudiera[n] muy presto llegar sus gentes, lo que nosotros así no pudiéramos[2] fazer, por cuanto las nuestras han de venir de muchas partes y muy lueñes tierras. Y ahunque el peligro de nuestras personas, por estar en esta fortaleza tan fuerte, fuera seguro y sin daño haziéndonos alguna sobra[3], no lo fuera el de nuestras honras. Y por esto, señores, tengo por mejor la guerra conoscida que los tratos y concordia simulada, pues que

---

[1] *so color de:* con el pretexto de. «So color de las obras que mandava faser, echo nuevas pechas», *Confisión del Amante,* 434, 6. «Querían venir en Castilla con la más gente de armas que pudiesen, so color de ver al Rey», *Crónica de don Álvaro de Luna,* 72, 11.

[2] *pudiéramos:* pudiera mas, Z // pudieramos, RS // .

[3] *haziéndonos alguna sobra:* sobrándonos, de sobras.

por ello, como he dicho, a nosotros más que a ellos daño venir podría[4].

Todos dixeron que dezía gran verdad y que luego se devía poner recaudo en que la gente viniesse, y darle la batalla dentro en su tierra. Amadís, que muy sospechoso estava y con gran recelo que la concordia por alguna manera se podría fazer, y avría de entregar a su señora, y ahunque su honra della y la de todos ellos se assegurasse y guardasse por entero, que el desseo de su cuitado coraçón quedava en tanta estremidad de dolor y tristeza, poniéndola en parte donde la ver no pudiesse, que sería ya impossible de poder sostener la vida, cuando oyó lo que los mensajeros traían y lo que su cormano Agrajes dixo, ahunque del mundo todo le hizieran señor, no le pluguiera tanto, porque ninguna afruenta, ni guerra ni trabajo, no lo tenía él en nada en comparación de tener a su señora como la tenía; y dixo:

—Señor cormano, siempre vuestras cosas han sido de cavallero, y assí las tienen todos aquellos que vos conoscen, y mucho devemos agradescer a Dios los que de vuestro linaje y sangre somos por aver echado entre nosotros cavallero[5] que en las afruentas[6] tal recaudo de su honra, y[7] en las cosas de consejo con tanta discreción la acresciente. Y pues que assí vos como estos señores vos avéis determinado en lo mejor, a mí escusado será sino seguir lo que vuestra voluntad y suya fuere.

Angriote de Estraváus, como era un cavallero muy cuerdo y muy esforçado, y que mucho lealmente a Amadís amava, bien conosció que, ahunque se no adelantava a fablar y se remitía a la voluntad de todos, que bien le plazía de la discordia; y esto

---

[4] Se ha dejado para final del discurso una frase simétrica y contrapuesta de carácter proverbial —más vale la guerra conoscida que los tratos y concordia simulada—. El personaje se caracteriza por su impetuosidad, belicosidad y ensañamiento, por lo que es el más adecuado para hacer de portavoz de la alegría producida por la batalla contra Lisuarte. Por otra parte, la acentuación de Agrajes en tiempos de Montalvo sería aguda como documenta Martín de Riquer en «Agora lo veredes, dixo Agrajes», en sus *Estudios sobre el Amadís*, ob. cit. Posteriormente, en tiempos de Góngora el nombre es acentuado como grave, por lo que se ha producido un cambio similar al analizado entre Beltenebrós y Beltenebros.

[5] *cavallero*: cavalleros, Z // cavallero, RS // .

[6] *afruentas*: anfruentas, Z // afrentas, RS // .

[7] *honra y:* honrra y, ZR // honra y, S // honrra pone, y, Place // .

más lo atribuía él a su gran esfuerço que se no contentava sino con las semejantes afruentas, que aquello era, que no otra cosa alguna que dél supiesse; dixo:

—Señores, a todos deve plazer con lo que vuestros mensajeros traxeron y con lo que Agrajes dixo, porque aquello es lo cierto y seguro. Pero dexando lo uno y otro aparte, digo, señores, que la guerra no[s] es[8] mucho más honrosa que la paz; y porque las cosas que para esto podría dezir son tantas que, diziéndolas, mucho enojo vos daría, solamente quiero traeros a la memoria que desque fuistes cavalleros hasta agora siempre vuestro desseo fue buscar las cosas peligrosas y de mayores afruentas, porque vuestros coraçones con ellas estremadamente de los otros fuessen exercitados[9] y ganassen aquella gloria que por muchos es desseada y alcançada por muy pocos. Pues si esto con mucha afición y aflición[10] de vuestros ánimos es procurado, ¿cuándo ni en cualquier tiempo de los passados tan complidamente lo alcançastes como en el presente? Que por cierto, ahunque en cualidad déste a muchas dueñas y donzellas ayáis socorrido, en cuantidad no es en memoria que por vosotros ni por vuestros antecessores aya sido otro semejante alcançado, ni aun será en los venideros tiempos sin que muchos dellos passen[11]. Y pues que la fortuna ha satisfecho nuestro desseo tan complidamente, dando causa que, assí como nuestras ánimas en el otro mundo son inmortales, lo sean nuestras famas en éste en que bivimos, póngase tal recaudo como lo que ella a ganar nos ofresce por nuestra culpa y negligencia no se pierda.

Avido por bueno todo lo que estos cavalleros dixeron, y poniendo en obra su parescer, acordaron de embiar luego llamar toda la gente de su parte, y con esto se fueron a comer. Y dexa la istoria por agora de hablar dellos, y torna a los mensajeros que avían embiado, como dicho es y la istoria lo ha contado.

---

[8] *no[s] es:* no es, ZRS // nos es, Place // .

[9] *exercitados:* exercitadas, ZRS // exercitados, Place // .

[10] *afición y aflición:* obsérvese la parnomasia de ambas palabras, recurso muy del gusto de la época y de Montalvo.

[11] Se plantea el enfrentamiento como suma de todos los anteriores, de modo que los interlocutores de Angriote serán conscientes de la importancia de la pelea, pero de cara a los lectores-oyentes de la obra se acrecienta la expectación de una batalla que desde el principio se encarece como la más importante.

*De cómo el maestro Elisabad llegó a la tierra de Grasinda, y de allí passó al Emperador de Constantinopla con el mandado de Amadís y de lo que con él recaudó.*

Dize la istoria que el maestro Elisabad anduvo tanto por la mar hasta que llegó a la tierra de Grasinda, su señora. Y allí mandó llamar a todos los mayores del señorío, y mostróles los poderes que della traía, y rogóles muy afincadamente que luego aquello se cumpliese; los cuales con gran voluntad le respondieron que estavan prestos para lo cumplir mucho mejor que si ella presente estuviesse. Y luego dieron orden cómo se hiziesse gente de cavallo, y ballesteros y archeros, y otros hombres de guerra, y se adereçassen muchas fustas, y otras se hiziessen de nuevo. Y como el maestro vio el buen aparejo, dexó para el recaudo dello un cavallero, su sobrino mancebo que Libeo se llamava; y rogándole que con mucho cuidado en ello trabajasse, se metió a la mar y se fue al Emperador de Constantinopla. Y como llegó, se fue a su palacio, y dixéronle cómo estava hablando con sus hombres buenos. El maestro entró en la sala, y se llegó a besar las manos, las rodillas en el suelo, y el Emperador lo recibió beninamente[1] porque de antes le[2] conoscía y tenía por buen hombre. El maestro le dio la carta de Amadís, y como el Emperador la leyó, mucho fue maravillado que el Cavallero de la Verde Espada fuesse Amadís de Gaula, a quien grandes días[3] mucho havía desseado conoscer por las cosas estrañas que muchos de los que le avían visto le dixeran dél; y díxole:

—Maestro, mucho soy quexoso de vos si supistes el nombre deste cavallero, y no me lo dexistes; porque corrido estoy[4] que

---

[1] *beninamente:* afablemente.
[2] *de antes le:* de antes de antes le, Z // de antes lo, RS // .
[3] *grandes días:* muchos días, hace mucho tiempo. «De vivir se despidió ha grandes días», Diego de San Pedro, *Arnalte y Lucenda*, pág. 101.
[4] *corrido estoy:* estoy avergonzado. «No por eso dexé de pensar que más de

hombre de tan alto estado y linaje, y tan famoso por todo el mundo, a mi casa viniesse y no recebiesse en ella la honra que él merescía, sino solamente como un cavallero andante.

El maestro le dixo:

—Señor, yo juro por las órdenes que tengo que fasta que él se dexó de llamar el Cavallero[5] Griego y se hizo conoscer a Grasinda, mi señora, y a nosotros todos, nunca supe que él fuesse Amadís.

—¡Cómo! —dixo el Emperador—; ¿el Cavallero Griego se llamó después que de aquí fue?

El maestro le dixo:

—¿Luego, señor, no han llegado a vuestra corte las nuevas de lo que hizo llamándose el Cavallero Griego?

—Ciertamente —dixo el Emperador—, nunca lo oí si agora no.

—Pues oiréis grandes cosas —dixo él—, si a la vuestra merced pluguiere que las diga.

—Mucho lo tengo por bien —dixo el Emperador— que lo digáis.

Entonces el maestro le contó de cómo, después que de allí avían partido, llegaron donde su señora Grasinda estava; y cómo, por el don que el Cavallero de la Verde Espada le avía prometido, la llevó por la mar a la Gran Bretaña; y por cuál razón y cómo, ante que allá llegasse, mandó que lo no llamassen sino el Cavallero Griego; y las batallas que en la corte del rey Lisuarte hizo con Salustanquidio y los otros dos cavalleros romanos que contra él avían tomado la batalla por las donzellas, y cómo los venció tan ligeramente. Y así mesmo le contó las grandes sobervias que los romanos, ante que a la batalla saliessen, dezían, y cómo dixeron al rey Lisuarte que a ellos les diessen aquella empresa contra el Cavallero Griego, que en sabiendo que se avía de combatir con ellos no les osaría esperar, porque los griegos temían como al fuego a los romanos; y también le contó la batalla de don Grumedán, y cómo el Cavallero Griego le dexó allí dos cavalleros sus amigos y cómo vencie-

corrido había de dolerme que de vanaglorioso preciarme», Diego de San Pedro, *Arnalte y Lucenda*, pág. 88.
    [5] *el Cavallero:* al cavallero, Z // el cavallero, RS // .

ron a los tres romanos. Todo gelo contó, que no faltó nada, assí como aquel que presente avía sido a todo ello. Todos cuantos allí estavan fueron mucho maravillados de tal bondad de cavallero, y muy alegres de cómo avía quebrantado la gran sobervia de los romanos con tanta deshonra suya. El Emperador le estuvo loando mucho, y dixo:

—Maestro, agora me dezid la creencia, que vos yo oiré.

—El maestro le dixo todo el negocio del rey Lisuarte y de su hija, y por cuál causa fue tomada en la mar por Amadís y por aquellos cavalleros, y las cosas que los naturales del reino avían passado con el rey Lisuarte, y de cómo Oriana se avía embiado a quexar a todas partes de aquella tan gran sin justicia que el Rey su padre con tanta crueldad le hazía, desheredándola sin ninguna causa de un reino tan grande y honrado, donde Dios la avía hecho eredera; y cómo no curando de conciencia ni usando de ninguna piedad, queriendo heredar en sus reinos otra hija menor, la entregó a los romanos con muchos llantos y dolores, así della como de todos cuantos la veían; y cómo sobre estas quexas y grandes clamores de aquella Princesa se juntaron muchos cavalleros andantes de gran linaje y de muy alto hecho de armas, de los cuales le contó todos los nombres de los más dellos; y cómo allí en la Ínsola Firme los avía hallado Amadís, que desto nada no sabía; y allí él con ellos ovieron consejo de cómo esta Infanta fuesse socorrida, y ante ellos no passasse tan gran fuerça como aquélla; que si era verdad que ellos fuessen obligados a reparar las fuerzas que a las dueñas y donzellas se hazían, y por ellas avían sofrido fasta allí muchos afanes y peligros, que mucho más les obligava aquella tan señalada y tan manifiesta a todo el mundo, y que si aquella no socorriessen, que no solamente perdían la memoria del socorro y amparo que a las otras avían hecho, mas que quedavan deshonrados para siempre y no les cumplía parescer donde hombres buenos oviesse. Y contóle cómo fue la flota por la mar, y la gran batalla que con los romanos ovieron, y cómo al cabo fueron vencidos, y muerto Salustanquidio, el cormano del Emperador, y preso Brondajel de Roca, y el Duque de Ancona y el Arçobispo[6] de Talancia, y los otros presos y muer-

---

[6] *Arçobispo:* arçobisoo, Z // arçobispo, RS // .

tos; y cómo llevaron aquella Princesa con todas sus dueñas y donzellas, y la reina Sardamira, a la Ínsola Firme; y que desde allí avían embiado mensajeros al rey Lisuarte requiriéndole y rogándole que, dexando de fazer tan gran crueldad y sin justicia a su fija, la quisiese tornar a su reino sin rigor ninguno, y que, dando tal seguridad cual en tal caso convenía a vista de otros reyes, gela embiarían luego con todo el despojo y presos que avían tomado; y que lo que él de parte de Amadís le suplicava era que, si caso fuesse que el rey Lisuarte no se quisiesse llegar a lo justo estando todavía en su mal propósito de no querer dél salir, y el Emperador de Roma en su ayuda con gran juntamiento de gentes contra ellos, que a su merced, como a uno de los más principales ministros de Dios que en la tierra havía dexado para mantener justicia, cuanto más ser tan conoscida ésta tan grande que a esta tan virtuosa Princesa se le fazía, que muy justa causa era de ser dél socorrida, y allende desto dar algún socorro aquel noble cavallero Amadís para apremiar a los que la justicia no quisiessen, ayudasse[7] a que no passasse tan gran fuerça y tuerto como en aquello se fazía; y que demás de servir a Dios en ello y fazer lo que devía, Amadís y todo su linaje y amigos le serían obligados a gelo servir todos los días de su vida.

Cuando esto todo oyó el Emperador, bien vio que el caso era grande y de gran fecho, assí por ser de la cualidad que era como porque sabía la gran bondad del rey Lisuarte y en cuánto su honra y fama siempre avía tenido, y también porque conoscía la sobervia del Emperador de Roma, que era más fecho a su voluntad que a seguir seso ni razón. Y bien creía que esto no se podía curar sino con gran afruenta, y en mucho lo tuvo; pero considerando la gran justicia que aquellos cavalleros tenían, y cómo Amadís avía venido de tan lueñe tierra a le ver, y le avía dado palabra, ahunque liviana fuesse y no dicha aquella parte que la él tomó[8], quiso mirar a su grandeza acordándose de algunas sobervias que el Emperador de Roma en los tiempos passados le avía fecho; y respondió al maestro Elisabad, y díxole:

---

[7] *ayudasse*: ayudassen, Z // ayudasse, RS // .

[8] *no dicha a aquella parte que el la tomó*: no dicha con aquel propósito con el que él la tomó.

—Maestro, grandes cosas me avéis dicho, y de tan buen hombre como vos sois todo se puede y deve creer; y pues que el esforçado Amadís ha menester mi ayuda, yo gela daré tan complidamente, que aquella palabra que él de mí tomó, ahunque en alguna manera liviana paresciesse, la falle muy verdadera y muy complida, como palabra de tan gran hombre como yo soy dada a tan honrado cavallero y tan señalado como él es; porque nunca en cosa me ofrescí que al cabo no acabasse.

Y todos cuantos allí estavan ovieron muy gran plazer de lo que el Emperador respondió, y sobre todos Gastiles, su sobrino[9], aquel que ya oístes que fue por Amadís, llamándose el Cavallero de la Verde Espada cuando mató al Endriago. Y luego se fincó de rodillas ante el Emperador su tío, y dixo:

—Señor, si a la vuestra merced pluguiere y mis servicios lo merescen, hágaseme por vos esta señalada merced: que sea yo embiado en ayuda de aquel noble y virtuoso cavallero que tanto ha honrado la corona de vuestro imperio.

El Emperador, cuando oyó esto, le dixo:

—Buen sobrino, yo os lo otorgo, y así me plaze que sea, y desde agora vos mando a vos y al marqués Saluder que toméis cargo de guarnescer una flota que sea tal y tan buena como a la grandeza de mi estado requiere, porque en otra manera no me podría venir dello honra. Y si fuere menester, vos y él iréis en ella y podréis dar batalla al Emperador de Roma como cumple.

Gastiles le besó las manos y gelo tuvo en muy gran merced. Y así como lo él mandó lo fizieron él y el Marqués. Cuando el maestro Elisabad esto vio, bien podréis creer el plazer que dello sintiera, y dixo al Emperador:

—Señor, por esso que me avéis dicho os beso las manos de parte de aquel cavallero, y por ser yo el que tal recaudo llevo le

---

[9] De la misma manera que sucede en Giontes, los sobrinos de los reyes o del Emperador alcanzan cierta importancia, sin que sepamos, por otra parte, si el sobrino es por vía materna o paterna. En cualquiera de los casos, además de unos claros paralelismos, quizás nos encontremos ante residuos de estructuras familiares más arcaicas, heredados también en el cantar de gesta y en el relato artúrico. Véase Roberto Ruiz Capellán y Francisca Aramburu Riera, «Substratos míticos en el *Cantar de Roland*», en *Cuadernos de Investigación Filológica*, 12-13 (1987), 5-43, págs. 21-24.

beso los pies; y porque por el presente me queda mucho de fazer, sea la vuestra merced de me dar licencia. Y si el Emperador de Roma llegare su gente, pues que es hombre de muy gran sentimiento para semejantes cosas, y si él las llegare, que así mesmo por conseguiente vos mandéis llamar las vuestras porque a un tiempo leguen[10] a los que las esperaren.

El Emperador le dixo:

—Maestro, id con Dios, y desseo dexad a mí el cargo, que si menester será, allá veréis quién yo soy y en lo que Amadís tengo.

Assí el maestro se despidió del Emperador, y se tornó a la tierra de su señora Grasinda.

## Capítulo C

*Cómo Gandalín llegó en Gaula, y fabló al rey Perión lo que su señor le mandó, y la respuesta que uvo.*

Sabed que Gandalín llegó en Gaula, donde con mucho plazer fue recebido por las buenas nuevas que de Amadís llevava, de quien mucho tiempo avía que las no avían sabido. Y luego apartó al Rey y díxole todo cuanto su señor le mandó que le dixiesse[1], así como ya oístes. Y como éste fuesse un Rey tan esforçado que ninguna afruenta, por grande que fuesse, temía, en especial tocando aquel hijo que era un espejo luziente en todo el mundo, y que él tanto amava, dixo:

—Gandalín, esto que de parte de tu señor me dezís se fará luego; y si ante que yo lo vieres, dile que le no toviera por cavallero si aquella fuerça dexara passar, porque a los grandes coraçones es dado las semejantes empresas. Y yo te digo que si el rey Lisuarte no se quiere llegar a razón, que será por su daño. Y cata que te mando que nada desto no digas a mi fijo Galaor, que aquí tengo muy doliente[2], tanto que muchas vezes

---

[10] *leguen:* lleguen. «Se quería legar a tal lugar», A. Matínez de Toledo, *Atalaya de las coronicas,* 118b.

[1] *dixiesse:* dijese. «Abría grant enojo si palabra alguna dixiese contra su honor», Alfonso de Cartagena, *Discurso sobre la precedencia,* 207b.

[2] *doliente:* enfermo. A partir de la disensión de Lisuarte con Amadís y los suyos, el diseño de la obra se conduce por unos derroteros difíciles de resolver

le he tenido más por muerto que por vivo, y ahún agora tiene mucho peligro, ni a su compañero Norandel, que por le ver es aquí venido, que a él yo gelo diré.

Gandalín le dixo:

—Señor, como mandáis se fará, y mucho me plaze por ser dello avisado, que yo no mirara en ello y pudiera errar.

—Pues vete a lo ver —dixo el Rey—, y dile nuevas de su hermano, y guarda no te sienta nada a lo que vienes.

Gandalín se fue a la cámara donde Galaor estava tan flaco y tan malo, que él fue maravillado de lo ver. Y como entró, fincó los inojos por le besar las manos, y Galaor le miró y conosció que era Gandalín, y las lágrimas le venieron a los ojos con plazer, y dixo:

—Mi amigo Gandalín, tú seas bien venido; ¿qué me dizes de mi señor y hermano Amadís?

Gandalín le dixo:

—Señor, él queda en la Ínsola Firme sano y bueno, y con mucho desseo de vuestra vista; y no sabe, señor, de vuestro mal, ni yo lo sabía fasta que el Rey mi señor me lo dixo, que yo vine aquí con su mandado para le fazer saber a él y a la Reina su venida. Y cuando él sepa el estado de vuestra salud, mucho pesar dello avrá como de aquel a quien ama y precia más que a persona[3] de su linaje.

Norandel, que allí estava, le abraçó y le preguntó por Amadís qué tal venía, y él le dixo lo que havía dicho a don Galaor, y les contó algunas cosas de las que en las ínsolas de Romanía y en aquellas estrañas tierras les havían acaescido. Norandel dixo a don Galaor:

—Señor, razón es que con tales nuevas como éstas toméis esfuerço y desechéis vuestro mal, porque vamos a ver aquel cavallero, que sí Dios me ayude, él es tal que, ahunque por ál no fuesse sino por le ver, todo los que algo valen devrían tener en poco el trabajo de su camino, ahunque muy largo fuesse.

---

para el autor. Galaor como buen vasallo de Lisuarte le debe la correspondiente obediencia, lo que podría conducirle a enfrentarse con su familia, de no querer salir menoscabado. Ante esta situación, la enfermedad del personaje evita cualquier confrontación, pero no se motiva por ninguna circunstancia guerrera.

[3] *persona*: nadie. «Dixeronles que no dixessen su nombres a persona del mundo», *Tristán de Leonís*, 352a. Véase Keniston § 40.65.

Estando assí fablando y preguntando Galaor a Gandalín muchas cosas, entró el Rey y tomó a Norandel por la mano, y, fablando entre otras cosas, le sacó de la cámara. Y cuando fueron donde don Galaor no los pudiesse oír, el Rey le dixo:

—Mi buen amigo, a vos conviene que luego os vayáis a vuestro padre, el Rey, porque, según he sabido, os avrá menester, y a todos los suyos. Y no vos empachéis[4] en otras demandas, porque yo sé cierto que será muy servido con vuestra ida. Y desto no digáis nada a don Galaor, vuestro amigo, porque sería ponerle en gran alteración, de que mucho daño venirle podría según su flaqueza.

Norandel le dixo:

—Mi señor, de tan buen hombre como vos sois no se deve tomar sino el consejo sin más preguntar la causa, porque cierto soy que assí será como lo dezís; y yo me despidiré esta noche de don Galaor, y mañana entraré en la mar, que allí tengo mi fusta, que cada día me espera.

Esto fizo el Rey porque Norandel cumpliesse lo que a su padre obligado era, y también porque no viesse que él mandava adereçar su gente y apercebir sus amigos.

Assí estuvieron aquel día más alegres con don Galaor, porque lo él estava con las nuevas de su hermano. Gandalín dixo a la Reina lo que Amadís le suplicava, y ella le dixo que todo se faría como él lo embiava a dezir.

—Mas Gandalín, amigo —dixo la Reina—, mucho estoy turbada destas nuevas, porque entiendo que mi fijo estará en gran cuidado, y después en gran peligro de su persona.

—Señora —dixo Gandalín—, no temáis, que él avrá tanta gente que el rey Lisuarte ni el Emperador de Roma no lo osen acometer.

—Assí plega a Dios —dixo la Reina.

Venida la noche, Norandel dixo a don Galaor:

—Mi señor, yo acuerdo de me ir porque veo que vuestra dolencia es larga, y para yo no aprovechar en ella mejor será que en otras cosas entienda, porque, como vos sabéis, ha poco que soy cavallero, y no he ganado tanta honra como me sería

---

[4] *empachar:* causar empacho, obstáculo, impedimento. «Las quales no podrían enpachar el paso de los moros en sus navíos», Diego de Valera, *Epístolas,* 28b.

menester para ser tenido entre los buenos por hombre de algún valor; y lo que supe de vuestro mal me estorvó de un camino en que estava puesto cuando de casa de mi padre el Rey salí, y agora me conviene de ir a otra parte donde es menester mi ida, y Dios sabe el pesar que mi coraçón siente en no poder andar en vuestra compañía. Mas plaziendo a Dios, en este comedio de tiempo en que yo cumpla lo que escusar no puedo seréis más mejorado, y yo terné cargo[5] de me venir a vos, y iremos de consuno a buscar algunas aventuras.

Don Galaor, como esto oyó, sospiró con gran congoxa y díxole:

—El dolor que yo, mi buen señor, siento en no poder ir con vos no lo sé dezir; mas, pues, assí plaze a Dios, no se puede ál fazer[6], y conviene que su voluntad se cumpla assí como Él quiere. Y a Dios vais encomendado, y si caso fuere que veáis al Rey vuestro padre y mi señor, besalde las manos por mí, y dezilde que quedo a su servicio, ahunque más muerto que bivo, como vos, señor, vedes.

Norandel se fue a su cámara, y muy triste por el mal de don Galaor, su leal amigo. Y otro día de mañana oyó missa con el rey Perión, y despidióse de la Reina, y de su hija y de todas las dueñas y donzellas; y la Reina le encomendó a Dios, y su hija y todas las otras dueñas y donzellas le acomendaron[7] a Dios, como aquellas que lo mucho amavan, y así entró luego en la mar. Y aquí no cuenta de cosa que le acaesciese sino que con muy buen tiempo llegó en la Gran Bretaña, y se fue donde el Rey su padre estava, y fue así dél como de los otros todos muy bien recebido como buen cavallero que él era.

---

[5] *terné cargo:* me encargaré. «Tenía cargo de escrebir la Historia de los reynos de Castilla», *Crónica de don Álvaro de Luna,* 285, 9.

[6] *ál fazer:* otra cosa hacer. «No fazia al sino llorar por Lançarote», *Demanda del Sancto Grial,* 331b.

[7] *acomendaron:* encomendaron. «Don Sancho en su muerte le acomendo a Gutierre Ferrandes», A. Martínez de Toledo, *Atalaya de las coronicas,* 67b.

## Capítulo CI

*De cómo Lasindo, escudero de don Bruneo de Bonamar, llegó con el*
*mandado de su señor al Marqués y a Branfil, y lo que con ellos fizo.*

Lasindo, escudero de don Bruneo de Bonamar, llegó adonde el Marqués estava; y como le dixo el mandado de su señor a él y a Branfil, Branfil se congoxó[1] tanto por no se fallar en lo passado con aquellos cavalleros, y no aver sido en la tomada[2] de Oriana, que se quería matar. Y fincó los inojos delante su padre, y muy afincadamente le pidió por merced que mandasse poner en obra lo que su hermano embiava a demandar. El Marqués, como era buen cavallero, y sabía la gran amistad que sus hijos tenían con Amadís y con todo su linaje, de que gran honra y estima les crescía, díxole:

—Fijo, no te congoxes, que yo lo faré tan complidamente, y te embiaré, si menester es, con tan buena compaña que la tuya no sea la peor.

Branfil le besó las manos por ello, y luego se dio orden cómo la flota se adereçasse y la gente para ella, que este Marqués era muy gran señor y muy rico, y avía en su señorío muy buenos cavalleros y de otra gente de guerra mucha y bien armada.

## Capítulo CII

*Cómo Isanjo llegó con el mandado de Amadís al buen Rey de Boemia, y*
*el gran recaudo que en él falló.*

Isanjo, el cavallero de la Ínsola Firme, llegó al reino de Bohemia, y dio la carta de Amadís y la creencia al rey Tafinor. No vos podría hombre dezir el plazer que con ello uvo cuando lo vio; y dixo:

---

[1] *congoxó:* acongojó. «Estando muy congoxado por saber nuevas del duque de Orlitensa, entró el mensajero», *Lisuarte de Grecia,* fol. XVI v.
[2] *tomada:* toma.

—Cavallero, vos seáis bien venido, y mucho gradezco a Dios este mensaje que me traéis; y por lo que se fará podréis ver con la voluntad que se recibe, y si vuestro camino es bien empleado.

Y llamando a su fijo Grasandor, le dixo:

—Hijo Grasandor, si yo soy obligado a tener conocimiento[1] de las grandes ayudas y provechos que el Cavallero de la Verde Espada me fizo estando en este mi reino, tú lo sabes; que demás de ser por él guardada y acrescentada la honra de mi real corona, él me quitó de la más cruda y peligrosa guerra que nunca rey tuvo, assí por la tener con hombre tan poderoso como el Emperador de Roma, como por él ser en sí mismo tan sobervio y fuera de toda razón, donde no se esperava otra fin sino ser yo y tú perdidos y destruidos, y por ventura, al cabo muertos. Y aquel noble cavallero, que Dios por mi bien a mi casa traxo, lo reparó todo a mi honra y de mi reino, como tú viste. Y assí como testigo dello te mando que veas esta carta que me embía, y lo que este cavallero de su parte me ha dicho, y con toda diligencia te apareja para que aquel gran beneficio que de aquel cavallero recebimos de nosotros sea satisfecho. Y sabe que este cavallero se llama Amadís de Gaula, aquel de quien tales cosas tan famosas por todo el mundo se cuentan, y por no ser conoçido se llamó el Cavallero de la Verde Spada.

Grasandor tomó la carta y oyó lo que Isanjo le dixo, y respondió a su padre diziendo:

—¡O señor, qué descanso tan grande recibe mi coraçón en que aquel noble cavallero haya menester el favor y ayuda de vuestro real estado, y en ver el conoçimiento y gradeçimiento que de las cosas passadas por él hechas vos, señor, tenéis! Solamente queda para satisfación de mi voluntad que a la merced vuestra plega que, quedando el conde Galtines para llevar la gente si menester fuere, a mí me dé licencia con veinte cavalleros, y luego me vaya a la Ínsola Firme; porque ahunque en esta cuistión[2] algún atajo se dé, gran honra será para mí estar en compaña de tal cavallería como ayuntada allí está.

---

[1] *conoscimiento:* agradecimiento.

[2] *cuistión:* asunto. La forma puede atestiguarse en textos del xv. Cfr. «E esta qüistión desçiende de la fermosa serie de qüistiones», Enrique de Villena, *Expo-*

El Rey le dixo:

—Fijo, yo tuviera por bien que esperaras a ver el fin desto, y llevaras aquel aparejo que a la honra mía y tuya convenía levar; mas, pues assí esto te plaze, hágase como lo pides, y escoje los cavalleros que más te plazerá, y yo mandaré que luego sea aparejada una nave en que vayas. Y a Dios plega de te dar tan buen viaje y tanto en honra de aquel noble cavallero que con todo nuestro estado le paguemos la deuda que él con su persona sola nos dexó.

Esto se hizo luego. Y este Grasandor, Infante heredero deste rey Tafinor de Bohemia, tomó consigo los veinte cavalleros que le más contentaron, y se metió a la mar, y fue su vía[3] camino de la Ínsola Firme.

## Capítulo CIII

*Cómo Landín, sobrino de don Cuadragante, llegó en Irlanda, y lo que con la Reina recaudó.*

Con el mandado de su señor llegó Landín, sobrino de don Cuadragante, en Irlanda, y secretamente fabló con la Reina, y díxole el mandado de su señor. Y como ella oyó tan gran rebuelta y tan peligrosa, comoquiera que sabía ser su padre, el rey Abiés de Irlanda, muerto por la mano de Amadís, como el primero[1] desta historia lo cuenta, y siempre en su coraçón aquel rigor y enemistad que en semejante caso se suele tener con él tuviesse, consideró que mucho mejor era acorrer y poner remedio en los daños presentes que en los passados, que cuasi como olvidados estavan. Y fabló con algunos de quien se

*sición del salmo «Quoniam videbo»*, ed. de Pedro M. Cátedra, en *Exégesis Ciencia Literatura*, Madrid, El Crotalón, 1985, pág. 90.

[3] *fue su vía:* se marchó por su camino. «Encomendo la dueña a Dios, [...] e fuesse su via», *Demanda del Sancto Grial*, 272a.

[1] *el primero:* frente a la lectura de ZRS, *el primero*, Place edita el *libro primero*, lo que supone un error común en todas las ediciones; y si bien es cierto que es la forma habitual de mencionar los libros anteriores o posteriores, no modifico su lectura porque es perfectamente comprensible y hay algún caso de este tipo de construcción en el relato.

fiava y con ellos tuvo tal manera que, sin que el Rey su marido lo supiesse, don Cuadragante su tío fue mucho ayudado con intención que, creçida la parte de Amadís, el rey Lisuarte sería destruido y su marido, el rey Cildadán, con su reino salido de le ser sujeto y tributario[2].

Pues assí como os havemos contado, todas estas gentes quedaron apercebidas con aquella voluntad y desseo que se requiere tener a los vencedores. Mas agora dexa la historia de fablar dellos por contar lo que los mensajeros del rey Lisuarte hizieron[3].

CAPÍTULO CIV

*Cómo don Guilán el Guidador llegó en Roma con el mandado del rey Lisuarte, su señor, y de lo que hizo en su embaxada con el emperador Patín.*

Don Guilán el Cuidador anduvo tanto por sus jornadas, que a los veinte días después que de la Gran Bretaña partió fue en Roma con el emperador Patín, el cual falló con muchas gentes y grandes aparejos para recebir a Oriana, que cada día sperava, porque Salustanquidio, su cormano, y Brondajel de Roca le havían scripto cómo ya lo tenían despachado, y que presto serían con él con todo recaudo, y estava mucho maravillado cómo tardavan. Y don Guilán entró assí armado como venía, sino las manos y la cabeça, en el palacio, y fuese donde el Emperador stava, y hincó los inojos y besóle las manos, y diole la carta que le levava. Y el Emperador le conosçió muy bien, que muchas vezes le viera en casa del rey Lisuarte al tiempo que él allí estuvo cuando se bolvió muy malherido del golpe que Amadís

---

[2] Dejando aparte la relación con Cuadragante, se motiva la ayuda por un planteamiento material, relacionado con el vasallaje del rey Cildadán. Montalvo en bastantes ocasiones intenta explicar el comportamiento de los personajes con muchos más detalles que los utilizados en los primeros libros.

[3] Una vez finalizadas todas las embajadas, el narrador indica el cambio de historia al final del capítulo, produciéndose una alternancia motivada no sólo por la sensación de simultaneidad, sino por la existencia de una idéntica temática.

1414

le dio de noche en la floresta, como el libro segundo desta historia lo cuenta, y díxole:

—Don Guilán, vos seáis muy bienvenido. Entiendo que venís con Oriana, vuestra señora; dezidme dónde queda y mi gente que la trae.

—Señor —dixo él—, Oriana y vuestra gente quedan en tal parte donde ni a vos ni a ellos convenía.

—¿Cómo es esso? —dixo el Emperador.

Él le dixo:

—Señor, leed essa carta, y cuando os pluguiere, deziros he a lo que vengo, que mucho hay más de lo que pensar podéis.

El Emperador leyó la carta, y vio que era de creencia; y como en todas las cosas fuesse muy liviano y desconcertado[1], sin más mirar a otro consejo, le dixo:

—Agora me dezid la creencia desta carta delante de todos estos que aquí están, que me no podría más sufrir.

Don Guilán le dixo:

—Señor, pues assí vos plaze, assí sea. El rey Lisuarte, mi señor, os faze saber cómo Salustanquidio y Brondajel de Roca, y otros muchos cavalleros con ellos, llegaron en su reino, y de vuestra parte le demandaron a su fija Oriana para ser vuestra muger; y él, conoçiendo vuestra virtud y grandeza, ahunque esta Infanta fuesse su derecha heredera y la cosa del mundo que él y la Reina su mujer más amassen, por os tomar por fijo y ganar vuestro amor, contra la voluntad de todos los de sus reinos jela dio con aquella compaña y atavíos que a la grandeza de vuestro estado y suyo convenía; y que entrados en la mar, fuera de los términos[2] de su reino, salió Amadís de Gaula con otros muchos cavalleros, con otra flota; y desbaratados los vuestros, y muertos muchos con el príncipe Salustanquidio, y preso Brondajel de Roca y el Arçobispo de Talancia y el Duque de Ancona, y otros muchos con ellos, fue Oriana tomada con todas sus dueñas y donzellas y la reina Sardamira, y todos

---

[1] *liviano y desconcertado:* ligero y sin concierto. «Commo era liviano un poco, pusose en el poder de don Ramiro», Alfonso Martínez de Toledo, *Atalaya de las coronicas,* 43a.

[2] *términos:* límites. Se insiste en que el ataque de Amadís se ha realizado fuera de los límites de su reino porque de esta manera disminuye la responsabilidad de Lisuarte.

los presos y despojos fueron levados a la Ínsola Firme, donde la tienen; y que desde allí le han embiado mensajeros con algunos conciertos, pero que los no ha querido oír fasta que [v]os, señor, a quien este fecho tanto toca, lo sepáis, y vea cómo lo sentís, faziéndole saber que si assí como a él le pareçe que deven ser castigados, os pareçe a vos, que sea tan breve, que el tiempo largo no haga la injuria mayor.

Cuando el Emperador esto oyó, fue mucho spantado, y dixo con gran dolor de su coraçón:

—¡O cativo Emperador de Roma, si tú esto no castigas, no te cumple sola una hora en este mundo bivir!

Y tornó y dixo:

—¿Es cierto que Oriana es tomada y mi cormano muerto?

—Cierto[3], sin ninguna duda —dixo don Guilán—, que todo ha passado como os he dicho.

—Pues agora, cavallero, os bolved —dixo el Emperador— y dezid al Rey vuestro señor que esta injuria, y la vengança della, yo la tomo a mi cargo, y que él no entienda en otra[4] cosa sino en mirar lo que yo faré; que si deudo con él yo quiero, no es para darle trabajo ni cuidado, sino para le vengar de quien enojo le fiziere.

—Señor —dixo don Guilán—, vos respondéis como gran señor que sois y cavallero de gran esfuerço; pero entiendo que lo havéis con tales hombres, que bien será menester lo d'allá con lo de acá. Y el Rey mi señor hasta agora está bien satisfecho de todos[5] los que enojado le han, y assí lo estará de aquí adelante. Y pues que tan buen recaudo en vos, señor, fallo, yo me partiré, y mandad poner en obra lo que cumple, y muy presto, con tal aparejo como es menester para tomar vengança sin que el contrario se reciba[6].

Con esto se despidió don Guilán del Emperador, y no muy contento, que como éste fuesse un muy noble cavallero y muy

---

[3] *Cierto:* Ccierto, Z // Cierto, RS // .

[4] *no entienda en otra cosa:* no se preocupe de otra cosa. «Después no havrá tiempo para entender en los amores deste perdido de nuestro amo», *Celestina,* IX, 143.

[5] *está bien satisfecho de todos:* ha sido bien satisfecho por todos.

[6] *el contrario se reciba:* sin recibir lo opuesto, lo contrario. Para el sintagma *el contrario,* véase la nota 22 del capítulo XIII.

cuerdo y esforçado, y viesse con tan poca autoridad y liviandad fablar aquel Emperador, gran pesar en su coraçón llevava de ver al Rey su señor en compaña de hombre tan desconcertado, donde no le podía venir, si por muy gran dicha no fuesse, sino toda mengua y desonra. Y assí se bolvió por su camino llorando muchas vezes la gran pérdida que el Rey su señor por su gran culpa havía hecho en perder a Amadís, y a todo su linaje y a otros muchos que tanto valían y que por su causa estavan en su servicio, y agora le eran tan grandes enemigos.

Pues con mucho trabajo llegó a la Gran Bretaña, y fue bien recebido del Rey y de todos los de la corte. Y luego fabló con él y le dixo todo lo que en el Emperador fallado havía, y cómo se aparejava para venir con gran priessa, y con esto le dixo:

—Quiera Dios, señor, que del deudo deste hombre os venga honra; que sí Dios me ayude, muy poco contento vengo de su autoridad, y no puedo creer que gente que tal caudillo traya faga cosa que buena sea.

El Rey le dixo:

—Don Guilán, mucho soy alegre de veros venido bueno y con salud, y teniendo yo a vos y a otros tales que me han de servir, solamente havremos menester la gente del Emperador; que ahunque él no la rija ni la guíe, vosotros bastáis para governar a él y a mí; y pues él assí lo toma, menester es que acá nos falle con tal recaudo, que veyéndolo no tenga en tanto su poder como lo agora tiene.

Assí estuvo el Rey adreçando todas las cosas que convenían con mucha diligencia, que bien sabía que sus contrarios no dexavan de llamar cuantas gentes podían haver, qu'él supo cómo el Emperador de Constantinopla, y el Rey de Bohemia, y el rey Perión, y otros muchos llamavan sus gentes para las embiar a la Ínsola Firme; y por dicho se tenía, según la bondad de Amadís y de todos aquellos cavalleros que con él estavan, que viéndose con aquellos tan grandes poderes no se podrían sofrir de lo no buscar dentro en su reino. Y por esta causa nunca cessava de buscar ayudas de todas partes, pues veía que les serían menester; y también supo cómo el rey Arávigo y Barsinán, Señor de Sansueña, y otros muchos con ellos, adreçavan gran armada, y no podía pensar adónde acudirían.

Estando en esto, llegó Brandoivas y díxole cómo el rey Cildadán se aparejava para complir su mandado, y que don Galvanes le suplicava que le no mandasse ser contra Amadís y Agrajes, su sobrino, y que si desto contento no fuesse, que él le dexaría libre y desembargada[7] la ínsola de Mongaça, como había quedado al tiempo que dél la recibió: que mientra él la tuviesse, fuesse su vassallo, y cuando no lo quisiesse ser, que dexándole la ínsola quedasse libre. El Rey, como era muy cuerdo, ahunque su necessidad fuesse grande, bien vio que don Galvanes tenía razón, y embióle a dezir que quedasse, que, ahunque en aquella jornada no le sirviesse, ende vernía tiempo en que se pudiesse emendar[8]. Pues dende a pocos días llegó Filispinel del rey Gasquilán de Suesa, y dixo al Rey cómo le había recebido muy bien, y que con gran voluntad le vernía ayudar, y combatirse con Amadís por complir lo que tanto desseava.

Sabido por el Rey el gran aparejo que tenía, acordó de no dilatar, y mandó llamar a su sobrino Giontes, y díxole:

—Sobrino, es menester que luego vayáis lo más presto que ser pudiere al Patín, Emperador de Roma, y le digáis que yo estoy contento de lo que de su parte don Guilán me dixo, y que yo me voy a la mi villa de Vindilisora[9], porque es cerca del puerto donde él ha de desembarcar, y que allí llegaré todas mis compañas, y estaré en el campo en real esperando su venida; que le ruego yo mucho que sea lo más presto qu'él pudiere, porque según su gran poder y el mío, si luego en el comienço a nuestros contrarios sobramos de gentes[10], muchas ayudas les

---

[7] *desembargada:* libre, sin ningún embargo. «Fue conçertado, que los que estaban en la villa de Atiença que dexasen luego la villa del Rey libre e desenbargada», *Crónica de don Álvaro de Luna,* 211, 14.

[8] *ende vernía tiempo en que se pudiesse emendar:* después vendría tiempo en el que se podría enmendar. «Le plazia emendar los daños», A. Martínez de Toledo, *Atalaya de las coronicas,* 45b. Las contradicciones de Lisuarte son constantes respecto a comportamientos anteriores. La ínsola de Mogança había originado la pelea entre los amigos de Amadís y Lisuarte, mientras que ahora exime a don Galvanes del *auxilium* por su vasallaje. La causa de tantos cambios posiblemente habrá que atribuirlo al deseo del autor de no presentar un rey injusto en todos sus comportamientos.

[9] *Vindilisora:* Vindelisora, Z // Vindilisora, RS // .

[10] *a nuestros contrarios sobramos de gentes:* superamos a nuestros contrarios en el número de personas.

faltarán de las que vernían poniendo dilación; y vos, sobrino, no os partáis dél fasta venir en su compaña, que vuestra ida le porná mayor gana y cuidado para su venida.

Giontes le dixo:

—Señor, por mí no quedará de ser complido lo que mandáis.

El Rey se partió luego para Vindilisora[11], y mandó llamar todas sus gentes. Y Giontes se metió a la mar en una fusta guarnida y guisada de lo que para semejante viaje convenía, assí de marineros como de viandas, para ir a Roma.

Capítulo CV

*Cómo Grasandor, hijo del Rey de Bohemia, se encontró con Giontes, y lo que le avino con él.*

Dicho os havemos cómo Grasandor se partió de casa de su padre, el Rey de Bohemia, en una fusta con veinte cavalleros para se ir a la Ínsola Firme. Pues navegando por la mar la ventura que le guió, topóse una noche con Giontes, sobrino del rey Lisuarte, que con su mandado iva a Roma al Emperador, como ya oístes. Y viéndose cerca los unos de los otros, Grasandor mandó a sus marineros que endereçassen contra aquella nave para la tomar. Y Giontes, como no levava otra compaña sino la que necessaria era para el governar de la fusta, y algunos otros servidores, y iva en cosa que tanto complía al Rey su señor, no pensó en ál sino en se quitar de toda afruenta y cumplir su viaje según le era mandado. Mas tanto no se pudo arredrar[1] que tomado no fuesse y traído ante Grasandor assí armado como estava, y preguntóle quién era. Y él le dixo que era un cavallero del rey Lisuarte, que iva con su mandado al Emperador de Roma, y que si él por cortesía le mandasse soltar y podiesse complir su camino, que mucho gelo gradeçería,

---

[11] *Vindilisora:* Vindelisora, Z // Vindilisora, RS // .

[1] *arredrar:* apartar. «Un viçio se levanto que es muy arredrado de la condicion de la ley», *Confisión del Amante*, 125, 18.

pues que causa ni razón ninguna havía para lo detener. Grasandor le dixo:

—Cavallero, comoquiera que yo espere de ser muy presto contra esse Rey que dezís en ayuda de Amadís de Gaula, y por eso no sea obligado a tratar bien ninguno de los suyos, quiero usar con vos de toda mesura y dexaros ir a tal partido[2] que me digáis vuestro nombre y el mandado que al Emperador lleváis.

Giontes le dixo:

—Si por no deziros mi nombre y a lo que voy ganasse más honra y el Rey, mi señor, fuesse más servido, escusado sería preguntármelo, pues que sería en vano. Pero porque mi embaxada es pública, y en dezirla con quien yo soy cumplo más lo que devo, haré lo que me pedís. Sabed que a mí llaman Giontes, y soy sobrino del rey Lisuarte, y el mensaje que llevo es traer al Emperador con todo su poder lo más presto que pueda para que se junte con el Rey mi tío y vayan contra aquellos que a la infanta Oriana tomaron en la mar, como entiendo que havréis sabido, porque cosa tan grande no se puede escusar de ser pública en muchas partes. Agora os he dicho lo que saber queréis; dexadme ir, si vos pluguiere, mi camino.

Grasandor le dixo:

—Vos lo havéis dicho como cavallero. Yo vos suelto que os vayáis do quisierdes, y venid presto con esse que dezís, que prestos hallaréis los que buscáis.

Assí se fue Giontes su camino; y Grasandor mandó a uno de aquellos cavalleros que con él iva que en una barca que allí llevavan se tornasse a su padre y le dixesse aquellas nuevas, y que, pues el fecho estava en tal estado, que le pedía por merced se avisasse cuando el Emperador o su gente moviesse para ir al rey Lisuarte; y que, sin otro llamamiento que le fuesse hecho, embiasse toda su gente a la Ínsola Firme con el conde Galtines, porque lo suyo, seyendo lo primero, en mucho más sería tenido. Y assí se fizo, que este Rey de Bohemia, sabido por él esta nueva, luego mandó partir su flota con mucha gente y bien armada, como aquel que con mucha afición y amor estava de acreçentar la honra y provecho de Amadís.

---

[2] *a tal partido:* con tal condición. «Non querían salir a partido alguno que les fuese movido», *Crónica de don Álvaro de Luna*, 424, 26.

Grasandor tiró por su mar adelante, y sin ningún entrevallo llegó al puerto de la Ínsola Firme; y como algunos de los de la ínsola los vieron, dixéronlo a Amadís, y él mandó que fuessen a saber quién venía en la nave, y assí se hizo. Y cuando le dixeron que era Grasandor, hijo del Rey de Bohemia, ovo muy gran plazer, y cavalgó y fuese a la posada de don Cuadragante; y tomaron consigo Agrajes y fuéronlo a recebir. Y cuando llegaron al puerto, ya era salido de la mar Grasandor y sus cavalleros, y estavan todos a cavallo; y cuando él vio venir Amadís contra sí, adelantóse de los suyos y fuelo abraçar, y Amadís a él, y díxole:

—Mi señor Grasandor, vos seáis muy bien venido, y mucho plazer he con vuestra vista.

—Mi buen señor —dixo él—, a Dios plega por su merced que siempre comigo plazer hayáis, y que sea tan creçido como lo yo trayo en saber que el Rey mi padre y yo vos podemos pagar algo de aquella gran deuda en que nos dexastes. Y bien será que sepáis unas nuevas que en el camino por donde vengo hallé, y con tiempo pongáis el remedio que cumple.

Estonces les contó todo lo que de Giontes supo, assí como ya oístes que lo prendió, y cómo desde allí embió a su padre para que, en sabiendo que la gente del Emperador movía, que él sin otro llamamiento embiasse luego toda su gente; en lo cual no pusiesse duda alguna, sino que vernía antes que lo de los contrarios, y que de allí perdiesse cuidado del llamamiento. Don Cuadragante dixo:

—Si todos nuestros amigos con tal voluntad nos ayudan como este señor, no temeremos mucho esta afruenta.

Assí se fueron al castillo, y Amadís llevó a su posada a Grasandor, y hizo aposentar los suyos y mandóles dar todo lo que oviessen menester. Y embió a todos aquellos señores que viniessen a ver aquel Príncipe tan honrado que les era venido; y assí lo fizieron, que luego vinieron todos a la posada de Amadís assí vestidos de paños de guerra muy preciados, como siempre en los lugares que algún reposo tenían lo havían acostumbrado. Y cuando Grasandor los vio, y vio tantos cavalleros, y de quien su fama por todas las gentes del mundo tan sonada era, mucho fue maravillado, y por muy honrado se tuvo en se ver en compaña de tales hombres. Todos llegaron con mucha cortesía a lo abraçar y él a ellos, y le mostraron mucho amor. Amadís les dixo:

—Buenos señores, bien será que sepáis lo que este cavallero nos dixo de lo que del rey Lisuarte supo.

Estonces gelo contó todo como lo ya oístes, y todos dixeron que sería bien que fuessen embiados otros mensajeros a llamar la gente que apercebida estava, y assí se fizo. Y porque muy larga y enojosa sería esta scriptura si por estenso se dixessen las cosas que en estos viajes passaron, solamente vos contaremos que, llegados estos mensajeros adonde ivan las gentes por sus señores fueron llamadas, y metidos en sus naves, caminaron todos a la Ínsola Firme, cada uno con los que aquí se dirán:

El rey Perión traxo de los suyos y de sus amigos tres mil cavalleros. El rey Tafinor de Bohemia embió con el conde Galtines mil y quinientos cavalleros. Tantiles, mayordomo de la reina Briolanja, traxo mil y dozientos cavalleros. Branfil, hermano de don Bruneo, traxo seis cientos cavalleros. Landín, sobrino de don Cuadragante, traxo de Irlanda seis cientos cavalleros. El rey Ladasán de España embió a su hijo don Brian de Monjaste dos mil cavalleros. Don Gandales traxo del rey Languines de Escocia, padre de Agrajes, mil y quinientos cavalleros. La gente del Emperador de Constantinopla que traxo Gastiles, su sobrino, fueron ocho mil cavalleros[3]. Todas estas gentes que la istoria cuenta llegaron a la Ínsola Firme. Y el primero que allí vino fue el rey Perión de Gaula por la priessa que se dio, y porque su tierra estava más cerca que ninguna de las otras; y si él fue bien recebido de sus hijos y de todos aquellos señores, no es necessario dezirlo, y assí mesmo el gran pla-

---

[3] Se prepara la contienda más numerosa de la obra, jerarquizándose el número de caballeros enviados de acuerdo con la categoría estamental de los personajes y de sus posesiones. «Los ejércitos del Renacimiento tienen un carácter masivo, si no en relación a lo que se verá después, en la época post-napoleónica de las grandes concentraciones, sí en comparación a lo que se usaban en etapas precedentes. Es muy reducido en número el ejército medieval y más pequeño aún el de sus componentes que participan en las acciones bélicas, las cuales casi nunca tienen el carácter de encuentros generales, de batallas en campo abierto, de manera que el combatiente de la edad caballeresca no se agrupa sumándose masivamente», J. A. Maravall, *Estado moderno y mentalidad social (Siglos XV a XVII)*, Madrid, Rev. de Occidente, 1972, t. II, pág. 540.

zer que él con ellos hovo; y por él fue acordado que toda la gente de la Ínsola Firme saliessen con sus tiendas y aparejos a una vega que debaxo de la cuesta del castillo estava muy llana y muy hermosa, cercada de muchas arboledas y en que havía muchas fuentes, y assí se hizo, que desde allí adelante todos estavan en real en el campo, y assí como la gente venía assí luego era allí aposentada. Y desque todos fueron juntos, ¿quién vos podría dezir qué cavalleros, qué cavallos y armas allí eran? Por cierto, podéis creer que en memoria de hombres no era que gente tan escogida, y tanta como aquélla, fuesse en ninguna sazón junta en ayuda de ningún príncipe como ésta lo fue.

Oriana, a quien mucho pesava desta discordia, no hazía sino llorar y maldezir su ventura, pues que la havía traído a tal estado, que tan gran perdición de gentes, si Dios no lo remediasse, a su causa fuesse venida. Pero aquellas señoras que con ella estavan con mucha piedad y amor le davan consuelo, diziendo que ni ella ni los que en su servicio estavan eran en cargo de nada desto ante Dios, ni ante el mundo; y ahunque no quiso, la hizieron subir a lo más alto de la torre, de donde toda la vega y gente se pareçía[4]. Y cuando ella vio todo aquel campo cubierto de gentes, y tantas armas reluzir, y tantas tiendas, no pensó sino que todo el mundo era allí asonado[5]; y cuando todas estavan mirando, que en ál no entendían, Mabilia se llegó a Oriana y le dixo muy passo:

—¿Qué vos pareçe, señora? ¿Hay en el mundo quien tal servidor ni amigo como tenéis tenga?

Oriana dixo:

—¡Ay, mi señora y verdadera amiga! ¿Qué haré?, que mi coraçón no puede sofrir en ninguna manera lo que veo; que desto no me puede redundar sino mucha desventura, que de un cabo está éste que dezís, que es la lumbre de mis ojos y el consuelo de mi triste coraçón, sin el cual sería impossible poder yo bivir; y del otro estar mi padre, que, ahunque muy cruel le he hallado, no le puedo negar aquel verdadero amor que como

---

[4] *pareçía:* veía. Como sucede con la familia del Cid en el *Cantar,* desde lo más alto puede observar Oriana el poder de su amigo, capaz de reunir por su causa a tantos combatientes.

[5] *asonado:* asomado, Z // junto, R // assonado, S // . Significa reunido.

hija le devo. Pues, ¡cuitada de mí!, ¿qué haré? Que cualquiera déstos que se pierda siempre seré la más triste y desventurada, todos los días de mi vida, que nunca muger lo fue.

Y començó a llorar, apretando las manos una con otra. Mabilia la tomó por ellas y díxole:

—Señora, por Dios vos pido que dexéis estas congoxas y tengáis buena esperança[6] en Dios, el cual muchas vezes, por mostrar su gran poder, trae las cosas semejantes de gran espanto con muy poca esperança de se poder remediar, y después, con pensado consejo les pone el fin al contrario de lo que los hombres piensan; y assí, señora, puede acaeçer en esto, si a Él le pluguiere. Y puesto caso que la rotura por Él permitida esté, havéis de mirar que una fuerça tan grande como es la que vos hazen, que sin otra mayor no se podría remediar. Pues dad gracias a Dios que no es a cargo vuestro, como estos señores vos han dicho.

Oriana, como muy cuerda era, bien entendió que dezía verdad, y algún tanto[7] fue consolada. Pues assí estovieron gran pieça mirando, y después acogiéronse a sus aposentamientos.

El Rey Perión, de que vio toda la gente aposentada, tomó consigo a Grasandor, fijo del Rey de Bohemia, y Agrajes, y dixo que quería ver a Oriana; y assí se fue con ellos al castillo, y mandó a Amadís y a don Florestán que quedassen con la gente. Oriana, cuando supo la venida del Rey, mucho le plugo, porque después que él por su ruego hizo cavallero a Amadís de Gaula llamándose el Donzel del Mar, estando en casa del rey Languines de Escocia, padre de Agrajes, assí como el primero libro desta historia lo cuenta, nunca lo havía visto; y juntó consigo todas aquellas señoras para lo recebir. Pues el Rey y aquellos cavalleros, llegados a su aposentamiento, entraron donde Oriana estava, y el Rey la saludó con mucha cortesía, y ella a él muy humilmente[8], y después a la reina Briolanja y a la reina Sardamira, y a todas las otras Infantas y señoras. Y Mabilia vino a él y hincó los inojos, y quísole besar las manos,

---

[6] *esperança*: esperença, Z // esperança, RS // .

[7] *algún tanto*: algo. «Fue mi final proposito: de escrivir algun tanto de los fechos dEspaña», A. Matínez de Toledo, *Atalaya de las coronicas*, pág. 2b.

[8] *humilmente*: humildemente.

mas él las tiró a sí, y abraçóla con mucho amor, y díxole:

—Mi buena sobrina, muchas encomiendas os trayo de la Reina vuestra tía y de vuestra cormana Melicia, como aquella a quien mucho aman y precian, y Gandalín vos traerá su mandado, que quedó para venir con Melicia, que será agora aquí con vos y hará compañía a esta señora que tan bien lo mereçe.

Mabilia le dixo:

—Dios gelo gradezca por mí lo que, señor, me dezís, y yo gelo serviré en lo que a mi mano venga. Y mucho soy leda de la venida de mi cormana, y assí lo hará esta Princesa, que ha gran tiempo que la dessea ver por las buenas nuevas que della se dizen.

El Rey se tornó a Oriana, y díxole:

—Mi buena señora, la razón que me ha dado causa de sentir y me pesar mucho de vuestra fatiga, aquella misma con mucho desseo me obliga de procurar el remedio della, y por esto soy aquí venido, donde a Nuestro Señor plega me dé lugar que las cosas de vuestro servicio y honra sean acreçentadas como yo desseo y vos, mi buena señora, desseáis. Y mucho maravillado soy del Rey vuestro padre, seyendo tan cuerdo y tan complido en todas las buenas maneras que rey deve tener, que en este caso, que tanto a su honra y fama toca, tan cruda y cortamente se haya havido[9], y ya que lo primero tanto errado fuesse, deviéralo emendar en lo segundo, que me dizen estos cavalleros que con mucha cortesía le han requerido, y que no los quiso oír. Si alguna escusa para su desculpa tiene, no es salvo que los grandes yerros tienen esta dolencia, que no saben bolver las espaldas para se tornar al buen conoçimiento; antes, estando rigurosos en su porfía, piensan con otros yerros y insultos mayores dar remedio a los primeros. Pues el provecho y honra que desto se le apareja Dios, que es el verdadero sabidor y juez de la gran sin justicia que os haze, lo sabe, que en esta cosa tan señalada muy señaladamente mostrará su poder. Y vos, mi señora, en Él tened mucha esperança que Él vos ayudará y tornará en aquella grandeza que vuestra justicia y gran virtud mereçe.

Oriana, como muy entendida era y todas las cosas mejor

---

[9] *se haya havido:* se haya comportado.

que otra muger conoçiesse, mirava mucho al Rey, y pareçióle tan bien, assí en su persona como en su habla, que nunca vio otro que assí lo pareçiesse. Y bien conoçió que aquel mereçió ser padre de tales hijos, y que con mucha razón era loado y corría su fama por todas las partes del mundo por uno de los mejores cavalleros que en él havía; y fue tan consolada en lo ver, que si el amor que a su padre havía tan grande no fuera, que en muy grandes congoxas y cuidados la tenía puesta, no tuviera en nada que todo el mundo fuera contra ella teniendo de su parte tal caudillo con la gente que él governar esperava; y díxole:

—Mi señor, ¿qué gracias vos puede dar desto que me havéis dicho una pobre cativa desheredada donzella como lo yo soy? Por cierto, no otras ningunas sino las que vos han dado todas aquellas a quien con mucho peligro fasta aquí socorrido havéis, que son servir a Dios en ello y ganar aquella gran fama y prez que entre las gentes havéis ganado. Una cosa demando que por mí se haga demás de tan grandes beneficios que de vos, mi buen señor, recibo, que es que en todo lo que la concordia se pudiere poner se ponga con el Rey mi padre; porque no solamente Nuestro Señor será servido en se escusar muertes de tantas gentes, mas yo me ternía por la más bienaventurada muger del mundo si acabarse pudiesse.

El Rey le dixo:

—Las cosas son llegadas en tal estado, que muy dificultoso sería poderse fallar la igualeza[10] de las partes; pero muchas vezes acaeçe que en el estremo de las roturas se falla la concordia que con mucho trabajo fasta allí hallar no se pudo, y assí en esto puede acaeçer. Y si tal se hallasse, podéis vos, mi buena señora, ser cierta que, assí por el servicio de Dios como por el vuestro, con toda afición será por mi voluntad otorgado como aquel que dessea mucho serviros.

Oriana gelo gradeçió con mucha humildad como aquella en quien toda virtud reinava más que en otra muger.

En este comedio que el rey Perión con Oriana fablava, Agrajes y Grasandor hablavan con la reina Briolanja, y con la reina Sardamira y Olinda y las otras señoras. Y cuando Gra-

---

[10] *igualeza:* igualdad.

sandor vio a Oriana y aquellas señoras tan estremadas en hermosura y gentileza de todas cuantas él havía visto ni oído, estava tan espantado, que no sabía qué dezir, y no podía creer sino que Dios por su mano las havía hecho[11]. Y comoquiera que a la fermosura de Oriana y la reina Briolanja y Olinda ninguna se podía igualar, si no fuesse Melicia, que por venir estava, tan bien le pareçió el buen donaire y gracia y gentileza de la infanta Mabilia, y su gran honestidad, que desde aquella hora adelante nunca su coraçón fue otorgado de servir ni amar a ninguna mujer como aquella[12]. Y assí fue preso su coraçón, que mientra más la mirava más afición le ponía, como en semejantes tiempos y autos suele acaeçer.

Pues estando assí cuasi como turbado, como cavallero mancebo que nunca del reino de su padre havía salido, preguntó a Agrajes que por cortesía le quisiesse dezir los nombres de aquellas señoras que allí con Oriana estavan. Agrajes le dixo quién eran todas y la grandeza de sus estados; y como ahún Mabilia estoviesse con el Rey Perión y con Oriana, también le preguntó por ella. Y Agrajes le dixo cómo era su hermana, y que creyesse que en el mundo no havía muger de mejor talante ni más amada de cuantos la conoçían. Grasandor calló, que no dixo nada, y bien juzgó por su coraçón que Agrajes dezía verdad; y assí era, que todos cuantos a esta infanta Mabilia conoçían la amavan por la gran humildad y gracia que en ella havía.

Assí estando con mucho plazer, por gele dar a Oriana, que alegrar no se podía, la reina Briolanja dixo a Agrajes:

—Mi buen señor y gran amigo, yo he menester de hablar con don Cuadragante y Brian de Monjaste delante vos sobre

---

[11] «Un modo de ensalzar a la hermosa declara que no ha nacido como las demás criaturas, sino que es obra directa de Dios o de la Naturaleza», M. R. Lida de Malkiel, «La dama como obra maestra de Dios», art. cit., pág. 216, con los correspondientes ejemplos.

[12] Resulta significativo que mientras Mabilia ha sido confidente de Oriana, no haya tenido ningún caballero que se hubiera fijado en ella; al finalizar la obra, tendrá su correspondiente amor, aunque casi inmediatamente, sin ningún proceso, contraerá matrimonio con Grasandor. Como confidente, se ha procurado que careciera de actividades ajenas a los servicios amorosos de Oriana y Amadís. Una vez que están a punto de contraer matrimonio, se busca una solución satisfactoria para el personaje.

un caso, y ruégoos mucho que los hagáis venir ante que os vayáis.

Agrajes le dixo:

—Señora, esso luego se hará.

Y mandó a uno suyo que los llamasse, los cuales vinieron. Y la Reina los apartó con Agrajes y les dixo:

—Mis señores, ya sabéis el peligro en que me vi, donde, después de Dios, la bondad de vosotros me libró, y cómo metistes en mi poder aquel mi cormano Trion, el cual yo tengo preso. Y pensando mucho qué haré dél, de un cabo veo ser éste hijo de Abiseos, mi tío, que a mi padre a tan gran tuerto y traición mató, y que la simiente de tal mal hombre devría pereçer porque, sembrada por otras partes, no pudiesse nascer della semejantes traiciones; y de otro, constriñiéndome¹³ el gran deudo que con él tengo, y que muchas vezes acaeçe ser los hijos muy diversos de los padres, y que el acometimiento¹⁴ que éste hizo fue como mançebo por algunos malos consejeros, como lo he sabido, no me sé determinar en lo que haga. Y por esto vos hize llamar para que, como personas que en esto y en todo vuestra gran discreción alcança lo que hazerse deve, me digáis vuestro pareçer.

Don Brian de Monjaste le dixo:

—Mi buena señora, vuestro buen seso ha llegado tanto al cabo lo que en este caso dezirse podría, que no queda qué consejar salvo traeros a la memoria que una de las causas por donde los príncipes y grandes son loados, y sus estados y personas seguras, es la clemencia¹⁵, porque con ésta siguen la dotrina de

---

¹³ *constriñiéndome:* en Z y R; en S, constriñendome. Y aunque se trata de una grafía similar a las señaladas por M. Alvar, «Grafías navarro-aragonesas», § 6.10, puede documentarse en otros textos: «No aviendo maestro para ello nin alguno lo costriñiendo», Fernán Pérez de Guzmán, *Generaciones y semblanzas,* página 32.

¹⁴ *acometimiento:* ataque. «Entonce el Duque fízole señal de acometimiento», *Gran Conquista de Ultramar,* I, 149.

¹⁵ *clemencia:* «De la segunda parte de la templanza que es clemencia, conviene saber que esta virtud es en cuatro maneras, según que dize Séneca en el II.º libro de la Clemencia. La primera es haver piedad, la segunda es perdonar cumplidamente a los malfechores, la tercera es dar largamente a los que no son dignos e a los desconocidos, e la cuarta descender omildosamente e consentir con los suyos», *Glosa castellana al regimiento de príncipes,* I, 140. En este caso, se trataría

Aquel cuyos ministros son; al cual, faziendo las personas lo que deven, se deve referir todo lo restante. Y sería bien que, porque más vuestra duda se aclarasse en determinar el un camino de los que, señora, havéis dicho, lo mandássedes aquí venir, y hablando con él por la mayor parte se podría juzgar algo de lo que ver ni adevinar por el cabo en ausencia suya se podría.

Todos lo tovieron por bien, y assí se fizo, que la Reina rogó al rey Perión que se detuviesse alguna pieça hasta que con aquellos cavalleros tomasse conclusión de un caso en que mucho le iva. Venido Trion, pareçió ante la Reina con mucha humildad, y con tal presencia que bien dava a entender el grande linaje donde venía. La Reina le dixo:

—Trion, si yo tengo causa de os perdonar, o mandar poner en exsecución la vengança del yerro que me hezistes, vos lo sabéis, pues también vos es notorio lo que vuestro padre al mío fizo. Pero comoquiera que las cosas hayan passado, conoçiendo que el mayor deudo que en este mundo yo tengo sois vos, soy movida no solamente haver piedad de vuestra juventud, haviendo en vos el conoçimiento que de razón haver devéis, mas a vos tener en aquel grado y honra que si de enemigo que me havéis seído, me fuéssedes amigo y servidor. Pues yo quiero que delante destos cavalleros me digáis vuestra voluntad, y sea tan enteramente que, buena o al contrario, parezca sin temor en vuestra boca aquella verdad que hombre de tan alto lugar dezir deve.

Trion, que otra peor nueva esperava, dixo:

—Señora, en lo que a mi padre toca, no sé responder, porque la tierna edad en que yo quedé me escusa; en lo mío cierto es que, assí por mi querer y voluntad como por la de otros muchos que me consejaron, yo quisiera poneros en tal estrecho, y a mí en tanta libertad, que pudiera alcançar el estado que la grandeza de mi linaje demanda. Pero pues que la fortuna, assí en lo primero de mi padre y mis hermanos como en este segundo, me ha querido ser tan contraria, no queda para mí re-

---

del segundo tipo. Por otra parte, como se dice en la *Crónica de don Álvaro de Luna*, 247, 1, «cierto es que la mayor e más principal cosa que pertenesce a los reyes es la clemencia, e olvidar los errores e los desserviçios passados que les han seydo fechos».

paro salvo conoçiendo ser vos la derecha heredera de aquel reino que de nuestros abuelos quedó, y la gran piedad y merced que me haze, alcançe con muchos servicios, y por vuestra voluntad, lo que por fuerça mi coraçón alcançar desseava.

—Pues si vos, Trion —dixo la Reina—, assí lo hazéis y me sois leal vassallo, yo vos seré no solamente cormana, mas hermana verdadera, y de mí alcançaréis aquellas mercedes con que vuestra honra sea satisfecha y vuestro estado contento.

Estonces Trion hincó los inojos y besóle las manos. Y de allí adelante este Trion le fue a esta Reina tan leal en todas las cosas que assí como ella misma todo el reino mandava.

Donde los grandes deven tomar enxemplo para ser inclinados a perdón y piedad en muchos casos que se requiere tener con todos, y muy mejor con sus deudos, gradeçiendo a Dios que seyendo de una sangre, de un avolorio[16], los hizo señores dellos y a ellos sus vassallos, y ahunque algunas vezes yerren, sofrir el enojo, considerando el gran señorío que sobre ellos tienen.

La Reina les dixo:

—Pues apartando de mí todo enojo y dexándovos en vuestro libre poder, quiero que tomando cargo de governar y mandar esta mi gente hagáis aquello que la voluntad de Amadís fuere.

Mucho loaron aquellos cavalleros lo que esta muy hermosa y apuesta Reina hizo, y de allí adelante este cavallero por ellos fue muy allegado y honrado, como adelante más largamente se dirá, y por todos los otros que su bondad y gran esfuerço conoçieron[17].

---

[16] *avolorio:* abolengo, linaje. «Nascían de claros linajes e nobles abolorios», *Crónica de don Álvaro de Luna,* 7, 4.

[17] De acuerdo con los consejos recibidos, termina esta historia con el perdón de Briolanja. Parece como si Rodríguez de Montalvo tuviera una cierta tendencia hacia unos finales menos violentos, pues en los últimos episodios se nota una cierta predilección por el pacto, el perdón. Además, la infracción del primo de Briolanja era una de las más graves para la mentalidad medieval, si bien el tema fue perdiendo virulencia a lo largo del tiempo. Véase además de la obra de A. Iglesias citada, los artículos de Adalbert Dessau, «L'idée de trahison au Moyen Age et son rôle dans la motivation de quelques chansons de geste», *CCM,* III (1960), 23-26 y Hélène Wolf, «Traitres et trahison, d'après quelques oeuvres historiques de la fin de Moyen Age», en *Exclus et systemes d'exclusion dans la litterature et la civilisations médiévales, Senefiance,* núm. 5, 1978, págs. 41-55.

El rey Perión se despidió de Oriana y de aquellas señoras, y con aquellos cavalleros se tornó al real. Y la reina Briolanja encargó mucho Agrajes que hiziesse conoçer a Trion su cormano con Amadís y le dixesse todo lo que con él havía passado, y assí se hizo, que todo gelo contó por estenso.

Pues llegado el rey Perión al real, falló que estonces llegava allí Baláis de Carsante con veinte cavalleros de su linaje muy buenos y muy bien armados y aparejados para servir y ayudar a Amadís. Y quiero que sepáis que este cavallero fue uno de los cavalleros que Amadís sacó de la cruel prisión de Arcaláus el Encantador con otros muchos, y el que cortó la cabeça a la donzella que juntó Amadís y a su hermano don Galaor para que se matassen. Y por cierto, si por éste no fuera, al uno dellos convenía morir, o entrambos, así como el primero libro desta istoria lo cuenta. Este Baláis dixo al Rey y aquellos cavalleros cómo el rey Lisuarte estava en real cerca de Vindilisora, y que, según le havían dicho, que podría tener fasta seis mill de cavallo y otras gentes de pie, y que el Emperador de Roma era llegado al puerto con gran flota, y toda la gente salía de la mar, y assentavan su real cerca del rey Lisuarte; y que assí mesmo era venido Gasquilán, Rey de Suesa, y que traía ocho cientos cavalleros de buena gente, y el rey Cildadán era ya allá passado con dozientos cavalleros; y que creía que en essos quinze días no moverían de allí, porque la gente venía muy fatigada de la mar. Esto pudo muy bien saber este Baláis de Carsante, porque un castillo muy bueno que él tenía era en el señorío del rey Lisuarte, y estava en tal comarca donde sin mucho trabajo podría saber las nuevas de la gente.

Assí passaron aquel día holgando por aquellos campos, adereçando todos sus armas y cavallos para la batalla, ahunque las armas todas eran fechas de nuevo, tan ricas y tan luzidas[18] como adelante se dirá.

Otro día de gran mañana[19] llegó al puerto el maestro Elisabad con la gente de Grasinda, en que venían quinientos cavalleros y archeros. Y cuando Amadís lo supo, tomó consigo

[18] *luzidas:* brillantes, relucientes. «Los despoblados campos muy floridos de las luzidas armas resplandescen», Juan de Flores, *Triunfo de amor,* 138, 20.

[19] *Otro día de gran mañana:* al día siguiente muy temprano. «Otro día, de gran mañana, estando los cristianos», *Gran Conquista de Ultramar,* I, 71.

Angriote y a don Bruneo, y fuelo a recebir con aquella voluntad y amor que la razón le obligava. Y fizieron salir toda la
gente de la mar, y aposentáronla en el real con [la] otra[20], y Libeo, sobrino del maestro, con ella[21] como su capitán. Y ellos
tomaron al maestro entre sí, y con mucho plazer lo llevaron al
rey Perión; y Amadís le dixo quién era y lo que por él avía fecho, como la tercera parte desta istoria lo cuenta, en la muerte
del Endriago, y cómo no les pudiera venir a tal tiempo persona que tanto les aprovechasse. El Rey lo recibió bien y de
buen talante, y díxole:

—Mi buen amigo, quede para después de la batalla, si bivos
fuéremos, la disputa a quién deve agradescer[22] más Amadís mi
hijo: a mí, que después de Dios de nada le fize, o a vos, que de
muerto lo tornastes bivo.

El maestro le besó las manos, y con mucho plazer le dixo:

—Señor, assí sea como lo mandáis, que fasta que más se vea
no quiero daros la ventaja de a quién es más obligado.

Todos uvieron plazer de lo que el Rey dixo y de la respuesta
del maestro Elisabad. Y luego dixo al Rey:

—Mi señor, os trayo dos nuevas que os cumple saber; y
son: que el Emperador de Roma es ya partido con su flota, en
la cual, según fue certificado de personas que allá embié, lleva
diez mill de cavallo; y assí mesmo me llegó mandado de Gastiles, sobrino del Emperador de Constantinopla, cómo ya era
dentro en la mar con ocho mill de cavallo que su tío embía en
ayuda de Amadís, y que a su creer ese tercero día sería en el
puerto.

Todos cuantos lo oyeron fueron mucho alegres y muy esforçados con tales nuevas, especial la gente de más baxa condición[23]. Pues assí como oís, estava el rey Perión con toda aquella compaña atendiendo la gente que venía, aderesçando las
cosas necessarias a la batalla.

---

[20] *con [la] otra:* con otro, Z // con la otra, RS // .

[21] *con ella:* con ello, Z // con ella, RS // .

[22] *agradescer:* agredescer, Z // agradecer, RS // .

[23] Frente al pensamiento de los caballeros, también contentos ante situaciones de inferioridad numérica por el esfuerzo que deberán realizar, se destaca la
actitud de la gente de más baja condición, en este caso alegre por el menor peligro que supone combatir con un número elevado de personas.

## Capítulo CVI

*Cómo el Emperador de Roma llegó en la Gran Bretaña con su flota, y de lo que él y el rey Lisuarte fizieron.*

Dize la istoria que Giontes, sobrino del rey Lisuarte, después que de Grasandor se partió, como avéis oído, él se fue derechamente a Roma, y assí con su priessa, como con la que el Emperador se dava, muy prestamente fue armada gran flota, y guarnescida de aquellos diez mill cavalleros que vos ya contamos, y luego el Emperador se metió a la mar. Y sin ningún embargo que en el camino oviesse llegó en la Gran Bretaña aquel puerto de la comarca de Vindilisora donde sabía que el rey Lisuarte estava. Y como él lo supo, cavalgó con muchos hombres buenos, y con aquellos dos Reyes, el rey Cildadán y Gasquilán, y fuelo a recebir. Y cuando llegó, ya toda [la] más de la gente era de la mar salida, y el Emperador con ella. Y como se vieron, fuéronse abraçar, y recibiéronse con mucho plazer. El Emperador le dixo:

—Si alguna mengua o enojo vos, Rey, avéis por mi causa recebido, yo estó aquí, que con doblada vitoria vuestra honra será satisfecha; y assí como yo solo fue la causa dello, assí querría que sólo con los míos se me diesse lugar para tomar la vengança, porque a todos fuesse enxemplo y castigo que a tan alto hombre como yo soy ninguno se atreviesse enojar.

El Rey le dixo:

—Mi buen amigo y señor, vos y vuestra gente venís maltrecha de la mar según el largo camino; mandaldos salir y aposentar, y refrescarán del trabajo passado. Y entre tanto, avremos aviso de nuestros enemigos, y, sabido, podréis tomar el lugar y consejo que os más plazerá.

El Emperador quisiera que luego fuera la partida, mas el Rey, que mejor que él sabía lo que necessario era y con quién la cuistión, detúvolo fasta el tiempo convenible, que bien vía que en aquella batalla estava todo su hecho. Así estovieron en aquel real bien ocho días allegando la gente que de cada día venía al Rey.

1433

Pues así acaesció que, andando un día el Emperador y los Reyes y otros muchos cavalleros cavalgando por aquellas vegas y prados alderredor del real, que vieron venir un cavallero armado en un cavallo y un escudero con él que le traía las armas; y si alguno me preguntasse quién era, yo le diría que Enil, el buen cavallero, sobrino de don Gandales[1]. Y como al real llegó, preguntó si estava allí Arquisil, un pariente del emperador Patín, y fuele dicho que sí y que cavalgava con el Emperador. Él, cuando esto oyó, fue muy alegre, y fuesse donde vio andar la gente, que bien cuidó que allí estaría; y cuando a ellos llegó, falló que el Emperador y aquellos Reyes estavan fablando[2] en un prado cerca de una ribera en las cosas que a la batalla pertenescían. Y Enil supo que con ellos estava Arquisil, y él se fue para ellos y saludólos muy humilmente[3], y ellos le dixeron que fuesse bien venido y qué demandava. Enil, cuando esto oyó, dixo:

—Señores, vengo de la Ínsola Firme con mandado de aquel noble cavallero Amadís de Gaula, mi señor, fijo del rey Perión, a un cavallero que se llama Arquisil.

Cuando esto oyó Arquisil, que por él preguntava, dixo:

—Cavallero, yo soy el que vos demandáis; dezid lo que quisierdes, que oído vos será.

Enil le dixo:

—Arquisil, Amadís de Gaula os faze saber cómo llamándose el Cavallero de la Verde Espada, estando en la corte del rey Tafinor de Bohemia, llegó allí un cavallero llamado don Garadán con otros onze cavalleros a le acompañar, de los cuales vos fuistes el uno; y que él uvo batalla con el dicho don Garadán, en la cual fue vencido y muerto como vos vistes; y que luego otro día la uvo con vos y con vuestros compañeros, él y

---

[1] Estas fórmulas del narrador, analizadas en la Introducción, pág. 105, tienen una clara relación con las utilizadas en algunos textos de la tradición artúrica. Cfr.: «E si alguno me preguntase quien era el cavallero, yo le diria quel era Brioberis, con el que Tristan se fuera de buena gana a combatir porque llevava la dueña, sino por miedo del rey Mares, que sabia que la amava mucho de coraçon, e por esto no fue Tristan a se conbatir con el», *Tristán de Leonís*, 359b.

[2] *fablando:* fabiando, Z // fablando, RS // .

[3] *humilmente:* humildemente. «Saludaronlo muy humilmente», *Tristán de Leonís*, 352a.

otros onze cavalleros como se assentó; y que siendo vos y ellos vencidos, os tomó en su prisión, de la cual a ruego vuestro os hizo libre; y que le prometistes como leal cavallero que cada que[4] por él fuéssedes requerido, vos tornaríades en su poder. Y agora por mí vos llama que compláis lo que hombre de tan alto lugar y tan buen cavallero como vos sois deve complir.

Arquisil dixo:

—Cierto, cavallero, en todo lo que avéis dicho avéis dicho verdad, que assí passó como dezís. Solamente queda si aquel cavallero que se llamava de la Verde Espada, si es Amadís de Gaula.

Algunos cavalleros de los que allí estavan le dixeron que sin duda lo podía creer. Entonces Arquisil dixo al Emperador:

—Oído avéis, señor, lo que este cavallero me pide, de que me no puedo escusar, sino cumplir lo que soy obligado, porque podéis creer que él me dio la vida y me quitó que me no matassen aquellos que gran voluntad lo tenían. Y por esto, señor, os suplico no os pese de mi ida, que si la dexasse en tal caso, no era razón que hombre tan poderoso y de tan alto linaje como vos me toviesse por su deudo ni en su compañía.

El Emperador, como era muy acelerado[5], y las más vezes mirava más al contentamiento de su passión o afición que a la honestidad de la grandeza de su estado, dixo:

—Vos, cavallero que de parte de Amadís avéis venido, dezilde que harto deve estar de me hazer los enojos que los pequeños suelen a los grandes fazer, que de otra guisa bien apartado está, y que venido es el tiempo en que él sabrá quién yo soy y lo que puedo, y que me no escapará en ninguna parte, ni en essa cueva de ladrones en que se acoge, que no me pague lo que me ha fecho con las setenas[6] a la satisfación de mi voluntad. Y vos, Arquisil, complid lo que os piden, que no tardará

---

[4] *cada que:* cuando. «Prometionos que nos la daria cada que la pidiessemos», *Demanda del Sancto Grial,* 221b.

[5] *acelerado:* impetuoso. «¿Y qué sé si me matara a mí como era acelerado y loco, como hizo a aquella vieja, que tenía yo por madre?», *Celestina,* XVII, 211.

[6] *setenas:* «Las setenas eran una multa, ya establecida en el Fuero Juzgo con el nombre de *siete duplo,* consistente en el *séptuplo* o *siete tanto.* Figuradamente, *pagar con las setenas* pasó a significar "sufrir un castigo harto superior a la pena cometida"», Rodríguez Marín, I, 160.

mucho que vos no meta en mano[7] éste de quien sois preso, para que fagáis dél lo que os plazerá.

—Enil, cuando aquello oyó, fue sañudo, y pospuesto todo temor, dixo:

—Bien creo, señor, que Amadís os conosce, que ya otra vez os vio, más como cavallero andante que como gran señor, y assí mesmo vos a él, que no os partistes de su presencia tan livianamente. Pues en lo de agora, assí como vos venís de otra forma, assí él viene a vos buscar. Lo passado júzguelo quien lo sabe, y Dios lo por venir, que a Él sin otro alguno es dado.

Como el rey Lisuarte aquello vio, uvo recelo que por mandado del Emperador aquel cavallero algún daño recibiesse, de lo cual él sintiría gran pesar, y así lo avía avido de todo lo que le avía oído dezir, porque muy apartado era de su condición sino como rey ser honesto en la palabra, y en la obra muy riguroso. Y antes qu'el Emperador nada dixesse, tomóle por la mano y díxole:

—Vayamos a nuestras tiendas, que es tiempo de cenar, y este cavallero goze de la libertad que los mensajeros suelen y deven tener.

Así se fue el Emperador tan sañudo como si el enojo fuera con otro tan grande como él. Arquisil llevó a Enil a su tienda, y fízole mucha honra; y luego se armó, y cavalgando en su cavallo fue con él.

Pues aquí no cuenta de cosa que le acaesciesse, sino que llegaron a la Ínsola Firme en paz y concordia. Y como cerca del real fueron, y Arquisil vio tanta gente, que ya la del Emperador de Constantinopla era llegada, fue[8] mucho maravillado de lo ver, y calló, que no dixo nada; antes, mostró que lo no mirava. Y Enil lo llevó a la tienda de Amadís, donde assí dél como de otros muchos nobles cavalleros fue muy bien recebido.

Pues allí estuvo Arquisil cuatro días que Amadís le traía consigo, y le mostrava toda la gente, y los señalados cavalleros, y dezíale sus nombres, los cuales por sus bondades y grandes fechos de armas eran muy conoscidos por todas las partes

---

[7] *vos no meta en mano:* no os entregue. «Yo me meto en vuestras manos, e fazed de mí lo que vos quisierdes», *Demanda del Sancto Grial,* 260a.

[8] *llegada, fue:* llegada y fue, Z // llegada fue, RS // .

del mundo. Mucho se maravillava[9] de ver tal cavallería, en especial de aquellos muy famosos cavalleros; que bien creía que si algún revés el Emperador avía de aver, no era sino por éstos, que de la otra gente no temía mucho, ni se curava dellos si tales caudillos no tuviessen, que el esfuerço déstos era bastante de fazer esforçados todos los de su parte. Y bien vio que el Emperador su señor avía menester gran aparejo para les dar batalla, y teníase por malaventurado ser en tal tiempo preso; que si muy lexos estuviesse, oyendo dezir de una cosa tan señalada y tan grande como aquélla, venía por ser en ella; pues en ella estando y no lo poder ser, teníase por el más desventurado cavallero del mundo; y cayó en tal pensamiento que, sin lo sentir, ni querer, las lágrimas le caían por las fazes. Y con esta gran congoxa acordó de tentar la virtud y nobleza de Amadís. Assí fue que, estando el esforçado Amadís y otros muchos grandes señores y esforçados cavalleros en la tienda del rey Perión, y Arquisil con ellos, que ahún no le era dicho dónde avía de tener prisión, él se levantó donde estava, y dixo al Rey:

—Señor, la vuestra merced sea de me oír delante estos cavalleros con Amadís de Gaula.

El Rey le dixo que de grado le oiría todo lo que él tuviesse por bien de dezir. Entonces Arquisil contó allí todo lo que le contesció en la batalla que don Garadán y él y los otros sus compañeros ovieron con Amadís y con los cavalleros del Rey de Bohemia, y cómo fueran vencidos y maltrechos y muerto don Garadán, y cómo Amadís por su gran mesura le quitó a él de las manos de aquellos que gran sabor y intención tenían de lo matar, y cómo a ruego y petición suya le soltó y dexó ir porque pudiesse dar algún reparo a sus compañeros, que muy llagados estavan, dexándole en prendas su fe y palabra como su preso de le acudir cada que por él fuese requerido, como más largo lo cuenta la parte tercera desta istoria, y que agora fuera por Amadís llamado, y era venido como todos veían para complir su palabra y estar en aquella parte donde por él le fuesse mandado y señalado; pero que si Amadís, usando con él de aquella liberalidad que su gran mesura y virtud con todos

---

[9] *maravillava*: muravillava, Z // maravillava, RS // .

los que su gracia y ayuda avían menester acostumbrado tenía, en le dar licencia para que él en aquella batalla que se esperava dar tan señalada en el mundo pudiesse al Emperador su señor servir como devía, que él prometía como leal y buen cavallero delante dél y de todos los que allí presentes seían, si bivo quedasse, de venir donde le fuesse mandado a complir su prisión. Amadís, que a la sazón en pie con él estava por le honrar, le respondió:

—Arquisil, mi buen señor, si yo oviesse de mirar a las sobervias y demasiadas palabras del Emperador vuestro señor, con mucho rigor y gran crueza trataría todas sus cosas sin temer que por ello en ninguna desmesura cayesse. Mas como vos sin cargo seáis, y el tiempo nos aya traído a tal estado que la virtud de cada uno de nos será manifiesta, tengo por bien de venir en lo que pedido avéis, y dóvos licencia que podáis ser en esta batalla, de la cual, sin peligro saliendo, seáis en esta ínsola dentro de diez días a complir lo que por mí y los de mi parte vos fuere mandado.

Arquisil gelo gradesció mucho, y assí lo prometió.

Algunos podrán dezir que por cuál razón se faze tanta mención de un cavallero tal como éste, tan poco nombrado, en esta tan gran istoria. Digo que la causa dello es assí: porque en lo passado éste con mucho esfuerço trató todas las afruentas que por él passaron, como en lo que adelante oiréis; que por su gran linaje y noble condición llegó a ser emperador de Roma, y siempre tuvo Amadís, que fue la principal causa de alcançar tan gran señorío, en lugar de verdadero hermano, como cuando sea tiempo y sazón más largo se recontará.

Pues de allí salidos aquellos señores, recogidos en sus tiendas y alvergues, Arquisil se armó, y cavalgando en su cavallo se despidió de Amadís y de todos los que con él estavan, y se tornó por el camino que viniera. Y no cuenta la istoria de cosa que le acaesciesse, sino que llegó a la hueste del Emperador donde dio a todos mucho plazer con su venida. Y ahunque muchas cosas le preguntaron, no quiso dezir sino solamente la gran cortesía que de aquel muy noble cavallero Amadís havía recebido; que bien podéis creer que sus cortesías eran tales y tantas, que a duro en ningún cavallero en aquel tiempo se podrían hallar.

Y quiero que sepáis que la causa por que estos cavalleros caminavan tan largos caminos sin aventura fallar como en los tiempos passados era porque no entendían todos en ál salvo en adereçar y aparejar las cosas necessarias para la batalla; que les semejava, según la grandeza de aquella afruenta, que entremeterse en las otras demandas que a ésta empachassen era caso de menos valer[10].

Llegado Arquisil al real, fabló con el Emperador aparte, y díxole la verdad de todo, assí de la gran gente de sus contrarios como de los cavalleros señalados que allí estavan, de los cuales le contó por nombre todos los más dellos, y cómo Amadís de Gaula le avía dado licencia para ser en aquella batalla; y que en ello mucho no le penava, y que en lo que avía sabido era que, en sabiendo que él movía de allí con la hueste, movería luego para él sin ningún temor; y que de todo le avisava porque fiziesse lo que más cumplía a su servicio. El Emperador, cuando esto oyó, ahunque muy sobervio y desconcertado fuesse, como oído avéis, y assí lo era cierto en todas las cosas que fazía, y él conosciendo la bondad deste cavallero, por la cual él no le tenía mucho amor, que le no diría sino verdad, cuando esto oyó, fue desmayado así como lo suelen ser todos aquellos que su esfuerço despienden[11] más en palabras que en obras; y no quisiera ser puesto en aquella demanda, que bien conosció la gran diferencia de la una gente a la otra, y nunca él pensó que, según el gran poder suyo junto con lo del rey Lisuarte, que Amadís tuviera facultad ni aparejo para salir de la Ínsola Firme, y que allí lo cercaran assí por la tierra como por mar, de manera que o por hambre, o por otro partido alguno, podiera cobrar a Oriana y la falta y mengua que sobre su honra tenía. Y de allí adelante, mostrando más esperança y esfuer-

---

[10] *de menos valer:* incurrir en infamia. Según las *Partidas,* VII, V, I, «Usan los homes a decir en España una palabra que es valer menos. E menos valer es cosa que el ome que cae en ello non es par de otro en corte de señor, nin en juyzio, e tiene grand daño a los que caen en tal yerro. Ca non pueden dende en adelante ser pares de otros en lid, ni fazer acusamiento, nin en testimonio, nin en las otra[s] honrras en que buenos omes deven ser escogidos.» Véase Menéndez Pidal, *Cid,* s. v. valer.

[11] *despienden:* gastan, emplean. «Por astroso tengo el que non despiende el su bien quando le es mucho menester», *Otas de Roma,* 25, 11.

ço que en lo secreto tenía, procuró de se conformar con la voluntad del rey Lisuarte y de aquellos hombres buenos.

Assí estuvieron en aquel real quinze días tomando alarde[12] y recibiendo los cavalleros que de cada día les venían, assí que fallaron que eran por todos estos que se siguen: el Emperador traxo diez mill de cavallo; el rey Lisuarte, seis mill y quinientos; Gasquilán, Rey de Suesa, ocho cientos[13]; el rey Cildadán, dozientos.

Pues todo adereçado, mandó el Emperador y los Reyes que el real moviesse, y la gente fuesse detenida en aquella gran vega por donde avían de caminar. Y assí se fizo, que puestos todos en sus batallas el Emperador hizo de su gente tres hazes. La primera dio a Floyan, hermano del príncipe Salustanquidio, con dos mill y quinientos cavalleros. La segunda dio Arquisil con otros tantos, y él quedó con los cinco mill para les fazer espaldas[14]. Y rogó al rey Lisuarte que toviesse por bien que él levasse la delantera, y assí se fizo; ahunque él más quisiera llevarla a su cargo, porque no tenía en mucho aquella gente, y avía miedo que del desconcierto dellos les podría venir algún gran revés; pero otorgólo por le dar aquella honra, lo cual en semejantes casos es mal mirado, que apartada toda afición se deve seguir lo que la razón guía.

El rey Lisuarte fizo de sus gentes dos hazes; en la una puso con el rey Arbán de Norgales tres mill cavalleros, y que fuessen con él Norandel su fijo y don Guilán el Cuidador, y don Cendil de Ganota y Brandoivas. Y dio de su gente mill cavalleros al rey Cildadán y a Gasquilán, con los otros mill que ellos tenían, que fuese otra haz. Y los otros tomó consigo, y dio el su estandarte al bueno de don Grumedán, que con mucho pesar y angustia de su coraçón mirava aquel troque[15] tan malo que el rey Lisuarte avía fecho en dexar la gente que contraria

---

[12] *alarde:* exhibición de los soldados y de sus armas. «Fizo alarde de su gran exército, porque más atentamente pudiese considerar qué tirones toviesse y qué veteranos», Alonso de Palencia, *Tratado de la perfección del triunfo military,* 378b.

[13] *ocho cientos:* ochocientes, Z // ochocientos, RS // .

[14] *les fazer espaldas:* guardarles las espaldas. «Ningún temor [...] pongan; que dexadas las ciudades fuertes, que en mis reinos te harán espaldas», Juan de Flores, *Triunfo de amor,* 81, 28.

[15] *troque:* trueque, cambio.

tenía por la que llevava. Pues fecho esto y concertadas las hazes, movieron por el campo tras el fardaje[16], que iva assentar real con los aposentadores.

¿Quién os podría dezir los cavallos y armas tan ricas y tan luzidas y de tantas maneras como allí ivan? Por cierto, muy gran trabajo sería en lo contar; solamente se dirán de las que el Emperador y los Reyes y otros algunos señalados cavalleros levavan. Pero esto será cuando el día de la batalla se armaren para entrar en ella. Mas agora no hablaremos dellos hasta su tiempo, y contarse ha de lo que fizo el rey Perión y aquellos señores que con él estavan en el real cabe la Ínsola Firme.

## Capítulo CVII

*Cómo el rey Perión movió la gente del real contra sus enemigos, y cómo repartió las hazes para la batalla.*

Dize la historia que este rey Perión, como fuese un cavallero muy cuerdo y de gran esfuerço, fasta allí siempre la fortuna le avía ensalçado en le guardar y defender su honra, y se viesse en una tan señalada afrenta, en que su persona y fijos y todo lo más de su linaje se avían de poner, y conosciesse al rey Lisuarte por tan esforçado y vengador de sus injurias, que al Emperador ni a su gente no lo preciava tanto como nada en saber su condición, que siempre estava pensando en lo que menester era porque bien se tenía por dicho que, si la fortuna contraria les fuesse, que aquel Rey, como can ravioso, no daría a su voluntad contentamiento con el vencimiento primero; antes, con mucha diligencia y rigor, no teniendo en nada ningún trabajo, los buscaría dondequiera que fuessen, como él tenía pensado siendo vencedor de lo fazer. Y abuelta de las otras cosas que eran necessarias de proveer tenía siempre personas en tales partes de que supiesse lo que sus enemigos fazían, de los cuales luego fue avisado cómo la gente venía ya contra ellos, y en qué ordenança.

---

[16] *fardaje:* impedimenta de guerra. «El fardaje e las batallas, que venían atrás, no avían lugar por dónde pasasen», *Crónica de don Álvaro de Luna*, 125, 29.

Pues sabido esto, luego otro día de mañana se levantó, y mandó llamar todos los capitanes y cavalleros de gran linaje, y díxogelo, y cómo su parescer era que el real se llevantasse[1], y, la gente junta en aquellos prados, se fiziesse repartimiento de las hazes porque todos supiessen a qué capitán y seña avían de acudir, y que hecho esto moviessen contra sus enemigos con gran esfuerço y mucha esperança de los vencer con la justa demanda que levavan. Todos lo tuvieron por bien, y con mucha afición le rogaron que assí por su dignidad real y gran esfuerço y discreción tomasse a su cargo de los regir y governar en aquella jornada, y, que todos le serían obedientes. Él lo otorgó, que bien conosció que le pedían guisado[2], y no se podía con razón escusar dello. Pues mandándolo poner en obra, el real fue levantado, y la gente toda armada y a cavallo puesta[3] en aquella gran vega. El buen Rey se puso en medio de todos en un cavallo muy fermoso y muy grande, y armado de muy ricas armas, y tres escuderos que las armas levavan, y diez pajes en diez cavallos, todos de una devisa, que por la batalla anduviessen y socorriessen a los cavalleros con ellos que los menester oviessen[4]. Y como él era ya de tanta edad que lo más de la cabeça y la barva toviesse blanco[5] y el rostro incendido[6] con el calor de las armas y de la orgulleza[7] del coraçón, y como todos sabían su gran esfuerço, parescía tan bien, y tanto esfuerço dio a la gente que lo estava mirando, que les fazía perder todo pavor, que bien cuidavan que después de Dios aquel caudillo sería causa de les dar la gloria de la batalla. Y [assí] estando miró a don Cuadragante, y díxole:

---

[1] *llevantasse:* en R y S, levantasse, forma habitual en la obra, pero cfr.: «Su costumbre era de se llevantar de mañana», P. Carrillo de Huete, *Crónica del Halconero de Juan II,* 214, 24. «Vio el Cavallero del Cisne que era tiempo de se llevantar», *Gran Conquista de Ultramar,* I, 170.

[2] *pedían guisado:* la petición era razonable.

[3] *puesta:* puesto, Z // puesta, RS // .

[4] *socorriesen a los cavalleros con ellos que los menester oviessen:* socorrieran a los caballeros con los caballos que necesitaran.

[5] El paso del tiempo se pretende reflejar mediante estos signos externos, que no modifican el comportamiento de los personajes, y que además recrean una larga tradición literaria, si recordamos, por ejemplo, a Carlomagno.

[6] *incendido:* en R y S, encendido.

[7] *orgulleza:* orgulleza, Z // orgullura, RS // .

—Esforçado cavallero, a vos encomiendo la delantera; y tú, mi fijo Amadís, y Angriote d'Estraváus y don Gavarte de Valtemeroso, y Enil y Baláis de Carsante y Landín, que le fagáis compañía con los quinientos cavalleros de Irlanda y mill y quinientos de los que yo traxe. Y vos, mi buen sobrino Agrajes, tomad la segunda haz; y vayan con vos don Bruneo de Bonamar y Branfil su hermano con la gente suya y con la vuestra, en que seréis mill y seis cientos cavalleros. Y vos, honrado cavallero Grasandor[8], que toméis la haz tercera; y tú, mi fijo don Florestán, y Dragonís y Landín de Fajarque, y Elián el Loçano, con la gente de vuestro padre el Rey, y con Trion y la gente de la reina Briolanja, que seréis dos mill y setecientos cavalleros, le fazed compañía.

Y dixo a don Brian[9] de Monjaste:

—Y vos, honrado cavallero mi sobrino, aved la cuarta haz con vuesta gente, y con tres mill cavalleros de los del Emperador de Constantinopla, así que llevaréis cinco mill cavalleros; y vayan con vos Mancián de la Puente de la Plata y Sadamón y Urlandín, fijo del conde de Urlanda.

Y mandó a don Gandales que tomasse mill cavalleros de los suyos y socorriesse a las mayores[10] priessas. Y el Rey tomó consigo a Gastiles con la gente que del Emperador le quedava, y púsose debaxo de su seña; y rogó a todos que así mirassen por ella como si el mismo Emperador allí en persona estuviesse.

Concertadas las hazes como avéis oído, movieron todos en sus ordenanças por aquel campo tocando muchas trompetas y otros muchos instrumentos de guerra. Oriana y las Reinas, y las Infantas y dueñas y donzellas, estávanlos mirando, y rogavan a Dios de coraçón los ayudasse, y si su voluntad fuesse, los pusiesse en paz.

Mas agora dexa la istoria de fablar dellos, que se ivan a juntar contra sus enemigos como oídes, y torna a Arcaláus el Encantador.

---

8  *Grasandor:* gransandor, Z // Grasandor, RS // .
9  *Brian:* brion, Z // Brian, RS // .
10  *las mayores:* los mayores, Z // las mayores, RS //.

## Capítulo CVIII

*Cómo, sabido por Arcaláus el Encantador cómo estas gentes se adereça-van para pelear, embió a más andar a llamar al rey Arávigo y sus compañas.*

Arcaláus el Encantador, así como oído avéis, tenía apercebi-do al rey Arávigo y a Barsinán, Señor de Sansueña, y al Rey de la Profunda Ínsola, que avía escapado de la batalla de los siete Reyes, y a todos los parientes de Dardán el Sobervio; y como supo que las gentes eran venidas al rey Lisuarte y a Amadís, embió con mucha priessa un cavallero su pariente, que se lla-mava Garín, fijo de Grumén, el que Amadís mató cuando a él y a otros tres cavalleros con Arcálaus el Encantador les tomó a Oriana, así como el libro primero desta istoria lo cuenta. Y mandóle que no folgase día ni noche fasta lo fazer saber a to-dos estos Reyes y cavalleros, y les diesse mucha priessa en su venida. Y él quedó en sus castillos llamando a sus amigos y los del linaje de Dardán, y llegando la más gente que podía.

Pues este Garín llegó al rey Arávigo, el cual falló en la su gran cibdad llamada Aráviga, que era la más principal de todo su reino, del nombre de la cual todos los reyes de allí se llama-van arávigos, y porque su señorío alcançava gran parte en la tierra de Aravia; y fabló con él todo lo que Arcáláus le fazía sa-ber, y con todos los otros que sus gentes tenían apercebidas; y sabido por ellos aquella nueva, luego sin más tardar las llama-ron; y fueron todos, unos y otros, juntos y asonados[1] cerca de una villa muy buena del señorío de Sansueña, la cual havía nombre Califán[2]. Y asentaron sus tiendas en aquellos campos, y serían por todos fasta doze mill cavalleros. Y allí concertaron toda su flota, que fue asaz grande y de buena gente, con las

---

[1] *asonados:* reunidos. «E asono su gente e començo a fazer su guerra a los troyanos», Leomarte, *Sumas de historia troyana,* 85, 9.
[2] Si para algunos Sansueña era una ciudad mora en el siglo XVI hispano —véase la nota 13 del capítulo XXXI—, es evidente que el topónimo de Califán su-giere idéntica localización.

más viandas que aver pudieron, como aquellos que ivan a reino estraño. Y con mucho plazer y tiempo endereçado fueron por su mar adelante, y a los ocho días aportaron en la Gran Bretaña a la parte donde Arcaláus tenía un castillo muy fuerte, puerto de mar. Arcaláus tenía ya consigo seis cientos cavalleros muy buenos, que todos los más dellos desamavan mucho al rey Lisuarte y a Amadís, porque, como a malos, siempre los avían corrido y muerto muchos de sus parientes, y estos todos los más andavan fuidos.

Cuando aquella flota allí aportó, no vos podría dezir el gran plazer que los unos con los otros ovieron; y sabido por las espías[3] de Arcaláus cómo ya las gentes del rey Lisuarte y de Amadís ivan unas contra otras, y el camino que llevavan, luego ellos movieron con toda su compaña. La delantera uvo Barsinán, que era mancebo y rezio cavallero, muy desseoso de vengar la muerte de su padre y de su hermano Gandalot, y de mostrar el esfuerço y ardimiento de su coraçón, con dos mill cavalleros y algunos archeros y ballesteros. Arcaláus uvo la segunda haz, que podéis creer que en esfuerço y gran valentía no era peor que él; antes, ahunque la media mano derecha tenía perdida, en gran parte no se fallaría mejor cavallero en armas que él era, ni más valiente, sino que sus malas obras y falsedades le quitavan todo el prez que su esfuerço ganava; éste llevava los seis cientos cavalleros, y el rey Arávigo le dio dos mill y cuatrocientos de los suyos. La tercera haz uvo el rey Arávigo, y el otro Rey de la Profunda Ínsola con toda la otra gente, y levava consigo seis cavalleros parientes de Brontaxar d'Anfania, el que Amadís mató en la batalla de los siete Reyes, cuando traía el yelmo dorado, assí como lo cuenta el tercero libro desta istoria. Y este Brontaxar d'Anfania era tan valiente assí de cuerpo como de fuerça, que con él esperavan vencer los de su parte; y ciertamente, assí lo fuera si no porque Amadís vio el gran daño que en las gentes del rey Lisuarte fazía, y que si

---

[3] *espías*: «el que anda disimulado, observando y escuchando lo que se dice o hace para dar aviso a la parte de cuya orden lo executa» *(Autoridades)*. Aunque no faltan ejemplos de la palabra usada en género masculino durante la Edad Media, lo habitual es el femenino. «Fue aquesto fecho saber por una su espia», *Confisión del Amante*, 100, 1.

[4] *tollió*: quebrantó.

mucho durasse, qu'él bastava para dar la honra de la batalla a los de su parte; y fue para él, y de un golpe solo lo tollió[4] de manera que cayó en el campo, donde fue muerto.

Estos seis cavalleros que vos cuento vinieron de la Ínsola Sagitaria, donde se dize que al comienço los sagitarios hazían su habitación[5]; y eran tan grandes de cuerpo y de fuerça como aquéllos, que de derecho linaje venían de los mayores[6] y más valientes gigantes que en el mundo uvo.

Pues éstos supieron esta gran batalla que se ordenava y pusieron en sus voluntades de ser en ella, assí por vengar la muerte de aquel Brontaxar, que era el más principal hombre de su linaje, como por se provar con aquellos cavalleros de que tan gran fama oían. Y por esa causa se venieron al rey Arávigo, al cual mucho plugo con ellos, y rogóles que fuessen en su batalla, y así lo otorgaron contra su voluntad, que más quisieran que los mandara poner en la delantera.

En este comedio llegó allí el Duque de Bristoya, que, comoquiera que él fuera por Arcaláus requerido, no avía osado demostrarse[7], teniendo por liviana cosa lo que le dezía; mas cuando vio el gran aparejo de gente que avía juntado, tovo por buen partido de se ir para ellos por si podría vengar la muerte de su padre, que mataron don Galvanes y Agrajes con Olivas, así como el libro primero desta istoria lo cuenta, y por cobrar su tierra que el rey Lisuarte le avía tomado, diziendo que su padre moriera por aleve[8]; y consideró que si al rey Lisuarte le

⁵ *hazían su habitación:* habitaban. Los sagitarios, o centauros, son descritos en los bestiarios habitualmente —véase Ignacio Malaxecheverría, *Bestiario medieval,* págs. 137 y ss.—, aunque en esta ocasión se mencionan indirectamente. Quizás su presencia se debe al influjo de la leyenda de Troya: «Dize el cuento que este Sagitario era del onbligo al fondon todo fechura de cavallo. E era tan ligero e tan corredor que non ha cosa quel fuyese nin otra quel alcançase. E del onbligo arriba en el cuerpo e en los braços e en el rostro todo avia fechura de omne», Leomarte, *Sumas de historia troyana,* pág. 195. Parece significativo que el sagitario descrito en la tradición troyana acompañe a Pitroplos dAlisonia, mientras que estos otros del *Amadís,* son parientes de Brontaxar d'Anfania.

⁶ *mayores:* majores, Z. // mayores, RS // .

⁷ *demostrarse:* mostrarse. «M. ¿Y quál tenéis por mejor, dezir *mostrar* o *demostrar?* V. Tengo por grossería aquel *de* demasiado, y por esso digo *mostrar*», Juan de Valdés, *Diálogo de la lengua,* pág. 191.

⁸ *aleve:* traidor. Aquella persona, como el Duque de Bristoya, considerado como aleve «si contra el reptado fuere provado aquello de que es acusado e fue-

fuesse mal, que él podría ser restituido en lo suyo, y si Amadís, que se vengava d'aquellos que tanto mal le havían fecho. Y como llegó, y el rey Arávigo y aquellos señores lo vieron, y les dixeron quién era, gran plazer ovieron con él y mucho los esforçó con su venida porque en más tenían aquel que era natural de la tierra y tenía en ella algunas villas y castillos con lo que traía, que a otro que estraño fuesse con mucho más. Este Duque fue sobresaliente[9] con los suyos y con quinientos cavalleros que el rey Arávigo le dio.

Pues con tal compaña como oídes y en tal ordenança partieron aquellas[10] compañas por una traviessa[11] con las mayores guardas que poner pudieron, con acuerdo de se poner en tal parte donde estuviessen seguros y saliessen cuando fuesse sazón a dar en sus enemigos.

## Capítulo CIX

*Cómo el Emperador de Roma y el rey Lisuarte se ivan con todas sus compañas contra la Ínsola Firme buscar a sus enemigos.*

La istoria dize que el Emperador de Roma y el rey Lisuarte partieron del real que cabe Vindilisora tenían con aquellas compañas que dicho os avemos; y acordaron de andar mucho de espacio[1] porque las gentes y cavallos fuessen folgados, y aquel día no anduvieron más de tres leguas, y asentaron su real cerca de una floresta en un gran llano y folgaron allí aquella

---

re dado por alevoso, deve ser echado de la tierra para siempre e perder la mitad de todos sus bienes, los quales pertenecen al rey» ... «E si fuesse reptado de traición, el que fuese vencido deve morir por ello y perder todos los bienes, los quales pertenecen al rey», Diego de Valera, *Tratado de las armas,* págs. 125-126.

[9] *sobresaliente:* usado como substantivo, en la milicia significa qualquier oficial, jefe, o tropa, que está prevenida para salir siempre que la necesidad lo pida, y que son nombrados fuera de la demás tropa, que de suyo está destinada según la facción *(Autoridades).* La 1.ª doc. de la palabra según el DCECH, en 1575.

[10] *aquellas:* aquellos, Z // aquellas, RS // .

[11] *traviessa:* travesía.

[1] *de espacio:* con tranquilidad, sosiego, despacio. «El amor defiende con priesa, e ventura combate de espacio», Diego de San Pedro, *Arnalte y Lucenda,* pág. 119.

noche. Y otro día al alva del día partieron en su ordenança, como vos contamos, y assí continuaron su camino fasta que supieron de algunas personas de la tierra cómo el rey Perión y sus compañas venían contra ellos, y que los dexavan dos jornadas de donde ellos estavan. Y luego el rey Lisuarte mandó proveer que Ladasín, el Esgremidor que se llamava, primo cormano de don Guilán, con cincuenta cavalleros fuesse descobriendo la tierra siempre delante de la hueste tres leguas; y al tercero día se toparon con la guarda del rey Perión, que assí mesmo lo avía proveído con Enil y cuarenta cavalleros con él. Y allí pararon los corredores[2] unos y otros, y cada uno lo fizo saber a los suyos, y no osavan pelear, porque así les era mandado; y las huestes llegaron de un cabo y de otro, tanto que no avía en medio más espacio de media legua de un campo grande y muy llano. En estas huestes venían muchos cavalleros grandes sabidores de guerra, de manera que muy poca ventaja se podían llevar los unos a los otros; y no paresció sino que de acuerdo de las partes la una gente y la otra fizieron fortalescer con muchas cavas y otras defensas sus reales para allí se socorrer si mal les fuesse.

Assí estando estas huestes como oís, llegó Gandalín, escudero de Amadís, que con Melicia de Gaula a la Ínsola Firme avía venido, y avíase aquexado mucho por llegar antes que la batalla se diesse, y la causa dello fue ésta:

Ya sabéis cómo Gandalín era fijo de aquel buen cavallero don Gandales que Amadís crió, y su hermano de leche; y desde el día que Amadís fue cavallero, llamándose Donzel del Mar, supo que no era su hermano, que fasta allí por hermanos se avían tenido. Y desde aquella ora siempre Gandalín le aguardó como su escudero; y comoquiera que por él muchas vezes avía seído importunado que le fiziese cavallero, Amadís no se atrevía a lo hazer, porque éste era el mayor[3] remedio de sus amores. Éste era el que muchas vezes le quitó de la muerte, que según las angustias y mortales desseos que por su señora

---

    [2] *corredores:* soldados que se envían para descubrir, reconocer y explorar la campaña *(Autoridades).* «Los plazeres y dulçores / de esta bida trabajada / que tenemos / no son sino corredores», Jorge Manrique, ob. cit., pág. 121.

    [3] *mayor:* major, Z // mayor, RS //.

Oriana passava, y contino atormentavan y aflegían su coraçón, si en este Gandalín no fallara el consuelo que siempre falló, mill vezes fuera muerto; que como éste fuesse el secreto de todo y con otro ninguno pudiesse fablar, si por alguna manera de sí lo apartara, no era otra cosa salvo apartar de sí la vida. Y como él supiesse que faziéndole cavallero no podían estar en uno[4], porque luego le convernía ir a buscar las aventuras donde honra ganasse, ahunque la razón a ello mucho le obligava, como esta gran istoria lo ha contado, assí por la parte de su padre, que le crió y sacó de la mar, como por él, que le sirvió mejor que nunca cavallero de escudero fue servido, no se atrevía a lo apartar de sí. Y Gandalín aviendo este conoscimiento, que muy cuerdo era, y con el demasiado amor que le tenía, comoquiera que mucho desseasse ser cavallero por se mostrar hijo del buen cavallero Gandales y criado de tal hombre, no le osava afincar mucho por le ver en tan gran necessidad. Pero agora veyendo cómo ya tenía en poder a su señora Oriana, que por grado o por fuerça no la avía de quitar de sí sin la vida perder, acordó que con mucha razón le podía demandar cavallería, y en especial en una cosa tan grande y tan señalada como aquella batalla sería. Y con este pensamiento, después de le aver dado las encomiendas de la Reina su madre, y de le aver dicho de la venida de su hermana Melicia y del plazer que Oriana y Mabilia y todas aquellas señoras con ella avían avido, y cómo era la más hermosa cosa del mundo ver juntas[5] a Oriana y la reina Briolanja y Melicia, en quien toda la fermosura del mundo encerrada estava, y así mesmo cómo don Galaor su hermano algo mejor quedava, y las encomiendas que dél le traía, tomóle un día por aquel campo dónde ninguno oír les pudiesse, y díxole:

—Señor, la causa por que yo he dexado de os pedir, con aquella afición y voluntad que me convenía, que me fiziéssedes cavallero, porque pudiesse complir con la honra y gran deuda que a mi padre y a mi linaje devo, vos lo sabéis, que aquel desseo que siempre he tenido de os servir, y el conoscimiento de la necessidad en que siempre avéis estado de mi servicio, han

---

[4] *estar en uno:* estar juntos.
[5] *juntas:* juntos, Z // juntas, RS // .

dado lugar que, ahunque mi honra fasta aquí aya sido menoscabada, que antes a lo vuestro socorriese que a lo mío que tan tenudo era[6]. Agora que puede ser escusado, porque en vuestro poder veo aquella que tanta congoxa nos dava, ni para comigo, ni menos para con otros ninguna escusa que honesta fuesse podría hallar, dexando de seguir la orden de cavallería. Porque vos suplico, señor, por me fazer merced que ayáis plazer de me la dar, pues sabé[7] cuánta deshonra no la teniendo de aquí adelante se me seguirá, que en cualquier manera y parte donde yo fuere só vuestro para vos servir con el amor y voluntad que de mí siempre conoçistes.

Cuando Amadís esto le oyó, fue tan turbado que por una pieça no le pudo fablar, y díxole:

—¡O mi verdadero amigo y hermano, qué tan grave[8] es a mí complir lo que pides! Por cierto, no en menos grado lo siento que si mi coraçón de mis carnes se apartasse, y si con algún camino de razón apartarlo pudiesse, con todas mis fuerças lo haría. Mas tu petición veo ser tan justa que en ninguna guisa se puede negar; y siguiendo más la obligación en que te soy que la voluntad de mi querer, yo me determino que assí como lo pides se haga; solamente me pena por ante no lo haver sabido, porque con aquellas armas y cavallo que tu honra mereçe se cumpliera esta honra que tomar quieres.

Gandalín hincó los inojos por le besar las manos, mas Amadís lo alçó y lo tovo abraçado, veniéndole las lágrimas a los ojos con el mucho amor que le tenía, que ya tenía en sí figurado la gran soledad[9] y tristeza en que se vería no le teniendo consigo, y díxole:

—Señor, desso no hayáis cuidado, que don Galaor por su bondad y mesura, diziéndole yo cómo quería ser cavallero, me mandó dar su cavallo y todas sus armas, pues que a él poco con su mal le aprovechavan. Y yo gelo tove en merced y le dixe que tomaría el cavallo, porque era muy bueno, y la loriga

---

[6] *tenudo era:* obligado estaba.

[7] *sabé:* sabe, ZRS // sabéis, Place // . Lo interpreto como imperativo, sabed, y por tanto Gandalín utiliza el tratamiento de vos.

[8] *qué tan grave:* qué difícil.

[9] *figurado la gran soledad:* imaginado la gran añoranza.

y el yelmo; mas que las otras armas havían de ser blancas, como a cavallero novel convenían[10]. Dávame su espada y yo, señor, le dixe que vos me daríades una de las que la reina Menoresa en Grecia vos diera. Y mientra allí estuve, hize hazer todas las otras armas que convienen con sus sobreseñales, y aquí lo tengo todo.

—Pues que assí es —dixo Amadís—, será bien que, la noche antes del día que la batalla hoviéremos de haver, veles armado en la capilla de la tienda del Rey mi padre; y otro día cavalga en tu cavallo assí armado. Y cuando quisiéremos romper contra nuestros enemigos, el Rey te fará cavallero, que ya sabes que en todo el mundo no se podría fallar mejor hombre, ni de quien más honra recibas en este auto.

Gandalín le dixo:

—Señor, todo cuanto dezís es verdad, y a duro fallaría hombre otro tal cavallero como el Rey, pero yo no seré cavallero sino de vuestra mano.

—Pues que assí quieres —dixo Amadís—, assí sea. Y faz lo que te digo.

—Todo se fará como lo mandáis —dixo él—, que Lasindo, escudero de don Bruneo, me dixo agora cuando llegué que ya tenía otorgado de su señor que le fiziesse cavallero; y él y yo velaremos las armas juntos. Y Dios por su piedad me guíe cómo yo pueda complir las cosas de su servicio y las de mi honra assí como la orden de cavallería lo manda, y que en mí parezca la criança que de vos he recebido.

Amadís no le dixo más, porque sentía gran congoxa en le oír aquello, y muy mayor en pensar que havía de llegar a efeto. Assí se fue Amadís donde el Rey su padre andava faziendo fortaleçer el real y adereçar las cosas convenientes a la batalla como sus enemigos fazían. Assí estuvieron las huestes dos días, que en ál no entendían salvo en adreçar todas las gentes, cada uno en su cargo, por estar muy prestos para la batalla. Y al segundo día en la tarde llegaron las espías del rey Arávigo suso en la montaña que cerca de allí stava, y no se quisieron

---

[10] *armas blancas:* armas sin empresas, como corresponden a las de un caballero que todavía no ha realizado ninguna hazaña. Véase la nota 21 del capítulo LVII.

mostrar porque assí les fue mandado; y vieron los reales tan cerca como os diximos uno de otro, y luego lo fizieron saber al rey Arávigo, el cual con todos aquellos cavalleros acordó que las escuchas[11] se tornassen donde bien podiessen ver lo que se hazía, y ellos quedassen encubiertos lo más que ser podiesse, y en tal parte que, ahunque aquellas gentes se aviniessen y los quisiessen demandar, que los no temiessen, y que por la sierra se pudiessen acoger a sus naos, si en tal estrecho fuessen que lo oviessen menester; y si ellos peleassen, que saldrían de allí sin sospecha y darían sobre los que quisiessen a su salvo. Y assí lo fizieron, que se pusieron en un lugar muy áspero y fuerte además, y tomaron todos los passos y subidas de la montaña y fortaleçiólo, de manera que tan seguro stava como en una fortaleza; y allí esperaron el aviso de sus escuchas. Pero no se pudieron ellos encubrir tanto que antes que allí llegassen, que el rey Lisuarte no fuesse avisado de cómo desembarcaran[12] en su tierra, y la gente que venían. Y por esta causa mandó alçar todas las viandas, assí de ganados como de todo lo otro, a la parte de aquella comarca, y que la gente de las aldeas y lugares flacos[13] se acogiessen a las cibdades y villas, y las velassen y rondassen, y se no partiessen de allí hasta que la batalla passase. Y dexó en ellas algunos de sus cavalleros, que le hazían harta mengua para en lo que estava, mas no supo más de lo que havían hecho ni donde havían parado.

El rey Perión tanbién supo de aquella gente, y recelávase dellos, mas no sabía dónde estavan, assí que a ambas las partes ponían temor.

Pues estando así la cosa como oís, a cabo de tres días que los reales se assentaron, el emperador Patín se aquexava mucho porque la batalla se diesse, que, vencido o vencedor, no veía la hora de ser tornado a su tierra; porque assí acontece muchas vezes a los hombres acidentales[14] que apresuradamen-

---

[11] *las escuchas:* «son guardas para de noche. Ca lo que fazen las atalayas por vista, esso han ellos de fazer por oýda», *Partidas,* II, XXVI, X.

[12] *desenbarcar:* 1.ª doc., según DCECH, en Nebrija.

[13] *flacos:* débiles, sin protección. «Dexaron los lugares o los muros [eran] más baxos e más flacos», *Gran Conquista de Ultramar,* III, 398.

[14] *acidentales:* personas sin fundamento, ligeras en su conducta, mudables.

te hazen sus cosas, que tan presto las aborreçen, como éste con su liviandad fazía.

Amadís y Agrajes y don Cuadragante, y todos los otros cavalleros, assí mesmo aquexavan mucho al rey Perión que la batalla se diesse, y que Dios fuesse juez de la verdad. Pues el Rey no lo quería menos que todos, mas havíalos detenido hasta que las cosas estuviessen en dispusición cual convenía. Y luego mandaron a pregonar que todos al alva del día oyessen missa y se armassen, y cada gente acudiesse a su capitán, porque la batalla se daría luego. Y assí mesmo se hizo por los contrarios, que luego lo supieron.

Pues venida el alva, las trompas sonaron, y tan claro se oían los unos a los otros como si juntos estuviessen. La gente se començó armar y ensillar sus cavallos, y por las tiendas a oír missas y cavalgar todos y se ir para sus señas. ¿Quién sería aquel de tal sentido y memoria que, puesto caso que lo viesse y mucho en ello metiesse todas sus mientes, que podiesse contar ni screvir las armas y cavallos con sus devisas y cavalleros que allí juntos eran? Por cierto, mucho loco sería y fuera de todo saber el hombre que aqueste pensamiento en sí tomasse. Y por esto, dexando lo general, algo de lo particular se dirá aquí, y començaremos por el Emperador de Roma, que era valiente de cuerpo y fuerça, y asaz buen cavallero si su gran sobervia y poca discreción no gela gastassen.

Éste se armó de unas armas negras, assí el yelmo como el escudo y sobreseñales, salvo que en el escudo llevava figurada una donzella de la cinta arriba a semejança de Oriana[15], fecha de oro muy bien labrada, y guarnida de muchas piedras y perlas de gran valor, pegada en el escudo con clavos de oro; y por sobre lo negro de las sobrevistas llevava texidas unas cadenas muy ricamente bordadas, las cuales tomó por devisa, y juró de nunca las dexar fasta que en cadenas llevasse preso a Amadís y a todos los que fueron en le tomar a Oriana. Y cavalgó en un cavallo hermoso y grande, y su lança en la mano; assí salió del

---

Véase Alicia Puigvert Ocal, *Contribución al estudio de la lengua en la obra de Villasandino...*, t. I.

[15] *de la cinta arriba a semejança de Oriana:* de la cintura para arriba a semejanza de Oriana. «De la cinta arriba todo se perdona», *Celestina*, IX, 147.

real y se fue donde estava acordado que se juntassen sus gentes. Luego tras él salió Floyan, hermano del príncipe Salustanquidio, armado de unas armas amarillas y negras a cuarterones[16], y no havía otra cosa en ellas, salvo que iva muy estremado y señalado entre los suyos. Tras él salió Arquisil; éste levava unas armas azules y blancas, de plata de por medio, y todas sembradas de unas[17] rosas de oro. Assí iva muy señalado. El rey Lisuarte levava unas armas negras y águilas blancas por ellas, y una águila en el escudo sin otra riqueza alguna; pero al cabo bien salieron de gran valor, según lo que su dueño en aquella batalla fizo. El rey Cildadán levó unas armas todas negras, que después que fue vencido en la batalla de los ciento por ciento que con el rey Lisuarte ovo, donde quedó su tributario, nunca otras traxo. De Gasquilán, Rey de Suesa, no se dirá las armas que levava hasta su tiempo, como adelante oiréis. El rey Arbán de Norgales y don Guilán el Cuidador y don Grumedán no quisieron levar sino armas más de provecho que de pareçer, mostrando la tristeza que tenían en ver al Rey su señor puesto en mucha afruenta con aquellos que ya fueron en su casa y a su servicio, y que tanta honra le havían dado.

Agora vos diremos las armas que levava el rey Perión y Amadís y algunos de aquellos grandes señores que de su parte estavan. El rey Perión se armó de unas armas, el yelmo y escudo limpios y muy claros, de muy buen azero, y las sobreseñales de una seda colorada de muy biva color, y en un gran cavallo que le dio su sobrino don Brian de Monjaste, que su padre, el Rey de España, le embió veinte dellos muy hermosos, que por aquellos cavalleros repartió[18], y assí salió con la seña del Em-

---

[16] *negras a cuarterones:* a cuarteles, cada una de las subdivisiones del escudo.

[17] *unas:* unos, Z // unas, RS // .

[18] Los caballos españoles son elogiados en los relatos artúricos, pues Erec recibe en su boda como regalo «un destrier d'Espaigne», *Erec et Enide*, v. 2391, lo que podríamos traducir en lenguaje de nuestra novela como caballo de diestro —véase la nota 17 del capítulo XLII. De la misma manera, Arturo «devant ax toz chace li rois / sor un chaceor espanois», *ibidem*, vv. 123-124, es decir, va montado sobre un caballo español de caza, ligero y corredor. El *Poema de Fernán González*, en su elogio de España, incluye la siguiente estrofa (151): «Por lo que ella mas val aun non lo dixemos, / de los buenos cavallos mencion non [vos] fyziemos, / mejor tierra es de las que quantas veces vyemos, / nunca tales cavallos en el mundo non viemos.» Por otra parte, en la materia de Troya los caba-

perador de Costantinopla. Amadís fue armado de unas armas verdes tales cuales las levava al tiempo que mató a Famongomadán y a Basagante su hijo, que eran los dos más fuertes gigantes que en el mundo se hallavan, todas sembradas muy bien de leones de oro[19]. Y con estas armas tenía él mucha afición, porque las tomó cuando salió de la Peña Pobre y con ellas fue a ver a su señora al castillo de Miraflores, como el segundo libro desta historia lo cuenta. Don Cuadragante sacó unas armas pardillas, y flores de plata por ellas[20], y en un cavallo de los de España. Don Bruneo de Bonamar no quiso mudar las suyas, que eran una donzella figurada en el escudo, y un cavallero hincado de rodillas delante, que parecía que le demandava merced. Don Florestán, el bueno y gran justador, levó unas armas coloradas con flores de oro por ellas, y un cavallo grande de los de España. Agrajes, sus armas eran de un fino rosado, y en el escudo una mano de una donzella que tenía un coraçón apretado con ella. El bueno de Angriote no quiso mudar sus armas de veros[21] azules y de plata. Y todos

---

llos de España o de Castilla son utilizados con abundancia. Véase la *Historia troyana en prosa y verso*, págs. 11, 13, 37, 73, etc.

[19] De acuerdo con la descripción técnica, Amadís trae «campo de sinople sembrado de leoncillos de oro», Riquer, *Armas*, 416. El color verde —véase la nota 2 del capítulo LV—, es símbolo de esperanza, en evidente contraposición con el negro del Emperador romano. Clemencín, I, XVIII, 43, señalaba la deuda cervantina (*Quijote*, I, XVIII) con nuestro libro, pero como señala María Rosa Lida de Malkiel, *Juan de Mena, poeta del prerrenacimiento español*, 2.ª ed., México, El Colegio de México, 1984, págs. 520, «se trata de un obligado tema épico, el catálogo de las huestes, originario del segundo canto de la *Ilíada*, transmitido por la epopeya latina, infaltable en la del Renacimiento y por primera vez vertido al español en el Prohemio del *Omero romançado* (y particularmente en el *Laberinto*, 36 y ss.)».

[20] Estas armas de color pardo de don Cuadragante han cambiado respecto a las utilizadas en el libro II, que traían en campo de azur tres flores de oro. Véase Riquer, *Armas*, págs. 419 y 422-423, y la nota 14 del capítulo XLIV.

[21] En el libro III, cap. LXXIX, nota 5, las armas de don Bruneo eran de veros de plata y de oro, mientras que este pasaje «parece una enmienda del primero hecha por quien tiene más conocimiento de la heráldica o por quien escribe en tiempos en que las leyes del blasón se van generalizando, pues de hecho los veros propiamente dichos sólo pueden ser de argent y de azur, y los "veros de plata y oro", mencionados en el libro tercero, probablemente hubieran extrañado en el siglo XV, cuando tan bien se sabía que no se podía blasonar metal sobre metal», Riquer, *Armas*, 423.

los otros, de que se no haze mención por no dar enojo a los que lo leyeren, llevavan armas muy ricas, de sus colores como les más agradava; y assí salieron todos al campo en buena ordenança.

Pues la gente toda junta, cada uno con sus capitanes según havéis oído, movieron muy passo por el campo a la hora que el sol salía, que les dava en las armas, y como todas eran nuevas y frescas y luzidas resplandeçían de tal manera que no era sino maravilla de los ver.

Pues a esta hora llegaron Gandalín y Lasindo, escudero de don Bruneo, armados de armas blancas como convenía a cavalleros noveles. Gandalín se fue donde su señor Amadís estava, y Lasindo, a don Bruneo. Cuando Amadís le vio assí venir, salió de la batalla[22] a él, y rogó a don Cuadragante que detoviesse la gente hasta que él hiziesse aquel su escudero cavallero. Y tomóle consigo, y fuese donde el rey Perión, su padre, estava, y por el camino le dixo:

—Mi verdadero amigo, yo te ruego mucho que hoy en esta batalla te quieras haver con mucho tiento, y no te partas de mí, porque, cuando menester será, te pueda acorrer; que ahunque has visto muchas batallas y grandes afruentas, y a tu pareçer piensas que sabrás hazer lo que cumple, y que no te falte para ello sino solamente el esfuerço, no lo creas, que muy gran diferencia es entre el mirar y el obrar, porque cada uno piensa, veyendo las cosas, que muy mejor recaudo en ellas daría que el que las trata, si en el caso estoviesse; y después que en ello se vee, muchos embaraços delante se le ponen, que por lo no haver usado le ofenden, y grandes mudanças hallan que de antes no las tenían pensadas. Y esto es porque todo está en la obra, ahunque algo por la vista aprenderse puede[23]. Y como tu co-

---

[22] *batalla:* cuerpo del ejército.

[23] La investidura de Gandalín se ha retardado por motivos narrativos, y además se realiza, como la anterior de Lasindo, momentos antes de celebrarse una batalla, pero en ninguna otra ocasión los investidos habían recibido consejos similares. No se llega a un planteamiento más moderno de la guerra como una ciencia, pero en el transfondo de sus palabras nos encontramos ante presupuestos similares a otros analizados: las apariencias, léase las palabras o lo visto, corresponden a una superficie diferente de la acción, sobre la que se debe emitir el auténtico juicio, y sobre la que debe basarse la experiencia.

mienço sea en un tan alto hecho de armas como al presente tenemos, y de tantos te hayas de guardar, es menester que assí para guardar tu vida como tu honra, que más preciada es y en más tenerse deve, que con mucha discreción y buen saber, no dando tanto lugar al esfuerzo que el seso te turbe, te ayas y acometas a nuestros enemigos; y yo terné mucho cuidado de mirar por ti en cuanto pudiere, y assí lo faz tú por mí, cada que vieres que es menester.

Gandalín, cuando esto le oyó, dixo:

—Mi señor, todo se hará como lo mandáis en cuanto yo pudiere y el saber me alcançare, y a Dios le plega que assí sea; que harto será para mí ponerme en los lugares donde vuestro socorro haya menester.

Assí llegaron donde el rey Perión estava, y Amadís le dixo:

—Señor, Gandalín quiere ser cavallero, y mucho me pluguiera que lo fuera de vuestra mano; pero, pues a él plaze de lo ser de la mía, vengo a vos suplicar que de vuestra mano haya la espada, porque, cuando le fuere menester, haya memoria desta grande honra que recibe, y de quien gela da.

El Rey miró a Gandalín, y conoçió el cavallo de don Galaor su hijo, y las lágrimas le vinieron a los ojos, y dixo:

—Gandalín, amigo, ¿qué tal dexaste a don Galaor cuando te dél partiste?

Y él le dixo:

—Señor, mucho mejorado en su dolencia, mas con gran dolor y pesar de su coraçón, que por mucho que se le encubrió vuestra partida bien la supo, ahunque no la causa della; y a mí me conjuró que le dixesse la verdad si lo sabía; y yo le dixe, señor, que de lo que yo aprendiera dello, que ívades ayudar al Rey de Escocia, padre de Agrajes, que tenía cuestión con unos vezinos suyos. Y no le quise dezir la verdad, porque, en tal caso y en tal afruenta como él está, pensé que aquello era lo mejor[24].

---

[24] Al comienzo del libro III en la lucha entre Lisuarte y Amadís y sus amigos, se excusa la duración del combate por la falta de «aparejos» apropiados para atacar la flota del Rey y porque Agrajes estaba enfermo (LXVIII). Sin embargo, por vez primera se retira de la escena un personaje importante del relato, excusando su inasistencia al combate por culpa de una enfermedad. Nos encontra-

El Rey sospiró muy de coraçón, como aquel a quien amava y en sus entrañas tenía; y pensava que después de Amadís no havía en el mundo mejor cavallero que él, assí de esfuerço como de todas las otras maneras que buen cavallero devía tener, y dixo:

—¡O mi buen hijo!, a Nuestro Señor plega que no vea yo la tu muerte, y con honra te vea quitado desta tan grande afición que con el rey Lisuarte tienes, porque, quedando libre, libremente puedas ayudar a tus hermanos y a tu linaje.

Estonces Amadís tomó una spada que le traía Durín, hermano de la Donzella de Denamarcha, a quien havía mandado que le aguardasse, y diola al Rey; y él hizo cavallero a Gandalín besándole y poniéndole la espuela diestra[25], y el Rey le ciñó la espada; y assí se cumplió su cavallería por la mano de los dos mejores cavalleros que nunca armas traxeron. Y tomándole consigo, se bolvió a don Cuadragante; y cuando a él llegaron, salió abraçar a Gandalín por le dar honra, y díxole:

—Mi amigo, a Dios plega que vuestra cavallería sea en vos tan bien empleada como hasta aquí ha sido la virtud y buenas maneras que buen escudero devía tener; y creo que assí será, porque el buen comienço todas las más vezes trae buena fin[26].

Gandalín se homilló teniéndole en merced la honra que le dava.

Lasindo fue cavallero por mano de su señor, y Agrajes le dio el espada. Y podéis creer que estos dos noveles fizieron en su comienço tanto en armas en esta batalla, y sufrieron tantos peligros y trabajos, que para todos los días de su vida ganaron honra y gran prez, assí como la historia os lo contará más largamente adelante.

---

mos ante una motivación mucho más humana, que justifica la ausencia de Galaor en la batalla, con lo que se evita el enfrentamiento contra sus familiares. De esta manera, los posibles conflictos narrativos se eliminan de manera expeditiva.

[25] A Nelly Porro, art. cit., págs. 335-336, la ceremonia del libro de caballerías le intrigó «porque aparece la novedad de la espuela que se calza, que es la diestra. Pienso que el detalle tiene un valor emblemático: una espuela era suficiente como símbolo de ingreso». Sin embargo, el detalle contaba con una larga tradición en los textos artúricos. Por poner sólo un ejemplo, en el *Lancelot*, ed. de Alexandre Micha, París-Genève, Lib. Droz, 1979, t. III, pág. 66 «et lor chauça li rois lo destre esperon si con il estoit costume».

Yendo las batallas como digo, no anduvieron mucho que vieron a sus enemigos contra ellos venir en aquella orden que de suso oístes. Y cuando fueron cerca los unos de los otros, Amadís conoçió que la seña del Emperador de Roma traía la delantera, y huvo muy gran plazer porque con aquéllos fuessen los primeros golpes; que comoquiera que al rey Lisuarte desamasse, siempre tenía en la memoria haver sido en su corte, y de las grandes honras que dél había recebido; y sobre todo, lo que más temía y dudava, ser padre de su señora, a quien él tanto temor tenía de dar enojo. Y en su coraçón llevava puesto, si hazerlo pudiesse sin mucho peligro suyo, de se apartar de donde el rey Lisuarte anduviesse por no topar con él ni dar ocasión de lo enojar, ahunque él bien sabía, según las cosas passadas, que aquella cortesía no la esperava dél, sino que como a mortal enemigo le buscaría la muerte.

Pero de Agrajes vos digo que su pensamiento estava muy alexado de lo de Amadís, que nunca rogava a Dios sino que le guiasse para que él pudi[e]sse llegarlo a la muerte y destruir todos los suyos, que siempre tenía delante sus ojos de la descortesía y poco conoçimiento que les había hecho en lo de la ínsola de Mongaça, y lo que contra su tío don Galvanes y los de su parte había hecho; que ahunque la misma ínsola le había dado, más por deshonra que por honra lo tenía, pues fue sobre ser vencidos, donde toda la honra quedava con el Rey. Y si él aquel tiempo allí se fallara, no la consintiera tomar a su tío; antes le diera otro tanto en el reino de su padre. Y con esta gran ravia que tenía, muchas vezes se oviera de perder en aquella batalla por se meter en las mayores priessas por matar o prender al rey Lisuarte[27], mas como el otro fuesse esforçado y usa-

---

[26] Se deja para el final esta frase proverbial no recogida por Eleonor O'Kane, pero similar a algunas de las recopiladas por Luis Martínez Kleiser, *Refranero general ideológico español*, s. v. principio. «Del bien empezar nace el bien acabar».

[27] Para J. B. Avalle-Arce: *El Amadís primitivo...*, cap. VIII, el desarrollo del texto primitivo era radicalmente diferente. «Es perfectamente propio y justo que Galaor, el caballero del rey Lisuarte, desafiase al paladín enemigo antes de la batalla general en el texto primitivo. Supongo que Amadís acudiría al desafío, llevado por su lealtad amorosa a Oriana y que entonces ocurría el fratricidio, que Montalvo no ha podido, ni se ha atrevido a silenciar del todo. Y después, en esa misma batalla vendría el regicidio, probablemente cometido por Agrajes, a juzgar por los detalles que Montalvo ha conservado en su versión de la bata-

do de aquel menester no dava mucho por él, ni dexava de se combatir en todas las otras partes donde convenía, como adelante se dirá.

Estando las batallas para romper unas con otras, solamente sperando el son de las trompas y añafiles, Amadís, que en la delantera estava, vio venir un escudero en un cavallo a más andar de la parte de los contrarios, y a grandes bozes preguntava si estava allí Amadís de Gaula. Amadís le dio de la mano[28] que se llegasse a él. El escudero assí lo hizo, y llegando a él le dixo:

—Escudero, ¿qué queréis?, que yo soy el que vos demandáis.

El escudero le miró, y a su pareçer en toda su vida havía visto cavallero que assí pareçiesse armado ni a cavallo, y díxole:

—Buen señor, yo creo bien lo que me dezís, que vuestra presencia da testimonio de vuestra gran fama.

—Pues agora dezid lo que me queréis —dixo Amadís.

El escudero le dixo:

—Señor, Gasquilán, Rey de Suesa, mi señor, vos faze saber cómo en el tiempo passado cuando el rey Lisuarte tenía guerra con vos y con don Galvanes y otros muchos cavalleros que de vuestra parte y de la suya estavan sobre la ínsola de Mongaça, que él vino a la parte del rey Lisuarte con pensamiento y desseo de se combatir con vos, no por enemistad que vos tenga, sino por la gran fama que oyó de vuestras grandes cavallerías; en la cual guerra estuvo fasta que malferido se bolvió a su tierra, sabiendo que vos no estávades en parte donde este su desseo efecto pudiesse haver; y que agora el rey Lisuarte le fizo saber desta guerra en que estáis, donde, según la causa della, no se podrá escusar gran cuistión o batalla; y que él es venido a ella con aquella misma gana, y dízeos, señor, que, antes que las batallas se junten, rompáis con él dos o tres lanças, que él de

lla.» Véase un adelanto de estas hipótesis en Juan Bautista Avalle-Arce, «El *Amadís* primitivo», *Actas del Sexto Congreso Internacional de Hispanistas*, Toronto, Un. de Toronto, 1980, 79-82.

[28] *dio de la mano:* indicó por señas.

grado lo hará, porque si las batallas se juntan, no os podrá topar a su voluntad, que havrá estorvo de otros muchos cavalleros.

Amadís le dixo:

—Buen escudero, dezid al Rey vuestro señor que todo lo que por vos me embía dezir, yo lo supe en aquel tiempo que en aquella guerra no pude ser, y que esto que él quiere antes lo tengo a grandeza de esfuerço que a otra enemistad ni malquerencia, y que, ahunque mis obras no sean tan complidas como la fama dellas, yo me tengo por muy contento en que hombre de tan gran guisa y de tanta nombradía me tenga en tan buena possessión, y que, pues esta demanda es más voluntaria que necessaria, querría, si a él pluguiesse, que mi bien o mi mal lo provasse en cosa de más su honra y provecho. Pero si a él lo que me embía dezir más le agrada, que yo lo faré como lo pide.

El escudero dixo:

—Señor, el Rey mi señor bien sabe lo que vos acaeçió con Madarque el jayán de la Ínsola Triste, su padre, y cómo le vencistes por salvar al rey Cildadán y a don Galaor, vuestro hermano; y que comoquiera que esto le tocasse como a cosa de padre a quien tanto deudo es, que sabiendo la gran cortesía que con él usastes, antes sois dino de gracias que de pena; y que si él ha gana de se provar con vos, no es ál salvo la grande embidia que de vuestra gran bondad tiene, que haze cuenta que si vos vence, será su loor y fama sobre todos los cavalleros del mundo; y si él fuere vencido, que le no será denuesto grande ni vergüença serlo por mano de quien tantos cavalleros y gigantes y otras cosas fieras fuera de la natura de los hombres ha vencido.

—Pues que assí es —dixo Amadís—, dezilde que sí, como he dicho, esto que pide más le contenta, que yo estoy presto de lo hazer.

*Cómo da cuenta por qué causa este Gasquilán, Rey de Suesa, embió a su escudero con la demanda que oído havéis a Amadís.*

Cuenta la historia por qué causa este cavallero vino dos vezes a buscar a Amadís por se combatir con él, que sin razón sería que un tan gran Príncipe como éste, que con tal empressa viniesse de tan lueñe tierra como lo era su reino, no fuesse sabido y publicado su buen desseo. Ya la historia tercera vos ha contado cómo este Gasquilán es hijo de Madarque, el jayán de la Ínsola Triste, y de la hermana de Lancino, Rey de Suesa, por parte de la cual fue allí tomado por rey, porque él murió sin heredero. Y como éste fuesse valiente de cuerpo, como hijo de jayán, y de gran fuerça, en muchas cosas de armas que se provó las passó todas a su honra tan enteramente, que en todas aquellas partes no se fablava de ninguna bondad de cavallero tanto como de la suya, ahunque era mancebo.

Éste fue enamorado en gran manera de una princesa muy fermosa llamada la fermosa Pinela, que después de la muerte del Rey, su padre, por señora de la Ínsola Fuerte quedó, que con el reino de Suesa confinava, y por su amor emprendió grandes cosas y afruentas, y passó muchos peligros de su persona para la atraer a que le amasse. Mas ella, conoçiendo ser de linaje de gigantes y muy follón y sobervio[1], nunca fue otorgada a le dar esperança ninguna de sus desseos. Pero algunos de los grandes de su señorío, temiendo la grandeza y sobervia deste Gasquilán, que viendo no tener remedio en sus amores, y el gran amor no se tornasse en desamor y enemistad, como algunas vezes acaeçe, y que donde estavan en paz no se les bolviesse en cruel guerra, tovieron por bien de la aconsejar que no assí esquivasse tan crudamente sus embaxadas, y con alguna infintosa[2] sperança le detoviesse lo más que pudiesse ser.

---

[1] *follón y muy sobervio:* traidor y muy soberbio. «Ca este es el castillo follon, donde ningun cavallero ni donzella que ay entra no sale, ante quedan ay todos en prision», *Demanda del Sancto Grial,* 265b.

[2] *infintosa:* disimulada, engañosa.

Pues con este acuerdo, cuando esta señora se vio muy aquexada dél, embióle dezir que, pues Dios la havía fecho señora de tan gran tierra, su propósito era, y assí lo havía prometido a su padre al tiempo de su finamiento, de no casar sino con el mejor cavallero que se pudiesse fallar en el mundo, ahunque de gran estado no fuesse[3]; y que ella havía procurado mucho por saber quién lo fuesse embiando sus mensajeros a muchas tierras estrañas, los cuales le havían traído nuevas de uno que se llamava Amadís de Gaula, que éste era estremado entre todos los del mundo por el más esforçado y valiente cavallero, acabando y emprendiendo las cosas peligrosas que los otros acometer no osavan, y que si él, pues, tan valiente y tan esforçado era, con este Amadís se combatiesse y lo venciesse, que ella, compliendo su desseo y la promesa que a su padre hizo, le daría su amor y le haría señor de sí y de su reino, que bien creía que después de aquél no le quedaría par de bondad. Esto respondió esta hermosa Princesa por se quitar de sus recuestas, y también porque, según de los suyos que Amadís vieron y oyeron sus grandes hechos, supo que no era igual la bondad de Gasquilán a la suya con gran parte.

Como esto le fue dicho a Gasquilán, assí por el gran amor que a esta Princesa tenía, como la presumción y sobervia suya, le pusieron en buscar manera cómo esto que le era mandado pudiesse poner en obra. Y por esta causa que oís, vino estas dos vezes de su reino a buscar a Amadís; la primera, a la guerra de la ínsola de Mongaça, donde bolvió herido de un gran golpe que don Florestán le dio en la batalla que con él y con el rey Arbán de Norgales ovieron; la segunda, agora en esta cuistión del rey Lisuarte, porque hasta allí nunca pudo saber nuevas de Amadís, porque él anduvo desconoçido, llamándose el Cavallero de la Verde Spada, por las ínsolas de Romanía y por Alemaña y Constantinopla, donde fizo las estrañas cosas en armas que la parte tercera desta historia cuenta.

---

[3] Se recrea una estructura narrativa convertida en tópica en nuestra obra y en los libros de caballerías. Ante unos amores no deseados, la dama impone al caballero una tarea de difícil superación de carácter bélico, lo que le llevará a pelear contra el héroe principal o alguno de sus familiares, como con diferentes variantes se muestra en la historia de Angriote (caps. XVII y XVIII).

El escudero deste Gasquilán tornó a él con la respuesta de Amadís tal cual la havéis oído; y como gela dio, díxole:

—Amigo, agora traes aquello que yo mucho tengo desseado, y todo viene a mi voluntad. Y hoy entiendo ganar el amor de mi señora si yo soy aquel Gasquilán que tú conoçes.

Estonces demandó sus armas, las cuales eran desta manera: el campo de las sobreseñales y sobrevistas pardillo, y grifos dorados por él[4]; el yelmo y escudo eran limpios como un espejo claro, y en medio del escudo, clavado con clavos de oro, un grifo guarnido de muchas piedras preciosas y perlas de gran valor, el cual tenía en sus uñas un coraçón que con ellas le atravesava todo, dando a entender por el grifo y su gran fiereza la esquiveza y gran crueldad de su señora, y que assí como tenía aquel coraçón atravesado con las uñas, assí el suyo lo estava de los grandes cuidados y mortales desseos que della continuamente le venían; y aquestas armas pensava él traer hasta que a su señora oviesse, y también porque considerando traerlas en su remembrança le davan esfuerço y gran descanso en sus cuidados.

Pues, armado como oís, tomó una lança en la mano, gruessa y de un hierro grande y limpio, y fuesse adonde el Emperador estava, y pidióle por merced que mandasse a su gente que no rompiesse hasta que él hoviesse una justa que tenía concertada con Amadís, y que le no toviesse por cavallero si del primero encuentro no gele quitasse de su estorvo. El Emperador, que mejor que él le conoçía y le havía provado, ahunque lo no mostró, bien tenía creído que más duro le sería de acabar de lo que pensava; assí se partió dél y passó por las batallas. Todos estovieron quedos por mirar la batalla destos dos tan famosos cavalleros y tan señalados.

Assí llegó Gasquilán a la parte donde Amadís estava aparejado para lo recebir, y ahunque él sabía que éste fuesse un valiente cavallero, teníalo por tan follón y sobervio, que no temía mucho su valentía, porque a estos tales, en el tiempo que más

---

[4] Las *sobreseñales* y *sobrevista* corresponden a una túnica ligera adornada en este caso con los esmaltes propios del escudo heráldico, que lleva unos grifos —véase la nota 29 del capítulo LXXIII—, animal de gran «prestigio heráldico», Riquer, *Armas,* pág. 425.

piensan hazer y más menester lo han, allí Dios les quebranta su gran sobervia porque los semejantes tomen enxemplo. Y como lo vio venir, endereçó su cavallo contra él, y cubrióse de su escudo lo mejor que supo, y diole de las espuelas y fue lo más rezio que pudo ir contra él. Y Gasquilán assí mesmo iva muy desapoderado[5] cuanto el cavallo lo podía llevar. Y encontráronse en los escudos, de manera que las lanças fueron en pedaços por el aire, y al juntar uno con otro fue el golpe tan duro, que todos pensaron que ambos eran hechos pieças; y Gasquilán fue fuera de la silla, y como era valiente de cuerpo y el golpe fue muy grande, dio tan gran caída en el campo duro, que quedó tan desacordado, que se no pudo levantar; y huvo el braço diestro sobre que cayó quebrado, y assí quedó en el campo tendido como muerto. El cavallo de Amadís huvo la una espalda quebrada y no se pudo tener, y Amadís fue ya cuanto desacordado, pero no de manera que dél no saliesse luego, antes que cayesse con él. Y assí a pie se fue donde Gasquilán yazía por ver si era muerto[6]. El Emperador de Roma, que la batalla mirava, como le vio muerto, que assí él como todos los otros lo pensaron, y Amadís a pie, dio vozes a Floyan, que la delantera tenía, que socorriesse con su batalla, y assí lo hizo. Y como don Cuadragante esto vio, puso las espuelas a su cavallo y dixo a los suyos:

—¡Feridlos, señores, y no dexéis ninguno a vida!

Estonces fueron los unos y otros a se encontrar, mas Gandalín, como vio a su señor Amadís a pie, y que las hazes rompían, huvo gran recelo dél, y fue delante todos una pieça por le acorrer. Y vio venir a Floyan, delante todos los suyos, y fuese para él, y encontráronse ambos de rezios golpes; y Floyan cayó del cavallo, y Gandalín perdió las estriberas ambas, mas no cayó. Estonces llegaron muchos romanos por socorrer a

---

[5] *desapoderado:* sin ser dueño de sí.

[6] A diferencia de otras batallas, como contra el rey Abiés, en el que el enfrentamiento entre los caballeros constituía el colofón de la pelea, en esta ocasión se abre la lid mediante un combate personal por motivos amorosos. A pesar de los gustos de Rodríguez de Montalvo por unas formas de guerra más cercanas a las de su tiempo, todavía nos encontramos ante unos mecanismos claramente medievales y estéticos. Desde una perspectiva novelesca, nos adelanta el posible resultado final.

Floyan, y don Cuadragante, a Amadís; y cada uno puso al suyo a cavallo, que en ál no entendieron. Pero como los romanos llegaron muchos, y muy presto cobraron a Gasquilán, que algo más acordado stava, y sacáronlo de la priessa a gran trabajo, don Cuadragante en su llegada, antes que la lança perdiesse, derribó a tierra cuatro cavalleros, y del primero que derribó fue tomado el cavallo por Angriote d'Estraváus, y gelo traxo prestamente a Amadís, y Gavarte de Valtemeroso y Landín siguieron la vía de don Cuadragante y hizieron mucho daño en los enemigos, como aquellos que en tal menester eran usados.

Estos que vos digo llegaron delante de su haz, pero cuando la una y la otra batalla se juntaron, el ruido y las bozes fue tan grande, que se no oían unos a otros. Y allí viérades cavallos sin señores y los cavalleros dellos muertos y dellos heridos[7]; y passavan sobre ellos los que más podían. Y Floyan, como era valiente y desseoso de ganar honra y de vengar la muerte de Salustanquidio, su hermano, como a cavallo se vio, tomó una lança y fue contra Angriote, que vio hazer cosas estrañas en armas; y encontróle por el un costado tan reziamente, que por muy poco no le derribó del cavallo, y quebró la lança, y puso mano a su spada y fue a herir a Enil, que delante sí halló, y diole por cima del yelmo tan gran golpe, que las llamas salieron dél. Y passó tan rezio por entrambos al través de las batallas, que ninguno dellos le pudo herir, tanto que se maravillaron de su ardimiento y gran prez[8]. Y antes que a los suyos llegasse, topó con un cavallero de Irlanda, criado de don Cuadragante, y diole tal golpe por cima del ombro, que le cortó hasta la carne y los huessos, y fue tan maltrecho, que le fue forçado de salir de la batalla.

Amadís en este tiempo tomó consigo a Baláis de Carsante y a Gandalín, y con gran saña, viendo que los romanos tan bien se defendían, entró lo más rezio que pudo por el un costado de la haz y aquellos que le seguían, y dio tan grandes golpes de la espada, que no havía hombre que lo viesse que mucho no fues-

---

[7] *dellos... dellos:* unos ...otros. «Lo qual sabido por algunos perlados y cavalleros..., dellos en persona, dellos por cartas y mensajeros», Fernando del Pulgar, *Crónica de los Reyes Católicos,* 5, 22.

[8] *ardimiento y gran prez:* ardor, fogosidad, y valor.

se espantado; y mucho más lo fueron aquellos que le esperavan, que tan gran miedo les puso, que ninguno le osava atender; antes, se metían entre los otros como haze el ganado
cuando de los lobos son acometidos[9].

Y yendo assí sin fallar defensa, salió a él al encuentro un
hermano bastardo de la reina Sardamira que Flamíneo havía
nombre, muy buen cavallero en armas. Y como vio a Amadís
fazer tales maravillas y que ninguno le osava esperar, fue para
él y encontróle en el escudo con su lança, que gelo falsó, y la
lança fue quebrada en pieças; y al passar Amadís le cuidó herir
en el yelmo, mas como passó rezio, no pudo; y herió al cavallo
en el lomo junto con los arzones de çaga[10], y cortóle todo lo
más del cuerpo y de las tripas, y dio con él en el suelo gran caída, tanto que pensó que le havía abierto por las espaldas[11].
Don Cuadragante y los otros cavalleros, que por la otra parte
se combatían, apretaron tanto los contrarios que, si no fuera
porque llegó Arquisil con la segunda haz en su socorro, todos
fueran destroçados y vencidos. Mas como éste llegó, todos
fueron reparados y cobraron gran esfuerço. Y por su llegada
cayeron a tierra de los cavallos más de mil cavalleros de los
unos y de los otros.

Este Arquisil se encontró con Landín, sobrino de don Cuadragante, y diéronse tan grandes golpes de las lanças, y los cavallos uno con otro, que ambos cayeron en tierra. Floyan, que
a todas partes andava, havía socorrido con cincuenta cavalleros a Flamíneo, que estava a pie, y le diera un cavallo, que
Amadís, después que lo derribó, no miró por él porque vio venir la segunda haz; y por ser el primero en la recebir, dexólo
en poder de Gandalín y de Baláis, los cuales pensaron que
muerto quedava, y fueron herir a la haz de Arquisil, porque los
suyos en su llegada no recibiessen daño, que llegavan muy hol-

---

[9] Las escasas comparaciones del *Amadís* suelen tener como referente el
mundo de los animales, que además en el caso de los lobos y las ovejas era tradicional en los textos artúricos. Cfr.: «Assi huyan ante el como las ovejas del
lobo, tan duros eran sus golpes», *Tristán de Leonís*, 353a. «E metiose entre sus
enemigos assi bravamente como el lobo entre las ovejas, e començo a dar grandes golpes a diestro e a siniestro», *ibidem*, 439b.

[10] *arçones de çaga:* fustes traseros de la silla de montar.

gados. Y como Floyan vio a pie a Arquisil, que se combatía con Landín, dio muy grandes bozes diziendo:

—¡O cavalleros de Roma, socorred a vuestro capitán!

Estonces él arremetió muy bravo, y más de quinientos cavalleros con él; y si no fuera por Angriote y por Enil y Gavarte de Valtemeroso, que lo vieron y dieron bozes a don Cuadragante, que con mucha priessa socorrieron, y muchos cavalleros de los suyos con ellos, Landín fuera aquella hora muerto o preso. Mas como éstos llegaron, herieron tan reziamente, que era maravilla de ver. Flamíneo, que, como dicho es, estava ya a cavallo, tomó los más que pudo y socorrió como buen cavallero a los suyos.

¿Qué vos diré? La priessa[12] fue allí tan grande, y tantos cavalleros muertos y derribados, que todo aquel campo donde ellos se combatían estava ocupado de los muertos y de los heridos. Mas los romanos, como eran muchos, tomaron Arquisil a pesar de sus enemigos, y don Cuadragante y sus compañeros a Landín, y assí salvó cada uno al suyo, y los fizieron cavalgar en sendos cavallos, que muchos havía por allí sin señores.

Amadís andava a la otra parte haziendo maravillas de armas; y como ya lo conoçían, todos los más dexávanle la carrera por donde quería ir. Pero todo era menester, que como los romanos eran muchos más, si no fuera por los cavalleros señalados de la otra parte, a su voluntad los traxeran. Mas luego socorrió Agrajes y don Bruneo de Bonamar con su haz; y llegaron tan rezios y tan juntos que, como los romanos anduviessen todos barajados[13], muy prestamente los hizieron dos partes, de manera que ningún remedio tenían si el Emperador con su batalla, en que traía cinco mil cavalleros, no socorriera. Esta gente, como era mucha, dio tan gran esfuerço a los suyos, que muy prestamente cobraron todo lo que havían perdido.

El Emperador llegó en su gran cavallo y armado como es dicho, y como era grande de cuerpo y venía delante de los suyos, pareçió tan bien a todos los que lo veían, que era mara-

---

[11] *espaldas:* parte posterior del animal.
[12] *priessa:* tropel agitado de gente. «Y ellos, do vieron la mayor priessa, començaron a ferir valientemente», *Tristán de Leonís,* 422a.
[13] *barajados:* mezclados, confundidos.

villa, y fue mucho mirado. Y al primero que delante halló fue Baláis de Carsante, y encontróle en el escudo tan reziamente, que quebró la lança, y topóle con el cavallo, que venía muy folgado; y como el de Baláis cansado anduviesse, no pudo sofrir el duro golpe y cayó con su señor de tal manera que fue muy quebrantado. El Emperador, cuando tal encuentro fizo, tomó en sí gran orgullo, y metió mano a la spada y començó a dezir a grandes bozes:

—¡Roma, Roma; a ellos, mis cavalleros, no vos escape ninguno!

Y luego se metió por la priessa dando muy grandes y fuertes golpes a todos los que delante sí hallava, a guisa de buen cavallero; y yendo assí faziendo gran daño, encontróse con don Cuadragante, que assí mesmo andava con la espada en la mano firiendo y derribando cuantos alcançava. Y como se vieron, fue el uno contra el otro muy rezio, las espadas altas en las manos, y diéronse tales golpes por cima de los yelmos, que el fuego salió dellos y de las espadas; mas como don Cuadragante era de más fuerça, el Emperador fue tan cargado[14] del golpe, que perdió las estriberas y úvose de abraçar al cuello del cavallo, y quedó ya cuanto desacordado. Acaesció que aquella hora se falló allí Constancio, hermano de Brondajel de Roca, que era buen cavallero mancebo; y como vio al Emperador su señor en tal guisa, ferió el cavallo de las espuelas y fue para don Cuadragante con la lança a sobremano[15], y diole una gran lançada en el escudo que gelo falsó, y ferióle un poco en el braço; y en tanto que don Cuadragante bolvió a lo ferir con la espada, el Emperador uvo lugar de se tornar a la parte donde los suyos estavan.

Constancio, como vio que era en salvo, no paró, mas antes, como llegava holgado él y su cavallo, salióse muy presto y fue a la parte donde Amadís andava; y cuando vio las cosas estrañas que fazía y los cavalleros que dexava por el suelo por doquiera que iva, fue tan espantado, que no podía creer que fues-

---

[14] *cargado:* lastimado. «Alcançóle sobre el yelmo tan gran golpe, que Florestán se sintió muy cargado», *Lisuarte de Grecia,* fol. XIII v.

[15] *a sobremano:* en posición horizontal bien sujeta sobre el puño y descansando sobre el antebrazo, que en este momento forma un ángulo recto sobre el puño, Riquer, *Armas,* 346.

se sino algún diablo, que allí era venido para los destruir. Y estándole mirando, vio cómo salió a él un cavallero que fue governador del Principado de Calabria por Salustanquidio, y firióle de la espada en el cuello del cavallo. Y Amadís le dio por cima del yelmo tal golpe, que así el yelmo como la cabeça le fizo dos partes, y luego cayó muerto en el suelo, de que Constancio uvo gran dolor, porque muy buen cavallero era; y luego llamó a Floyan a grandes bozes, y dixo:

—¡A éste, a éste tolled[16] o matad, que éste es el que nos destruye sin ninguna piedad!

Entonces ambos juntos vinieron a él, y diéronle grandes golpes de las espadas. Mas Amadís a Constancio, que delante halló, dio tal golpe en el brocal del escudo, que gelo fizo dos pedaços, y no se detuvo allí la espada; antes, llegó al yelmo, y el golpe fue tan grande, que Constancio fue atordido, que cayó del cavallo abaxo. Como los romanos que a Floyan aguardavan lo vieron con Amadís, y a Constancio en el suelo, juntáronse más de veinte cavalleros y dieron en él, mas no le pudieron derribar del cavallo, y no osavan parar con él, que al que alcançava no avía menester más de un golpe.

Estando assí la batalla en que los romanos, como eran muchos en demasía, tenían algo de la ventaja, socorrió Grasandor y el esforçado de don Florestán, y llegaron a tiempo que los romanos tenían cercados a Agrajes y don Bruneo y Angriote, que les havían muerto los cavallos; y avíanlos socorrido Lasindo y Gandalín y Gavarte de Valtemeroso y Branfil, que acaso se fallaron juntos[17]; mas la muchedumbre de la gente que sobre ellos estava era tanta, que estos que digo, ahunque muchos cavalleros derribaron y mataron y passaron mucho peligro, no pudieron llegar a ellos. Y como don Florentán llegó y vio allí tan gran priessa, bien cuidó que no sería sin mucha causa; y como llegó, conosció aquellos cavalleros que socorrían a Agrajes y a sus compañeros. Y como Lasindo lo vio, dixo:

—¡O señor don Florestán, socorred aquí! Si no, perdidos son vuestros amigos.

---

[16] *tolled:* coged.

[17] *acaso se fallaron juntos:* por casualidad se encontraron juntos. «Por huyr de la justicia, que acaso passava por allí», *Celestina,* XV, 202.

Como él esto oyó, dixo:

—Pues llegadvos a mí, y firamos los que no osarán atender.

Entonces se metió por la gente, derribando y matando cuantos alcançava fasta que la lança quebró. Y puso mano a su espada y dio tan grandes golpes con ella, que espanto ponía a todos los que allí estavan. Y aquellos cavalleros que vos dixe fueron teniendo con él fasta que llegaron donde Agrajes y sus compañeros estavan a pie, como avéis oído. ¿Quién vos podría dezir lo que allí passaron en aquel socorro y lo que avían fecho los que estavan cercados? Y por cierto, no se puede contar que tan pocos como ellos eran se pudiessen defender a tantos como los querían matar. Pero ahún con todo, todos ellos estavan en gran peligro de sus vidas, si la ventura no traxiera por allí a Amadís, al cual Floyan y los suyos havían dexado, porque de los veinte cavalleros que vos dixe que socorrieron a Costancio avía él muerto y derribado los seis; y como vio que lo dexavan y se apartavan dél, y oyó las grandes bozes que en aquella priessa se davan, acudió allí. Y como llegó, luego los conosció en las armas, y començó a llamar a los suyos, y juntáronse con él más de cuatrocientos cavalleros. Y como allí fuesse la mayor priessa que en todo el día avía sido, acudieron también de la parte de los romanos Floyan y Arquisil y Flamíneo con la más gente que pudieron, y començóse la más brava batalla, y más peligrosa, que hombre vio. Allí viérades fazer maravillas a Amadís, las cuales nunca fueran vistas ni oídas que cavallero pudiesse fazer; tanto que assí a los contrarios como a los suyos hazía mucho maravillar, assí de los que matava como de los que derribava. Como las bozes eran muchas y el ruido muy grande, assí el Emperador como todos los más que en la batalla andavan acudieron allí. Don Cuadragante, que a otra parte andava, fuele dicho por un ballestero de cavallo la cosa cómo estava, y luego a gran priessa juntó consigo más de mill cavalleros que le aguardavan de su haz, y díxoles:

—Agora, señores, paresca vuestra bondad y seguidme, que mucho es menester nuestro socorro.

Todos fueron con él, y él delante; y cuando llegaron a la priessa, avía tanta gente de un cabo y de otro, que apenas podían llegar a los enemigos. Y como esto él vio, assí con su

gente como la traía junta[18], que era muy buena y de buenos cavalleros, dio por el un costado tan reziamente, que en su llegada fueron por el suelo más de dozientos cavalleros, y bien vos
digo que los que él a derecho golpe alcançava no avían menester maestro.

Amadís, cuando vio a don Cuadragante lo que él y su gente
hazían, fue muy maravillado, y metióse tan desapoderadamen-
te por los contrarios dando tales golpes y tan pesados, que no
dexava hombre en silla. Pero aquella ora Arquisil y Floyan y
Flamíneo, y otros muchos con ellos, se combatían tan esforçadamente, que pocos avía que mejor lo fiziessen; y punavan
cuanto podían de llegar a la muerte a Agrajes y sus compañeros que con él a pie estavan, y a don Florestán y a los otros
que vos diximos que cabe ellos estavan para los defender; que
después que passaron la gran priessa de la gente y llegaron a
ellos, nunca por gente que viniesse, ni por golpes que les diessen, los pudieron de allí quitar. Y como vieron éstos lo que los
suyos hazían, y tan gran daño en sus enemigos, apretaron tan
rezio a los romanos, assí por la parte de don Cuadragante
como de la de Amadís, y de don Gandales, que sobrevino con
fasta ochocientos cavalleros de los que traía en cargo, que, a
mal de su grado, ahunque el Emperador dava muy grandes bozes, que después que don Cuadragante le dio aquel gran golpe
de la espada, más entendió en governar la gente que en pelear,
los fizieron perder el campo, de manera que Agrajes y Angriote y don Bruneo, que mucho afán y peligro avían passado, pudieron cobrar cavallos en que cavalgaron; y luego se metieron
en la priessa contra los romanos que ivan de vencida, y así los
llevaron fasta dar en la batalla del rey Arbán de Norgales a tal
ora que era ya puesto el sol, y por esto el rey Arbán los recogió
consigo y no quiso romper, que assí gelo embió mandar el rey
Lisuarte por ser la ora tal, y porque de sus contrarios quedava
mucha gente por entrar en la buelta[19], y uvo recelo de recebir
dellos algún revés; que bien cuidava que para los primeros bastava el Emperador con los suyos. Y así por esto como por la
noche que sobrevino, que fue la causa más principal, recogie-

[18] *junta:* junto, Z // junta, RS // .
[19] *buelta:* revuelta, pelea. Véase la nota 31 del capítulo VIII.

ron a los romanos, y los contrarios se detuvieron, que los no siguieron más, de manera que la batalla se partió con mucho daño de ambas las partes, ahunque los romanos recibieron el mayor.

Amadís y los de su parte, como por ellos quedó el campo, fizieron llevar todos los feridos de los suyos, y su gente despojó todos los otros, y quedaron en el campo los feridos y muertos de la parte de los romanos, que los no quisieron matar, de los cuales muchos murieron por no ser socorridos.

Pues bueltas las gentes, assí de un cabo como de otro, a sus reales, uvo algunos hombres de orden[20] que en las batallas venían para reparar las ánimas de los que menester lo oviessen, que como vieron tan gran destroço y las bozes que los feridos davan demandando piedad y misericordia, acordaron, assí de un cabo como de otro, de se poner por servicio de Dios en trabajar porque alguna tregua oviesse en que los feridos se reparassen y los muertos fuessen soterrados[21]. Y assí lo fizieron, que éstos fablaron con el rey Lisuarte y con el Emperador, y los otros con el rey Perión; y todos tovieron por bien que la tregua se assentasse por el día siguiente. Aquella noche passaron con grandes guardas, y curaron de los feridos y los otros descansaron del gran trabajo que avían pasado. Venida[22] la mañana, fueron muchos a buscar a sus parientes, y otros a sus señores; y allí viérades los llantos tan grandes de ambas las partes, que de oírlo pone gran dolor, cuanto más de lo ver[23]. Todos los bivos llevaron al real del Emperador, y los muertos

---

[20] *de orden:* del orden, Z // de orden, RS // .

[21] *soterrados:* enterrados. «E murio, e fue soterrado en ella», Alfonso Martínez de Toledo, *Atalaya de las coronicas,* 16b.

[22] *venida:* venido, Z // venida, RS // .

[23] Con este tipo de expresiones, habituales en la épica y en el romancero, se actualiza y visualiza la escena ante los lectores-oyentes, por lo que se incrementan sus efectos patéticos. Por otra parte, se había convertido en fórmula utilizada en los relatos medievales. Por ejemplo, en la *Crónica del rey don Rodrigo,* la encontramos con cierta asiduidad: «aquí veríades fazer unos e otros tan bien que no sabía hombre que hombres oviesse que podiessen dar tales golpes», fol. XXIII v, de la misma manera que es habitual en las traducciones medievales de textos artúricos. «E alli veriades lançar lanças e quebrantar escudos, e cavalleros caer», *Tristán de Leonís,* 392b, etc.

[24] *desembargado:* libre, sin obstáculo.

fueron soterrados, de manera que el campo quedó desembargado[24].

Así passaron aquel día endereçando sus armas y curando de sus cavallos[25], y a don Cuadragante curaron de la ferida del braço, y vieron que era poca cosa; pero ahun otro cavallero que la tuviera, que no fuera tal como él, no se pusiera en armas ni en trabajo; él no quiso por esso dexar de ayudar a sus compañeros en la batalla siguiente.

Venida la noche todos se acogieron a sus albergues, y al alva del día se llevantaron[26] al son de las trompas y oyeron missas, y luego toda la gente fue armada y puesta a cavallo, y cada capitán recogió los suyos. Y assí de la una parte como de la otra fue acordado que las delanteras tomassen las batallas que no avían peleado, y así se hizo.


## Capítulo CXI

*Cómo sucedió en la segunda batalla a cada una de las partes, y por qué causa la batalla se partió.*

Puso en la delantera el rey Lisuarte al rey Arbán de Norgales y a Norandel, y don Guilán el Cuidador, y los otros[1] cavalleros que ya oístes. Y él con su batalla y el rey Cildadán les fizieron espaldas, y tras ellos el Emperador y todos los suyos, cada uno en haz y con sus capitanes según y por la ordenança que tenían.

El rey Perión dio la delantera a su sobrino don Brian de Monjaste, y él y Gastiles con la seña del Emperador de Constantinopla les fazían espaldas, y todas las otras batallas en su concierto[2], de manera que las que más desviadas estovieron el primero día que pelearon agora ivan más cerca.

---

[25] *curar:* dar pienso a las caballerías y cuidarlas para que se conserven en salud y hermosura (Cuervo). «Gorvalan le fizo bien curar de su cavallo», *Tristán de Leonís,* 415b.

[26] *llevantaron:* en R, levanantaron y en S, levantaron. Véase la nota 1 del capítulo CVII.

[1] *otros:* otras, Z // otros, RS //.

[2] *las otras batallas en su concierto:* los otros cuerpos de ejército, batallones, de acuerdo con su orden.

Con esta ordenança movieron los unos y los otros, y cuando fueron cerca, tocaron las trompas de todas partes, y las hazes de Brian de Monjaste y del rey Arbán de Norgales se juntaron tan bravamente, que de la primera fueron por el suelo más de quinientos cavalleros, y sus cavallos sueltos por el campo. Don Brian se falló con el rey Arbán, y diéronse muy grandes encuentros, assí que las lanças fueron quebradas, mas otro mal no se fizieron. Y metieron mano a sus espadas y començáronse a ferir por todas las partes que más daño se podían fazer, como aquellos que muchas vezes lo avían fecho y usado. Norandel y don Guilán firieron juntos en la gente de sus contrarios; y como eran muy valientes y muy esforçados, fizieron mucho daño, y más fizieran si no por un cavallero pariente de don Brian, que con la gente de Spaña avía venido, que avía nombre Fileno, que tomó consigo muchos de los españoles que era buena gente de guerra[3], y firió tan rezio aquella parte donde don Guilán y Norandel andavan, que así a ellos como a todos los que delante sí tomaron los llevaron una pieça por el campo, pero allí fazían cosas estrañas Norandel y don Guilán por reparar los suyos. Al rey Arbán y a don Brian despartieron[4] de su batalla, ansí los unos como los otros, por la gran priessa que a la otra parte avía, y cada uno dellos començó a esforçar los suyos firiendo y derribando en los contrarios. Pero como la gente de España fuesse más y mejor encavalgados, ovieron tan gran ventaja, que si no porque el rey Lisuarte y el rey Cildadán socorrieron con sus hazes, no les tovieron campo, y todos fueran perdidos; mas en la llegada destos Reyes fue todo reparado. El rey Perión, como vio la seña del rey Lisuarte, dixo a Gastiles:

---

[3] La idea de que los españoles son buenas gentes para la guerra la encontramos reiteradamente en la Edad Media. Por poner sólo dos ejemplos de diversas épocas, según Alfonso X, «Espanna sobre todas es engennosa, atrevuda et mucho esforçada en lid», *Primera Crónica General de España*, t. I, 311b, mientras que en el *Tratado de la perfección del triunfo militar* de Alfonso de Palencia, 377a, se señala que «increíble sería dezir quánto el español sobrepujava a todos los otros, assí en el exemplo de lidiar, como en el sofrir del trabajo».

[4] *despartieron*: apartaron, separaron. «E venida la noche los despartio», *Oliveros de Castilla*, 452b.

—Agora, mi buen señor, movamos, y todavía[5] mirad por esta seña, que yo ansí lo faré.

Entonces fueron derancadamente[6] sus enemigos. El rey Lisuarte los recibió como aquel a quien nunca fallesció coraçón ni esfuerço, que sin duda podéis creer que en su tiempo nunca uvo rey que mejor ni más endonadamente[7] su cuerpo aventurasse en las cosas que a su honra tocavan, assí como por esta gran istoria podéis ver en todas las batallas y afruentas en que se falla.

Pues bueltas assí estas gentes en número tan crescido, ¿quién os podría contar las cavallerías que allí se fizieron? Sería impossible al que verdad quisiesse dezir, que tantos buenos cavalleros fueron allí muertos y llagados, que casi los cavallos no podían andar sino sobr'ellos. Deste rey Lisuarte os digo que, como hombre lastimado no teniendo su vida tanto como en nada, se metía entre sus enemigos tan esforçadamente, que pocos fallava que le osassen atender. El rey Perión, yendo por otra parte faziendo maravillas, acaso se encontró con el rey Cildadán, y como se conoscieron, no quisieron acometerse; antes, passaron el uno por el otro y fueron ferir en los que delante sí fallaron, y derribaron muchos cavalleros muertos y llagados a tierra.

Como el Emperador vio tan gran rebuelta, y le paresció estar los de su parte en gran peligro, mandó a sus capitanes que con todas sus hazes rompiessen lo más denodadamente que ser pudiesse, y que él assí lo faría; lo cual fue fecho, que todas las batallas juntas con el Emperador dieron en los contrarios. Mas antes que ellos llegassen, las otras de la parte contraria, de que los vieron venir, así mismo todos juntos derrancaron[8] por el[9]

---

[5] *todavía:* en todo momento.

[6] *derancadamente:* precipitadamente. No modifico lo que a mi juicio debería ser una vibrante múltiple, *derrancadamente*, de acuerdo con el verbo utilizado posteriormente en este mismo capítulo. En los casos de palabras prefijadas como la que nos ocupa se producen múltiples vacilaciones en sus grafías: *a rededor, de racadamente.*

[7] *endonadamente:* gratuita, voluntariamente.

[8] *derrancaron:* acometieron repentinamente con ímpetu. El DCECH la registra en esta acepción en 1457.

[9] *por el:* pol el, Z // por el, RS // .

campo, assí que todos fueron mezclados unos con otros, de manera que no podían aver concierto ni guardar ninguno a su capitán. Mas andavan tan embueltos y tan juntos, que se no podían ferir ni ahun con las espadas, y travávanse a braços, y derribávanse de los cavallos; y más eran los que murieron de los pies dellos que de las feridas que se davan. El estruendo y el ruido era tan grande, assí de las bozes como del reteñir de las armas, que todos aquellos valles de la montaña fazían reteñir, que no parescía sino que todo el mundo era allí asonado[10]; y por cierto assí lo podéis creer, que no el mundo, mas todo lo más de la cristiandad y la flor della estava allí, donde tanto daño en ella se recibió aquel día, que por muchos y largos tiempos no se pudo reparar.

Assí que esto se puede dar por enxemplo a los reyes y grandes señores, que antes que las cosas hagan, las miren y p[i]ensen primero con la buena conciencia, mirando mucho los inconvenientes que dello se pueden seguir, porque no a su cargo y por sus yerros y aficiones lazeren y mueran los que culpa no tienen, como muchas vezes acaesce, que puede ser que la inocencia destos tales lleve sus ánimas a buen lugar. Así que por mayor muerte y muy más peligrosa se puede contar, ahunque al presente las vidas les quede[n] a los causadores de tal destruición como esta a que dio ocasión este rey Lisuarte, ahunque muy discreto y sabido en todas las cosas era, como oído avéis; pero causólo esto no querer estar a consejo de otro alguno sino del suyo propio[11].

Pues dexando todo esto aparte, que según la gran sobervia y la ira que sobre nosotros están muy enseñoreadas para nos poner en muchas passiones, en grandes tribulaciones, donde creo[12] que los amonestamientos son escusados, tornaremos al propósito; y digo que como las batallas assí anduviessen y muriessen muchas gentes, la priessa era tan grande, que no se po-

---

[10] *asonado:* reunido. Se trata de un tópico que adquiere diferentes variantes. Véase la nota 29 del capítulo XLIV.

[11] Se insiste en la necesidad de los buenos consejeros, como recogían los *Regimientos de príncipes.* Por ejemplo, Rodrigo de Arévalo, *Suma de la política,* 288a, indica que «para que la tal cibdad o reino sea bien regido y governado, es necessario que tengan sabios y discretos consejeros, ábiles y espertos y prudentes».

dían valer los unos a los otros, que todos estavan ocupados y delante sí hallavan con quien pelear. Agrajes siempre tenía el cuidado de mirar por el rey Lisuarte, y no le avía visto con la gran priessa y muchedumbre de gente; y yendo por entre las batallas, viole que acabava de derribar de un encuentro a Dragonís, en que quebró la lança, y tenía la espada en la mano para lo ferir. Y Agrajes fue para él con su espada, y díxole:

—A mí, rey Lisuarte, que yo soy el que te más desamo.

Él, como lo oyó, bolvió la cabeça y fue para él, y Agrajes a él, y tan rezios llegaron el uno al otro, que se no pudieron ferir; y Agrajes soltó la espada en la cadena con que la traía, y abraçóse con él, que, como ya es dicho en otras partes desta istoria, este Agrajes fue el más acometedor cavallero y de más bivo coraçón que en su tiempo uvo; y si así la fuerça como el esfuerço le ayudara, no oviera en el mundo mejor cavallero que él; y assí era uno de los buenos que en gran parte se podrían fallar.

Pues estando abraçados, cada uno punava cuanto podía por derribar al otro; y Agrajes se viera en gran peligro, porque el Rey era más valiente de cuerpo y de fuerça, si no por el buen rey Perión, que sobrevino; con el cual vinieron don Florestán y Landín y Enil y otros muchos cavalleros. Y cuando assí vio Agrajes, punó de lo socorrer[13]; y de la otra parte acudió don Guilán el Cuidador, y Norandel y Brandoivas y Giontes, sobrino del Rey; que éstos, ahunque en otras partes fazían sus espolonadas[14] y grandes cavallerías, siempre tenían ojo a mirar[15] por el Rey, que assí lo tenían en cargo. Pues como éstos llegaron, firieron de las espadas, que las lanças quebradas eran, todos tan bravamente, que cosa estraña era de ver, y llegávanse de entrambas partes por socorrer cada uno al suyo. Mas el Rey y Agrajes estavan tan asidos, que los no podían quitar ni tampoco derribarse el uno a otro, porque los de su parte los tenían

---

[12] *donde creo:* donde crea, Z // donde creo, RS // .

[13] *punó de lo socorrer:* se esforzó en socorrerlo.

[14] *espolonadas:* arremetidas impetuosas de gente a caballo. «E començaron a fazer sus espolonadas muy fermosamente», Gutierre Díez de Games, *El Victorial*, 102, 32.

[15] *tenían ojo a mirar:* prestaban atención por mirar. «Tovo ojo a la mezquita de que havemos ya dicho», *Gran Conquista de Ultramar*, II, 352.

en medio y los sostenían que no cayessen. Como aquí fuesse la más priessa de la batalla y el mayor ruido de las grandes bozes, ocurrieron[16] allí muchos cavalleros de cada una de las partes, entre los cuales vino don Cuadragante. Y como llegó y vio la rebuelta y al Rey abraçado con Agrajes, metióse muy rezio por todos y echó mano del Rey tan bravamente, que por poco oviera derribado a entrambos, que no osó ferir al Rey por no dar Agrajes, y porque le dieron[17] muchos golpes los que al Rey defendían, nunca le soltó. El rey Arbán de Norgales, que venía con el Emperador de Roma, que avía pieça que no avía al Rey visto, llegó allí, y como lo vio en tan gran peligro, fue muy desapoderado, y abraçóse con don Cuadragante muy apretadamente. Assí estavan todos cuatro abraçados y alderredor dellos el rey Perión y los suyos, y de la otra parte Norandel y don Guilán y los suyos, que nunca cessavan de se combatir.

Pues assí estando la cosa en tan gran rebuelta y peligro, sobrevino de la parte del rey Lisuarte el Emperador y el rey Cildadán con más de tres mill cavalleros, y de la otra, Gastiles y Grasandor con otras muchas compañas; y llegaron unos y otros tan rezios a la priessa y con tan gran estruendo, que por fuerça hizieron derramar[18] los que se combatían, y los que estavan abraçados ovieron por bien de se soltar, y quedaron todos cuatro a cavallo, pero muy cansados, que cuasi en las sillas tener no se podían. Y tanta fue la gente que a la parte del rey Lisuarte cargó, que en muy poco estuvo el negocio de se perder, si no fuera por la gran bondad del rey Perión y de don Cuadragante, y de don Florestán y los otros sus amigos, que como esforçados cavalleros sufrieron tanto, que fue gran maravilla.

---

[16] *ocurrieron:* acudieron, llegaron corriendo. «E venían ende con el Rey muchos grandes, ombres, que a los nuevas de aquel fecho avían ocurrido», *Crónica de don Álvaro de Luna,* 47, 3.

[17] *porque le dieron:* aunque le dieron. «Ca porque ellos son tres cosas en tres personas, non son si non una cosa en deydat», *El libro de Josep de Abarimatia,* ed. de K. Pietsch, *Spanish Grail Fragments,* Chicago-Illinois, The Un. of Chicago Press, 1924, t. I, pág. 24. El ejemplo corresponde a uno de los dos únicos señalados por José Luis Rivarola, ob. cit., págs. 88-89, de *porque* con valor concesivo en los siglos xiv y xv, si bien puede añadirse algún otro caso. Cfr.: «porque era onbre cavallero e bien acostumbrado, havíase hecho arlote», *Enrique fi de Oliva,* pág. 7.

Assí estando en esta priessa como oídes, llegó aquel muy esforçado cavallero Amadís, que avía andado a la diestra parte de la batalla, y avía muerto de un sólo golpe a Constancio y desbaratado todo lo más de aquella parte; y traía en su mano la su buena espada tinta de sangre hasta el puño[19]. Y vinieron con él el conde Galtines y Gandalín y Trion. Y como vio tanta gente sobre su padre, y sobre los suyos vio estar al Emperador delante, combatiéndose como en cosa que ya por vencida tenía, puso las espuelas a su cavallo que entonces avía tomado a un donzel de los de su padre, que venía folgado, y metióse tan rezio y tan denodado por la gente, que fue maravilla de lo ver. Floyan, que lo conosció en las sobreseñales, uvo recelo que si al Emperador llegasse, que todos no serían tan poderosos de gelo defender ni amparar; y lo más presto que pudo se puso delante, aventurando su vida por salvar la suya del Emperador. Don Florestán, que aquella parte se falló, entrava a la par con Amadís, y como vio a Floyan, fue para él lo más presto que pudo, y diéronse muy grandes golpes de las espadas por cima de los yelmos. Mas Floyan fue desacordado, que se no pudo tener en el cavallo, y cayó en tierra y allí fue muerto, assí del gran golpe como de la mucha gente que sobre él anduvo.

Amadís no curó de su batalla[20]; antes, como llevava los ojos puestos en el Emperador, y más en el coraçón de lo matar si pudiese, que ya entre los suyos estava, metióse con muy gran ravia entre ellos por le ferir; y comoquiera que de todas partes grandes golpes le diessen por gele defender, nunca tanto pudieron fazer los contrarios que le estorvassen de se juntar con él. Y como a él llegó, alçó la espada y firióle de toda su fuerça, y diole tan gran golpe por encima del yelmo, que le desapoderó de toda su fuerça y le hizo caer el espada de la mano. Y como Amadís vio que iva a caer del cavallo, diole muy prestamente otro golpe por cima del ombro, que le cortó todas las

---

[18] *derramar:* dispersar, esparcirse. «Derramáronse todos para ssus tierras e lugares», Pedro de Escavias, *Repertorio de Príncipes,* 250.

[19] *tinta de sangre hasta el puño:* teñida de sangre hasta el puño.

[20] *no curó de su batalla:* no se preocupó por la pelea. «Non curó de otra cosa salvo de aconpañar al Rey», *Crónica de don Álvaro de Luna,* 337, 11.

armas y la carne fasta lo hueco, de manera que todo aquel cuarto con el braço le quedó colgado, y cayó del cavallo tal, que dende a poco[21] fue muerto.

Cuando los romanos que muy cerca dél estavan lo vieron, dieron muy grandes bozes, de manera que se llegaron muchos, y tornóse abivar la batalla, que acudieron allí muy presto Arquisil y Flamíneo, y llegaron con otros muchos cavalleros donde Amadís y don Florestán estavan, y diéronles muy grandes y fuertes golpes de todas partes. Mas el conde Galtines y Gandalín y Trion dieron bozes a don Bruneo y Angriote que se juntassen con ellos para los socorrer, y todos cinco a pesar de todos llegaron en su ayuda faziendo mucho daño.

El rey Perión estava con don Cuadragante y Agrajes y otros muchos cavalleros a la parte del rey Lisuarte [y] del rey Cildadán y otros muchos que con ellos estavan, y combatíanse muy reziamente; assí que allí fue la más brava batalla que en todo el día avía sido, y mayor mortandad de gente. Mas a esta hora sobrevino don Brian de Monjaste y don Gandales, que avían recogido de los suyos hasta seis cientos cavalleros, y dieron en los enemigos tan bravamente a la parte donde Amadís y sus compañeros estavan, que a mal de su grado[22] los traxieron una gran pieça. A estas grandes bozes que entonces se dieron, Arbán[23], Rey de Norgales, bolvió la cabeça y vio cómo los romanos perdían el campo, y dixo al rey Lisuarte:

—Señor, retraedvos; si no, perderos heis[24].

Cuando el Rey esto oyó, miró y bien conosció que dezía verdad. Entonces dixo al rey Cildadán que le ayudasse a retraer los suyos en son que[25] se no perdiessen, y assí lo hizieron, que siempre bueltos a los contrarios y dándose muy grandes golpes, con ellos se retraxeron fasta se poner en igual de los romanos, y allí se detuvieron todos, porque Norandel y

---

[21] *dende a poco:* al cabo de poco tiempo. «Dende a pocos días partieron el Rey e la Reyna», Fernando del Pulgar, *Crónica de los Reyes Católicos,* 83, 6.

[22] *a mal de su grado:* a su pesar. «Oviéronse de volver, a mal de su grado, al puerto de Haraflor», Gutierre Díez de Games, *El Victorial,* 216, 33.

[23] *Arbán:* araban, Z // Arban, RS // .

[24] *retraedvos; si no, perderos heis:* apartaos; de lo contrario, os perderéis.

[25] *en son que:* de tal manera que. «El Rey entróse en su cámara, en son que entraba a orinar», *Crónica de don Álvaro de Luna,* 333, 5.

don Guilán y Cendil de Ganota y Ladasín, y otros muchos con ellos, se passaron a la parte de los romanos, que era lo más flaco, para los esforçar; pero todo era nada, que ya la cosa iva de vencida.

Estando la batalla en tal estado como oís, Amadís vio cómo la parte del rey Lisuarte iva perdida sin ningún remedio, y que, si la cosa passasse más adelante, que no sería en su mano de lo poder salvar, ni aquellos grandes amigos suyos que con él estavan. Y sobre todo, le vino a la memoria ser éste padre de su señora Oriana, aquella que sobre todas las cosas del mundo amava y tenía[26], y las grandes honras que él y su linaje los tiempos passados avían dél recebido, las cuales se devían anteponer que los enojos, y que toda cosa que en tal caso se fiziesse sería gran gloria para él, contándose más a sobrada virtud que a poco esfuerço. Y vio que muchos de los romanos llevavan a su señor faziendo gran duelo, y que la gente se esparzía[27]. Y porque venía la noche, acordó, ahunque afruenta passasse de alguna vergüença, de provar si podría servir a su señora en cosa tan señalada. Y tomó consigo al conde Galtines, que cabo sí tenía, y fuese cuando pudo por entrambas las batallas a gran afán, porque la gente era mucha y la priessa grande, que los de su parte, como conoscían la ventaja, apretavan a sus enemigos con gran esfuerço; y en los otros ya casi no avía defensa sino por el rey Lisuarte [y] el rey Cildadán y los otros señalados cavalleros. Y llegaron él y el Conde al rey Perión su padre, y díxole:

—Señor, la noche viene, que a poca de ora no nos podríamos conoscer unos a otros; y si más durasse la contienda, sería gran peligro, según la muchedumbre de la gente, que assí podríamos matar a los amigos como a los enemigos y ellos a nosotros. Parésceme que sería bien apartar la gente, que según el daño que nuestros enemigos han recebido, bien creo que cras[28] no nos osarán atender.

---

[26] *tenía:* tenía, Z // temía, RS // . El texto zaragozano tiene pleno sentido, sin que haya ninguna necesidad de corregirlo, teniendo en cuenta que las parejas sinonímicas son muy del gusto de Montalvo, *amava y tenía* = amaba y consideraba, estimaba. No obstante, estilísticamente puede justificarse la lectura de *temía*.

[27] *esparzía:* esparsia, Z // esparzia, RS // .

El Rey, que gran pesar en su coraçón tenía en ver morir tanta gente sin culpa ninguna, díxole:

—Hijo, fágase como te paresce assí por esso que dezís como porque más gente no muera; que aquel Señor que todas las cosas sabe bien vee que esto más se dexa por su servicio que por otra ninguna causa, que en nuestra mano está toda su destruición según son vencidos.

Agrajes estava cerca del Rey, y Amadís no le avía visto, y oyó todo lo que pasaron; y vino con gran furia a Amadís, y dixo:

—¡Como, señor cormano!; ¿agora que tenéis a vuestros enemigos vencidos y desbaratados, y estáis en disposición de quedar el más honrado príncipe del mundo, los queréis salvar?[29].

—Señor cormano —dixo Amadís—, a los nuestros querría yo salvar, que con la noche no se matassen los unos a los otros, que a nuestros enemigos por vencidos los tengo, que no ay en ellos defensa ninguna.

Agrajes, como muy cuerdo era, bien conosció la voluntad de Amadís, y díxole:

—Pues que no queréis vencer, no queréis señorear; y siempre seréis cavallero andante, pues que en tal coyuntura os vence y sojuzga la piedad. Pero fágase como por bien tovierdes.

Entonces el rey Perión, y don Cuadragante, a quien desto no pesava, por el rey Cildadán, con quien tanto deudo tenía y a quien él mucho amava, por una parte, y Amadís y Gastiles,

---

[28] *cras:* mañana. «Sed seguros que avres la batalla cras a esta hora», *Demanda del Sancto Grial,* 331b. «Por *mañana* diré *cras,* pues me da licencia el refranejo que dize: "oy por mí y cras por ti"», Juan de Valdés, *Diálogo de la lengua,* pág. 230.

[29] Agrajes, caracterizado por su impetuosidad y saña, reprochará al héroe su comportamiento, pues la caracterización del personaje en los últimos libros se ha centrado especialmente en su enemistad con el rey Lisuarte. De la misma manera que sucedía con los amores del héroe frente a Galaor, nos encontramos ante una técnica narrativa similar: la del contraste. De esta forma, la actitud de Amadís alcanza un mayor valor por su mesura y piedad, al contraponerse al comportamiento de su primo hermano. Como dice José Amezua, *La metamorfosis del caballero,* pág. 43, «Agrajes es el ejemplo de la trayectoria no seguida en los libros de caballerías; si el discreto piensa para actuar, el guerrero obra apresurada y violentamente, sin reflexión de por medio. Y así es Agrajes. Inútil sería compararlo con otros personajes, pues se distingue de ellos igual que de Amadís».

por la otra, començaron apartar la gente, y hiziéronlo con poca premia[30], que ya la noche los partía.

El rey Lisuarte, que estava sin esperança ninguna de poder cobrar lo perdido, y determinado de morir antes que ser vencido, cuando vio que aquellos cavalleros apartavan la gente mucho, fue maravillado y bien creyó que no sin algún gran misterio aquello se fazía. Y estuvo quedo hasta ver qué dello podría redundar. Y como el rey Cildadán vio lo que los contrarios hazían, dixo al Rey:

—Parésceme que aquella gente no nos seguirá, y honra nos fazen; y pues que assí es, recojamos la nuestra y vamos a descansar, que tiempo es.

Assí fizo, que el rey Arbán de Norgales y don Guilán el Cuidador, y Arquisil y Flamíneo con los romanos retraxeron toda la gente. Assí se partió esta batalla como oídes; y por cuanto el comienço de toda esta gran istoria fue fundado sobre aquellos grandes amores que el rey Perión tuvo con la reina Elisena, que fueron causa de ser engendrado este cavallero Amadís, su hijo, del cual y de los que él tiene con su señora Oriana ha procedido y procede tanta y tan gran escriptura[31], ahunque algo parezca salir de propósito, razón es que, assí para su desculpa destos que tan desordenadamente amaron como para los otros que como ellos aman, se diga qué fuerça tan grande es sobre todas la de los amores; que en una cosa de tan gran fecho como éste fue y tan señalada por el mundo, donde tales y tantas gentes de grandes estados se juntaron y tantas muertes uvo, y la honra tan grandíssima que ganavan los vencedores, que dexándolo todo aparte allí entre la ira y la saña y gran sobervia, con tan antigua enemistad, que la menor déstas es bastante para cegar y turbar a cualquiera que muy discreto y esforçado sea, allí tuvo tanta fuerça el amor que este cavallero tenía con su señora, que, olvidando la mayor gloria que en este mundo se puede alcançar, que es el vencer, pusiesse tal embaraço por donde sus enemigos recebiessen el beneficio que

---

[30] *premia*: dificultad, apremio. «Como no era ducha de la premia ni de la lazeria de la orden», *Demanda del Sancto Grial*, 331b.

[31] A través de la glosa del narrador, se descubre cómo el amor constituye el eje sobre el que se vertebra la obra, comenzando por el nacimiento del héroe y terminando una vez casado públicamente.

avéis oído; que sin duda ninguna podéis creer que en la mano y voluntad de Amadís y de los de su parte estava toda la destruición del rey Lisuarte y de los suyos sin se poder valer.

Pero no es razón que se atribuya sino aquel Señor que es reparador de todas las cosas, que bien se puede creer que assí fue por Él permitido que se fiziesse, según la gran paz y concordia que desta tan gran enemistad redundó, como adelante vos contaremos[32].

Pues las gentes apartadas y tornadas a sus reales, pusieron treguas por dos días porque los muertos eran muchos. Y acordóse que seguramente cada una de las partes pudiesse llevar los suyos. El trabajo que passaron en los soterrar y los llantos que por ellos fizieron será escusado dezirlo, porque la muerte del Emperador, según lo que por ella se fizo, puso olvido en los restantes. Pero lo uno y lo otro se dexará de contar así porque sería prolixo y enojoso, como por no salir del propósito començado.

## Capítulo CXII

*Cómo el rey Lisuarte fizo levar el cuerpo del Emperador de Roma a un monesterio, y cómo fabló con los romanos sobre aquel fecho en que estava, y la respuesta que le dieron.*

A su tienda llegó el rey[1] Lisuarte y rogó al rey Cildadán que allí se apease y desarmase porque antes de más reposo diessen orden cómo el cuerpo del Emperador se pusiesse donde convenía estar. Y como desarmados fueron, ahunque muy quebrantados y cansados estavan, llegaron entrambos a la tienda del Emperador donde muerto estava, y fallaron todos los mayores de sus cavalleros ender[r]edor dél faziendo gran due-

---

[32] Dejando aparte el amor, se ven perfectamente en la glosa las contradicciones y los principales resortes ideológicos de Rodríguez de Montalvo. Tras explicar el texto desde un punto de vista interno como una historia amorosa, lo que tendría coherencia con las principales pautas del relato, le deja insatisfecha la explicación de «tejas abajo», y lo atribuye todo de forma ortodoxa a la voluntad de la Divinidad, argumento externo.

[1] *el rey:* al rey, ZR // el rey, S // .

lo; que ahunque este Emperador de su propio natural fuesse
sobervio y desabrido, por la cual causa con mucha razón los
que estas maneras tienen deven ser desamados, era muy franco
y liberal en fazer a los suyos tantos bienes y mercedes, que con
esto encubría muchos de sus defectos; porque, ahunque naturalmente todos tengan mucho contentamiento de lo que con
gracia y cortesía reciben a los que a ellos llegan, mucho más lo
tienen de los que, ahunque con alguna aspereza, ponen por
obra las cosas que les piden, porque el efecto verdadero está en
obrar la virtud y no en la platicar[2].

Llegados allí estos dos Reyes, quitaron aquellos cavalleros
de hazer su duelo, y rogáronles que fuessen a sus tiendas y se
desarmassen y curassen de sus llagas, que ellos no se quitarían
de allí hasta que aquel cuerpo fuesse puesto a donde se requería estar tan gran Príncipe. Pues idos todos, que no quedaron
sino los oficiales de la casa, mandó el rey Lisuarte que aparejassen al Emperador como luego pudiessen caminar[3] con él, y
lo llevassen a un monesterio que a una jornada de allí estava,
cabe una su villa que avía nombre Lubaina, porque desde allí
se pudiesse con más reposo a Roma llevar a la capilla de los
emperadores.

Esto assí fecho, tornáronse los Reyes a la tienda donde
avían salido, y allí les tenían adereçado de cenar; y cenaron, y
al parescer de los que allí estavan, con buen semblante, pero
alguno avía que en lo secreto no era assí; antes, su espíritu estava muy afligido y con mucho cuidado, el cual era el rey Lisuarte, porque, salida la tregua, no esperava ningún remedio a
su salud; que según la ventaja que sus enemigos le avían tenido

---

[2] *la platicar:* hablar de ella. La frase refleja la idea expresada en bastantes
refranes y frases proverbiales, como, por ejemplo, la pronunciada en la *Celestina*,
VII, 124, «A las obras creo, que las palabras de balde las venden donde quiera»,
dejando a un lado su conexión con sentencias cultas, como las aducidas en la
nota 17 del capítulo LXX, reflejo de otras similares. Por otra parte, la idea
abunda en textos relacionados con los caballeros. Por ejemplo, «conviene que
virtuosamente obredes, ca nin mirar la vianda quebranta el apetito, nin veer el
vino tira la sed», *Regimiento de vida para un caballero,* ms. 1159 de la B. N. de Madrid, fol. 14 v.

[3] *aparejassen al Emperador como luego pudiessen caminar:* preparasen al Emperador de modo que inmediatamente pudieran caminar. «Se aparejava para venir a
Portogal», A. Martínez de Toledo, *Atalaya de las coronicas,* pág. 160b.

en las dos batallas passadas, y la flaqueza grande que en sus gentes conoscía, especial en los romanos, que era la mayor parte, y aviendo conoscimiento del gran esfuerço de los contrarios, por dicho se tenía que no era parte[4] para sostener la tercera batalla, y no esperava otra cosa salvo en ella[5] ser desonrado y vencido, ahunque lo más cierto era muerto, porque él no desseava más la vida de cuanto la honra sostener pudiesse. Y aviendo cenado, el rey Cildadán se fue a su tienda [y] el rey Lisuarte quedó en la suya.

Assí passaron aquella noche poniendo grandes guardas en su real, y venida la mañana, el Rey se levantó; y desque ovo oído missa, llevó consigo al rey Cildadán, y fuese a la tienda del Emperador, el cual avían ya llevado, y a Floyan con él, al monesterio que os devisé[6], y fizo llamar a Arquisil y a Flamíneo, y a todos los otros grandes señores que allí de su compaña estavan; y venidos ante él, hablóles en esta guisa:

—Mis buenos amigos, el dolor y pesar que yo tengo de la pérdida que nos es venida, y la gana y voluntad de la vengar, no otro alguno sino Dios lo sabe. Pero como estas sean cosas muy comunes en el mundo y que escusar no se pueden, assí como cada uno de vos avrá visto y oído, no queda otro remedio sino que, dexando aparte los muertos, los bivos que quedan pongan tal remedio a sus honras, que no parezca que de la muerte natural dellos redunda otra muerte artificial en los que biven. Lo passado es sin remedio; para lo presente y por venir, por la bondad de Dios, tantos quedamos que si con aquel amor y voluntad a que los buenos son tenidos y obligados nos ayudamos, yo fío en Él que con mucha gloria y ventaja cobraremos aquello que hasta aquí se ha perdido. Y quiero que de mí sepáis que si todo el mundo en contrario tuviesse, y los que comigo están me dexassen, no partiré deste lugar sino vencedor o muerto. Assí que, mis buenos amigos, mirad quién sois y del linaje donde venís, y fazed en esto de manera que a todo el

<hr>

[4] *por dicho se tenía que no era parte:* creía que no era nada. «Dicho maestre se tenía por dicho [...] que avía de ser uno de los mayores señores destos reynos», *Hechos del condestable don Miguel Lucas de Iranzo,* 185, 1.

[5] *en ella:* en ellas, Z // en ella, RS // .

[6] *monasterio que os devisé:* monasterio del que os hablé. «Vamos a ver el monesterio de Sant Agustín», A. Martínez de Toledo, *Corbacho,* 159.

mundo se dé a conoscer que en la muerte del señor no estava la de todos los suyos.

Acabava el rey Lisuarte su fabla, como Arquisil fuesse el más principal de todos ellos, assí en esfuerço como en linaje, porque, como muchas vezes se os ha dicho, a éste venía de derecho la sucessión del imperio, se levantó donde estava, y respondió al Rey diziendo:

—A todo el mundo es notorio, desde que Roma se fundó, las grandes hazañas y afruentas que los romanos[7] en los tiempos passados a su muy gran honra acabaron; de las cuales las istorias están llenas, y en ellas señalados sus fechos famosos entre todos los del mundo, así como el luzero entre las estrellas. Y pues de tan ecelente sangre venimos, no creáis vos, buen señor rey Lisuarte, ni otro ninguno, sino que agora mejor que de primero y con más esfuerço y cuidado, posponiendo todo el peligro y temor que nos avenir pudiesse, seguiremos aquello que los nuestros famosos antecessores siguieron, por donde dexaron en este mundo fama tan loada con perpetua memoria. Y como los virtuosos lo deven seguir y vos no os dexéis caer ni a vuestro coraçón deis causa de flaqueza, que por todos estos señores me profiero[8], y por los otros que aquéllos y yo tenemos en cargo de governar y mandar, que, la tregua salida, tomaremos la delantera de la batalla, y con más esfuerço y coraçón resistiremos y apremiaremos a nuestros enemigos que si el Emperador nuestro señor delante estuviesse.

Mucho pareçió bien a todos cuantos allí estavan lo que este cavallero dixo, principalmente al rey Lisuarte; y bien dio a entender que con mucho derecho mereçía la honra y gran señorío que Dios le dio, como adelante se dirá. Con esta respuesta se fue muy contento el rey Lisuarte, y dixo al rey Cildadán:

—Mi buen señor, pues que tal recaudo hallamos en los romanos, y con tan buena voluntad nos ayudan, lo cual de mí creído assí no era, y teniendo tan buen cavallero y tan esforçado por caudillo como este Arquisil, gran razón es y cosa muy

---

[7] *romanos:* ramanos, Z // romanos, RS // .

[8] *proferirse:* ofrecerse a hazer alguna cosa voluntariamente (Cobarruvias). «Lo qual si enteramente complis, dende agora me profiero por vuestra», Juan de Flores, *Grimalte y Gradissa*, pág. 5.

aguisada que nosotros, pospuesto todo peligro, tomemos este negocio según la razón nos obliga. Y de mí os digo que, salida la tregua, no havrá otra cosa sino luego la batalla, en la cual, si Dios la vitoria no me da, no quiero que me dé la vida, que la muerte me será más honra.

El rey Cildadán, como fuesse muy buen cavallero y de gran esfuerço, ahunque su coraçón siempre llorasse aquella tan gran lástima que sobre sí tenía en se ver tributario de aquel Rey, mirando más a lo que su promessa y juramento era obligado que al contentamiento de su voluntad ni querer, le dixo:

—Mi señor, mucho soy alegre de lo que en los romanos se falla, y mucho más en haver conoçido el esfuerço de vuestro coraçón; que las cosas semejantes que son passadas, y las presentes que se esperan, son el toque[9] donde se conviene descubrir su virtud. Y en lo que a mí toca, tened fiuza, que bivo o muerto donde vos quedardes quedará este mi cuerpo.

Cuando el Rey esto le oyó, mucho gelo gradeció, y lo tuvo en tanto[13], que desde aquella hora, según después por él se supo, propuso en su voluntad, que comoquiera que la fortuna próspera o adversa le viniesse, de le soltar el señorío que sobre él tenía; lo cual assí se hizo, como adelante oiréis.

Esta es cosa muy señalada y mucho de notar a quien la leyere, que solamente por conoçer el rey Lisuarte con la gran afición que este Rey se le profirió a morir en su servicio, ahunque el efecto no vino, tovo por bien de le dexar libre de aquel vassallaje que sobre él tenía; por donde se da a entender que la buena y verdadera voluntad, assí en lo spiritual como en lo temporal, mereçe tanto gualardón como si la propia obra passasse, porque della naçe el efecto de lo bueno y de la contraria de lo malo[11].

---

[9] *el toque:* la prueba.
[10] *lo tuvo en tanto:* lo estimó tanto.
[11] Como en tantas otras ocasiones, nos encontramos ante un planteamiento del narrador dirigido en la glosa a los lectores, pero similar al que posteriormente realizará un personaje de la obra, Nasciano, referido a las relaciones entre Lisuarte y Dios —véase la nota 20 del capítulo CXIII. En consecuencia, en muchos momentos apenas hay diferencia entre narrador y personajes, y las relaciones entre las personas y Dios son similares a las existentes entre los vasallos y su rey. Por otro lado, se distingue entre la intención, la ejecución y la palabra,

¶ Capi.cxiij .como sabi
do por el santo hermitaño Masciano que a
Esplandian el fermoso donzel crio:esta grã
rotura ôstos reyes :se dispuso alos poner en
paz: y delo que enello fizo.

Uenta la hystoria que aquel san
cto hombre Masciano que a Esplandian criara:Como la tercera parte desta hystoria lo cuenta:
estando en su hermita en aquella gran floresta que ya oystes:mas auia de quarêta años
que segun era el lugar muy esquiuo y apar-

Llegados estos Reyes a sus tiendas, comieron y descansaron, dando orden en las cosas necessarias para dar fin en esta afruenta tan grande y tan señalada que sobre sus honras y vidas tenían.

Mas agora dexaremos a los unos y otros en sus reales, como havéis oído, esperando que en la tercera batalla estava la gloria y vencimiento de la una parte, ahunque la certidumbre de la una muy conoçida y clara estuviesse, y contarvos hemos lo que en este medio tiempo acaeçió; por donde conoçeréis que la sobervia y gran saña, y el peligro tan junto y tan cercano que estas gentes tenían unas de otras, no podieron estorvar aquello que Dios, poderoso en todas las cosas, tenía prometido que se hiziesse.

## Capítulo CXIII

*Cómo, sabido por el santo hermitaño Nasciano que a Esplandián, el hermoso donzel, crió esta gran rotura destos Reyes, se dispuso a los poner en paz, y de lo que en ello hizo.*

Cuenta la historia que aquel santo hombre Nasciano que a Esplandián criara, como la tercera parte desta historia lo cuenta, estando en su hermita en aquella gran floresta que ya oístes más havía de cuarenta años[1], que, según era el lugar muy esquivo y apartado, pocas vezes iva allí ninguno, que él siempre tenía sus provisiones para gran tiempo, y no se sabe si por gracia de Dios o por las nuevas que dello pudo oír supo cómo estos Reyes y grandes señores estavan en tanto peligro y afruenta assí de sus personas como de todos aquellos que en su servicio ivan; de lo cual mucho dolor y gran pesar en su coraçón huvo. Y porque a la sazón estava tan doliente, que andar ni se levantar podía, siempre rogava a Dios que le diesse salud y esfuerço para qu'él pudiesse ser reparo destos que eran en su santa ley; porque, como él oviesse confessado a Oriana y della

---

sistema mediante el cual posteriormente el autor podrá eximir una parte de la culpabilidad de Lisuarte.

[1] *más havía de cuarenta años:* hacía más de cuarenta años.

supiesse todo el secreto de Amadís, y ser Esplandián su hijo, bien conoçió el gran peligro que se aventurava en haverla de casar con otro. Y por aquí pensó que, pues Oriana stava en tal parte donde la ira de su padre no podía temer, que sería bien, ahunque él muy viejo y cansado fuesse, de se poner en camino y llegar a la Ínsola Firme, porque con su licencia della, que de otra guisa no podía ser, pudiesse desengañar al rey Lisuarte de lo que no sabía, y toviesse tal manera que, poniendo la paz y concordia, allegasse el casamiento de Amadís y della[2].

Con este pensamiento y desseo, cuando algún poco aliviado se sintió, tomó consigo dos hombres de aquel lugar do su hermana bivía, que era la madre de Sarguil, el que andava con Esplandián, y encima de su asno se metió al camino, ahunque con mucha flaqueza, y con pequeñas jornadas y mucho trabajo anduvo tanto, que legó a la Ínsola Firme al tiempo que el rey Perión y toda la gente era ya partida para la batalla, de lo cual mucho pesar huvo. Pues allí llegado, hizo saber a Oriana su venida. Como ella lo supo, fue muy alegre por dos cosas: la primera, porque este santo hermitaño havía criado y dado, después de Dios, la vida a su hijo Esplandián; y la otra, por tomar consejo con él de lo que a su alma y buena conciencia se requería. Y luego mandó a la Donzella de Denamarcha que saliesse a él y lo traxesse donde ella estava, y assí lo hizo. Cuando Oriana le vio entrar por la puerta, fue para él y hincó los inojos delante, y començó de llorar muy reziamente, y díxole:

—¡O santo hombre, dad vuestra bendición a esta muger malaventurada y muy pecadora, que por su mala ventura y de otros muchos fue nascida en este mundo!

Al hermitaño le vinieron las lágrimas a los ojos de la piedad que della huvo, y alçó la mano y bendíxola, y díxole:

—Aquel Señor que es reparador y poderoso en todas las cosas os bendiga y sea en la guarda y reparo de todas vuestras cosas.

Estonces la tomó por las manos y alçóla suso, y díxole:

—Mi buena señora y amada fija, con mucha fatiga y gran trabajo soy venido por os hablar; y cuando os pluguiere, man-

---

[2] *allegasse el casamiento:* concertase el casamiento.

dadme oír porque yo no me puedo detener, ni el estilo de mi bivir y ábito me da licencia para ello.

Oriana, assí llorando como estava, le tomó por la mano sin ninguna cosa le responder, que los grandes solloços no le davan lugar, y se metió en su cámara con él, y mandó que allí solos los dexassen. Assí fue hecho. Cuando el hermitaño vio que sin recelo podía dezir lo que quisiesse, dixo:

—Mi buena señora, yo estando en aquella hermita donde ha tanto tiempo que he demandado a Dios Nuestro Señor que haya piedad de mi ánima, poniendo en olvido todo lo mundanal por no recebir algún entrevallo[3] en mi propósito, fue sabidor[4] cómo el Rey vuestro padre y el Emperador de Roma con muchas gentes son venidos contra Amadís de Gaula, y assí mesmo él, con su padre y otros Príncipes y cavalleros de gran estado, va a les dar batalla. Lo que de aquí se puede seguir quien quiera lo conoçerá; que por cierto, según la muchedumbre de las gentes y el gran rigor con que se demandan y buscan, no puede de aquí redundar sino en mucha perdición dellos y en gran ofensa de Dios Nuestro Señor. Y porque la causa, según me dizen, es el casamiento que vuestro padre quiere juntar de vos y del Emperador de Roma, yo, señora, me dispuse a hazer este camino que veis, como persona que sabe el secreto de cómo vuestra conciencia en este caso está, y el gran peligro de vuestra persona y fama si lo que el Rey vuestro padre quiere oviesse efecto[5]. Y porque de vos, mi buena hija, en confessión lo supe, no he tenido licencia de poner en ello aquel remedio que a tan gran daño como aparejado está convenía. Agora que veo el estado en que las cosas están, será más pecado callarlo que dezirlo. Vengo a que vos, amada hija, hayáis por mejor que vuestro padre sepa lo passado, y que no vos puede dar otro marido sino el que tenéis; que no lo sabiendo, pensando que lo que él quiere justamente se puede com-

---

[3] *entrevallo:* obstáculo. En R, entrevalo; en S, entrevallo.

[4] *fue sabidor:* supe.

[5] La contradicción mayor de todo el planteamiento es la ausencia de su formulación por parte de los interesados, sin que se explique tampoco ninguna motivación que lo pudiera hacer creíble. Desde el punto de vista ideológico, la intervención de Nasciano como solventador del problema parece significativa en cuanto representante de la Iglesia.

plir, su porfía sea tal, que con gran destruición de los unos y de los otros siguiesse su propósito, y al cabo sea publicado, assí como el Evangelio lo dize: que ninguna cosa pueda oculta ser que sabida no sea[6].

Oriana, que algún tanto más el spíritu reposado tuviesse, le tomó por las manos y gelas besó muchas vezes contra su voluntad dél, y díxole:

—¡O muy santo hombre y siervo de Dios!, en vuestro querer y voluntad pongo y dexo todos mis trabajos y angustias para que hagáis aquello que más al bien de mi ánima cumple; y aquel Señor a quien vos servís [y] yo[7] tanto tengo ofendido le plega por su santa piedad de lo guiar, no como yo muy pecadora lo merezco, mas como Él por su infinita bondad lo suele hazer con aquellos que mucho le han errado, si de todo coraçón, como yo agora lo hago, merced le piden.

El hombre bueno con mucho plazer le respondió:

—Pues, amada hija, en este Señor que dezís que a ninguno falta en las grandes necessidades, si con verdadero coraçón y contrición le llaman, tened mucha fiuza[8]; y a mí conviene, como aquel que con más honestidad lo puede y deve hazer, poned aquel remedio que su servicio sea, y vuestra honra sea guardada con aquella seguridad que a la conciencia de vuestra ánima se requiere. Y porque de la dilación mucho daño y mal se puede seguir, conviene que luego por vos, mi buena señora, me sea dada licencia, porque el trabajo de mi persona, si ser pudiere, alçançe algo del fruto que yo desseo.

Oriana le dixo:

—Mi señor Nasciano, aquel donzel que, después de Dios, distes la vida os encomiendo que le roguéis por él; y si acá tornardes, hazed mucho por le traer con vos; y a Dios vayáis en-

---

[6] Idéntica expresión había repetido en el capítulo LXIV —véase la nota 12—, y también se encuentra en otros textos laicos como en *La crónica del rey don Rodrigo*, «ya sabéys señor que no es cosa al mundo fecha que no sea sabida», fol. LXXXI v, o en la *Crónica de don Álvaro de Luna*, 306-307, «e como sea, según testimonio de la Evangélica Escriptura, "que ninguna cosa ay encubierta que no sea rebelada, nin ascondida que non se sepa e se entienda..."».

[7] *servís [y] yo:* servís yo, ZRS // servís y yo, Place // .

[8] *tened mucha fiuza:* tened mucha confianza, confiad.

comendado que vos guíe de manera que vuestro buen desseo se cumpla al su santo servicio.

Assí el santo hermitaño se despidió, y con mucha fatiga de su spíritu y grand esperança de complir su buena voluntad entró en el camino por donde supo que la gente iva. Pero como él fuesse tan viejo como la historia lo cuenta, y no pudi[e]sse andar sino en su asno, su caminar fue tan vagaroso[9], que no pudo llegar hasta que las dos batallas ya dadas eran, como dicho es; assí que estando las huestes en tregua soterrando los muertos y curando de los feridos, llegó este muy santo hombre al real del rey Lisuarte; y como vio tantas gentes muertas y otros muchos heridos de diversas feridas, por las cuales muy grandes llantos a todas partes hazían, fue mucho spantado, y alçó las manos al cielo, llorando con mucha piedad, y dixo:

—¡O Señor del mundo!, a ti plega, por la tu santa piedad y passión que por nosotros pecadores passaste, que, no mirando a nuestros muy grandes yerros y pecados, me des gracia cómo yo pueda quitar tan gran mal y daño que entre estos tus siervos aparejado está.

Pues, entrando en el real, preguntó por las tiendas del rey Lisuarte, a las cuales, sin en otra parte reposar, se fue. Y como allí llegó, descavalgó de su asno y entró dentro donde el Rey estava. Cuando el Rey lo vio, conoçiólo luego y fue mucho maravillado de su venida, porque, según su edad grande, bien tenía creído que ahun de la hermita no pudiera salir. Y luego sospechó que tal hombre como aquél, tan pesado y de vida tan santa, que no venía sin alguna causa grande, y fue contra él a lo recebir; y como a él llegó, hincó las rodillas y dixo:

—Padre Nasciano, amigo y siervo de Dios, dadme vuestra bendición.

El hermitaño alçó la mano y dixo:

—Aquel Señor a quien yo sirvo[10] y todo el mundo es obligado a servir os guarde y dé tal conoçimiento, que no teniendo en mucho las cosas pereçederas dél, antes las despreciando, hagáis tales obras por donde vuestra ánima haya y alcançe aque-

---

[9] *vagaroso:* lento. «Son nuestras penas muy apresuradas y los remedios d'ellas muy vagorosos», Juan de Flores, *Triunfo de amor,* 165, 46.

[10] *sirvo:* siervo, Z // sirvo, RS // .

lla gloria y reposo para que fue criada, si por vuestra culpa no lo pierde.

Estonces le dio le bendición y lo alçó por las manos, y él hincó los inojos para jelas besar; mas el Rey lo abraçó y no quiso, y, tomándole por la mano, le fizo sentar cabe sí. Y mandó que luego le traxessen de comer, y assí fue fecho; y desque ovo comido, apartóse con él en un retraimiento[11] de la tienda y preguntóle la causa de su venida, diziéndole que se maravillava mucho, según su edad y gran retraimiento, poder ser venido en aquellas partes a tan lexos de su morada[12]. El hermitaño le respondió y dixo:

—Señor, con mucha razón se deve cre[e]r todo lo que dezís, que por cierto, según mi gran vejez, assí del cuerpo como de la voluntad y condición no estoy ya más de para salir de mi celda al altar. Pero conviene a los que quieren servir a Nuestro Señor Jesuchristo, y desean seguir sus santas dotrinas y carreras, que en ninguna sazón de su edad por trabajos ni fatigas que les vengan hayan de afloxar sólo un momento dello, que acordándose de cómo seyendo Dios verdadero criador de todas las cosas, sin a ello ninguna cosa le constriñir sino solamente su santa piedad y misericordia, quiso venir por nos dar el Paraíso, que cerrado teníamos en este mundo, donde con tantas injurias y deshonras de tan deshonrada gente recibió muerte y tan cruda passión. ¿Qué podemos fazer nosotros, por mucho que le sirvamos, que pueda llegar a la correa de su çap[a]to, como aquel su grande amigo y servidor lo dixo?[13]. Y esto considerando, pospuesto el temor y peligro de mi poca vida, pensando que más aquí que en la parte donde estava podía seguir su servicio, me dispuse con mucho trabajo de mi persona y gran voluntad de mi desseo de fazer este camino, en el cual a Él plega

---

[11] *retraimiento:* el sitio de la acogida, refugio y guarida, para seguridad *(Autoridades).* «Como él venido fuese, en el solo retraimiento mío le puse», Diego de San Pedro, *Arnalte y Lucenda,* pág. 121.

[12] *gran retraimiento, poder ser venido en aquellas partes a tan lexos de su morada:* gran alejamiento, retiro, haber venido a aquellas partes tan lejanas de su morada.

[13] Se refiere a la frase de Juan Bautista al bautizar a Jesús: «Ego quidem aqua baptizo vos: veniet autem fortior me, cuius non sum dignus solvere corrigiam calceamentorum eius», *Lucas,* 3, 16; véase también *Marcos,* 1, 7 y *Juan,* I, 27.

1496

de me guiar y a [v]os, mi señor, de recebir mi embaxada, quitada aparte toda saña y passión, y sobre todo la malvada sobermiga de toda virtud y conciencia, para que siguiendo su servicio se olviden aquellas cosas que en este mundo al pareçer de muchos valen algo, y en el otro, que es el más verdadero, son aborreçidas. Y viniendo, mi señor, a[l] caso, digo que estando en aquella hermita donde la ventura vos guió, metida en aquella espessa y áspera montaña, donde comigo hablastes todas las cosas que tocavan aquel muy hermoso y bien criado donzel Esplandián, supe desta muy gran afruenta y cruda guerra donde vos hallo, y también la razón y causa por que se mueve. Y porque yo sé muy cierto que lo que vos, mi buen señor, queríades, que es casar a vuestra hija con el Emperador de Roma, por quien tanto mal y daño es venido, no se podía hazer no solamente por lo que muchos grandes y otros menores de vuestro reino muchas vezes vos dixeron, diziendo ser esta Infanta vuestra legítima heredera y sucessora después de la fin de vuestros días, que era y es muy legítima causa para que con mucha razón y buena conciencia se deviera desviar, mas por otra que a vos y a otros es oculta y a mí manifiesta, que con más fuerça, según la ley divina y humana lo desvía, por donde en ninguna manera se puede hazer; y esto es porque vuestra hija es junta al matrimonio con el marido que Nuestro Señor Jesuchristo tuvo por bien, y es su servicio que sea casada.

El Rey, cuando esto le oyó, pensó que, como este hombre bueno era ya de muy gran edad, que el seso y la discreción se le turbavan, o que alguno le havía informado muy bien de aquello que havía dicho. Y respondióle y dixo:

—Nasciano, mi buen amigo, mi hija Oriana nunca tuvo marido, ni agora tiene, salvo aquel Emperador que le yo dava, porque con él, ahunque de mis reinos apartada fuesse, en mucha más honra y mayor estado la ponía. Y Dios es testigo que mi voluntad nunca fue de la desheredar por heredar a la otra mi hija, como algunos lo dizen, sino porque hazía cuenta que, este mi reino junto en tanto amor con el imperio de Roma, la su santa fe cathólica podía ser mucho ensalçada; que si yo supiera o pensara en las grandes cosas que desto han redundado, con muy poca premia bolviera mi querer y voluntad en tomar otro consejo. Pero pues que mi intención fue justa y buena, entiendo que lo passado ni por venir se puede ni deve imputar a mi cargo[14].

El buen hombre le dixo:

—Mi señor, y ahún por esso vos dixe que lo que a vos era oculto a mí es manifiesto. Y dexando aparte lo que me dezís de vuestra sana y noble voluntad, que según vuestra gran discreción y la honra tan alta en que Dios os ha puesto assí se deve y puede creer, quiero que sepáis de mí lo que muy a duro de otro saber podríades[15]; y digo que el día que por vuestro mandado llegué a las tiendas en la floresta donde la Reina y su hija Oriana con muchas dueñas y donzellas, y vos con muchos cavalleros, estávades, cuando levé comigo aquel bienaventurado donzel Esplandián, que la leona por la traílla levava, a quien el Señor tiene tanto bien prometido como [v]os, mi buen señor, lo havéis oído dezir, la Reina y Oriana hablaron comigo todo el secreto de sus conciencias, para que en nombre de Aquel que las crió y las ha de salvar les diesse la penitencia que a la salud de sus ánimas convenía; supe de vuestra hija Oriana cómo desde el día que Amadís de Gaula la tiró[16] a Arcaláus el Encantador y a los cuatro cavalleros que con él la levavan presa al tiempo que vos fuestes enartado[17] por la donzella que de Londres vos sacó por el don que la prometistes, y fuestes preso y en gran peligro de perder vuestro cuerpo y todo vuestro señorío, de lo cual don Galaor su hermano vos libró con gran peligro de su vida, que, assí por aquel gran servicio que le fizo como ahún más por el que su hermano vos fizo a vos, que en gualardón dello ella prometió casamiento a aquel noble cavallero, reparador de muchos cuitados, flor y espejo de todos los cavalleros del mundo, assí en linaje como en esfuerço y en todas las otras buenas maneras que cavallero deve tener; donde se siguió que por gracia y voluntad de Dios fuesse engendrado aquel Esplandián que tan estremado y señalado le quiso hazer

---

[14] *imputar a mi cargo:* atribuir a mi responsabilidad. La 1.ª doc. de *imputar* según el DCECH, h. 1440.

[15] *muy a duro de otro saber podríades:* muy difícilmente podrías saber por otro.

[16] *tiró:* quitó. «Si algun cavallero ge la tirasse por fuerça de armas», *Tristán de Leonís,* 378a.

[17] *fuestes enartado:* fuiste engañado. «Dirán muchos que fuestes doliente», *Otas de Roma,* 75, 22.

sobre cuantos biven, que con verdad podemos dezir ser muchos y grandes tiempos passados, y en los por venir passarán, que por hombres no se supo que persona mortal fuesse con tan maravilloso milagro criado; pues lo que de sus hechos públicamente demuestra aquella gran sabidora Urganda la Desconoçida, vos, señor, muy mejor que yo lo sabéis; assí que podemos dezir que, ahunque aquello por accidente fue fecho, según en lo que pareçe no fue sino misterio de Nuestro Señor, que le plugo que assí passasse. Y pues que a Él tanto agrada, a vos, mi buen señor, no deve pesar; antes, considerando ser esta su voluntad, y la nobleza y gran valor deste cavallero, haver por bien de lo tomar con todo su gran linaje por su servidor y hijo, dando orden, como darse puede, que vuestra honra guardada se aparte el presente peligro, y en lo por venir se tenga tal forma que personas de buena conciencia determinen lo que sea servicio de aquel Señor para servicio del cual en este mundo nascimos, y vuestro, que después d'Él sois su ministro en lo temporal[18]. Y agora, gran rey Lisuarte, quiero ver si es en vos bien empleada aquella gran discreción de que Dios vos ha querido guarneçer, y el creçido y gran estado en que, más por su infinita bondad que por vuestros mereçimientos, os ha puesto. Y pues Él ha hecho con [v]os más de lo que le mer[e]çéis[19], no tengáis en mucho seguir algo de lo que las sus santas dotrinas vos enseñan.

---

[18] Como señala J. A. Maravall, *Estado moderno y mentalidad social...*, t. I, pág. 260, «desde mediados del siglo xv se encuentra entre nosotros reconocida la tesis del origen divino del poder real, en textos que, como las declaraciones de Cortes, se puede decir que tienen en el orden constitucional un cierto valor positivo. Las Cortes de Valladolid, de 1440, afirman que los reyes son puestos por Dios y las de Olmedo del año siguiente sientan la doctrina de que el rey "es vicario (de Dios) e tiene su logar en la tierra". Juan II que reina en esas fechas y es el primero que enuncia concepciones de soberano a la moderna, se referirá al "logar que de Dios tengo en la tierra", y al mismo tiempo las Cortes reunidas en Burgos reiteran que el rey fue hecho por Dios príncipe y cabeza de sus reinos. El fondo político de la cuestión, lo ponen de manifiesto las Cortes de Madrigal, 1476, cuando declaran solemnemente que Dios "hizo sus vicarios a los reyes en la tierra e les dio gran poder en lo temporal", lo cual equivale a decir que no reciben su poder de ningún otro y que, consiguientemente, carecen de fundamento cualesquiera pretensiones de superioridad por parte del Imperio y del Pontificado».

[19] *mer[e]çéis*: merçeys, Z // mereceys, RS // .

Cuando esto fue oído por el Rey, mucho fue maravillado, y dixo:

—¡O padre Nasciano!, ¿es verdad que mi hija es casada con Amadís?

—Por cierto, verdad es —dixo él—, que él es marido de vuestra hija, y el donzel Esplandián es vuestro nieto.

—¡O santa María, val! —dixo el Rey—. ¡Qué mal recaudo tenérmelo tanto tiempo secreto!, que si lo yo supiera o pensara, no fueran muertos y perdidos tantos cuitados como sin lo mereçer lo han sido. Y quisiera que vos, mi buen amigo, en tiempo que remediarse pudiera me lo fiziérades saber.

—Esso no pudo ser —dixo el hombre bueno—, porque lo que en confessión se dize no deve ser descubierto; y si agora lo fue, ha sido con licencia de aquella Infanta, de la cual yo agora vengo, que le plugo que se dixesse; y yo fío en aquel Salvador del mundo, que si en lo presente se da tal remedio, que su servicio sea que con poca penitencia lo passado perdonará, pues que más la obra que la intención pareçe ser dañada[20].

El Rey estuvo una gran pieça pensando sin ninguna cosa dezir, donde a la memoria le ocurrió el gran valor de Amadís y cómo mereçía ser señor de grandes tierras, assí como lo era, y ser marido de persona que del mundo señora fuesse; y assí mesmo el grande amor que él havía a su fija Oriana, y cómo usaría de virtud y buena conciencia en la dexar por heredera, pues de derecho le venía[21] y el amor que él siempre tuvo a don Galaor, y los servicios que él y todo su linaje le hizieron, y cuántas vezes, después de Dios, fue por ellos socorrido en tiempo que otra cosa sino la muerte y destruición de todo su estado esperava; y sobre todo ser su nieto aquel muy hermoso

---

[20] Como dice fray Lope Fernández de Minaya, *Tratado breve de penitencia*, ed. de Fernando Rubio, en *Prosistas castellanos del siglo XV*, II, Madrid, BAE, CLXXI, 1964, pág. 266a, en la confesión «deve dezir todo lo que la conciencia le acusa e le remuerde en que pecó, con sus circunstancias, segund es e la *intención* que le movió a pecar» (el subrayado es mío). De acuerdo con estas premisas, como la intención de Lisuarte no ha sido la de pecar, la penitencia será menor.

[21] El propio personaje cae en contradicción con sus planteamientos, puesto que si «usaría de virtud y buena conciencia» dejándola por heredera quiere decir que estas cualidades estaban ausentes en su comportamiento anterior.

donzel Esplandián, en quien tanta esperança tenía, que si Dios le guardasse y llegasse a ser cavallero, según lo que Urganda le scrivió, no ternía par de bondad en el mundo; y assí mesmo cómo en la misma carta le scrivió que este donzel pornía paz entre él y Amadís; y tanbién le vino a la memoria ser muerto el Emperador, y que si con él y con su deudo ganava honra, que mucho más con el deudo de Amadís la ternía, assí como por la esperiencia muchas vezes lo havía visto, y con esto, demás de recebir descanso, assí en su persona como en su reino, creçería en tanta honra, que ninguno en el mundo su igual fuesse; y después que de su cuidado acordó[22], dixo:

—Padre Nasciano, amigo de Dios, comoquiera que mi coraçón y voluntad de la soberva sojuzgado estuviesse, y no desseasse otra cosa sino recebir muerte, o darla a otros muchos porque mi honra fuesse satisfecha, vuestras santas palabras han seído de tanta virtud, que yo determino de retraer mi querer en tal manera que si la paz y concordia no viniere en efecto, seáis vos testigo ante Dios no ser a mi culpa ni cargo. Por ende, no dexéis de hablar con Amadís, y no le descubráis nada de mi propósito; tomad su pareçer de lo que en este caso quiere, y aquello me dezid. Y si es tal que con el mío se conforme, poderse ha dar tal orden como lo presente y porvenir se ataje en aquella manera que a provecho y honra de ambas las partes se conviene.

Nasciano hincó los inojos llorando ante él de gran plazer que hovo, y dixo:

—¡O bienaventurado Rey, aquel Señor que nos vino a salvar vos gradezca esto que me dezís, pues que yo no puedo!

El Rey le levantó y díxole:

—Padre, esto que vos he dicho tengo determinado sin haver aí ál[23].

—Pues conviéneme —dixo el buen hombre— partirme luego, y, antes que la tregua salga, trabajar cómo en esto en que tanto Nuestro Señor será servido se dé conclusión.

Assí se salieron el Rey y él a la gran tienda donde muchos

---

[22] *cuidado acordó:* volvió en sí de su preocupación. «E a cabo de una pieça el rey acordo, y levantose», *Tristán de Leonís,* 384b.

[23] *sin haver aí ál:* sin tener otra cosa en ello.

cavalleros y otras gentes estavan; y queriendo el hermitaño despedirse dél, entró por la puerta de la tienda aquel hermoso donzel su criado Esplandián, y Sarguil su collaço[24] con él, que la reina Brisena le embiava por saber nuevas del Rey su señor. Cuando el buen hombre le vio tan creçido, entrado ya en talle de hombre, ¿quién os podrá contar el alegría que hovo? Por cierto, sería impossible. Pues assí como estava con el Rey se fue contra él lo más apriessa que pudo a lo abraçar. El donzel, ahunque havía muy gran tiempo que visto no le havía, conoçiólo luego, y fue a hincar los inojos delante dél, y encomençóle de besar las manos[25]. Y el hombre santo le tomó entre sus braços y besóle muchas vezes con tan grandíssima alegría, que cuasi del todo le tenía fuera de sentido, y assí desta manera lo tuvo gran rato, que se no podía apartar dél, diziéndole desta manera:

—¡O mi buen hijo, bendita sea la hora en que tú nasciste, y bendito y alabado sea aquel Señor que por tal milagro te quiso dar la vida y llegarte a tal estado como mis ojos agora te veen!

Y cuando en esto estava, todos estavan mirando lo que el hombre bueno hazía y dezía, y el gran plazer que le dava la vista de aquel su criado. Y los coraçones se les movían a piedad en ver tanto amor.

Mas sobre todos, ahunque lo no mostró, fue el plazer que el rey Lisuarte ovo; que ahunque de antes en mucho lo tuviesse y lo amasse por lo que dél esperava y por su gran fermosura, no era nada en comparación de saber cierto que su nieto fuesse, y no podía partir los ojos dél; que tan grande fue el amor que súpito le vino, que toda cuanta passión y enojo que hasta allí de las cosas passadas tenía assí fue dél partido y tornado al revés, como en el tiempo que más amor a Amadís tovo. Y luego conoçió ser gran verdad lo que Urganda la Desconoçida le havía scripto: que éste pornía paz entre él y Amadís, y assí creyó verdaderamente que sería cierto todo lo otro.

Pues que el hombre bueno con tanto amor lo tuvo abraça-

---

24 *collaço:* hermano de leche.
25 *encomençóle de besar las manos:* comenzóle a besar las manos. «Parescian de color de la resplandesciente mañana quando el sol encomiença a salir», *Tristán de Leonís,* 456b.

do, soltóle de los braços con que lo tenía, y el donzel fue hincar los inojos ante el Rey y diole una carta de la Reina, por la cual le suplicava mucho por la paz y concordia, si a su honra hazerse pudiesse, y otras muchas cosas que no es necessario dezirlas. El hombre bueno dixo al Rey:

—Mi señor, mucha merced recibiré, y gran consolación de mi spíritu, que deis licencia a Esplandián que me faga compañía mientra por aquí anduviere, porque tenga espacio[26] de lo mirar y hablar con él.

—Assí se haga —dixo el Rey—, y yo le mando que de vos no se parta en cuanto vuestra voluntad fuere.

El hombre bueno gelo gradeçió mucho, y dixo:

—Mi buen hijo bienaventurado, id comigo, pues el Rey lo manda.

El donzel le dixo:

—Mi buen señor y verdadero padre, muy contento soy dello, que gran tiempo ha que os desseava ver.

Assí se salió de la tienda con aquellos dos donzeles Esplandián y Sarguil su sobrino, y cavalgó en su asno, y ellos en sus palafrenes, y fuese camino donde Amadís tenía su real, hablando con él[27] muchas cosas en que havía sabor, y rogando siempre a Dios que le diesse gracia cómo pudiesse dar cabo en aquello sobre que iva[28], tal que fuesse a su santo servicio.

Pues con esta compaña que oídes llegó aquel santo hombre hermitaño al real, y se fue derechamente a la tienda de Amadís, donde halló tantos cavalleros y tan bien guarnidos, que fue mucho maravillado. Amadís no le conoçió, que le nunca viera, y no pudo pensar qué demandava hombre tan viejo y tan pesado. Y miró a Esplandián, y violo tan hermoso, que no pudiera creer que persona mortal tanto lo fuesse. Y tampoco le conoçió, que ahunque habló con él cuando le demandó los dos cavalleros romanos que tenía vencidos, y gelos dio como esta historia lo ha contado, fue tan breve aquella vista que le fizo

---

[26] *tenga espacio:* tenga ocasión, tiempo.

[27] *con él:* con el, ZRS // con ellos, Place // . No incorporo la enmienda de Place, puesto que el narrador puede señalar a Esplandián como su interlocutor, quedando en un segundo plano Sargil.

[28] *dar cabo en aquello sobre que iva:* finalizar aquello sobre lo que iba. «E no le puedo yo dar cabo sin vuestro consejo», *Baladro del sabio Merlín* (B), 106b.

perder la memoria dél. Mas don Cuadragante, que allí estava, conoçiólo luego y fue para él, y díxole:

—Mi buen amigo, abraçaros quiero. ¿Y acuérdasevos cuando vos hallamos don Brian de Monjaste y yo, que nos distes encomiendas para el cavallero Griego? Yo gelas di de vuestra parte.

Estonces dixo contra Amadís:

—Mi buen señor, veis aquí el hermoso donzel Esplandián, de quien don Brian de Monjaste y yo vos deximos el mandado.

Cuando Amadís oyó nombrar Esplandián, luego lo conoçió, y si de verlo hovo plazer, esto no es de contar, que assí perdió los sentidos con la gran alegría que huvo, que apenas pudo responder, ni de sí mesmo se acordava. Y si alguno en ello parara mientes[29], muy claro viera su alteración, mas no havía sospecha en tal cosa; antes, todos tenían creído que ninguno, si Urganda no, otro no sabía quién su padre fuesse. Pues teniéndole don Cuadragante por la mano, Amadís le quiso abraçar; mas Esplandián le dixo:

—Buen señor, hazed antes honra a este hombre santo Nasciano, que vos demanda.

Y como todos oyeron dezir ser aquél Nasciano, de quien tanta fama de su santidad y estrecha vida por todas las partes era manifiesta, llegáronse a él con mucha humildad, y las rodillas en el suelo le rogaron que les diesse su bendición.

El hermitaño dixo:

—Ruego a mi Señor Jesuchristo que, si bendición de tan pecador como yo soy puede aprovechar, que esta mía abaxe la gran saña y sobervia que en vuestros coraçones está, y vos ponga en tanto conoçimiento de su servicio, que, olvidando las cosas vanas deste mundo, sigáis[30] las verdaderas del que verdadero es.

Estonces alçó la mano y bendíxolos. Amadís se bolvió a Esplandián y abraçóle. Y Esplandián le fizo el acatamiento y reverencia no como a padre, que lo no sabía que lo fuesse, mas como al mejor cavallero de quien nunca oyera hablar. Y por

---

[29] *en ello parara mientes:* se fijara en ello. «E quien de otra guisa cuida, pare mientes al pueblo de Irrael», *Confisión del Amante*, 10, 2.

[30] *sigáis:* siguays, ZR // sigays, S // .

esta causa le tenía en tanto, y le contentava su vista, que los ojos no podía dél partir; y desde el día que le vio vencer los romanos, siempre su desseo fue de andar en su compaña sirviéndole por ver sus grandes cavallerías y aprender para adelante. Y agora que se veía en más edad y cerca de ser cavallero, mucho más lo desseava; y si no fuera por la gran división que el Rey su señor con Amadís tenía, ya le oviera demandado licencia para se ir a él; mas esto lo detovo hasta estonces.

Amadís, que a duro los ojos dél podía partir, veía cómo el donzel le mirava tan ahincadamente, y sospechó que algo devía saber. Mas el buen hombre hermitaño, que la verdad sabía, mirava al padre y al hijo, y como los veía juntos y tan hermosos, estava tan ledo como si en el Paraíso stuviesse. Y en su coraçón rogava a Dios por ellos, y que fuesse su servicio de le dar lugar a él cómo entre estos todos, que era la flor del mundo, pudiesse poner mucho amor y concordia. Pues estando assí todos alderredor del santo hombre, él dixo contra don Cuadragante:

—Mi señor, yo tengo de hablar algunas cosas con Amadís; tomad con vos este donzel, pues más que ninguno destos señores le havéis conoçido y hablado.

Estonces tomó por la mano a Amadís, y apartóse con él bien desviado, y díxole:

—Mi hijo, antes que la causa principal de mi venida se vos manifieste, quiero traeros a la memoria en el cargo[31] tan grande, más que otro ninguno de los que hoy biven, sois a Dios Nuestro Señor; que en la hora que nascistes fuestes echado en la mar[32], cerrado en un arca sin guardador alguno; y aquel Redemptor del mundo, haviendo de vos piedad, miraglosamente[33] vos traxo a vista de quien tan bien vos crió. Este Señor que vos digo vos ha hecho el más fermoso y el más fuerte, y más amado y honrado de cuantos en el mundo se saben. Por vos, dándoos Él su gracia, han seído vencidos muchos valientes cavalleros, y gigantes y otras cosas fieras y dessemejadas

---

[31] *cargo:* deuda de gratitud.
[32] *fuestes echado en la mar:* fuiste arrojado en la mar.
[33] *miraglosamente:* milagrosamente. «Plogo a Dios miraglosamente que no murieron en aquella batalla», Pedro de Escavias, *Repertorio de Príncipes,* 237.

que en este mundo muy gran daño fizieron. Vos sois hoy en el mundo estremado de cuantos en él son. Pues quien tanto ha fecho por vos, ¿qué es razón que fagáis vos por Él? Por cierto, si el enemigo malo no vos engañasse, con más humildad y paciencia que otro alguno devéis mirar por su servicio; y si assí no lo fazéis, todas las gracias y mercedes que de Dios havéis recebido serán en daño y menoscabo de vuestra honra, porque assí como su santa piedad es grande en aquellos que le obedeçen y conoçen, assí su justicia es mayor sobre aquellos que d'Él mayores bienes han recebido, no haviendo dellos conoçimiento ni gradescimiento. Y agora, mi buen fijo, sabréis cómo poniendo este cansado y viejo cuerpo a todo peligro de su salud, queriendo seguir aquel propósito por donde quise dexar las cosas deste mundo pereçedero, soy[34] venido con gran trabajo y cuidado de mi spíritu, con ayuda de Aquel que si ella nada se puede hazer que bueno[35] sea, a poner paz y amor donde tanta rotura y desventura está como al presente pareçe. Y porque yo he fablado con el rey Lisuarte, y en él hallo aquello en que todo buen rey ministro de Dios obedeçer deve, quise saber de [v]os, mi buen señor, si ternéis conoçimiento más a Aquel que os crió que a la vanagloria deste mundo. Y porque sin recelo ni temor alguno podáis hablar comigo, vos hago saber cómo, antes que aquí viniesse, fue a la Ínsola Firme, y con licencia de la infanta Oriana, de quien yo en confessión sé todo su coraçón y grandes secretos, tomé este cuidado en que puesto me veis.

Amadís, como esto le oyó dezir, bien creyó que le dezía verdad, porque éste era un hombre santo, y por ninguna cosa diría sino lo cierto, y respondióle en esta manera:

—Amigo de Dios y santo hermitaño, si el conoçimiento que tengo de los bienes y mercedes que de mi Señor Jesuchristo he recebido toviesse de poner en obra los servicios a que obligado le soy, yo sería el más bienaventurado cavallero que nunca nasció; mas recibiendo d'Él todo y mucho más de lo que dicho havéis, y yo no solamente[36] no lo conoçer ni pagar, mas ofen-

---

[34] *pereçedero, soy:* pereçedero y soy, Z // perescedero soy, RS // .

[35] *bueno:* buena, Z // bueno, RS // .

[36] *solamente:* salamente, Z // solamente, RS // .

derlo cada día en muchas cosas, téngome por muy pecador y errado contra sus mandamientos. Y si agora en vuestra venida puedo emendar algo de lo passado, mucho alegre y contento seré en que se haga. Por ende, dezid lo que es en mi mano, que aquello con toda afición se complirá.

—¡O bienaventurado hijo —dixo el buen hombre—, cuánto havéis esta mi pecadora ánima alegrado, y consolado mi desconsuelo en ver tanto mal; y aquel Señor que vos ha de salvar os dé el gualardón por mí! Y agora sin ningún temor, quiero que sepáis lo que yo sé después que a esta tierra vine.

Estonces le contó cuanto había hablado con Oriana, y cómo por su mandado vino al Rey su padre y todas las cosas que con él fabló, y cómo claramente le dixo que Oriana era casada con él, y que el donzel Esplandián era su nieto, y cómo el Rey lo havía tomado con mucha paciencia, y que estava muy llegado a la paz; y que pues él, con la ayuda de Dios, en tal estado lo havía[37] puesto, que él diesse orden cómo, quedando casado con aquella Princesa, se concertasse la paz entre ellos ambos. Amadís, cuando esto oyó, el coraçón y las carnes le temblavan con la gran alegría que huvo en saber que por voluntad de su señora era descubierto el secreto de sus amores teniéndola él en su poder donde peligro alguno se aventurava, y dixo al hermitaño:

—Mi buen señor, si el rey Lisuarte desse propósito está, y por su hijo me quiere, yo le tomaré por señor y padre para le servir en todo lo que su honra sea.

—Pues que assí es —dixo el buen hombre—, ¿cómo vos pareçe que se puede juntar del todo estas dos voluntades sin que más mal venga?

Amadís respondió:

—Paréçeme, padre, que devéis fablar con el rey Perión mi señor, y dezirle la causa y desseo de vuestra venida, y si terná por bien que, viniendo el rey Lisuarte, en lo que don Cuadragante y don Brian de Monjaste de parte de nosotros le demandaren sobre el hecho de Oriana, de se llegar a la paz con él; y yo fío tanto en la su virtud que hallaréis todo el recaudo que

---

[37] *havía*: hovia, Z // avia, RS // .

desséais. Y dezilde que algo dello me hablastes, pero que yo lo remito todo a su voluntad.

El hombre bueno tuvo que dezía guisado[38], y assí lo fizo; que luego se partió de la tienda de Amadís con sus donzeles y compaña, y fuese a la del rey Perión, del cual, sabido quién era, fue con mucho amor y voluntad recebido. Miró el Rey a Esplandián, que le nunca viera, y fue mucho maravillado en ver criatura tan hermosa y tan graciosa, y preguntó al santo hombre hermitaño quién era. El santo hombre le dixo cómo era su criado que Dios gelo diera por muy gran maravilla. El rey Perión le dixo:

—Cuánto más, padre, si es este don[zel] el[39] que traía la leona con que caçava, y que vos criastes en la selva donde es vuestra morada, y de quien muchas cosas y estrañas la gran sabidora Urganda la Desconoscida ha embiado a dezir que le avernán si Dios bevir lo dexa. Y parésceme que contándomelo dizen que embió dezir al rey Lisuarte por un escripto que este donzel pornía mucha paz y concordia entre él y mi hijo Amadís; y si assí es, todos le devemos mucho amar y honrar, pues que por su causa tanto bien puede venir, como vos, padre, veis.

El santo hombre bueno Nasciano le dixo:

—Mi señor, verdaderamente es éste que vos dezís. Y si agora tenéis razón de le amar, mucho más la ternéis adelante, cuando más de su hecho supierdes.

Entonces dixo a Esplandián:

—Hijo, besad las manos al Rey, que bien lo meresce.

El donzel fincó los inojos por le besar las manos, mas el Rey le abraçó y le dixo:

—Donzel, mucho devéis gradescer a Dios la merced que vos fizo en darvos tanta hermosura y buen donaire, que, sin conoscimiento que de vos se tenga, atraéis a todos que vos amen y vos precien. Y pues a Él plugo de os dotar de tanta gracia y hermosura, si le fuerdes obediente, mucho más vos tiene prometido. El donzel no le respondió ninguna cosa; antes, con gran vergüença de se oír loar de tal Príncipe, se le em-

---

[38] *tuvo que dezía guisado:* pensó que hablaba cuerda, razonablemente.
[39] *don[zel] el:* don el, Z // el donzel, RS // .

bermejeció el rostro[40], lo cual paresció muy bien a todos en lo ver con tanta honestidad como su edad lo demandava, y mucho se maravillavan de persona tan señalada que no se conoscía padre ni madre. El Rey preguntó al santo hombre Nasciano si sabía cúyo hijo fuesse. El buen hombre le dixo:

—De Dios, que haze todas las cosas, ahunque de hombre y muger mortales nasció y fue engendrado. Pero según su comienço y el cuiado que de guardarlo tuvo y criar bien, paresce que como a hijo lo ama; y a Él plazerá por su sancta clemencia y piedad que antes de mucho tiempo sabréis más de su fazienda.

Entonces le tomó por la mano y se apartó, y díxole:

—Rey bienaventurado en todas las cosas deste mundo y en el otro si a Dios temierdes y mirardes por todas las cosas que sean de su servicio, yo soy venido a estas partes, con esta persona tan flaca y cansada de sobrada vejez, con propósito que Dios mi señor me dará gracia que yo le pueda servir en quitar tanto mal como aparejado está, y mis dolencias y grandes fatigas no dieron lugar a que antes viniesse; y he fablado con el rey Lisuarte, el cual, como siervo de Dios, querrá venir en paz si con honra de las partes se puede hazer. Y dél he venido a vuestro hijo Amadís, y remitiéndome a vos y a seguir vuestro mandamiento se escusó de responder a lo que le dixe; de manera que en vos, mi señor, queda la paz o la guerra, pues cuánto seáis obligado a desviar las cosas contrarias al servicio de aquel muy alto Señor todos lo saben, según de los bienes deste mundo, así de muger como hijos y reinos, vos ha proveído. Y agora es tiempo que Él conozca cómo gelo gradescéis y desseáis servir.

El Rey, como siempre estuviesse inclinado a la paz y sosiego, por la parte del daño que de la guerra se podría seguir, assí como aquel que allí tenía a Amadís, que era la lumbre de sus ojos, y don Florestán y Agrajes, y otros muchos cavalleros de su linaje, le respondió y dixo:

—Padre Nasciano, Dios es testigo [de] la[41] voluntad que en esta tan gran rotura yo he tenido, y cómo lo oviera escusado si camino para ello pudiera hallar; mas el rey Lisuarte ha dado

[40] *embermejeció el rostro:* enrojeció el rostro.
[41] *testigo [de] la:* testigo la, ZR // testigo de la, S // .

ocasión a que ningún medio en ella se pudiesse fallar, porque mucho contra Dios y su conciencia quiso deseredar a su hija Oriana, como todo el mundo sabe; la cual, como avréis sabido, fue reparada. Y ahún después ha sido amonestado y rogado que quiera venir en lo que justo sea, y que todo se haría a su ordenança; pero él, como príncipe poderoso, y más en este caso soberbio que razonable, pensando que teniendo al Emperador de Roma todo el mundo le havía de ser sujecto, nunca quiso no solamente ponerse en justicia, mas ni oírla; pues lo que desto se le ha seguido y ganado Dios lo sabe y todos lo veen. Mas si agora quiere aver el conoscimiento que hasta aquí no ha tenido, yo fío tanto en estos cavalleros que de mi parte están, que harán y seguirán mi parescer, que no es otro sino que estos males sean atajados. Y porque vos, padre, veáis en cuán poco la porfía está, solamente que en lo de Oriana su hija se diesse medio era el remedio para todo.

El buen hombre le dixo:

—Mi buen señor, Dios le dará, y yo en su lugar; por ende, hablad con vuestros cavalleros, y nombrad personas que el bien quieran; que por el rey Lisuarte assí será fecho, y yo estaré con ellos como siervo de Jesuchristo para soldar y reparar lo que se rompiere.

El rey Perión lo tuvo por bien, y díxole:

—Esso luego se hará, que yo daré dos cavalleros que con todo amor y voluntad se lleguen a lo que justo fuere.

El hombre bueno con esto se tornó muy contento y pagado al real del rey Lisuarte. El rey Perión mandó llamar a su tienda todos los más principales cavalleros, y juntos assí les dixo:

—Nobles Príncipes y cavalleros, assí como todos somos muy obligados en defendimiento de nuestras honras y estados a poner las personas en todo peligro por las defender y mantener justicia, assí lo somos para sin toda saña y sobervia de nos bolver y recoger en la razón cuando manifiesta nos fuere; porque ahunque al comienço con justa justicia sin ofensa de Dios las cosas se pueden tomar, pero procediendo en la causa si con fantasía y mal conoscimiento no nos llegássemos a lo razonable, lo justo primero con lo postrimero injusto[42] se haría igual;

---

[42] *injusto:* injusta, Z // injusto, RS // .

así que conviene que la honra y estima, estando por la mayor[43] parte en su perfición, si camino de concordia, como al presente paresce, se descubriere, que, dexando las cosas passadas aparte, se tome por servicio del alto Señor y reparo de nuestras ánimas, a quien tan tenudos somos[44]. Agora sabréis cómo a mí es venido este sancto hombre hermitaño, amigo y siervo de Dios; y según dize, nuestros contrarios querrán paz más conforme a buena conciencia que a puntos de honra, si assí la queremos. Solamente demanda para el efeto dello se nombren personas de ambas las partes, que con buena voluntad, apartada la injusta passión, lo determinen. Parescióme cosa muy aguisada lo sepáis y deis el voto[45] que mejor vos paresciere porque aquél se siga.

Todos callaron por una gran pieça. Angriote de Estraváus se levantó y dixo:

—Pues que todos calláis, diré yo mi parescer.

Y dixo al Rey:

—Señor, assí por vuestra dinidad real y gran valor de vuestra persona, y más por el muy gran amor que estos Príncipes y cavalleros vos tienen, tovieron por bien de os tomar en esta jornada por su mayor, para que las cosas de la guerra y paz sean por vuestro consejo guiadas, conosciendo que ningún temor ni afición terná parte de vos sojuzgar. Y yo fío por su virtud que lo que por vos se determinasse por ninguno dellos sería contradicho, assí que para lo uno y otro es vuestro poder bastante. Pero pues que a la vuestra merced plaze de oír lo que cada uno dezir querrá, quiero que mi voto se sepa; el cual es que, pues por nosotros se tiene la princesa Oriana con todo lo que con ella se uvo, que sería gran sinrazón queriendo nuestros contrarios la paz, estando nuestras honras tan crescidas, avérgela de negar en esta demanda que tan poco aventuramos. Y pues que al comienço fueron nombrados don Cuadragante y don Brian de Monjaste, que assí agora lo deven ser; que su dis-

---

[43] *mayor:* major, Z // mayor, RS // .

[44] *tan tenudos somos:* estamos tan obligados. «Yo soy tenudo de les fazer toda honrra», *Tristán de Leonís,* 402a.

[45] *voto:* parecer. «Sus padres eran los que poco tiempo antes habían tenido el voto contrario», Fernando del Pulgar, *Crónica de los Reyes Católicos,* 97, 21.

creción y virtud es tan crescida, que en la ora en que agora lo tomaren, en aquélla y ahún más allende[46] lo dexarán con assiento de paz o rotura de guerra.

Assí como este cavallero lo dixo se concertó por el Rey y por aquellos señores que estos dos cavalleros con acuerdo y consejo del Rey determinassen lo que avían de hazer adelante.

## Capítulo CXIV

*De cómo el santo hombre Nasciano tornó con la respuesta del rey Perión al rey Lisuarte, y lo que se concertó.*

Tornó el hombre bueno Nasciano al rey Lisuarte como oístes, y díxole lo que avía hablado con el rey Perión, y como todos por él se mandavan que le parescía que la obra devría seguir y concertar con las palabras tan buenas que le avía dicho. Como ya el Rey determinado estuviesse, y muy ganoso[1] de no dar más parte al enemigo malo de la que fasta allí avía tenido, donde tanto daño redundado avía, díxole:

—Padre, pues por mí no quedará, assí como lo veréis; y quedad vos aquí con vuestra compaña en esta tienda, y yo iré a fablar con estos Reyes que tanto mal y peligro han recebido por sostener mi honra.

Entonces se fue a la tienda de Gasquilán, Rey de Suesa, que ahún en la cama estava de la batalla que con Amadís uvo, como ya oístes, y fizo llamar al rey Cildadán y a todos los mayores cavalleros assí de los suyos como de los romanos; y díxoles lo que aquel bueno de hermitaño le avía dicho así al comienço de su venida como agora en la respuesta que del rey Perión traía, guardando lo que tocava de Amadís y su hija, que no quiso que por entonces fuesse manifiesto, y rogóles mucho que le dixessen su parescer; porque, si la salida de aquel concierto buena fuesse o al contrario, a todos su parte alcançasse. En especial quería saber el voto de los romanos, porque según

---

46 *más allende:* más adelante.
1 *ganoso:* deseoso. «Soy muy ganoso de vos gratificar», Diego de Valera, *Epístolas*, 48a.

la gran pérdida que en perder a su señor avían havido, mucho le obligava a él, negando su propia voluntad, la suya seguir. El rey Cildadán le dixo:

—Mi señor, gran razón es que a estos cavalleros de Roma se les dé la parte que dezís y tenéis por bien; y el buen comedimiento vuestro les obliga en la fin seguir lo que vuestra voluntad fuere, assí como yo y todos que somos en vuestra obediencia lo avemos de fazer, juntos con este noble Rey de Suesa, que para esto su querer no será diverso del nuestro; y agora digan ellos lo que quisieren.

Entonces aquel buen cavallero Arquisil se levantó y dixo:

—Si el Emperador mi señor fuesse bivo, assí por su grandeza como por aver sido a causa suya esta contienda, a él convenía, según su querer y voluntad, tomar la paz o dar la guerra; mas pues él es muerto, puédese dezir que con él murió aquello a que obligado era, que nosotros, los que de su sangre somos, y todos sus vasallos a quien mandar y governar havemos, no somos ya más parte de aquélla que vos, mi buen señor rey Lisuarte, que como su igual en la misma causa quisierdes tomar; para lo cual ya se vos dixo y agora se vos dize que fasta que uno de nosotros bivo no quede nunca dexaremos de seguir el propósito que vuestra voluntad fuere, assí que para lo uno y lo otro a vos, como más principal y que ya más esto presente atañe que a ninguno, dexamos el cargo que hazerse deve.

Mucho fue el Rey pagado deste cavallero, y todos cuantos allí eran, porque su respuesta fue muy conforme a toda discreción con gran esfuerço, lo cual pocas vezes en uno concuerdan[2]; y díxole:

—Pues que en mí lo dexáis, yo lo tomo; y si en algo se errare, mía sea la parte mayor, assí como acertando, la de la honra.

Con esto se fue a su tienda, y mandó al rey Arbán de Norgales y don Guilán el Cuidador que ellos tomassen cargo de

---

[2] El binomio discreción y esfuerço, que no es sino variante del clásico *fortuitudo-sapientia*, adquiere en los últimos libros, especialmente en el IV, una especial importancia, destacándose una mayor insistencia en la discreción, correlato de la mayor importancia de los letrados en tiempos de los Reyes Católicos. Véase A. van Beysterveldt, ob. cit. «Comúnmente se suele dezir que los fechos de la guerra más consisten en discreción para los saber regir e administrar, que en ronper lanças», *Crónica de don Álvaro de Luna*, 237, 1.

hablar con los que el rey Perión nombrasse, y con su consejo se diesse orden en la determinación. Y luego dixo al hermitaño:

—Padre, parésceme, pues que el negocio es llegado a tal punto, que será bueno que tornéis al rey Perión y le digáis cómo yo tengo señalados estos dos cavalleros para que con los suyos contraten[3]; y que será bien, porque las cosas semejantes siempre traen dilación, y estando en estos reales los feridos no pueden ser curados, ni los mantenimientos para las gentes y bestias havidos, que los reales a hun punto se levanten, y él, con todos los suyos, se retraya una jornada[4] por donde vino, y yo a otra, que será a mi villa de Lubaina, para dar orden en reparo desta gente que maltrecha está, y fazer llevar al Emperador a su tierra, y que nuestros mensajeros[5] fablen en lo que fazerse deve, y él y yo vernemos en lo mejor, y que él diga su voluntad a los suyos. Yo assí faré a los míos, y vos estaréis en medio para ser testigo de aquel que a la razón no se llegare, y que, si menester será, él y yo con menos gente nos podremos ver donde a vos os paresciere.

Al hermitaño plugo mucho desto, porque bien vio que, ahunque el concierto no se fiziesse, que el peligro estava más alexado estándolo las gentes; que comoquiera que este santo hombre fuesse de orden y de tan estrecha vida en lugar tan esquivo, primero fue cavallero y muy bueno en armas en la corte del Rey su padre del rey Lisuarte, y después, de su hermano el rey Falangrís, de manera que assí como en lo divinal[6] tan acabado fuesse, no dexava por ende de entender bien en lo temporal, que mucho lo avía usado[7]. Y dixo al Rey:

—Mi buen señor, bien me paresce lo que dezís. Solamente

---

[3] *contraten:* traten. La 1.ª doc de contratar según el DCECH, en Nebrija, si bien en el DME se puede encontrar algún ejemplo anterior.

[4] *se retraya una jornada:* se aparte el espacio de una jornada de camino.

[5] *mensajeros:* mansajeros, Z // mensajeros, RS // .

[6] *divinal:* divininal, Z // divinal, RS // .

[7] El ermitaño se ha apartado a la vida solitaria durante cuarenta años tras una actividad caballeresca, siguiendo una larga tradición de las letras hispánicas, desde el del *Libro del orden de caballería* de Ramón Llull u otros inspirados por él como el *Libro del cavallero y del escudero* de don Juan Manuel, o simplemente el *Tirante el Blanco,* por poner un ejemplo más cercano a Montalvo.

queda que a día cierto[8] sean vuestros mensajeros y los suyos aquí en este lugar que es el medio camino; y podrá ser que con ayuda de aquel Señor, que sin Él ninguna cosa puede ser ayudada, se dará tal forma entre ellos, que vos y el rey Perión vos veáis como havéis dicho y se atajen las dilaciones que por las terceras personas suelen acaescer. Y yo me bolveré luego, y vos embiaré a dezir a la ora y sazón que el real podéis mandar levantar, que por aquélla se levante el otro.

Assí se tornó el buen hombre al rey Perión, y le dixo todo el concierto, que nada faltó. Al Rey plugo dello, pues que a tan gran ventaja suya los reales se alçavan; y con acuerdo de don Cuadragante y don Brian de Monjaste mandó apregonar[9] que otro día bien de mañana fuessen todos prestos en quitar sus tiendas y otros aparejos para levantar de allí. El buen hombre assí lo embió dezir al rey Lisuarte, y a lo más presto que él pudiesse sería con él.

Pues la mañana venida, las trompas fueron sonadas por los reales, y alçadas las tiendas y con mucho plazer de los unos y de los otros movidos los reales, cada uno donde devía ir. Mas agora los dexaremos ir por sus caminos, y contarvos emos del rey Arávigo, que suso en la montaña estava, como ya oístes.


## Capítulo CXV

*Cómo sabida por el rey Arávigo la partida destas gentes, acordó de pelear con el rey Lisuarte.*

Ya vos havemos contado cómo el rey Arávigo y Barsinán, Señor de Sansueña, y Arcaláus el Encantador, y sus compañas estavan metidos en lo más bravo[1] y más fuerte de la montaña, aguardando el aviso de las escuchas que continuamente muy secreto sobre los reales tenían; las cuales vieron muy bien las batallas passadas, y assí mismo la fortaleza de los reales, donde

---

[8] *a día cierto:* en día señalado, fijado.

[9] *apregonar:* pregonar. «La música en todas las cosas apregona e llama a una unidad», Rodrigo Sánchez de Arévalo, *Vergel de los príncipes,* 340a.

[1] *bravo:* áspero, peñascoso.

ninguna de las partes podía recebir de noche ningún daño; y como fasta allí no oviesse avido vencimiento ninguno, antes siempre los reales parescían estar enteros, no se atrevió el rey Arávigo a salir de allí, pues que no avía disposición para contentar a su desseo, y siempre su pensamiento fue de esperar a lo postrimero; que bien cuidava que, ahunque alguna pieça se detoviessen los unos con los otros, que al cabo la una parte havía de ser vencida, y mucho plazer tomava consigo, porque de la primera no se mostrava el vencimiento, que turando[2] la porfía más se acrescentava el daño; que a la fin quedarían tales que con poco trabajo y menos peligro despacharía[3] a los que quedassen, y quedaría señor de toda la tierra sin aver en ella quien gelo contradixesse[4], y con mucho plazer abraçava muchas vezes a Arcaláus loándole y agradesciéndole aquello que avía pensado, y prometiéndole grandes mercedes, diziéndole que ya no se podía errar de no ser restituidos en los daños passados con mucho más acrescentamiento que lo perdido.

Pues assí estando con mucho plazer y alegría, vinieron las escuchas y dixéronle cómo las gentes havían alçado los reales y armados se bolvían por los caminos que avían allí venido, que no podían pensar qué cosa fuesse. Oído esto por el rey Arávigo, luego pensó que sobre alguna avenencia se podrían partir. Acordó de antes acometer al rey Lisuarte que a Amadís, porque aquél muerto o preso, Amadís ternía poco cuidado del bien ni del mal del reino, y que assí lo podría todo ganar. Pero dixo que no sería bien acometerlos fasta la noche, porque los tomarían más descuidados y a su salvo[5]; y mandó a un sobrino suyo que avía nombre Esclavor, hombre muy sabido de guerra, que con diez de cavallo muy encubiertamente siguiesse el rastro y mirasse bien dónde se aposentavan; el cual assí lo fizo,

---

[2] *turando:* durando. «Las cosas fundadas contra justiçia e verdad nos pueden turar», *Confisión del Amante,* 98, 27.

[3] *despacharía:* mataría. «Et no mucho después que los caudillos fueron despachados, en todo lugar se les doblava muerte», Alonso de Palencia, *Tratado de la perfección del triunfo militar,* 377a.

[4] *contradixesse:* impidiese, hiziese frente. «E teniendo a la reina su muger moça e fermosa si el condestable ge lo contradixiese, non iría a dormir a su cámara della», Fernán Pérez de Guzmán, *Generaciones y semblanzas,* págs. 40-41.

[5] *a su salvo:* sin peligro. «Recogióse la gente toda a su salvo», Gutierre Díez de Games, *El Victorial,* 135, 10.

que por lo más encubierto de aquella sierra iva mirando la gente que por el llano iva.

El rey Lisuarte, que iva por su camino, siempre tuvo recelo de aquella gente, ahunque no sabía[6] dónde cierto estuviesse, pero que algunos de los de la tierra le avía[n] dicho cómo siempre veían gente en aquella montaña a la parte de la mar; mas ninguno allá acostarse[7] osava, ni el Rey avía tenido tiempo de proveer en ello lo que menester era, tanto tenía que hazer en lo que delante sí tenía. Y yendo por su camino como dicho es, fue avisado de algunos de la comarca cómo avían visto gente de cavallo ir encubiertos por encima de los cerros de aquella sierra. El Rey, como fuesse muy apercebido[8] y de bivo coraçón, luego pensó lo que vino, que se no podría partir de aquella gente, si a su parte acostassen, sin gran batalla, la cual por entonces temía por ver su gente tan maltrecha de las batallas passadas. Pero con su fuerte coraçón no tardó de poner el remedio que complía[9]; y llamando al rey Cildadán y a los capitanes todos, les dixo las nuevas que avía sabido de aquellas gentes, y que les rogava toviessen todos sus gentes armadas y en buena ordenança, porque si menester fuesse, los fallassen con aquel recaudo que convenía a cavalleros. Todos le respondieron que assí como lo mandava se cumpliría por ellos, y que creyesse que antes que mengua ni daño recebiessen perderían las vidas. Algunos uvo que secretamente le dixeron que lo devía hazer saber al rey Perión, porque aquella gente era mucha y folgada, y la suya estava toda al contrario, y que avían recelo que se no podría sin gran peligro dellos partir; que mirassen que todos eran sus enemigos; que si la ventura contraria le fuesse, que no avría en ellos piedad, ni dexarían de fazer el mal que pudiessen. Estos fueron don Grumedán y Brandoivas, que hazían cuenta, si esto se fiziesse, que el Rey su señor no avría

---

⁶ *sabía:* sabida, Z // sabia, RS // .

⁷ *acostarse:* acercarse. «E otro día una compaña de turcos acostáronse a la cibdad», *Gran Conquista de Ultramar,* II, 138.

⁸ *apercebido:* previsor. Se trata de uno de los atributos de la realeza en distintos contextos y tradiciones. Véase Helen J. Peirce, «Aspectos de la personalidad del rey español en la literatura hispano-arábiga», en *Smith College Studies in Modern Language,* X.2 (1929), 1-39, esp. págs. 17 y ss.

⁹ *complía:* complian, Z // complia, RS // .

de quien temer y que por este camino la paz sería más firme y abreviada entre ellos.

Mas el Rey, como muchas vezes vos emos dicho, siempre temió más la pérdida de la honra que el seguramiento[10] de la vida, respondióles que las cosas no estavan tanto al cabo del bien que quisiesse encargarse de sus contrarios, que podría ser que lo que agora se les figurava gran afruenta que al fin saliría[11] al contrario, y que no pensassen en ál sino en ferir reziamente en los enemigos si viniessen, como siempre en las cosas de mayores afruentas que aquélla era en que se avían visto lo fizieran. Y luego mandó a Filispinel[12] que con veinte cavalleros se acostasse a la montaña, y lo más cuerdamente que pudiesse ser, de manera que se no perdiesse, tomasse algún aviso; y assí lo fizo como lo él mandó. Entre tanto fizo reposar la gente, que havría ya andado fasta cuatro leguas, y que las bestias refrescassen, porque, si ser pudiesse, llegassen a Lubaina sin más reparar; porque él más temía de ser acometido de noche que de día, y si la gente reparasse, que no sería en su mano, según estava[n] fatigados, de les poder escusar que se no desarmassen y no durmiessen, de manera que asaz poca gente le podría desbaratar. Y cuanto una pieça reposaron, mandó que cavalgassen, y llevó delante sí todo el fardaje[13] y los feridos, ahunque en aquellos días de la tregua avía embiado todos los más aquella villa.

Filispinel se fue derecho a la montaña, y con gran recaudo que puso sintió luego las espías y la gente de Esclavor; y quedando él con los más de los que llevava a vista de los contrarios, embió el aviso al Rey, faziéndole saber cómo avía fallado aquellos pocos cavalleros que siempre ivan atalayando[14], y que creía[15] que la otra gente no estaría muy lexos. El Rey no fazía sino andar su camino con harta priessa, porque la afruenta, si

---

[10] *seguramiento:* seguridad.

[11] *saliría:* saldría.

[12] *Filispinel:* Felispinel, Z // Filispinel, RS // .

[13] *fardaje:* impedimenta de guerra. «Allí abían dexado las mugeres e los hijos, e todo lo más de su fardaje», Gutierre Díez de Games, *El Victorial,* 125, 12.

[14] *atalayado:* vigilando desde una atalaya o altura para dar aviso de lo que se descubre.

[15] *creía:* creo ya, Z // ereya, R // creya, S // .

viniesse, le tomasse cerca de aquella su villa, que fazía cuenta que, ahunque bien cercada no estuviesse, que mejor en ella que en el campo se podría reparar. Assí que en poca[16] de ora se alexó gran pieça de la montaña.

Esclavor, sobrino del rey Arávigo, como vido[17] que lo avían descubierto, embiólo fazer saber a su tío, y que su parescer era que sin detenencia alguna devría descendir de la montaña a lo llano; que pues descobiertos eran, que el rey Lisuarte no querría parar sino en parte que su ventaja fuesse[18].

Cuando este mensaje llegó, el rey Arávigo y toda su gente estavan de buen reposo aparejando para la noche sin pensamiento alguno de acometer a sus enemigos de día, y no pudieron tan presto se armar y cavalgar, que como la gente mucha fuesse, que gran pieça no tardassen, y lo que más embaraço les puso fue los malos passos de la montaña; que assí como para se defender avían escogido lo más áspero y fuerte, así para ofender lo hallavan muy contrario.

Pues assí como oís, esta gente começó seguir al rey Lisuarte; pero antes que de la montaña saliesse, él iva ya tan gran trecho, que por mucho que después que a lo llano salieron y aguijaron tras él no lo pudieron alcançar fasta bien cerca de la villa. Mas Arcaláus, como sabía la tierra, iva diziendo al rey Arávigo que se no aquexasse[19] porque la gente no se fatigasse; pues a vista los llevavan, no era possible podérseles ir; y que no toviesse en nada que se le acogiessen a la villa, qu'él la sabía muy bien, y que más peligroso estaría en ella que en el campo según sus pocas fuerças.

En este comedio acaesció que por voluntad de Dios, porque

---

[16]   *en poca:* en poco, Z // en poca, RS // .

[17]   *como vido:* cuando vio. «Palmerín, quando vido la deslealtad...», *Palmerín de Olivia,* 226, 33.

[18]   Estratégicamente, el rey Lisuarte está en inferioridad de condiciones puesto que sus enemigos se encuentran en alto. Según Rodrigo Sánchez de Arévalo, «esso mesmo el buen capitán deve escoger el campo para la batalla, si ser pudiese, en lugar más alto», *Suma de la política,* 272b. Por eso la *Glosa castellana al regimiento de príncipes* aconsejaba «haver mejor para lidiar, ca el lugar mucho face para alcanzar la victoria», III, 363.

[19]   *aquexasse:* apresurase. «Para que fablase con el almirante su tío [...] e les fiziese aquexar su venida», *Crónica de don Álvaro de Luna,* 159, 8.

aquella mala gente su mal desseo no pusiesse en efeto, que el
buen hombre y santo hermitaño embió a Esplandián su criado
y a Sarguil su sobrino al rey Lisuarte a le fazer saber cómo el
negocio estava en buen estado, y que lo más presto que él pudiesse sería con él en Lubaina para dar orden cómo los cuatro
cavalleros de ambas partes se juntassen.

Cuando estos donzeles llegaron al real del Rey, falláronlo
partido pieça avía, y ellos siguieron la vía que llevava; y anduvieron tanto que llegaron al lugar donde el Rey avía reposado,
y allí supieron cómo iva con recelo y con más priessa, y apressuraron su camino por lo alcançar. Y antes que la hueste del
Rey viessen, vieron descender la gente de la montaña a gran
andar, y luego pensaron que era la del[20] rey Arávigo; que estando con la reina Brisena oyeron dezir de aquella gente, y vieron cómo la Reina embiava algunas gentes de unos lugares a
otros a la parte donde se dezía estar aquellas compañas. Y
como assí lo viessen ir con tanto poder, y el Rey su señor con
tan poco, y tan fatigado su gente que los no podría sofrir y se
vería en gran peligro, de lo cual Esplandián mucho dolor y pesar uvo, dixo[21] a Sarguil:

—Hermano, sígueme y no holguemos fasta que, si ser pudiere, el Rey mi señor sea socorrido porque aquella mala gente
no le puedan empecer[22].

Entonces bolvieron las riendas a los palafrenes y tornaron
por el camino que venían al más andar que pudieron todo lo
que del día les fincó y toda la noche, que nunca pararon; y otro
día al alva llegaron al real del rey Perión, que aquel día no avía
andado más de cuatro leguas, y fallólo assentado su real en una
ribera de muchos árboles y huertas. Y tenía a la parte de la
montaña su guarda de muchos cavalleros porque también uvo
nueva de unos pastores de aquella gente; y como movían del
lugar donde estavan, recelóse dellos, y por esta causa mandó
poner gran guarda. Y como allí llegaron, fuese Esplandián derechamente a la tienda de Amadís, y falló al buen hombre her-

[20] *era la del:* era lo del, Z // era la del, RS // .

[21] *uvo, dixo:* uvo y dixo, Z // ovo, et dixo, R // ovo, dixo, S // .

[22] *empecer:* dañar. «Ellos estavan en tal lugar donde no les podían enpeçer»,
Gutierre Díez de Games, *El Victorial,* 108, 30.

mitaño, que se levantava y quería caminar. Y cuando assí con tanta priessa vio el donzel, díxole:

—Mi buen fijo, ¿qué venida tan apressurada es ésta?

Él le dixo:

—Mi señor padre, tanto es de priessa que fasta que con Amadís hable no os lo puedo contar.

Entonces descavalgó del palafrén y entró a la cama donde Amadís estava armado, que estuvo toda la noche en la guarda del campo y al alva se vino a dormir y reposar; y despertándole, le dixo:

—¡O buen señor!, si en algún tiempo vuestro noble coraçón desseó grandes hazañas, venida es la ora donde su grandeza mostrar puede; que, ahunque fasta aquí por muy grandes afruentas y muy peligrosas aya passado, ninguna tan señalada como ésta ser pudo. Sabréis, buen señor, cómo la gente que se ha dicho estar en la montaña con el rey Arávigo va cuanto más puede sobre el rey Lisuarte, mi señor. Y creo, señor que, según la muchedumbre della y la poca y mal reparada del Rey, no se le puede escusar gran peligro. Así que, después de Dios, el solo remedio vuestro es el suyo.

Amadís, como aquello oyó, levantóse muy presto y dixo:

—Buen donzel, esperadme aquí, que si yo puedo, vuestro trabajo no será en balde.

Entonces se fue luego a la tienda del rey Perión su padre, y contándole aquellas nuevas, le suplicó mucho que le diesse licencia para hazer aquel socorro, del cual mucha honra y gran prez podría recebir, y sería muy loado en todas las partes donde se supiesse; y esto le pidió Amadís hincados los inojos, que nunca levantarse quiso fasta que el Rey, como era llegado a toda virtud y nunca su tiempo passó sino en semejantes cosas de gran fama, le dixo:

—Hijo, fágase como tú lo quieres, y toma[23] la delantera con la gente que te plazerá, que yo te seguiré; que si con este rey Lisuarte hemos de tener paz, esto lo hará más firme: y si guerra, más vale que por nos sea destruido que por otros que por ventura serían más nuestros enemigos que agora lo es él.

Y luego mandó tocar las trompas y los añafiles; y como la

---

[23] *toma:* tomo, Z // toma, RS // .

gente estava toda armada y sospechosa de rebato[24], luego a cavallo fueron cada uno con su capitán. El rey Perión y Amadís
avían fecho cavalgar a Gastiles, el sobrino del Emperador de
Constantinopla, y con su seña se salieron del real, tras la cual
salieron todas las otras. Y como todos fueron en el campo, el
Rey les dixo las nuevas que avía sabido, y rogóles mucho que
no mirando a lo passado quisiessen mostrar su virtud en socorrer aquel Rey, que con tan mala gente en tan gran necessidad
estava. Todos lo tuvieron por bien, y dixeron que como lo él
mandasse se faría.

Entonces Amadís tomó consigo a don Cuadragante y a don
Florestán su hermano, y Angriote d'Estraváus, y Gavarte del
Valtemeroso[25], y Gandalín y Enil, y cuatro mill cavalleros, y al
maestro Elisabad, que assí en esta jornada como en las batallas
passadas hizo cosas maravillosas de su oficio dando la vida a
muchos de los que haver no la pudieran sino por Dios y por él.

Con esta compaña tomó el camino, y el Rey su padre y todos los otros en sus batallas ordenadas tras él.

Mas agora dexa el cuento de hablar dellos, que se ivan a
más andar, y torna a contar lo que los Reyes en este medio
tiempo hizieron.

CAPÍTULO CXVI

*De la batalla que el rey Lisuarte uvo con el rey Arávigo y sus compa-
ñas, y cómo fue el rey Lisuarte vencido, y socorrido por Amadís de Gaula, aquel que nunca faltó de socorrer al menesteroso.*

Contado vos avemos cómo el rey Lisuarte fue avisado de los
cavalleros que a la montaña embió cómo avían visto ya las atalayas[1] de la gente del rey Arávigo, y cómo él con gran priessa
se iva por llegar a la su villa de Lubaina, porque, si afruenta alguna le viniesse, allí se pudiesse reparar; que, según la gente

---

[24]  *rebato:* acometimiento repentino que se hace al enemigo. «Mucho se recelava de algún rebato», *Enrique fi de Oliva,* pág. 69.
[25]  *Valtemeroso:* Valtemoroso, Z // Valtemeroso, RS // .
[1]  *atalayas:* atalajas, Z // atalayas, RS // .

llevava malparada de las batallas passadas que ya oístes, bien tenía creído que aquel gran poder de sus enemigos no lo podría sufrir. Pues assí fue, que él yendo su camino, las compañas del rey Arávigo le siguieron fasta que fue noche, y siempre llevavan a Esclavor con los diez de cavallo y otros cuarenta que el Rey su tío le embió junto consigo; y según la gente de la montaña anduvo después que al llano baxaron bien lo pudieran alcançar. Mas la noche fazía tan escura, que no se veían los unos a los otros, y por esta causa y también por lo que Arcaláus dixera de la poca fuerça de la villa donde ellos llevavan esperança no curaron de pelear con ellos, mas fueron todavía[2] a sus espaldas, y sus corredores casi embueltos con los del rey Lisuarte. Assí anduvieron hasta que vino el alva del día, que muy cerca unos de otros se vieron, y a poco trecho de la villa.

Entonces el rey Lisuarte, como esforçado Príncipe, reparó con todos los suyos, y hizo de su gente dos hazes. La primera dio al rey Cildadán, y con él Norandel, su hijo, y el rey Arbán de Norgales, y don Guilán el Cuidador, y Cendil de Ganota, y con ellos fasta dos mill cavalleros. En la segunda fue Arquisil y Flamíneo, romanos, y Giontes, su sobrino, y Brandoivas y otros muchos cavalleros de su mesnada, y con ellos fasta seis mill cavalleros; que si estas dos batallas estuvieran reparadas de armas y cavallos holgados, no tuvieran mucho que temer a sus enemigos; mas todo lo tenían al revés, que las armas eran todas rotas por muchos lugares de las batallas passadas, y los cavallos muy flacos y cansados assí del trabajo grande passado como del presente, que en todo aquel día y noche no avían parado sino muy poco, de lo cual mucho daño se les siguió, como adelante oiréis.

El rey Arávigo traía en la delantera a Barsinán, Señor de Sansueña, que como es dicho era un cavallero mancebo esforçado, ganoso de ganar honra y de vengar la muerte de su padre y de Gandalod, su hermano, el que don Guilán venció y llevó preso al rey Lisuarte, y lo mandó en Londres despeñar de una torre al pie de la cual fue su padre quemado como lo cuenta el primero libro desta istoria; y llevava consigo dos mill cavalleros, y las otras batallas tras él, como dicho es.

---

[2] *todavía:* en todo momento.

Pues como el día fue claro y se viessen cerca unos de otros, fuéronse acometer reziamente, de manera que de los encuentros primeros muchos cavallos fueron sin señores, y Barsinán quebró su lança, y puso mano a su espada y dio grandes golpes con ella, como aquel que era valiente y estava con gran saña.

Norandel, que delante los suyos venía, encontróse con un tío deste Barsinán, hermano de su madre, que fue governador de la tierra después que su padre Barsinán fue muerto fasta que éste su sobrino entró en edad de la saber regir; y diole tan gran encuentro, que le falsó el escudo y la loriga, y passó la lança a las espaldas y dio con él muerto en la tierra sin detenimiento ninguno.

El rey Cildadán derribó otro cavallero que venía con éste, que era de los buenos de la compaña de Barsinán, y assí hirieron de grandes golpes don Guilán y el rey Arbán de Norgales, y los otros que con ellos venían, que eran todos muy señalados y escogidos cavalleros, de manera que la haz de Barsinán fuera desbaratada si no porque Arcaláus socorrió. Y ahunque él tenía perdida la meitad de la mano derecha, que Amadís le cortó llamándose Beltenebros cuando mató a Lindora[que], su sobrino[5], que con el grande uso de las armas se mandava ya con la mano siniestra como con la otra[4]. Y en su llegada fueron los de su parte muy esforçados, y tornaron a cobrar gran ardimiento en sus coraçones, de manera que muchos de los del rey Lisuarte fueron muertos y mal llagados, y derribados de los cavallos. Arcaláus se metió entre ellos, y hazía grandes cosas en armas, assí como aquel que era valiente y esforçado. Pero a esta ora viérades hazer maravilla[s] al rey Cildadán, y a Norandel, y a don Guilán, y a Cendil de Ganota, que éstos eran escudo y amparo de todos los suyos; pero todo no valiera nada si el rey Lisuarte no socorriera, que los contrarios, como fuessen más y más holgados, ya los traían de vencida. Mas el rey Lisuarte, que nunca perdió punto[5] en lo que hazer devía en las grandes

---

[3] *Lindora[que], su sobrino:* Lindora su sobrino que, Z // Lindoraque su sobrino, RS // .

[4] *se mandava con la mano siniestra como con la otra:* se manejaba con la mano izquierda como con la otra.

[5] *punto:* la más pequeña cosa, nada. «Y a la cabeça de la donzella no llegó

afrentas que se halló, fue delante los suyos más ganoso de recebir muerte que dexar de hazer lo que era obligado; y al primero que delante sí halló fue un hermano de Alumas, el que mató don Florestán sobre las donzellas que los enanos guardavan a la fuente de los Olmos, que era primo cormano de Dardán el Sobervio; y encontróle y falsóle todas sus armas y dio con él muerto en tierra, y su gente hirió tan rezio en los otros, que les hizieron perder gran pieça del campo.

El Rey metió mano a su espada y dava tan grandes golpes con ella, que a cualquiera que alcançava a derecho golpe no avía menester maestro, y aquella ora tomó consigo tan gran saña, que olvidando todo peligro se metió entre los enemigos, hiriendo y matando en ellos. Arcaláus, que de antes avía sabido las armas que traía por le conoscer y nuzir[6] en cualquiera manera que él mejor pusiesse, que tales eran sus maneras, cuando assí lo vio tan desviado de los suyos, fue para Barsinán y díxole:

—Barsinán, ¿ves delante ti tu enemigo; que si éste muere, despachado es todo? ¿No miras lo que hace el rey Lisuarte?

Barsinán tomó diez cavalleros de los suyos que le aguardavan, y dixo a Arcaláus:

—Agora a él y muera, o muramos todos.

Entonces fueron para el Rey y encontráronle de todas partes, assí que le derribaron del cavallo. Filispinel andava siempre junto con los veinte cavalleros que ya oístes con que fue a tentar[7] la sierra, y se avían prometido compañía en aquella batalla. Como assí vieron derribar al Rey, díxoles:

---

punto del fuego», *Demanda del Sancto Grial,* 215a. Para E. L. Llorens, *La negación...,* § 132, el empleo de sustantivos que designan objetos de valor ínfimo o nulo para reforzar la negación «es recurso general del lenguaje y se encuentra principalmente en textos de índole popular, aunque ciertos términos de esta clase pertenezcan también al estilo culto. Se utilizan más en la poesía que en la prosa. «Algunos de estos sustantivos, en español y en otros idiomas románicos, adquirieron un valor adverbial como mero complemento de la negación, perdiéndose en tal caso su significado primitivo; tales "gota", "punto", "pas"», si bien en nuestro texto no se ha producido la lexicalización del francés, por ejemplo.

[6] *nuzir:* dañar. «Le acorrio [...] atandolo en manera que no pudiera nuzir ni ladrar», Enrique de Villena, *Trabajos de Hércules,* 53, 21.

[7] *a tentar:* a examinar. «Temptare tentar examinar inquirir...», Al. Palencia,

—¡O señores, agora es tiempo de morir con el Rey!

Entonces movieron todos y llegaron donde el Rey estava, y hallaron que le tenían dos cavalleros abraçado, que se avían derribado sobre él antes que se levantasse, y le avían tomado la espada. Y hirieron en Barsinán, y en Arcaláus y los suyos, que mal de su grado los apartaron de allí. Mas ya la gente cargava tanta de los contrarios a las bozes que Arcaláus dava llamando a los suyos, que, si la ventura no traxiera por allí al rey Cildadán, y Arquisil y Norandel, y Brandoivas con pieça de cavalleros que socorrieron, el Rey fuera perdido. Mas éstos mataron tantos, que por fuerça de armas cobraron al Rey, que Norandel, como llegó, se dexó derribar del cavallo y hirió de duros golpes a los que le tenían, y cobró la espada del Rey y púsogela en la mano; y díxole:

—A este mi cavallo vos acoged.

El Rey así lo hizo, y no partió de allí hasta que Brandoivas dio otro cavallo a Norandel y le hizo cavalgar. Y luego fueron ayudar a los suyos, que se combatían tan reziamente, que los contrarios no los osavan esperar. Arcaláus dixo a un cavallero de los suyos:

—Di al rey Arávigo que por qué nos dexa matar.

Este cavallero llegó al rey Arávigo y díxogelo, y él le dixo:

—Bien veo que pieça ha que era razón de los socorrer, mas dexávalo porque los contrarios se apartassen más de la villa. Pero pues que lo quiere, así se haga.

Entonces tocaron las trompas, y fue con toda su gente, y con él los seis cavalleros de la Ínsola Sagitaria. Y como los halló rebueltos y cansados, firió a su salvo y hizo gran estrago en ellos. Aquellos seis cavalleros que vos digo fizieron cosas estrañas en derribar y matar cuantos alcançavan; assí que con lo que ellos hizieron como con la mucha gente holgada que con el rey Arávigo llegó los del rey Lisuarte no los pudieron sufrir, y començaron a perder el campo assí como gente vencida. El rey Lisuarte, que su hecho vio perdido, y que en ninguna manera se podía cobrar, tomó consigo al rey Cildadán, y a Norandel, y a don Guilán, y Arquisil, y otros de los más escogidos, y

492d. «Comencelo a tentar de algunos principios de Astrología», Martín de Córdoba, *Compendio de la fortuna*, 15a.

púsose ante los suyos y mandó a la otra gente que se retraxiessen a la villa que tenían cerca. ¿Qué vos diré?, que en esta huida y vencimiento hizo tanto el Rey en defender los suyos, que tanto nunca tanto su bondad y esfuerço se mostró después que cavallero fue como estonces; assí mesmo todos aquellos cavalleros que con él se fallaron.

Pero al cabo con gran menoscabo de su gente, assí muertos como muchos presos y otros heridos, fueron por fuerça embarrados[8] por las puertas de la villa dentro. Y como la gente se començó apretar, y los enemigos ya como cosa vencida a cargar sobre ellos, fueron muchos más los que allí se perdieron. Y allí fueron derribados de los cavallos el rey Arbán de Norgales y don Grumedán con la seña del rey Lisuarte, y presos de los contrarios. Y assí lo fuera el Rey, si no porque algunos de los suyos se abraçaron con él y por fuerça lo metieron dentro en la villa, y luego las puertas fueron cerradas, y la gente que allí entró fue muy poca.

Los contrarios se tiraron afuera porque los tiravan con arcos y con ballestas, y levaron consigo al rey Arbán y a don Grumedán con la seña del Rey. Arcaláus quisiera que luego fueran muertos, mas el rey Arávigo no lo consintió, diziéndole que se sufriesse, que presto avrían al rey Lisuarte y a todos los otros, y que con acuerdo dél y de los otros grandes señores que allí estavan se haría dellos justicia. Y mandólos levar a ciertos hombres de los suyos que los guardassen muy bien.

Assí como vos digo fue el rey Lisuarte vencido y desbaratado, y su gente toda la más perdida, muertos y presos, y él y los otros con él encerrados en aquella flaca villa, donde, si la muerte no, otra cosa no esperava. Pues, ¿qué diremos que lo hizo? ¿Dios y su ventura? Por cierto, no, salvo él mismo por tener las orejas abiertas y aparejadas más para recebir las palabras dañosas en creer lo que aquellos malos Brocadán y Gandandel le dixeron de Amadís que lo que él con sus propios ojos veía. Y más diose a las maldades de aquéllos que a las bondades de Amadís y de su linaje, por los cuales era puesto en la mayor altura de fama que ningún príncipe del mundo. Pues

---

[8] *embarrados*: encerrados, sitiados. «E estavan todos enbarrados con escaramuças cada día», A. Martínez de Toledo, *Atalaya de las coronicas*, 118b.

dexando a Dios Nuestro Señor aparte, ¿quién le socorrerá?
¿Por ventura será reparado su daño y peligro por Brocadán y
Gandandel y de su linaje, o de aquellos que tal oficio, sin tener
conciencia como ellos tenían y tienen, que es aver imbidia de
los virtuosos y de los esforçados que, por seguir virtud, se ponen a los peligros, y no imbidia para dessear de seguir lo que
ellos siguen sino para lo dañar y afear con todas sus fuerças?
Pues paréçeme que si a éstos esperasse, que prestamente sería
vengada la muerte de Barsinán, Señor de Sansueña, y la gran
pérdida que el rey Arávigo huvo en la batalla de los siete
Reyes, y la saña de Arcaláus. Pues, ¿de quién será remediado y
socorrido? Por cierto, de aquel famoso y esforçado Amadís de
Gaula, del cual otras muchas vezes lo fue, como esta grande istoria lo ha demostrado. Pues, ¿tenía⁹ mucha razón para ello,
dexando el servicio de su señora aparte? Antes digo que, según
los grandes [y]¹⁰ provechosos servicios le havía hecho y el mal
conocimiento y gradecimiento que dél huvo, con mucha razón
y causa deviera ser en su total destruición. Mas como este cavallero fuesse nacido en este mundo para ganar la gloria y la
fama dél no pensava sino en autos nobles¹¹ y de gran virtud,
assí como oiréis que lo hizo con este Rey vencido, encerrado, y
puesto en el hilo de la muerte, y su reino perdido.

Pues tornando al propósito, digo que, después que el rey Lisuarte fue encerrado en aquella su villa, el rey Arávigo se apartó en el campo donde estava con aquellos grandes señores, y
demandóles su pareçer para dar cabo en aquel negocio¹².
Entr'ellos huvo muchos acuerdos, unos en contra de otros,
assí como suele acaescer entre los que la ventura les es favorable, que tanto es el bien, que no saben escoger de lo bueno lo
mejor. Algunos dellos dezían que sería bueno descansar alguna
pieça y fazer aparejos¹³ para el combate y¹⁴ poner entre tanto

---

⁹ *tenía:* teniendo, Z // tenía, RS // .
¹⁰ *grandes [y] provechosos:* grandes provechosos, ZR // grandes y provechosos, S // .
¹¹ *autos nobles:* actos nobles. «Fechos aquellos autos, el Rey se volvió con su
gente a Arévalo», *Crónica de don Álvaro de Luna,* 157, 21.
¹² *dar cabo en aquel negocio:* finalizar aquel asunto.
¹³ *descansar alguna pieça y fazer aparejos:* descansar un rato y preparar los dispo-
sitivos necesarios.

grandes guardas porque el Rey no se fuesse; otros dezían que luego sería bien combatirlos antes que más remedio fazer pudiessen para su defensa, y como estavan perdidos y medrosos, que presto serían entrados y tomados. Oído todo esto por el rey Arávigo, todos speravan de seguir su determinación porque él era el mayor y cabo de todos ellos[15]; y dixo:

—Buenos señores y honrados cavalleros, siempre oí dezir que los hombres deven seguir la buena ventura cuando les viene, y no buscar entrevallos ni achaques[16] para lo dexar; antes, con más coraçón y diligencia tomar junto el trabajo porque junto venga el plazer. Y por ende, digo que sin más tardar Barsinán, y el Duque de Bristoya, con la gente que ellos querrán, se passen luego del cabo de la villa; y yo y Arcaláus, con el Rey de la Profunda Ínsola y estos otros cavalleros, quedemos desta otra[17]. Y con el aparejo que tenemos, que es este con que peleamos, sean luego acometidos nuestros enemigos, antes que la noche venga, que no fincan dos horas del sol. Y si deste combate no los entramos, quitarnos hemos afuera, y la gente podrá refrescar algún tanto, y al alva del día tornemos a combatir. Y de mí vos digo, y assí lo diré a todos los míos y a los otros que me seguir querrán, que no folgaré fasta morir, o los tomar antes que coma ni beva, y assí lo prometo como rey que mi muerte o la suya de mañana no faltará.

Grande esfuerço y plazer dio el rey Arávigo aquellos señores, y assí como lo él dixo y prometió lo otorgaron todos. Y luego mandaron traer de sus provisiones muchas que traían, y fizieron comer y bever todas sus gentes, esforçándolos para el combate y diziéndoles que al cabo tenían para ser ricos y bienaventurados si por su poco coraçón no lo perdiessen. Esto hecho, Barsinán, Señor de Sansueña, y el Duque de Bristoya con la meitad de la gente se passaron del cabo de la villa, y el rey Arávigo y lo otro quedó a la otra parte. Y luego se apearon

---

[14] *y poner:* y y poner, Z // y poner, RS // .

[15] *cabo de todos ellos:* caudillo de todos ellos.

[16] *entrevallos y achaques:* obstáculos y pretextos. En R y S, entrevalo. «Esto que vos enbía dezir el enperador de Costantinopla que pues por fuerça quier aver a vuestra fija, que es achaque devós fazer guerra e devós deseredar», *Otas de Roma,* 19, 11.

[17] *otra:* otra, ZRS // otra parte, Place // .

todos y aparejaron para combatir en oyendo el son de las trompas.

El rey Lisuarte, assí como en la villa fue, no quiso folgar, que bien vio su perdimiento; y ahunque conoçió estar en parte donde mucho tiempo defender no se podía, acordó de poner todas sus fuerças hasta el cabo de la mala ventura[18], y morir como cavallero antes que ser preso de aquellos tanto sus enemigos mortales. Y cuanto comió algo que los de la villa le dieron, y a los suyos, luego repartió todos los cavalleros con los de la villa en las partes del muro donde más flaqueza estava, amonestándoles y diziéndoles que, después de Dios, la salud y vida stava en el defendimiento de sus manos y coraçones. Pero ellos eran tales que no havían menester quien buenos los hiziesse, que cada uno por sí esperava morir como el Rey su señor.

Pues assí estando como oídes, los enemigos se vinieron de rondón al combate con aquel esfuerço que los vencedores suelen tener; y sin ningún temor, cubiertos de sus escudos y sus lanças en las manos, las que sanas pudieron haver, y los otros con sus espadas, y los ballesteros y archeros a sus espaldas, llegaron al muro. Los de dentro los recibieron con muchas piedras y saetas, assí de ballesteros como de archeros; y como la cerca era muy baxa y en algunos lugares rota, assí se juntaron los unos con los otros como si en el campo estuviessen; mas con aquel poco [de] defensa que los de dentro tenían, y más con su gran esfuerço se defendieron tan bravamente, que los contrarios, perdido aquel ímpetu y arrebatimiento con que llegaron, luego los más començaron afloxar, y desviávanse, y otros se combatían reziamente, de manera que de ambas las partes huvo muchos muertos y heridos.

El rey Arávigo y todos los otros capitanes que a cavallo andavan nunca cessavan de meter la gente delante, y ellos llegavan a la cerca sin ningún recelo porque los suyos llegassen; y desde los cavallos davan con las lanças a los de encima del muro, assí que en muy poco estuvo el rey Lisuarte de ser entrado; mas quísole Dios guardar en que la noche vino con

---

[18] *el cabo de la mala ventura:* fin de la desgracia.

grande escurana[19]. Estonces la gente se tiró afuera porque les fue mandado, y curaron de los heridos; y los otros se repartieron alderredor de la villa y pusieron muy gran guarda. Y bien se tenían por dicho que otro día al primero combate era despachado el negocio, como lo fue.

Mas agora vos contaremos lo que Amadís[20] y sus compañeros hizieron después que del rey Perión se partieron en socorro deste rey Lisuarte.

## Capítulo CXVII

*Cómo Amadís iva en socorro del rey Lisuarte, y lo que le contesçió en el camino antes que a él llegasse.*

Contado vos hemos ya cómo aquel hermoso donzel Esplandián con gran priessa llegó al real del rey Perión y hizo saber a Amadís de Gaula la gran afrenta[1] y peligro en que el rey Lisuarte, su señor, estava; y cómo luego el rey Perión con toda la gente movió en su acorro, trayendo la delantera Amadís con aquellos cavalleros que ya oístes. Pero agora vos diremos lo que hizieron. Amadís, después que de su padre se apartó, se aquexó mucho por llegar a tiempo, que por él pudiesse ser hecho aquel socorro y su señora Oriana conociesse cómo con razón o sin ella siempre la tenía delante sus ojos para la servir. Y por gran priessa que a la gente dio, como el camino era largo, que desde donde él partió fasta el real donde el rey Lisuarte havía estado cuando las grandes batallas huvieron avía cinco leguas, y desde allí fasta la villa de Lubaina ocho, assí que eran por todas xiii leguas, no pudo tanto andar que la noche no le tomasse a más de tres leguas de la villa[2]. Y con la gran escuri-

---

[19] *escurana*: oscuridad. «A puesta de sol, paresçió la luna, e comió poco a poco todas las nuves e la esquurana», G. Díez de Games, *El Victorial*, 137, 5.

[20] *Amadís*: amadios, Z // Amadis, RS //.

[1] *afrenta*: peligro.

[2] De la misma manera que los cómputos temporales han tratado de ser más precisos, otro tanto sucede con el espacio, aunque no está tanto al servicio de una descripción más o menos realista, sino en función de dramatizar el relato. La distancia es imposible cubrir en una noche, por lo que aumenta la tensión por la imposibilidad física del socorro momentáneo.

dad, y porque Amadís mandó a las guías que se acostassen siempre a la parte de la montaña por atajar al rey Arávigo que se le no pudiesse acoger a algún lugar fuerte, erróse el camino, que las guías desatinaron y no sabían dónde ir ni si havían passado la villa o si la dexavan atrás, lo cual dixeron luego a Amadís. Y como lo oyó, huvo tan gran pesar, que se quería todo deshazer de congoxa; y comoquiera que él fuesse el hombre del mundo más sufrido y que mejor sabía sojuzgar su saña en cualquiera cosa de passión, no se pudo estonces tanto refrenar, que se no maldixesse muchas vezes a él y a su ventura, que tan contraria le era; y no havía hombre que le hablar osasse. Don Cuadragante, a quien también mucho pesava por el rey Cildadán, que él mucho amava y con quien tanto deudo tenía, se llegó a él y díxole:

—Buen señor, no toméis tanta congoxa, que Dios sabe cuál es lo mejor; y si Él es servido que por nosotros este beneficio se faga a aquellos Reyes y cavalleros tanto nuestros amigos, Él nos guiará; y si su voluntad no es, ninguno tiene poder de hazer otra cosa.

Y, ciertamente, según lo que después ocurrió, si aquel yerro no hoviera, no se diera tal salida ni tan honrosa para ellos según se dio como adelante oiréis.

Pues assí estando parado y que no sabían qué se fazer, preguntó Amadís a las guías si la montaña estava cerca. Dixéronle que creían que sí según ellos siempre avían guiado acostándose hazia ella como les él mandara. Entonces dixo a Gandalín:

—Toma uno déstos y trabaja por hallar alguna cuesta y sube en ella; que si la gente en real está, fuegos ternán; y atina bien si algo vieres.

Gandalín assí lo fizo, que como la sierra a la mano siniestra estoviesse, no fizieron sino andar todavía sobre aquella mano, y a cabo de una pieça halláronse al pie de la montaña. Y Gandalín subió cuanto más pudo, y miró ayuso a la parte de lo llano y vio luego los fuegos de la gente, de que uvo muy gran plazer; y llamó a la guía y mostrógelos, y díxole si sabría allí atinar. Él dixo que sí. Estonces se tornaron a más andar a donde Amadís y la gente estava, y contárongelo, de que uvo gran plazer, y dixo:

—Pues que assí es, guiad y andemos lo más presto que ser pueda, que ya gran pieça de la noche es passada.

Assí fueron todos tras la guía lo más ordenadamente que pudieron, que ellos no sabían del rey Perión, ni él dellos. Mas de cuanto seguía el rastro tanto anduvieron, y se acercaron a la villa, que vieron los fuegos del real, que eran muchos. Y si dello les plugo, no es de contar, especialmente aquel esforçado de Amadís, que en toda su vida nunca tanto en cosa se desseó fallar porque el rey Lisuarte conoçiesse que él era siempre el reparo de todas sus afruentas, y que, después de Dios, por él se assegurava su vida y todo su estado; que bien cuidava que de vencido o muerto désta no podía escapar, según la poca gente suya y la mucha de sus contrarios, y que sin ver ni hablar se tornaría. Y a esta hora començava a romper el alva, y ahún estarían de la villa una legua. Pues el día venido, el rey Arávigo y todos aquellos cavalleros se aparejaron para el combate con muy gran esfuerço y plazer. Y como armados fueron, llegaron todos al muro y a los portillos de la cerca, mas el rey Lisuarte con los suyos se les defendían muy bravamente. Mas al cabo, como la gente era mucha y esforçada con la próspera fortuna, y los del Rey pocos y los más dellos heridos y desmayados, no pudieron tanto resistir ni defender, que los contrarios no los entrassen por fuerça con muy grande alarido, assí que el ruido era muy grande por las calles, por las cuales el Rey y los suyos se defendían reziamente, y desde las ventanas les ayudavan las mugeres y moços y otros que no eran para más afruenta de aquélla. La rebuelta de las cuchilladas y lançadas y pedradas era tan grande, y el sonido de las bozes, [que]³ no havía persona que lo viesse que mucho no fuesse spantado.

Como el rey Lisuarte y aquellos cavalleros sus criados se vieron perdidos, como ya en más toviessen ser presos que muertos, no se vos podrían dezir las maravillas grandes que allí hizieron y los duros golpes que davan, que los contrarios no osavan llegar a ellos, sino con la fuerça de las lanças y piedras los ivan retrayendo. Pues el rey Cildadán y Arquisil, y Flamíneo y Norandel, que a la otra parte del rey Arávigo se fallaron, podéis bien creer que no estarían de balde, y con éstos

³ *bozes, [que] no:* bozes, no, ZR // bozes, que no, S // .

fue una brava batalla; que el rey Arávigo entró en la villa, y Arcaláus con él, y llevaron consigo los seis cavalleros de la Ínsola Sagitaria que ya dezir oístes, los cuales siempre el Rey tenía cabe sí que le aguardassen. Y como vio la cosa en tal estado, embió los dos dellos por una traviessa[4] de una calle a la parte donde Barsinán y el Duque de Bristoya peleavan, y los otros cuatro metió consigo por aquella parte del rey Cildadán, y díxoles:

—Agora, mis amigos, es tiempo de vengar vuestras sañas y la muerte de aquel noble cavallero Brontaxar d'Anfania, que veis ende los que le mataron. Herid en ellos, que no tienen defensa ninguna.

Estonces estos cuatro cavalleros[5], como se fallaron libres del Rey, ponían mano a sus cuchillos grandes y fuertes, y con gran furia passaron por todos los suyos, apartándolos y derribándolos por el suelo, hasta que llegaron adonde el rey Cildadán y sus compañeros estavan; el cual, como los vio tan grandes y desmesurados, no era tan ardid ni esforçado que mucho temor no oviesse. Y luego dixo a los suyos:

—Hea, señores, que con éstos es la muerte bien empleada, pero sea de tal suerte que, si pudiere ser, ellos vayan ante nos.

Estonces van unos a otros tan cruda y tan bravamente como aquellos que no desseavan otro medio sino morir o matar. El uno déstos llegó al rey Cildadán y alçó el cuchillo por le dar por cima del yelmo, que bien pensó de le hazer dos pedaços la cabeça. Y el Rey, como vio el golpe venir, alçó el escudo en que lo recibió, y fue tan grande que la espada entró por él fasta el medio y le cortó el arco o cerco de azero[6]. Al tirar del cuchillo no lo pudo sacar, y llevó el escudo tras él. El rey Cildadán, como era de gran esfuerço y muchas vezes se havía visto en tal menester, no perdió aquella hora el coraçón ni el sen-

---

[4] *traviessa:* travesía. Posiblemente en este contexto puede equivaler a la fortificación y defensa que se forma en los sitios con traveses *(Autoridades).*

[5] *cavalleros:* cavallerou, Z // cavalleros, RS // .

[6] *arco de azero:* «sería tentador identificar este "arco o cerco de azero" con un brocal que circundara todo el contorno del escudo, y el primer sustantivo podría referirse a la forma vagamente arqueada de aquel elemento. Permítaseme una muy temeraria hipótesis: el rey Cildadán, que llevaba este escudo con "arco" o "cerco", era de sangre de gigantes», Riquer, *Armas,* 414.

tido; antes le dio con su espada en el braço, que con el peso del escudo no le pudo tan presto tirar a sí, y cortóle la manga de la loriga y el braço todo, sino en muy poco que quedó colgado, y cayó a sus pies el cuchillo metido por el escudo. Éste se tiró afuera como hombre tollido, y el Rey ayudó a sus compañeros, que con los tres se combatían bravamente. Y assí con el golpe que aquél dio como con su ayuda, los otros desmayaron ya cuanto, de manera que por aquella parte se defendía la calle muy bien sin recebir mucho daño, ahunque el rey Arávigo stava tras ellos dándoles bozes que no dexassen hombre a vida. Los otros dos cavalleros, que por la otra parte fueron, llegaron a la pelea, y en su llegada fue el rey Lisuarte y los suyos retraídos fasta la traviessa de otra calle, donde algunas de sus gentes estavan sin pelear porque no cabían en la calle, y allí se detuvieron. Mas todo no valía nada, que tanta gente cargava por todas partes sobre ellos y les tomavan las espaldas, que si Dios por su misericordia no socorriera con la venida de Amadís, no tardaran media hora de ser todos muertos y presos, según las feridas tenían y las armas todas hechas pedaços. Pero aunque todo estuviera sano y reparado, no montava nada[7], que ya eran vencidos y muertos, que por tales ellos mismos se contavan; mas a esta ora llegó Amadís y sus compañeros con aquella gente que ya oístes, que después que el día vino aguijó cuanto pudo porque ante que se apercibiessen los pudiesse tomar. Y como llegó a la villa y vio la gente dentro y otros algunos que andavan de fuera, dio luego un torno alderredor[8], y firieron y mataron cuantos pudieron alcançar. Y él por una puerta y don Cuadragante por la otra entraron con la gente diziendo a grandes bozes:

—¡Gaula, Gaula! ¡Irlanda, Irlanda!

Y como fallavan las gentes desmandadas y sin recelo, mataron muchos y otros se les encerraron en las casas. Los delanteros que peleavan oyeron las bozes y el gran roído que con los suyos andavan, y los apellidos[9]. Luego pensaro[n] qu'el rey Li-

---

[7] *no montava nada:* no valía nada, era inútil. «Veyendo que non le montava nada catando a cada parte si vería algund socorro», *Historia de Bretaña,* 46, 4.

[8] *un torno alderredor:* una vuelta alrededor.

[9] *apellidos:* gritos de guerra.

suarte era socorrido y desmayaron mucho, que no sabían qué fazer, si pelear con los que tenían delante o ir a socorrer los otros.

El rey Lisuarte, como aquello oyó y vio que sus contrarios afloxavan, cobró coraçón y començó a esforçar los suyos; y dieron en ellos tan bravamente, que los levaron hasta dar en los que venían huyendo de Amadís y de los suyos, assí que no tuvieron otro medio sino poner espaldas con espaldas y defenderse. El rey Arávigo y Arcaláus, como vieron la cosa perdida, metiéronse en una casa, que no tuvieron esfuerço para morir en la calle, mas luego fueron tomados y presos[10].

Amadís dava tan duros golpes, que ya no fallava quien lo esperasse, si no fueron aquellos dos cavalleros de la Ínsola Sagitaria, que ya oístes que aquella parte peleavan, que vinieron para él. Y él, ahunque los vio tan valientes, como la historia lo ha antedicho, no se espantó dellos; antes, alçó la su muy buena spada y dio al uno dellos tan gran golpe por cima del yelmo, que, ahunque muy fuerte era, no tuvo poder que no hincasse las rodillas ambas en el suelo. Y Amadís, como assí lo vio, llegó rezio y diole de las manos, y hízole caer de espaldas y passó por él. Y vio cómo don Florestán su hermano y Angriote d'Estraváus havían derribado al otro y dexado en poder de los que detrás venían; y passando todos tres donde stava Barsinán, y el Duque de Bristoya, los cuales fueron luego rendidos, que Barsinán se vino abraçar con Amadís, y el Duque de Bristoya con don Florestán, porque el rey Lisuarte los apretava de manera que ya no havía en ellos sino la muerte, y demandáronles merced. Amadís miró adelante y conoçió al rey Lisuarte; y como vio que por allí no havía con quien pelear, tornóse lo más que pudo por donde havía venido, y llevó consigo a Barsinán y al Duque. Y quiso ir a la parte donde havía entrado don Cuadragante, y dixéronle cómo ya havía despachado el negocio, y que tenía presos al rey Arávigo y Arcaláus. Como esta nueva supo, dixo a Gandalín:

—Ve y di a don Cuadragante que yo me salgo de la villa, y

---

[10] A diferencia del libro I en el que se presentaba Arcaláus con todos sus poderes, incluido el esfuerço, se comporta como cobarde, y sus posibles poderes mágicos han desaparecido o no se utilizan.

que pues esto es despachado, que será bien que nos vamos sin ver al rey Lisuarte.

Y luego fue por la calle fasta que llegó a la puerta de la villa por donde havía entrado. Y fizo cavalgar la gente que con él iva, y él cavalgó en su cavallo.

El rey Lisuarte, como tan presto vio el socorro de su vida, y sus enemigos muertos y destroçados, estava de tal manera que no sabía qué dezir; y llamó a don Guilán, que cabe si tenía, y dixo:

—Don Guilán, ¿qué será esto, o quién son estos que tanto bien han fecho?

—Señor —dixo él—, ¿quién puede ser sino quien suele? No es otro sino Amadís de Gaula, que bien oístes cómo nombrava su apellido. Y bien será, señor, que le deis las gracias que mereçe.

Estonces el Rey dixo:

—Pues id vos delante, y si él fuere, detenendlo, que por vos bien lo hará; y yo luego seré con vos.

Estonces fue por la calle; y cuando don Guilán llegó[11] a la puerta de la villa, luego supo que era Amadís y ya havía cavalgado y se iva con su gente, que no quiso sperar a don Cuadragante porque lo no detuviessen. Y don Guilán le dio bozes que tornasse, que stava allí el Rey. Amadís, como lo oyó, ovo gran empacho, que conoçió muy bien aquel que lo llamava, a quien él preciava mucho y lo amava. Y vio el Rey cabe él estar, y bolvió. Y cuando fue más cerca, miró al Rey, y tenía todas las armas despedaçadas y llenas de sangre de sus feridas, y ovo gran piedad de assí lo ver; que aunque su discordia tan creçida fuesse, siempre tenía en la memoria ser éste el más cuerdo, más honrado, más esforçado rey que en el mundo oviesse. Y como fue más cerca, descavalgó del cavallo y fue para él, y hincó los inojos y quísole besar las manos, mas él no las quiso dar; antes, lo abraçó con muy buen talante y lo alçó suso.

Estonces llegó don Cuadragante, que tras Amadís venía, el rey Cildadán y otros muchos con ellos que salían por detener Amadís, que se no fuesse hasta que viesse al Rey. Y llegaron él y don Florestán y Angriote a le besar las manos. Amadís se

---

[11] *llegó*: llega, Z // llego, RS // .

fue al rey Cildadán, y abraçáronse muchas vezes. ¿Quién os podría contar el plazer que todos havían en se ver assí juntos con destruición de sus enemigos? El rey Cildadán dixo à Amadís:

—Señor, tornadvos al Rey, y yo quedaré con don Cuadragante, mi tío.

Y él assí lo fizo. Estando en esto, llegó Brandoivas con gran afán, que muchas heridas tenía, y dixo al Rey:

—Señor, los vuestros y los de la villa matan tantos de los contrarios que se metieron en las casas, que todas las calles andan corriendo arroyos de sangre; y ahunque sus señores aquello mereçiessen, no lo mereçen los suyos. Por ende, mandad lo que se haga en tan cruel destruición.

Amadís dixo:

—Señor, mandaldo remediar, que en las semejantes afruentas y vencimientos se muestran y pareçen los grandes ánimos.

El Rey mandó a Norandel su hijo y a don Guilán que fuessen allá y no dexassen matar de los que bivos fallassen, pero que[12] los tomassen a prisión y los pusiessen a buen recaudo; y assí se fizo.

Amadís mandó a Gandalín y a Enil que con Gandales su amo pusiessen recaudo en el rey Arávigo y Arcaláus, y Barsinán y el Duque de Bristoya, y se no partiessen dellos; y assí lo hizieron. El rey Lisuarte tomó por la mano a Amadís, y díxole:

—Señor, bien será, si a vos pluguiere, que demos orden de descansar y folgar, que bien nos haze menester[13], y entremos a la villa y sacarán la gente muerta.

Amadís le dixo:

—Señor, sea la vuestra merced de nos dar licencia porque

---

[12] *pero que:* sino que. «Non quiere la muerte del pecador, pero que byva e se arrepienta», A. Martínez de Toledo, *Corbacho,* 209. Para José Vallejo, art. cit., pág. 75, «hay que señalar como cultimo *mas* empleado como *pero,* con valor de "tamen", tras frases concesivas, y *pero,* por el contrario, como *mas,* con el significado de "sino". [...] Igualmente en el siglo XIV aparece *pero* = "sino", pero su empleo es más raro; después de *Cifar,* el *Corvacho,* y a su imitación, seguramente, la *Comedia Florinea* y otras obras del mismo género: "No porque agora me piense ser mas ante vos, *pero porque... me juzgara el amor por martyr vuestro», Florinea,* 181a».

[13] *bien nos haze menester:* nos es muy necesario. «Tomando los días de plazo que menester le fazían», Juan de Flores, *Triunfo de amor,* 77, 54.

nos podamos con tiempo tornar yo y estos cavalleros al rey Perión mi señor, que con toda la otra gente viene.

—Por cierto, essa licencia no os daré yo, que, ahunque en virtud ni esfuerço ninguno os pueda vencer, en esto quiero que se[á]is de mí vencido y que aquí esperemos al Rey vuestro padre, que no es razón que tan brevemente nos partamos sobre cosa tan señalada como agora passó.

Estonces dixo al rey Cildadán:

—Tened este cavallero, pues que yo no puedo.

El rey Cildadán le dixo:

—Señor, fazed lo qu'el Rey vos ruega con tanta afición, y no passe por hombre tan bien criado como vos tal descortesía.

Amadís se bolvió a su hermano don Florestán, y a don Cuadragante y a los otros cavalleros, y díxoles:

—Señores, ¿qué haremos en esto que el Rey manda?

Ellos dixeron que lo qu' él por bien tuviesse. Don Cuadragante dixo que, pues allí havían venido para le ayudar y servir, y en lo más lo havían fecho, que en lo menos se fiziesse.

—Pues que a vos, señor, vos pareçe, assí se haga como lo mandáis —dixo Amadís.

Estonces mandaron a la gente que descavalgassen y posiessen los cavallos por aquel campo, y buscassen algo de comer. Estando en esto vieron venir al rey Arbán y a don Grumedán, que las guardas que los tenían los havían dexado; y traían atadas las manos, y fue maravilla cómo los no mataron. Cuando el Rey los vio, huvo gran plazer, que por muertos los tenía, y assí fuera si no por el socorro que vino. Ellos llegaron y besáronle las manos, y luego fueron a Amadís con aquel plazer que podéis pensar que havrían los mayores amigos suyos que se podrían fallar. Todos dixeron al Rey que tomasse consigo aquellos cavalleros y se aposentasse en el monesterio hasta que la villa fuesse despachada de los muertos[14]. Estando en esto, llegó Arquisil, que había dado recaudo a Flamíneo, que estava malherido; y como vio a Amadís, le fue abraçar, y díxole:

—Señor, a buen tiempo nos acorristes, que si algunos de los nuestros nos havéis muerto, otros muchos más havéis salvado.

Amadís le dixo:

---

[14] *despachada de los muertos*: desembarazada, libre de los muertos.

—Señor, mucho plazer recibo en vos le dar a vos, que podéis creer y estar seguro de mi voluntad, que sin engaño vos ama.

Pues queriendo ir el rey Lisuarte al monesterio, vieron venir las batallas de la gente que el rey Perión traía, que venían a más andar. Y don Grumedán dixo al Rey:

—Señor, buen socorro es aquél, mas si el primero se tardara, tardárase nuestro bien de todo punto.

El Rey le dixo riendo y de buen talante:

—Quien se pusiesse con vos, don Grumedán, en debate sobre las cosas de Amadís si son bien hechas o no muy luenga demanda sería para él, y mayor el peligro que dende le vernía[15].

Amadís dixo:

—Señor, gran razón es que todos los cavalleros amemos y honremos a don Grumedán, porque él es nuestro espejo y guía de nuestras honras. Y porque sabe él con qué obediencia haría yo lo que'él mandasse me quiere bien, y no porque de mí haya recebido ninguna obra buena sino la buena voluntad.

Assí estavan con mucho plazer, aunque algunos dellos con hartas heridas, pero todo lo tenían en nada en ser escapados de aquella muerte tan cruel que ante sus ojos tenían. El rey Lisuarte demandó un cavallo, y dixo al rey Cildadán que tomasse otro, y que irían a recebir al rey Perión. Amadís le dixo:

—Señor, por mejor avría si por bien lo toviéredes que descanséis y curen de vuestras heridas, que el Rey mi señor no dexará de venir su camino hasta vos ver.

El Rey le dixo que en todo caso quería ir. Entonces cavalgó en un cavallo, y el rey Cildadán y Amadís en los suyos, y fueron contra donde el rey Perión venía. Amadís mandó a toda su gente que estoviessen quedos hasta que él bolviesse, y a Durín que passasse delante dellos y hiziesse saber a su padre la ida del rey Lisuarte.

Assí fueron como oídes, y muchos d'aquellos cavalleros con ellos. Y Durín anduvo más y llegó a las batallas, y en las de-

---

[15] *dende le vernía:* de ello le vendría. «E dioles quanto él pudo fallar dende», *Gran Conquista de Ultramar,* I, 53.

lanteras le dixeron cómo el Rey y Gastiles trahían la reçaga[16]. Estonces passó por ellas y llegó al Rey y díxole el mandado de Amadís. Y él tomó consigo a Gastiles y a Grasandor, y a don Brian de Monjaste y a Trion, y rogó a Agrajes que él se viniesse con la gente. Y esto hizo por la saña que conocía tener con el rey Lisuarte, y por le no poner en afrenta. A Agrajes plugo dello; y como el rey Perión passó adelante, fuesse él deteniendo con la gente por no haver razón de hablar al rey Lisuarte.

El rey Perión llegó con la compaña que vos digo al rey Lisuarte, y como se vieron, salieron entrambos adelante el uno al otro, y abraçáronse con buen talante. Y cuando el rey Perión le vio assí llagado y malparado, y las armas despedaçadas, díxole:

—Paréçeme, buen señor, que no partistes del real tan maltrecho como agora vos veo, ahunque allá vuestras armas no estuvieron en las fundas ni vuestra persona a la sombra de las tiendas.

—Mi señor —dixo el rey Lisuarte—, assí tove por bien que me viéssedes porque sepáis qué tal estava a la hora que Amadís y estos cavalleros me socorrieron.

Estonces le contó todo lo más de la gran afruenta en que avía estado. El rey Perión ovo muy gran plazer en saber lo que sus fijos avían fecho con la buena ventura y honra tan grande que dello se les seguía, y dixo:

—Muchas gracias doy a Dios porque assí se paró el pleito[17], y porque vos, mi señor, seáis servido y ayudado de mis hijos y de mi linaje; que ciertamente, comoquiera que las cosas ayan pasado entre nosotros, siempre fue y es mi deseo que os acaten y obedezcan como a señor y a padre.

El rey Lisuarte dixo:

—Dexemos agora esto para más espacio, que yo fío en Dios que antes que de en uno nos partamos quedaremos juntos y atados con mucho deudo y amor para muchos tiempos.

Estonces miró y no vio a Agrajes a quien mucho tenía, assí por su bondad como por el deudo grande de aquellos señores;

---

[16] *reçaga:* retaguardia. «Avían quedado en la reçaga para quando viessen que era necesaria su ayuda», *Lisuarte de Grecia,* fol. XLIX v.

[17] *assí se paró el pleito:* así acabó el asunto, el combate.

y porque ya en su voluntad estava determinado de hazer lo que adelante oiréis, no quiso que rastro de enojo ninguno quedasse, que bien sabía cómo Agrajes más que otro ninguno se agraviava dél y publicava quererlo mal; y preguntó por él, y el rey Perión le dixo cómo por ruego suyo havía quedado con las batallas porque no oviesse el desconcierto que entre la gente mucha suele haver no haviendo persona a quien teman y que los rija.

—Pues hazelde llamar —dixo el Rey—, que no partiré de aquí fasta lo ver.

Estonces Amadís dixo a su padre:

—Señor, yo iré por él.

Y esto hizo porque bien cuidó que si por su ruego no viniesse, que otro no le trahería. Y assí lo hizo, que luego se fue donde la gente estava, y habló con Agrajes, y díxole todo lo que havían hecho y cómo havían desbaratado y destruido toda aquella gente, y los presos que tenían, y cómo, viniéndose sin hablar al rey Lisuarte, havía salido tras él, y lo que havían passado, y que, pues aquella enemistad iva tanto al cabo[18] para ser amistad, quedando su honra tan creçida, que le rogava mucho se fuesse con él porque el rey Lisuarte no quería partir de allí sin le ver. Agrajes le dixo:

—Mi señor cormano, ya sabéis vos que mi saña ni plazer no ha de durar más de cuanto vuestra voluntad fuere; y este acorro que havéis fecho a este Rey quiera Dios que os sea mejor gradeçido que los passados, que no fueron pocos. Pero entiendo que la pérdida y el daño sobre él ha venido, que assí ha plazido a Dios que sea, porque su mal conoçimiento lo mereçía; y assí le acaeçerá adelante si no muda su condición. Y pues vos plaze que le vea, hágase.

Y mandó a la gente que estuviessen quedos hasta que su mandado oviessen.

Assí se fueron entrambos, y llegando al Rey, Agrajes le quiso besar las manos, mas él no gelas dio, antes lo abraçó y tóvole assí una pieça, y dixo:

—¿Cuál ha sido para vos mayor afruenta, estar agora comi-

---

[18] *iva tanto al cabo*: estaba a punto de.

go abraçado, o cuando lo estávamos en la batalla? Entiendo que ésta tenéis por mayor.

Todos rieron de aquello que el Rey dixo, y Agrajes con mucha mesura le dixo:

—Señor, más tiempo será menester para que con determinada verdad pueda responder a esto que me preguntáis.

—Pues luego bien será —dixo el Rey— que nos vamos a reposar. Y vos, mi buen señor —dixo al rey Perión—, iréis a ser mi huésped con estos cavalleros que con vos vienen, y vuestra gente entren, los que cupieren, en la villa, y los otros por estos prados podrán alvergar. Y nosotros aposentarnos hemos en el monesterio, y mandaré que todas las recuas de provisión[19] que de mi tierra vienen al real se vengan aquí porque no falte lo que oviéremos necessario.

El rey Perión gelo gradeció mucho, y díxole que le diesse licencia, pues que ya no los havía menester. Mas el rey Lisuarte no quiso; antes, le ahincó tanto, y el rey Cildadán con él, que lo huvo de fazer; y assí juntos se bolvieron al monesterio, donde fueron bien aposentados.

Pues allí al rey Lisuarte curaron de sus feridas los maestros que él traía, pero todos no sabían ninguna cosa ante el maestro Elisabad, que éste assí al Rey como a todos los otros curó y sanó, que fue maravilla de lo ver, y también a Amadís y algunos de los de su parte que algunas heridas tenían, ahunque no grandes. Pero el rey Lisuarte más estuvo de diez días que de la cama no se levantó, y cada día estavan allí con él el rey Perión y todos aquellos señores hablando en cosas de mucho plazer sin tocar a cosa que de paz ni de guerra fuesse, sino solamente hablando y riendo de Arcaláus cómo, siendo un cavallero de baxa condición y no de grande estado, con sus artes havía rebuelto tantas gentes como havéis oído. Y allí se traxo a la memoria de cómo encantó a Amadís, y cómo prendió al rey Lisuarte y huvo por grande engaño a su fija Oriana, y murió por su causa Barsinán, Señor de Sansueña, y cómo después fizo venir a los siete Reyes a la batalla contra el rey Lisuarte, y cómo

---

[19] *recuas de provisión:* los animales de carga para el aprovisionamiento. «Viniendo el maestre de Alcantara para traer rrecua a Montevideo de vituallas», A. Martínez de Toledo, *Atalaya de las coronicas,* 98b.

tuvo al rey Perión y a Amadís y a don Florestán en la prisión, que fueron engañados por su sobrina Dinarda, y después cómo se scapó de don Galaor y de Norandel llamándole Granfiles, primo cormano de don Grumedán, y agora cómo havía tornado a traer al rey Arávigo y aquellos cavalleros, y cómo tenía su fecho acabado si[20] se no estorvara por tan gran aventura de se hallar tanto a la mano aquel socorro, y otras muchas cosas que dél contavan en burla, que en poco estuvieron de salir de verdad, de las cuales mucho reían[21]. Estonces don Grumedán, que, como en esta gran historia se vos ha mostrado, en todas sus cosas era un cavallero muy entendido en todo, dixo:

—Vedes aquí, buenos señores, por qué muchos se atreven a ser malos, porque, mirando algunas buenas dichas que con sus malas obras el diablo les haze alcançar, con aquella dulçura que en ellas sienten no se curan, ni piensan en las caídas tan deshonradas y peligrosas que dello a la fin les ocurre; que si mirássemos lo que deste Arcaláus havemos dicho que en su favor contarse puede, a estar agora preso y viejo y manco, a la merced de sus enemigos, él solo bastava para ser enxemplo que ninguno se desviasse del camino de la virtud por seguir aquello que tanto daño y desaventura trae. Mas como las virtudes son ásperas de sufrir, y ay en ellas muy ásperos senderos, y las malas obras al contrario, y como todos naturalmente seamos más inclinados al mal que al bien, seguimos con toda afición aquello que más al presente nos agrada y contenta[22], y descuidámosnos de lo que, ahunque al comienço sea áspero, la salida y fin es bienaventurada. Y siguiendo más el apetito[23] de nuestra mala voluntad que la justa razón, que es señora y madre de

---

[20] *acabado si:* acabado y si, Z // acabado et si, R // acabado, si, S // .

[21] Se recapitulan los hechos principales de Arcaláus, para terminar con estas risas, propiciadas también por sus poderes. Como dice Ph. Ménard, ob. cit., pág. 403, los encantadores «sont assurément des êtres ambigus: leurs incatations impressionnent, et leurs exploits font rire».

[22] La idea es tradicional en la Edad Media y la refleja Juan Ruiz en el *Libro de Buen Amor,* ed. de Alberto Blecua, Barcelona, Planeta, 1983, pról. en prosa, lín. 71 y ss., pág. 7: «E viene otrosí esto por razón que la natura umana que más aparejada e inclinada es al mal que al bien, e a pecado que a bien: esto dize el Decreto.»

[23] *apetito:* apetido, Z // apetito, RS // .

las virtudes, venimos a caer cuando más ensalçados estamos donde ni el cuerpo ni el alma repararse pueden, como este malo de malas obras Arcaláus el Encantador lo ha hecho.

Mucho paresció bien al rey Perión lo que este cavallero dixo, y por hombre discreto le tuvo. Y mucho preguntó después por él, que bien conosció que tal cavallero como aquél dino y merecedor era de estar cabe los Reyes.

En este medio tiempo llegó el hombre bueno santo Nasciano, con que todos ovieron gran plazer; que assí como hasta allí con la discordia todas las cosas a los unos y a los otros con grandes sobresaltos y fatigas del espíritu les avían venido, assí agora, tornado todo al revés con la paz, descansavan y reposavan sus ánimos con gran plazer. Cuando el buen hombre los vio juntos en tanto amor donde no avía tres días que se matavan con tanta crueza, alçó las manos al cielo y dixo:

—¡O Señor del mundo, qué tan grande[24] es la tu santa piedad, y cómo la embías sobre aquellos que algún conoscimiento del tu santo servicio tienen!; que estos Reyes y cavalleros ahún la sangre no tienen enxuta[25] de las feridas que se hizieron, causándolo el enemigo malo. Y porque yo en el tu nombre y con tu gracia les puse en comienço de buen camino queriendo ellos aver conoscimiento del yerro tan grande en que puestos estavan, tú, Señor, los as traído a tanto amor y buena voluntad cual nunca por persona alguna pensarse pudo. Pues assí, Señor, te plega que, permitiendo el cabo y la fin desta paz, yo, como tu siervo y pecador, antes que dellos me parta, los dexe en tanto sosiego que, dexando las cosas contrarias al tu servicio, entiendan en[26] acrescentar en la tu santa fe cathólica.

Este santo hombre hermitaño nunca hazía sino andar de los unos a los otros, poniéndoles delante muchos enxemplos y dotrinas porque siguiessen y diessen buen cabo[27] en aquello en que él les avía puesto, así que sus duros coraçones ponía en toda blandura y razón.

---

[24] *qué tan grande:* cuán grande.

[25] *enxuta:* seca.

[26] *entiendan en:* se preocupen por. «Vuestra merçed debe entender en salvar su persona», *Crónica de don Álvaro de Luna,* 380, 19.

[27] *cabo:* caba, Z // cabo, RS // .

Pues estando un día todos juntos en la cámara, el rey Lisuarte preguntó al rey Perión de quién avían sabido las nuevas de la gente que fue sobre él. El rey Perión le dixo cómo el donzel Esplandián lo avía dicho a Amadís, y que no sabía más. Entonces mandó llamar a Esplandián, y preguntóle cómo fue él sabidor de aquella gente. Él le dixo cómo, veniendo por mandado del buen hombre su amo a él al real, le falló partido, y que siguiendo su camino avía visto descendir toda la gente de la montaña a la parte donde él iva, y que luego pensó, según la muchedumbre della y lo poco y malparado que él llevava, que se no podía quitar dellos sin mucho peligro; y que luego él y Sarguil a más correr de sus palafrenes avían andado toda la noche sin parar, y lo hizieron saber[28] a Amadís. El rey Lisuarte le dixo:

—Esplandián, vos me hezistes gran servicio, y yo fío en Dios que de mí vos será bien galardonado.

El hombre bueno dixo:

—Fijo, besad las manos al Rey vuestro señor por lo que vos dize.

El donzel llegó y fincó los inojos, y besóle las manos. El Rey le tomó por la cabeça y llególe a sí y besóle en la faz y miró contra Amadís. Y como Amadís tenía los ojos puestos en el donzel y en lo que el Rey hazía, y vio que a tal sazón le mirava, enbermejecióle el rostro, que bien conosció que el Rey sabía ya todo el hecho dél y de Oriana, y de cómo el donzel era su hijo. Y tanto le contentó aquel amor que el Rey a Esplandián mostró, y assí lo sintió en el coraçón, que le acrescentó su desseo de le servir mucho más que lo tenía, y esso mismo hizo al Rey; que la vista y gracia de aquel moço era tal para su contentamiento, que mientra en medio estuviesse no podría venir cosa que les estorvasse de se querer y amar.

Gasquilán, Rey de Suesa, había quedado en el real maltrecho de la batalla que con Amadís uvo, y su gente con él, aquella que de las batallas avía escapado. Y cuando el rey Lisuarte se partió dél, rogóle mucho que se fuesse en andas, y desviado por otro camino a la mano diestra lo más que pudiesse de la montaña; y dexó con él personas que muy bien le guiassen. Y

---

[28] *hizieron saber:* hizieron a saber, Z // hizieron saber, RS // .

así lo hizo, que tomó por una vega ayuso ribera de un río, el cual metió entre sí y la montaña; y alvergó aquella noche so unos árboles, y otro día anduvo su camino, pero de grande espacio, assí que con el rodeo que levó no pudo ser en Lubaina desos cinco días, y llegó al monesterio donde los Reyes estavan, que no sabía nada de lo passado. Y cuando gelo dixeron, fue muy triste por estar en disposición de no se hallar en cosa tan señalada; y como era muy follón y sobervio, dezía algunas cosas quexándose con grande orgullo que los que lo oían no lo tenían a bien.

Como el rey Perión y el rey Cildadán y aquellos señores supieron de su venida, salieron a él a la puerta del monesterio donde en sus andas estava, y ayudáronle a descender dellas, y cavalleros le tomaron en sus braços y lo mitieron[29] donde el rey Lisuarte estava echado, que assí gelo embió él a rogar. Y allí en la cámara donde el Rey estava le hizieron otra[30] cama donde le pusieron. Estando allí Gasquilán, miró a todos los cavalleros de la Ínsola Firme, y violos tan hermosos y tan bien tallados y guarnidos de atavíos de guerra, que a su parescer nunca avía visto gente que tan bien le paresciesse; y preguntó cuál d'aquéllos era Amadís, y mostrárongelo. Y como Amadís vio que por él preguntava, llegóse a él teniendo por la mano al rey Arbán de Norgales, y dixo:

—Mi buen señor, vos seáis muy bien venido, y mucho me pluguiera de vos hallar sano, más que assí como estáis, que en tan buen hombre como vos sois mal empleado es el mal; mas plazerá a Dios que presto avréis salud, y lo que con desamor entre vos y mí ovo con buenas obras será emendado.

Gasquilán, como le vio tan hermoso y tan sosegado y con tanta cortesía, si no conosciera tanto de su bondad, assí por oídas como por lo aver provado, no lo tuviera en mucho; que a su parescer más aparejado era para entre dueñas y donzellas

[29] *mitieron:* metieron.

[30] *otra:* otro, Z // otra, RS // .

[31] *respondió Amadís:* respondió a Amadís, con «a» embebida.

[32] *más es lo que se no vee que lo que es claro y público a todos:* más es lo que no se ve que lo que es evidente y notorio para todos. «Tan claras señas traes deste cruel dolor», *Celestina*, XIII, 186. Se plantea una situación similar a la de otros episodios aclarada por el narrador en el capítulo CX —véase la nota 3.

que entre cavalleros y autos de guerra; que como él fuesse valiente de fuerça y coraçón, assí se preciava de lo ser en la palabra, porque tenía creído que el que muy esforçado avía de ser en todo era necessario que lo fuesse, y si algo dello le faltasse, que le menoscabava en su valor mucho. Y por esto no tenía él por tacha ser sobervio; antes, dello se preciava mucho; en lo cual si engaño recebía, quienquiera lo puede juzgar. Y respondió Amadís[31] y díxole:

—Mi buen señor Amadís, vos sois el cavallero del mundo que yo más ver desseava no para bien vuestro ni mío, antes para me combatir con vos hasta la muerte; y si como agora con vos me avino os aviniera comigo, y aquello que de vos recebí recibiérades de mí, demás de me tener por el más honrado cavallero del mundo, cobrara por ello el amor de una señora que yo mucho amo y quiero, por mandamiento de la cual vos demandé hasta agora; y assí me avino que no sé cómo ante ella parescer pueda, así que mi mal mucho más es lo que se no vee que lo que es claro y público a todos[32].

Amadís, que esto oía, le dixo:

—Desso de vuestra amiga os deve mucho pesar. Assí mesmo lo haze a mí, que de todo lo que se ganara en me vencer no devéis tener mucho cuidado, que, según los vuestros hechos son tan grandes y famosos por todo el mundo y tan señalados en armas, no ganaredes mucho en sobrar[33] a un cavallero de tan poca nombradía como lo yo soy.

Entonces el rey Cildadán dixo al rey Lisuarte riendo:

—Mi señor, bien será que echéis el bastón[34] entre estos dos cavalleros.

Y fuese en plazer para ellos y metiólos en otras burlas. Assí estovieron estos Reyes y cavalleros en el monesterio muy viciosos de todo lo que avían menester, que como el rey Lisuarte estoviesse en su tierra, hizo allí traer muchas viandas tan abastadamente, que a todos dava gran contentamiento. El rey Perión le rogó muchas vezes que le dexasse con la gente ir a la

<hr />

[33] *sobrar*: superar, sobrepujar. «E a todas estas tres señoras sobraba en fermosura Yseo la Brunda», *Tristán de Leonís*, 456a.
[34] *bastón*: bastan, Z // baston, RS // . El bastón se utilizaba para dejar zanjada una disputa o una contienda; véase la nota 31 del capítulo XVI.

Ínsola Firme, y que luego haría allí venir los dos cavalleros como estava acordado entr'ellos, mas el rey Lisuarte nunca lo quiso hazer; y díxole que, pues Dios le havía allí traído, que en ninguna manera por su voluntad le dexaría ir hasta que todo fuesse despachado, assí que el rey Perión uvo empacho de más gelo rogar. Y assí aguardó a ver en qué pararía aquella tan buena voluntad que el rey Lisuarte mostrava.

Arquisil habló con Amadís, diziendo que qué le mandava hazer en su prisión, que presto estava de complir la promessa que le tenía hecha. Amadís le dixo que él hablaría con él, assí en aquello como en otras cosas que avía[35] pensado, y que a la mañana en oyendo missa hiziesse traer su cavallo, que en el campo le quería hablar; lo cual assí se hizo, que luego otro día cavalgaron en sus cavallos y saliéronse passeando alrededor de la villa. Y cuando de todos fueron alongados, Amadís le dixo:

—Mi buen señor, todos estos días passados que aquí he estado os quisiera hablar, y con la ocupación que avéis visto no he podido. Agora que tenemos tiempo quiero deziros lo que tengo pensado de vos. Yo sé que, según la liña[36] derecha de vuestra sangre, que muerto el Emperador de Roma, como lo es, no queda en todo el imperio ningún derecho sucessor ni heredero sino vos; y también sé que de todos los del señorío sois muy amado. Y si de alguno no lo érades, [no] fue sino de aquel vuestro pariente Emperador, que la embidia de vuestras buenas maneras le davan causa a que su mala condición vos desamasse. Y pues el negocio es venido en tal estado, gran razón sería que se tomasse cuidado de una cosa de tan gran hecho como ésta. Vos tenéis aquí los más y los mejores cavalleros del señorío de Roma, y yo tengo en la Ínsola Firme a Brondajel de Roca y al Duque de Ancona, y al Arçobispo de Talancia con otros muchos que en la mar fueron presos. Yo embiaré luego por ellos, y fablemos en ello; y antes que de aquí partan se tenga manera cómo vos juren por su Emperador. Y

---

[35] *cosas que avía:* cosas y avia, Z // cosas que avia, RS // .

[36] *liña:* línea. «Sin aver en ella mudamiento de otra liña nin generación», Fernán Pérez de Guzmán, *Generaciones y semblanzas,* pág. 5. Véanse otros ejemplos en F. Rodríguez Marín, *Dos mil quinientas voces....*

si algunos vos lo contrallaren[37], yo vos ayudaré a todo vuestro derecho; assí que, buen amigo, pensad y trabajad en ello; conosced el tiempo que Dios vos da, y por vuestra culpa no se pierda.

Cuando Arquisil esto le oyó, ya podéis entender el plazer que dello avría, que no esperava sino que le quería mandar tener prisión en algún lugar donde por gran pieça de tiempo salir no pudiesse; y díxole:

—Mi buen señor, no sé por qué todos los del mundo no procuran por vuestro amor y conoscencia[38] y no son en crecer vuestra honra y estado. Y de mí os digo que agora podiéndose hazer lo que dezís o no se haziendo, comoquiera que la ventura lo traya, nunca seré en tiempo que esta merced y gran honra que de vos recibo no lo pague hasta perder la vida; y si gracias podiessen bastar a tan gran beneficio, darlas ía[39]. Pero, ¿cuáles pueden ser? Por cierto, no otras sino mi persona misma, como lo he dicho, con todo lo que Dios y mi dicha me pudiere dar, y desde agora dexo en vuestras[40] manos todo mi bien y honra. Y pues tan bien lo avéis dicho, dalde cabo[41], que más es vuestro que mío lo que se ganare.

—Pues yo lo tomo a mi cargo —dixo Amadís—, y con ayuda de Dios vos iréis de aquí emperador o yo no me ternía por cavallero.

Con esto se partieron de su habla, y Amadís le dixo:

—Antes que al monesterio bolvamos, entremos a la villa, y mostrarvos he el hombre del mundo que peor me quiere.

Assí entraron en Lubaina y fuéronse a la posada de don Gandales, donde tenía presos al rey Arávigo y Arcaláus y los otros cavalleros que ya oístes. Y como en ella entraron, fuéronse luego a la cámara donde el rey Arávigo y Arcaláus solos estavan, y halláronlos vestidos y sentados en una cama, que

---

[37] *contrallaren:* estorbasen. «Non ovo quien les contrallase el paso», A. Martínez de Toledo, *Atalaya de las coronicas,* 4a.

[38] *conoscencia:* conocimiento. «Dios e natura nos dio los sesos para necesidad e para adquisición de conocencia», Martín de Córdoba, *Compendio de la fortuna,* 32a.

[39] *darlas ía:* las daría.

[40] *vuestras:* vuestros, Z // vuestras, RS // .

[41] *dalde cabo:* realizadlo.

desque fueron presos nunca se quisieron desnudar. Y Amadís conosció luego Arcaláus, y díxole:

—¿Qué fazéis, Arcaláus?

Y él le dixo:

—¿Quién eres tú que lo preguntas?

—Yo soy Amadís de Gaula, aquel que tú tanto deseavas ver.

Entonces Arcaláus lo miró más que de antes, y díxole:

—Por cierto, verdad dizes, que, ahunque la distancia del tiempo ha sido larga en que te no he visto, la memoria no pierde de conoscer ser tú aquel Amadís que yo tuve en mi poder en mi castillo de Valderín. Y aquella piedad que de tu tierna joventud y dessa gran fermosura entonces ove, aquélla después por luengos tiempos me ha puesto en muchas y grandes tribulaciones, hasta que en el cabo me ha traído en tal estrecho, que me conviene demandarte misericordia.

Amadís le dixo:

—Si la yo oviesse de ti, ¿cessarías de hazer aquellos grandes males y cruezas que hasta aquí as hecho?

—No —dixo él—, que ya la edad, tan luengamente abituada en ello, por su voluntad no se podría retraer de lo que tanto tiempo por vicio ha tenido; mas la necessidad, que es muy duro y fuerte freno para hazer mudar toda mala costumbre de buena en mala y de mala en buena según sobre la persona y causa que viene, me faría hazer en la vejez aquello que la joventud y libertad no quisieron ni podieron.

—Pues, ¿qué necessidad te podría yo poner —dixo Amadís—, si libre y suelto te dexasse?

—Aquella —dixo Arcaláus— que por la sostener y acrecentar ha hecho mucho mal a mi conciencia y fama, que es[42] mis castillos, los cuales te mandaré dar y entregar con toda mi tierra, y no tomaré dello más de lo que por virtud darme quisieres, porque al presente no me puedo en otra cosa poner. Y podrá ser que esta tan gran premia y la bondad tuya grande harán en mí aquella mudança que fasta aquí la razón no ha podido hazer en ninguna suerte.

Amadís le dixo:

---

[42] *es:* en, Z // es, RS // .

—Arcaláus, si alguna esperança tengo que tu fuerte condición será emendada, no es otra salvo el[43] conocimiento que tienes en te tener por malo y pecador. Por ende, esfuérçate y toma consuelo, que podrá ser que esta prisión del cuerpo en que agora estás y tanto temes será llave para soltar tu ánima, que tan encadenada y presa tanto tiempo has tenido.

Y Amadís, queriéndose ir, le dixo Arcaláus:

—Amadís, mira este Rey sin ventura, que poco ha que estava muy cercano de ser uno de los mayores príncipes del mundo, y en un momento la misma fortuna que para ello le fue favorable, aquélla le ha derribado y puesto en tan cruel cativerio. Séate enxemplo a ti y a todos los que honra y grande estado tienen o dessean; y quiérote traer a la memoria que en los fuertes ánimos y coraçones consiste el vencer y perdonar[44].

Amadís no le quiso responder, pues que le tenía preso; que bien hazía contra él esta razón, que, ahunque por armas y sus encantamientos avía vencido a muchos, nunca supo a ninguno perdonar. Pero por esso no dexó de conocer que avía dicho hermosa razón[45].

Assí se salieron él y Arquisil de la cámara, y cavalgaron en sus cavallos y fuéronse al monesterio. Y luego Amadís mandó llamar a Ardián, el su enano, y mandóle que fuesse a la Ínsola Firme y dixesse a Oriana y aquellas señoras todo lo que avía visto. Y diole una carta para Isanjo, que luego le embiasse allí a buen recaudo a Brondajel de Roca, y al Duque de Ancona[46], y al Arçobispo de Talancia con todos los otros romanos que allí presos estavan, lo más presto que venir pudiessen. El enano uvo mucho plazer en llevar esta nueva porque della esperava gran honra y mucho provecho. Y cavalgó luego en su rocín, y anduvo de día y de noche sin mucho parar, tanto que

---

[43] *salvo el:* salvo en, Z // salvo el, RS // .

[44] Arcaláus utiliza ejemplos de la propia obra para dar lecciones de comportamiento, aduciendo la inestabilidad de la fortuna, y finalizando su diálogo con esta expresión de tipo sentencioso sobre la victoria y el perdón.

[45] Los antiguos combates bélicos se han cambiado en estos otros dialécticos, en los que Amadís reconoce que su enemigo realiza bellos, corectos razonamientos. Incluso en esta parte de la obra, el esforzado guerrero destaca todavía más por su discreción verbal que por su valentía.

[46] *Ancona:* alcona, Z // Ancona, RS // .

llegó a la Ínsola Firme, donde nada desto postrimero se sabía, que Oriana no avía avido otras nuevas sino de las dos batallas y de cómo Nasciano el santo hermitaño los tenía en tregua, y cómo era muerto el Emperador de Roma, de lo cual no poco plazer uvo. Mas de las cosas de allí adelante no supo cosa alguna; antes, siempre estava con mucha angustia pensando que aquel hombre bueno Nasciano no bastaría a poner paz en tan gran rotura. Y nunca hazía sino rezar y hazer muchas devociones y romerías por las iglesias de la ínsola, y rogar a Dios por la paz y concordia dellos. Y como el enano llegó, fuese luego derechamente a la huerta donde Oriana posava, y dixo a una dueña que la puerta guardava que dixesse a Oriana cómo estava allí y le traía nuevas. La dueña gelo dixo, y Oriana le mandó entrar, mas, esperando qué diría, no tenía el coraçón assossegado; antes, con gran sobresalto, porque no las podía oír sino a provecho de la una parte, y daño de la otra, y como de un cabo toviesse a su amigo Amadís y del otro al Rey su padre, ahunque el daño de Amadís temiesse tanto que ser más no podía, de cualquiera que a su padre viniesse havría mucho dolor. Y como el enano entró, dixo contra Oriana:

—Señora, albricias[47] os demando, no como quien yo soy, mas como quien vos sois y las grandes nuevas que os trayo[48].

Oriana le dixo:

—Ardián, mi amigo, según tu semblante bien va a la parte de tu señor; mas dime si mi padre es bivo.

El enano dixo:

—¿Cómo, señora, si es bivo? Es bivo y sano, y más alegre que lo nunca fue.

—¡Ay, Santa María! —dixo Oriana—, dime lo que sabes; que si Dios me da algún bien, yo te haré bienaventurado en este mundo.

Entonces el enano le contó[49] todo el hecho como avía passado, y cómo el Rey su padre estando en punto de perder la

---

[47] *albricias:* regalo o favor que se hace al que trae una buena noticia. «Passaremos a su casa a pedirle las albricias de su gran gozo», *Celestina,* XI, 162.

[48] *nuevas que os trayo:* noticias que os traigo. «Te trayo muy buenas nuevas», *Gran Conquista de Ultramar,* I, 169.

[49] *le contó:* lo conto, Z // le conto, RS // .

vida vencido y encerrado de sus enemigos sin ningún remedio, que el donzel muy hermoso Esplandián lo hizo saber a Amadís; y cómo luego partió con la gente, y todas las cosas que le acaescieron en el camino, a lo cual[50] él avía sido presente; y cómo llegó Amadís a la villa, y de la manera que el Rey su padre estava; y cómo en su llegada todos sus enemigos fueron destruidos, muertos y presos, y preso el rey Arávigo y Arcaláus el Encantador, y Barsinán, Señor de Sansueña, y el Duque de Bristoya; y después cómo el Rey su padre salió tras Amadís, que sin le ver se tornava; y cómo llegó el rey Perión. Finalmente le contó todo lo passado, y de cómo estavan en aquel monesterio con mucho plazer todos juntos como aquel que lo avía visto. Oriana, que de lo oír estava como fuera de sentido de gran plazer que avía, fincó los inojos en tierra, y alçó las manos y dixo:

—¡O Señor poderoso, reparador de todas las cosas, el tu sancto nombre sea bendito! Y como tú, Señor, seas el justo juez y sabes la gran sinrazón que a mí se me haze, siempre tuve esperança en la tu misericordia, que con mucha honra mía y de los que de mi parte fuessen se avía de atajar este negocio. Y bendito sea aquel muy hermoso donzel que de tanto bien fue causa, y que assí quiso hazer verdadera la profecía de Urganda la Desconoscida que dél escrivió, por donde se puede y deve creer todo lo ál que se dixo. Y yo soy muy obligada de le querer y amar más que ninguno pensar puede, y de le galardonar la buena ventura que por él me viene.

Todas pensavan que por aver sido causa de aquel socorro que a su padre el Rey hizo lo dezía, pero lo secreto salía de las entrañas como de madre a hijo. Entonces se levantó y dixo al enano si se bolvería luego. Él dixo que sí, que Amadís le avía mandado que, después que aquellas nuevas dixesse a ella y aquella señoras que allí estavan, diesse una carta a Isanjo que le traía, en que le mandava que luego le embiasse los romanos que allí tenía presos.

—Pues Ardián, mi amigo —dixo Oriana—, dime qué gozes[51] que se dize allá que querrán fazer.

---

[50] *a lo cual:* a la qual, Z // a lo qual, RS // .
[51] *gozes:* gozos.

—Señora —dixo él—, yo no lo sé cierto, sino que el Rey vuestro padre detiene al rey Perión y a mi señor, y a todos los señores y cavalleros que de aquí fueron, y dize que no quiere que d'allí se vayan hasta que todo sea despachado con mucha paz que entr'ellos quede.

—Assí plega a Dios que sea —dixo Oriana.

Entonces le preguntaron la reina Briolanja y Melicia, que estavan juntas, que les dixesse d'aquel muy fermoso donzel Esplandián qué tal era y en qué avía tenido el rey Lisuarte aquel gran servicio que le hizo, y él les dixo:

—Buenas señoras, estando yo con Amadís en la cámara del Rey, vi llegar a Esplandián a le besar las manos por las mercedes que le prometía; y vi cómo el Rey le tomó con sus manos por la cabeça y le besó los ojos. Y de su fermosura os digo que, ahunque él es hombre y vosotras presumís de muy hermosas, si delante dél os falláredes, asconderos íades y no osaríades parescer[52].

—Por esso está bien —dixeron ellas— que estamos aquí encerradas donde no nos verá.

—No curéis desso —dixo él—, que él es tal que, ahunque más encerradas estéis vosotras y todas las que hermosas son, saldréis a lo buscar.

Mucho rieron todas con las buenas nuevas que oían y con lo que el enano respondió. Oriana miró a la reina Sardamira y díxole:

—Reina señora, alegradvos, que aquel Señor que ha dado remedio a las que aquí estamos no querrá que vos quedéis olvidada.

La Reina dixo:

—Mi señora, tal esperança tengo yo en Él y en vos que miraréis por mi reparo, ahunque no os lo merezca.

---

[52] *asconderos íades y no osaríades parescer:* os esconderíais y no os atreveríais aparecer. Si bien se trata de un diálogo risueño, y de un elogio, me parece significativo que se estime la hermosura de Esplandián por encima de la de las mujeres. En el argumento subyace una clara superioridad del hombre, pero debe tenerse en cuenta la equiparación entre bondad y belleza: «Si es fermoso de persona, ya en la cara trae la imagen de las virtudes que tiene dentro, ca el ánima sigue la conplixión del cuerpo; si tiene fijos ya tiene a quién enseñar sus virtudes», Martín de Córdoba, *Compendio de la fortuna,* 20a.

Entonces preguntó al enano qué tales avían quedado aquellos desdichados y sin ventura romanos que con el rey Lisuarte estavan.

Él dixo:

—Señora, assí dellos como de los otros faltan muchos, y los que son bivos están mal llagados. Mas después de la muerte del Emperador y Floyan y Constancio no falta ningún hombre de cuenta dellos, que yo vi bueno Arquisil y fablar mucho con mi señor Amadís; y Flamíneo, vuestro hermano, queda ferido pero no mal, según se dezía.

La Reina dixo:

—A Dios plega que, pues en los muertos no ay remedio, que lo aya en los bivos y les dé gracia que, no curando de las cosas passadas, queden amigos y con mucho amor en lo presente y porvenir.

El enano dixo a Oriana si mandava algo, que quería ir a recaudar el mandado de su señor. Ella dixo que, pues no traxera carta, que le encomendasse mucho al rey Perión y Agrajes, y a todos aquellos cavalleros.

Con esto se fue a Isanjo y le dio la carta de Amadís; y como vio lo que por ella mandava, sacó luego de una torre aquellos señores de Roma por quien embiava y dioles bestias, y un hijo suyo y otras personas que los levassen y guiassen, [y] les hiziessen dar viandas y todas las cosas que oviessen menester. Y soltó todos los otros que estavan presos, que serían hasta dozientos hombres, y embiólos a Amadís.

Así anduvieron por su camino hasta que llegaron al monesterio donde el rey Lisuarte estava; y besáronle las manos, y el Rey los recibió con mucho plazer, ahunque otra cosa en lo secreto sintiesse, por no les dar más congoxa que en sí tenían. Mas cuando vieron Arquisil, no pudieron escusar que las lágrimas no les vinieren a los ojos, así a ellos como a él. Amadís les fabló con mucha cortesía, y los alegró[53] mucho y levó a su aposentamiento, donde dél recibieron mucha honra y consolación[54]. Pues allí llegados, después que del camino algo descansaron, Amadís se apartó con ellos sin Arquisil, y díxoles:

---

[53] *alegró:* allego, ZR // alegro, S Place // .
[54] *consolación:* consalacion, Z // consolacion, RS // .

—Buenos señores, yo vos hize[55] aquí venir porque me paresció que, según las cosas van a buen fin, que es cosa muy razonable que estoviéssedes presentes a todo lo que se hará, que de hombres tan honrados con mucha razón se deve hazer cuenta, y también por vos hazer saber cómo yo tengo palabra de Arquisil, como creo que avréis oído, que terná prisión donde por mí le fuere señalado. Y conosciendo el gran linaje donde viene, y la nobleza suya que le acarrea a merescer muy gran merescimiento[56], acordé de vos hablar, pues que en el imperio de Roma no vos queda quien tanto con derecho como este cavallero lo deva aver, que se tenga manera cómo, así por vosotros como por todos los que aquí se fallen, sea jurado y tomado por señor. Y en esto haréis dos cosas: la primera, complir con que obligados sois en dar el señorío a cuyo es de derecho, y cavallero tan complido en todas bondades, y que muchas mercedes vos hará; y la otra, que en cuanto a la prisión suya y vuestra, yo avré por bien de os dexar libres que sin entrevalo alguno vos podáis ir a vuestras tierras; y siempre vos seré buen amigo mientra vos pluguiere, que yo precio mucho a Arquisil y le tengo gran amor tanto como a hermano verdadero, y assí gelo guardaré, si por él no se pierde, en esto[57] que vos he fablado y en todo lo ál que le tocare.

Oído esto por aquellos señores romanos, rogaron a Brondajel de Roca, que era muy principal y muy razonado entre ellos, que le respondiesse, el cual le dixo:

—En mucho tenemos, señor Amadís, vuestra graciosa habla, y mucho vos deve ser gradescida; pero, como este hecho sea tan crescido y para ello[58] es menester el consentimiento de muchas voluntades, no podríamos assí al presente responder hasta que con los cavalleros que aquí son se platique; porque, ahunque de muchos de los que aquí vienen no se faze cuenta, muy principales son para esto, señor, que nos dezís, porque en nuestra tierra tienen muchas fortalezas y cibdades y villas del

---

[55] *hize:* hizo, Z // hize, RS // .
[56] De nuevo el autor utiliza la derivación *merescer-merescimiento,* tan del gusto del xv.
[57] *en esto:* en este, Z // en esto, RS // .
[58] *para ello:* para ellos, ZR // para ello, S // .

imperio, y otros oficios de comunidades que tocan mucho a la eleción del imperio. Y por esto, si vos pluguiere, nos daréis lugar que veamos a Flamíneo, que es un cavallero muy honrado, que nos han dicho que está ferido; y en su presencia serán por nosotros todos llamados, y se vos podrá dar deliberadamente la respuesta.

Amadís lo tovo por bien, y les dixo que respondían como cavalleros cuerdos y lo que devían, y que les rogava, porque creía que su partida de allí sería breve, no oviesse dilación. Ellos le dixero[n] que así se haría, que la tardança sería para ellos más grave.

Pues luego cavalgaron todos tres, y se entraron en la villa, que ya de los muertos estava desembargada, que el rey Lisuarte mandó venir de las comarcas muchas gentes que los enterraron. Y como llegaron a la posada do Flamíneo estava, descavalgaron y entraron en su cámara. Y como se vieron, fueron muy ledos en sus voluntades, ahunque los continentes muy tristes por la gran desventura que les avía venido. Y luego le dixeron cómo era menester que hiziesse llamar todos los alcaides[59] y personas señaladas que avían quedado bivos de los que allí estavan, porque era necessario que supiessen una habla que Amadís les avía hecho en que estava su deliberación, o prisión para siempre. Flamíneo los mandó llamar; y venidos los que venir pudieron, estando juntos, Brondajel de Roca les dixo:

—Honrado cavallero Flamíneo y vosotros, buenos amigos, ya sabéis las malas dichas y grandes fortunas que sobre todos los de Roma son venidas después que por mandado del nuestro Emperador, que Dios perdone, venimos en esta isla de la Gran Bretaña; y porque tan notorias son a vosotros será escusado repetirlas agora. Nosotros estando presos en la Ínsola Firme, Amadís de Gaula tuvo por bien de nos fazer venir aquí donde nos veis; el cual con mucho amor y buena voluntad nos ha traído y hecho muchas honras, y nos ha fablado largamente diziendo que, pues nuestro imperio romano está sin señor, y

---

[59] *alcaides:* los que tenían a cargo la defensa o guarda de alguna fortaleza, bajo juramento y pleito homenaje. «E el alcayde que tenía puesto en la fortaleza era uno que se llamaba Alonso Gonçález de León», *Crónica de don Álvaro de Luna,* 342, 18.

de derecho, más que a otro alguno le viene la sucesión dél a Arquisil, que él será agradable en que por vosotros y nosotros sea por señor y emperador tomado, y que no solamente nos dará por libres de la prisión que sobre nosotros tiene, mas que nos será fiel amigo y ayudador en todo lo que menester le oviéremos. Y paresciónos, según el afición a esto que vos dezimos mostró, que tiene por dicho que, si con voluntad de nosotros se hiziesse, que nos dará las gracias que oístes; y si no, de se poner con sus fuerças para que por otra vía[60] se haga. Así que, buen señor, y vos, buenos amigos, esto es lo que para que aquí fuistes llamados. Y porque vuestras voluntades se determinen sabiendo las nuestras, es mucha razón que se vos declaren; lo cual es que hemos platicado entre nos mucho sobre esto, y hallamos que lo que este cavallero Amadís nos pide y ruega es lo que nos havíamos con mucha afición de rogar y pedir a él; porque, como sabéis, aquel tan gran señorío de Roma no puede estar sin señor. Pues, ¿quién más por derecho, por esfuerço[61], por virtudes, que este Arquisil lo meresce? Por cierto, a mi ver, ninguno. Este es nuestro natural, criado entre nosotros. Sabemos[62] sus buenas costumbres y maneras; a éste sin empacho podemos pedir por fuero lo que, seyendo derecho, otro por ventura que estraño fuesse no[s] lo negaría. Demás desto, ganamos en amistad a este famoso cavallero Amadís, que assí como seyendo enemigo tanto poder tuvo de nos dañar, seyendo amigo con aquel mismo mucha honra y bien nos puede hazer, y emendar todo lo passado. Agora dezid lo que vos plaze, y no miréis en nuestra prisión ni fatiga, sino solamente a lo que la razón y justicia os guiare.

Como las cosas justas y honestas tengan tanta fuerça que ahun los malos sin gran empacho negar no las puedan, assí estos cavalleros, como personas discretas y de buen conoscimiento, veyendo ser mucho justo y a lo que eran obligados lo que aquel cavallero Brondajel de Roca dixo, no le pudieron contradezir; ahunque, como siempre acaesce en las muchas voluntades aver diversas discordias, tantos uvo allí que a la razón

---

[60] *otra vía:* otro via, R // otra via, RS // .

[61] *esfuerço:* esforço, Z // esfuerça, R // esfuerço, S // .

[62] *Sabemos:* sabemus, Z // sabemos, RS // .

miraron y la siguieron, que los que otra cosa quisieran no uvo lugar su desseo; y todos juntamente dixeron que assí como Amadís lo demandava se hiziesse, y con su Emperador se tornassen a sus casas sin se más detener en aquellas tierras donde mal andantes avían sido, y que a ellos como a muy principales dexavan a cargo de lo que Arquisil avía de jurar y prometer. Y con este assiento se tornaron a Amadís al monesterio, y dixéronle todo lo que estava concertado, de que uvo gran plazer. Pues finalmente juntos todos los cavalleros y grandes señores de los romanos, y las otras gentes más baxas del imperio, dentro en la iglesia juraron a Arquisil por su emperador y le prometieron vasallaje; y él les juró todos sus fueros y costumbres, y les hizo y dio todas las mercedes que con razón le pidieron.

Así que por esto podemos dezir que algunas vezes vale más ser sojuzgados y apremiados de los buenos fuera de nuestra libertad que con ella servir y obedescer a los malos, porque de lo bueno bueno se espera en la fin sin duda en ello[63] poner, y de lo malo, ahunque algún tiempo tenga flores, al cabo han de ser secas con las raízes; donde procede que este Arquisil fue criado con hombres de su sangre que fue el emperador Patín, al cual muchos señalados servicios hizo en honra de su corona imperial; y en lugar de aver conoscimiento dellos le traxo desviado, casi desterrado y maltratado de donde él estava, temiendo que la virtud y buenas mañas deste cavallero, por donde avía de ser querido y amado y hechas muchas mercedes, le avían de quitar el señorío; y seyendo preso de su enemigo donde no esperava gracia ni honra ninguna, antes todo al contrario, déste, por ser tan diverso y acabado en la virtud que al otro fallescía, le vino aquella tan gran honra, tan gran estado, como ser emperador de Roma; en lo cual deven tomar todos enxemplo y llegarse a los virtuosos y cuerdos, porque de lo bueno su parte les alcance, y apartarse de los malos escandalosos[64], embidiosos de poca virtud y de muchos vicios, porque assí como ellos dañados no sean.

---

[63] *ella:* ella, Z // ello, R Place // .
[64] *escandalosos:* escandolosos, Z // escandalos, R // escandalosos, S // .

## Capítulo CXVIII

*De cómo el rey Lisuarte hizo juntar los Reyes y grandes señores y otros muchos cavalleros en el monesterio de Lubaina, que allí con él estavan, y les dixo los grandes servicios y honras que de Amadís de Gaula avía recebido, y el galardón que por ellos le dio.*

Así como avéis oído, fue tomado por emperador de Roma este virtuoso [y] esforçado[1] cavallero Arquisil a causa de su buen amigo Amadís de Gaula. Agora cuenta la istoria que todos estos Reyes, Príncipes y cavalleros estuvieron muy viciosos a su plazer en aquel monesterio y en la villa de Lubaina hasta que el rey Lisuarte fue en mejor disposición de salud y se levantó de la cama, y otros muchos de sus nobles cavalleros que heridos avían estado, curando dél y dellos aquel maestro grande Elisabad. Y como assí el rey Lisuarte se viesse, hizo un día llamar a los Reyes y grandes señores de ambas partes, y junto con ellos en la iglesia de aquel monesterio, les dixo:

—Honrados Reyes y famosos cavalleros, muy escusado me paresce traeros a la memoria las cosas passadas, pues que así como yo las avéis visto; en las cuales, si atajo no se diesse, los bivos que somos de los muertos iguales nos haríamos. Pues dexándolas aparte, conosciendo el gran daño que assí al servicio de Dios como a nuestras personas y estados ocurrería en ellas procediendo, he detenido al noble rey Perión de Gaula y a todos los Príncipes y cavalleros de su parte para que en presencia suya y vuestra se diga lo que oiréis.

Entonces, bolviéndose a Amadís, le dixo:

—Esforçado cavallero Amadís de Gaula, según la fin y propósito de mi habla, fuera de mi condición, que es no loar a ninguno en presencia, y de vuestro querer, que siempre dello empacho rescibe, me será forçado delante destos Reyes y cavalleros reduzir a sus memorias las cosas passadas entre vos y mí desde el día que en mi corte quedastes por cavallero de la reina Brisena mi muger. Y ahunque a todos ellos sean notorias,

---

[1] *virtuoso [y] esforçado:* virtuoso esforçado, ZR // virtuoso y esforçado, S //.

veyendo que así como ellas passaron por mí son conoscidas, ternían a bien y a honesta causa el galardón que a su merescimiento por mí se quiere dar. Cierto, estando vos en mi casa después que vencistes a Dardán el Sobervio, y aviéndome traído para mi servicio a vuestro hermano don Galaor[2], que fue el mayor don que nunca a rey se hizo, yo fue enartado[3], y mi hija Oriana, por este malo Arcaláus el Encantador, y assí ella como yo presos sin que de todos mis cavalleros pudiesse ser defendido ni socorrido, costreñidos a guardar mi palabra que gelo defendió; donde teníamos ella y yo en peligro de muerte y de cruel prisión las personas, y mis reinos en aventura de ser perdidos. Pues a este tiempo veniendo vos y don Galaor de donde la Reina vos avía embiado, sabiendo en el estado que mi hazienda estava, poniendo entrambas vuestras vidas en el punto de la muerte por remediar las nuestras, fuimos remediados y socorridos, y mis enemigos los que presos nos llevavan muertos y destroçados. Y luego por vos fue socorrida la Reina mi muger, y muerto Barsinán, padre deste Señor de Sansueña, que la tenía cercada en la mi cibdad de Londres, de manera que así como con mucho engaño y gran peligro fue preso, así con mucha honra y seguridad mía y de mis reinos por vos fue restituido. Esto passado, dende algún espacio de tiempo fue aplazada batalla entre mí y el rey Cildadán, que presente está, de ciento por ciento cavalleros; y antes que a ella viniéssemos, vos me quitastes de mi estorvo a este cavallero don Cuadragante, y a Famongomadán y Basagante su hijo, los dos más bravos y fuertes jayanes que en todas las ínsolas del mar avía. Y les tomastes a mi hija Leonoreta con sus dueñas y donzellas y diez cavalleros de los buenos de mi mesnada, que los levavan presos en carretas donde con todo mi poder nunca la pudiera cobrar, pues según la gente que el rey Cildadán a la batalla traxo, assí de fuertes jayanes como de otros muy valientes cavalleros, si por vos no fuera, que de un golpe matastes al fuerte Sardamán el León, y de otro me librastres de las manos de Mandanfabul, el jayán de la Torre Bermeja, que desapoderado

---

[2] *Galaor:* Golaor, Z // Galaor, RS // .

[3] *fue enartado:* fui engañado. «Lanzar delante alguna berdad, por que sea creýdo de aquel que enartar», G. Díez de Games, *El Victorial,* 68, 34.

de todas mis fuerças, sacándome de la silla, debaxo el braço me levava a meter en sus barcas, y por otras muchas cosas famosas que en la batalla fezistes, conoscido es que no oviera yo la vitoria y gran honra que allí uve. Pues junto con esto, vencistes aquel muy valiente y famoso en todo el mundo Ardán Canileo el Dudado, por donde mi corte fue muy honrada en se hallar en ella lo que en ninguna de las qu'él anduvo pudo hallar, que en ellas ni en todas las partes que él fue, ni dos, uno, ni tres, ni cuatro cavalleros le pudieron ni osaron tener campo. Pues si queremos dezir que a todo esto érades obligado, pues que vos hallávades[4] en mi servicio y que la gran necessidad y la obligación que sobre vuestra honra teníades vos constreñía a lo hazer, dígase lo que por mí havéis hecho después que, más a mi cargo por haver dado lugar a malos consejeros que al vuestro, de mi casa más como contrario y enemigo que como amigo ni servidor vos partistes; que, sabido por vos, en el tiempo que más enemigos estávamos, la gran batalla que con este rey Arávigo y otros seis Reyes y otras muchas estrañas gentes y naciones yo huve, que venían de propósito y esperança de sojuzgar mis reinos, tovistes manera con el Rey vuestro padre y con don Florestán vuestro hermano cómo a ella viniéssedes en mi ayuda; donde con más razón y justa causa, según el rigor y saña nuestra, me deviérades ser contrarios; y cuasi por la bondad de vos todos tres, aunque de mi parte hovo muy buenos y muy preciados cavalleros, yo alcançé tan gran vencimiento, que destruyendo todos mis enemigos asseguré mi persona y real estado, con mucha más honra y grandeza que la que de antes tenía. Agora viniendo al cabo, yo sé que a vuestra causa en la segunda batalla que ovimos fue quitada y reparada la gran afrenta en que yo y todos los de mi parte estávamos, como ellos saben, que entiendo que cada uno sintió en sí lo que yo, pues en este socorro postrimero bien será escusado traerlo a la memoria, que aún la sangre de nuestras llagas corre y las ánimas no han tenido lugar de tornar a sus moradas, según ya de nosotros eran alexadas y despedidas[5]. Agora,

---

[4] *hallávades:* hallavedes, Z // hallavades, RS // .
[5] Al final del libro, Rodríguez de Montalvo tiende a recapitular los sucesos más importantes de la obra, pero no como resumen puesto en boca del narrador, sino como síntesis del personaje que agradece los servicios del héroe.

buenos señores, me dezid, ¿qué galardón se puede dar que a la igualeza[6] de tan grandes servicios y cargos satisfazer pueda? Por cierto, ninguno salvo que honrada y acatada está mi persona mientra que sus días duraren, que estos mis reinos y señoríos, que juntos con ella tantas vezes por la mano y bondad deste cavallero han sido socorridos y amparados, los haya en casamiento con Oriana mi hija; y que assí como por voluntad ellos dos son juntos en matrimonio sin lo yo saber, assí sabiéndolo, queriéndolo, queden por mis hijos sucessores herederos de mis reinos[7].

Amadís, cuando oyó el consentimiento que el Rey tan público dava para que a su señora oviesse, que en comparación della todas las otras cosas por él contadas y dichas no tenía tanto como en nada, fue al Rey y hincó los inojos, y, aunque no quiso, le besó las manos, y le dixo:

—Señor, si a la vuestra merced plugiera, todo esto que en loor mío se ha dicho se pudiera escusar, porque, según las mercedes y honras que yo y mi linaje de vos recebimos, a mucho mayores servicios éramos obligados. Y por esto, señor, no vos quiero dar gracias ningunas; pero por lo postrimero, no digo de la herencia de vuestros grandes señoríos, mas darme por su voluntad a la infanta Oriana, os serviré todos los días que biva con la mayor obediencia y acatamiento que nunca hijo a padre ni servidor a señor lo hizo.

El rey Lisuarte lo abraçó con muy grande amor, y le dixo:

—Pues en mí hallaréis aquel amor tan entrañable como con vos lo tiene este Rey que vos engendró.

---

[6] *igualeza:* igualdad. «¿Qué ygualeza de justiçia os paresçe tal como ésta...?», Teresa de Cartagena, *Arboleda de los enfermos,* 54, 13.

[7] Se produce una adecuación artística e histórica a los esquemas habituales del relato tradicional, en el que el héroe «no hereda casi nunca el reino de su padre: llega a una tierra extranjera, se casa con la princesa después de haber realizado las empresas difíciles y reina allí. Si esto se narra en los países en que desde hace ya tiempo el poder se transmite de padre a hijo y no de suegro a yerno, esto significa que el cuento ha conservado una situación más antigua», V. Propp, *Las raíces históricas del cuento,* Madrid, Fundamentos, 1974, pág. 493, quien retoma el clásico estudio de J. G. Frazer, *La rama dorada. Magia y religión,* México, FCE, 1974. Por otra parte, era habitual la muerte del suegro a manos del yerno, hecho que en nuestra obra no se produce, aunque sí una forma más atenuada al ser derrotado Lisuarte por Amadís.

Todos fueron mucho maravillados cómo el Rey en su habla atajó aquellos grandes huegos[8] de enemistades que tan gran tiempo havían durado, sin quedar cosa alguna en que fuesse necessario de entender. Y si dello les plugo, escusado será dezirlo; porque, aunque al comienço los unos y otros con gran sobervia se demandassen según las muertes[9] de los suyos avían visto y las suyas tan cercanas, mucho estavan ledos de aver paz. Y preguntávanse unos a otros si sabían por qué el Rey dixera que Amadís y Oriana estavan juntos en matrimonio, porque después que la tomaron en la mar y la levaron a la Ínsola Firme nunca en ellos tal cosa sintieron, pues de antes mucho menos. Mas el Rey, que lo sintió, rogó al santo hombre Nasciano que assí como a él gelo havía dicho gelo dixesse a aquellos señores porque supiessen el poco cargo que Amadís tenía en la aver tomado en la mar, y también cómo él estava sin culpa no lo sabiendo en la dar al Emperador; y cómo si su hija sin su licencia y sabiduría[10] lo fizo, la gran causa y razón que a ello la obligó. Entonces el hombre bueno gelo contó todo como ya avéis oído que al rey Lisuarte lo dixera en el real en su tienda.

Cuando el donzel Esplandián, que el hombre bueno por la mano cabe sí tenía, oyó cómo aquellos dos Reyes eran sus abuelos y Amadís su padre, si dello le plugo, no es de preguntar. Y luego el hermitaño se hincó con él de inojos ante ambos Reyes y ante su padre, y le hizo que les besasse las manos y ellos que le diessen su bendición. Amadís dixo al rey Lisuarte:

—Señor, assí como de aquí adelante me plaze y conviene que os sirva, assí será forçado de vos demandar mercedes. Y la primera sea, que pues el Emperador de Roma no tiene mujer y es en disposición de la haver[11], que os plega darle a la infanta Leonoreta vuestra hija; y a él ruego yo que la reciba porque sus bodas y mías sea[n] juntas y juntos quedemos por vuestros hijos[12].

---

[8] *huegos:* fuegos. «Que la librasse del huego a que era juzgada», *Tristán de Leonís,* 410a.

[9] *las muertes:* los muertes, Z // las muertes, RS // .

[10] *sabiduría:* conocimiento. «De tal persona algun conocimiento ho sabiduria tengays», Juan de flores, *Grimalte y Gradissa,* 13.

[11] *haver:* huaver, Z // aver, RS // .

[12] El autor ha encontrado una solución feliz para el conflicto, puesto que se

El Rey lo tuvo por bien de lo tomar en su deudo, y luego le otorgó a Leonoreta por muger. Y el Emperador la recibió con mucho contentamiento.

El rey Lisuarte preguntó al rey Perión si había sabido algunas nuevas de don Galaor su fijo. Él le dixo que después de su venida viniera Gandalín, que lo dexara algo mejor, y que estava con mucho cuidado de su mal y con gran temor de algún peligro.

—Yo vos digo —dixo el Rey— que, ahunque él es vuestro hijo, que lo no tengo yo menos; y si no fuera por las diferencias que a tal sazón vinieron, yo por mi persona le oviera visitado. Y mucho os ruego que embiéis por él, si stuviere en disposición de venir, porque yo me partiré luego a Vindilisora, donde la Reina mandé venir, y quiero por honra de Amadís con ella y con Leonoreta mi hija bolverme luego a vosotros a la Ínsola Firme, donde se farán las bodas suyas y del Emperador, y veremos las cosas estrañas que allí Apolidón dexó. Y si a don Galaor ende hallo[13], mucho plazer me dará su vista, que gran tiempo le he desseado.

El rey Perión le dixo que assí se haría luego como lo quería. Amadís besó las manos al rey Lisuarte por la merced y honra que le dava. Y Agrajes le pidió mucho ahincado que embiasse por don Galvanes su tío, y por Madasima, y los traxiesse consigo. El rey Lisuarte dixo que le plazía dello y que assí se haría sin falta, y que luego de mañana se quería partir por se tornar presto, que ya era tiempo que aquellos cavalleros y sus gentes se bolviessen a sus tierras a descasar, que bien menester les fazía según los trabajos por ellos havían passado; y que todos hiziessen levar sus navíos al puerto de la Ínsola Firme porque de allí embarcassen todos para sus caminos.

---

logran varias de las pretensiones de los personajes. Por un lado, Amadís y Oriana contraen matrimonio público, mientras que una hija de Lisuarte, Leonorina, se casará con el Emperador de Roma. Ahora bien, en esta resolución, desde un punto de vista estamental y político se destaca la intervención de Amadís, pero desde un punto de vista amoroso y cortesano su actuación carece de sentido al proponer un casamiento sin que haya habido un proceso previo y sin que haya nacido de la voluntad de los contrayentes. En definitiva, el encumbramiento del héroe contradice los anteriores esquemas amoroso-cortesanos.

[13] *ende hallo:* allí encuentro.

El Emperador rogó mucho al rey Lisuarte que mandasse venir su flota a la Ínsola Firme, y que, pues él y la Reina avían de bolver allí, que le diesse licencia, que se quería ir con Amadís, que le avía de hablar mucho en su hazienda; y el Rey assí gelo otorgó.

CAPÍTULO CXIX

*Cómo el rey Lisuarte llegó a la villa de Vindilisora, donde la reina Brisena, su muger, estava, y cómo con ella y con su hija acordó de se bolver a la Ínsola Firme.*

Consigo tomó el rey Lisuarte al rey Cildadán y a Gasquilán, Rey de Suesa, y toda su gente, y bolvióse a la su villa de Vindilisora, donde havía embiado a mandar a la reina Brisena, su muger, que le esperasse. Pues no se cuenta más de cosa que le acaeçiesse sino que a los cinco días llegó a la villa, mostrando mejor semblante que alegría levava en el coraçón, que bien conoscía que, aunque Amadís quedava por su hijo y muy honrada su hija con él, y que assí dél como del Emperador de Roma y del rey Perión y de todos los otros grandes señores quedava por mayor, y ellos todos a su ordenança, no estava en su voluntad satisfecho, porque toda esta honra y ganancia le vino sobre ser vencido y estrechado[1] como se vos ha contado, y que Amadís, contra quien él iva como contra enemigo mortal, se levava toda la gloria. Y tan gran tristura[2] se le havía assentado en el coraçón, que en ninguna manera se podía alegrar. Mas como ya en edad creçida fuesse, y stoviesse muy cansado y enojado de ver tantas muertes y grandes males, y todo entre christianos, y que las causas por donde venían eran mundanales, pereçederas[3], y que a él como príncipe muy poderoso era

---

[1] *estrechado:* puesto en estrecho, en apuro. 1.ª doc. según el DCECH, en 1475, si bien puede encontrarse algún ejemplo anterior. Cfr.: «Su condestable le traía más apoderado e estrechado que nunca lo troxo», Fernán Pérez de Guzmán, *Generaciones y semblanzas,* pág. 43.

[2] *tristura:* tristeza. «Aunque agora parezca ocasion para tristura, plazera a Dios», *Tristán de Leonís,* 349a.

[3] Se destaca la preocupación de Lisuarte por las honras temporales, perece-

dado de las quitar a su poder ahunque algo de su honra se menoscabasse, lo cual havía siempre seguido todo al contrario, teniendo en tanto la honra del mundo, que de todo punto le havía fecho olvidar el reparo de su ánima, y que con justa causa Dios le havía dado tan grandes açotes, especial el postrimero que ya oístes, consolávase y desimulava como hombre de gran discreción, porque ninguno sintiesse que su pensamiento estava en ál sino en se tener por señor y mayor de todos, y que con mucha honra lo avía ganado.

Pues con esta alegría fingida y con gesto muy pagado llegó donde la Reina estava con sus dueñas y donzellas muy ricamente vestidas, levando por la mano al donzel Esplandián, que las cosas passadas, assí de peligro como de plazer, ya ella las sabía por Brandoivas, que de parte del Rey del monesterio delante avía venido a le dar plazer. Como el Rey entró en la sala, la Reina vino a él y fincó los inojos y quísole besar las manos, mas él las tiró a sí, y levantándola con mucho amor la abraçó como aquella a quien de todo coraçón amava. Y en tanto que las dueñas y donzellas llegaron a besar las manos al Rey, la Reina tomó entre sus braços al donzel Esplandián, que de inojos delante della estava, y començóle de besar muchas vezes, y dixo:

—¡O mi hermoso hijo bienaventurado! Bendita sea aquella ora en que naciste, y la bendición de Dios hayas y la mía, que tanto bien por tu causa me ha venido. Y a Él plega por la su santa piedad que me dé lugar que este servicio tan grande que

---

deras, actitud desaconsejada en la *Glosa castellana al regimiento de príncipes.* «Mucho es de denostar el rey y aún todo omme, si pone toda su bienandanza en las onrras, ca dende se siguen tres males. El primero es que no fará fuerza de ser bueno, mas de parescer bueno porque pueda ser onrrado, e así será malo e engannoso [...] Lo segundo, será presuntuoso e exponedor de peligros a sí e a sus pueblos, ca como él ama mucho la onrra así como toda su bienandanza, por alcanzar onrra pondrá a sí e a sus pueblos en grandes peligros [...] Lo tercero, el rey será torticiero e desigual», I, 41. Algunas de estas consecuencias se han producido en el relato en el comportamiento del Rey y en el posterior enfrentamiento con Amadís. De acuerdo con estas premisas teóricas y narrativas, es lógico que desee preocuparse por otro tipo de honras, como también se aconsejaba: «E San Gregorio en la omelía XLI.ª dice que fuyó Jesucristo ensennándonos a fuir de las onrras mundanales, e vino aquí entre nos a ensennarnos menospreciar las onrras deste mundo e amar las onrras del otro», *ibidem,* I, 44.

al Rey mi señor heziste en ser causa, después de Dios, de le dar la vida yo lo pueda satisfazer.

Estonces llegaron el rey Cildadán y Gasquilán, Rey de Suesa, a hablar a la Reina, y ella los recibió con mucha cortesía, como aquella que era una de las cuerdas y bien criadas dueñas del mundo, y después a todos los otros cavalleros que llegaron a le besar las manos. A esta sazón era ya tiempo de cenar, y quedaron con el Rey aquellos dos Reyes y otros muchos cavalleros, a quien dieron en la cena muchos y diversos manjares, como en mesa de tal hombre y que tantas vezes lo havía dado y por costumbre lo tenía.

Después que cenaron, el Rey fizo quedar en su palacio aquellos Reyes en muy ricos aposentamientos, y él se acogió a la cámara de la Reina; y estando en su cama, le dixo:

—Dueña, si por ventura os havéis maravillado de las nuevas que vos han dicho de Oriana vuestra hija y de Amadís de Gaula, también lo hago yo, que ciertamente bien creo que de vos y de mí estava aquel pensamiento alexado y sin ninguna sospecha dello. No me pesa sino porque ante no lo supimos, que escusarse pudieran tantas muertes y daños como de la causa de lo no saber han sucedido. Agora que a nuestra noticia viene, y ningún remedio se pudiera buscar ni dar que con más deshonra no fuesse, tomemos por remedio que Oriana quede con el marido que le plugo tomar, pues quitada la saña y passión d'en medio, y conosciendo lo verdadero y justo, no hay hoy en el mundo emperador ni príncipe que a él se pueda igualar; y no solamente igualar, mas que con su sobrada discreción y gran esfuerço, siéndole la fortuna más favorable que a ninguno de los nacidos, estando como un cavallero andante pobre tiene hoy a su mandar toda la flor de los grandes y pequeños que en el mundo biven; y Leonoreta será emperatriz de Roma, que assí lo dexo yo otorgado. Assí que es menester que, pues yo de mi propia voluntad por honra de Amadís di palabra que seríamos vos y yo y Leonoreta en la Ínsola Firme, donde nos aguardan para dar cabo en todo, os adrecéis según que conviene, y mostrando el rostro con tanta alegría, dexando de hablar en las cosas passadas, como en los tales autos se conviene y deve fazer.

La Reina le besó las manos porque assí quiso forçar su saña

y fuerte coraçón y venir en lo assentado[4]; y sin más le replicar le dixo que como lo mandava se pornía en obra, y que pues tales dos fijos le quedavan, y todos los otros por causa dellos a su servicio, que lo toviesse por bien y diesse muchas gracias a Dios porque assí lo quiso hazer, aunque la forma dello no hoviesse sido conforme mucho a su voluntad.

Assí folgaron aquella noche. Y otro día se levantó el Rey, y mandó al rey Arbán de Norgales, su mayordomo, que fiziesse aparejar muy prestamente todas las cosas necessarias para aquella ida. Y la Reina assí lo hizo, porque su hija fuesse como convenía a emperatriz de tan alto señorío.


## Capítulo CXX

*Cómo el rey Perión y sus compañas se tornaron a la Ínsola Firme, y de lo que hizieron antes que el rey Lisuarte allí con ellos fuesse.*


Agora dize la historia que el rey Perión y sus compañas, después que el rey Lisuarte dellos se partió para Vindilisora[1], donde la reina Brisena su muger estava, cavalgaron todos con sus batallas concertadas como allí havían venido, y con mucho plazer y alegría de sus coraçones se fueron camino de la Ínsola Firme. El Emperador de Roma siempre posó con Amadís en su tienda, y entrambos dormían en una cama, que nunca una hora eran partidos de en uno[2]. Y toda su gente y tiendas y ata-

---

[4] *venir en lo assentado:* llegar, acomodarse a lo pactado. «Fue asentado [...] que el príncipe y la princesa fuesen a la cibdad», Fernando del Pulgar, *Crónica de los Reyes Católicos,* 54, 18.

[1] *Vindilisora:* Vindelisora, Z // Vindilisora, RS // .

[2] *partidos de en uno:* separados. «Agora no quiere Nuestro Señor que nos partamos de en uno», *Demanda del Sancto Grial,* 209b. De la misma manera que al comienzo del libro el rey Garínter compartía la habitación con Perión, obstáculo solucionado por Darioleta para poder lograr la cita amorosa, tal costumbre como la de compartir la cama deberá entenderse como rasgo de amistad y de honra. Como argumenta Johan Huizinga, *El otoño de la Edad Media,* págs. 86-87, «con frecuencia son dos amigos de la misma edad, pero de distinto rango, los que se visten igual y duermen en un mismo cuarto y a veces en una misma cama». Con algunos matices diferentes puede comprobarse una actitud similar en la *Crónica de don Álvaro de Luna,* 33, 20: «una noche, en queriéndose acostar el Rey, llamó a don Álvaro, e mandóle que se acostase a los pies de su cama».

víos eran en guarda de Brondajel de Roca como su mayordomo mayor, assí como lo fuera del emperador Patín, su antecessor. Las jornadas que andavan eran muy pequeñas, y siempre hallavan sus posadas en lugares muy solazosos y aplazibles[3]. Y cuanto hazían algún poco de compaña al rey Perión en su tienda, luego se recogían todos juntos a las tiendas de Amadís, y otras vezes a las del Emperador; y como todos los más fuessen mancebos y de gran guisa y criança, nunca estavan sino jugando y burlando en cosas de plazer, assí que llevavan la mejor vida que tovieran grandes tiempos havía.

Pues assí llegaron a la Ínsola Firme, donde hallaron a Oriana, y a todas las grandes señoras que allí estavan, en la huerta, tan hermosas y ricamente vestidas, que maravilla era de las ver; que no creáis que pareçían personas terrenales ni mortales, sino que Dios las havía fecho en el cielo y las havía allí embiado[4]. La grande alegría que los unos y otros ovieron en se ver assí juntos y sanos con tanta honra y concierto de paz no se vos podría en ninguna manera dezir. El rey Perión iva delante, y todas le fizieron muy grande acatamiento, y con mucha humildad le saludaron las que assí les convenía hazer, y las otras le besaron las manos. Amadís llevava por la mano al Emperador, y llegóse a Oriana y díxole:

—Señora, hablad a este cavallero y gran príncipe que vos nunca vio, y vos mucho ama.

Ella, como ya sabía que era el Emperador y havía de ser marido de su hermana, llegó a él y quiso hincar los inojos y besarle las manos; mas él se abaxó con muy gran acatamiento y la levantó, y dixo:

—Señora, yo soy el que me devo humillar ante [v]os y ante vuestro marido, porque él es señor de mi tierra y de mi persona; que podéis sin falta, señora, creer que de lo uno ni otro no se fará sino lo que su voluntad y vuestra fuere.

Oriana le dixo:

---

[3] *solazosos y aplazibles:* placenteros, que causan solaz, y apacibles. «Muchas e diversas maneras de plazeres e solazosos deportes», *Crónica de don Álvaro de Luna*, 254, 2. «Por su honestidad muestran un frío esterior, un sosegado vulto, un aplazible desvío», *Celestina*, VI, 102.

[4] De nuevo aparece el topos de la dama como obra maestra de Dios. Véase la nota 11 del capítulo CV.

—Mi señor, esso consiento yo cuanto al buen gradeçimiento vuestro, mas al acatamiento que a la virtud y grandeza vuestra se deve yo soy la que con mucha obediencia vos devo tratar.

Él le rendió muchas gracias por ello.

Agrajes y don Florestán, y don Cuadragante y don Brian de Monjaste, se fueron a la reina Sardamira y a Olinda y Grasinda, que estavan juntas; y don Bruneo de Bonamar, a la su muy amada señora Melicia, y los otros cavalleros, a las otras Infantas y donzellas muy hermosas y de gran guisa que allí estavan; y con mucho plazer hablaron con ellas en lo que más sabor havían. Amadís tomó a Gastiles, sobrino del Emperador de Costantinopla, y a Grasandor, fijo del Rey de Bohemia, y llególos a la infanta Mabilia su cormana, y díxole:

—Mi buena señora, tomad estos dos Príncipes y hazeldes honra.

Ella los tomó por las manos y sentóse entre ambos. A Grasandor plugo mucho desto, porque, como vos hemos contado, el día primero que la vio fue su coraçón otorgado de la amar. Y conoçiendo quién ella era, y su gran bondad y gentileza y el gran deudo y amor que la tenía Amadís, determinado estava de la demandar por muger, y desseava mucho verla hablar, tratarla en alguna contratación⁵, y por esto huvo mucho plazer de se ver tan cerca della. Pero como esta Infanta fuesse una donzella tan stremada en toda bondad y honestidad y gracia con gran parte de hermosura, tan pagado fue Grasandor della, que muy mayor afición que de ante tenía le puso.

Assí como oídes, estavan todos aquellos señores gozando de aquello que más desseavan sino Amadís, que havía gran desseo de hablar a su señora Oriana, y no podía con el Emperador. Y como vio a la reina Briolanja, que stava cabe don Bruneo y su hermana Melicia, fue para ella, y tráxola por la mano y dixo al Emperador.

—Señor, fablad a esta señora y fazelde compaña.

El Emperador bolvió el rostro, que ahún fasta allí nunca havía quitado los ojos de Oriana, que de ver su gran hermosura estava espantado; y como vio la Reina tan loçana y tan fermo-

⁵ *contratación:* trato, comunicación. Para Nebrija, *contrectatio. Communicatio.*

sa, y a las otras señoras que con aquellos cavalleros estavan hablando, mucho se maravilló de ver personas tan estremadas de todas cuantas hoviesse visto; y dixo a Amadís:

—Mi buen señor, yo creo verdaderamente que estas señoras no son nacidas como las otras mujeres, sino que aquel gran sabidor Apolidón por su gran arte las hizo y las dexó aquí en esta ínsola, donde las fallastes, y no puedo pensar sino que o ellas o yo estemos encantados; que puedo dezir, y es verdad, que si en todo el mundo tal compaña como ésta se buscasse, no sería possible poderse hallar.

Amadís le abraçó riendo, y díxole si avía en alguna corte, por grande que fuesse, visto otra tal compaña. Él le dixo:

—Por cierto, yo ni otro alguno la pudo ver, si no fuesse en la del cielo.

Ellos assí estando como oís, llegó a ellos el rey Perión, que avía estado hablando gran pieça con la muy hermosa Grasinda, y tomó por la mano a la reina Briolanja, y dixo al Emperador:

—Buen señor, estemos vos y yo, si a vos plazerá, con esta fermosa Reina, y Amadís hable con Oriana, que bien creo que con ella gran plazer havrá.

Así quedaron ambos con la reina Briolanja, y Amadís se fue con gran alegría a su señora Oriana, y con gran humildad se sentó con ella a una parte y díxole:

—¡O señora! ¿Con qué servicios puedo pagar la merçed que me havéis hecho, en que por vuestra voluntad sean descubiertos[6] nuestros amores?

—Oriana dixo:

—Señor, ya no es tiempo que por vos se me diga tanta cortesía, ni yo la reciba, que yo soy la que tengo de servir y seguir vuestra voluntad con aquella obediencia que mujer a su marido deve[7]. Y de aquí adelante en esto quiero conoscer el gran

---

[6] *sean descubiertos:* se han descubiertos, Z // sean descubiertos, RS // .

[7] Oriana ha cambiado de actitud al publicarse sus amores, y se comporta de acuerdo con las normas recomendadas para la mujer casada. «Lo tercero que avedes de guardar es que amedes y querades a vuestros maridos después que nuestro sennor Dios sobre todas las cosas del mundo y les seades mandadas y obedientes salvo en aquellas cosas que fuessen contra nuestro sennor Dios, ca la

amor que me tenéis en ser tratada de vos, mi señor, como la razón lo consiente y no en otra manera; y en esto no se hable más sino tanto quiero saber qué tal queda mi padre y cómo tomó esto nuestro.

Amadís dixo:

—Vuestro padre es muy cuerdo, y ahunque otra cosa en lo secreto tuviesse, en lo que a todos pareçió muy contento queda, y assí se partió de nosotros. Ya, señora, sabréis cómo ha de venir aquí, y la Reina y vuestra hermana.

—Ya lo sé —dixo ella—, y el plazer que mi coraçón siente no lo puedo dezir. A Nuestro Señor plega que assí como está assentado se cumpla, sin que en ello haya alguna mudança; que podéis, mi señor, creer que después de vos no hay en el mundo persona que yo tanto ame como a él, ahunque su gran crueza deviera dar causa que con mucha razón toviera lo contrario. Agora me dezid de Esplandián qué tal queda, y qué os pareçe dél.

—Esplandián —dixo Amadís— en su pareçer y costumbres es vuestro fijo, que no se puede más dezir; y mucho quisiera el sancto hombre Nasciano traérosle; el cual será agora aquí, que no quiso venir con la gente; mas el Rey vuestro padre le rogó que gelo dexasse levar a la Reina para que lo viese, y qu'él gelo traería.

En esto y en otras cosas estuvieron hablando hasta que fue ora de cenar, que el rey Perión se levantó y tomó al Emperador, y se fueron a Oriana y dixéronle:

—Señora, tiempo es que nos acojamos a nuestras posadas.

Ella les dixo que se hiziesse como más les contentasse. Assí se salieron todos, y ellas quedaron tan alegres y contentas, que maravilla era. Todos cenaron aquella noche en la posada del rey Perión, que Amadís mandó que allí lo aparejassen, donde fueron muy bien servidos y abastados de todo lo que a tal menester convenía donde tantos y tan grandes señores estavan. Después que cenaron vinieron trasechadores[8] que hizieron muchos juegos, de que hovieron gran plazer hasta que fuera ya

---

cosa por que más se ynclina el marido a amar y onrrar a su muger es por le ser mandada y obediente», *Castigos y dotrinas*, pág. 258.

[8] *trasechadores*: en S, judadores de manos.

tiempo de dormir, que se fueron todos a sus posadas salvo Amadís, a quien el Rey su padre mandó quedar porque le quería hablar algunas cosas.

Pues todos idos, el Rey se acogió a su cámara y Amadís con él, y estando solos le dixo:

—Fijo Amadís, pues que a Dios Nuestro Señor plugo que con tanta honra tuya estas afrentas y grandes batallas passassen, que ahunque en ellas muchos príncipes de gran valer y grandes cavalleros hayan puesto sus personas y estados, a ti por la bondad de Dios se refiere la mayor gloria y fama, assí como de lo contrario tu honra y gran fama aventurava el mayor peligro, como conoscido lo tienes. Ya otra cosa no queda sino con aquel cuidado y tan gran diligencia que al comienço desta tan creçida afrenta, costriñéndote tan gran necessidad, allegaste y animaste a ti todos estos honrados cavalleros, que agora estando fuera della lo tengas mayor para te les mostrar muy gradeçido, remitiendo a sus voluntades lo que fazerse deve, assí en estos presos que son tan grandes príncipes y señores de grandes tierras, como, pues que tú ya tienes muger, que ellos las hayan juntamente contigo, porque parezca que como en los males y peligros te fueron ayudadores que assí en los bienes y plazeres te sean compañeros. Y para esto yo remito a tu querer mi hija Melicia, que la des aquel en que bien empleada sea su virtud y gran fermosura; y lo semejante hazer puedes de Mabilia tu cormana; pues bien entiendo que la reina Briolanja no saldrá ni seguirá sino tu pareçer. También te acordarás de poner con éstas a tu amiga Grasinda, y ahun a la reina Sardamira, pues aquí está el Emperador que la mandar puede. Si a ellas les agrada casar en esta tierra, no faltará igualeza de cavalleros a sus estados y linaje; y acuérdate de tus hermanos, que son ya en disposición de aver mujeres en que puedan dexar generación que sostenga la vida y remembrança de sus memorias. Y esto se faga luego, por[que] las buenas obras que con pena y dilación se fazen muy gran parte pierden de su valor[9].

---

[9] Para José A. Oria, «Toman debida venganza los romances de caballerías», *Boletín de la Academia Argentina de Letras*, XXIII (1958), 617-627, la frase es el más claro antecedente de la del *Quijote*, «advierta Sancho que las obras de cari-

Amadís hincó los inojos ante él, y bésole las manos por lo que le dixo y que assí como lo mandava se faría. Con este acuerdo se fue Amadís a su posada. Y en la mañana se levantó y fizo juntar todos aquellos señores en la posada de su cormano Agrajes, y assí juntos les dixo:

—Mis buenos señores, las grandes fatigas passadas, y la honra y prez que con ellas havéis ganado, vos dan licencia para que con mucha causa y razón a vuestros afanados[10] spíritus algún descanso y reposo deis. Y pues Dios ha querido que con vuestro deudo y amor las cosas que yo más en este mundo desseava alcançasse, assí quería que las que por vosotros se desean, si algo en mi mano es, os fuessen restituidas. Por ende, mis señores, no ayáis empacho que vuestra voluntad manifiesta me sea, assí en lo que a vuestros amores y desseos toca, si algunas destas señoras amáis y por mujeres las quisierdes, como en lo que fazerse deve destos presos que por la gran virtud y esfuerço de vuestros coraçones vencistes; porque cosa muy aguisada es que, como por causa suya muchas feridas con gran afrenta recebistes, que agora ellos padeçiendo gozéis y descanséis en aquellos grandes señoríos que ellos posseyeron[11].

Mucho gradeçieron todos aquellos señores lo que por Amadís se les profería, y muy contentos fueron dél. Y en lo que a sus casamientos tocava luego allí se señalaron. Agrajes el primero, que tomaría a Olinda su señora; y don Bruneo de Bonamar le dixo que bien creía que sabía él que toda su esperança y buena ventura tenía en Melicia su señora. Grasandor dixo que nunca su coraçón fuera otorgado a ninguna muger de cuantas viera sino a la infanta Mabilia, y que aquélla amava y la demandava por mujer. Don Cuadragante le dixo:

---

dad que se hacen tibia y flojamente no tienen mérito ni valen nada», II, XXXVI, 318-319, censurada por la Inquisición, aunque el texto de nuestra obra no tuviera ningún problema.

[10] *afanados:* acongojados, angustiados.

[11] Al final de la obra, los amigos de Amadís obtendrán una mujer y unas posesiones: en definitiva, dejan el estatuto de caballeros andantes para gobernar una casa y unas tierras. De la idealización caballeresca hemos pasado, también propiciado por las propias estructuras narrativas, a una mentalidad mucho más materialista. Las tierras no constituyen el deseo sobre el que se asienta la práctica de la caballería, pero constituyen el hito final de una larga trayectoria.

—Mi buen señor, el tiempo y la juventud hasta aquí me han sido muy contrarios a ningún reposo ni tener otro cuidado sino de mi cavallo y armas. Mas ya la razón y edad me combidan a tomar otro estilo[12]; y si Grasinda le pluguiere casar en estas partes, yo la tomaré por mujer.

Don Florestán le dixo:

—Señor, comoquiera que mi desseo fuesse, acabadas estas cosas en que hemos estado, de luego passar en Alemaña, donde de parte de mi madre natural soy, assí por la ver como a todo mi linaje que, según el gran tiempo que de allá salí, apenas los conoçería, si acá se puede ganar la voluntad de la reina Sardamira, podríase mudar mi propósito[13].

Los otros cavalleros le dixeron que le gradeçían mucho su voluntad, pero que, assí porque por estonces sus coraçones estavan libres de ser sujetos a ningunas de aquellas señoras ni a otras algunas, como por ser mancebos y no de mucha nombradía, que la edad no les havía dado más lugar para ganar más honra, de propósito stavan de no se entremeter en otras ganancias ni reposo sino en buscar las aventuras donde sus cuerpos exercitar pudiessen, y que, assí en lo de aquellas señoras que aquellos cavalleros demandavan como en lo que de los presos les dezía, ellos se desestían[14] de todo ello, y él lo repartiesse por ellos, pues que ya vida de más reposo y costa[15] les plazía tomar, y a ellos en las cosas de las armas y afrentas los pusiesse donde él pensasse que más fama y prez podrían ganar.

Amadís les dixo:

—Buenos señores, yo fío en Dios que esto que pedís será su

---

[12] Los códigos amorosos cortesanos se resquebrajan con estas actitudes, producto de otro autor y de otra época. Don Cuadragante argumenta su solicitud de matrimonio en función de su edad y de la «razón», sin que se motive su petición como producto de la pasión por la enamorada.

[13] La conducta amorosa de Florestán ha sido bastante anómala, puesto que aparece en la obra en íntima relación con Corisanda, personaje que después de llevar las noticias de Beltenebros a la corte del rey Lisuarte, a mediados del libro II, desaparece como por ensalmo. También es muy significativo que en el VI libro de la serie amadisiana, el *Don Florisando*, el héroe sea producto de los amores de Corisanda y don Florestán.

[14] *desestían*: se apartaban, renunciaban.

[15] *costa*: gasto, coste. «Bien podedes entender [...] qué alegrías e costas serían fechas», Gutierre Díez de Games, *El Victorial*, 155, 7.

servicio, y con su ayuda se hará. Y pues estos cavalleros mancebos en vos todo lo dexan, yo quiero luego repartirlo como mi juizio lo tiene determinado. Y digo que vos, señor don Cuadragante, que sois fijo de rey y hermano de rey, y vuestro estado no iguala con gran parte con vuestro linaje y gran merecimiento, que hayáis el señorío de Sansueña; que pues el señor en vuestro poder está, sin mucho trabajo lo podéis haver[16]. Y vos, mi buen señor don Bruneo de Bonamar[17], demás de vos otorgar desde agora a mi hermana Melicia, avréis el reino del rey Arávigo con ella; y el señorío que del Marqués, vuestro padre, speráis lo traspasséis en Branfil vuestro hermano. Don Florestán mi hermano havrá a esta Reina que pide, y más de lo que ella possee, que es la isla de Cerdeña; el Emperador a mi ruego le dará todo el señorío de Calabria que fue de Salustanquidio[18]. Vosotros, mis señores Agrajes y Grasandor, contentaos por el presente con los grandes reinos y señoríos que después de las vidas de vuestros padres esperáis; y yo con este rinconcillo desta Ínsula Firme hasta que Nuestro Señor traya tiempo en que podamos haver más[19].

Todo[s] otorgaron y loaron mucho lo que Amadís determinó, y mucho le rogaron que assí se hiziesse como lo señalava. Y porque, si se oviesse de contar las cosas que sobre estos casamientos passó con aquellas señoras y con el Emperador en lo de la reina Sardamira, sería a la scriptura gran prolixidad, solamente sabréis que assí como aquellos cavalleros lo pidieron, assí Amadís lo complió todo, y el Emperador lo que para don Florestán le pidió, y mucho más adelante, como la istoria

---

[16]  *sin mucho trabajo lo podéis haver:* sin mucha dificultad lo podéis obtener. Los servicios de don Cuadragante, antiguo enemigo, quedan recompensados por la obtención de los territorios de Sansueña.

[17]  *Bonamar:* Buenamar, Z // Bonamar, RS // .

[18]  El encumbramiento de Amadís le lleva a actuar como auténtico jefe de un «clan familiar», incluso disponiendo de señoríos ajenos.

[19]  La generosidad del héroe hacia sus amigos es un rasgo fundamental de la cortesía, pero sobre todo sirve también para destacar cómo desde el rinconcillo de la Ínsula Firme, espacio ganado por su valentía y fidelidad amorosa, gobierna el resto de posesiones. Han quedado sin ningún territorio quienes por descendencia debían heredar el de sus padres.

lo contará. Y fueron luego desposados por mano de aquel santo hombre Nasciano, quedando las bodas[20] para el día que Amadís y el Emperador las fiziessen.

<br/>

## Capítulo CXXI

*Cómo don Bruneo de Bonamar y Angriote d'Estraváus y Branfil fueron en Gaula por la reina Elisena y por don Galaor, y la aventura que les avino a la venida que bolvieron.*

Amadís dixo al rey Perión su padre:

—Señor, bien será que embiéis por la Reina mi señora y por don Galaor mi hermano, para el cual tengo yo guardado a la hermosa reina Briolanja[1], con que será siempre bienaventurado, porque cuando el rey Lisuarte venga, como quedó acordado, se fallen aquí.

—Assí se faga —dixo el Rey—, y yo serviré a la Reina, y embía tú lo que quisieres.

Don Bruneo se levantó y dixo:

—Yo quiero este viaje si a la vuestra merced plazerá, y llevaré comigo a mi hermano Branfil.

—Pues esse camino no se fará sin mí —dixo Angriote d'Estraváus.

El rey Perión dixo:

—En vos, Angriote y Branfil, consiento, que don Bruneo no lo dize de verdad, que quien de cabe su amiga le quitare no sería su amigo, y porque yo siempre lo he sido y por lo no perder no le daré la licencia.

Don Bruneo le respondió riendo:

—Señor, ahunque ésta es la mayor merced de cuantas de

<hr/>

[20] *bodas:* fiestas celebradas con motivo de un casamiento. «E fueron fechas en Soria las bodas muy rricas e solepnes e de muchas dadivas», A. Martínez de Toledo, *Atalaya de las coronicas,* pág. 104b.

[1] El final amoroso de don Galaor no puede ser más lejano al de su primitiva caracterización donjuanesca. Su hermano Amadís le tiene «guardada» a Briolanja, sin que se haya producido ningún proceso amoroso, si bien el personaje femenino ha destacado por su hermosura desde el principio.

vos he recebido, todavía[2] quiero servir a la Reina mi señora, porque de allí viene el contentamiento a todo lo otro.

—Assí sea —dixo el Rey—, y quiera Dios, mi buen amigo, que halléis a don Galaor, vuestro hermano, en disposición de poder venir.

Isanjo, que allí estava, dixo:

—Señor, bueno está ya, que yo lo supe de unos mercaderes que venían de Gaula y passavan a la Gran Bretaña, y por se asegurar vinieron por aquí, que ovieron miedo de la guerra que a la sazón havía; y yo les pregunté por don Galaor, y me dixeron que lo vieran levantado y andar por la cibdad, pero harto flaco.

Todos ovieron mucho plazer con aquellas nuevas, y el Rey más que ninguno, que siempre su coraçón traía afligido y congoxado con el mal de aquel hijo, y tenía gran temor, según la dolencia era larga, de le perder.

Pues luego otro día estos tres cavalleros que oístes mandaron adreçar una nao de todo lo que ovieron menester para aquel camino, y hizieron en ella meter sus armas y cavallos, y con sus escuderos y marineros que los guiassen se metieron a la mar. Y como el tiempo fazía bueno, en poco spacio passaron en Gaula, donde fueron de la Reina muy bien recebidos. Mas de don Galaor vos digo que, cuando los vido, tan gran plazer tuvo, que assí flaco como estava fue corriendo a los abraçar a todos tres; y assí los tuvo una pieça, y las lágrimas le vinieron a los ojos, y díxoles:

—¡O mis señores y grandes amigos! ¿Cuándo querrá Dios que yo ande en vuestra compaña tornando a las armas, que tanto tiempo por mi desventura tengo desamparadas?

Angriote le dixo:

—Señor, no os congoxéis, que Dios lo complirá todo como vos lo desseáis. Y dexaos de todo sin solamente de saber las grandes nuevas y de mucha alegría que vos traemos.

Estonces contaron a la Reina y a él todas las cosas que havedes oído que passaran, assí el comienço como la buena fin que en ello se dava. Cuando don Galaor lo oyó, fue muy turbado, y dixo:

---

[2] *todavía:* a pesar de ello, en todo momento.

—¡O Santa María! ¿Y es verdad que todo esso ha passado por el rey Lisuarte, mi señor, sin que yo con él me hallasse? Agora puedo dezir que Dios me ha fecho señalada merced en me dar en tal sazón tan gran dolencia que, por cierto, ahunque de la otra parte estava el Rey y mi padre y mis hermanos, no pudiera escusar de no poner por su servicio este mi cuerpo fasta la muerte. Y cierto que si hasta aquí lo supiera, según mi flaqueza, de congoxa fuera muerto.

Don Bruneo le dixo:

—Señor, mejor está assí, que con honra de todos, y vos ganando por muger aquella muy fermosa reina Briolanja que vuestro hermano Amadís vos tiene, está la paz fecha, como lo veréis cuando allá llegardes.

Estonces dieron la carta a la Reina, y dixéronle cómo su venida era para la llevar porque fuesse presente a las bodas de todos sus fijos, y viesse a la reina Brisena y a Oriana, y a todas aquellas grandes señoras que allí stavan. Como esta Reina fuesse muy noble y amasse a su marido y a sus fijos, y de tan grande afrenta y peligro los viesse en tanto sosiego de paz, dio muchas gracias a Dios y dixo:

—Mi fijo don Galaor, mira esta carta y toma esfuerço y ve a ver al Rey[3] tu padre y a tus hermanos, que, según me pareçe, allí hallarás al rey Lisuarte con más honra de tu linaje qu'él desseava.

Angriote le dixo:

—Señora, esso podéis [v]os muy bien dezir, que vuestro hijo Amadís es hoy toda la flor y la fama del mundo, y en su voluntad y querer está la de todos los grandes que en el mundo biven y más valen; lo cual, buena señora, veréis por vuestros ojos, que en su casa y a su mandar son juntos emperadores y reyes y otros príncipes y grandes cavalleros que mucho le aman y le tienen en aquel grado que su valor mereçe. Y por esto es menester que lo más presto que ser pueda sea vuestra ida, que bien creemos que ya será allí el rey Lisuarte, y la reina Brisena su mujer con su fija Leonoreta, para la entregar por mujer al Emperador de Roma; al cual vuestro fijo Amadís ha puesto en aquel gran señorío, que ya por suyo lo tiene.

---

[3] *ver al Rey:* ver el rey, Z // ver al rey, RS // .

Ella les dixo con muy grande alegría:

—Mis buenos amigos, luego se fará como lo dezís, y mandaré adereçar naos en que vaya.

Assí se detovieron aquellos cavalleros con la Reina ocho días, en cabo de los cuales las fustas fueron aparejadas de todas las cosas necessarias al viaje; y luego entraron en ellas con muy gran alegría de sus ánimos, y començaron a navegar la vía de la Ínsola Firme.

Pues yendo por la mar como vos digo con muy buen tiempo que les fazía, al tercero día vieron venir a su diestro[4] un navío a vela y remos, y acordaron de lo esperar por saber quién dentro venía, y también porque derechamente venía a la parte donde ellos ivan. Y cuando cerca llegó, salió contra ella un escudero de don Galaor en un batel, y preguntó quién venía en el navío. Uno de los que dentro estavan le dixo muy cortésmente que una dueña que iva a la Ínsola Firme con muy gran priessa. El escudero, cuando esto oyó, díxole:

—Pues dezilde a essa dueña que dezís que esta flota que aquí veis va allá y que no aya recelo de se llegar a ella, que en ella van tales personas con que havrá mucho plazer de ir en su compañía.

Cuando esto oyo, muy prestamente[5] fue, y muy alegre, aquel hombre y díxolo a su señora. Y ella mandó echar un batel en el agua y un cavallero en él, y que supiesse si era verdad lo que aquél dezía. Éste llegó a la nao donde la Reina estava, y dixo a aquellos cavalleros:

—Señores, por la fe que a Dios devéis, que me digáis si aquella nao que allí está, en que una dueña viene de gran guisa, que va a la Ínsola Firme, si podrá seguramente llegarse aquí, porque este escudero dixo que vosotros ívades este mismo camino.

Angriote le dixo:

—Amigo, verdad vos ha dicho el escudero, y essa dueña que dezís puede venir segura, que aquí no va ninguno de quien daño reciba; antes, de quien havrá toda ayuda que justamente se le fazer pudiere contra quien mal la querrá hazer.

---

[4] *a su diestro:* en R y S, a su diestra. Véase el capítulo XCVII, nota 4.

[5] *prestamente:* prestemente, Z // prestamente, RS // .

—A Dios merced —dixo el cavallero—. Agora vos pido por cortesía que la atendáis, y yo luego la faré venir a vos, que pues sois cavalleros, gran dolor havréis cuando supierdes su hazienda[6].

Luego se tornó a la nao, y como dixo lo que avía fallado, derechamente se fueron a la nao donde la Reina stava, que aquélla les paresció de más rico aparato[7]. Pues allí llegados, salió una dueña, toda cubierta de un paño negro la cabeça y el rostro[8], y preguntó quién venía en aquellas naos. Angriote le dixo:

—Dueña, aquí viene una Reina señora de Gaula, que va a la Ínsola Firme.

—Pues, señor cavallero —dixo la dueña—, mucho vos pido, por lo que sois a virtud obligado, que tengáis manera cómo yo con ella hable.

Angriote le dixo:

—Esso luego se hará, y entrad en esta nao, que ella es tal señora que avrá plazer con vos asssí como lo ha con todos los otros que la demandan.

La dueña entró en la nao, y Angriote la tomó por la mano y la metió a la Reina, y dixo:

—Señora, esta dueña vos quiere ver.

—Ella sea bien venida —dixo la Reina—. Y pregúntovos, Angriote, que me digáis quién es.

Entonces la dueña se llegó a ella y la salvó[9], y dixo:

—Mi señora, a esso no sabrá responder esse buen cavallero, porque lo no sabe. Mas de mí lo sabréis, y no será poco de contar, según la desastrada ventura y gran fatiga que sin lo merescer es sobre mí venida. Pero quiero, mi buena señora, sacar fiança de vos si seré[10] segura, y toda mi compaña, si lo

---

[6] *supierdes su hazienda:* supiereis sus asuntos.

[7] *aparato:* atavío, adorno. «Al qual del un braço traía el rey de Persia y del otro el rey de Ungría, con un tan pomposo aparato que ver ni loar no sabría, Juan de Flores, *Triunfo de amor,* 89, 55.

[8] La presencia de mujeres con estas características se convierte en signo inequívoco y estereotipado de comienzo de aventura a causa de alguna desgracia sucedida a la mujer.

[9] *salvó:* saludó. «Tovo que era dueña de algunt buen logar, e salvó la muy cortesa mente», *Otas de Roma,* 100, 20.

[10] *seré:* sera, Z // sere, RS // .

que dixere por ventura vos mueva antes a saña que a piedad.

La Reina respondió que seguramente podía dezir lo que quisiesse. Entonces la dueña començó de llorar muy agramente[11], y dixo:

—Mi buena señora, ahunque de aquí no lieve otro reparo sino descansar en contar mis desdichas a tan alta señora como vos, será algún descanso a mi atribulado coraçón. Vos sabréis que yo fue casada[12] con el Rey de Dacia, y en su compañía me vi muy bienaventurada reina, del cual uve dos hijos y una hija. Pues esta hija, que por mi mala ventura fue por mí engendrada, el Rey su padre y yo la casamos con el Duque de la provincia de Suecia, un gran señorío que con nuestro reino confina; las bodas de los cuales, assí como con mucho plazer y grandes fiestas y alegrías fueron celebradas[13], así después muy grandes[14] llantos y dolores han traído; que como este Duque sea mancebo codicioso de señorear, comoquiera que lo aver pudiesse, y el Rey, mi marido, fuesse entrado en días, fizo cuenta que matando a él y tomando a los dos mis hijos, que son moçuelos, que el mayor passa de catorze años, prestamente podría por parte de su muger ser rey del reino. Y assí como lo pensó lo puso en obra; que fing[i]endo que se venía a folgar a nuestro reino y que nuestra honra era venir muy acompañado, saliendo el Rey mi marido con mucho plazer a lo recebir y con sana voluntad, el malo traidor le mató por su mano. Y Dios, que quiso guardar a los moços, como venían detrás en sus palafrenes, se acogeron a la cibdad donde avían salido, y con ellos todos los más de nuestros cavalleros y otros que después con mucha afrenta y peligro assí mesmo entraron, porque aquel traidor luego los cercó y assí los tiene. Pues a la sazón yo avía ido a una romería que tenía prometida, que es una iglesia muy

---

[11] *agramente:* amargamente.
[12] *fue casada:* fui casada.
[13] Según la descripción del *Libro del conoscimiento* «partime del reino de Frisa et entre luego en el Reino de daçia de danes el qual es todo çercado del mar de alemaña et del del otro cabo lo çerca el golfo de frisa de manera que todo este Reyno no a mas que una entrada sola», pág. 10, por lo que difícilmente podría confinar con Suecia; pero no pidamos en esta geografía fantástica y en reinos alejados una mayor precisión. Por otra parte, las grandes fiestas y alegrías se oponen a los llantos y dolores posteriores.

antigua de Nuestra Señora que está en una roca cuanto media legua metida en la mar. Allí fue avisada de la mala ventura que tenía sin la saber; y como me viesse sola, no tuve otro remedio sino que en este navío en que allí me avía pasado me acogí, como, señora, vengo, con intención de me ir a la Ínsola Firme a un cavallero que se llama Amadís, y a otros muchos de gran cuenta que me dizen ser allí con él, y contarles he esta tan gran traición donde tanto mal me viene, y pedirles he que ayan piedad de aquellos Infantes y no los dexen matar a tan gran tuerto; que solamente algunos que fuessen que esforçassen los míos y los acaudi[l]assen aquel malo no osaría allí estar mucho tiempo.

La reina Elisena y aquellos cavalleros fueron maravillados de tan gran traición y ovieron mucha piedad de aquella Reina; y luego la Reina la tomó por la mano y la hizo seer cabe sí[15], y díxole:

—Mi buena señora, si no vos he hecho el acatamiento que vuestro real estado meresce, perdonadme, que vos no conoscía ni sabía el estado de vuestra hazienda como agora lo sé. Y podéis creer que vuestra pérdida y fatiga me ha puesto gran piedad y congoxa en ver que la contraria fortuna a estado ninguno perdona, por grande que sea, y aquel que más contento y ensalçado se vee, aquél deve más temer sus mudanças; porque, cuando más seguros a su parescer están, entonces les viene aquello que a vos, mi buena señora, ha venido. Y pues Dios aquí os traxo, tengo por bien que vais[16] en mi compañía hasta la Ínsola Firme, y allí hallaréis el recaudo que vuestra voluntad dessea como lo hallan cuantos lo han avido menester[17].

—Ya lo sé, mi buena señora —dixo la Reina de Dacia—, que al Rey mi señor contaron unos cavalleros, los que passavan en Grecia, las cosas que son passadas sobre que Amadís tomó la hija del rey Lisuarte, que la deseredava por otra hija menor y la embiava al Emperador de Roma por muger. Y esto

---

[14] *grandes:* grantes, Z // grandes, RS // .

[15] *seer cabe sí:* sentarse junto a sí.

[16] *vais:* vayáis. «Mergelina vos embía a rogar que vays a verla», *Enrique fi de Oliva*, pág. 48.

[17] *han avido menester:* han necesitado. «Mucho lo avian menester», *Tristán de Leonís*, 379a.

me dio causa de buscar este bienaventurado cavallero, socorredor de los cuitados que tuerto reciben.

Cuando Angriote y sus compañeros oyeron lo que la reina Elisena dixo, todos tres se le fincaron de rodillas delante y la suplicaron mucho que les diesse licencia para que por ellos fuesse aquella Reina socorrida y vengada, si la voluntad de Dios fuesse, tan gran traición; y que esto se podía muy bien hazer, porque ya estava muy cerca de la Ínsola Firme, donde embaraço alguno por razón [no][18] se esperava. La Reina quisiera que primero llegaran[19] donde estava el Rey su marido, mas ellos la afincaron tanto que lo uvo de otorgar[20].

Pues luego se metieron en su nave con sus armas y cavallos y servidores, y dixeron a la Reina de Dacia que les diesse quien los guiasse, y que ella se fuesse con la reina Elisena a la Ínsola Firme. Ella[21] les respondió que no quedaría; antes, quería ir con ellos, que su vista valdría mucho para reparar y remediar el negocio. Assí se fueron de consuno, pues vieron su voluntad.

Y la reina Elisena y don Galaor se fueron su camino, y sin cosa que les acaesciesse llegaron una mañana al puerto de la Ínsola Firme. Y cuando fue sabida su venida, cavalgaron el Rey su marido y sus hijos con el Emperador, y con todos los otros cavalleros para la recebir. Oriana quisiera con aquellas señoras ir con ellos, mas el Rey la embió a rogar que lo no hiziesse, ni tomasse aquel trabajo, que él la levaría luego para ella, y assí quedó.

Pues la Reina y don Galaor salieron de la mar a tierra, y allí fueron con mucho plazer recebidos. Amadís, después que besó las manos a su madre, fue abraçar a don Galaor; y él le quiso

---

[18] *razón [no]:* razon, ZR // razón, no S // .

[19] *llegaran:* llegaron, ZR // llegaran, S // .

[20] Las estructuras narrativas recrean episodios paralelos antes de la gran guerra de Amadís y los suyos contra Lisuarte y posteriormente. En ambos casos se produce un caso de traición que afecta a la herencia recibida del reino. No parece casual que entre medio se cuente el combate en el que indirectamente está en juego la herencia de Oriana. Obsérvese, además, una cierta gradación en sus resoluciones, pues mientras que en el primer caso se ha llegado a perdonar al traidor, en el segundo se producen unas paces generales, mientras que en este último habrá un castigo para los traidores.

[21] *Ella:* Ellas, Z // Ella, RS // .

besar las manos, mas él no quiso; antes, estuvo una pieça preguntándole por su mal, y don Galaor diziendo que ya estava mucho mejorado y que más lo estaría de allí adelante, pues que los enojos y saña d'entre él y el rey Lisuarte eran atajados.

Después que el Emperador y todos los otros señores salvaron a la Reina, pusiéronla en un palafrén y fuéronse al castillo al aposentamiento de Oriana, que estava ella y las Reinas y grandes señoras con muy ricos atavíos para la recebir a la puerta de la huerta. El Emperador la levava de rienda, y no quiso que descavalgasse sino en sus braços. Pues cuando entró donde Oriana estava, ella tenía por las manos a las reinas Sardamira y Briolanja, y con ellas llegó a la reina Elisena, y todas tres se le hincaron de inojos delante con aquella obediencia que a verdadera madre se devía. La Reina las abraçó y besó, y las levantó por las manos. Entonces llegaron Mabilia y Melicia y Grasinda, y todas las otras señoras, y besáronle las manos; y tomándola en medio, se ivan con ella a su aposentamiento. En esto llegó don Galaor, y no se vos podría dezir el amor que Oriana le mostró, porque después de Amadís no avía en el mundo cavallero que ella más amasse, assí por la parte de su amigo, que sabía que mucho le amava, como por el amor tan grande que el rey Lisuarte su padre le tenía tan verdadero, y el desseo de don Galaor de le servir contra todos los del mundo, assí como por la obra muchas vezes avía parescido. Todas las otras señoras le recibieron muy bien. Amadís tomó a la reina Briolanja por la mano, y díxole:

—Señor hermano, esta hermosa Reina os encomiendo, que ya otras vezes vistes y la conoscéis.

Don Galaor la tomó consigo sin ningún empacho, como aquel que se no espantava ni turbava en ver mugeres, y dixo:

—Señor, a vos tengo en gran merced que me la dais, y a ella porque me toma y quiere por suyo.

La Reina no dixo nada; antes, se enberme[ge]sció el rostro, que la hizo muy más hermosa. Galaor, que la mirava, que desde que se partió de Sobradisa cuando allí traxo a don Florestán su hermano, y después un poco de tiempo en la corte del rey Lisuarte cuando vino a buscar Amadís, nunca [la] avía visto, y aquella sazón era muy moça; mas agora estava en su perfición de edad y hermosura, y pagóse tanto della y tan bien le paresció que, ahunque muchas mugeres avía visto y tratado como esta historia donde dél habla lo cuenta, nunca su coraçón fue otorgado en amor verdadero de ninguna, sino desta muy hermosa Reina[22]. Y assí mesmo ella lo fue dél, que sabiendo su gran valor así en armas como en todas las otras buenas maneras que el mejor cavallero del mundo devía tener, todo el grande amor que a su hermano Amadís tenía puso con este cavallero que ya por marido tenía. Y como assí sus voluntades tan enteramente entonces se juntaron, assí permanesciendo en ello después que a su reino se fueron, tovieron la más graciosa y honrada vida, y con más amor que se vos no podría enteramente dezir. Y ovieron sus hijos, muy hermosos y muy señalados cavalleros, que acabaron grandes cosas y peligrosas en armas, y ganaron grandes tierras y señoríos, assí como lo contaremos en un ramo desta istoria que se llama *Las Sergas de Esplandián*, porque aí enteramente esto será[23] contado, con el cual gran compañía tovieron antes que Emperador de Constantinopla fuesse y después que lo fue.

Pues hecho este recibimiento[24] a esta noble reina Helisena, y aposentada con aquellas señoras, donde otro ninguno entrava sino el rey Perión, que assí estava acordado hasta que el rey Lisuarte y la reina Brisena y su hija viniessen, y se hiziessen los casamientos de Oriana y de todas las otras en su presencia, todos se fueron a sus posadas a folgar en muchos passatiempos que en aquella ínsola tenían, especialmente los que eran aficionados a monte y a caça, porque fuera de la ínsola, en la tierra firme cuanto una legua, avía las más fermosas arboledas y matas de montes muy espessos; que como la tierra estava muy guardada, todo era lleno de venados y puercos y conejos, y

---

[22] El autor tiene dificultades para acomodar la trayectoria novelesca de ambos personajes y darles una solución feliz, por lo que debe explicar su comportamiento. Téngase en cuenta que dentro de los códigos cortesanos las conquistas de Galaor no representaban ningún amor verdadero; por otra parte, la hermosura de Briolanja es encarecida por Rodríguez de Montalvo en las *Sergas,* cap. XCIX, contando de forma diversa el episodio de la cámara defendida, en detrimento del comportamiento de Amadís.

[23] *será:* sero, Z // sera, RS // .

[24] *recibimiento:* recibiendo, Z // recibimiento, RS // .

[25] *paradas:* «adonde se detiene el animal, término de cazadores» (Cobarruvias).

otras bestias salvajes, de las cuales muchas matavan, assí con canes y redes como corriéndolas a cavallo en sus paradas[25]. Avía también para caçar con aves muchas liebres y perdizes y otras aves de ribera; assí que se puede dezir que en aquel rinconcillo tan pequeño era junta toda la flor de la cavallería del mundo y quien en mayor alteza la sostenía, y toda la beldad y hermosura que en él se podía hallar, y después los grandes vicios y deleites que vos avemos dicho, y otros infinitos que se no pueden contar, así naturales como artificiales hechos por encantamentos de aquel muy gran sabidor Apolidón[26] que allí los dexó.

Mas agora dexa el cuento de hablar destos señores y señoras que estavan esperando al rey Lisuarte y a su compaña, por contar lo que acaesció a don Bruneo y Angriote y a Branfil, que se ivan con la Reina de Dacia, como ya oístes.

## Capítulo CXXII

*De lo que acontesció a don Bruneo de Bonamar en el socorro que ivan a hazer con la Reina de Dacia, y Angriote d'Estraváus y a Branfil.*

Dize la istoria que Angriote d'Estraváus y don Bruneo de Bonamar y Branfil, su hermano, después que de la reina Elisena se partieron, que fueron por la mar adelante, por donde los guiavan aquellos que el camino sabían. Y la Reina con su turbación, como con el plazer de aver hallado ayudadores para su priessa[1], nunca les preguntó de dónde ni quién eran. E yendo assí como vos digo, un día les dixo:

—Buenos señores y amigos, ahunque en mi compaña vos llevo, no sé más de vuestra hazienda de lo que antes que os hallase ni viesse sabía. Mucho os ruego, si os pluguiere, me lo digáis, porque sepa tratáros en aquel grado que a vuestra honra y mía conviene.

—Buena señora —dixo Angriote—, comoquiera que en saber nuestros nombres, según el poco conoscimiento de noso-

---

[26] *sabidor Apolidón:* sabidor y Apolidon, Z // sabidor Apolidon, RS // .
[1] *priessa:* apuro, peligro.

tros ternéis, no acrescienta mi mengua en vuestro descanso ni remedio, pues que vos plaze saberlo dezírvoslo hemos. Sabed que estos dos cavalleros son hermanos, y al uno llaman don Bruneo de Bonamar y al otro[2], Branfil; y don Bruneo es en deudo de hermandad por su esposa con Amadís de Gaula, aquel a quién ívades demandar[3]. Y yo he nombre Angriote d'Estraváus.

Cuando la Reina oyó dezir quién eran, dixo:

—¡O mis buenos señores! Muchas gracias doy a Dios porque a tal tiempo vos hallé, y a vosotros por el descanso y plazer que a mi afligido espíritu avéis dado en me hazer sabidora de quién érades, que, ahunque vos no conozco, que nunca vos vi, vuestras grandes nuevas suenan por todas partes, que aquellos cavalleros de Grecia que a la reina Elisena dixe que por mi tierra havían passado al Rey mi marido dixeron y contaron las grandes batallas passadas entre el rey Lisuarte y Amadís. Aquéllos, contándole las cosas que avían visto, le dixeron los nombres de todos los más principales cavalleros que en ellas fueron, y muchas de las grandes cavallerías por ellos hechas. Y acuérdome que entre los mejores fuistes allí contados, lo cual mucho gradezco a Nuestro Señor, que ciertamente con mucho cuidado he venido en vos ver tan pocos y no saber el recaudo que para esta tan gran necessidad traía. Mas agora iré con mayor esperança que mis hijos serán remediados y defendidos de aquel traidor.

Angriote dixo:

—Señora, pues que esto está ya a nuestro cargo, no se puede en ello más poner de todas nuestras fuerças con las vidas.

—Dios vos lo gradezca —dixo ella—, y me llegue a tiempo que mis hijos y yo lo paguemos en acrescentamiento de vuestros estados.

Assí fueron por la mar sin entrevalo alguno hasta que llegaron en el reino de Dacia. Pues allí llegados, tomaron por acuerdo que la Reina quedasse en su navío dentro en la mar hasta ver cómo les iva. Y ellos hizieron sacar sus cavallos y armáronse, y sus escuderos consigo, y dos cavalleros desarmados

---

[2] *al otro:* el otro, Z // al otro, RS // .
[3] *ívades demandar:* ibais a buscar.

que con la Reina se hallaron al tiempo que en la mar entró, que los guiaron; y fueron su camino derecho a la cibdad donde los Infantes estavan, que de allí sería una buena jornada[4]. Y mandaron a sus escuderos que les llevassen de comer y cevada para los cavallos porque no entrarían en poblado.

Así como vos digo, fueron estos tres cavalleros, y anduvieron todo el día hasta la tarde. Y reposaron en la falda[5] de una floresta de matas espessas, y allí comieron ellos y sus cavallos. Y luego cavalgaron y anduvieron tanto de noche, que llegaron una hora antes que amanesciesse al real, y acercáronse lo más encubierto que pudieron por ver dónde estava el mayor golpe de la gente[6] por se desviar dello y passar por más flaco fasta entrar en la villa; y assí lo hizieron, que mandaron a sus escuderos y a los dos cavalleros, que con ellos ivan, que, en tanto quedavan en la guarda, punassen de se passar[7] a la villa.

Todos tres juntos dieron sobre fasta diez cavalleros que delante sí hallaron, y de los primeros encuentros derribó cada uno el suyo, y quebraron las lanças. Y pusieron mano a las espadas y dieron en [e]llos[8] tan bravamente, que assí por los grandes golpes que les davan como porque pensaron que era más gente començaron a fuir, dando vozes que los socorriessen. Angriote dixo:

—Bien será que los dexemos y vamos a esforçar los cercados.

Lo cual assí se hizo, que con su co[m]paña se llegaron a la cerca, donde al ruido de su rebato[9] se avían llegado algunos de los de dentro. Los dos cavalleros que allí venían llamaron y luego fueron conoscidos, y abrieron un postigo pequeño por donde algunas vezes salían a sus enemigos, y por allí entraron Angriote y sus compañeros. Los Infantes acudieron allí, que al

---

[4] *sería una buena jornada:* estaría a una distancia equivalente a la realizada en una larga jornada, equivalente al camino de un día. «Era media jornada de la prisión donde partí», Diego de San Pedro, *Cárcel de amor,* pág. 93.

[5] *falda:* valda, Z // falda, RS // .

[6] *golpe de la gente:* golpe de gente, multitud (Cobarruvias).

[7] *punassen de se passar:* tratasen de pasar. «Punad de vos defender hasta que todos tomemos ay la muerte», *Enrique fi de Oliva,* pág. 19.

[8] *en [e]llos:* enllos, Z // ellos, R // en ellos, S // .

[9] *rebato:* acometimiento repentino que se hace al enemigo.

alboroço[10] se levantaron, y supieron cómo aquellos cavalleros venían en su ayuda y cómo la Reina, su madre, quedava buena y a salvo, que hasta entonces no sabían si era presa o muerta, de que ovieron muy gran plazer. Y todos los del lugar fueron mucho esforçados con su venida cuando supieron quién eran, y hiziéronlos aposentar con los Infantes en su palacio, donde se desarmaron y descansaron gran pieça.

En el real del Duque se hizo gran rebuelta a las bozes que los cavalleros que fuyendo ivan dieron, y con mucha priessa salió toda la gente así a pie como a cavallo, que no sabían qué cosa fuesse; y antes que se apaziguassen vino el día. El Duque supo de los cavalleros lo que les contesçió, y cómo no avían visto sino hasta ocho o diez de cavallo, ahunque avían pensado que más fuessen, y que se entraran en la villa. El Duque dixo:

—No serán sino algunos de la tierra que se avrán atrevido a entrar dentro. Yo lo mandaré saber; y si sé quién son, perderán todo cuanto acá de fuera dexan.

Y luego mandó a todos que se desarmassen y se fuessen a sus posadas, y él assí lo hizo.

Angriote y sus compañeros, desque ovieron dormido y descansado, levantáronse y oyeron missa con aquellos donzeles, que los aguardavan. Y luego les dixeron que mandassen venir allí los más principales hombres de los suyos, y assí se hizo. Y dellos quisieron saber qué gente tenían por ver si avría copia[11] para salir a pelear con los contrarios, y rogáronles mucho que los hiziessen armar a todos, y juntos en una gran plaça que ende avía los verían; y assí lo hizieron. Pues salidos allí todos, y sabido por cierto la gente que el Duque tenía, bien vieron que no estava la cosa en disposición de se sofrir con ellos si por alguna manera de las que en las guerras se suelen buscar no fuesse; y avido todos tres su consejo, acordaron que essa noche saliessen a dar en los enemigos con mucho tiento, y que don Bruneo con el Infante menor, que avía hasta doze años, punasse de salir por otra parte, y no entendiessen en ál sino en

[10] *alboroço*: alboroto, griterío. «El rrey de León fue muy sañudo e luego ovo grande alboroço en Soria», Pedro de Escavias, *Repertorio de Príncipes*, 225.

[11] *copia*: gran cantidad. «Estava guarneçida de asaz copia de gente», *Hechos del condestable don Miguel Lucas de Iranzo*, 76-77.

passarse por los contrarios y se ir a algunos lugares que cerca en essa comarca estavan, que, como avían visto muerto al Rey y cercados sus señores y la Reina fuida, no osavan mostrarse[12], antes, mucho contra su voluntad embiavan viandas al real del Duque; y que allí llegados, que viendo al Infante y el esfuerço que don Bruneo les daría, que llegarían alguna gente para poder ayudar a los cercados; y que si tal aparejo fallassen, que de noche les hiziessen ciertas señales, y que saliendo ellos a dar en el real, don Bruneo vernía con la gente que tuviesse por la otra parte donde ningún recelo tenían, y que assí podrían hazer gran daño en sus enemigos.

Esto les paresció buen acuerdo, y consultáronlo con algunos de aquellos cavalleros que más valían y en quien se tenía y ponía mayor fiança que serverían a los Infantes en aquella afruenta y peligro tan grande como estavan. Todos lo tovieron por bien que assí se hiziesse.

Pues venida la noche y passada[13] gran parte della, Angriote y Branfil con toda la gente del lugar salieron a dar en sus enemigos, y don Bruneo salió por otra parte con el Infante, como vôs diximos. Angriote y Branfil, que delante todos ivan, entraron por una calle de unas huertas que esse día avían mirado, la cual salía adonde el real estava en un gran campo. Y allí no avía estancia[14] ninguna de día, salvo que de noche guardavan en ella fasta veinte hombres; en los cuales dieron tan bravamente ellos y su compaña, que luego fueron desbaratados, y passaron adelante tras ellos. Y algunos quedaron muertos y otros feridos, que como fuessen gente de baxa manera y estos cavalleros tan escogidos, muy presto fueron tollidos y destroçados todos. Las bozes fueron muy grandes y el ruido de las feridas, mas Angriote y Branfil no hazían sino passar adelante y dar en los otros que allí acudían del real y de las otras estancias, y dexavan muchos dellos en poder de los suyos, que no

---

[12] *mostrarse:* exponerse a la vista. «Y hizolo llevar al sol y mostrar la llaga», *Tristán de Leonís,* 352b.

[13] *passada:* passado, ZR // passada, S // .

[14] *estancia:* campamento, puestos de vigilancia. «Y viendo Leriano que el rey asentava real, repartió su gente por estancias», Diego de San Pedro, *Cárcel de amor,* 145.

hazían sino prender y matar hasta que salieron al campo donde el real estava.

Aquella hora ya el Duque estava a cavallo; y como vio los suyos destroçados por tan pocos de sus enemigos, uvo en sí gran saña. Y puso las espuelas a su cavallo y fue ferir en ellos, y toda su gente la que allí se halló con él, tan reziamente, que como era de noche no parescía sino que todo aquel campo se fundía[15], de manera que la gente de la cibdad fueron puestos en gran espanto, y todos se acogieron al callejón por donde avían entrado, asсí que no quedaron de fuera sino aquellos dos cavalleros Angriote y Branfil, que toda la furia del Duque esperaron. Mas tanta gente dio sobre ellos, que por mucho que en armas fizieron, y dieron señalados golpes a los delanteros y derribaron al Duque del cavallo, por fuerça les convino de se retraer a la calle donde los suyos se acogieran; y allí, como el lugar era angosto, se detovieron. El Duque no fue ferido ahunque cayó, y luego de los suyos fue muy presto socorrido y puesto en el cavallo. Y vio a sus contrarios metidos en la calle; y como llegó a ellos, ovo gran pesar que dos cavalleros solos a tanta gente como él traía se defendiessen y toviessen aquel passo. Y dixo a una boz que todos lo oyeron:

—¡O mal andantes cavalleros a quien yo doy lo mío! ¿Qué vergüença es ésta que vuestro poder no baste para vencer dos cavalleros solos?, que ya no lo avéis con más.

Entonces arremetió y otros muchos con él, y llegaron tantos y con tan gran priessa, que a mal de su grado de Angriote y Branfil a ellos y a todos los suyos metieron una pieça por el callejón adelante. El Duque pensó que ya ivan de vencida, y que allí con la priessa podría matar muchos y entrar abuelta de[16] los otros en la villa. Y como vencedor adelantóse de los suyos y llegó con su espada en la mano a Angriote, que delante halló, y diole un gran golpe por encima del yelmo. Mas no tardó de llevar el pago, que como Angriote siempre por él mi-

---

[15] *fundía:* hundía. El motivo se reitera en bastantes ocasiones en nuestra obra, convirtiéndose en un tópico reiterado, frecuente también en otros textos. Cfr.: «El ruido hera tanto que se non podía oýr, e paresçía que todo el mundo se fundía de tenpestad», Gutierre Díez de Games, *El Victorial,* 294, 22. Véase la nota 29 del capítulo XLIV.

[16] *abuelta de:* conjuntamente con.

rava, desque le oyó denostar a los suyos, alçó la espada, y de toda su fuerça lo firió en el yelmo de tal golpe, que le desapoderó de toda su fuerça, y dio con él a los pies de su cavallo. Y como assí lo vio, dio bozes a los suyos que le tomassen, qu' el Duque era; y Branfil y él salieron adelante contra los otros y firiéronlos de muy grandes golpes y pesados, de guisa que los no osavan atender; que como aquel lugar donde se combatían era angosto, no les podían ferir sino por delante. En este comedio[17] fue el Duque tomado y preso de los de la villa, pero tan desacordado y fuera de sentido, que no sabía si lo llevavan los suyos o los contrarios.

Como los suyos assí le vieron, que pensaron que muerto era, retraxéronse hasta salir de aquella angostura. Angriote y Branfil, como aquello vieron, así porque el Duque era muerto o preso como porque los contrarios eran muchos y no era guisado de los cometer en tan gran plaça, acordaron de se tornar y aver por bien lo que en la primera salida avían recaudado. Y así lo hizieron, que muy passo se bolvieron a los suyos muy contentos de cómo avía el negocio passado, ahunque con algunas feridas pero no grandes, y sus armas malparadas. Mas los cavallos a poco rato fueron muertos de las llagas que tenían; y recogida su gente, se bolvieron a la villa. Y fallaron a la puerta al infante Garinto, que assí avía nombre; el cual, cuando los vio venir sanos y al Duque, su enemigo, preso, ya podéis entender el plazer que sintiría en ello. Entonces se acogieron todos al lugar faziendo grandes alegrías porque assí levavan a su enemigo mortal, el cual, como dicho[18] es, ahún no estava en su acuerdo, ni en todo lo que quedó de la noche ni otro día hasta medio día lo estuvo.

Don Bruneo, que por la otra parte salió, no supo nada desto sino solamente las bozes y el gran ruido que oía. Y como todo lo más de la gente de fuera allí acudió, no quedaron aquella parte sino pocos y de pie; de los cuales, según andavan derramados y no avía quien los rigiesse, él pudiera matar algunos; mas dexólo por no perder al Infante que a su cargo levava, y passó por ellos sin embargo alguno. Y anduvieron todo lo que

---

[17]  *este comedio:* esto comedio, Z // este comedio, RS // .
[18]  *dicho:* dixo, Z // dicho, RS // .

quedó de la noche tras un hombre que los guiava, que iva en un roçín; y venida la mañana, vieron a ojo[19] una villa adonde la guía los llevava, que era asaz buena, que se llamava Alimenta, y venían della dos cavalleros armados que el Duque avía embiado a saber quién fueran los que avían entrado en la villa, y así lo avían fecho a otras partes, y no avían hallado rastro ni razón alguna dello. Y tornávanse a lo dezir, y assí mesmo mandaron de parte del Duque, so grandes penas, a los de la villa que embiassen toda la más vianda que pudiessen al real. Y don Bruneo, que los vio, preguntó aquel hombre si sabía quién fuessen aquellos dos cavalleros y de cuál parte.

—Señor —dixo el hombre—, de la parte del Duque son, que yo los he visto con aquellas armas muchas vezes andar alderredor de la villa en compañía de los otros sus compañeros.

Entonces dixo don Bruneo:

—Pues vos mirad por este donzel y no vos partáis[20] dél, que yo ver quiero qué tales son los cavalleros que a tan mal señor aguardan.

Entonces se adelantó ya cuanto y fue al encuentro dellos, que dél no se curavan pensando que de los del real fuesse. Y como llegó cerca, dixo:

—Malos cavalleros que con aquel Duque traidor bevís y sois sus amigos, guardadvos de mí, que yo vos desafío fasta la muerte.

Ellos le respondieron:

—Tu gran sobervia te dará el pago de tu locura, que pensando que eras de los nuestros te queríamos dexar. Pero agora pagarás con essa muerte que dizes lo que como hombre de poco seso osas acometer.

Luego se fueron unos contra otros al más correr de sus cavallos, y hiriéronse reziamente en los escudos, así que las lanças fueron en pieças; mas el uno de los cavalleros que don Bruneo encontró fue en tierra sin detenimiento alguno y dio tan gran caída en el campo, que era duro, que no bullía con pie ni mano; antes, estava tendido como si muerto fuesse. Y puso

---

[19] *vieron a ojo:* percibieron a la vista, vieron delante. «E en llegándose a la orilla de aquel lago, vieron a ojo los cisnes», *Gran Conquista de Ultramar*, I, 116.

[20] *partáis:* parteys, Z // partays, RS // .

mano a su espada con muy bivo coraçón que él tenía, y fue para el otro, que assí mesmo con la espada en la mano estava y bien cubierto de su escudo atendiéndole, y diéronse muy grandes y duros golpes. Pero como don Bruneo fuesse de más fuerça y que más aquel menester avía usado, cargóle de tantos golpes, que le hizo perder la espada de la mano y ambas las estriberas, y abraçóse al cuello del cavallo, y dixo:

—¡O señor cavallero, por Dios no me matéis!

Don Bruneo se sufrió de lo ferir, y dixo:

—Otorgadvos por vencido.

—Otórgolo —dixo él— por no morir y perder el alma.

—Pues apeaos del cavallo —dixo don Bruneo— fasta que os mande.

Él assí lo hizo, mas tan desatentado estava que se no pudo tener, y cayó en el suelo. Y don Bruneo le hizo mal su grado levantar, y díxole:

—Id aquel vuestro compañero y mirad si es muerto o bivo.

Él, assí como mejor pudo, lo hizo, y llegóse a él y quitóle el yelmo de la cabeça. Y como el aire le dio, cobró huelgo y acordó ya cuanto[21]. En esto miró don Bruneo por el donzel y violo una pieça de sí[22], que el hombre, no teniendo tanta fuzia[23] en su bondad, avíase alexado dellos con él. Y llamólos con el espada que se viniessen a él, y assí lo hizieron; y como el donzel llegó, estuvo espantado de lo que don Bruneo avía hecho. Y como era niño y nunca cosa semejante viera, estava todo demudado. Y díxole don Bruneo:

—Buen donzel, hazed matar estos vuestros enemigos, ahunque será pequeña vengança a la gran traición que su señor a vuestro padre hizo.

El donzel le dixo:

—Señor cavallero, por ventura éstos están sin culpa de aquella traición; y mejor será, si vos pluguiere, que los llevemos bivos que matarlos.

Don Bruneo lo tuvo por bien, y pagóse de lo que el Infante dixo, y pensó que sería hombre bueno si biviesse. Entonces

---

[21] *cobró huelgo y acordó ya cuanto:* recuperó el aliento y volvió en sí algo. «Cayo amortecido, e quando acordo, dixo», *Demanda del Sancto Grial,* 188a.

[22] *una pieça de sí:* a una cierta distancia de él.

mandó aquel hombre que con ellos venía que ayudasse al otro cavallero, y pusiessen aquel que más desacordado estava atravesado en la silla de su cavallo, que el otro cavalgasse, y se irían a la villa, y assí se hizo.

Y cuando allá llegaron, salieron muchos por los ver, y maravillávanse cómo assí traían aquellos cavalleros dos que de allí avían partido essa mañana. Assí fueron por la rúa[24] del lugar fasta la plaça, donde mucha gente se llegó. Y como vieron al Infante, vinieron a él a le besar las manos llorando, y dezíanle:

—Señor, si nuestros coraçones osassen poner en obra lo que las voluntades dessean y viéssemos aparejo para ello, todos seríamos en vuestro servicio hasta morir. Mas no sabemos qué remedio tomar, pues no ay entre nos caudillo ni mayor que mandarnos sepa.

Don Bruneo les dixo:

—¡O gente de poco esfuerço!, ahunque fasta aquí ayáis sido honrados, ¿no se acuerda que sois vasallos del Rey su padre deste donzel y del Infante que rey será, su hermano? ¿Cómo les pagáis aquello que como súbditos y naturales les devéis, veyendo muerto a traición tan grande a vuestro señor, y a sus fijos encerrados y cercados de aquel Duque traidor, su enemigo?

—Señor cavallero —dixo uno de los más honrados de la villa—, vos dezís gran verdad; mas como no tengamos quién nos guíe y nos mande, y seamos todos gentes que más por las haziendas que por las armas bevimos, no nos sabemos dar el recaudo que a nuestra lealtad conviene. Pero agora que aquí está este nuestro señor, y vos en su guarda, ved lo que devemos y podemos fazer, y luego se porná en obra a todo nuestro poder[25].

---

[23] *fuzia*: confianza. «E quando desto non toviere fuzia vuestra», Leomarte, *Sumas de historia troyana*, 205, 34.

[24] *rúa*: calle. «Oyo vozes en la rrua que matavan a los suyos», A. Martínez de Toledo, *Atalaya de las coronicas*, pág. 57a.

[25] *se porná en obra a todo nuestro poder*: se realizará de acuerdo con todas nuestras fuerzas. «Prometo [...] que esta demanda mantenga a todo mi poder», *Demanda del Sancto Grial*, 200b. Por primera vez en la obra, con una clara variación respecto a otros combates, se plantea una confrontación en la que una parte de los combatientes no son caballeros, por lo que carecen de alguien que los conduzca. Como dice R. Sánchez de Arévalo, *Suma de la política*, 271a, «el capitán o cabdillo de la guerra deve ser sabidor e industrioso en el arte de las guerras y de

—Vos lo dezís como bueno —dixo don Bruneo—, y es gran razón qu'el Rey vos haga mercedes y a todos los que este vuestro voto y parescer siguieren; y yo vengo a vos gúiar y a morir o bivir con vosotros.

Entonces les dixo el recaudo que en la villa con el otro Infante dexava, y cómo avían venido con la Reina su señora, y dónde la dexavan, y cómo yendo a la Ínsola Firme la avían fallado en la mar; y que no temiessen, que con poca de su ayuda sus enemigos serían muy presto destruidos y muertos. Cuando esto[26] oyó aquella gente, tomaron en sí gran esfuerço y coraçón, y alborotáronse todos, y dixeron:

—Señor cavallero de la Ínsola Firme, que allí nunca uvo cavallero que bienaventurado no fuesse después que aquel famoso Amadís de Gaula la ganó, mandad y ordenad de nos todo lo que devemos fazer, y luego se porná en obra.

Don Bruneo gelo gradesció mucho, y hizo al Infante que gelo gradesciesse, y díxoles:

—Pues mandad luego cerrar las puertas deste lugar y poner guardas, que de ninguno de aquí no sean avisados nuestros enemigos. Y yo os diré lo que hazerse deve.

Esto fue luego hecho, y díxoles:

—Pues id a vuestras casas y comed, y adereçad vuestras armas, cualesquiera que sean, y estad prestos y guardad vuestra villa; y no ayáis miedo de aquella mala gente, que allí tienen harto en que entender, según el recaudo con el Infante queda. Y cuanto comamos y descansen nuestros cavallos, el Infante y yo nos passaremos a otra villa que esta guía que trayo me dize que es a tres leguas[27] désta. Y tomaremos toda aquella gente y vernemos por aquí, y yo os levaré de manera que vuestros enemigos, si esperan, serán perdidos y maltrechos y en vuestro poder.

---

la cavallería, la qual sciencia se aprende por la lecturas y doctrinas de los sabios antiguos y después por grande uso y exercicio». De acuerdo con Pedro Corominas, «El sentimiento de realidad en los libros de caballerías», pág. 516, «en los libros de caballerías de invención o asimilación castellana, los héroes no mueven la sociedad para combatir ... La intervención de grandes haces de gente común podría ser ignorada por el lector que no pasara de los primeros libros o capítulos».

[26] *esto:* este, Z // esto, RS // .

[27] *leguas:* lleguas, Z // leguas, RS // .

Ellos le dixeron que así lo harían, y luego fueron todos con mucha gana a lo fazer como lo él mandava. Y al Infante y don Bruneo dieron de comer, y muy bien, en un palacio que del Rey era. Y desque ovieron comido, que passava ya el medio día, queriendo cavalgar para se ir, llegaron dos peones que venían a más andar a la puerta de la villa; y dixeron a las guardas que los dexassen entrar, que traían nuevas de su plazer. Las guardas los llevaron al Infante y a don Bruneo, y preguntáronles qué dezían. Ellos dixeron:

—Señores, nosotros no veníamos sino a los desta villa que no sabíamos de la venida del Infante ni de vos, que os nunca vimos. Y las nuevas que traemos son tales, que assí vosotros como ellos avréis gran plazer de las saber. Agora sabed que esta noche passada salieron de la villa mucha gente y dieron en las guardas, y mataron y prendieron muchos de los del Duque. Y como el Duque lo supo, acudió allí y falló dos cavalleros estraños, que maravillas dizen dellos, que matavan los suyos; y él por los socorrer combatióse con el uno dellos, y de un golpe solo derribó al Duque del cavallo, y quedó en poder de los de la villa, no saben si muerto o si bivo. Toda la gente del real no saben qué hazer sino andar a cor[r]illos en consejos, y paresciónos que aparejavan par de allí de gran temor que tienen de aquellos cavalleros estraños que vos dezimos. Y nosotros somos de una aldea de aquí cerca, que teníamos en el real provisión; y como vimos esto, acordamos de lo dezir a estos señores desta villa, porque se pongan a recaudo, que como gente que va huyendo no les hagan mal o algún robo.

Don Bruneo, como esto oyó, salió cavalgando y el Infante con él a la plaça, y hizo a los peones que contassen las nuevas a todos los que allí se juntaron, porque tomassen en sí esfuerço y coraçón, y díxoles:

—Mis buenos amigos, yo acuerdo que no devo de passar más adelante, que según estas nuevas bien bastamos vosotros y yo para lo que dexé concertado. Por ende, conviene que seáis todos armados en anocheciendo y partamos de aquí, que gran sinrazón sería que los de la villa llevassen la gloria deste vencimiento sin que nuestra parte nos quepa.

—Todo se hará luego como vos, señor, lo mandáis —dixeron ellos.

Assí estuvieron todo el día adreçando sus armas con tanta voluntad, que no veían la ora de estar embueltos con ellos, porque ya los tenían por desbaratados, y querían vengarse de los males y daños que dellos avían recebido.

Venida la noche, don Bruneo se armó y cavalgó en su cavallo, y sacó toda la gente al campo. Y rogó al Infante que le esperasse allí, mas él no quiso sino ir con él. Pues assí fueron todos, como oídes, la vía del real; y don Bruneo, después que pieça de la noche passó, mandó a la guía que con él viniera que hiziesse la señal a los de la villa desde donde la viessen, como quedó acordado, y él assí lo hizo. Y tanto que por ellos fue vista, luego cuidaron que buen recaudo tenía don Bruneo, y luego se aparejaron para salir ante que amanesciesse a dar en el real. Mas los del real acordaron en otra cosa, que como vieron al Duque su señor en poder de sus enemigos y vieron fazer aquellas señales de huegos de noche, y porque tenían perdida la esperança de lo cobrar, antes, si más allí se detuviessen, sería gran peligro, en passando parte de la noche recogieron toda la gente y fardaje y los heridos, y muy secreto, sin que sentidos fuessen, alçaron el real y movieron camino de su tierra, de manera que, antes que su ida fuesse sentida, anduvieron gran pieça.

Pues venida la hora que los de las villa salieron y don Bruneo llegó por el otro cabo, no hallaron nada; antes, no se conosciendo, como era de noche, oviera de aver entre ellos gran rebuelta, cada uno pensando por los otros que fuessen los contrarios, de que ninguna gente en medio se hallava. Pero de que se conoscieron, ovieron muy gran pesar porque assí se les avían ido; y luego siguieron el rastro, mas mucho a duro, que con la noche no podían, y andavan a tiento hasta qu'el alva vino. Y entonces los vieron muy claro, por lo cual[28] los de cavallo mucho se apressuraron y alcançaron todo el fardaje y los peones y feridos; que la otra gente, como ya ivan de vencida, no quisieron aguardar desque el día vino porque ahún ivan por tierra de sus enemigos.

Déstos, pues, tomaron muchos y otros prendieron, y cobraron muy grande aver, y con mucha alegría y gloria se bol-

---

[28] *lo cual:* el qual, ZR // lo qual, S // .

vieron a la villa. Y luego embiaron cavalleros que traxessen a la Reina; y como vino y vio sus hijos sanos y buenos, y a su enemigo preso, ¿quién puede dezir el plazer grande que sintió?

Angriote y sus compañeros, como sabían el concierto de la Ínsola Firme y que los havían de esperar aquellos grandes señores, demandaron licencia a la Reina diziéndole que, a día señalado, havían de ser en la Ínsola Firme, que, pues ya no eran menester, que querían andar su camino.

La Reina les rogó que por su amor se detuviessen dos días, porque quería en su presencia alçar a su fijo Garinto por rey, y fazer justicia d'aquel traidor del Duque muy cruel. Ellos le dixeron que a lo de su fijo les plazía estar, pero que a la justicia del Duque no; que pues en su poder quedava, que después dellos idos fiziesse dél a su guisa[29]. La Reina mandó fazer luego en la plaça un gran cadahalso de madera cubierto de muy ricos y graciosos paños de oro y de seda, y mandó venir allí todos los mayores de su reino que más cerca se hallaron; y subieron en él al infante Garinto y a los tres cavalleros. Y traxeron al Duque, assí malparado como estava, encima de un roçín sin silla, y delante dél tocaron muchas trompas, llamando al Infante Rey de Dacia. Y Angriote y don Bruneo le pusieron en la cabeça una muy rica corona de oro con muchas perlas y piedras.

Assí estuvieron en aquellas fiestas gran parte del día con mucho dolor y angustia de aquel Duque que lo mirava, al cual la gente dezían muchas injurias y denuestos. Pero aquellos cavalleros rogaron a la Reina que lo mandasse llevar de allí, o que ellos se irían, que no querían ver que ningún hombre preso y vencido en su presencia recibiesse injuria. La Reina lo mandó llevar a la prisión, pues vio que les pesava en estar allí, y rogóles que tomassen joyas ricas que allí fizo traer para les dar. Mas ellos, por ruego que les fiziesse, ninguna cosa quisieron tomar sino solamente, porque sabían que en aquella tierra havía muy fermosos lebreles y sabuesos[30], que su merced fues-

---

[29] *a su guisa:* a su voluntad. «Todos estos onze fueron a ferir en el cavallero anciano a toda su guisa», *Tristán de Leonís,* 433b.

[30] *lebreles y sabuesos:* la 1.ª doc. de lebrel, según DCECH, en Nebrija, si bien pueden encontrarse ejemplos anteriores. Cfr.: «Iba grand quadrilla de monteros,

se de les mandar dar algunos para los montes de la Ínsola Firme. Luegos les traxeron allí más de cuarenta en que escogiessen los más fermosos que más les agradassen. Cuando la Reina vio que se querían ir, díxoles:

—Mis amigos y buenos señores, pues que de mis joyas no queréis llevar, forçado es que llevéis una que es la que yo más en este mundo amo, y ésta es el Rey mi fijo, que de mi parte le deis a Amadís porque en su compaña y de sus amigos cobre la criança y buenas maneras que a cavall[er]o convienen, que de los bienes temporales asaz es abastado. Y si Dios a edad complida le llega, mejor de su mano que de otro alguno podrá ser cavallero. Y dezilde que assí por sus nuevas como por la bondad de vosotros, que este reino que me hezistes ganar que para él y para vos se ganó.

Ellos jelo otorgaron de que vieron que con tanta afición lo quería, y porque mucha honra era tener en su compaña un rey tal como aquél, que seyendo de tan gran estado procurava su compañía por valer más.

La Reina le fizo guarneçer una fusta muy ricamente, como a rey convenía, assí de grandes atavíos como de joyas muy ricas y preciadas, para que las diesse a los cavalleros y a otras personas qu'él quisiesse, y su ayo con otros servidores. Y fuesse con ellos fasta la mar, y de allí se tornó; y llegada a la villa, con mucha desonra mandó enforcar[31] al Duque porque todos viessen el fruto que las flores de la traición llevavan.

Ellos entraron en sus fustas y caminaron tanto fasta que llegaron aquel gran puerto de la Ínsola Firme, donde con mucho deseo los esperavan. Llegados al puerto, embiaron dezir a Amadís cómo traían consigo al rey de Dacia, la razón por qué,

unos a cavallo, e otros a pie, con sus lebreles e canes por las traíllas», *Crónica de don Álvaro de Luna*, 218, 15. Téngase en cuenta que el relato se localiza en Dacia y Cobarruvias decía de los lebreles que los «suelen traer a España de las islas setentrionales».

[31] *enforcar:* ahorcar. «Mandó degollar tres e enforcar uno», P. Carrillo de Huete, *Crónica del Halconero de Juan II*, 53, 22. En las leyes dictadas por los consejeros en el *Baldus*, la 14.ª señala «por qué cosas puede ser privado de la cavallería», indicando cómo el caballero será «ahorcado cuando no ayudase a su señor, hiciese traición e fuese ladrón», ap. Alberto Blecua, «Libros de caballerías, latín macarrónico...», art. cit., pág. 236.

que viesse lo que se devía fazer en la venida de tal Príncipe. Amadís cavalgó, y no levó consigo sino Agrajes; y a la meitad de la cuesta del castillo encontraron con los cavalleros y con el Rey, el cual ricamente vestido venía en un palafrén guarnido a maravilla. Amadís se fue a él y lo saludó, y el niño a él, con mucha cortesía, que ya le avían dicho cuál era. Después se abraçaron todos con risa[32] y plazer que de sí ovieron; y assí juntos se fueron al castillo, donde aquel Rey fue aposentado en compañía de don Bruneo fasta que otros donzeles viniessen[33] que esperavan.

Assí estavan aquellos señores en aquella ínsola esperando al rey Lisuarte, que por contar dél dexaremos éstos hasta su tiempo.


## Capítulo CXXIII

*Cómo el rey Lisuarte y la reina Brisena[1], su mujer, y su fija Leonoreta vinieron a la Ínsola Firme, y cómo aquellos señores y señoras los salieron a recebir.*


Como es dicho, el rey Lisuarte, después que llegó a Vindilisora, mandó a la Reina que se adereçasse de las cosas necessarias a ella y a su hija Leonoreta; y al rey Arbán de Norgales, su mayordomo mayor, de lo que[2] a él convenía. Y todo fecho y aparejado según su grandeza, partió con su compaña. Y no quiso llevar sino al rey Cildadán, y a don Galvanes y a Madasima su muger, que estonces allí por su mandado llegaran de la ínsola de Mongaça, y otros algunos de sus cavalleros ricamente vestidos, que Gasquilán, Rey de Suesa, desde allí se tornó en su reino.

Pues con mucho plazer fueron por sus jornadas fasta que llegaron a dormir a cuatro leguas de la ínsola; lo cual fue sabido luego por Amadís y por todos los otros Príncipes y cavalle-

---

[32] *risa:* riza, Z // risa, RS // .
[33] *viniessen:* viviessen, Z // viniessen, RS // .
[1] *Brisena:* Elisena, ZS // Brisena, R // .
[2] *de lo que:* a lo que, ZR // de lo que, S // .

ros que con él estavan. Y acordaron que todos juntos, y aquellas señoras con ellos, lo saliessen a recebir a dos leguas de la ínsola; y assí se hizo, que otro día salieron todos y todas las Reinas tras la reina Elisena. Los vestidos y riquezas que sobre sí y sobre sus palafrenes llevavan no bastaría memoria para lo contar, ni manos para lo screvir; tanto, os digo, que antes ni después nunca se supo que una compaña de tantos cavalleros de tan alto linaje y de tanto esfuerço, y tantas señoras, reinas, infantas, y otras de gran guisa, tan fermosas y tan bien guarnidas oviesse havido en el mundo.

Assí juntos fueron por aquella vega fasta que llegaron a vista del rey Lisuarte; el cual, cuando vio tanta gente que contra él[3] iva, luego pensó lo que era; y con toda su compaña anduvo tanto, que se encontró con el rey Perión y el Emperador, y todos los otros cavalleros que delante venían. Allí pararon todos para se abraçar. Amadís venía más detrás hablando con don Galaor su hermano, que ahún estava muy flaco, que apenas podía andar cavalgando, y como llegó cerca del Rey, apeóse de su cavallo. Y el Rey le dio bozes que lo no hiziesse, mas él no lo dexó por eso y llegó a pie; y ahunque no quiso, le besó las manos. Y passó a la Reina, que Esplandián, aquel fermoso donzel, de rienda traía; y la Reina se abaxó del palafrén por le abraçar, mas Amadís le tomó las manos y se las besó. Don Galaor llegó al rey Lisuarte, y cuando lo vio tan flaco, fuelo abraçar, y las lágrimas les vinieron a entrambos a los ojos. Y túvolo assí el Rey un rato, que se nunca pudieron fablar; tanto, que algunos dixeron que este sentimiento fue del plazer que de se ver ovieron, pero otros lo juzgaron diziendo que teniendo en las memorias las cosas passadas, y no se aver en ellas fallado juntos como sus coraçones desseavan, avía traído aquellas lágrimas. Esto se eche a la parte que os pluguiere, pero de cualquiera manera que fuese era porque mucho se amavan[4].

Oriana llegó a la Reina su madre después que la reina Elisena la saludó. Y como su madre la vio, que era la cosa que más

---

[3] *contra él*: hacia él. «Alço las manos contra el cielo», *Tristán de Leonís*, 387a.

[4] El narrador comenta dos posibilidades de interpretación de los hechos según los participantes en la acción, dejando al lector la solución más satisfactoria, si bien este tipo de técnicas no suelen ser muy habituales en la obra.

amava, fue a ella y tomóla entre sus braços, y cayeran ambas a tierra si no por cavalleros que las sostovieron; y començóla a besar por los ojos y por el rostro, diziendo:

—¡O mi fija, a Dios plega por la su merçed que, los trabajos y fatigas que esta tu gran hermosura nos ha dado, que ella sea causa de los remediar con mucha paz y alegría de aquí adelante!

Oriana no fazía sino llorar de plazer y ninguna cosa le respondió. En esto llegaron las reinas Briolanja y Sardamira, y quitárongela d'entre los braços; y hablaron a la Reina, y después todas las otras con mucha cortesía, que esta dueña tenían por una de las mejores y más onradas reinas del mundo. Leonoreta llegó a besar las manos a Oriana, y ella la abraçó y besó muchas vezes; y así lo hizieron todas las dueñas y donzellas de la Reina su madre, que la amavan de coraçón más que a sí mismas; que como se os ha dicho, esta Princesa fue la más noble y más comedida para honrar a todos que en su tiempo fue; y por esta causa era muy amada de todos y todas cuantas la conoçían.

Hecho el recibimiento, no como fue, que sería imposible dezirlo, mas como a la orden del libro conviene[5], movieron todos juntos para la ínsola. Cuando la reina Brisena vio tantos cavalleros y tantas dueñas y donzellas de tan alta guisa, a quien ella muy bien conocía, y sabía dó llegava su gran valor, y que todos estavan a la voluntad y ordenança de Amadís, fue tan espantada, que no sabía qué dezir. Y fasta allí bien pensava que en el mundo oviese igual casa ni corte a la del Rey su marido; pero visto esto que vos digo, no figurava su estado sino de un baxo conde[6]. Y mirava a todas partes y vía que todos andavan tras Amadís y lo acatavan como a señor, y el que más cerca dél

---

[5] En las abreviaciones del narrador, especialmente en el último libro, predomina el «topos» de la inefabilidad. Hay que tener en cuenta que «el rivalizar en cortesías y atenciones, que ha tomado en la actualidad un carácter de cosa propia de la pequeña burguesía, estaba extraordinariamente desarrollado en la vida de corte del siglo XV», J. Huizinga, ob. cit., pág. 70.

[6] *no figurava su estado sino de un baxo conde:* no imaginaba su estado sino como el de un bajo conde. Al final del libro, y a través de un testigo presencial, se ensalza el poder alcanzado por Amadís, muy superior al del rey Lisuarte al comienzo de la obra. Supone el máximo encumbramiento del héroe, y ha sido obtenido por su propio esfuerzo.

iva se tenía por más honrado, y doquiera qu'él iva ivan todos. Maravillávase cómo pudo ganar tal alteza un cavallero que nunca alcançó sino armas y cavallo; y comoquiera que por marido de su fija lo toviesse y muy entero en su servicio, no pudo escusar de no aver dello gran embidia, porque aquel gran estado quisiera ella para su marido, y de allí lo heredava Amadís con su fija; pero como lo veía ser al revés, no se podía alegrar con ello. Mas como era muy cuerda, fizo que lo no mirava ni entendía, y con rostro alegre y coraçón turbio fablava y reía con todos aquellos cavalleros y señoras que alderredor de sí levava, que el Rey, después que fabló a don Galaor, nunca dél se partió en todo aquel camino fasta que a la ínsola llegaron.

Pues yendo por el camino, Oriana no podía partir los ojos de Esplandián, que lo mucho amava, assí como la razón lo mandava. Y la Reina su madre, que lo vio, dixo:

—Fija, tomad este donzel que vos lleve.

Oriana estuvo queda, y el donzel llegó con muy gran humildad a le besar las manos. Oriana tenía gran desseo de le besar, mas el gran empacho que uvo la hizo sofrir[7]. Mabilia se llegó a él y díxole:

—Mi buen amigo, también quiero yo parte de vuestros abraços.

Él bolvió el rostro con un semblante tan gracioso, que maravilla era de le mirar, y conocíala luego, y él fablóla con mucha cortesía. Assí lo llevaron en medio entrambas, fablando con él en lo que más les contentava, y pagávanse mucho de cómo él respondía, que la graciosa fabla y donaire suyo las hazía a ellas alegrarse. Y mirávanse Oriana y Mabilia una a otra, y miravan al donzel; y Mabilia dixo:

—¿Paréceos, señora, si era esta preciosa vianda para la leona y para sus fijos?

—¡Ay, mi señora y amiga —dixo Oriana—, por Dios no me lo trayáis a la memoria[8]!, que ahún agora se me aflige el coraçón en lo pensar.

---

[7] *el gran empacho que uvo la hizo sofrir:* su gran vergüenza le hizo refrenarse. «No cesses tu petición por empacho ni temor», *Celestina*, IV, 85.

[8] *trayáis a la memoria:* recordéis. «Le traýa a la memoria cómo le havían deseredado aquellos sus hermanos», *Gran Conquista de Ultramar*, I, 575.

—Pues entiendo —dixo Mabilia— que no menos peligro passó su padre, tan pequeño como él, en la mar. Mas Dios le guardó para esto que veis; y assí lo fará, si le pluguiere, a este que pasará de bondad a él y a todos los del mundo.

Oriana se rió muy de coraçón, y dixo:

—Mi verdadera ermana, no pareçe sino que me queréis tentar por ver en cuál dellos otorgaré. Pues no quiero dezir, que así plega a Dios, sino que a entranbos los faga tales que no tengan par, como fasta aquí cada uno en su edad no la han tenido.

En esto y en otras cosas mucho de plazer hablando, todos llegaron al castillo de la Ínsola Firme, donde al rey Lisuarte y a la Reina su mujer aposentaron muy bien donde Oriana posava, y al rey Perión y su mujer donde la reina Sardamira. Oriana con todas las novias que avían de ser tomaron lo más alto de la torre. Amadís havía mandado poner las mesas en aquellos portales muy ricos de la huerta; y allí fizo comer toda aquella compaña muy ricamente con tanta abundancia de viandas y vinos y frutas de todas maneras, que muy gran maravilla era de lo ver, cada uno según su estado lo mereçía, y todo era fecho mucho por orden. Don Cuadragante llevó consigo al rey Cildadán, que él mucho amava, y assí lo hizieron todos los otros cavalleros [a] cada uno[9] de los del Rey, según lo amavan. Amadís llevó consigo al rey Arbán de Norgales y a don Grumedán y a don Guilán el Cuidador. Norandel posó con su gran amigo don Galaor. Assí passaron aquel día con el plazer que pensar podéis. Mas lo que Agrajes hizo con su tío y con Madasima no se podría contar en ninguna manera, ni pensar, que a éste tenía en tanto acatamiento y reverencia como al Rey su padre siempre tuvo; y hizo quedar a Madasima con Oriana y con aquellas Reinas y señoras grandes que allí estavan y él llevó a don Galvanes consigo a su posada. Esplandián se llegó luego al Rey de Dacia, que era de su edad y le pareçió muy bien, y tan grande amor se les siguió desde la hora que se vieron que todos los días de su vida les turó[10]; assí que por muy grandes

---

[9] *cavalleros [a] cada uno:* cavalleros cada uno, ZRS // cavalleros a cada uno, Place // .

[10] *turó:* duró.

tiempos anduvieron juntos en compañía después que cavalleros fueron, y passaron muy grandes hechos de armas en muy
gran peligro de sus personas como cavalleros muy eforçados.
Este Rey fue todo el secreto de los amores de Esplandián; por
sus consejos buenos fue quitado muchas vezes de grandes angustias y mortales cuidados que de su señora le venían fasta le
llegar al hilo de la muerte[11]. Este Rey que os digo se puso a
muy grandes afanes por fablar esta señora y le dezir lo que por
su amor este cavallero padeçía, y que oviesse piedad de su dolorosa muerte[12]. Estos dos Príncipes que os cuento, por amor
desta señora, tomando consejo a Talanque, fijo de don Galaor,
y a Maneli el Mesurado, hijo del rey Cildadán, que en las sobri-
nas de Urganda los ovieron cuando estavan presos como el segundo libro desta historia más largo lo cuenta, y Ambor, hijo
de Angriote d'Estrávaus, todos noveles cavalleros, passaron la
mar por parte de Costantinopla a la tierra de los paganos, y
ovieron grandes recuestas, assí con fuertes gigantes como con
otras naciones estrañas de muchas guisas, las cuales passaron a
su gran honra; por donde sus altas proezas y grandes cavallerías fueron por todo el mundo sonadas[13], assí como más largo
vos lo contaremos en aquel ramo que de Esplandián es llamado, que desta historia sale, que fabla de los grandes fechos y de
los amores que con la flor y fermosura de todo el mundo tuvo;
que fue aquella estrella luziente que ante ella toda fermosura
escureçía, Leonorina, fija del Emperador de Constantinopla,
aquella que su padre Amadís dexó niña en Grecia cuando allá
passó y mató el fuerte Endriago, como os ya contamos.

Pero dexemos agora esto fasta su tiempo, y tornemos al
propósito de nuestra historia. Pues passado aquel día que llega-

---

11 *hilo de la muerte:* filo, borde, de la muerte.

12 En los primeros libros puede observarse una tendencia hacia la geminación y paralelismos de personajes y escenas, mientras que ahora el emparejamiento alcanza una mayor importancia. Por ejemplo, desde los primeros días de
su vida está Esplandián emparejado con Sargil, su *collaço,* para después estar
amistosamente relacionado con Ambor, hijo de Angriote, dejándose para el final esta nueva relación con el Rey de Dacia, más acorde con su categoría estamental.

13 *sonadas:* divulgadas «con mucho ruydo y admiración» (Cobarruvias). «Las
nuevas fueron sonadas por el castillo», *Demanda del Sancto Grial,* 281b.

ron y otro para descansar del camino, los Reyes se juntaron para dar orden en los casamientos cómo se hiziessen con mucho plazer, y se tornassen a sus tierras, que mucho les quedava de fazer: los unos, en ir a ganar los señoríos de sus enemigos, y los otros, en les dar ayuda para ello.

Y estando juntos debaxo de unos árboles cabe las fuentes que ya oístes, oyeron grandes bozes que las gentes davan de fuera de la huerta, y sonava gran murmullo. Y sabido qué cosa fuesse, dixéronles que venía la más espantable cosa y más estraña por la mar de cuantas havían visto. Estonces los Reyes demandaron sus cavallos y cavalgaron, y todos los otros cavalleros, y fueron al puerto. Y las Reinas y todas las señoras se subieron a lo más alto de la torre, donde gran parte de la tierra y de la mar se pareçía[14]. Y vieron venir un humo por el agua más negro y más espantable que nunca vieran. Todos estuvieron quedos fasta saber qué cosa fuesse. Y dende a poco rato que el fumo se començó a esparzir, vieron en medio dél una serpiente mucho mayor que la mayor nao ni fusta del mundo, y traía tan grandes alas, que tomavan más espacio que una echadura de arco[15], y la cola enroscada hazia arriba, muy más alta que una gran torre. La cabeça y la boca y los dientes eran tan grandes, y los ojos tan espantables, que no havía persona que la mirar osasse; y de rato en rato echava por las narizes aquel muy negro fumo, que fasta el cielo subía y de que se cubría todo. Dava los roncos y silvos[16] tan fuertes y tan espantables, que no pareçía sino que la mar se quería hundir. Echava por la boca las gorgoçadas[17] del agua tan rezio y tan lexos, que ninguna nave, por grande que fuesse, a ella se podía llegar que no fuesse anegada[18].

---

[14] *pareçía*: se veía.

[15] *echadura de arco*: espacio equivalente a la distancia del tiro de un arco. «Fueron assi fasta cerca de las tiendas del rey, quanto una echadura de ballesta», *Baladro del sabio Merlín* (B), 92a-b.

[16] *roncos y silvos*: ronquidos y silbidos. «Dava tan fuertes silvos que a todos espantava», A. Martínez de Toledo, *Atalaya de las coronicas*, pág. 47a. Conjuntamente con el humo, son los signos externos caracterizadores de animales monstruosos, especialmente los dragones-serpientes.

[17] *gorgoçadas*: bocanada de líquido. En DCECH, sin fecha de incorporación.

[18] De la misma manera que ha sucedido con la presentación de Urganda en la corte de Lisuarte, libro II, LX —véase la Introducción, págs. 100 y ss.— se plantea una presentación dinámica de la Gran Serpiente de Urganda. Si de lejos

Los Reyes y cavalleros, comoquiera que muy esforçados fuessen, mirávanse unos a otros y no sabían qué dezir, que a cosa tan spantable y tan medrosa de ver no fallavan ni pensavan que resistencia alguna podría bastar; pero estuvieron quedos. La gran serpiente, como ya cerca llegasse, dio por el agua al través tres o cuatro bueltas, haziendo sus bravezas y sacudiendo las alas tan rezio, que más de media legua sonava el cruxir de las conchas. Como los cavallos en que aquellos señores estavan la vieron, ninguno fue poderoso de tener el suyo; antes, con ellos ivan huyendo por el campo fasta que de fuerça les convino apearse dellos. Algunos dezían que sería bueno armarse para atender; otros dezían que, como fuesse bestia fiera de agua, que no osaría salir en tierra; y puesto caso que saliesse, espacio havría para se meter en la ínsola, y que ya ella, de que vía la tierra, començava a reparar.

Pues estando assí todos maravillados de tal cosa, cual nunca oyeran ni vieran otra semejante, vieron cómo por el un costado de la serpiente echaron un batel cubierto todo de un paño de oro muy rico, y una dueña en él que a cada parte traía un donzel, muy ricamente vestidos, y sofríase con los braços sobre los ombros dellos[19], y dos enanos muy feos en estraña manera con sendos remos, que el batel traían a tierra. Mucho fueron maravillados aquellos señores de ver cosa tan estraña, mas el rey Lisuarte dixo:

—No me creáis si esta dueña no es Urganda la Desconoçida, que bien se os deve acordar —dixo a Amadís— del miedo que nos puso estando en la mi villa de Fenusa cuando con los huegos vino por la mar.

—Yo lo he pensado assí —dixo Amadís— después que el batel vi, que de antes no creía sino que aquella serpiente era algún diablo con que tuviéramos harto que hazer.

En esto llegó el batel a la ribera, y como cerca fue, conoçieron ser la dueña Urganda la Desconoçida, que ella tuvo por

---

ven venir un humo negro, conforme se vaya acercando aparecerá en su plenitud de forma. Estas presentaciones ilusionistas están en íntima relación con la magia.

[19] *sofríase con los braços sobre los ombros dellos:* se sostenía con los brazos sobre los hombros de ellos. «Non podía andar sinon sofriéndose sobre otro», Fernán Pérez de Guzmán, *Generaciones y semblanzas,* pág. 25.

bien de se les mostrar en su propia forma, lo cual pocas veces fazía; antes, se demostrava en figuras estrañas, cuando muy vieja demasiada, cuando[20] muy niña, como en muchas partes desta historia se ha contado. Assí llegó con sus donzeles muy hermosos y muy guarnidos, que sus vestiduras eran en muchos lugares guarneçidas y labradas de piedras preciosas de muy gran valor. Los Reyes y grandes señores se fueron assí a pie como estavan, acostando a la parte donde ella salía. Y como llegada fue, salió del batel[21] teniendo por las manos a sus hermosos donzeles, y fue luego al rey Lisuarte por le besar las manos; mas el Rey la abraçó y no jelas quiso dar, y assí lo fizieron el rey Perión y el rey Cildadán. Estonces se bolvió ella al Emperador y díxole:

—Buen señor, ahunque me no conoçéis, ni yo vos aya visto, mucho sé de vuestra hazienda, assí de quién sois y el valor de vuestra noble persona como de vuestro grande estado. Y por esto y por algún serviçio que antes de mucho tiempo de mí recibiréis, junto con la Emperatriz[22], quiero quedar en vuestro amor y buena conoçencia[23] para que se os acuerde de mí, cuando en vuestro imperio estuvierdes, en me mandar algo en que le pueda servir; que, aunque vos pareçe estar esta tierra donde mi habitación es muy lexos de la vuestra, no sería para mí gran trabajo andar el camino todo en un día natural[24].

El Emperador le dixo:

—Mi buena amiga señora, por más contento me tengo de

---

[20] *cuando... cuando:* ya ...ya.

[21] *batel:* batal, Z // batel, RS // .

[22] Urganda anuncia un episodio futuro desarrollado en las *Sergas,* capítulos XXX y XXXI, en el que la maga salva al hijo del Arquisil y Leonoreta, raptado por un pariente de don Garadán.

[23] *buena conoçencia:* buen conocimiento. «Nos hizo aver conocencia de nuestro señor natural», *Baladro del sabio Merlín* (B), 61a-b.

[24] Algunas de las cualidades de Urganda se han visto portergadas en aras de otra más llamativas, como esta capacidad de desplazamiento. Si en el libro primero la maga estaba implicada en aventuras resueltas también por los caballeros, o participaba con algunas ayudas de forma constante en diversas aventuras, ahora su aparición se centra especialmente en momentos fundamentales del relato para predecir algunos hechos claves posteriores u otorgar su ayuda a Esplandián. Por otra parte, en la primera parte sus cualidades se convertían en actos sin ninguna necesidad de hacer manifestaciones verbales, mientras que ahora hace gala de ellas.

haver ganado vuestro amor y buena voluntad que gran parte de mi señorío. Y pues por vuestra virtud a ello me havéis conbidado, no se os olvide lo que me prometistes; que si en mi coraçón y voluntad está assentado de lo[25] agradeçer con todas mis fuerças, vos muy mejor que yo lo sabéis.

Urganda le dixo:

—Mi señor, yo os veré en tiempo que por mí vos será restituido el primer fruto de vuestra generación.

Estonces miró contra Amadís, que no avía avido tiempo de le poder hablar, y díxole:

—Pues de vos, noble cavallero, no se deve perder el abraçado[26], ahunque, según la favorable fortuna en tanta grandeza os ha ensalçado y puesto en la cumbre, ya no ternéis en mucho los servicios y plazeres de los que poco podemos, porque estas mundanales cosas, muy prestamente siguiendo la orden del mundo, con pequeña causa y ahun sin ella podrían variar. Agora que vos pareçe que más sin cuidado podréis passar vuestra vida, special teniendo la cosa del mundo por [v]os más desseada en vuestro poder, sin la cual todo lo restante os fuera causa de dolorosa soledad, agora es más necessario sostenerlo con doblado trabajo; que la fortuna no es contenta cuando en semejantes alturas fiere y muestra sus fuerças porque muy mayor mengua y menoscabo de vuestra gran honra sería perder lo ganado que sin ello passar antes que ganado fuesse.

Amadís le dixo:

—Según los grandes beneficios que de vos, mi buena señora, yo tengo recebidos con el gran amor que siempre me tuvistes, ahunque para la satisfación de mi voluntad muy poderoso me hallasse, muy pobre me sentiría para lo poner en las cosas que vuestra honra tocassen que por vos me fuessen mandadas; que no puede ser ello tanto, ahunque el mundo fuesse, que mucho más no sea razón de lo aventurar en lo que digo.

Urganda le dixo:

—El gran amor que vos tengo me causa dezir desvaríos y dar consejo donde menester no es.

---

[25] *de lo:* de la, Z // de lo, RS //

[26] *abraçado:* abrazo. «Despues de pedir non licitos abraçados de la deesa iuno», Al. Palencia, 230b. «E como sentió los abraçados de la Reyna no los desechó», *Palmerín de Olivia*, 308, 2.

Estonces llegaron todos aquellos cavalleros y la saludaron. Y dixo a don Galaor:

—A vos, mi buen señor, ni al rey Cildadán no digo agora nada, porque yo moraré aquí con vos algunos días, y ternemos tiempo[27] de hablar.

Y bolviéndose a sus enanos, les mandó que se tornassen a la Gran Serpiente y traxessen en una barca un palafrén, y sendos para sus donzeles, lo cual fue luego fecho. Los Reyes y señores tenían sus cavallos allexados[28] de allí, que el temor de aquella fiera bestia no les dava lugar que a ellos se llegasse. Y dexaron allí hombres que la pusiessen en el palafrén, y ellos se fueron a pie a tomar los suyos.

Ella les dixo que les rogava mucho que oviessen por bien que ninguno la levasse sino aquellos dos donzeles sus enamorados[29], y assí se hizo, que todos fueron delante al castillo y ella a la postre con su compaña. Y anduvieron hasta llegar a la huerta donde las Reinas estavan, y señoras grandes, que no quiso posar en otra parte. Y antes que con ellas entrasse, dixo contra Esplandián:

—A vos, muy hermoso donzel, encomiendo yo este mi thesoro que lo guardéis, que en gran parte no se fallaría tan rico.

Estonces le entregó los donzeles por la mano, y entróse en la huerta, donde fue de todas tan bien recebida cual nunca muger en ninguna parte lo fuera. Cuando ella vio tantas reinas, tantas princesas y infinitas otras personas de gran estima y valor, mirólas a todas con mucho plazer y dixo:

—¡O coraçón mío!, ¿qué puedes d'aquí adelantar ver que causa de gran soledad no te sea?, pues en un día has visto los mejores y más virtuosos cavalleros y más esforçados que en el

---

[27] *tiempo:* tiemoo, Z // tiempo, RS // .

[28] *allexados:* alexados, en R y S.

[29] El primitivo caballero por el que recibió la ayuda de Amadís ha desaparecido para tener a su lado a dos enamorados donceles. En cualquiera de los casos, Urganda reúne en su persona dos rasgos tradicionales del tipo: por un lado es «fée marraine», hada madrina, y por otro, «fée amante». Véase Laurence Harf-Lancner, *Les fées au Moyen Age. Morgaine et Mélusine. La naissance des fées,* Gèneve, Slatkine, 1984, y para una introducción general, José Enrique Ruiz Doménec, «Les fades o el maravellós de la dona», en *El món imaginari i el món meravellós a l'Edad Mitjana,* Barcelona, Fundación Caixa de Pensions, 1986, págs. 85-100.

mundo fueron, y las más honradas y hermosas reinas y señoras que nunca nascieron. Por cierto, puedo dezir que de lo uno y otro es aquí la perfeción; y ahún más digo, que assí como aquí es junta toda la gran alteza de las armas y la beldad del mundo, assí es mantenido amor con la mayor lealtad que lo nunca fue en ninguna sazón.

Assí se metió en la torre con ellas, y demandó licencia a las Reinas para que pudiesse posar con Oriana y con las que con ella estavan, las cuales la subieron luego a su aposentamiento. Pues metidas en su cámara, no podía partir los ojos de mirar a Oriana y a la reina Briolanja, y a Melicia y Olinda, que a la hermosura déstas ninguna se igualava, y no hazía sino abraçar a la una y a la otra. Assí estava con ellas como fuera de sentido de plazer, y ellas le fazían tanta honra como si señora de todas fuesse.

## Capítulo CXXIV

*Cómo Amadís hizo casar a su cormano Dragonís con la infanta Estrelleta, y que fuesse a ganar la Profunda Ínsola donde fuesse rey.*

Dize agora la historia que Dragonís, cormano de Amadís y de don Galaor, era un cavallero mancebo muy honrado y de gran esfuerço, assí como lo mostró en las cosas passadas, especial en la batalla que el rey Lisuarte ovo con don Galvanes y sus compañeros sobre la ínsola de Mongaça; donde este cavallero, después que don Florestán y don Cuadragante y otros muchos nobles cavalleros fueron tollidos y presos por don Galaor y el rey Cildadán y Norandel, y por toda la gran gente de su parte que sobre ellos cargó, y don Galvanes llevado a la dicha ínsola muy malherido, quedó con los pocos que de su parte quedaron y con los cavalleros que de su padre allí tenía por escudo y amparo de todos ellos; donde por causa de su discreción y buen esfuerço fueron reparados, assí como más largo el tercero libro desta historia lo cuenta.

Éste no se falló en la Ínsola Firme al tiempo que Amadís fizo los casamientos de sus hermanos y de los otros cavalleros que ya oístes, porque desd'el monesterio de Lubaina se fue con una donzella a quien él de antes havía prometido un don, y combatióse con Angrifo, señor del valle del Fondo Piélago, que preso tenía al padre della por haver dél una fortaleza que a la entrada del valle tenía. Y Dragonís ovo con él una cruel y gran batalla, porque aquel Angrifo era el más valiente cavallero que en aquellas montañas donde él morava se podría fallar; pero al cabo fue vencido por Dragonís como hombre que se a derecho combatía, y sacó de su poder al padre de la donzella. Y mandó a Angrifo que dentro de veinte días fuesse en la Ínsola Firme y se pusiesse en la merced de la princesa Oriana; y porque se falló cerca de la ínsola de Mongaça, quiso ver a don Galvanes y Madasima, y, estando con ellos, llegó el mensajero del rey Lisuarte a los llamar para llevarlos a la Ínsola Firme, asss como prometiera Agrajes; y fuesse con ellos a Vindilisora, donde fueron con mucho amor y grande honra recebidos. Y desde allí se fueron con el Rey y con la Reina a la Ínsola Firme, como ya oístes, donde falló Dragonís el concierto de los casamientos y el repartimiento de los señoríos, como es contado, de que uvo gran plazer. Y loava mucho lo que Amadís su cormano avía fecho, y aparejávase cuanto podía para ser en aquella conquista, que bien creído tenía que se no podía acabar sin grandes fechos d'armas. Pero Amadís, como le amasse de todo su coraçón, consideró que mucha sinrazón sería y gran vergüença suya si tal cavallero quedasse sin gran parte de lo que él avía ayudado con tanto trabajo a ganar; y un día, apartándole por aquella huerta, assí le dixo:

—Mi señor y buen cormano, aunque vuestra joventud y gran esfuerço de coraçón, desseando acreçentar onra en las grandes afrentas, vos quite desseo de más estado y reposo del que fasta aquí tovistes, la razón, a quien todos obligados somos de nos llegar como fuente principal donde la virtud mana, y el tiempo que se os ofreçe, quieren que vuestro propósito mudado sea, y sigáis el consejo de mi poco saber y gran voluntad, que assí como a mi propio coraçón vos ama[1]. Yo he sabido

---

[1] Una de las transformaciones más claras de Amadís se percibe después de la guerra del rey Lisuarte. Del caballero andante anterior, pasa a ejercer la misión de «pater-familias» de su clan, dando consejos a sus familiares y amigos, y otorgándoles la posibilidad de obtener unas posesiones y unos matrimonios. Dejando aparte que estemos en los finales narrativos de la obra, se deja traslucir un

cómo, al tiempo que socorrimos en Lubaina al rey Lisuarte, con los que de los contrarios al principio fuyeron fue el Rey de la Profunda Ínsola, que ferido stava; y agora sé por un escudero del rey Arávigo que aquí es venido cómo entrando en la mar luego fue muerto. Pues aquella ínsola donde él fue señor tengo yo por bien que sea vuestra y della seáis llamado rey; y Palomir vuestro hermano se le quede el señorío de vuestro padre; y seáis casado con la infanta Estrelleta, que como sabéis viene de ambas partes de reyes, y a quien Oriana mucho ama. Y esto tengo por bueno y me plaze que se faga, porque más quiero forçar vuestra voluntad sometiéndola a la razón, que passar tal vergüença en no haver vos, mi buen cormano, parte del bien que Dios me ha dado, assí como vos, más que otro alguno del mal havido lo ha.

Dragonís, comoquiera que su desseo fuesse de ir con don Bruneo y don Cuadragante a les ayudar con su persona fasta que aquellos señoríos oviessen, y si de allí bivo quedasse, de se[2] passar a las partes de Roma buscando algunas aventuras y estar alguna temporada con el Rey de Cerdeña, don Florestán, por le ver y saber si lo había menester para alguna cosa, como hombre que en tierra estraña se fallava; y de allí tornarse a ver a Amadís a la Ínsola Firme, o donde estuviesse. Y pensava que en estos caminos mucha honra y gran fama podría ganar, o morir como cavallero. Veyendo con el amor tan grande que Amadís aquello le dixo, huvo gran empacho de le responder otra cosa sino que lo remitió todo a su voluntad, que en aquello y en todo lo que le mandasse le sería obediente; assí que luego fue desposado con aquella Infanta y señalada para él la Profunda Ínsola que ya oístes, de que luego se llamó rey y lo fue con muy gran honra, como adelante se dirá.

---

cambio de mentalidad, mucho más atenta a los móviles de la realidad cotidiana, que a las idealizaciones caballerescas. No obstante, en líneas generales resultan certeras las palabras de Pedro Corominas, pág. 521, «El sentimiento de realidad en los libros de caballerías», para quien los autores de los libros de caballerías hacían completa abstracción no sólo del comercio, sino del valor del sentimiento de la riqueza porque, además del medio social que no les había inculcado otra cosa, «se nota en ellos como una concepción estética, una fórmula que les mueve a obrar así».

[2] *de se:* de le, ZR // de se, S // .

Esto assí hecho como oís, Amadís demandó al rey Lisuarte el Ducado de Bristoya para don Guilán el Cuidador, que lo él mucho amava, y se casasse con la Duquesa, que él tanto amava, y qu'él le entregaría al Duque que allí tenía preso[3]. El Rey, assí por su amor de Amadís como porque tenía muchos cargos[4] y grandes de don Guilán, y porque el Duque le havía sido traidor, otorgólo de buena voluntad[5]. Amadís le besó las manos por ello, y don Guilán gelas quiso besar a él, mas Amadís no quiso; antes, lo abraçó con grande amor, que éste fue el cavallero del mundo de su tiempo que más comedido y más manso y humano fue con sus amigos.

## Capítulo CXXV

*Cómo los Reyes se juntaron a dar orden en las bodas de aquellos grandes señores y señoras, y lo que en ello se hizo.*

Los Reyes se tornaron a juntar como de ante, y concertaron las bodas para el cuarto día y que durassen las fiestas quinze días, en cabo de los cuales todas las cosas despachadas fuessen para se tornar a sus tierras.

Venido el día señalado, todos los novios se juntaron en la posada de Amadís, y se vistieron de tan ricos y preciados paños como su gran estado en tal auto demandava. Y assí mesmo lo hizieron las novias; y los Reyes y grandes señores los tomaron consigo, y cavalgando en sus palafrenes muy ricamente

---

[3] La solución de la única relación extramatrimonial de la obra entre Guilán y la mujer del Duque de Bristoya se ha dejado para el final del relato, cuando era innecesario, pues el marido había muerto en el combate judicial del libro I, XXXIX. Este otro Duque prisionero es su hijo.

[4] *cargos:* deudas de gratitud. «Y por no mostraros que teneys muy grandes cargos de mi, no quiero mis enoios recontaros», Juan de Flores, *Grimalte y Gradissa,* pág. 8.

[5] Al haber incurrido el Duque en una de las causas legisladas por «aleve» en diferentes recopilaciones, podía llegar a perder su vida, y parte de sus bienes ser confiscados. Véase Aquilino iglesia Ferreiros, *Historia de la traición,* ob. cit., y la nota 8 del capítulo CVIII. No era necesario como en el resto de contrincantes apoderarse de sus territorios, porque legalmente le pertenecían a Lisuarte, que, a petición de Amadís, los entregará generosamente a Guilán el Cuidador.

guarnidos, se fueron a la huerta, donde fallaron las Reinas y novias assí mesmo en sus palafrenes. Pues assí salieron todos juntos a la iglesia, donde por el santo hombre Naciano la missa aparejada estava. Passado el auto de los matrimonios y casamientos con las solenidades que la santa Iglesia manda[1], Amadís se llegó al rey Lisuarte y díxole:

—Señor, quiero demandaros un don que vos no será grave de lo dar.

—Yo lo otorgo —dixo el Rey.

—Pues, señor, mandad a Oriana que, antes que sea hora de comer, prueve el arco encantado de los leales amadores y la cámara defendida, que hasta aquí con su gran tristeza nunca con ella acabarse pudo, por mucho que ha sido por nosotros suplicada y rogada; que yo fío tanto en su lealtad y en su gran beldad, que allí donde ha más de cient años que nunca muger, por estremada que de las otras fuesse, pudo entrar entrará ella sin ningún detenimiento; porque yo vi a Grimanesa en tanta perfición como si biva fuesse donde está hecha por gran arte con su marido Apolidón, y su gran hermosura no iguala con la de Oriana. Y en aquella cámara tan defendida a todas se fará la fiesta de nuestras bodas.

El Rey le dixo:

—Buen fijo, señor, liviano es a mí cumplir lo que pedís; mas he recelo[2] que con ello pongamos alguna turbación en esta fiesta, porque muchas veces conteçe, y todas las más, la grande afición de la voluntad engañar los ojos, que juzgan lo contrario de lo que es; y assí podría acaeçer a vos con mi fija Oriana.

—No tengáis cuidado desso —dixo Amadís—, que mi coraçón me dize que assí como lo digo se complirá.

—Pues assí os plaze, assí sea —dixo el Rey.

Estonces se fue a su hija, que entre las Reinas y las otras novias estava, y díxole:

—Mi fija, vuestro marido me demanda un don, y no se puede complir sino por vos. Quiero que mi palabra hagáis verdadera.

---

[1] Estos matrimonios a la faz de la Iglesia no solían ser tan habituales como pudiera pensarse, si bien, en el siglo xv, las clases superiores los celebraban con mayor asiduidad, cumpliendo las normas establecidas, como muy bien estudió en su tesis doctoral citada M.ª Carmen García Herrero.

Ella hincó los inojos delante dél y besóle las manos, y dixo:

—Señor, a Dios plega que por alguna manera venga causa con que os pueda servir; y mandad lo que os plugiere, que assí se fará si por mí complirse puede.

El Rey la levantó y la besó en el rostro, y dixo:

—Hija, pues conviene que antes de comer sea por vos provado el arco de los leales amadores y la cámara defendida, que esto es lo que vuestro marido me pide.

Cuando esto fue oído de toda aquella gente, a muchos plugo de ver que la prueva se hiziesse, y a otras puso gran turbación, que como la cosa tan grave de acabar fuesse y tantas y tales en ella havían falleçido, bien pensavan que, la gloria que acabándola se alcançava, que assí en ella falleçiendo se aventurava menoscabo y vergüença. Mas pues que vieron qu'el Rey lo mandava y Amadís lo demandava[3], no quisieron dezir sino que se hiziesse.

Pues assí como estavan salieron de la iglesia, y cavalgando llegaron al marco donde allí adelante a ninguno ni a ninguna era dada licencia de entrar si dignos para ello no fuessen. Pues allí llegados, Melicia y Olinda dixeron a sus sposos que tanbién querían ellas provar aquella aventura, de lo cual gran alegría en los coraçones dellos vino, por ver la gran lealtad en que se atrevían. Pero temiendo algún revés que les venir pudiesse, dixéronles que ellos estavan bien contentos y satisfechos en sus voluntades, y por lo que a ellos tocava no tomassen en sí aquel cuidado. Mas ellas dixeron lo havían de provar, que si en otra parte stuviessen, con alguna razón se podrían escusar dello, mas allí donde ninguna bastava no querían que pensassen que por lo que en sí havían sentido lo havían dexado.

—Pues que assí es —dixeron ellos—, no podemos negar que no recibimos en ello la mayor merced que de ninguna otra cosa venir pudiesse.

Esto dixeron luego al rey Lisuarte y a los otros señores.

—En el nombre de Dios —dixeron ellos—, y a Él plega

---

[2] *he recelo:* es recelo, Z // he recelo, RS // .

[3] *mandava y Amadís lo demandava:* ordenaba y Amadís lo solicitaba. De nuevo se utiliza la derivación como uno de los recursos más queridos por el autor.

¶ La.cxrv.como los re
yes se jūtaro a dar ordē elas bodas d aꝗllos
grādes señores y señoras y lo ꝗ eñllo se hizo.

Os reyes se tornaro a juntar co
mo de ante ⁊ concertaro las bo
das pa el ꝗrto dia: y ꝗ durassen
las fiestas ꝗnze dias: en cabo de
los quales todas las cosas despachadas fu
essen pa se tornar a sus tierras. ¶Venido el dia

que sea en tal hora, que con mucho plazer se acreçiente la fiesta en que stamos.

Allí descavalgaron todos, y acordaron que entrassen delante Melicia y Olinda; y assí se hizo, que la una tras la otra passaron el marco, y sin ningún entrevallo fueron so el arco y entraron en la casa donde Apolidón y Grimanesa estavan; y la trompa que la imagen encima dél tenía tañó muy dulcemente, assí que todos fueron muy consolados de tal son, que nunca otro tal vieran sino aquellos que ya lo havían visto y provado[4].

Oriana llegó al marco y bolvió el rostro contra Amadís, y paróse muy colorada, y tornó luego a entrar; y en llegando a la meitad[5] del sitio, la imagen començó el dulce son. Y como llegó so el arco, lançó por la boca de la trompa tantas flores y rosas[6] en tanta abundancia, que todo el campo fue cubierto dellas, y el son fue tan dulce y tan diferenciado del que por las otras se hizo, que todos sintieron en sí tan gran deleite, que en tanto que durara tovieran por bueno de se no partir d'allí; mas como passó el arco cessó luego el son[7]. Oriana halló a Olinda y a Melicia, que estavan mirando aquellas figuras y sus nombres, que en el jaspe hallaron escritos; y como la vieron, fueron con mucho plazer contra ella y tomáronla entre sí por las manos, y bolviéronse a las imágenes. Y Oriana mirava con gran afición a Grimanesa, y bien veía claramente que ninguna de aquéllas ni de las que fuera estavan no era tan fermosa como

---

[4] La aventura del arco de los leales amadores solamente es intentada y superada por aquellas mujeres cuyos enamorados la habían pasado con anterioridad: Agrajes, Bruneo y Amadís.

[5] *meitad:* mitad. «De un pan que yo tenga, ternás tú la meytad», *Celestina*, XV, 204.

[6] *flores y rosas:* el sintagma llegó a convertirse en expresión tópica —véase la nota 17 del capítulo LIII—, y si bien pueden encontrarse ejemplos del siglo XIII, la mayor frecuencia de su utilización en épocas posteriores puede hacernos pensar que corresponde a Montalvo.

[7] Como ha sucedido también con la prueba superada por Amadís, se jerarquizan las diferentes lealtades, destacándose la de Oriana, cuya prueba se diferencia de las otras mujeres por la calidad del son. Véase cómo representó dicha aventura el grabado de la edición sevillana de 1526, reproducción de otro anterior. Para los grabados, véase José María Díez Borque, «Edición e ilustración de las novelas de caballerías castellanas en el siglo XVI», *Synthesis* (Bucarest), VIII (1981), 21-58.

ella; y mucho dudó en la prueva[8] de la cámara, que para aver de entrar en ella la avía de sobrar en hermosura, y por su voluntad dexár[a]se de la provar, que de lo del arco nunca en sí puso duda, que bien sabía el secreto enteramente de su coraçón como nunca fuera otorgado de amar sino su amigo Amadís.

Assí estuvieron una pieça, y estovieran más si no por el día ser tal que las esperavan; y acordaron de salir assí todas tres juntas como estavan, tan contentas y tan loçanas, que a los que las atendían y miravan les paresció que avían gran pieça acrescentado en sus hermosuras; y bien cuidaron que cualquiera della era bastante para acabar la aventura de la cámara. Y esto causó, como digo, la gran alegría que en sí traían, que assí como con ella toda hermosura es crescida assí al contrario con la tristeza se aflige y abaxa. Sus tres maridos, Amadís y Agrajes y don Bruneo, que aquella aventura avían acabado, como ya el segundo libro desta historia vos lo ha contado, fueron contra ellas lo cual ninguno de los que allí estavan pudieran hazer. Y como a ellas llegaron, la trompa començó el son y a echar las flores, que les davan sobre las cabeças; y abraçáronlas y besáronlas, y así todos seis se salieron.

Esto hecho, acordaron de ir a la prueva de la cámara, mas algunos avía que gran recelo llevavan de lo no poder acabar. Pues llegando al sitio que en la sala del castillo estava, Grasinda se llegó a Amadís y díxole:

—Mi señor, comoquiera que mi hermosura no me ayude tanto que el desseo de mi coraçón complirse pueda, no puedo forçar mi locura a que no dessee provarse en esta entrada; que, ciertamente, nunca esta lástima de mí en ningún tiempo sería partida si se acaba sin que la pruebe; y comoquiera que avenga[9], todavía me quiero aventurar.

Amadís, que en ál no estava pensando sino en que todas lo provassen antes que su señora, porque complida gloria sobre

---

[8] *dudó en la prueva:* dndo en la pruena, Z // dudo en la prueva, RS // .

[9] *comoquiera que avenga:* sea lo que fuere. «Como quier que avenga, la vergüença es mia», *Baladro del sabio Merlín* (B), 101a. Según José Luis Riverola, ob. cit., pág. 76, la variante apocopada, *comoquier*, «conserva su predominio sobre las demás hasta mediados del siglo xv».

todas llevasse, que della duda ninguna tenía de la no poder acabar, como de las otras tenía, le respondió y dixo:

—Mi buena señora, no lo tengo yo esto que dezís sino a grandeza de coraçón en querer acabar lo que tantas hermosas han faltado; y assí se haga.

Entonces la tomó por la mano y la passó adelante, y dixo:

—Señores, esta señora muy hermosa se quiere aquí provar, y assí lo devéis hazer, vosotras señoras Olinda y Melicia, que a gran poquedad[10] se devría tener, aviendo Dios repartido sobre vosotras tan estremada hermosura, que en cosa tan señalada por ningún temor la dexássedes de emplear; y podrá ser que por alguna de vos será acabado, y quitaréis a Oriana del gran sobresalto que tiene.

Esto dezía él en lo público, mas todo era fingido, que bien sabía él, como dicho es, que por ninguna dellas se podía acabar sino por su señora; que nunca Grimanesa en su tiempo, ni después otra ninguna con muy gran parte[11] pudo llegar a la hermosura suya.

Todos dixeron que assí se hiziesse, y luego Grasinda se encomendó a Dios y entró en el sitio defendido, y con poca premia[12] llegó al padrón de cobre. Y passó adelante, y llegando cerca del padrón de mármol fue detenida; mas ella con premia y gran coraçón, que allí mostró mucho más que de muger se esperava, llegó al de mármol; mas de allí fue tomada sin ninguna piedad por los sus muy fermosos cabellos y echada fuera del sitio tan desacordada que no tenía sentido. Don Cuadragante la tomó consigo, y, ahunque sabía cierto no ser de peligro aquel mal, no podía escusar de le no pesar mucho dello y aver gran piedad; que este cavallero, como ya fuesse en más edad que moço y nunca su coraçón uviesse cativado en amor de ninguna más qu'él lo podía ser, que lo olvidado de antes con lo presente avían sobre él cargado de golpe en tal manera, que no diera ventaja a ninguno de los que allí estavan en querer y amar a su señora.

Pues luego llegó Olinda la Mesurada, trayéndola Agrajes

---

[10] *poquedad:* pusilanimidad.
[11] *muy gran parte:* mucha diferencia.
[12] *poca premia:* poco apremio, dificultad.

por la mano[13], que la dava gran esfuerço, ahunque no con mucha esperança que en sí toviesse, que el gran amor ni afición dél a ella no le quitava el conoscimiento de ver que no igualava a la hermosura de Grimanesa; pero bien pensó que llegaría con las más delanteras. Y llegando al sitio dexóla de la mano y ella entró y fuese derechamente al padrón de cobre, y de allí passó al de mármol, que nada sintió. Mas como quiso passar, la resistencia fue tan dura, que, por mucho que porfió, no pudo más de una passada passar más adelante, y luego fue echada fuera como la otra.

Melicia entró con gentil continencia[14] y loçano coraçón, que assí era ella muy loçana y muy fermosa. Y passó por los padrones ambos tanto, que cuidaron todos que entraría en la cámara; y Oriana, que así lo pensó, fue toda demudada de pesar. Mas llegando un passo más que Olinda, luego fue tollida y sacada sin ninguna piedad como las otras, tan desacordada como si muerta fuesse; que así como más adelante entravan mucho más la pena les era dada a cada una[15] en su grado, y así se hazía a los cavalleros antes que Amadís lo acabasse. Las ravias que don Bruneo por ella hazía a muchos movía a piedad, mas a los que sabían el poco peligro que de allí redundava reíanse mucho de lo ver.

Esto assí fecho, llevó Amadís a Oriana, en quien toda la fermosura del mundo ayuntada era, y llegó al sitio con passos muy sosegados y rostro muy honesto; y santiguóse y encomendóse a Dios y entró adelante, que sin que nada sintiesse passó los padrones. Y cuando a una pasada de la cámara llegó, sintió muchas manos que la puxavan[16] y tornavan atrás, tanto que tres vezes la bolvieron hasta cerca del padrón de mármol. Mas ella no hazía sino con las sus muy hermosas manos desviarlos a un cabo y a otro, y parescíale que tomava braços y manos. Y

---

[13] *por la mano:* por le mano, Z // por la mano, RS // .

[14] *continencia:* actitud. «En su continencia mostrava linaje», Diego de San Pedro, *Arnalte y Lucenda,* pág. 90. Además de la tendencia hacia la bimembración, Rodríguez de Montalvo suele utilizar con mucha más frecuencia los adjetivos antepuestos.

[15] *una:* uno, Z // una, RS // .

[16] *puxavan:* empujaban. «Florençia lo puxó de guysa que apoco lo derribó», *Otas de Roma,* 92, 33.

assí con mucha porfía y gran coraçón, y sobre todo su gran
hermosura, que muy más estremada era que la de Grimanesa,
como dicho es, llegó a la puerta de la cámara muy cansada, y
travó de uno de los umbrales; entonces salió aquel braço y
mano que a Amadís tomó, y tomó a ella por la una mano,
y oyó más de veinte bozes que muy dulcemente cantando
dixeron:

—Bien venga la noble señora que por su gran beldad ha
vencido la fermosura de Grimanesa y hará compaña al cavallero que, por ser más valiente y esforçado en armas que aquel
Apolidón que en su tiempo par no tuvo, ganó el señorío desta
ínsola, y de su generación será señoreada grandes tiempos con
otros grandes señoríos que desde ella ganarán.

Entonces el braço y la mano tiró, y entró Oriana en la cámara, donde se halló tan alegre como si del mundo fuera señora, y no tanto por su hermosura como porque, seyendo su amigo Amadís señor de aquella ínsola, sin empacho alguno le podía hazer compaña en aquella hermosa cámara, quitando la esperança desde allí adelante de se venir a provar ninguna, por
hermosa que fuesse[17]. Isanjo, el cavallero governador de aquella ínsola, dixo entonces:

—Señores, los encantamientos desta ínsola a este punto son
todos deshechos sin ninguno quedar, que así fue establescido
por aquel que aquí los dexó, que no quiso que más durassen de
cuanto se hallassen señor y señora que estas aventuras acabas-

---

[17] De la misma manera que había sucedido con su enamorado, Oriana demuestra su mayor hermosura en la prueba de la cámara defendida. Incluso se je-
rarquiza la belleza de todas las participantes, puesto que Grasinda es detenida en
el padrón de mármol, de la misma manera que Olinda, aunque ésta llega sin
tantas dificultades, para que después Melicia, hermana de Amadís, dé un paso
más que Olinda. En la *Glosa castellana al regimiento de príncipes* se explica de esta
manera la necesidad de que los reyes elijan mujeres hermosas: «E otro sí deven
tener mientes a querer fermosura en sus mugeres, ca así como de las grandes
mugeres nascen grandes fijos, así de las fermosas nascen fermosos fijos. E así
paresce que estas dos cosas son menester en las mugeres de los reyes», II, 64.
«La muger deve ser apuesta e fermosa, no solamente porque el rey se pague de
ella, mas aún porque pertenesce a su estado, podémoslo así declarar: ca así
como en todas las otras cosas es de alabar la apostura e la fermosura, así es mucho más ella de alabar en los omnes e en las mugeres e extremadamente en la
persona del rey de la reyna», *ibidem*, II, 65.

sen, como estos señores lo han fecho. Y sin embargo alguno[18] pueden allí entrar todas las mugeres, así como lo hazen los hombres después que por Amadís acabada fue.

Entonces entraron los Reyes y Reinas, y todos los otros cavalleros, y dueñas y donzellas, cuantas allí estavan. Y vieron la más rica y más sabrosa morada que nunca fue vista; y todas abraçaron a Oriana, como si por luengo tiempo no la ovieran visto. Era tanto el plazer y alegría de todos, que no tenían memoria de comer ni de otra alguna cosa sino de mirar aquella cámara tan estraña[19]. Amadís mandó que luego fuessen en aquella gran cámara traídas las mesas, y así se hizo. Finalmente los novios y novias, y los Reyes, y los que allí cupieron, folgaron y comieron en la cámara, donde muchos y diversos manjares y frutas de muchas maneras y vinos fueron muy bien servidos.

Pues venida la noche, después de cenar en aquel muy hermoso destajo[20] de la cámara, que ya vos deximos en el libro segundo que era muy más rico que todo lo otro y era apartado con la pared de cristal, hizieron la cama para Amadís y Oriana donde alvergaron, y al Emperador y los otros cavalleros con sus mugeres por las otras cámaras que muchas y muy ricas las avía; donde compliendo sus grandes y mortales desseos, por razón de los cuales muchos peligros y grandes afanes avían sufrido, hizieron dueñas a las que no lo eran, y a las que lo eran no menos plazer que ellas ovieron con sus muy amados maridos[21].

---

18 *embargo alguno:* impedimento alguno. «Havían otros embargos, que levavan los cavallos muy cansados», *Gran Conquista de Ultramar,* II, 19.

19 El placer causado por la visión de las maravillas hace que los personajes se olviden de las cosas cotidianas, recreadas en el comer, como si fuera un tiempo suspendido, similar en algunos aspectos al analizado por J. Filgueira Valverde, *Tiempo y gozo eterno de la narrativa medieval (La cantiga CIII),* Vigo, Ed. Xerais, 1982.

20 *destajo:* apartamento o división hecho con tabique, cancel u otra cosa *(Autoridades).*

21 Según Joseph Campbell, ob. cit., pág. 104, «la última aventura, cuando todas las barreras y los ogros han sido vencidos, se representa comúnmente como un matrimonio místico [...] del alma triunfante del héroe con la Reina Diosa del Mundo. Esta es la crisis en el nadir, en el cenit, o en el último extremo de la Tierra; en el punto central del cosmos, en el tabernáculo del templo o en la os-

## Capítulo CXXVI

*De cómo Urganda la Desconocida juntó todos aquellos Reyes y cavalleros cuantos en la[1] Ínsola Firme estavan, y las grandes cosas que les dixo passadas y presentes y por venir, y cómo al cabo se partió.*

Cuenta la istoria que, passadas estas grandes fiestas de las bodas que en la Ínsola Firme se hizieron, Urganda la Desconocida rogó a los Reyes que mandassen juntar todos los cavalleros y dueñas y donzellas porque delante dellos les quería dezir la causa y razón de su venida; lo cual mandaron que assí se hiziesse.

Pues todos juntos en una gran sala del alcáçar, Urganda se assentó aparte, teniendo por las manos aquellos sus dos donzeles. Y cuando todos callavan estando esperando lo que diría, dixo:

—Mis señores, yo supe, sin que me fuesse dicho, esta tan gran fiesta sobre tantas muertes y pérdidas que por vos han passado; y Dios es testigo, si algo o todo de aquellos males por mí pudieran ser remediados, que por ningún trabajo de mi persona dexara de poner en ello mis fuerças. Mas como de aquel alto Señor permitido estuviesse, fue en mí con su gracia de lo saber[2], mas no de lo remediar; porque lo que por Él es ordenado, sin Él ninguno es poderoso de lo desviar. Y pues con mi

---

curidad de la cámara más profunda del corazón». El palacio y las cámaras de Apolidón representan un auténtico *axis mundi* caballeresco y amoroso, pero no corresponde a la última aventura porque el diseño actual del relato está en función de las *Sergas*.

[1] *en la:* inla, Z // en la, RS // .

[2] El autor intenta conciliar los conocimientos y saberes de Urganda con las doctrinas religiosas, por lo que plantea dos problemas fundamentales. Por un lado, los conocimientos de la maga han sido permitidos por la gracia divina, y por otro lado, no pueden impedir el cumplimiento de la voluntad de Dios. A pesar de estas explicaciones, en el VI libro de la serie, *Don Florisando*, Salamanca, 1510, fols. Iv-2 r, las críticas contra el *Amadís* y las *Sergas* son constantes: «Dexando como dexo de dezir el deservicio que a Dios se haze en tal cosa hablar y escrivir, ni la offensa que su potencia reciba, en la qual está puesta y reservada la noticia y sciencia de todas las cosas por venir y no en otra criatura ninguna.»

presencia el mal escusar no se podía, acordé con ella de crescer en el bien como yo cuido, según el gran amor que con muchos de vosotros tengo, y el que me tenéis, y también por declarar algunas cosas que antes de agora vos dixe por encubiertas vías[3], assí como lo acostumbro fazer. Y creáis que verdad vos dixe, como en otras cosas que de mí algunas vezes de antes avéis oído.

Entonces miró contra Oriana, y dixo:

—Mi buena señora y muy hermosa novia, bien se vos deve acordar que estando yo con el Rey vuestro padre y la Reina vuestra madre en la su villa de Fenusa, acostada con vos en vuestra cama, me rogastes que os dixesse lo que os avía de acaescer, y yo vos rogué que saber no lo quisiéssedes; pero porque conoscí vuestra voluntad vos dixe cómo el león de la Ínsola Dudada avía de salir de sus cuevas, y de sus grandes bramidos se espantarían vuestros aguardadores, assí que él se apoderaría de las vuestras carnes, con las cuales daría a su gran hambre descanso; pues esto claro se deve conoscer, que este vuestro marido muy más fuerte y más bravo que ningún león salió desta ínsola que con mucha razón Dudada se puede llamar, donde tantas cuevas y tan escondidas tiene; y con sus fuerças y grandes bozes fue la flota de los romanos que vos aguardavan desbaratada y destroçada, assí que vos dexaron en sus fuertes braços, y se apoderó de essas vuestras carnes, como todos vieron, sin las cuales nunca su raviosa hambre se pudiera contentar ni hartar. Y assí conosceréis que en todo vos dixe verdad.

Entonces dixo contra Amadís:

—Pues vos, buen señor, bien claro conosceréis ser verdad todo lo que a esta sazón vos dixe[4], en que vuestra sangre daríades por la agena, cuando en la batalla de Ardán Canileo el Dudado la distes por vuestros amigos el rey Arbán de Norgales y Angriote d'Estrávaus, que presos estavan; pues la vuestra buena espada, cuando la vistes en mano de vuestro enemigo, con que rebolvía vuestra carne y huessos, bien la quisiérades antes ver en algún lago donde nunca paresciera; pues el galar-

---

[3] *encubiertas vías:* caminos secretos.
[4] *dixe:* dixo, Z // dixe, RS // .

dón que desto[5] se os siguió ¿cuál fue? Por cierto, no otro sino saña y grande enemistad, que redundó de la ínsola de Mongaça, que a la sazón ganastes, entre vos y el rey Lisuarte, que presente está, como todos muy claro han visto, que esta ganancia vos dixe que sacaríades dello. Pues las cosas que vos escreví a vos, muy virtuoso rey Lisuarte, al tiempo que a esse muy hermoso donzel Esplandián vuestro nieto en la floresta hallastes caçando con la leona, bien las ternéis en la memoria; y de lo que dixe que es ya passado veréis que lo supe, porque fue criado a tres amas muy desvariadas, assí como la leona y la oveja y la muger, que todas[6] leche le dieron. También vos hize saber que este donzel pornía paz entre vos y Amadís; esto dexo que se juzgue por vos y por él cuánta saña, cuánto rigor y enemistad ha quitado de vuestras voluntades la su graciosa y gran hermosura, y cómo por su causa y gran discreción fuistes de Amadís socorrido en el tiempo que otra cosa sino la muerte esperávades. Pues si tal servicio como éste era dino de quitar enemistad y atraer amor, déxolo[7] a estos señores que lo juzguen; pues en las otras cosas que en su tiempo sucederán, assí como la carta vos mostró, queden para los que bivieren que las juzguen, que por lo passado podrán creer lo por venir como cosa ante de mí sabida. Otra profecía vos dixe muy mayor que ninguna déstas, en que se contiene todo lo que es acaescido en el entregar de vuestra hija Oriana a los romanos, y los grandes males y crueles muertes[8] que dello se siguió, la cual, por vos no traer a la memoria, en días que tanto plazer se deve tomar, cosa de que congoxa y enojo ayáis, la dexo para que los que la ver quisieren en el libro segundo[9] por ella verán claramente ser todas las acaescidas cosas en ella contenidas y dichas por mí primero. Agora que vos he dicho las cosas passadas, quiero que sepáis lo presente, de que sabiduría no avéis.

---

5  *desto:* deste, Z // desto, RS // .
6  *todas:* todos, Z // todas, RS // .
7  *déxolo:* dexole, Z // dexolo, RS // .
8  *muertes:* muertos, Z // muertes, RS // .
9  Urganda indica a sus interlocutores la veracidad de sus profecías, para lo que les remite al propio libro en el que figuran. No creo que se trate de una técnica pre-cervantina, sino de una simple confusión posibilitada porque los personajes asumen, en muchas ocasiones, las funciones del narrador y también idénticas palabras.

Entonces tomó por las manos a los hermosos donzeles, Talanque y Maneli el Mesurado, que así avía nombre, y dixo contra don Galaor y el rey Cildadán:

—Mis buenos señores, si algunos servicios y socorros para vuestras vidas de mí recebistes, yo me doy por contenta del galardón que tengo; que harta gloria será para mí, pues que en mi propia persona ninguna generación engendrarse puede, que fuesse yo causa que de las agenas tan hermosos donzeles nasciessen como aquí veis que tengo; que sin dubda podéis creer, si Dios los dexa llegar a edad de ser cavalleros y lograr su cavallería, ellos harán tales cosas en su servicio y en mantener verdad y virtud, que no solamente serán perdonados aquellos que contra el mandamiento de la Santa Iglesia los engendraron, y a mí que lo causé, mas sus méritos y merescimientos serán tan crescidos, que assí en este mundo como después en el otro alcançarán gran descanso en sus personas, y a mí más; y porque las cosas que destos donzeles[10] sucederán, por mucho que yo dixesse, no les fallaría cabo, déxolas para su tiempo que no será muy tardío, según en la disposición que la edad de sus personas está.

Entonces dixo contra Esplandián:

—Tú, muy hermoso y bienaventurado donzel Esplandián, que en gran fuego de amor fuiste engendrado por aquellos de quien muy gran parte dello heredaste, sin que de lo suyo sólo un punto les fallesciesse, que la tu tierna y simple edad agora encubierto tiene, toma este donzel Talanque, hijo de don Galaor, y este Maneli el Mesurado, hijo del rey Cildadán, y ámalos así al uno como al otro; que, ahunque por ellos a muchas afrentas peligrosas serás puesto, ellos te socorrerán en otras que ninguno otro para ella bastaría. Y esta Gran Serpiente que aquí me traxo dexo yo para ti, en la cual serás armado cavallero con aquel cavallo y armas que en sí ocultas y encerradas tiene, con otras cosas estrañas que en la orden de tu cavallería al tiempo que se hiziere manifiestas serán. Esta sierpe será guía en la primera cosa que el tu muy fuerte coraçón dará señal de su alta virtud; ésta, entre grandes tempestades y fortunas, sin

---

[10] *donzeles:* donzelles, Z // donzeles, RS // . Véase la nota 39 del capítulo LXXI.

peligro alguno pasará a ti y a otros muchos del tu gran linaje
por la gran mar; donde con grandes afrentas y trabajos paga-
réis al Señor del mundo algo de la gran merced que d'Él reci-
bís[11], y en muchas partes el tu nombre no será conoscido sino
por Cavallero de la Gran Serpiente, y assí andarás por largos
días sin ningún reposo aver; que demás de las afrentas peligrosas que por ti passarán, tu espíritu será en toda aflición y gran
cuidado puesto por aquella que las siete letras de la tu siniestra
parte encendidas como fuego serán leídas y entendidas[12]. Y
aquel gran encendimiento y ardor que hasta allí ha posseído
traspassará sus entrañas de tanto fuego, que nunca será amatado hasta que las grandes nuvadas[13] de los cuervos marinos[14]
passen de la parte de Oriente por encima de las bravas ondas
de la mar, y pongan en tan gran estrechura al gran aguilocho[15]
que ahún en el su estrecho alvergue guarescer no se atreva; y
el orgulloso[16] falcón neblí, más preciado y hermoso que todas
las caçadoras aves, junte a ssí muchos del su linaje y otras aves

---

[11] *recebís:* recebis, ZRS // recebiste, Place // .

[12] Esplandián superará a su padre no sólo físicamente, dándole muerte en
una redacción primitiva, o dirigiendo sus aventuras hacia unas metas más espirituales como en la redacción de Montalvo, por lo que desde un principio todo
lo relacionado con su persona será todavía más extraordinario. Por ello, en relación con su enamorada está determinado «a nativitate» , pues lleva en el lado
del corazón, en letras de fuego, de amor, su nombre, que la mujer deberá desci-
frar en una prueba antes de contraer matrimonio en las *Sergas,* cap. CLXXVII,
pág. 823: «E porque según la escuridad grande de las siete letras coloradas ninguno sería tan sabio que su declaración alcançasse, quise que por mí sepan
aquellos que dozientos años después de mí vernán cómo en ellas consiste el
nombre de Leonorina, hija del grande emperador de Grecia». Por otra parte, el
nombre tiene siete letras si se excluyen la repetición de *o* y de *n,* pero nueve si se
realizan los cómputos normales. En cualquiera de los casos, en muchísimas cul-
turas el siete siempre ha sido un número representativo de lo acabado, lo perfecto. Véase D. Devoto, «Entre las siete y las ocho», art. cit., y Vincent Foster
Hopper, *Medieval Number Symbolism,* Nueva York, Columbia Un. Press, 1938.

[13] *será amatado hasta que las grandes nuvadas:* será apagado hasta que las grandes
bandadas.

[14] *marinos:* merinos, Z // marinos, RS // .

[15] *aguilocho:* aguilucho. La forma está suficientemente atestiguada en diccio-
narios de los siglos XVI y XVII. Véase F. Rodríguez Marín, *Dos mil quinientas voces
castizas...* En *La Lozana Andaluza,* mam. XXXVII, se nombra a Pedro Aguilocho, personaje famoso del siglo XVI.

[16] *orgulloso:* orguiloso, Z // orgulloso, RS // .

que lo no son, y vengan en su socorro y faga tan gran destruición en los marinos[17] cuervos que todo aquel campo quede cubierto de su pluma y muchos dellos perezcan[18] con sus muy agudas uñas, y otros sean afogados en el agua donde de[l] fuerte neblí y de los suyos serán alcançados. Entonces el gran aguilocho sacará la mayor parte de sus entrañas y ponerla ha en las agudas uñas del su ayudador, con que le hará perder y cessar aquella raviosa hambre que de gran tiempo muy atormentado le ha tenido; y haziéndole posseedor de todas sus selvas y grandes montañas, será retraído en el alcándara[19] del árbol de la santa huerta. A este tiempo esta Gran Serpiente, cumpliéndose en ella la ora limitada por la mi gran sabiduría, delante todos será sumida en la gran mar, dando a entender que a ti más en la tierra firme que en la movible agua te conviene passar el venidero tiempo.

Esto dicho, dixo a los Reyes y cavalleros:

—Buenos señores, a mí conviene ir a otra parte donde escusar no me puedo, pero al tiempo que Esplandián será en dispusición[20] de recebir cavallería, y todos estos donzeles que junto con él la tomarán, bien sé que aquella sazón, por un caso que a vos es oculto, seréis aquí juntos muchos de los que agora aquí estáis y aquel tiempo yo verné, y en mi presencia se fará aquella gran fiesta de los noveles[21], y vos diré muy grandes y maravillosas cosas de las que adelante vernán. Y a todos amonesto que ninguno en sí tome tal osadía de se llegar a la serpiente fasta que yo buelva; si no, todos los del mundo no le quitarán

---

17 *marinos:* merinos, ZRS // marinos, Place // .

18 *perezcan:* parezcan, ZRS // perezcan, Place // .

19 *alcándara:* la percha o el varal donde ponen los halcones y aves de bolatería (Cobarruvias). Véase Menéndez Pidal, R. *(Cid)*. «Se transformo en figura de aguila, e fuese a asentar en una alcándara», *Confisión del Amante*, 367, 36. Se predicen los principales acontecimientos de las *Sergas* en esta profecía apriorística y estructurante, de modo que indirectamente se incita a su lectura. A su vez, esto implica que al tiempo de escribir este fragmento, Rodríguez de Montalvo tenía diseñada la estructura de la continuación.

20 *dispusición:* en R y S, disposición. No obstante, la forma es frecuente a lo largo del texto y está bien documentada en el xv: «non abastava la virtud de las estrellas por muchas dispusiçiones que en este mundo fiziesen», Enrique de Villena, *Exposición del salmo «Quoniam videbo»*, pág. 111, lín. 453-454.

21 *noveles:* novelles, Z // noveles, RS // .

de perder[22] la vida. Y porque vos, mi señor Amadís, tenéis aquí preso a[que]l malo y de malas obras Arcaláus, que se llama el Encantador, y con su mala sabiduría, que nunca fue sino para dañar, vos podría empecer[23], tomad estos dos anillos[24]; uno será vuestro y otro de Oriana, que mientra en las manos los traxerdes ninguna cosa que por él se haga vos podrá empecer, ni otro alguno de vuestra compaña, ni sus encantamientos ternán fuerça ninguna mientra preso lo tuvierdes. Y dígovos que lo no matéis porque con la muerte no pagaría nada de los males por él hechos, mas que lo pongáis en una jaula de hierro donde todos lo vean, y allí muera muchas vezes, que muy más dolorosa es la muerte que a la persona biva dexa que no con la que del todo muere y fenesce.

Entonces dio los anillos a Amadís y a Oriana, que eran los más ricos y más estraños que nunca fueran vistos. Amadís le dixo:

—Mi señora, ¿qué puedo yo hazer que vuestra voluntad sea en pago de tantas honras y mercedes que de vos recibo?

—No, nada —dixo ella—, que todo cuanto he hecho y hiziere de aquí adelante me lo pagastes al tiempo que mi saber aprovechar no me podía[25], y me restituistes aquel muy fermoso cavallero, que es la cosa del mundo que yo más amo, ahunque él lo haze a mí al contrario, cuando por fuerça de armas vencistes los cuatro cavalleros en el castillo de la Calçada donde me lo tenían, y después al señor del castillo en la sazón que

---

[22] *quitarán de perder:* impedirán, evitarán, perder. «No pudo aquello tanto alegrarme que quitase de entristecerme», Diego de San Pedro, *Arnalte y Lucenda*, pág. 116.

[23] *empecer:* dañar, perjudicar.

[24] Si los anillos mágicos abundan en el folclore —véase el motivo D 1076 del índice de Thompson «magic-ring»—, su presencia en el mundo artúrico es constante desde el principio. Como dice Marie-Luce Chênerie, ob. cit., pág. 600, «si Chrétien de Troyes paraît avoir affectioné l'anneau magique, c'est sans doute parce que sa forme symbolise les liens du héros avec qui dépasse la condition humaine; que sa circularité permet d'imaginer l'influx d'un pouvoir exceptionnel passant sur celui qui en est digne de quelque manière et à propos seulement de ce qui relève du merveilleux». Su utilización será muy frecuente en los libros de caballerías, como en el *Palmerín de Olivia* en *Don Polindo*, en *Don Claribalte* de Gonzalo Fernández de Oviedo, etc.

[25] Urganda explica sus cambios de poderes, pues en ocasiones anteriores necesitó la ayuda de Amadís, como en el episodio del capítulo XI.

hezistes cavallero a don Galaor vuestro hermano. Y así como con aquel gran beneficio[26] esta mi vida, que sin él sostener no se pudiera, fue reparada, assí será puesta todos los días que el Señor muy poderoso en este mundo la dexare por las cosas de vuestro acrescentamiento.

Entonces mandó que le traxessen su palafrén, y todos aquellos señores la pusieron en la ribera de la mar, donde sus enanos y batel halló. Pues despedida de todos entró en él, y viéronla cómo a la Gran Serpiente se tornó; y luego el fumo fue tan negro, que por más de cuatro días nunca pudieron ver ninguna cosa de lo que en él estava, mas en cabo dellos se quitó, y vieron la Serpiente como de antes. De Urganda no supieron qué se hizo.

Esto assí hecho, tornáronse aquellos señoras a la ínsola a sus juegos y grandes alegrías que en aquellas bodas se hizieron. Finalmente todas las cosas despachadas, el Emperador demandó licencia a Amadís porque, si le pluguiesse, quería con su muger tornarse a su tierra a reformar aquel gran señorío que, después de Dios, él le avía dado, y que se fuesse con él don Florestán, Rey de Cerdeña, y que luego le entregaría todo el señorío de Calabria, como lo él mandó, y de lo otro partiría con él como con hermano verdadero; lo cual assí se hizo, que después que este Arquisil, Emperador de Roma, llegó en su gran imperio, de todos con mucho amor fue recebido, y siempre tuvo en su compañía aquel esforçado y valiente cavallero don Florestán, Rey de Cerdeña y Príncipe de Calabria, por el cual assí él como todo el imperio fue acrescentado y honrado, assí como adelante vos contaremos.

Despedido este Emperador de Amadís, ofresciéndole su persona y señorío a su querer y mandado, llevando consigo a su muger, que más que a sí mismo amava, y aquel muy noble y esforçado cavallero don Florestán, que en igual de hermano le tenía, y a la muy fermosa reina Sardamira, y haziendo llevar el cuerpo del emperador Patín y de aquel muy esforçado cavallero Floyan, que en el monesterio de Lubaina estavan, que por mandado del rey Lisuarte allí avían puesto, y el del príncipe Salustanquidio, que al tiempo que Amadís y sus compañeros

---

[26] *beneficio:* beneficia, Z // beneficio, RS // .

traxeron allí a la Ínsola Firme a Oriana, lo mandó muy honradamente poner en una capilla para en su tierra les dar las sepulturas que a su grandeza convenía, y a todos los romanos que presos en la Ínsola Firme avían estado. Entrado en la gran flota que el emperador Patín en el puerto de Vindilisora havía dexado, que allí mandó venir, se bolvió a su imperio.

Todos los otros Reyes y señores adereçaron para se ir a sus tierras, pero antes de su partida acordaron de dar orden cómo aquellos cavalleros que avían de ir a ganar aquellos señoríos de Sansueña y del rey Arávigo y la Profunda Ínsola fuessen con tal recaudo, que sin contraste alguno acabassen lo que les convenía.

Amadís habló con el rey Lisuarte, diziéndole que creía[27], según el tiempo avía estado fuera de su tierra, que recebía alguna congoxa, que si assí era, le pedía por merced que por él más no se detoviesse. El Rey le dixo que antes allí avía descansado con mucho plazer, pero que ya era sazón de se hazer como lo él dezía, y que si para aquello que aquellos cavalleros ivan su ayuda fuesse menester, que de grado gela daría. Amadís gelo gradesció mucho, y le dixo que, pues los señores estavan presos, que no sería menester más aparejo de la gente que con el rey Perión, su señor, allí quedava, y que si caso fuesse que lo suyo fuesse necessario, que como de señor a quien todos avían de servir, y para ello aquello se ganava, lo tomaría. El Rey le dixo que, pues assí le parescía, que luego acordava de se partir, pero antes hizo juntar todos aquellos señores y señoras en la gran sala, porque les quería hablar. Pues estando todos juntos, el rey Lisuarte dixo al rey Cildadán:

—La gran lealtad vuestra que en las cosas passadas de muchos peligros y congoxas me sacó, aquélla me atormenta y aflige por no saber alcançar en qué satisfazerse pueda; y si la igualeza[28] del galardón que su gran merescimiento meresce oviesse de dar, em balde sería buscarlo, pues que hallar no se podría. Y veniendo[29] a lo posible que es en mi mano, digo que assí como vuestra noble persona, por lo que a mi servicio tocó, fue

27  *creía:* queria, Z // creyá, RS // .
28  *igualeza:* igualdad.
29  *veniendo:* vieniendo, Z // veniendo, RS //

puesta en muchas afrentas, assí esta mía, con todo lo que debaxo de su señorío está, será con voluntad entera presta a complir las cosas que vuestra honra sean, dexando desde hoy en
adelante el vassal[l]aje que la contraria fortuna vuestra a mi señorío sometió[30] para que aquello, que fasta aquí con premia se
hazía, de aquí adelante, si vuestro plazer fuere, sin ella como
entre buenos hermanos se haga.

El rey Cildadán le dixo:

—Si esto se deve gradescer o no, déxolo que lo juzguen
aquellos que tovieron por alguna premia causa de seguir más la
voluntad agena que la suya, por donde siempre congoxa y sospiros les acompañaron. Y podéis, mi señor, creer que la voluntad que hasta aquí con desamor por fuerça teníades, que de
aquí adelante con amor y mucha más gente y más obediencia y
acatamiento se seguirá [en] las[31] cosas que más agradables vos
fueren; y esto quede para el tiempo en que la esperiencia lo
pueda mostrar[32].

Todos aquellos grandes señores tovieron a gran virtud lo
que el rey Lisuarte hizo, y mucho gelo loaron; mas sobre todos
fue don Cuadragante, que nunca en ál pensava sino en cómo
aquella lástima y desaventura tan grande que sobre aquel reino
estava, donde él natural era, y en otros tiempos muy honrado
y enseñoreado sobre otros fuera, fuesse quitado de aquella tan
grande y deshonrada servidumbre. El rey Lisuarte le preguntó
qué era su voluntad de hazer, porque él acordava de se bolver
a su tierra. Él le respondió que si le pluguiesse, quedaría allí

---

[30] *sometió:* sometido, ZRS // sometió, Place // .

[31] *se seguirá [en] las:* se seguiran las, Z // se siguiran las, R // os seguira en
las, S // .

[32] Si en el libro II Lisuarte había combatido contra Cildadán por unas parias,
su cambio de actitud muestra su generosidad y proporciona un modelo de comportamiento. Como recoge Diego de Valera, *Doctrinal de príncipes,* «si quieres ser
amado, ama. E Terencio: Yerra mucho segund mi sentencia, el que piensa el imperio ser más estable que por fuerça se gana, que aquel que por amistad es ayun-
tado. E Sócrates: no al can, no al cavallo, no al onbre, no a otra cosa alguna po-
drás derechamente mandar, si primero no ganas su voluntad», en *Prosistas castellanos del siglo XV,* ed. de M. Penna, Madrid, BAE, CXVI, 1959, págs. 187a.
Mientras que el vasallaje se había impuesto por la fuerza, el hermanamiento entre ambos personajes se realiza por amistad..

para dar orden cómo su tío don Cuadragante fuesse a ganar el señorío de Sansueña, y ahun que si menester fuesse, que iría con él. El Rey le dixo que dezía guisado, y que le plazía que se hiziesse, y si algo de su gente oviesse menester, que luego gelo embiaría. El gelo gradesció mucho, y dixo que bien creía que bastava lo que de allí podrían embiar, pues que Barsinán estava preso.

Con esto[33] se partió el rey Lisuarte y su compaña; y Amadís y Oriana fueron con él, ahunque él no quiso, cerca de una jornada; donde se bolvieron a dar orden en aquello que avéis oído, lo cual se concertó en esta manera: que por cuanto el reino del rey Arávigo era comarcano al señorío de Sansueña, que don Cuadragante y don Bruneo fuessen juntos, y luego al comienço ganassen lo que en mejor disposición de menos de fuerte[34], y que lo otro sería más ligero de conquerir[35].

Y don Galaor dixo que él se quería ir, y que Dragonís su cormano se fuese con él, que pues ya a poco tiempo podría tomar armas, que él con todo lo más que de su reino haver pudiese quería ayudarle a ganar aquella Profunda Ínsola. Y don Galvanes le dixo que también quería él hazer aquel mismo viaje, y que de la ínsola de Mongaça sacaría para ello buena gente.

Con este acuerdo se partió don Galaor con aquella muy hermosa reina Briolanja su muger, y Dragonís con ellos, y don Galvanes y Madasima a su tierra por adereçar lo más presto que pudiessen para aquel camino.

Agrajes, ahunque mucho fue rogado que quedasse en la Ínsola Firme con Amadís, no lo quiso fazer; antes, dixo que iría con don Bruneo con la gente del Rey su padre, y que no se partiría dél fasta que en paz rey lo dexasse; y assí lo hizo don Brian de Monjaste con don Cuadragante y todos los otros cavalleros que allí se fallaron, en especial el bueno y esforçado de Angriote d'Estraváus, que nunca por cosas que Amadís le dixo, porque se fuesse a reposar a su tierra, le pudo quitar de no ir con don Bruneo de Bonamar.

Todos éstos con armas nuevas y coraçones esforçados, lle-

---

[33] *esto:* este, Z // esto, RS // .
[34] *fuerte y:* fuerte y, ZRS // fuerte oviesse, y, Place // .
[35] *conquerir:* conquistar.

vando consigo la gente d'España, y la de Escocia y de Irlanda, y del Marqués de Troque, padre de don Bruneo, y la de Gaula, y la del Rey de Boemia, y otras muchas compañas que allí[36] de otras partes les vinieron, entraron en una gran flota, rogando todos mucho a Grasandor que con Amadís quedasse para le fazer compañía, el cual contra su voluntad quedó, que más quisiera fazer aquel camino. Pero no estuvo acá de balde, ni Amadís tampoco, que muchas vezes salieron y acabaron grandes cosas en armas, quitando muchos tuertos y agravios que a dueñas y a donzellas se hazían, y a otras personas que por sus manos ni facultad se podían valer, de que fueron requeridos, assí como la istoria os lo contará adelante.

El rey Cildadán, como mucho amasse a don Cuadragante, porfió de ir con él cuanto pudo, mas él no lo consintió en ninguna guisa; antes, le rogó que por su amor luego se fuese a su reino por dar alegría y consolar a la Reina su muger y a todos los suyos con las buenas nuevas que levava que bien podía dezir; que si haziendo enteramente su dever avía su libertad perdido, que assí cumpliendo con su honra y a lo que obligado era por la promessa y jura que hizo la avía ganado.

Gastiles, sobrino del Emperador de Constantinopla, avía embiado toda su gente con el marqués Saluder, y quedó él por ver el cabo de aquel negocio en qué parava, porque al Emperador su señor contarlo supiesse por entero. Y como esto vio que se hazía, habló con Amadís y díxole que mucho le pesava por no tener aparejo de gente para ayudar aquellos cavalleros en tal jornada, pero que si él por bien lo tuviesse, que él iría con su persona y con algunos de los que le avían quedado. Amadís le dixo:

—Mi señor, bastar deve lo hecho, que por causa de vuestro tío y vuestra soy puesto en tanta honra como veis; y a Dios plega por la su merced que me llegue a tiempo que gelo yo sirva. Y vos, mi señor, partíos luego y besalde las manos por mí, y dezilde que todo cuanto se ganó en esto passado lo ganó él, y que siempre será a su servicio y de quien él mandare. Y también os encomiendo que beséis las manos por mí a la muy fermosa Leonorina y a la reina Menoresa, y dezildes que yo cum-

36 _que allí:_ que de alli, Z // que alli, RS // .

pliré lo que les prometí y les embiaré un cavallero de mi linaje, de que muy bien se podrán servir.

—Esso creo yo bien —dixo Gastiles—, que tantos ay en él que para todo el mundo podrían bastar.

Con esto se despidió y se metió en su nave, donde por agora no se cuenta más dél fasta su tiempo.

Concertado y aparejado lo que oído avéis, movió la gran flota del puerto por la mar con todos aquellos cavalleros, con aquel esfuerço que sus grandes coraçones les solía[37] dar en las otras afrentas. Amadís quedó en la Ínsola Firme y Grasandor con él, como dicho es; y con Oriana quedaron Mabilia y Melicia, y Olinda y Grasinda, rogando a Dios que ayudasse a sus maridos. El rey Perión y la reina Elisena, su muger, se tornaron a Gaula. Esplandián y el Rey de Dacia y los otros donzeles[38] quedaron con Amadís esperando el tiempo[39] de ser cavalleros y Urganda la Desconoscida, que lo avía de ordenar, como lo prometió y lo dixo.

Mas agora dexa la istoria de hablar de aquellos cavalleros que ivan a ganar aquellos señoríos, y de todas las otras cosas, por contar lo que le avino a Amadís a cabo de algún tiempo que allí estuvo.

## Capítulo CXXVII

*Cómo Amadís se partió solo con la dueña que vino por la mar por vengar la muerte del cavallero muerto que en el barco traía, y de lo que le avino en aquella demanda.*

Así como avéis oído, quedó en la Ínsola Firme Amadís con su señora Oriana al mayor vicio y plazer que nunca cavallero estuvo, de lo cual no quiso él ser apartado porque del mundo le hiziessen señor, que assí como estando ausente de su señora las cuitas y dolores y congoxas de su apassionado coraçón sin comparación le atormentavan, no fallando en ninguna parte

---

[37] *solía:* solia, ZRS // solian, Place // .
[38] *donzeles:* donzelles, Z // donzeles, RS // . Véase la nota 39 del capítulo LXXI.
[39] *el tiempo:* al tiempo, Z // el tiempo, RS // .

reparo ni descanso alguno, así estremadamente se tornava todo al contrario estar en su presencia viendo aquella su gran hermosura que par no tenía; y ansí se le escaescieron[1] todas las cosas passadas de la memoria, que en ál no tenía mientes[2] salvo en aquella buena ventura en que entonces se veía. Pero como en las cosas perescederas deste mundo no aya ni se pueda hallar ningún acabado bien, pues que Dios no lo quiso ordenar, que cuando aquí pensamos ser legados al cabo de nuestros desseos luego en punto somos atormentados de otros tamaños o por ventura mayores a cabo de algún espacio de tiempo, Amadís tornando en sí, conosciendo que ya aquello por suyo sin ningún contraste lo tenía, començó acordarse de la vida passada, cuánto a su honra y prez fasta allí avía seguido las cosas de las armas, y cómo estando mucho tiempo en aquella vida se podría escurescer y menoscabar su fama, de manera que era puesto en grandes congoxas, no sabiendo qué fazer de sí[3]. Y algunas vezes lo fabló con mucha[4] humildad con Oriana su señora, rogándola muy afincadamente le diesse licencia para salir d'allí y ir algunas partes donde creía que sería menester su socorro; mas ella, como se viesse en aquella ínsola apartada de su padre y madre y de toda su naturaleza, y otra consolación no tuviesse ni compañía sino a él para satisfazer su soledad,

---

[1] *escaescieron:* olvidaron. «Le embio el coraçon a quien nunca escaecio», *Demanda del Sancto Grial,* 332b. Véase la nota 26 del capítulo XXXIII.

[2] *en ál no tenía mientes:* en otra cosa no pensaba.

[3] De nuevo se reiteran estructuras habituales a lo largo del libro, pues un periodo de inactividad puede hacer peligar la honra del héroe. El tema contaba con una larga trayectoria en los relatos artúricos, con distintas variantes en las obras de Chrétien. «A la solution proposée dans son premier roman *Érec,* hostile à la *récréance* ou abandon du chevalier dans le bras de la femme et prônant la subordination de celle-ci à l'idéal chevaleresque; à la solution imposée par sa protectrice Marie de Champagne et incarnée dans le *Lancelot,* de la subordination complète de l'homme à la femme, selon les commandements de la loi courtoise, il oppose une solution nouvelle, qui tente de concilier le respect dû a la dame avec l'independance de l'homme et des devoirs de bravoure et d'honneur envers lui-même», Gustave Cohen, *Un grand romancier d'amour et d'aventure au XIIᵉ siècle. Chrétien de Troyes et son oeuvre,* París, Bolvin-Cie, 1931, pág. 355. En nuestra obra, se adopta el modelo seguido por el *Lancelot,* la completa subordinación del hombre a la mujer, si bien en esta ocasión se propicia todo para que la marcha de Amadís sea ineludible.

[4] *mucha:* mucho, Z // mucha, RS // .

nunca otorgárgelo quiso; antes, siempre con muchas lágrimas
le rogava que diesse algún descanso a su cuerpo de los trabajos
que fasta allí avía passado, y assí mesmo diziéndole que se le
acordasse cómo aquellos sus amigos eran idos a tan gran peligro de sus personas y gentes como por ganar aquellos señoríos
se les podría recrescer, y que si algún contraste allá oviessen,
que estando allí muy mejor que de otra parte, les podría socorrer, y con esto y otras cosas muchas de grandes amores [tra-
bajava] por[5] le detener. Mas como muchas vezes se vos ha dicho en esta grande istoria que las entrañas deste cavallero desde su niñez fueron encendidas de aquel gran fuego de amor,
que desde el primero día que la començó a amar le vino y juntó con esto el gran temor de en ninguna cosa la enojar ni passar su mandamiento por bien ni por mal que le avenir pudiese, con muy poca premia, ahunque su desseo gran congoxa
passasse, era detenido.

Pues ya determinado a complir lo que su señora le mandava, acordó con Grasandor que, en tanto que algunas nuevas de
la flota les venían, que de allí fuera saliessen a correr monte y
andar a caça por dar algún exercicio a sus personas; lo cual
luego fue aparejado y salían con sus monteros y canes fuera de
la ínsola, que, como se os ha dicho en este libro, avía los mejores montes y riberas llenos de ossos y puercos y venados y
otras muchas animalias y aves de río que en otra tanta parte
hallarse pudiessen. Y caçavan mucho dello, con que a las noches se acogían a la ínsola con gran plazer, assí dellos como
dellas, y esta vida tuvieron por algún espacio de tiempo.

Pues así acaesció que estando un día Amadís en una armada
en la halda[6] de aquella montaña cerca de la ribera de la mar esperando algún puerco o bestia fiera, teniendo por la traílla un
muy hermoso can qu'él mucho amava, miró contra la mar y
vio de lueñe venir un batel la vía[7] donde él estava. Y cuando

---

[5] *amores [trabajava] por:* amores por, ZR // amores trabajava por, S Place // .

[6] *halda:* falda. Según el DCECH, hasta el siglo xv la forma con f- predomina
en todas partes, mientras que ya Al. de Palencia trae halda y falda, si bien Nebrija sólo recoge halda, forma abundante en los siglos xvi y xvii. «Fuele levantando la halda de la loriga», *Demanda del Sancto Grial*, 246b.

[7] *vio de lueñe venir un batel la vía:* vio de lejos venir un barco pequeño por el
camino. «Fuese dellos muy lueñe», *Tristán de Leonís,* 388a.

más cerca fue, vio en él una dueña y un hombre que lo remava, y porque le pareçió que devía ser alguna cosa estraña, dexó la armada[8] donde estava y fuese con su can por la cuesta abaxo, colando entre las grandes matas, sin que alguno de su compaña le viesse. Y llegando a la ribera, falló que la dueña y aquel hombre que con ella venía sacavan arrastrando del batel un cavallero muerto armado de todas armas y lo pusieron en tierra, y su escudo cabe él. Amadís, como a ellos llegó, dixo:

—Dueña, ¿quién es esse cavallero, y quién lo mató?

La dueña bolvió la cabeça, y ahunque con paños de monte lo vio como los cavalleros en tal auto andar suelen, y solo, luego conoçió que era Amadís, y començó a romper sus tocas y vestiduras faziendo muy gran duelo y diziendo:

—¡O señor Amadís de Gaula!, acorred a esta triste sin ventura por lo que devéis a cavallería, y porque estas mis manos os sacaron del vientre de vuestra madre y fizieron el arca en que en la mar fuestes echado[9], porque la vida se salvasse de aquella que os parió; acorredme, señor, pues que para acorrer y remediar los atribulados y corridos en este mundo naçistes en tanta amargura como sobre mí es venida.

Amadís huvo muy gran duelo de la dueña; y como le oyó aquellas palabras, miróla más que ante, y luego conoçió que era Darioleta, la que se halló con la Reina su madre al tiempo que él fue engendrado y naçido, de lo cual mucho más el dolor le creçió. Y llegóse a ella, y quitándole las manos de los cabellos, que la mayor parte dellos era blanca, le preguntó qué cosa era aquella por que assí llorava y tan duramente sus cabellos messava; que gelo dixesse luego y que no dexaría de poner su vida al punto de la muerte porque su gran pérdida reparada fuesse.

La dueña, cuando esto le oyó, hincóse delante dél de inojos, y quísole besar las manos, mas él no gelas quiso dar; y ella le dixo:

---

[8] *armada:* manga de gente con perros que se ponía en las batidas de los cazadores. «El Maestre ya avía repartido sus armadas, e la gente que avía de andar en la busca a lebantar la caça», *Crónica de don Álvaro de Luna,* 218, 20.

[9] *fuestes echado:* fuiste echado. «Fuésedes defendido e acatado, segúnd que lo fuestes por la Reyna», Fernando del Pulgar, *Crónica de los Reyes Católicos,* 108, 3.

—Pues, señor, cumple que, sin a otra parte ir donde algún estorvo hayáis, entréis luego comigo en este batel, y yo vos guiaré donde mi cuita remediarse puede, y por el camino la mi desventura os contaré.

Amadís, como tan aquexada la vio y con tanta passión, bien creyó que la dueña havía passado por gran afrenta. Y como desarmado se viesse sino solamente de la su muy buena spada, y que si por sus armas embiasse, Oriana lo detenía de manera que no podría ir con la dueña, acordó de se armar de las armas del cavallero muerto; y assí lo hizo, que mandó aquel hombre que lo desarmasse y armasse a él, lo cual luego fue fecho. Y tomando la dueña consigo y el hombre que remava, se metió prestamente en el batel. Y queriendo partir de la ribera, acaso llegó un montero de los de su compaña, que iva tras un venado que iva herido y se lo acogiera aquella parte, que las matas eran muy más espessas; al cual, cuando Amadís le vio, llamólo y díxole:

—Di a Grasandor cómo yo me voy con esta dueña que aquí agora aportó, y que le demando perdón, que la gran pérdida y priessa suya me quita que lo no pueda[10] fablar ni ver; y que le ruego que haga enterrar esse cavallero, y me gane perdón de Oriana, mi señora, porque sin su mandado hago este viaje: crea que no he podido hazer ál que gran vergüença no me fuesse.

Y dicho esto, partió el batel de la ribera a la más priessa que llevarse pudo; y anduvieron todo aquel día y la noche por la vía que allí la dueña avía venido. En este comedio preguntó Amadís a la dueña que le dixesse la priessa y afrenta en que estava para que su acorro tanto havía menester; la cual llorando muy agramente le dixo:

—Mi señor, vos sabréis que, al tiempo que la Reina vuestra madre partió de Gaula para ir a esta vuestra ínsola a las bodas vuestras y de vuestros hermanos, ella embió un mensajero a mi marido y a mí a la Pequeña Bretaña, donde por su mando estamos por governadores, por el cual nos mandó que en viendo su carta nos viniéssemos tras ellas a la Ínsola Firme, porque no era razón que tales fiestas sin nosotros passassen; y esto le

---

[10] *pueda:* pudo, Z // pueda, RS // .

causó[11] la su gran nobleza y mucho amor que nos tiene, más que nuestros mereçimientos. Pues avido este mandamiento, luego mi marido y aquel desventurado de mi fijo que allá dexamos muerto, cuyas essas armas que lleváis son, y yo entramos con buena compaña de servidores en la mar en una nave asaz grande. Y navegando con buen tiempo, el cual por la nuestra contraria fortuna se mudó de tal manera, que nos fizo desviar de la vía que traíamos gran parte, y nos traxo, a cabo de dos meses y de muchos peligros que con aquella gran tormenta nos sobrevinieron, una noche por gran fuerça del viento a la ínsola de la Torre Bermeja, donde es señor della el gigante llamado Balán, más bravo y más fuerte que ningún gigante de todas las ínsolas. Y como al puerto llegamos, no sabiendo en qué parte éramos arribados, cuanto alguna pieça nos detovimos por guareçer allí en aquel puerto, luego en la hora[12] gentes de la ínsola en otras fustas nos cercaron, de manera que fuemos todos presos y tenidos allí hasta la mañana que al gigante nos llevaron; el cual, como nos vio, preguntó si venía entre nos algún cavallero. Mi marido le dixo que sí, que él lo era y aquel otro que cabe él estava, que era su hijo. «Pues», dixo el gigante, «conviene que passéis por la costumbre desta ínsola.» «¿Y qué costumbre es?», dixo mi marido. «Que os havéis de combatir comigo uno a uno», dixo el gigante, «y si cualquier de vos os pudierdes defender una hora, seréis libres, y toda vuestra compaña; y si fuerdes vencidos en aquella hora, seréis mis presos; pero quedarvos ha alguna esperança a vuestra salud pues que como[13] buenos provardes todas vuestras fuerças; mas si por ventura vuestra covardía fuere tan grande que en esta aventura de tomar la batalla no vos dexe poner, seréis metidos en una cruel prisión donde passaréis grandes angustias en pago de haver tomado orden de cavallería teniendo en más la vida que la honra, ni las cosas que para la tomar jurastes. Agora vos he dicho toda la razón de lo que aquí se mantiene; escoged lo que

[11] *esto le causó:* esto le causo, ZRS // esto lo causo, Place // .

[12] *luego en la hora:* inmediatamente al momento. «Luego en esa hora el rrespondio con fabla muy espantosa», *Confisión del Amante*, 445, 25.

[13] *pues que como:* Place edita *si como,* lectura de S, pero no vero ninguna necesidad de alterar el texto zaragozano.

más vos agradare».» Mi marido le dixo: «La batalla queremos, que de balde traeríamos armas si por espanto de algún peligro dexássemos de fazer con ellas aquello para que fueron estableçidas. Mas, ¿qué seguridad ternemos, si fuéremos vencedores, que nos será guardada la ley que dizes?». «No ay otra»[14], dixo el gigante, «sino mi palabra, que por mal ni por bien nunca a mi grado quebrada será; antes me consentiría quebrar por el cuerpo, y assí lo tengo fecho jurar a un mi fijo que aquí tengo y a todos mis servidores y vasallos.» «En el nombre de Dios», dixo mi marido, «fazedme dar mis armas y mi cavallo, y a este mi fijo también, y aparejadvos para la batalla.» «Esso», dixo el gigante, «luego será fecho». Pues assí fueron armados ellos y el gigante y puestos a cavallo en una gran plaça que está entre unas peñas a la puerta del castillo, que es muy fuerte. Estonces el malaventurado[15] de mi fijo rogó tanto a su padre, que a mal de su grado le otorgó la primera justa, en la cual fue del gigante tan duramente encontrado, que assí a él como al cavallo derribó tan crudamente, que el uno y el otro a un punto perdieron la vida. Mi marido fue para él y encontróle en el escudo, mas no fue sino como dar en una torre[16]. Y el gigante llegó a él, y travóle tan rezio por el un braço que, comoquiera que él sea dotado de harta fuerça, según su grandeza de cuerpo y de edad, assí lo sacó de la silla como si un niño fuera. Esto fecho, mandó dexar a mi fijo muerto en el campo, y a mi marido y a mí y una nuestra fija, que traíamos para que sirviesse a Melicia vuestra hermana, nos hizo llevar suso al alcáçar, y a nuestra compaña mandó meter en una prisión. Cuando yo esto vi, començé, como muger fuera de sentido, que assí lo estava en aquella ora, a dar gritos muy grandes y a dezir: «¡O rey Perión de Gaula! agora fuesses tú aquí, o alguno de tus fijos, que bien me cuidaría contigo o con cualquier dellos salir desta tan gran tribulación.» Cuando el gigante esto oyó, dixo: «¿Qué conocimiento tienes tú con este Rey? ¿Es éste por ventura el padre

---

[14] *otra:* otro, Z // otra, RS // .

[15] *malaventudado:* infeliz, de mala ventura.

[16] Dentro del escaso número de comparaciones utilizadas en el *Amadís,* se reitera casi siempre una similar referida al mundo de los gigantes, considerados ellos mismos o sus armas como una torre, por la analogía de su altura, pesadez, dureza, etc.

de uno que se llama Amadís de Gaula?». «Sí es, por cierto», dixe yo; «y si cualquier dellos aquí estuviesse, no serías poderoso de me hazer ningún desaguisado, que ellos me ampararían como aquella que todos mis días gasté y espendí[17] en su servicio». «Pues si tanta fiança en ellos tienes», dixo él, «yo te daré lugar que llames aquel que te más agradare, y más me plazería que fuesse Amadís, que tan preciado es en el mundo, porque éste mató a mi padre Madanfabul en la batalla del rey Cildadán y del rey Lisuarte, cuando so el braço fuera de la silla al mesmo rey Lisuarte levava y se iva con él a las barcas. Y este Amadís, que a la sazón Beltenebros se llamava, lo siguió, y comoquiera que en defensa de su señor y de los de su padre pudo herir, sin que mi padre le viesse, a su salvo, no se le deve contar a gran esfuerço ni valentía, ni a mi padre, a gran desonra. Y si deste que tan famoso es y tanto has servido te quieres valer, toma aquel barco con un marinero que te yo daré para le guiar, y búscalo. Y porque más su saña y gana de te vengar se encienda, llevarás aquel cavallero tu hijo armado y muerto como stá. Y si él te ama como tú piensas, y es tan esforçado como todos dizen, veyendo esta tu gran lástima no se escusará de venir.» Cuando yo esto le oí, díxele: «Si yo fago lo que dizes y trayo aquel cavallero aquesta tu ínsola, ¿por dónde será cierto que le manternás verdad?». «Desso», dixo, «no tengas ni él tenga cuidado, que, ahunque en mí haya otras cosas de mal y de sobervia, esto he mantenido y manterné todo el tiempo de mi vida, de antes la perder que mi palabra fallezca de aquello que prometiere; la cual yo te doy para cualquiera cavallero que contigo viniere, y mucho más entera si fuere Amadís de Gaula, que no haya de que se temer sino de mi sola persona a mi grado.» Pues yo, señor, veyendo esto que el gigante me dixo, y a mi hijo muerto, y mi marido y mi señor y mi fija presos con toda nuestra compaña heme atrevido a venir en esta manera, confiando en Nuestro Señor y en la buena ventura vuestra, y en la crueza de aquel diablo que tanto contra su servicio es que

---

[17] *espendí:* gasté. «Por el menor bien que en este mundo reçibe no se l[e] haría nada espender mill años en su serviçio», Teresa de Cartagena, *Admiraçión operum Dey,* 129, 2.

me dará vengança de aquel traidor con gran prez de vuestra persona[18].

Amadís, cuando esto oyó, mucho le pesó de la desaventura[19] de la dueña, que mucho de su padre el rey Perión y de la Reina su madre y de todos ellos era amada y tenida por una de las buenas dueñas de todo el mundo de su manera[20]. Y assí mesmo tuvo por grande afrenta aquélla, no tanto por el peligro de la batalla, ahunque grande era, según la fama de aquel Balán, como por entrar en su ínsola, y entre gente donde le convenía estar a toda su mesura[21]. Pero poniendo su fecho todo en la mano de aquel Señor que sobre todos la tiene, y haviendo gran piedad de aquella dueña y de su marido, la cual nunca de llorar cessava, pospuesto todo temor, con muy gran esfuerço la iva consolando y diziéndole que muy presto sería reparada y vengada su pérdida, si Dios por bien lo tuviesse que por él se pudiesse acabar.

Pues assí como oís anduvieron dos días y una noche, y al tercero día vieron a su siniestro[22] una ínsola pequeña con un castillo que muy alto parecía. Amadís preguntó al marinero si sabía cúya fuesse aquella ínsola. El dixo que sí, que era del rey Cildadán y que se llamava la ínsola del Infante.

—Agora nos guía allá —dixo Amadís—, porque tomemos alguna vianda, que no sabemos lo que acaeçer podrá.

Estonces bolvió el barco, y a poco rato llegaron a la ínsola. Y cuando fueron al pie de la peña, vieron descender por la cuesta ayuso[23] un cavallero; y como a ellos llegó, saludólos, y

---

[18] El personaje que actúa como narrador contará su relato recordando todos los diálogos mantenidos, de modo que lo contado adquiere mayor vivacidad y dramatismo. Actuará como si fuera el narrador de la obra.

[19] *desaventura:* desgracia.

[20] *de su manera:* de su condición, linaje.

[21] *estar a toda su mesura:* comportarse según su voluntad. «Después que nos diéremos a su mesura, no moriremos», *Gran Conquista de Ultramar,* I, 72.

[22] *siniestro:* a su izquierda; en R y S a su siniestra, lectura elegida por Place, pero corresponde al sintagma opuesto *a su diestro,* perfectamente documentado, como señalo en la nota 35 del capítulo LXXI. Cfr.: «Hallaron dos carreras que se partían: la una a diestro hazia los llanos, e la otra a siniestro», *Gran Conquista de Ultramar,* I, 439. «E partieronse, e Galvan se fue a diestro, e Estor a siniestro», *Demanda del Sancto Grial,* 209b.

[23] *descendir por la cuesta ayuso:* descender por la cuesta abajo.

ellos a él. El cavallero de la ínsola preguntó quién eran. Amadís le dixo:

—Yo soy un cavallero de la Ínsola Firme que vengo por dar derecho a esta dueña, si la voluntad de Dios fuere, de un tuerto y desaguisado que acá delante en otra ínsola recibió.

—¿En qué ínsola fue esso? —dixo el cavallero.

—En la ínsola de la Torre Bermeja —dixo Amadís.

—¿Y quién le fizo esse tuerto? —dixo el cavallero.

—Balán el gigante, que me dizen que es señor de aquella ínsola —dixo Amadís.

—Pues, ¿qué emienda le podéis [v]os solo dar?

—Combatirme con él —dixo Amadís—, y quebrantarle la sobervia que a esta dueña ha hecho, y a otros muchos que gelo no mereçieron.

El cavallero se començó a reír, como en desdén, y dixo:

—Señor cavallero de la Ínsola Firme, no se ponga en vuestro coraçón tan gran follía[24] en querer de vuestra voluntad buscar aquel de quien todo el mundo huye; que si el señor dessa ínsola donde venís, que es Amadís de Gaula, y sus dos hermanos don Galaor y don Florestán, que hoy son la flor y el cabo de los cavalleros del mundo, todos tres viniessen a se combatir con este Balán, les sería tenido a gran locura de aquellos que le conoçen[25]. Por esso yo vos consejo que dexéis este camino, que de vuestro mal y daño havría pesar por ser cavallero y amigo de aquellos a quien tanto ama y precia el rey Cildadán mi señor, que me han dicho que él y el rey Lisuarte son ya concertados con Amadís de Gaula, no sé en que forma, sino tanto que soy certificado que quedaron en mucho amor y concordia. Y si como lo havéis començado, lo seguís, no es otra cosa salvo ir vos conoçidamente a la muerte.

Amadís le dixo:

—La muerte y la vida en las manos de Dios está, y a los que quieren ser loados sobre los otros conviene que se pongan y acometan cosas peligrosas y las que los otros no osan acome-

---

[24] *follía*: locura. «Un sabidor omne comiença a las vezes grant follía por su orgullo», *Otas de Roma*, 35, 20.

[25] Mediante el diálogo con el caballero, se encarece la dificultad de la aventura de Amadís, presentado, como en otras ocasiones, como desconocido.

ter, y esto no lo digo por me tener por tal, mas porque lo desseo ser. Y por esto vos ruego, cavallero señor, que me no pongáis más miedo del que yo trayo, que no es poco; y si os plugiere, por cortesía me socorráis con alguna vianda de que nos
podamos ayudar si algún entrevallo viniere[26].

—Esto haré yo de buen grado —dixo el cavallero de la ínsola—, y más haré; que por ver cosa tan estraña quiero tenervos[27] compañía hasta que vuestra ventura buena o mala passe
con aquel bravo gigante.


### Capítulo CXXVIII

*Cómo Amadís se iva con la dueña contra la ínsola del gigante llamado*
*Balán, y fue en su compaña el cavallero governador de la ínsola del*
*Infante.*


Aquel cavallero que la historia dize mandó traer viandas
cuanto vio que cumplía, y metióse assí desarmado como estava
en una barca con hombres que lo guiavan. Y partieron de
aquel puerto juntos contra la ínsola de Balán; y yendo por la
mar adelante el cavallero preguntó a Amadís si conoçía al rey
Cildadán. Amadís le dixo que sí, que muchas vezes le viera y
sus grandes cavallerías en las batallas que el rey Lisuarte huvo
con Amadís, y que dél bien podía dezir con verdad que era
uno de los esforçados y buenos reyes del mundo.

—Por cierto —dixo el cavallero de la ínsola del Infante—,
tal es él, sino que la su contraria fortuna le ha sido más adversa
que nunca lo fue a hombre del mundo que tanto valiesse en le
poner so el señorío y vassal[l]aje del rey Lisuarte, que tal Rey
más era para mandar y ser señor que para ser vassallo.

—Ya es fuera desse tributo —dixo Amadís—, que el gran
esfuerço de su coraçón y el valor de su persona quitaron de su
gran estado aquella lástima que no a su cargo tenía.

---

[26] *entrevallo viniere*: llegara alguna dificultad. En R y S, entrevalo. A diferencia
de los primeros libros, la actuación de Amadís es mucho más precavida, pues
tiene en cuenta elementos materiales necesarios para su aventura.

[27] *tenervos*: guardaros.

—¿Cómo lo sabéis vos esso, cavallero?

—Señor —dixo él—, yo lo sé, que lo vi.

Estonces le contó lo que el rey Lisuarte havía hecho en le dar por quito[1], assí como este libro lo ha contado. El cavallero, cuando esto oyó, hincó los hinojos en la barca y dixo:

—Señor Dios, loado seas tú por siempre jamás, que quesiste dar aquel Rey lo que su gran virtud y nobleza merecía.

Amadís le dixo:

—Buen señor, ¿conoçéis vos este Balán?

—Muy bien —dixo él.

—Mucho os ruego, si os pluguiere, pues en ál no ay necessidad de hablar, me digáis lo que dél sabéis, special lo que de su persona conviene saber.

—Assí lo haré —dixo el cavallero—, y por ventura no hallaríades otro que por tan entero os lo pueda dezir. Sabed que este Balán es hijo del bravo Madanfabul, aquel gigante que Amadís de Gaula mató, llamándose Beltenebros, en la batalla que el rey Cildadán huvo con el rey Lisuarte de los ciento por ciento, donde murieron otros muchos gigantes y fuertes cavalleros de su linaje que por esta comarca tenían muchas ínsolas de muy gran valor, los cuales, con el grande amor y afición que al rey Cildadán, mi señor, tuvieron, quisieron ser en su servicio, donde poco menos todos fueron pereçidos[2]. Y este Balán por quien me preguntáis quedó harto mançebo cuando su padre murió, y quedóle esta ínsola que [es] la más frutífera de todas las cosas, assí frutas de todas naturas como de todas las más preciadas y estimadas especias del mundo[3]. Y por esta causa ay en ella muchos mercadantes[4] y otros infinitos que se-

---

[1] *quito:* libre. «Porque yo sea exento nin quito de culpa», A. Martínez de Toledo, *Corbacho,* 177.

[2] *pereçidos:* muertos. Según el DCECH la palabra es bien conocida en la Edad Media, pero conserva un carácter eminentemente literario y culto.

[3] «La búsqueda concienzuda y práctica de productos útiles, especialmente oro y especias, fue lo que determinó en mayor medida la extraordinaria rapidez con la que se produjo la apertura a través de la cual los europeos pudieron mirar al mundo. El cabo de Buena Esperanza se rodeó en 1488; en 1492 se descubrieron las Indias Occidentales; por vía marítima se llegó a la India por primera vez en 1498», J. R. Hale, ob. cit., pág. 50. Nos encontramos ante un espacio diferente del de los primeros libros.

[4] *mercadantes:* mercaderes. «Pantapolos ...mercadante que vende muchas cosas», Al. Palencia, 38d.

guros a ella vienen, de los cuales redundan al gigante muy grandes intereses. Y dígoos que después que éste fue cavallero se ha mostrado más fuerte que su padre en toda valentía y esfuerço y su condición y manera, de que vos saber queréis, es muy diversa y contraria a la de los otros gigantes, que de natura son sobervios y follones, y éste no lo es[5]; antes, muy sosegado y muy verdadero en todas sus cosas, tanto que es maravilla que hombre que de tal linaje venga pueda ser tan apartado de la condición de los otros. Y esto piensan todos que le viene de parte de su madre, que es hermana de Gromadaça, la brava giganta, muger que fue de Famongomadán, el del Lago Herviente, no sé si lo oístes ya dezir, y assí como ésta passó de muy gran hermosura a Gromadaça[6] su hermana y a otras muchas que en su tiempo hermosas fueron, assí fue muy diferente en todas las otras maneras de bondad; que la otra fue muy brava y corajosa[7] en demasía y ésta muy mansa y sometida a toda virtud y humildad. Y esto deve causar que assí como las mujeres que feas son, tomando más figura de hombre que de mujer, les viene por la mayor parte aquella sobervia y desabrimiento varonil que los hombres tienen[8], que es conforme a su calidad, assí las hermosas, que son dotadas de la propia naturaleza de las mugeres, lo tienen al contrario, conformándose su condi-

---

[5] Balán se destaca desde un principio por tener las condiciones físicas de los gigantes, lo que lo encarece como adversario, pero especialmente por poseer unas condiciones morales distintas de las de su linaje: la mansedumbre y la fidelidad, contrarias a la traición —follones— y a la soberbia. Este último aspecto se presenta como rasgo caracterizador de los personajes, para lo que contaba con una larga tradición avalada por el modelo medieval por excelencia: la Biblia. Por ejemplo, en el *Libro de la Sabiduría*, XIV, 6, se dice: «También al principio, mientras los soberbios gigantes perecían». Por otro lado, recuérdese que el gigante Nembrot, citado reiteradamente en nuestro libro, es modelo paradigmático de soberbia por la construcción de la Torre de Babel.

[6] *Gromadaça:* Gramadaça, Z // Gromadaça, RS // .

[7] *corajosa:* impetuosa, corajuda. «Non dexava por eso de ser sano e arreziaba, e yva muy corajoso a la batalla», *Otas de Roma*, 34, 6. «Acotan el ligero, Danubre el corajoso», *Demanda del Sancto Grial*, 175a.

[8] Alfonso Martínez de Toledo exponía otras teorías completamente contrarias a las de Rodríguez de Montalvo: «La muger ser sobervia, común regla es dello», *Corbacho*, pág. 155. Sin embargo, nuestro libro se encamina por otros derroteros diferentes, equiparando la bondad a la hermosura, y por contra, la fealdad a la soberbia.

ción con la boz delicada, con las carnes blandas y lisas, con la gran fermosura de su rostro, que la ponen en todo sosiego y la desvían de gran parte de la braveza, assí como esta gigante muger de Madanfabul, madre deste Balán, lo tiene; de lo cual redunda aquella mansedad y reposo aqueste su fijo[9]. Ésta se llama Madasima, y por causa suya pusieron este nombre mismo a una hija muy hermosa que quedó de Famongomadán, que casó con un cavallero que se llamó don Galvanes, hombre de tan alto lugar, y todos los que la conoçen dizen que assí es de muy noble condición y con todos muy humilde. Agora vos quiero dezir cómo yo sé todo esto que digo y mucho más del hecho destos gigantes. Sabed que yo soy governador daquella ínsola del Infante, donde me fallastes, desde el tiempo qu'el rey Cildadán era infante qu'el señorío della tenía sin tener otro heredamiento alguno. Y más por su gran esfuerço y buenas maneras que por su estado embió por todo el reino de Irlanda para lo casar con la fija del rey Abiés, que aquel reino heredó al tiempo que lo mató Amadís de Gaula, y a mí siempre me dexó en esta governación que tengo. Y como estoy aquí entre estas gentes, y todas tienen mucha afición al Rey mi señor, tengo mucha contratación[10] con ellos, y sé que los fijos de aquellos gigantes que en aquella batalla que vos dixe murieron que son ya hombres, y están con mucho desseo de vengar la muerte de sus padres y parientes si sazón para ello viessen.

Amadís, que estas razones oía, le dixo:

—Buen señor, muy gran plazer he avido de lo que me havéis contado. Solamente me pesa de la muy buena condición deste a quien yo voy a buscar, que más me pluguiera que todo fuera al revés con mucha bramura[11] y sobervia, porque a estos tales no tarda mucho que no les alcança la ira y el castigo de Dios, y no quiero negaros que no llevo más temor que hasta aquí. Pero comoquiera que sea, no dexaré de dar emienda a

    [9] En el sintagma hay una «a» embebida: «a aqueste su fijo».
    [10] *contratación:* trato. «Este condestable era onbre generoso et recto en sus contrataçiones», Fernando del Pulgar, *Crónica de los Reyes Católicos,* 242, 3.
    [11] *bramura:* orgullo, bravuconería. A pesar de la lectura de ZRS, Place la corrige en *bravura,* innecesariamente. Véase documentación de la palabra en Academia Española, *Diccionario histórico de la lengua española,* Madrid, 1936, s. v. *bramura,* que recoge nuestro texto.

esta dueña, si puedo, del gran mal y sinrazón que sin lo mereçer ha recebido; y tanto quiero saber de vos si es este Balán
casado.

El cavallero de la ínsola le dixo que sí.

—Y con una hija de un gigante que se llama Gandalac, Señor de la Peña de Galtares, de la cual tiene un fijo de hasta
quinze años, que si bive, será heredado deste señorío.

Cuando Amadís esto oyó, turbóse ya cuanto, y pesóle mucho por lo haver sabido por el grande amor que él havía a
Gandalac y a sus fijos, que era amo de su hermano don Galaor.
Todas sus cosas tenía él para las guardar como las suyas propias. Y dixo al cavallero:

—Cosas me avéis dicho que más que de ante me fazen
dudar[12].

Y esto era por lo que le dixo de Gandalac. Y el cavallero
sospechó que dudava con temor de la batalla, mas no era assí;
que ahunque con el mismo su hermano don Galaor, a quien
más que al gigante dudaría, oviera de ser, no se partiría della
en ninguna guisa sin dar derecho y emienda aquella dueña o
perder la vida; porque siempre fue su costumbre acorrer a
quien con razón gelo pidiesse.

Pues assí hablando en esto que havéis oído y en otras muchas cosas anduvieron todo aquel día y noche. Y otro día a
hora de tercia vieron la ínsola de la Torre Bermeja, de que mucho plazer ovieron, y anduvieron tanto hasta que llegaron cerca della. Amadís la mirava y pareçíale muy hermosa, assí la tierra de spessas montañas, lo que devisarse podía, como el assiento del alcáçar con sus fermosas y fuertes torres, special
aquella Bermeja que llamavan, que era la mayor y de más estraña piedra fecha que en el mundo se podría fallar; y en algunas historias se lee que en el comienço de la población de
aquella ínsola y el primer fundador de la torre y de todo lo más
de aquel gran alcáçar que fue Josefo, el fijo de Josep Abarimatía, que el santo Grial traxo a la Gran Bretaña[13]; y porque a la

---

[12] *de ante me hazen dudar:* antes me hacen temer.

[13] Robert de Boron compuso una trilogía que abarcaba desde los tiempos de
José de Arimatea hasta los tiempos artúricos. El *José de Arimatea* se suele dividir
en dos partes. En la primera el autor se remonta a los orígenes y a la Creación,
y resume brevemente la historia santa, basándose en evangelios apócrifos. El

sazón todo lo más de aquella tierra era de paganos, que, veyendo la disposición de aquella ínsola, la pobló de christianos, y hizo aquella gran torre donde se reparavan él y todos los suyos cuando en alguna gran priessa se veían. Pero después a tiempo fue señoreada[14] de los gigantes fasta venir en este Balán, mas la población siempre quedó de cristianos, como agora lo era; los cuales bivían allí muy sojuzgados y apremiados de los señores, porque todos los más dellos tenían la seta de los paganos[15]. Pero todo lo sufrían y passavan por la gran riqueza de la tierra; y si en algún tiempo algún descanso tuvieron, no fue sino en este de Balán, por la su buena condición que para con ellos tenía, y porque por amor de su padre, que era más llegado a la ley de Jesucristo que ninguno de los otros, y mucho más lo fue adelante como la historia lo contará.

Pues allí llegados, Amadís dixo al cavallero de la ínsola del Infante:

—Mi buen señor, si a vos pluguiere, pues con este Balán tenéis conoçimiento, que por cortesía vayáis a él y le digáis cómo la dueña a quien él mató el hijo y prendió el marido y la hija trae consigo un cavallero de la Ínsola Firme para le demandar emienda del daño que le ha hecho, y si la no diere, para se combatir con él y al su grado fazérgela dar; y que saquéis dél fiança que el cavallero será seguro de todos sino solamente dél solo, comoquiera de bien o de mal le avenga[16].

---

asunto central consiste en relatar cómo José de Arimatea se alimentó en la prisión del vaso *(veissel)* que Cristo le entregó, interpretando literalmente el vaso como el cáliz que recogió la sangre de Cristo. En la segunda parte, el *veissel* se convierte en el Graal y se desarrolla el linaje de los guardianes del Graal apuntando ya la idea del traslado del vaso a Occidente. Véase la Introducción, pág. 27, y Victoria Cirlot, «El Graal en la literatura medieval», en Victoria Cirlot et al., *El Graal y la búsqueda iniciática*, Barcelona, Arbor Mundi, 1985, págs. 5-25, esp. págs. 15-16. En el capítulo XCII del *Livro de Josep Abarimatea*, ed. cit., pág. 289, trata de «De como Josep aportou na gram bretanha que le deos prometera».

[14] *señoreada:* señoreado, ZR // señoreada, S // .

[15] *seta de los paganos:* secta de los paganos. «Mala seta de eregia arriana», A. Martínez de Toledo, *Atalaya de las coronicas*, 11b.

[16] *será seguro de todos sino solamente dél solo, comoquiera de bien o de mal le avenga:* le asegurará de todos excepto de él, aunque algo bueno o malo le suceda. Según José Vallejo, art. cit., págs. 82-83, «de muy frecuente uso en la prosa del siglo XIV, hasta su tercio final, *comoquiera que* sigue figurando, en los siglos siguientes,

El cavallero le dixo:

—Contento soy de lo assí hazer y podéis ser cierto que la promessa qu'él diere no havrá otra cosa.

Estonces el cavallero con sus hombres entró en su barca y se fue al puerto, y Amadís quedó con su dueña algo desviado.

Pues llegado aquel cavallero, luego fue conoçido de los hombres del gigante y ant'él levado; el cual lo recibió con buen talante, que asaz vezes lo havía fablado, y díxole:

—Governador, ¿qué demandas en mi tierra? Dilo, que ya sabes que te tengo por amigo.

El cavallero le dixo:

—Assí lo tengo yo, y mucho te lo gradezco, pero mi venida no es por cosa que a mí toque, mas por una cosa estraña que he visto. Y esto es que un cavallero de la Ínsola Firme se viene por su voluntad a se combatir contigo, de lo cual me hago mucho maravillado a tal cosa se atrever.

Cuando esto oyó el gigante, díxole:

—Esse cavallero que dizes ¿trae una dueña consigo?

—Sí —dixo el cavallero—, sin falta.

—Entiendo —dixo el gigante— que será aquel Amadís de Gaula, el que de tanto loor y fama por el mundo es loado, o alguno de sus hermanos, que para traer uno de ellos partió ella de aquí, para lo cual yo le di lugar que ella fuesse.

Estonces dixo el cavallero:

—No sé quien será; mas dígote que es un cavallero muy hermoso y muy bien tallado de su grandeza, y sosegado en sus razones; y no puedo entender si su simpleza o gran esfuerço de coraçón le han puesto en esta locura. Véngote a demandar seguridad por él, que no se temerá sino de ti solo.

El gigante le dixo:

—Ya tú sabes que mi palabra, a mi grado, nunca será quebrada; tráelo seguramente, y veniendo conoçerás la esperiencia de cuál dessas dos cosas que dixiste toca.

El cavallero se tornó a su barca y se fue para Amadís. Y como la respuesta oyó, sin ningún recelo se vino luego al puer-

---

en escritos de género elevado o de tendencias cultistas o arcaizantes. (G. Manrique, *Cárcel de Amor, Apuleyo,* Fr. Luis de Granada, Fr. Luis de León, Mariana, etc.)».

to, y salieron luego de sus bateles en tierra. Y Amadís apartó primero aquel hombre que a la dueña había guiado en el barco, y díxole:

—Amigo, yo te ruego que no digas mi nombre a ninguno, que si aquí tengo de morir, ello se descobrirá; y si tengo de ser vencedor, yo te daré mucho bien por ello.

El marinero jelo prometió. Estonces subieron suso al castillo, y hallaron al gigante desarmado en aquella gran plaça que delante de la puerta estava. Y como llegaron, el gigante lo miró mucho, y dixo a la dueña:

—¿Es éste alguno de los hijos del rey Perión que havías de traer?

La dueña le dixo:

—Éste es un cavallero que demandarte ha el mal que me heziste.

Estonces Amadís dixo:

—Balán, no es neçessario a ti saber quién yo soy; bástete que vengo a te demandar que hagas emienda a esta dueña de mal tan grande que, sin te lo haver mereçido, le heziste en le matar su hijo y prender a su marido con otra su fija. Y si la hizierdes, quitarme he de haver contigo debate[17], y si no, aparéjate para la batalla.

El gigante le dixo riendo:

—La mayor emienda que le yo puedo dar es darte a ti por quito y quitarte la muerte; que pues tú veniste con tan buena voluntad a remediar su pérdida, en tanto deve tener tu vida como la suya. Y ahunque esto no acostumbro a hazer a ninguno sin que primero prueve el filo desta mi spada, hazerle[18] he a ti porque con inorancia has venido a demandar tu daño, no lo conoçiendo.

—Si estas amenazas que me das —dixo Amadís— yo las temiesse tanto como lo tú piensas, escusado me fuera buscarte de tan lueñe tierra. No creas, Balán, que por inorancia te demando, que bien sé que eres uno de los gigantes del mundo

---

[17] *y si la hizierdes, quitarme he de haver contigo debate:* y si hiciereis la enmienda, me eximiré de combatir contigo.

[18] *hazerle:* hazerle, Z // fazerle, R // fazerlo, S // .

más nombrado[19]. Pero como vea que la costumbre que aquí mantienes sea tanto en contra del servicio del muy alto Señor, y la razón que trayo es conforme a su santa ley, no tengo en mucho tu valentía, porque Él cumplirá lo que en mí faltare[20]. Y porque yo te tengo en mucho y te amo por otros que te aman, yo te ruego que hagas emienda a esta dueña como sea justa.

Cuando esto oyó el gigante, díxole:

—Tan bien demandas esto que dizes, que si a vergüença no me fuesse reputado, yo haría todo lo que hallarse podiesse para el contentamiento desta dueña; pero primero quiero provar y ver qué tales son los cavalleros de la Ínsola Firme. Y porque ya es tarde, yo te embiaré de comer, y dos cavallos muy buenos en que escojas a tu voluntad, con dos lanças; y aparéjate con todo tu esfuerço, que lo has bien menester, para la batalla de aquí a tres horas. Y por te hazer complazer si otras armas quisieres, yo te las daré mejores; que cree que asaz tengo de los cavalleros que he vencido.

Amadís le dixo:

—Tú lo hazes como buen cavallero, y mientra más cortesía en ti veo más me pesa que no tengas conocimiento ninguno de lo que hazer deves. Un cavallo y una lança tomaré y no otras armas más de las que trayo, que la sangre de aquel que tan sin causa mataste que en ellas viene me dará más esfuerço de lo vengar.

El gigante se acogió al castillo sin le responder más, y Amadís y su[21] compaña y el cavallero de la ínsola del Infante, que dél partir no se quiso por mucho que el gigante le rogó que fuesse con él al castillo, quedaron debaxo de un portal de un templo que al cabo de aquella plaça estava, y dende a poco espacio[22] les traxeron de comer. Assí holgaron fablando en algu-

---

[19] *nombrado:* famoso. «Muy buenos cavalleros de armas, e muy nonbrados en esta tierra», *Demanda del Sancto Grial,* 202a.

[20] *cumplirá lo que en mí faltare:* suplirá, remedirá lo que en mí faltare. Como ya ha ocurrido en otras ocasiones, el combate se trasciende, y de una pelea para liberación del marido e hija de Darioleta se pasa a una lid para eliminar una mala costumbre contraria al servicio de Dios, por lo que el héroe contará con la ayuda divina.

[21] *y su:* a su, Z // et su, RS //.

[22] *dende a poco espacio:* de allí al poco tiempo. «E dende a poco espacio cena-

nas cosas que más les contentavan, esperando al plazo qu'el gigante saliesse. Aquel cavallero mirava mucho a menudo el semblante de Amadís por ver si con aquella grande afrenta se mudava, y a su pareçer siempre le veía con más esfuerço, de lo que él mucho era maravillado.

Pues venida la hora por el gigante señalada, traxeron a Amadís dos cavallos muy grandes y hermosos con ricos atavíos para tal menester, y él tomó el que más y mejor le pareçió. Y después de lo mirar, como venía ensillado cavalgó en él, y puso su yelmo y echó su scudo al cuello; y puesto en aquella gran plaça, mandó al hombre que los cavallos le havía traído que el otro tornasse y dixesse al gigante que lo esperava y que no dexasse ir el día en vano. Toda la más de la gente de la ínsola que allí pudo venir estava alderredor de la plaça por ver la batalla, y los adarves y finiestras del alcáçar llenos de dueñas y donzellas[23].

Y estando assí como oídes, vio sonar en la gran Torre Bermeja tres trompas muy acordadas que hazían dulce son, que era señal qu'el gigante salía a batalla, y assí lo costumbrava hazer cada que[24] se havía de combatir. Amadís preguntó a los que allí estavan qué era aquello. Ellos le dixeron la causa por qué se hazía, lo cual muy bien le pareçió, y auto de gran señor; y vínole en mientes que si estando en la Ínsola Firme con su señora le viniesse ocasión de hazer alguna batalla con alguno que allí gela demandasse, que él assí lo mandaría fazer, porque a su pareçer aquel son era cosa para creçer el esfuerço del cavallero por quien se fiziesse. Pues cessando las trompas, abrieron las puertas del alcáçar, y salió el gigante encima del otro cavallo que havía embiado a Amadís, y su lança en la mano, y armado de unas armas de azero muy limpio como el espejo, assí el yelmo como el escudo a su mesura[25], y unas hojas que

ron», Diego de Valera, *Memorial de diversas hazañas. Crónicas de Enrique IV,* ed. de Juan de Mata Carriazo, Madrid, Espasa-Calpe, 1941, 19, 11.

[23] *los adarves y finiestras del alcáçar llenos de dueñas y donzellas:* los caminos detrás del parapeto en lo alto de la fortificación y las ventanas del alcázar llenos de dueñas y doncellas.

[24] *costumbrava hazer cada que:* acostumbraba hacer cada vez que.

[25] *a su mesura:* a su medida. «Las piernas bien fechas, las arcas grandes e altas, segúnd la mesura de su cuerpo», *Crónica de don Álvaro de Luna,* 207, 6.

todo lo más del cuerpo le cubrían. Y como vio a Amadís, díxole:

—Cavallero de la Ínsola Firme, agora que me vees armado, ¿osarme has atender[26]?

—Agora te quiero —dixo él— que emiendes a esta dueña del mal que le heziste; si no, guárdate de mí.

Estonces el gigante movió contra él cuanto el cavallo lo llevar pudo, y iva tan grande, que no havía cavallero en el mundo, por esforçado que fuesse, que le no pusiesse gran pavor. Y como iva muy rezio y con gran codicia de lo encontrar, abaxó tanto la lança por no errar el golpe, assí que encontró el cavallo de Amadís por mitad de la frente y metió la lança por la cabeça del cavallo y por el pescueço gran pieça; pero Amadís, a quien su grandeza ni valentía no turbavan, como aquel que ya sabía qué cosa eran los semejantes, lo encontró en el grande y fuerte escudo tan reziamente, que por fuerça hizo salir al gigante de la silla, y cayó en el campo, que era muy duro, gran caída, de que fue quebrantado mucho, y el cavallo de Amadís cayó muerto con él en el suelo; del cual Amadís salió lo más presto que pudo, ahunque a gran afán[27] que le tomó la una pierna debaxo, y levantóse; y vio al gigante que se levantava, y estava algo desacordado, pero no tanto que no pusiesse luego mano a una espada de muy fuerte azero que traía, con la cual pensava que no havía en el mundo tan fuerte cavallero que dos golpes le osasse esperar, que le no tolliesse o matasse.

Amadís puso mano a la su muy buena spada y cubrióse de su escudo, y fuese para él; y el gigante assí mesmo vino contra él, el braço alto por lo herir con gran desatiento[28], assí con la su gran sobervia como porque el encuentro de la lança que Amadís le dio fue en derecho del coraçón y por tan gran fuerça dado, que le juntó el escudo con el pecho tan reziamente, que la carne fue magullada y las ternillas quebradas[29], de ma-

---

[26] *osarme has atender:* te atreverás a esperarme. «Quando los paganos esto vieron, non osaron más atender», *Enrique fi de Oliva,* pág. 35.

[27] *a gran afán:* con gran dificultad.

[28] *desatiento:* desatino.

[29] *ternillas quebradas:* cartílagos quebrados. «Ternilla entre uesso & carne: *cartilago -inis»,* Nebrija.

nera que le dava gran dolor y le quitava[30] mucho de la fuerça y del aliento. Amadís, como assí lo vio venir, conoçió que perdido venía, y alçó el escudo cuanto más pudo por recebir en él el golpe. Y el gigante descargó tan rezio, y la espada cortó tan livianamente, que desde el brocal hasta ayuso[31] le llevó el un tercio del escudo, que le no alcançó más; assí que si más en lleno le alcançara, tanbién fuera el braço con él a tierra. Amadís, como mucho en aquel menester havía usado, y en casos tan peligrosos se supiesse librar, no perdiendo ni olvidando cosa de lo que fazer devía, antes que el gigante el braço contra sí tirasse, firióle de tal golpe cabe el codo, que, comoquiera que la manga de la loriga muy fuerte y de muy gruessa malla era, no le pudo prestar ni estorvar que la su muy buena espada no gela tajasse hasta le cortar gran parte de la carne del braço y la una de las cañillas[32]. El gigante sintió mucho aquel golpe, y tiróse ya cuanto afuera[33]; pero Amadís fue luego a él, y diole otro golpe por cima del yelmo de toda su fuerça, que la llama salió tan grande como si con otra cosa allí gelo encendieran, y torcíale el yelmo en la cabeça, assí que la vista le quitó.

Cuando el cavallero governador de la ínsola del Infante, que con Amadís allí havía venido, vio los golpes que Amadís dava, assí el encuentro de la lança, con el cual havía sacado de la silla una cosa tan valiente y tan pesada como era aquel gigante, como los que con la spada le dava, començóse a santiguar muchas vezes[34], y dixo a la dueña, que cabe sí tenía:

—Dueña, ¿dónde fallastes aquel diablo que tales cosas faze cual nunca otro cavallero fizo que mortal fuesse?

La dueña le dixo:

—Si de tales diablos como éste muchos por el mundo andu-

---

[30] *quitava:* quitavan, ZRS // quitava, Place // .

[31] *desde el brocal hasta ayuso:* desde el refuerzo del escudo hasta abajo.

[32] *cañillas:* huesos largos del brazo.

[33] *tiróse ya cuanto afuera:* se apartó un poco. «Del conde de Tolosa, que era ya quanto doliente», *Gran Conquista de Ultramar,* II, 172.

[34] La utilización de gestos en la obra suele ser bastante parca, por un lado, reiterada y ritual, como clichés expresivos de situaciones estereotipadas. La señal de la cruz implica siempre un asombro ante un acontecimiento inesperado, ante una maravilla milagrosa o maléfica que se sale de los límites de la naturaleza.

viessen, no havría tantos cuitados y corridos de los sobervios y malos como ay.

El gigante fue muy prestamente con sus manos al yelmo por lo endereçar, y sintió que del braço derecho havía perdido mucha fuerça, que apenas la espada podía tener en la mano, y tiróse más afuera; mas Amadís juntó luego con él como de cabo[35], y diole otro gran golpe encima del brocal del escudo, pensando darle en la cabeça y no pudo; qu'el gigante, como el golpe vio venir tan rezio, alçó el escudo para lo en él recebir, y la espada entró tanto por él, que cuando Amadís la pensó sacar, no pudo; y el gigante lo pensó herir, mas no pudo levantar el braço sino muy poco, de manera que el golpe fue flaco. Estonces Amadís tirava por la spada cuanto podía, y el gigante por el escudo; assí que con la gran fuerça del uno y del otro convino que las correas con que lo tenía al cuello quebrassen, y llevó Amadís el escudo con su spada, lo cual le pudiera hazer y atraer gran peligro[36], porque por ninguna guisa della se podía ayudar. El gigante, como assí lo vio y se vio sin escudo, tomó la espada con la mano izquierda y començó a dar a Amadís grandes golpes con ella; pero él se guardava con mucha ligereza cubriéndose de su escudo, mas no en tal forma que escusar pudiesse que los golpes del gigante no le rompiessen en algunas partes la loriga y le llegassen a la carne. Y ciertamente, si el gigante pudiera herir con la diestra mano, él se viera en gran peligro de muerte; mas con la izquierda, que[37] los golpes grandes y de gran fuerça fuessen, eran muy desvariados, que los más dellos faltavan y ivan en vano. Amadís, como quería alçar la espada para lo herir, subía con ella el escudo en que metida estava, assí que no entendía en ál[38] sino en se defender. Pero como se viesse embaraçado y en tanto peligro, acordó en se remediar lo más presto que pudo, y tiróse ya cuanto afuera y sacó del cuello su escudo y echólo en el campo entre él y el gigante, y puso el un pie encima del escudo del gigante y tiró

---

[35] *como de cabo:* como en un principio. «Arredraronse como de cabo por descansar», *Tristán de Leonís*, 408a.

[36] *atraer gran peligro:* ocasionar gran peligro.

[37] *que:* aunque. De acuerdo con los usos del *que* concesivo el verbo está en subjuntivo. Véase José Luis Rivarola, ob. cit., pág. 80.

[38] *no entendía en ál:* no se preocupaba de otra cosa.

con ambas las manos por la espada tan rezio[39], que la sacó dél.

En este comedio el gigante tomó con la mano derecha el escudo de Amadís, y ahunque harto liviano era, apenas lo podía levantar ni sostener con el braço, que la ferida fue grande y cabe la coyuntura del codo, y con la mucha sangre que se le avía ido tenía el braço casi muerto, que apenas lo podía alçar ni travar con la mano sino muy flacamente; y lo que más le empedía y fatigava era la carne magullada y los huessos quebrados que sobre el coraçón tenía del encuentro de la lança que ya oístes, que le quitava tanto del aliento, que apenas podía resolgar[40]. Pero como él fuesse muy valiente de fuerça y de coraçón, y se viesse en aventura de muerte, sofríase con gran trabajo; y esto fue porque, después que la espada de Amadís con el gran golpe quedó metida en el escudo, nunca con ella le avía podido herir ni hazer estorvo; mas como la sacó y se halló libre d'aquel embaraço, tomó por las embraçaduras el escudo del gigante, que apenas lo podía levantar, según su grandeza y pesadumbre, y fuelo herir de muy grandes golpes provando todo su poder, de manera que el gigante fue tan aquexado, assí con la priessa que Amadís le dava como con la qu'él tomó por se defender y ferir, que se le cerró el coraçón del dolor que en él tenía, y cayó como muerto en el campo.

Cuando los hombres que en el alcáçar estavan mirando esto vieron, dieron muy grandes bozes, y las dueñas y donzellas grandes gritos, diziendo:

—¡Muerto es nuestro señor; muera el traidor que le mató!

Amadís, en cayendo el gigante, fue luego sobre él y quitóle el yelmo, y púsole la punta de la espada en el rostro, y díxole:

—Balán[41], muerto eres, si a la dueña no satisfazes del daño que le heziste.

Mas él no respondió ni entendió lo que le dixo, que estava como muerto. Entonces llegó el cavallero de la ínsola del Infante, que con Amadís allí avía venido, y dixo:

—Señor cavallero, ¿es muerto el gigante?

—Entiendo que no —dixo Amadís—, mas el grande ahoga-

<hr/>

[39] *rezio:* resio, Z // rezio, RS // .
[40] *resolgar:* respirar; resolgar o resollar, *spiro -as. Respiro -as* (Nebrija).
[41] *Balán:* Balam, Z // Balan, RS // .

miento lo tiene tal como veis, que yo no le veo golpe mortal ninguno.

Y dezía verdad, que el golpe que en el pecho tenía, que el aliento le quitó, no lo avía él visto ni sentido. El cavallero le dixo:

—Señor, por cortesía os pido que lo no matéis hasta que sea en su acuerdo y tenga juizio para emendar a esta dueña a su voluntad; y también porque si él muere, ninguno será poderoso de os dar la vida.

—Por esso —dixo Amadís— no dexaré yo dél de hazer mi voluntad, mas por amor vuestro y por el deudo que con Gandalac tiene me sofriré de lo matar hasta que dél sepa si querrá venir en lo que le yo pediré.

Estando en esto, vieron salir del castillo al hijo del gigante con hasta treinta[42] hombres armados, y venían diziendo:

—¡Muera, muera el traidor!

Cuando Amadís esto oyó, ya podéis entender qué esperança ternía en su vida, veyéndolos todos de rendón[43] venir a lo matar. Pero acordó[44] de se no poner a su mesura[45], y que la muerte le viniesse sobre aver hecho todo su poder sin faltar cosa de lo que hazer devía. Y miró a un cabo y a otro alderredor, y vio una quiebra entre aquellas peñas de que la plaça era cercada, que aquella plaça fue hecha allí a mano, quitando todos los roquedos y peñas, y alderredor quedaron muchas dellas. Y fuese yendo hazia allá y llevó el escudo del gigante, que muy grande y fuerte era, y púsole a la entrada de aquella quiebra, que por ninguna parte le podían nuzir[46] sino por delante, ni tampoco por encima, que se hazía allí una solapa[47]. Pues la gente llegó, los unos al gigante por ver si era muerto, y los

---

[42] *treinta:* treynte, Z // treynta, RS // .

[43] *veyéndolos todos de rendón:* viéndolos todos de rondón, repentinamente. «Gariete estava veyendo a la donzella», *Baladro del sabio Merlín* (B), 129b.

[44] *acordó:* acorde, Z // acordo, RS // .

[45] *a su mesura:* a su voluntad.

[46] *nuzir:* dañar.

[47] *solapa:* el DCECH s. v. lapa, señala que la palabra en Castilla es leonesismo o portuguesismo. En nuestro texto tiene un significado similar al grupo salmantino *solapo*, «peña que hace pestaña de modo que se pueda uno cobijar o guarecer», citado por V. García de Diego, «Notas Léxicas», *RFE*, XV (1928), pág. 342, sin que haya podido encontrar ninguna otra referencia.

otros contra Amadís. Y tres hombres, que delante llegaron, echaron en él las lanças, mas no le hizieron mal, que como el escudo era, como se os ha dicho, muy grande y fuerte todo lo más del cuerpo le cobría, y de las piernas, lo cual, después de Dios, le dio la vida. Y destos tres llegó el uno con su espada para lo herir; y como Amadís lo vio cerca, salió para él y diole tal golpe por cima de la cabeça, que le hendió fasta el pescueço y derribólo muerto a sus pies.

Cuando los otros le vieron fuera de aquella guarida, llegaron todos por lo matar; mas él se tornó luego allí, y al primero que llegó diole un golpe en el ombro, que las armas no le tuvieron ningún pro, que el braço cayó en el suelo y el hombre muerto del otro cabo. Estos dos golpes los escarmentaron tanto, que ninguno fue osado de se a él acostar[48], y cercáronlo allí por delante y por los lados, que por otra parte no podían; y tirávanle lanças y saetas y piedras tantas, que hasta la meitad del cuerpo estava cubierto, pero ninguna cosa le nuzía, qu'el escudo le amparava de todo ello.

En este comedio levaron el gigante al castillo haziendo gran duelo, y pusiéronlo en su lecho tal como muerto sin sentido alguno; y tornáronse luego aquellos que lo llevaron ayudar a sus compañeros. Y como llegaron, vieron que ninguno a él se llegava y cómo tenía los dos hombres muertos cabe sí; y como venían holgados y con gran saña, y no sabían ni avían visto sus golpes tan esquivos, llegáronse a lo herir con las lanças; mas Amadís estuvo quedo, bien cubierto de su escudo, y al uno que llegó más delantero, que con la lança le dio a manteniente[49] en el escudo, diole tal golpe, que la cabeça le fizo bolar a lueñe; y luego se desviaron aquéllos con los otros, que ninguno se osava a él llegar.

Pues assí estando sin más hazer, salvo tirándole muchas saetas y piedras infinitas, el cavallero de la ínsola del Infante uvo gran piedad de lo assí ver, y bien cuidó que si lo matassen que muría[50] el mejor cavallero que nunca armas traxo; y fuese lue

---

[48] *acostar:* acercar.
[49] *a manteniente:* con toda su fuerza y firmeza. «El jayán pensándole atravessar le dio a manteniente un gran golpe», *Lisuarte de Grecia,* fol. VIII v.
[50] *muría:* moría.

go al fijo del gigante, que desarmado estava por su tierna edad, y díxole:

—Bravor, ¿por qué hazes esto contra la palabra y verdad de tu padre, la cual nunca hasta oy se halla ser quebrada? Mira que eres su hijo, y le has de parescer en las buenas maneras. Y mira que tu padre lo aseguró de todos los suyos salvo dél solo, y que si sobre esto le hazes matar, nunca te cumple parescer ante hombres buenos, que siempre serás abiltado y en gran menosprecio tenido[51].

El moço le dixo:

—¿Cómo sofriré yo ver a mi padre muerto delante mí, y que no tome vengança del que lo hizo?

—Tu padre —dixo él— no es muerto, ni tiene golpe de que morir deva, que yo lo miré estando en el suelo, y aquel cavallero, a mi ruego; y porque me dixo que le preciava mucho por el deudo que con Gandalac tiene, lo dexó de matar, que en su mano estava de lo hazer.

—Pues, ¿qué haré? —dixo el moço.

—Yo te lo diré —dixo el cavallero—. Fazlo tener cercado assí como está toda esta noche, sin que daño reciba; y de aquí a la mañana se verá la disposición de tu padre, y según él estuviere assí tomarás el acuerdo, que en tu mano y voluntad está la vida o la muerte suya, que de aquí no puede salir si lo tú no mandas.

El moço le dixo:

—Mucho te gradezco lo que me consejas, que si éste muriesse y mi padre bivo quedasse, no me cumplía parar en todo el mundo donde él lo supiesse, que bie[n] cierto soy que me buscaría para me matar.

—Pues esso conosces —dixo él—, faz lo que te consejo.

—Déxame hablar primero con mi abuela y con mi madre, y hágase con su consejo.

—Por bien lo tengo —dixo el cavallero—, y entre tanto manda a tus hombres que no hagan más de lo que han hecho.

El moço dixo:

—Por demás será esse mandamiento, que según me paresce que aquel cavallero defiende su vida, que si de hambre no, de

---

[51]  *abiltado y en gran menosprecio tenido:* afrentado y menospreciado.

otra manera según veo no ay quien matarle pueda, pero por lo que me consejas faré lo que me dizes.

Entonces les mandó que estuviessen allí y guardassen bien que aquel cavallero no saliesse de donde estava, sin le hazer mal ninguno, en tanto que él iva al castillo. Todos los que allí estavan hizieron su mandado, y él se fue, y habló con aquellas dueñas; y comoquiera que su passión y tristeza dellas grande fuesse, considerando que el cavallero no se podría ir, y veyendo cómo el gigante iva cobrando huelgo y algún acuerdo, y temiendo passar su verdad, dixéronle que assí le hiziesse como aquel cavallero de la ínsola del Infante gelo avía consejado; a lo cual mucho ayudó cuando su madre deste moço fue sabidora que aquel cavallero amava a su padre Gandalac, que temió no fuesse don Galaor, aquel que su padre avía criado y le restituyó en el señorío de la Peña de Galtares matando Albadán, el gigante bravo que forçado gelo tenía, como más largo lo cuenta el primero libro desta istoria, el cual ella mucho bien conoscía y lo amava de coraçón porque se criaron juntos[52]. Y si no fuera porque su marido en tal punto estava que a gran deshonestidad le fuera contado, ella misma por su persona supiera si el cavallero era don Galaor o alguno de sus hermanos, que a todos ellos avía visto en casa del rey Lisuarte, donde estuvo algún tiempo en la sazón que fue la batalla del rey Lisuarte con el rey Cildadán, en la cual su padre y sus hermanos fueron, y hizieron cosas estrañas en armas en servicio del rey Lisuarte por amor de don Galaor, como el segundo libro desta istoria más largo lo cuenta.

Con este acuerdo tornó el moço a tal ora que era ya noche cerrada, y mandó poner un fuego grande delante donde Amadís estava, que de su concierto ninguna cosa sabía, y allí hizo a sus hombres que armados velassen y a buen recaudo, porque el cavallero no saliesse y les fiziesse mal, que lo temían como a la

---

[52] Para establecer unos vínculos del gigante con la familia de Amadís y para explicar los comportamientos, el autor esgrime unos datos nuevos, de los que no se había dicho nada al hablar de la crianza de Galaor. Estas técnicas narrativas, completamente alejadas del relato tradicional, implican también un deseo de organizar los episodios de acuerdo con unas estructuras narrativas trabadas. Se unen en estas aventuras finales de Amadís personajes de la primera empresa de Galaor y Darioleta, quien arrojó al héroe al mar.

muerte. Amadís estovo en aquel lugar donde antes estava, puesto el canto del escudo en el suelo y la mano sobre el brocal, y la espada en la otra, esperando de morir antes que se dexar prender; que bien pensava que, pues sobre tal seguro como de Balán tenía aquellos hombres le acometieron queriéndole matar, que ninguna otra palabra que le diessen le sería guardada; pues pensar demandar merced esto no lo faría él ahunque supiesse passar mill vezes por la muerte, si a Dios no, a quien él siempre en todas su cosas se encomendó de gran coraçón, y en aquélla más, donde otro remedio, si el suyo no, tenía ni esperava.

## Capítulo CXXIX

*De cómo Darioleta hazía duelo por el gran peligro en que Amadís estava.*

Darioleta, la dueña que lo allí hizo venir, cuando así vio cercado a Amadís de todos sus enemigos sin tener ni esperar socorro alguno de ninguna parte, començó a hazer muy gran duelo y a maldezir su ventura, que a tanta cuita y dolor la avía traído, diziendo:

—¡O cativa desventurada!, ¿qué será de mí si por mi causa el mejor cavallero que nunca nasció muere? ¿Cómo osaré parescer ante su padre y madre y sus hermanos, sabiendo que yo fue[1] ocasión de su muerte?; que si a la sazón de su nascimiento yo trabajé por le salvar la vida haziendo y trabajando con mi sabiduría el arca en que escapar pudiesse, de lo cual he avido mucho galardón, que si entonces muriera, muría una cosa sin provecho[2], agora no solamente he perdido los servicios passados, mas antes soy dina de morir con las más penas y tormentos que ninguna persona lo fue, porque siendo la flor o la fama del mundo lo he traído a la muerte. ¡O cuitada de mí, porque

---

[1] *fue:* fui.
[2] *muría una cosa sin provecho:* moría una cosa sin provecho. Las mismas palabras fueron pronunciadas por Darioleta en el capítulo I del libro I. Véase la nota 38.

no le di lugar al tiempo que en la ribera de la mar a mí llegó para que pudiera tornar a la Ínsola Firme y traxera algunos cavalleros que fueran en su ayuda, o a lo menos pudieran con razón morir en su compaña! Mas, ¿qué puedo dezir sino que mi liviandad y ar[re]batamiento[3] fue de propia muger?

Assí como oídes estava Darioleta haziendo su duelo debaxo de los portales d'aquel templo con muy gran angustia de su coraçón, y no con otra esperança sino de ver morir muy presto a Amadís, y ella y su marido y hija ser metidos en prisión donde nunca saliessen.

Amadís estava a la boca de aquella quiebra de las peñas, como vos emos contado, y vio lo que la dueña hazía, que con el gran fuego que delante dél estava toda la plaça se parescía[4], ahunque asaz grande era, y ovo gran pesar en verla cómo estava llorando y alçando las manos al cielo cómo demandava piedad; assí que la saña le cresció tan grande, que le sacó de su sentido. Y pensó que muy más peligro le podría recrescer venido el día que con la noche, porque entonces toda la más de la gente de la ínsola estava sosegada, y solamente se avía de guardar de aquellos que delante tenía; y que la mañana venida que podría cargar mucha más gente sobre él, de manera que no podría escapar de ser muerto; y puesto caso que allí donde estava no le pudiessen nuzir, que el sueño y la fambre le cargaría y se avría de poner en sus manos. Y con esta saña pensó de lo poner todo en aventura, y embraçó su escudo, y con la espada en la mano adereçó para dar en sus enemigos; mas el cavallero de la ínsola del Infante, [a] quien[5] mucho pesava de su daño por aver assegurado de parte del gigante, y assí le aver quebrado la promessa, estava en medio dellos con mucho cuidado que la gente a él no llegasse hasta ver la disposición del gigante, que bien tenía creído que, cuando en su juizio fuesse, que pornía tal remedio y castigo en ello, que su palabra fuesse guardada. Y como vio que Amadís movía para salir contra aquéllos, fue lo más que pudo contra él y díxole:

---

[3] *ar[r]ebatamiento:* arebatamiento, Z // arredatimiento, R // arrebatamiento, S //.

[4] *se parescía:* se veía.

[5] *Infante, [a] quien:* infante quien, ZR // infante, a quien S //.

—Señor cavallero, ruégovos por cortesía que me oyáis un poco ante que[6] aquí salgáis.

Amadís estovo quedo, y el cavallero le contó todo lo que avía hablado con Bravor, hijo del gigante, y cómo le tenía por entonces todo amansado hasta que la mañana viniesse, y que en aquel espacio de tiempo el gigante sería muy mejorado[7] y metido en su acuerdo; y que sin duda creyesse que cumpliría con él todo lo que fuesse obligado, ahunque le viniesse peligro de la muerte, y que quisiesse sofrirse tanto, que él fiava en Dios de lo remediar todo, y que lo tomava a su cargo. Amadís, como assí lo vio hablar, bien cuidó que verdad le dizía, porque en aquello poco que le avía tratado lo tenía por hombre bueno; y díxole:

—Por amor vuestro yo me sofriré esta vez; mas dígovos, cavallero, que todo afán que en esto pongáis será perdido si lo primero no es que la emienda de la dueña se haga.

El cavallero le dixo:

—Esso se fará y mucho más, o yo no me ternía por cavalle-ro, ni este gigante por quien siempre [le] he tenido; que creed que en él se falla mucha verdad y virtud.

Amadís estovo quedo en su lugar como ante. Pue assí como oís, estava cercado de sus enemigos, metido entre aquellas bra-vas peñas, esperando assí él como ellos a la mañana.

Agora dize la istoria que después que al gigante llevaron sus hombres al castillo tan desacordado como si muerto fuesse, y lo echaron en su lecho, que assí estuvo todo lo más de la noche sin que fablar pudiesse, y no hazía sino poner la mano en dere-cho del coraçón y señalar que de allí le venía el dolor. Y como su madre y su muger aquello vieron, hizieron a los maestros que le catassen; y luego hallaron el mal que tenía, en el cual pusieron tantos remedios de melezinas y otras cosas que en él obraron, que antes del alva fue en todo su acuerdo. Y cuando hablar pudo, preguntó que dónde estava. Los maestros le dixe-ron que en su lecho.

—Pues la batalla que uve con el cavallero —dixo él— ¿cómo passó?

Ellos le dixeron toda la verdad, que le no osaron mentir en

---

    [6] *me oyáis un poco ante que:* me oigáis un poco antes de que.

cosa alguna, como es razón que se diga a los hombres verdaderos, contándole todo cómo avía passado; y cómo teniéndole el cavallero de la Ínsola Firme en el suelo, que su hijo Bravor, pensando que era muerto, avía salido con sus hombres del castillo, y lo tenían cercado entre las peñas de la plaça donde la batalla fuera, y que esperavan a lo que él mandasse. Cuando el gigante esto oyó, díxoles:

—¿Es bivo el cavallero?

—Sí —dixeron ellos.

—Pues hazed venir aquí mi hijo y a todos los hombres que con él están, y dexen al cavallero en su libertad.

Esto fue luego hecho, y como el gigante vio a su hijo, díxole:

—Traidor, ¿por qué has quebrado mi verdad? ¿Qué honra y qué ganancia desto que heziste se te podía seguir? Que si yo muerto fuera, ya con otra cosa ninguna[8] restituirme podías, y mucho más muerta tu honra quedava, y con más pérdida de mi linaje en quebrar y passar lo que hizieste[9] que la muerte que yo como cavallero, sin faltar alguna cosa de lo que hazer devía, avía recebido. Pues si bivo quedasse, ¿no sabes que en ninguna parte me podías escapar que matar no te hiziesse? Assí que tú y todos aquellos que verdad no mantienen van muy lexos de su propósito, que pensando vengar injurias caen en ellas con mucha más vergüença y deshonra que de antes. Pero yo haré que como malo lo lazeres.

Entonces lo mandó tomar, y hízole atar las manos y los pies, y que lo llevassen a poner delante del cavallero de la Ínsola Firme, y le dixessen que aquel malo de su hijo avía quebrantado su promessa, que tomasse dél la emienda que le pluguiesse. Assí lo levaron ante Amadís y gelo pusieron a los pies. La madre de aquel moço, cuando esto vio, uvo recelo que el

---

[7] *mejorado:* mejorada, Z // mejorado, RS // .

[8] *ninguna:* niuguna, Z // ninguna, RS // .

[9] *hizjeste:* hiciste. En R y S, hizjste. Sin embargo, la conservación del diptongo puede encontrarse en el desarrollo del paradigma verbal castellano —véase Manuel Alvar y Bernard Pottier, *Morfología histórica del español,* Madrid, Gredos, 1983, § 166.4—, pero su reducción se realiza mucho más tarde en textos dialectales: «Yo cuydo que asý feziestes a otros muchos», *Otas de Roma,* 95, 19. Véase la nota 8 del capítulo LXXII.

cavallero, como hombre lastimado, le hiziesse algún mal, y como madre se fue, sin que el gigante lo sintiesse, y lo más aína que pudo llegó donde Amadís estava. Y Amadís tenía aquella sazón el yelmo en la mano, que hasta allí, en tanto que la gente lo tenía cercado, nunca de la cabeça lo quitó, y la espada en la vaina, y estava desatando al hijo del gigante para lo soltar. Y como la dueña llegó y le vio el rostro, conosciólo luego que era Amadís, y fue para él llorando sin otra persona alguna, y díxole:

—Señor, ¿conoscéisme?

Amadís, ahunque luego vio que era la hija de Gandalac, amo de don Galaor su hermano, respondióla[10] y dixo:

—Dueña, no vos conozco.

—Pues —dixo ella—, mi señor, bien sé yo que sois Amadís, hermano de mi señor, don Galaor. Y si por bien tuvierdes que vuestro nombre se encubra, assí lo haré; y si queréis que se sepa, no temáis del gigante, pues que vos asseguró. Y en esto que haze veréis si ha talante de guardar su palabra, que aquí vos embía este su hijo y mío, que la quebró, para que dél toméis toda la vengança que os pluguiere, del cual vos demando piedad.

—Mi buena señora —dixo Amadís—, ya sabéis vos cuán obligados somos todos los hermanos y amigos de don Galaor a las cosas de vuestro padre y de sus hijos, y en otra cosa que a vos mucho fuesse lo quisiera yo mostrar, que en ésta no[11] ay qué me gradescer, porque sin vuestro ruego ya lo soltava; que yo no tomo vengança sino de aquellos que con las armas quieren defender sus malas obras. Y en esto que me dezís de mi nombre, si terné por bien que se diga o se encubra, digo que antes me plaze que el gigante sepa quién yo soy, y que le digáis que de aquí no partiré en ninguna guisa hasta que la emienda que yo mandare se haga a la dueña que aquí me traxo. Y si él es tan verdadero como todos dizen, dévese poner assí como lo yo tenía vencido en este campo, para que dél yo haga toda mi

---

[10] *respondióla:* en R y S, respondiole. Sin embargo, no se trata de un caso de laísmo, sino un ejemplo del uso antiguo de *dezir, fablar, preguntar* y *responder* con acusativo de persona.

[11] *no:* uo, Z // no, RS // .

voluntad; que si el no tener sentido cuando de aquí lo levaron algo le escusa, que agora, si lo tiene, con ninguna causa que honesta sea se puede escusar.

La dueña gelo gradesció con mucha humildad, y díxole:

—Mi señor, no pongáis duda en mi marido, que él se porná como lo dezís o complirá lo que le mandardes. Y sin ningún recelo vos id comigo donde él está.

—Mi buen amiga señora —dixo él—, de vos, sin recelo fiaría[12] yo mi vida, mas témome de la condición de los gigantes, que muy pocas vezes son governados y sometidos a la razón, porque su gran furia y saña en todas las más cosas los tiene enseñoreados.

—Verdad es —dixo la dueña—, mas por lo que déste conozco vos ruego que sin recelo alguno vos vais comigo[13].

—Pues que así vos plaze —dixo Amadís—, por bien lo tengo.

Entonces puso su yelmo en cabeça y tomó su escudo, y la espada en la mano, y fuese con ella, considerando que aquello le podría ser más seguro que estar como estava, esperando la muerte sin tener ni esperar socorro alguno; que ahunque él matara todos aquellos hombres que le avían tenido cerca, no se pudiera por ende salvar; que antes que él pudiera aver navío para se poder ir, que todos estavan en poder de los hombres del gigante, la misma gente de la ínsola lo mataran, porque comoquiera que en las otras partes donde los gigantes tenían señoríos por sus sobervias y grandes crueldades eran desamados, no lo era este Balán de los suyos porque a todos los tenía guardados y defendidos sin les tomar cosa alguna de lo suyo; pues pensar de se poder sostener así solo era impossible. Y por estas causas se aventuró sin más seguro del primero que le avían dado y del que la dueña le dava de se meter en aquel grande alcáçar assí armado como estava; y que si lo acometiessen queriéndole burlar, que él haría cosas estrañas antes que lo matassen.

Pues assí como la istoria vos cuenta fue Amadís con la gi-

---

[12] *recelo fiaría:* recelo lo haria, ZR // recelo fiaria, S // .

[13] *vais comigo:* vayáis conmigo. «Mecum quiere dezir comigo», Al. Palencia, 269d.

ganta muger de Balán al castillo; y como dentro fue, hiziéronlo
saber al gigante cómo allí estava el cavallero que con él se
combatiera, que le quería hablar. Él mandó que lo traxessen
donde él estava en su lecho, y assí se hizo. Entrado Amadís en
la cámara, dixo:

—Balán, mucho soy quexoso de ti, que veniendo yo a te
buscar y ponerme en tu poder confiando en tu palabra, [para]
me combatir contigo sobre el seguro que diste a la dueña que
por mí fue, y después al cavallero de la ínsola del Infante, tus
hombres quebrando tu verdad me han quesido[14] matar malamente. Bien creo que a ti no plaze ni lo mandaste, que no estavas en tal disposición, pero esto no me quitó a mí el peligro,
que fue bien cerca de la muerte; mas comoquiera que sea, yo
me doy por contento por lo que de tu fijo feziste. Ruégote, Balán, que quieras emendar esta dueña que aquí me traxo; si no,
no te puedo quitar la batalla hasta que aya cima, ahunque ya la
uvo, que en mí fue de te matar o salvar. Yo te amo y precio
más que piensas por el deudo que con Gandalac, el gigante de
la Peña de Galtares, tienes, que he sabido que eres con su fija
casado. Mas ahunque esta voluntad te tenga, no pu[e]do escu-
sarme de dar derecho a esta dueña de ti.

El gigante le respondió.

—Cavallero, ahunque el dolor y pesar que yo he de me ver
vencido de un cavallero solo sea tan grande y tan estraña cosa
para mí que lo nunca fasta oy fue, [y] me[15] sea más que la
muerte, no lo siento tanto como nada en comparación de lo
que mi hijo y mis hombres te hizieron. Y si mis fuerças lugar
me diessen que por mi persona lo pudiesse esecutar, tú verías
la fuerça de mi palabra a qué se estendía. Pero no puede más
hazer de te entregar aquel que lo hizo, ahunque éste solo sea el

---

[14] *quesido:* querido. En esta época no se trata de ningún aragonesismo, como
anota Place. Cfr.: «Por esto, madre, he quesido más vivir en mi pequeña casa»,
*Celestina,* IX, 148, aunque para Juan de Valdés, *Diálogo de la lengua,* 180, no era
la forma predilecta: «Yo nunca jamás escrivo *quesido,* sino *querido,* porque viene
de *querer.»*

[15] *fue [y] me:* fue me, ZR // grande que me es mas que la muerte y tan estraña cosa para mi qual fasta oy fue, no lo siento tanto, S // que fue et me,
Place // .

espejo en que su madre y yo nos miramos; y si más quieres, demanda, que tu voluntad será satisfecha.

Amadís le dixo:

—Yo soy contento con lo que heziste. Agora me di qué harás en esto de la dueña.

—Lo que tú vieres que puedo hazer —dixo el gigante—, que su hijo desta dueña no se puede remediar, pues es muerto. Ruégote mucho que me pidas lo possible.

—Assí lo haré —dixo Amadís—, que lo ál sería locura.

—Pues di lo que quieres —dixo él.

—Lo que yo quiero —dixo Amadís— es que luego hagas soltar al marido de aquella dueña, y a su hija, con toda su compaña, restituyéndoles todo lo suyo y su nave; y por el hijo que le mataste que les des el tuyo, que sea casado con aquella donzella; que ahunque tú eres gran señor, yo te digo que de linaje y de toda bondad no te deve nada, pues ahun de estado y grandeza no están muy despojados, que demás de sus grandes possessiones y rentas, governadores de uno de los reinos de mi padre son.

Entonces el gigante le miró más que antes cuando esto oyó, y díxole:

—Ruégote por cortesía que me digas quién eres, que en tanto te as puesto, y quién es tu padre.

—Sabe —dixo Amadís— que mi padre es el rey Perión de Gaula, y yo soy su fijo Amadís.

Cuando esto oyó el gigante, luego levantó la cabeça como mejor pudo, y dixo:

—¿Cómo es eso? ¿Es verdad que eres tú aquel Amadís que a mi padre mató?

—Yo soy —dixo él— el que por socorrer al rey Lisuarte, que en punto de muerte estava, maté un gigante, y dízenme que fue tu padre.

—Agora te digo, Amadís —dixo el gigante—, que esta tan gran osadía en venir a mi tierra yo no sé a la parte que la eche: o al tu gran esfuerço, o a la fama de ser mi palabra tan verdadera. Pero tu gran coraçón lo ha causado, que nunca temió ni dexó de acometer y vencer todas las cosas peligrosas. Y pues que la fortuna te es tan favorable, no es razón que yo de aquí adelante procure de contradezir sus fuerças, pues que ya me mostró lo que las mías para te nuzir bastavan. Y en esto que me dezís de mi hijo, yo te lo dó que hagas dél a tu voluntad; y no por bueno, como lo yo esperava, mas por malo, porque el que no guarda su palabra ninguna cosa que de loar sea le puede quedar. Y assí mesmo doy por quito al cavallero y a su hija con su compaña, como lo mandas; y quiero quedar por tu amigo, para hazer tu mandado en las cosas que menester me ovieres.

Amadís gelo gradesció y le dixo:

—Por amigo te tengo yo, pues que lo eres de Gandalac; y como amigo te ruego que de aquí adelante no mantengas esta mala costumbre en esta ínsola; que si te no conformas con el servicio de Dios siguiendo sus santas dotrinas, todas las otras cosas, ahunque alguna esperança de honrra y provecho te acarreen, en la fin no te podrán quitar de caer en grandes desventuras. Y por esto lo verás: que Él quiso guiarme aquí, lo que yo no pensava, y darme esfuerço para te sobrar[16] y vencer; que según la grandeza de tu cuerpo y demasiado esfuerço de coraçón y valentía, no bastava yo sin la su merced para te fazer ningún daño. Mas agora dexemos esto, que yo pienso que lo harás como lo yo pido. Perdona a tu hijo assí por su tierna edad, que fue causa de su yerro, como por amor de su madre que como hermana la tengo. Y hazle venir aquí y a la donzella, y luego sean casados[17].

—Pues que yo estoy determinado —dixo el gigante— de ser tu amigo, todo lo que por bien tuvieres haré.

Entonces mandó allí venir al cavallero marido de la dueña, y a su hija y toda su compaña; que Darioleta con ellos estava con tan gran plazer de lo ver assí atajado como si del mundo la hizieran señora. Y delante dellos y de la madre y abuela del

---

[16] *sobrar:* superar, vencer.

[17] Se trata de un caso de lo que podríamos calificar como «matrimonio compensatorio», en el que en estricta justicia poética la muerte de un miembro de la familia, en este caso el hijo, queda compensada con el matrimonio de su hermana y el hijo del causante de su fallecimiento, con múltiples variantes en la literatura medieval. Véase Alberto Montaner, «Las quejas de doña Jimena: formación y desarrollo de un tema en la épica y el Romancero», ponencia leída en el *II Congreso de la Asociación Hispánica de Literatura Medieval,* Segovia, 1987, de próxima publicación.

moço los desposaron, y Amadís les mandó que luego hiziessen sus bodas.

Agora vos quiere mostrar la istoria la razón deste casamiento, lo primero por hazeros saber cómo Amadís acabó aquella tan gran aventura a su honra y a la satisfación de aquella dueña que allí lo traxo, venciendo aquel fuerte Balán, atraviéndose, ahunque su enemigo era por el padre que le matara, a se meter a su ínsola, donde passó tan gran peligro como oído avéis; lo otro, porque sepáis que deste Bravor, fijo de Balán, y de aquella hija de Darioleta nasció un hijo que ovo nombre Galeote, que ya éste tomó de la madre, y no fue tan grande ni tan desemejado de talle como lo eran los gigantes. Este Galeote fue señor d'aquella ínsola después de la vida de Bravor su padre, y casó con una hija de don Galvanes y de la hermosa Madasima su muger. Y déstos nasció otro hijo que ovo nombre Balán como su bisabuelo; assí que vinieron sucediendo unos en pos de otros, señoreando siempre aquella ínsola tantos tiempos hasta que dellos descendió aquel valiente y esforçado don Segurades, primo cormano del cavallero anciano que a la corte del rey Artur vino, haviendo ciento y veinte años, y los cuarenta postrimeros que avía por su gran edad dexado las armas, y sin lança derribó a todos los cavalleros de gran nombradía que a la sazón en la corte se hallaron[18]. Pues este Segurades fue en tiempo del rey Uterpadragón, padre del rey Artur, y señor de la Gran Bretaña, y éste dexó un hijo y señor de aquella ínsola a Bravor el Brun; que por ser demasiado bravo le pusieron aquel nombre, que en el lenguaje de entonces por bravo dezían «brun»[19]. A este Bravor mató Tristán de Leonís en batalla en la misma ínsola, donde la fortuna de la mar echó

[18] Según el *Tristán de Leonís*, 441a, «el cavallero anciano ha nombre Bravor el brun, e fue nieto de don Segurades el brun, que fue hermano de su padre de don Segurades, e fue primo de don Hector el Brun, que fue en su tiempo uno de los buenos cavalleros del mundo e mas valiente, e no ovo ninguno de cuerpo tan grande como el ni de tan grandes mienbros, e fue el cavallero del mundo que mas edad bivio en aquel tiempo y el que mejor mantuvo cavalleria en la vejez, e fue de linaje de los Brunes».
[19] El autor ha explicado el nombre de Bravor a partir de su etimología, como ha sucedido en otras ocasiones, pero como dice Pascual Gayangos, ob. cit., pág. 277, nota 2, «lo que el autor dice del significado de la palabra *brun* no tiene fundamento alguno, y sólo puede traducirse por el de color moreno».

a él y a Iseo la Brunda hija de Languines de Irlanda, y a toda su compaña, trayéndola para ser muger del rey Mares de Cornualla, su tío. Y deste Bravor el Brun quedó aquel gran Príncipe muy esforçado, Galeote el Brun, Señor de las Luengas Ínsolas, gran amigo de don Lançarote del Lago, assí que por aquí podéis saber, si avéis leído o leyerdes el libro de don Tristán y de Lançarote, donde se faze mención destos Brunes, de donde vino el fundamiento de su linaje. Y porque sucedieron de aquel jayán, fijo de Balán, siempre los llamaron gigantes, ahunque en sus cuerpos no se conformassen con la grandeza dellos por la parte de la muger, assí como os lo hemos contado; y también porque todos los de aquel linaje fueron muy fuertes y valientes en armas, y con mucha parte de la sobervia y follonía[20] donde descendían.

Mas agora dexaremos a Amadís en aquella ínsola donde reposó algunos días por se fazer curar las llagas que Balán le avía fecho en la batalla, y porque el gigante y su muger mucho gelo rogaron, donde fue muy bien servido, y contaros ha la istoria lo que Grasandor fizo después que por el montero le fue dicho el mandado de Amadís, y supo cómo se iva con la dueña en el batel por la mar.

Ya la istoria os ha contado cómo el tiempo que Amadís se partió de la ribera de la mar con la dueña en el batel y se armó de las armas del cavallero muerto, que mandó a un hombre de los suyos que dixesse a Grasandor cómo él se iva, y que fiziesse enterrar a aquel cavallero y le ganasse perdón de su señora Oriana. Pues este hombre se fue luego a la parte donde andava caçando Grasandor, que de la ida de Amadís nada sabía; antes, pensava que, como todos los otros, estava con su perro en el armada donde le avían puesto; y díxole el mandado de Amadís. Y cuando Grasandor lo oyó, maravillóse mucho qué causa tan grande fizo a Amadís partirse dél, y mucho más de su señora Oriana, sin que primero los viesse; y dexó luego la caça, y mandó al montero que le guiasse donde el cavallero muerto estava. Y allí llegado, viole yazer en el suelo, mas por la mar no vio cosa alguna, que ya el barco en que Amadís iva traspuesto

---

[20] *follonía:* carácter traicionero.

era[21]; y luego fizo cargar el cavallero en un palafrén, y recogida toda la compaña, se tornó a la Ínsola Firme pensando mucho en lo que faría. Y llegado al pie de la peña, mandó a aquellos hombres que con él venían que enterrassen a aquel cavallero en el monesterio que allí estava, que Amadís mandara fazer al tiempo que de la Peña Pobre salió en reverencia de la Virgen María, como el segundo desta[22] istoria lo cuenta; y él se fue donde Oriana y Mabilia, su muger, y aquellas señoras estavan.

Y como solo le vieron, preguntáronle dónde quedava Amadís. Él les contó todo lo que le aviniera y dél sabía, que nada faltó, pero con alegre semblante por las no poner en algún sobresalto[23]. Cuando Oriana lo oyó, estovo una pieça que no pudo fablar con gran turbación que ovo. Y cuando en sí tornó, dixo:

—Bien creo que, pues Amadís se fue sin vos, y sin que lo supiesse, que no sería sin gran causa.

Grasandor le dixo:

—Mi señora, yo assí lo creo, pero demándoos perdón por él, que assí me lo embió dezir que lo fiziesse con el momento que lo vio ir.

—Mi buen señor —dixo Oriana—, más es menester de rogar a Dios que le guarde por la su merced que de me rogar a mí que lo perdone; que bien sé que nunca me fizo yerro en ninguna sazón que fuesse, ni de aquí adelante lo fará, que tal fiança tengo yo en el grande y verdadero amor que me tiene. Mas, ¿qué os paresçe que se deve fazer?

Grasandor le dixo:

—Parésceme, señora, que será bien de lo ir yo a buscar; y si le fallar puedo, passar aquel bien o mal que él passare; que yo no folgaré día ni noche fasta que lo falle.

Todas aquellas señoras se otorgaron en esto que Grasandor partiesse luego; mas Mabilia toda aquella noche nunca cessó de

---

[21] *traspuesto era:* alejado era.

[22] *segundo desta:* segundo desta, ZRS // segundo libro desta, Place // .

[23] *sobresalto:* según el DCELC, 1.ª doc. en Cervantes, si bien puede adelantarse bastante: «Su coraçón estava en non pequeño sobresalto e continuas sospechas», *Crónica de don Álvaro de Luna,* 373, 31.

llorar con él, pensando que de aquel viaje no se le podrían escusar grandes peligros y afruentas. Pero en la fin, queriendo más la honra de su marido que satisfazer su desseo, tovo por bien que assí lo fiziesse.

Pues venida la mañana, Grasandor se levantó y oyó missa; y despidiéndose de Oriana y de Mabilia y las otras dueñas, entró en una barca, [y] levando[24] consigo sus armas y cavallo y dos escuderos con la provisión necessaria, y un marinero que lo guiasse, se metió a la mar por aquella mesma vía que Amadís avía ido.

Grasandor anduvo por la mar adelante sin saber a cuál parte pudiesse ir sino donde la ventura lo levase, que otra certidumbre ninguna no tenía sino tan solamente saber que aquella vía Amadís avía levado. Pues yendo como oís todo aquel día y la noche y otro día, navegaron sin fallar persona alguna que nuevas le pudiesse dezir; y su desdicha, que lo fizo, que a la segunda noche passó bien cerca de la ínsola del Infante, y con la gran escurana[25] no la vieron; que si allí aportara, no pudiera errar de no fallar a Amadís porque supiera cómo allí aportara y cómo el cavallero governador de aquella ínsola fuera en su compañía, y luego le guiaran a la ínsola de la Torre Bermeja; pero de otra manera le avino, que aquella noche passó mucho adelante, y anduvo otro día, y a la noche se falló en la ribera de la mar en una gran playa. Y allí mandó Grasandor parar el navío fasta la mañana por saber qué tierra era aquella. Assí estuvieron fasta que el día vino que pudieron devisar la tierra, y parescióles que devía ser tierra firme y muy fermosa de grandes arboledas. Grasandor mandó sacar su cavallo, y armóse y dixo al marinero que se no partiesse de aquel lugar fasta que él tornase o su mandado, porque él quería ver dónde avían arribado y procurar de saber alguna nueva de aquel que demandava.

Entonces cavalgó en su cavallo, y sus escuderos a pie con él, que no traían palafrenes porque la barca más liviana anduviesse. Assí anduvo muy gran parte del día que no falló persona ninguna, y maravillóse mucho que le paresció aquella tierra

[24] *barca, [y] levando:* barca levando, ZR // barca, y llevando, S // .
[25] *escurana:* oscuridad.

despoblada. Y descavalgó en una falda de la floresta por donde
iva cabe una fuente que falló y los escuderos le dieron de comer, y a su cavallo; y desque ovieron comido, dixéronle:

—Señor, tornaos a la barca, que esta tierra yerma deve ser.

Grasandor les dixo:

—Quedad aquí vosotros, que no podrés tener comigo[26]; y
yo andaré fasta que sepa algunas nuevas. Y si las no fallo, luego me tornaré a vosotros; y vierdes que tardo, tornados[27] a la
barca; que si puedo, allí seré yo.

Los escuderos, que ya de cansados no podían andar, lo acomendaron a Dios[28], y dixéronle que assí lo farían como lo él
mandava.

Pues Grasandor se fue por aquella floresta, y a cabo de una
pieça falló un valle fondo y muy espesso de árboles; y al un
cabo dél vio un monesterio pequeño metido en lo más espesso
dél, y fue luego allá; y llegando a la puerta fallóla abierta, y
descavalgó de su cavallo, y arrendólo a las aldavas[29], y entró
dentro. Y fuese derechamente a la iglesia y fizo su oración lo
mejor que él supo, rogando a Dios que lo guiasse en aquel viaje
cómo las cosas dél fuessen a su honra, y le endereçasse donde
pudiesse fallar a Amadís. Assí estando de rodillas, vio venir a
la iglesia un monje de los blancos[30]; y llamóle y díxole:

—Padre, ¿qué tierra es ésta y de qué señorío es?

El monje le dixo:

—Ésta es del señorío de Irlanda, mas no está agora mucho

---

[26] *podrés tener comigo:* podréis acompañarme. «Si todos quisierdes tener comigo, vamos al Rey», *Enrique fi de Oliva,* pág. 17.

[27] *tornados:* tornaos, volveos.

[28] *a Dios:* o dios, Z // a Dios, RS // .

[29] *arrendólo a las aldavas:* aseguró por las riendas en las aldabas, pieza ordina-
riamente de hierro fija en la pared para atar en ella una cabalgadura. «Arrenda-
mos nuestros cavallos e nos sentamos por bever del agua», *Lisuarte de Grecia,*
fol. IX r.

[30] *un monje de los blancos:* un monje cisterciense. Según las *Partidas,* I, VII,
XXVII, «Cistel, es un monasterio donde lleva nome toda la orden que fizo sant
Benito de los monjes blancos, e esta orden fue comenzada sobre muy gran po-
breza». Su aparición es constante en los textos artúricos. «E al quarto dia avino
que llego a ora de bisperas a una abadia de monjes blancos», *Demanda del Sancto
Grial,* 178a; «e Tristan se torno para una abadia de monjes blancos», *Tristán de
Leonís,* 428a, y frecuente en los libros de caballerías, como anota A. Bonilla.

a su mandar del Rey[31] porque aquí cerca está un cavallero que
se llama Galifón; y con dos hermanos cavalleros muy fuertes
así como él, y un castillo de gran fortaleza en que se acoge, ha
sojuzgado toda esta montaña de muy buena tierra y lugares assaz ricos, y haze mucho mal a los cavalleros andantes que por
aquí passan, que ellos andan todos tres de consuno; y cuando
hallan algún cavallero, ascóndense los dos, y el uno sólo le
acomete. Y si el cavallero del castillo vence, estánse quedos; y
si le va mal en la batalla, salen los dos y ligeramente vencen o
matan al uno que es solo. Y ayer acaeçió que, viniendo dos
monjes desta casa de pedir limosnas por estos lugares, vieron
cómo todos tres hermanos vencieron un cavallero y lo llaga-
ron muy mal. Y aquellos dos padres gelo pidieron, rogándoles
por amor de Dios no lo matassen y gelo diessen, pues que en
él ya defensa ninguna no havía. Y tanto les ahincaron que lo
ovieron de hazer, y traxiéronlo en un asno, y aquí lo tenemos.
Y luego a poco rato llegó otro su compañero; y como esto
supo, partió de aquí poco ante que vos llegássedes con intención de morir o vengar a éste que está herido. Y ciertamente,
él va a gran peligro de su persona.

Cuando esto oyó Grasandor, dixo al monje que le mostrasse
el cavallero ferido. Y él assí lo hizo, que le metió a una celda
donde estava en un lecho. Y como lo vio, conoçiólo que era
Eliseo, cormano de Landín, el sobrino de don Cuadragante. Y
assí mesmo el cavallero conoçió a él, que muchas vezes se vieran y hablaran en la guerra de entre el rey Lisuarte y Amadís.
Y cuando Eliseo lo vio, díxole:

—¡O buen señor Grasandor!, ruégoos por mesura que socorráis a Landín, mi cormano, que va a gran peligro; y después
vos diré mi aventura cómo me avino; que si os detuviesse en
lo contar, no le prestaría nada vuestra ayuda.

Grasandor le dixo:

—¿Dónde lo hallaré?

—En passando este valle —dixo Eliseo— veréis un gran
llano, y en él un fuerte castillo; y allí lo fallaréis, que va a de-

---

[31] *a su mandar del Rey*: bajo mandato del Rey. «E de oy mas avre la reina libre
a mi mandar», *Tristán de Leonís*, 450b.

mandar a un cavallero que es señor dél de quien yo este mal recebí.

Grasandor vio luego que era verdad lo que el monje le dixera. Y acomendólo a Dios y cavalgó en su cavallo, y fue lo más que pudo en aquel derecho[32] que el monje le mostró donde mejor podría ver el castillo. Y como huvo el valle passado, violo luego en un otero más alto que la otra tierra de aderredor, y yendo contra él, lleg[and]o al cabo de un monte por do iva, vio a Landín, que estava delante la puerta del castillo dando bozes. Pero no entendía él lo que dezía, que estava algún tanto alexado. Y detuvo el cavallo entre las matas espessas, que no quiso pareçer fasta que viesse si Landín havía menester socorro. Pues assí estando, a poco rato vio salir por la puerta del castillo a la parte donde Landín estava un cavallero assaz grande y bien armado, y fabló un poco con Landín, y luego se apartaron uno de otro una pieça, y fuéronse herir al más correr de los cavallos; y diéronse tan grandes encuentros con las lanças y con los cavallos uno con otro, que ambos les convino caer en tierra grandes caídas. Mas el cavallero de[l] castillo dio muy mayor caída, assí que fue desacordado; pero levantóse lo más toste[33] que pudo, y metió mano a su spada para se defender.

Landín se levantó acomo aquel que muy ligero y valiente era, y vio cómo su enemigo estava guisado de lo recebir[34], y metió mano a su spada, y puso el escudo ante sí y fuese para él, y el otro assí mesmo movió contra él; y diéronse muy grandes golpes de las spadas por cima de los yelmos, assí que el fuego salía dellos; y rajavan sus escudos y desmallavan las lorigas por muchas partes de guisa que las spadas llegavan a sus carnes, y assí anduvieron una gran pieça faziéndose todo el mal que podían. Mas a poco rato Landín començó a mejorar de tal forma, que traía al cavallero del castillo a su voluntad, que ya no entendía salvo en se guardar de los golpes sin él poder dar ninguno. Y cuando assí se vio, començó a llamar con

---

[32] *en aquel derecho:* en aquel camino, dirección.

[33] *toste:* pronto, rápidamente. «Quiso tornar el palacio muy toste», *Baladro del sabio Merlín* (B), 110a.

[34] *estava guisado de lo recebir:* estava preparado para recibirlo.

el spada a los del castillo que lo socorriessen, que mucho tardavan. Estonces salieron dos cavalleros a más correr de sus cavallos, con sus lanças en las manos, y diziendo:

—¡Traidor malo, no lo mates!

Cuando Landín assí los vio venir, púsose para los esperar
como buen cavallero, sin ninguna alteración de su voluntad,
porque ya se tenía él por dicho que, yéndole mal al primero,
que havía de ser socorrido de los dos; y díxoles:

—Vosotros sois los malos y traidores, que a mala verdad
matáis endonado[35] los buenos y leales cavalleros.

Grasandor, que todo lo mirava, cuando assí los vio venir,
puso las espuelas a su cavallo lo más rezio que pudo y fue contra ellos diziendo:

—¡Dexad el cavallero, malos y aleves!

Y herió al uno dellos de la lança de tan gran encuentro en el
escudo, que sin detenimiento alguno lo lançó por cima de las
ancas del cavallo, y dio en el campo, que era duro, tan gran
caída, que el braço diestro, sobre que cayó, fue quebrado, y tan
desacordado fue, que se no pudo levantar. El otro cavallero fue
por dar una lançada a sobremano a Landín, o lo tropellar con
el cavallo; mas no pudo, que él se desvió con tanta ligereza y
buen tiento, que el otro no le pudo coger; y tan rezio passó
con el cavallo, que Landín no le pudo herir, maguer que[36] él
cuidó cortarle las piernas al cavallo. Grasandor le dixo:

—Quedad con esse que está a pie, y dexad a mí este de
cavallo.

Cuando Landín esto vio, mucho fue alegre, y no pudo entender quién sería el cavallero que a tal sazón lo havía socorri-

---

[35] *a mala verdad matáis endonado:* a traición matáis voluntaria, gratuitamente. A
pesar de la nota 41 del capítulo XVI, cfr. la *Crónica del rey don Rodrigo*, fol. LXI
v: «E dígolo por Arcanus, que ha echado fama por el mundo que Lembrot fue
muerto a mala verdad en mi corte».

[36] *maguer que:* aunque. Es la única vez que aparece esta forma en el libro IV,
arcaica en esta época como expuse en la nota 86 del capítulo LXVIII. Como
dice Domingo del Campo, pág. 463, nota 55, este capítulo es uno de los que
posee un mayor número de arcaísmos juntos en el libro IV. Aparecen *de guisa
que, maguer;* la forma *vedes* (también aparece *podrés*); hay un empleo bastante reiterado de la forma *-ra* con valor de pluscuamperfecto de indicativo, valor documentado a lo largo del libro IV, pero en menor número que en los otros tres libros; aparecen los vocablos *cormano, punar, cedo, aína,* etc.

do. Y tornó luego para el cavallero con quien ante se combatía, y diole con la spada muy grandes y peligrosos golpes. Y ahunque el cavallero punó cuanto más pudo de se defender, no le prestó nada, que Landín le traía a toda su voluntad[37].

Grasandor se hería con él de cavallo, dándose grandes golpes de las spadas, que Grasandor le havía cortado[38] la lança y le havía herido en la mano. Y assí estavan todos cuatro faziendo todo el mayor mal que ellos podían; mas a poco rato Landín derribó el suyo ante sus pies. Y cuando esto vio el otro que ahún a cavallo estava, començó de fuir contra[39] el castillo cuanto más podía y Grasandor tras él, que lo no dexava; y como iva desatentado, erró el tino de la puente levadiza, y cayó con el cavallo en la cava[40], que muy fonda era y llena de agua, assí que con el peso de las armas a poco rato fue afogado, que los del castillo no lo pudieron socorrer porque Grasandor se puso al cabo de la puente, y Landín, que llegó luego encima de otro cavallo de los que en el campo havían quedado.

Y como vieron el pleito parado[41] y que no havía qué fazer, tornáronse entrambos a donde havían dexado los cavalleros por ver si eran muertos. Y Landín dixo:

—Señor cavallero, ¿quién sois que a tal sazón me socorristes haviéndolo tanto menester?

Grasandor le dixo:

—Mi señor Landín, yo soy Grasandor, vuestro amigo, que doy muchas gracias a Dios que os hallé en tiempo que menester me oviéssedes.

Cuando Landín esto oyó, fue mucho maravillado qué ventura lo pudo traer a aquella tierra, que bien sabía cómo quedara en la Ínsola Firme con Amadís al tiempo que de allí la flota se partió para ir a Sansueña y al reino del rey Arávigo; y díxole:

—Buen señor, ¿quién vos traxo en esta tierra, tan desviado de donde con Amadís quedastes?

---

[37] *le traía a toda su voluntad:* traía según su deseo. «Si le querían dar la cibdad a su voluntad», *Gran Conquista de Ultramar,* III, 562.

[38] *cortado:* cortada, Z // cortado, RS // .

[39] *començó de fuir contra:* comenzó a huir hacia. «Alchidiana [...] començó de aparejar todas las cosas», *Palmerín de Olivia,* 579, 17.

[40] *cava:* foso de la fortaleza. «En aquella floresta avía un buen castiello, çercado de buen muro e buena cava», *Otas de Roma,* 87, 26.

[41] *el pleito parado:* la contienda resuelta.

Grasandor le contó todo lo que havéis oído, por dónde le conveniera salir a buscar Amadís, y preguntóle si sabía algo dél. Landín le dixo:

—Sabed, señor Grasandor, que Eliseo, mi cormano, y yo venimos de donde queda don Cuadragante, mi tío, y don Bruneo de Bonamar, con aquellos cavalleros que de la Ínsola Firme vistes partir, con mandado de mi tío para el rey Cildadán a le demandar alguna gente, que allá ovimos una batalla con un sobrino del rey Arávigo, que se apoderó de la tierra cuando supo que el Rey su tío era vencido y preso. Y comoquiera que nosotros fuemos[42] vencedores y fezimos gran estrago en los enemigos, recebimos mucho daño, que perdimos mucha gente. Y por esta causa venimos para levar más, y havrá tres días que aportamos a la ínsola del Infante, y allí supimos cómo un cavallero que una dueña traía y un hombre solo venían en un batel, y que dixeron que ivan a la ínsola de la Torre Bermeja a se combatir con Balán el gigante; y no me supieron dezir por qué causa, sino tanto que el governador de aquella ínsola fue con el cavallero a ver la batalla, porque, según se dize, aquel jayán es el más valiente que hay en todas las ínsolas. Y según vos dezís que Amadís se partió por la mar con la dueña, creed que no es otro sino éste, que a él convenía tal empresa.

—Mucho me havéis hecho alegre —dixo Grasandor— con estas nuevas; mas no me puedo partir de ser muy triste por me no hallar con él en tal afruenta como aquélla.

—No vos pese —dixo Landín—, que aquél no hizo Dios sino para le dar por sí solo la honra y gran fama que todos los del mundo juntos no podrían alcançar.

—Agora me dezid —dixo Grasandor— cómo vos avino, que yo hallé en un monesterio acá ayuso en un fondo[43] valle a vuestro cormano Eliseo mal llagado; del cual no pude saber qué cosa fuesse sino tan solamente que me dixo cómo vos veníades a combatir con este cavallero. Y los monjes de aquel monesterio me dixeron la mala orden que él y sus hermanos

---

[42] *fuemos:* fuimos. «El e yo fuemos a la puente», *Tristán de Leonís,* 401a.

[43] *fondo:* fundo, Z // fondo, RS // hondo // . Edito la forma habitual en el texto, si bien con bastantes dudas, porque podría tratarse de un occidentalismo, y la forma está atestiguada. Cfr.: «Dieron consigo en aquel lago muy grande e muy fundo», *Gran Conquista de Ultramar,* I, 101.

tenían para vencer y deshonrar a los cavalleros que con ellos se combatían; y no supe otra cosa por no me detener.

Landín le dixo[44]:

—Sabed que nosotros salimos ayer de la mar por nos ir por tierra adonde el rey Cildadán está, que estávamos muy enojado[s] de andar sobre el agua. Y llegando cerca de aquel monesterio que vistes encontramos con una donzella que venía llorando, y demandónos ayuda. Yo la pregunté la causa de su llanto, y que si era cosa que justamente la pudiesse remediar, que lo haría. Ella me dixo que un cavallero tenía preso a su esposo contra razón por le tomar una heredad muy buena que tenía en su tierra, y lo tenía en una torre en cadenas, que era a la diestra parte del monesterio bien dos leguas. Y yo tomé fiança de la donzella si me dezía verdad, la cual me la hizo luego. Y díxele a mi cormano Eliseo que se quedasse en aquel monesterio, porque venía más enojado de la mar, en tanto que yo iva con la donzella; y que si Dios me endereçasse con bien, que luego me tornaría para él. Mas él porfió tanto comigo, que no pude escusar de lo no levar en mi compañía. Y yendo por aquel valle entre aquellas matas espessas, y la donzella que nos guiava con nosotros, vimos ir un cavallero que ya a lo llano encumbrava[45] armado en un cavallo. Estonces Eliseo me dixo: «Cormano, id vos con la donzella, y yo iré a saber de aquel cavallero.» Assí se partió de mí, y yo fue con la donzella, y llegué a la torre donde su esposo estava preso. Y llamé al cavallero que lo tenía, el cual salió desarmado a hablar comigo. Y como el rostro me vio, conoçióme luego y preguntóme qué demandava. Yo le dixe todo lo que la donzella me havía dicho, y que le rogava que hiziesse luego soltar a su esposo y le no hiziesse mal de allí adelante contra derecho. Y él lo hizo luego por amor de mí, porque en ninguna manera se quería combatir comigo, y me prometió de lo[46] hazer como lo yo pidía[47]. Y mal-

---

[44] Como en tantas ocasiones la aventura ha comenzado bruscamente, *in medias res*, convirtiéndose uno de sus participantes en narrador de la historia, y contando el inicio. Mediante estas técnicas el autor mantiene la suspensión del sentido, y evita la utilización del entrelazamiento.

[45] *encumbrava*: 1.ª doc. según DCELC, en Nebrija.

[46] *de lo*: de la, Z // de lo, RS // .

[47] *pidía*: pedía. «Les pidía de gracia», *Hechos del condestable don Miguel Lucas de Iranzo*, 93, 20. Véase también la nota 28 del capítulo LXII.

tráxele[48] mucho diziéndole que para hombre de tan buena
suerte no convenía hazer semejantes cosas; y púdelo fazer porque este cavallero era mi amigo, y anduvimos cuando noveles
cavalleros algún tiempo en uno buscando las aventuras. Pues
esto despachado, bolvíme al monesterio como quedó, y hallé a
Eliseo malherido, y preguntéle qué fuera dél. Y él me dixo que
yendo tras aquel cavallero cuando de mí se partió, dándole bozes que tornasse, que a cabo de una pieça que tornara a él, y
que ovieran una brava batalla, y que a su pareçer le tenía mucha ventaja y cuasi vencido, y que salieron otros dos cavalleros
de la floresta y le encontraron tan fieramente, que le derribaron a él y al cavallo, y le firieron muy mal; y que si Dios no le
traxera a la sazón por allí dos monjes de aquel monesterio, que
mucho les rogaron por su vida, que todavía lo acabaran de matar; y por amor dellos lo dexaron, y que aquellos monjes lo levaron.

—Todo esso sé yo de lo de vuestro cormano, que los monjes me lo dixeron —dixo Grasandor—, mas de lo vuestro no
supe otra cosa sino cómo vos partistes del monesterio para os
combatir con estos malos y desleales cavalleros; mas, ¿qué
acordáis que hagamos dellos si muertos no fueren?

Landín le dixo:

—Sepamos en qué disposición están, y assí tomaremos el
acuerdo.

Estonces llegaron donde Galifón, el señor del castillo, estava tendido en el suelo, que nunca tuvo poder de se levantar,
pero ya con algo de más aliento y más acuerdo que de ante. Y
assí mesmo fallaron a su hermano, que no era muerto, pero
que estava muy maltrecho. Y Landín llamó a dos escuderos,
uno suyo y otro de su cormano, que con ellos venían, y hízoles
descender de sus palafrenes; y pusieron aquellos dos cavalleros
en las sillas atravessados y los escuderos en las ancas, y fuéronse contra el monesterio con pensamiento, si Eliseo fuesse
muerto o ferido de peligro, de los fazer matar; y si estuviesse
mejorado en salud, que tomarían otro consejo.

Assí como oídes, llegaron al monesterio y fallaron a Eliseo

---

[48] *maltráxele:* le reprendí, censuré. «Maltráxolos de palabra», Gutierre Díez
de Games, *El Victorial,* 265, 10.

sin peligro ninguno, que un monje de aquéllos, que sabía de aquel menester, le havía curado y remediado mucho. A esta sazón, aquel Galifón, señor del castillo, estava en todo su acuerdo, y como vio a Landín desarmado, conoçiólo, que assí éste como sus hermanos todos eran del rey Cildadán. Mas cuando vieron que se iva ayudar al rey Lisuarte a la guerra que con Amadís tenía, estos tres hermanos quedaron en la tierra, que los no pudo levar consigo. Y en tanto que él se detuvo en aquella cuistión, fizieron ellos mucho daño en aquella comarca, teniendo al rey Cildadán en poco en le ver so el señorío del rey Lisuarte; que cuando la fortuna se muda de buena en mala, no solamente es contraria y adversa en la causa principal, mas en otras muchas cosas que de aquella caída redundan, que se pueden comparar a las circunstancias del pecado mortal. Y díxole:

—Señor Landín, ¿podría yo alcançar de vos alguna cortesía? Y si pensáis que mis malas obras no lo mereçen, merézcanlo las vuestras buenas. Y no miréis a mis yerros, mas a lo que vos, según quien sois y del linaje donde venís, devéis fazer.

Landín le dixo:

—Galifón, no se esperava de vos tan malas hazañas; que cavallero que se crió en casa de tan buen Rey, y en compañía de tantos buenos, mucho estava obligado a seguir toda virtud. Y soy maravillado de assí ver estragada vuestra criança siguiendo vida tan mala y tan desleal.

—La codicia de señorear —dizo Galifón— me desvió de lo que la virtud me obligava, assí como lo ha fecho a otros muchos que más que yo valían y sabían; pero en vuestra mano y voluntad está todo el remedio.

—¿Qué queréis que faga? —dixo Landín.

—Que me ganéis perdón del Rey mi señor —dixo él—, y yo me porné en la su merced de vuestra parte cuanto pueda cavalgar.

—Será assí como lo dezís —dixo Landín—, que de aquí adelante tomaréis el estilo que conviene a la orden de cavallería.

—Assí será —dixo Galifón— sin duda ninguna.

—Pues yo os dexo libre —dixo Landín—, y a vuestro hermano, tanto que seáis de hoy en veinte días delante del rey Cil-

dadán, mi señor, y fagáis lo que él os mandare[49]; y en este comedio yo os ganaré perdón.

Galifón gelo gradeçió mucho, y assí como lo él mandava
gelo prometió.

Pues hecho esto, quedaron allí aquella noche todos juntos.
Y otro día de mañana Grasandor oyó missa y despidióse de
Landín y de su cormano para se tornar a su barca donde [le]
havía[50] dexado en la playa de la mar, y con mucho plazer en su
coraçón por las nuevas que Landín le dixera, que por cierto tenía ser Amadís el cavallero que aportó a la ínsola del Infante
con la dueña y iva para se combatir con el gigante Balán. Assí
se tornó por el mismo camino por donde viniera, y llegó a la
barca ante que anocheçiesse, donde falló sus escuderos, con
que mucho le plugo y a ellos con él.

Grasandor preguntó al marinero si sabría guiar a la ínsola
que se llamava del Infante. Él dixo que sí, que después que allí
llegaron havía atinado[51] bien dónde estavan, lo cual luego que
allí llegaron no sabía, y que él lo guiaría a aquella ínsola.

—Pues vamos allá —dixo Grasandor.

Assí movieron de la playa y anduvieron toda aquella noche;
y otro día a hora de bísperas llegaron a la ínsola. Y Grasandor
salió en tierra y subió suso a la villa, donde le dixeron todo lo
que havía acaeçido a Amadís con el gigante, que lo supieran
del governador, que allí era llegado. Y Grasandor fabló con él
por más ser certificado; el cual le contó todo cuanto viera de
Amadís, assí como la historia lo ha contado. Grasandor
le dixo:

—Buen señor, tales nuevas me havéis dicho con que he havido gran plazer. Y esto no lo digo porque tenga en mucho haver salido Amadís tanto a su honra desta aventura, que según
las grandes cosas y peligrosas que por él han passado, a los que
las sabemos no nos podemos maravillar de otras ningunas, por
grandes que sean, mas por lo haver fallado; que, ciertamente,
yo no pudiera recebir descanso ni folgança en ninguna parte
en tanto que dél no supiera nuevas.

---

[49] *mandare:* mandara, Z // mandare, R // mendare, S // .

[50] *donde [le] havía:* donde havia, Z // donde avia, R // donde le avia, S //
donde la havia, Place // .

[51] *atinado:* acertado, dado con el tino.

El cavallero le dixo:

—Bien, creo que, según las grandes cosas suenan deste cavallero por todas las partes del mundo, que muchas dellas havrán visto aquellos que en alguna sazón en su compañía han andado. Pero yo vos digo que si ésta por que que agora passó todos la pudieran ver como la yo vi, que bien la contarían entre las más peligrosas.

Estonces se dexaron de hablar más en aquello, y Grasandor le dixo:

—Ruégoos, cavallero, por cortesía que me deis alguno vuestro que me guíe a la ínsola donde Amadís está.

—De grado lo faré —dixo él—, y si alguna provisión havéis menester para la mar, luego se os dará.

—Mucho os lo gradezco —dixo Grasandor—, qué yo trayo todo lo que me cumple[52].

El cavallero de la ínsola dixo:

—Vedes aquí uno que os guiará, que ayer vino de allá.

Grasandor jelo gradeçió y se metió en su fusta con aquel hombre que le guiava, y fue por la mar adelante. Y tanto anduvieron que llegaron sin contraste alguno al puerto de la ínsola de la Torre Bermeja, donde Amadís estava.

Y luego fue tomado por los hombres del jayán, y le preguntaron qué demandava. Él les dixo que venía a buscar un cavallero que se llamava Amadís de Gaula, que le dixeron que estava en aquella ínsola.

—Verdad dezís —dixeron ellos—; subid connusco[53] al castillo, que allí lo fallaréis.

Estonces salió de la barca armado como estava y subió suso al castillo con aquellos hombres. Y cuando a la puerta fue, dixeron a Amadís cómo estava allí un cavallero que le demandava. Amadís pensó luego que sería alguno de sus amigos, y salió contra la puerta. Y cuando vio que era Grasandor, fue el más alegre del mundo, y abraçólo con mucha alegría, y Grasandor assí mesmo a él, como si mucho tiempo passara que se no

---

[52] *que yo trayo todo lo que cumple:* que yo traigo todo lo que necesito. «Te trayo muy buenas nuevas», *Gran Conquista de Ultramar,* I, 169.

[53] *connusco:* con nosotros. «Que nos haga signo entrar connusco en juyzio de su corte», *Baladro del sabio Merlín* (B), 44a.

ovieran visto. Amadís le preguntó por su señora Oriana qué tal quedava y si recibiera mucho enojo por su venida. Grasandor le dixo:

—Mi buen señor, ellas y todas las otras quedavan muy buenas; y de Oriana os digo que recibió grande afruenta y mucha turbación cuando por mí lo supo. Mas como su discreción sea tan sobrada, bien cuidó que no sin gran causa fezistes este camino. Y no tengáis creído que ningún enojo ni saña le queda, sino es pensar tan solamente que os no podrá ver tan cedo como lo dessea. Y comoquiera que yo venga a os llamar, plazer havré que por mí vos detengáis aquí cuatro o cinco días porque vengo enojado de la mar.

—Por bien lo tengo —dixo Amadís— que assí se faga, que yo tanbién lo he menester porque ahún me siento flaco de unas heridas que huve, de que no soy bien sano. Y mucho me fezistes alegre de lo que me dezís de mi señora, que en comparación de su enojo todas las cosas que me podrían venir de grandes afruentas, ni ahun la misma muerte, no las tengo en tanto como nada.

## Capítulo CXXX

*Cómo estando Amadís en la ínsola de la Torre Bermeja sentado en unas peñas sobre la mar fablando con Grasandor en las cosas de su señora Oriana, vio venir una fusta, de donde supo nuevas de la flota, que era ida a Sansueña y a las ínsolas de Landas.*

Assí como oís, estavan en aquella ínsola de la Torre Bermeja Amadís y Grasandor con mucho plazer; y Amadís siempre preguntava por su señora Oriana, que en ella eran todos sus desseos y cuidados[1]; que ahunque la tenía en su poder, no le fallecía un solo punto del amor que le siempre huvo; antes, agora mejor que nunca le fue sojuzgado su coraçón y con más acatamiento entendía seguir su voluntad, de lo cual era causa que estos grandes amores que entrambos tuvieron no fueron

---

[1] *cuidados:* preocupaciones. «En gran trabajo estaba e grand cuidado don Álvaro de Luna por ver al Rey su señor», *Crónica de don Álvaro de Luna,* 39, 6.

1692

por acidente como muchos fazen que más presto que aman y dessean aborreçen, mas fueron tan entrañables[2] y sobre pensamiento tan honesto y conforme a buena conciencia, que siempre creçieron, assí como lo fazen todas las cosas armadas y fundadas sobre la virtud[3]. Pero es al contrario lo que todos generalmente seguimos, que nuestros desseos son más al contentamiento y satisfación de nuestras malas voluntades y apetitos, que a lo que la bondad y razón nos obligan; lo cual en nuestras memorias y ante nuestros ojos devríamos tener, considerando que si todas las cosas dulces y sabrosas fuessen en nuestras bocas puestas, y en fin de la dulçura un sabor amargo quedasse, no tan solamente lo dulce se perdía, mas la voluntad sería tan alterada, que con lo postrimero grande enojo de lo primero sentiría; assí que bien podemos dezir que en la fin es lo más de la gloria y perfición[4]. Pues si esto es assí, ¿por qué dexamos de conoçer que, ahunque las cosas deshonestas assí amores como de otra cualquiera cualidad trayan al comienço dulçura y al fin amargura y ar[r]epentimiento, que las virtuosas y de buena conciencia, que al comienço passen como aspereza y amargura, la fin siempre da[5] contentamiento y alegría? Pero en lo deste cavallero y de su señora no podemos apartar lo malo de lo bueno, ni lo triste de lo alegre, porque desde su comienço siempre su pensamiento fue en seguir la honesta fin en que agora estavan. Y si cuidados y angustias uno por otro passaron, que no fueron pocas, como esta grande historia lo cuenta, no creáis que en ellas recibían pena ni passión, antes mucho descanso y alegría; porque mientra más vezes a la memoria traían sus grandes amores, tantas eran causa de se tener el uno al otro delante sus ojos como si en efeto passara; lo cual les

---

[2] *entrañables:* 1.ª doc. según DCELC, en Al. de Palencia y Nebrija. «Tan entrañable amor assi trocado nunca de Dios se perdono», *Tristán de Leonís,* 395b.

[3] El autor, a costa de extraer conclusiones morales, realiza algunos planteamientos contrarios a los desarrollos novelescos. Ya hemos visto que desde un punto de vista ortodoxo los «mortales deseos» de Amadís no eran especialmente honestos.

[4] *perfición:* perfección. «Pensando con artificio ygualar con la perfición, que sin trabajo dotó a ella natura», *Celestina,* VI, 112.

[5] *la fin siempre de:* la fin siempre da, ZRS // al fin siempre dan, Place // . La corrección me parece innecesaria, puesto que el género de fin es ambiguo, o «dudoso» en palabras de Nebrija. Véase la nota 25 del capítulo IV.

dava tan gran remedio y consuelo a sus alegres congoxas, que por ninguna guisa quisieran de sí partir aquella sabrosa membrança[6]. Mas dexemos de fablar en esto destos leales amadores, assí porque no tienen cabo como porque muy grandes tiempos passaron y passarán antes que otros semejantes se vean ni de quien con tan grande escriptura memoria quede.

Pues assí fablava Amadís con Grasandor en aquellas cosas que le más agradavan, y avínoles que, estando entrambos sentados en unas peñas altas sobre la mar, vieron venir una fusta pequeña derechamente a aquel puerto, y no quisieron de allí partir sin que primero supiessen quién en ella venía. Llegada la fusta al puerto, mandaron a un escudero de los de Grasandor que supiesse qué gente era la que allí arribara; el cual fue luego a lo saber, y cuando bolvió, dixo:

—Señores, allí viene un mayordomo de Madasima, mujer de don Galvanes, que passa a la ínsola de Mongaça.

—Pues, ¿dónde viene? —dixo Amadís.

—Señor —dixo el scudero—, dizen que de donde está don Galvanes y don Galaor. Y no supe dellos más.

Cuando Amadís esto oyó, descendiéronse él y Grasandor de las peñas y fuéronse al puerto donde la fusta estava. Y como llegaron, conoció Amadís a Nalfón, que assí havía nombre el mayordomo[7], y díxole:

—Nalfón, amigo, mucho soy ledo con vos porque me diréis nuevas de mi hermano don Galaor y de don Galvanes, que después que de la Ínsola Firme partieron nu[n]ca las he sabido.

Cuando el mayordomo lo vio y conoció que era Amadís, mucho fue maravillado por lo hallar en tal parte, que bien sabía él cómo aquella ínsola era del gigante Balán, el mayor enemigo que Amadís tenía, por le haver muerto a su padre. Y luego salió en tierra y hincó los inojos ante él por le besar las manos; mas Amadís lo abraçó y no gelas quiso dar. El mayordomo le dixo:

---

[6] *sabrosa membrança:* agradable recuerdo.

[7] *mayordomo:* desde la perspectiva de Montalvo, hay que tener en cuenta que «en el reinado de Juan II (1406-1454), el "Mayordomo Mayor", que hasta entonces había sido la cabeza de la administración financiera, quedó, al parecer, reducido a la función de administrar la Casa del Rey», Luis G. de Valdeavellano, ob. cit., pág. 593.

—Señor, ¿qué aventura fue aquella que aquí os traxo en esta tierra tan desviada de donde os dexamos?

Amadís le dixo:

—Mi buen amigo, Dios me traxo por un caso que después sabréis; mas dezidme todo lo que de mi hermano y de don Galvanes y Dragonís havéis visto.

—Señor —dixo él—, Dios loado, yo vos lo puedo dezir muy bien, y cosas de vuestro plazer. Sabed que don Galaor y Dragonís partieron de Sobradisa con mucha gente y bien endereçada. Y don Galvanes, mi señor, se juntó con ellos con toda la más gente que haver pudo de la ínsola de Mongaça en la alta mar a una roca que por señal tenían, que se llama la Peña de la Donzella Encantadora; no sé si la oístes dezir.

Amadís le dixo:

—Por la fe que a Dios devéis, mayordomo, que si algo de las cosas que en essa peña son sabéis, que me las digáis, porque don Gavarte de Valtemeroso me huvo dicho que, seyendo él mal doliente, veniendo por la mar passó al pie desta peña que dezís, y que su mal le estorvara de subir suso y ver muchas cosas que en ella son; y que le dixeron los que las han visto[8] que entre ellas havía una gran aventura en que fallecían de la acabar los cavalleros que la provavan.

El mayordomo le dixo:

—Todo lo que desto pude aprender que quedó en memoria de hombres vos diré de grado. Sabed que aquella peña quedó este nombre porque tiempo fue que aquella roca fue poblada por una donzella que de allí fue señora; la cual mucho trabajó de saber las artes mágicas y nigromancía, y aprendiólas de tal manera, que todas las cosas que a la voluntad[9] le venían acabava. Y el tiempo que bivió allí fizo su morada, la cual tenía la más fermosa y rica que nunca se vio, y muchas vezes acaeció tener alderredor de aquella peña muchas fustas que por la mar passavan desde Irlanda y Nuruega y Sobradisa a las ínsolas de Landas y a la Profunda Ínsola. Y por ninguna guisa de allí se podían partir si la donzella no diesse a ello lugar desatando aquellos encantamientos con que ligadas y apremiadas estavan,

---

[8] *visto:* vista, Z // visto, RS // .
[9] *voluntad:* vounltad, Z // voluntad, RS // .

y dellas tomava lo que le plazía; y si en las fustas venían cavalleros, teníalos todo el tiempo que le agradava, y fazíalos combatir unos con otros hasta que se vencían y ahun matavan, que
no havía[n][10] poder de hazer otra cosa, y de aquello tomava
ella mucho plazer. Otras cosas muchas fazía que serían largas
de contar, pero como sea cosa muy cierta los que engañan ser
engañados y maltrechos en este mundo y en el otro, cayendo
en los mismos lazos que a los otros armaron[11], a cabo de algún
tiempo que esta mala donzella con tanta riqueza y alegría sus
días passava, creyendo penetrar con su gran saber los grandes
secretos de Dios, fue, permitiéndolo Él, traída[12] y engañada
por quien nada desto no sabía. Y esto fue que entre aquellos
cavalleros que assí allí traxo fue uno natural de la isla de Creta,
hombre fermoso y asaz valiente en armas, de edad de veinte y
cinco años. Déste fue la donzella con tanta afición enamorada,
que de su sentido la sacava, de manera que su gran saber ni la
gran resistencia y freno, que a su voluntad tan desordenada y
vencida ponía, no la pudieron escusar que a este cavallero no
hiziesse señor de aquello que ahun fasta allí ninguno posseído
havía, que era su persona[13]; con el cual algún tiempo con mucho plazer de su ánimo passó, y él assí mesmo con ella más por

---

   [10] *havía[n]:* havia, Z // avian, RS // .
   [11] Se utiliza un esquema del burlador —burlado, que ya había aparecido, por
ejemplo, en el capítulo XXI y es uno de los más habituales del folclore como
pudo comprobar en propia carne el ciego del Lazarillo y se puede corroborar
por la amplitud de motivos K 1600-1690 que le dedica S. Thompson. Sin embargo, como es habitual en esta parte del relato, las estructuras folclóricas se
cristianizan, explicándose desde una postura providencialista.
   [12] *traída:* traicionada. Según el DCECH, el verbo desaparece en el siglo XIV a
causa de su homonimia intolerable con *traer* TRAHERE, y le sustituye *hazer traición.* Podemos pensar en un arcaísmo muy raro en tiempos de Montalvo, o también en residuos de una redacción bastante anterior, como sucede con la misma
palabra utilizada en *La Gran Conquista de Ultramar,* «Ancelin le merino los había
traýdo, assí que todos fueran muertos», I, 223, o en *Enrique fi de Oliva,* «ca pienso que só traída por alguna trayción», pág. 11. Por otra parte, la fecha propuesta
por Corominas de su desaparición quizás haya que retrasarla en algunas zonas
dialectales.
   [13] Como señala Ph. Ménard, *Le rire...,* ob. cit., pág. 403, «en dépit de leur
pouvoir, les magiciens finissent par trouver plus malins qu'eux. Merlin est inca-
pable de prévoir et de déjouer les ruses de Viviane. Wistasse tombe entre les
mains des Anglais et a la tête coupée comme un vulgaire pirate. La disparition
des enchanteurs suggère la précarité et la fragilité de leur art».

el interesse que de allí esperava que por su hermosura della, de la cual muy poco la natura la havía ornado[14]. Assí estando en esta vida aquella donzella y el cavallero su amigo, él, considerando que en tal parte como aquella tan estraña y apartada, siendo del mundo señor muy poco le aprovechava, començó a pensar qué haría porque de aquella prisión salir pudiesse. Y pensó que la dulce palabra y el rostro amoroso, con los agradables autos que en los amores consisten, ahun siendo fengidos, tenían mucha fuerça de turbar y trastornar el juizio de toda persona que enamorada fuesse; y començó mucho más que ante a se le mostrar sojuzgado y apassionado por sus amores, assí en lo público como en lo secreto, y rogarla con mucha afición que diesse lugar a que no pensasse que aquello le venía por causa de las fuerças de sus encantamientos, sino solamente porque su voluntad y querer a ello le inclinavan. Pues tanto la ahincó, que, creyendo ella tenerlo enteramente, y juzgando por [su] sojuzgado y apremiado coraçón que tan sin engaño como lo ella amava assí lo hazía él, dexólo libre que de sí pudiesse fazer a su guisa[15]. Como él assí se vio, desseando más que ante dexar aquella vida, estando un día hablando con la donzella a la vista de la mar, como otras muchas vezes abraçándola, mostrándole mucho amor, dio con ella de la peña ayuso tan grande caída, que toda fue hecha pieças. Como el cavallero esto hovo fecho, tomó cuanto allí falló y todos los moradores, assí hombres como mujeres; y dexando la isla despoblada, se fue a la isla de Creta. Pero dexó allí en una cámara del mayor palacio de la donzella un gran thesoro, según dizen, que lo no pudo tomar él, ni otro alguno, por estar encantado hasta el día de hoy[16]. Y algunos que en el tiempo de los grandes fríos, cuando las serpientes se encierran, que se han atrevido a subir en la peña dizen que han llegado a la puerta de aquella cámara, pero que no

---

[14]  *la natura la havía ornado:* la naturaleza la había adornado.

[15]  *a su guisa:* a su voluntad. «El infante don Enrrique [...] por [...] disponer de la persona del Rey e de los fechos del reyno a su guisa», *Crónica de don Álvaro de Luna,* 35-36.

[16]  La existencia de un tesoro encantado, motivo D 2100 del índice de Thompson, corresponde a uno de los elementos recurrentes del folclore. Solamente el elegido podrá obtenerlo tras la superación de difíciles pruebas, normalmente después de vencer a sus guardianes.

han poder de entrar dentro, y que están letras scriptas en la una puerta tan coloradas como sangre, y en la otra otras letras que señalan el cavallero que allí ha de entrar. Y ha de ganar aquel thesoro sacando primero una spada que está metida hasta la empuñadura por las puertas, y luego serán abiertas[17]. Esto es, señor, lo que sé de lo que me preguntastes.

Amadís, desque lo ovo oído, estuvo un poco pensando cómo podría ir él a acabar aquello en que tantos havían falleçido. Y calló, que no dixo nada dello, mas preguntó a Nalfón lo de sus hermanos y sus amigos. Él le dixo:

—Señor, pues juntas las flotas allí al pie de aquella peña que oís, tomaron la vía de la Profunda Ínsola. Mas no pudo ser tan secreta su llegada, que ante no les fuesse a todos manifiesta por algunas personas que por la mar tenían; y toda la ínsola se alborotó con un primo cormano del Rey muerto. Y como al puerto llegamos, acurrió[18] allí toda la gente, con la cual ovimos una grande y peligrosa batalla ellos de la tierra y nosotros de los navíos. Mas al cabo don Galaor y don Galvanes y Dragonís saltaron en tierra, a mal su grado de los enemigos, y hizieron tal estrago en ellos, y con otros muchos de los nuestros que les ayudaron, que apartaron por aquel cabo la gente de la ribera; assí que ovimos lugar de salir de las naos; y luego todos de consuno herimos en ellos tan rezio, que no nos pudiendo sufrir bolvieron las espaldas. Pero las cosas que don Galaor hizo no las podría hombre ninguno contar, que allí cobró todo lo que en tanto tiempo con su gran dolencia havía perdido. Y entre los que mató fue aquel capitán, cormano del Rey, que dio más aína causa a que toda su gente fuesse por nosotros en la villa encerrada, donde los cercamos por todas partes. Mas como todos fuessen hombres de poca suerte[19] y no tuviessen caudillo, que los más principales de aquella ínsola murieron

---

[17] El episodio de la espada se recrea sobre el modelo fundamental de Arturo. A. Micha, «L'epreuve de l'épée», art. cit., la relaciona con la rama dorada virgiliana. «L'épée arrachée ou tirée choisit tantôt des saints, tantôt des simples héros, assure à l'Élu tantôt la contemplation des mystères divins, tantôt l'amour d'une femme, le promet à des béatitudes célestes ou à un bonheur simplement humain, à une rêve d'amour et de gloire terrestres», *ibidem*, pág. 446.

[18] *acurrió:* acudió, fue corriendo.

[19] *suerte:* estado, linaje *(Autoridades).*

con el Rey su señor en el socorro de Lubaina, y otros muchos presos, y nos vieron señorear el campo y a ellos sin remedio de ser socorridos, movieron trato luego que les assegurassen lo suyo y los dexassen en ello como lo tenían y se darían, y assí se hizo; que no ocho días después que allí llegamos fue ganada toda la isla y alçado Dragonís por rey. Y porque don Galvanes, mi señor, y don Galaor fueron heridos, ahunque no mal, acordaron de me embiar a mi señora Madasima y a la reina Briolanja a les dezir las nuevas. Y yo, señor, víneme por aquí por ver a Madasima, tía de mi señora, a quien ella mucho precia y ama porque es una señora muy noble y de gran bondad, y no con pensamiento de vos fallar en esta parte[20].

Amadís huvo gran plazer de aquellas nuevas y dio muchas gracias a Dios porque tal vitoria havía dado a su hermano y aquellos cavalleros que él tanto amava. Y preguntóle si sabían allá algo de lo que don Cuadragante y don Bruneo de Bonamar, y los cavalleros que con ellos fueron, havían hecho.

—Señor —dixo él—, después que la isla ganamos fallamos en ella algunas personas que fuyeron de las ínsolas de Landas y de la ciudad de Aravia, pensando que allí estavan más a salvo, no sabiendo nada de nuestra ida. Y dixeron que, antes que de allá partiessen, havían avido una gran batalla con un sobrino del rey Arávigo y con la gente de la ciudad y de la isla; pero al cabo los de las ínsolas fueron desbaratados y maltrechos, y que de lo demás no sabían cosa alguna.

Con estas nuevas todos con gran plazer subieron al castillo, y Amadís habló con Balán el gigante, que ahún del lecho no era levantado, y díxole que le convenía partir de allí en todo caso, y que le rogava que mandasse dar a Darioleta y a su marido todo lo que les havía tomado, y la fusta en que allí vinieran, porque se fuessen a la Ínsola Firme; y que tanbién havría plazer que con ellos embiasse a su hijo Bravor, y a su muger,

---

[20] En estos últimos libros el entrelazamiento constituye una técnica secundaria para el narrador, puesto que utiliza diferentes medios para conseguir unos objetivos similares. Una parte de la guerra de los amigos de Amadís para obtener las posesiones se relata mediante estos personajes secundarios convertidos en testigos y narradores, intercalando su narración en la historia principal del héroe. No obstante, el testigo presencial desconoce los últimos resultados, por lo que éstos quedan en suspenso.

porque los viesse Oriana, y estuviesse con otros donzeles de gran guisa que allí stavan hasta que fuesse sazón de lo armar cavallero; y que él se lo embiaría tan honrado como a hombre de tan alto lugar convenía. El gigante le dixo:

—Señor Amadís, assí como mi voluntad hasta aquí ha estado con desseo de te fazer todo el mal que pudiesse, assí agora al revés de aquel pensamiento, que yo te amo de buen amor y me tengo por honrado en ser tu amigo, y esto que mandas se fará luego; y yo, cuando me levante y esté en dispusición de trabajar, quiero ir a ver tu casa y essa ínsola, y estar en tu compaña todo el tiempo que te agradare.

Amadís dixo:

—Assí como lo dizes se faga, y cree que siempre en mí ternás un hermano por lo que tú vales y por quien eres, y por el deudo que con Gandalac, al cual mis hermanos y yo en lugar de padre tenemos. Y danos licencia, que mañana nos queremos ir, y no pongas en olvido lo que prometes.

Pero quiero que sepáis que este Balán no fizo aquel camino tan cedo como él cuidava; ante, sabiendo que don Cuadragante y don Bruneo tenían cercada la ciudad de Aravia y stavan en alguna necessidad de gente, tomó lo más que pudo haver de la ínsola y de las otras de sus amigos, y fuelos ayudar con tal aparejo, que dio ocasión que aquello que començado está con gran honra se acabasse. Y nunca dellos se partió fasta que aquellos dos señoríos de Sansueña y del rey Arávigo fueron ganados, como adelante lo contará la historia.

Agora dize la historia que Amadís y Grasandor se partieron un lunes por la mañana[21] de la gran ínsola llamada de la Torre Bermeja, donde aquel fuerte gigante llamado Balán era señor. Y Amadís rogó a Nalfón, mayordomo de Madasima, que le diesse un hombre de los suyos que le guiasse a la Peña de la Donzella Encantadora. Nalfón le dixo que le plazía, y que si él quisiesse subir a la peña, que entonces tenía buen tiempo por ser invierno y en lo más frío dél, y que si le mandava ir con él, que de grado lo faría[22]. Amadís se lo gradesció y le dixo que

---

[21] El relato en algunos momentos precisa mucho más sus referencias temporales, si bien en este caso parece casi ritual, pues el comienzo de la aventura corresponde al inicio del ciclo semanal.

[22] Si la cronología preferente de la obra corresponde a la estación de

no era menester que él dexasse lo que le avía mandado, que a él le bastava solamente una guía.

—En el nombre de Dios —dixo el mayordomo— y Él vos guíe y enderece en esto y en todo lo otro que começardes como fasta aquí lo ha fecho.

Entonces se despidieron unos de otros, y el mayordomo fue su camino de Anteina, y Amadís y Grasandor movieron por la mar con la guía que llevavan. Y bien anduvieron cinco días que la peña no pudieron ver, ahunque el tiempo les fazía muy bueno; y al sesto día una mañana viéronla tan alta, que no parescía sino que a las nuves tocava[23]. Pues assí anduvieron fasta ser al pie della, y fallaron allí un barco en la ribera sin persona que lo guardasse, de que fueron maravillados; pero bien creyeron que alguno que a la peña era subido lo dexara allí. Amadís dixo a Grasandor:

—Mi buen señor, yo quiero subir en[24] esta roca y ver lo que el mayordomo nos dixo, si es assí verdad como lo él contó; y mucho vos ruego, ahunque alguna congoxa sintáis, que me aguardéis aquí hasta mañana en la noche, que yo podré venir o fazeros señal desde arriba cómo me va. Y si en este comedio o al tercero día no tornare, podréis creer que mi hazienda no va bien, y tomaréis el acuerdo que vos más agradare.

Grasandor le dixo:

—Mucho me pesa, señor, porque no me tengáis por tal que mi esfuerço baste para sofrir cualquier afrenta que sea, fasta la muerte, en especial fallándome en vuestra compañía; que lo que a vos sobra de esfuerço podría bien suplir lo que en mí fal-

---

amores, me parece significativo que estas últimas aventuras se desarrollen en invierno. El héroe ya está casado, no ejerce como caballero andante e irónicamente puede emprender la aventura en tiempo de invierno porque las serpientes están aletargadas, a diferencia de lo que sucederá con su hijo Esplandián. Todo apunta a la decadencia y final narrativo de Amadís.

[23] *a las nuves tocava:* la mención de una altura hiperbólica comparada con las nubes es constante en la literatura medieval, si recordamos que en el *Cantar de Mio Cid* los «montes son altos, las rramas puian con las núes» (v. 2698). En esta ocasión, se destaca la altura de la Peña, el lugar más elevado de toda la obra, y corresponde a un símbolo de ascenso, de verticalidad, en cierto modo antitético e inverso al mundo subterráneo de Arcaláus, aunque con un significado similar.

[24] *subir en:* subir a.

tare, y el mal o bien que desta sobida se podrá seguir quiero
que mi parte me quepa.

Amadís le abraçó riendo y dixo:

—Mi señor, no lo toméis a essa parte lo que yo dixe[25], que
ya sabéis vos muy bien si soy testigo de lo que vuestro esfuerço puede bastar. Y pues assí os plaze, assí se haga como lo
dezís.

Entonces mandaron que les diessen algo de comer, y assí
fue hecho; y desque ovieron comido lo que les bastava para tan
gran subida a pie, que de cavallo era impossible, tomaron sus
armas todas sino las lanças y començaron su camino, el cual
era labrado por la peña arriba, pero muy áspero de sobir. Y así
anduvieron una gran pieça del día, a las vezes andando y otras
descansando muchas vezes, que con el peso de las armas rece-
bían gran trabajo. Y a la mitad de la peña fallaron una casa
como hermita labrada de canto, y dentro en ella una imajen
como ídolo de metal con una gran corona en la cabeça del
mesmo metal; la cual tenía a[r]rimada a sus pechos una gran
tabla cuadrada dorada de aquel metal, y sosteníala [la] imagen
con las manos ambas como que la tenía abraçada. Y estavan
en ella escritas unas letras asaz grandes, muy bien fechas, en
griego, que se podían muy bien leer, ahunque fueran fechas
desde el tiempo que la Donzella Encantadora allí avía estado,
que eran passados más de dozientos años; que esta donzella fue
fija de un gran sabio en todas las artes, natural de la ciudad de
Argos en Grecia, y más en las de la mágica y nigromancía, que
se llamava Finetor[26]. Y la hija salió de tan sotil ingenio, que se

[25] *dixe:* dire, Z // dixe, RS // .

[26] De la misma manera que en los viajes del héroe el mundo artúrico se ha
desplazado hacia el Oriente, también la magia ha sufrido un cambio similar con
la presencia de Apolidón, el sabio que hizo los encantamientos de la Ínsola Firme, y con este padre de la Donzella Encantadora. Es posible ver también cierta
influencia de la leyenda troyana, que podía suministrar numerosos ejemplos de
magia y amores frustrados. Por ejemplo, en la isla de Circe, «estando ally algunos dias Ulixes e la reyna avian sus fablas, e commo el era muy sabydor, e otrosy era muy fermoso, tanto que se sopo bien razonar que la reyna se enamoro
del, e tal fue el trato que casaron en uno; e tanto se pago ella del que obro ella
de sus encantamentos de guisa que lo tovo ally bien un anno que de ally non
podiesse partyr. Mas commo Ulixes sabia mucho de aquellas artes quando aquello entendio obro el otrosy sus artes e desato los encatamentos della e fuesse

dio aprender aquellas artes, y alcançólas de tal manera, que muy mejor que su padre ni que otro alguno de aquel tiempo las supo. Y vino a poblar aquella peña como dicho es. La forma de cómo lo hizo, por ser muy prolixo, y por no salir del cuento que conviene, lo dexa la istoria de contar.

Cuando Amadís y Grasandor entraron en la hermita, sentáronse en un poyo de piedra que en ella fallaron por descansar, y a cabo de una pieça levantáronse y fueron a ver la imajen, que les parescía muy fermosa. Y miráronla gran rato y vieron las letras, y Amadís las començó a leer, que en el tiempo que anduvo por Grecia aprendió ya cuanto del lenguaje y de la letra griega, y mucho dello le mostró el maestro Elisabad cuando por la mar ivan, y también le mostró el lenguaje de Alemaña y de otras tierras; los cuales él muy bien sabía, como aquel que era gran sabio en todas las artes y avía andado muchas provincias[27]. Y las letras dezían assí:

«En el tiempo que la gran ínsola florescerá y será señoreada del poderoso Rey, y ella señora de otros muchos reinos y cavalleros por el mundo famoso, serán juntos en uno la alteza de las armas y la flor de la fermosura que en su tiempo par no ternán. Y dellos saldrá aquel que sacará la spada con que la orden de su cavallería complida será, y las fuertes puertas de piedra serán abiertas que en sí encierran el gran tesoro»[28].

---

para su tierra», Leomarte, *Sumas de historia troyana*, pág. 280, sin olvidar los más trágicos de Medea y Jasón. Para un planteamiento general, véase Antonio Garrosa Resina, *Magia y superstición en la literatura castellana medieval*, Valladolid, Un. de Valladolid, 1987.

[27] Según el libro III, capítulo LXXII, cuando el entonces Caballero de la Verde Espada se acercó a la doncella enviada por Grasinda, «el Cavallero del Enano, comoquiera que el lenguaje de la doncella era alemán, entendióla muy bien, porque él siempre procurava aprender los lenguajes por donde andava». La función asignada al maestro Elisabad propicia la contradicción del texto, si bien se actualiza el tema del conocimiento adquirido en el viaje. Véase la nota 6 del capítulo LXXII.

[28] Por primera vez las predicciones no están puestas en boca de un personaje, caso de Urganda, ni han sido previamente aclaradas hasta que Amadís penetra en esta estancia, pues las letras se encuentran en una antigua ermita, lugar profético por excelencia. Para descifrarlas deberá mostrar sus conocimientos, aunque éstos no constituyan ningún aspecto especial de la prueba, pero sí son necesarios para informar a su acompañante y de paso a los lectores-oyentes. Por otro lado, los doscientos años que ha permanecido sin resolver implican una progresión respecto a los cien años de las aventuras de la Ínsola Firme.

Cuando Amadís uvo leído las letras, dixo Grasandor:

—Señor, ¿avéis leído estas letras?

—No —dixo él—, que no entiendo en qué lenguaje son escritas.

Amadís le dixo todo lo que dezían, y le semejava profecía antigua, y que a su pensar no se acabaría por ninguno dellos aquella aventura, comoquiera que bien pensó que él y Oriana, su señora, podrían ser estos dos de quien se avía de engendrar aquel cavallero que la acabasse, mas desto no dixo nada.

Y Grasandor le dixo:

—Si por vos no se acaba, que sois fijo del mejor cavallero del mundo y aquel que en todo su tiempo en mayor alteza ha tenido y sostenido las armas, y de la Reina que, según he sabido, fue una de las más hermosas que en su tiempo uvo, muchos tiempos passarán antes que aya fin. Por esto vamos suso a la peña, y no nos quede cosa alguna por ver y provar; que así como a otros es cosa estrañar acabar una grande aventura, assí lo será y mucho más a [vos] dexar de la acabar. Y si tal acaesciere, veré yo lo que ninguno hasta oy pudo ver en vuestro tiempo.

Amadís se rió mucho y no le respondió ninguna cosa, pero bien vio que su dicho valía poco, porque ni la bondad de su padre en armas ni la hermosura de su madre no igualavan con gran parte a lo dél y de Oriana. Y díxole:

—Agora subamos; y si ser pudiere, lleguemos suso antes que sea noche²⁹.

Entonces salieron de la hermita y començaron a subir con gran afán, que la peña era muy alta y agra³⁰. Y tardaron tanto, que antes que a la cumbre llegassen les tomó la noche, assí que les convino quedar debaxo de una peña, en la cual toda la noche estuvieron fablando en las cosas passadas, y todo lo más en sus amigas y mugeres, que allí tenían sus coraçones, y en las otras señoras que con ellas estavan. Y Amadís le dixo a Grasandor que si la ira y saña de su señora no temiesse, que en baxando de la peña se irían donde estava don Cuadragante y don

---

²⁹ *lleguemos suso antes que sea noche:* lleguemos arriba antes de que sea de noche. «Vieron que ya era noche», *Tristán de Leonís,* 373a.

³⁰ *agra:* abrupta, difícilmente transitable, escarpada. «Para subir arriba de las peñas es una subida muy agra», Gutierre Díez de Games, *El Victorial,* 131, 31.

Bruneo, y Agrajes, y los otros sus amigos, para los ayudar. Grasandor le dixo:

—Assí lo querría yo, pero no conviene que a tal sazón se haga, porque según vos partistes de la Ínsola Firme con tanta presurança[31] y yo con ella os vine a demandar, si acá nos tardamos, gran tristeza y dolor se causaría dello a vuestra amiga, especialmente no sabiendo cómo vos fallé; así que ternía por bien que aquella ida a la ver, primero que a otra parte que escusarse pueda, se compliesse. Y entre tanto sabremos más nuevas de aquellos cavalleros que dezís, y tomaremos el mejor acuerdo; y si menester fuera nuestra ayuda, fagámosla con más compaña que con nos vayan.

—Así se faga —dixo Amadís—, y sea nuestro camino por la ínsola del Infante, y allí tomaremos un barco para uno destos vuestros escuderos en que lleve mi carta a Balán el gigante; por la cual le rogaré que desde su ínsola embíe tal recaudo adonde ellos están, que presto podamos ser avisados de lo que fazen en la Ínsola Firme, donde lo atenderemos.

—Mucho bien será —dixo Grasandor.

Assí estuvieron debaxo de la peña, a las vezes fablando y a las vezes durmiendo, hasta qu'el día vino, que començaron a sobir aquello poco que les quedava. Y cuando fueron en la cumbre, cataron a todas partes y vieron un llano muy grande y muchos edificios de casas derribadas, y en medio del llano estavan unos palacios muy grandes, y gran parte dellos caída. Y luego fueron por los ver, y entraron debaxo de un arco de piedra muy fermoso encima del cual estava un[a] imagen de donzella de piedra, hecha en mucha perfición. Y tenía en la mano diestra una péndola[32] de la misma piedra tomada con la mano, como si quisiesse escrevir; y en la mano siniestra, un rótulo con unas letras en griego que dezían en esta manera:

«La cierta sabiduría es aquella que ante los dioses más que ante los hombres aprovecha, y la otra es vanidad»[33].

---

[31] *presurança:* prisa.

[32] *péndola:* pluma.

[33] Son frecuentes en la mitología y en los rituales las prácticas ascensionales, en muchos de los casos símbolos para alcanzar el cielo, la región de los dioses. Véase Mircea Eliade, *Tratado de historia de las religiones,* t. I, págs. 65 y ss., *El mito del eterno retorno,* Madrid, Alianza Ed., 1972, págs. 20 y ss., y Gilberd Durand,

Amadís leyó las letras y dixo a Grasandor lo que dezían, y assí mesmo le dixo:

—Si los hombres sabios tuviessen conoscimiento de la merced que de Dios resciben en les dar tanta parte de su gracia, que por ellos sean regidos, consejados y governados otros muchos, y quisiessen ocupar su saber en aver cuidado de apartar de su ánima aquellas cosas que apartarla pueden de ir con aquella claridad y limpieza, como en el mundo venir la fizo aquel su muy alto Señor, ¡o cuán bienaventurados serían los tales, y cuán frutuoso[34] y provechoso su saber! Pero siendo al contrario, como generalmente por nuestra mala inclinación y condición nos acaesce, empleamos aquel saber que para nuestra salvación nos fue dado en las cosas que prometiéndonos honras, deleites, provechos mundanales, perescederos deste mundo, nos fazen perder el otro eterno sin fin, assí como lo fizo esta sin ventura donzella que en estas pocas letras tan grandes sentencias y dotrinas muestra. Y tanto su juizio fue dotado y complido de todas las más sotiles artes, y tan poco de su gran saber tuvo conoscimiento ni se supo aprovechar. Pero dexemos aora de hablar más en esto, pues que, errando como los passados, hemos de seguir lo que seguieron; y vamos adelante a ver lo que se nos ofresce.

Así passaron por aquel arco y entraron a un gran corral en que avía unas fuentes de agua, cabe las cuales parescían aver avido grandes edificios que ya estavan derribados, y las casas que alderredor otro tiempo allí fueron no parescía dellas sino tan solamente las paredes de canto que eran quedadas, que las aguas no avían podido gastar. Y assí mesmo fallaron entre aquellos casares[35] cuevas muchas de las serpientes que allí se acogían, y bien cuidaron que no podrían ver lo que buscavan sin alguna grande afrenta. Pero no fue assí, que ninguna dellas ni otra cosa que estorvo les hiziesse pudieron ver[36].

---

*Las estructuras antropológicas de lo imaginario,* Madrid, Gredos, 1981, págs. 117 y ss. Amadís no ha sufrido una prueba idéntica, pero parece significativo que desde una perspectiva religiosa haya aprendido la nota de más alta sabiduría.

[34] *frutuoso:* fructífero. «Es muy frutuoso e provechoso e util», Enrique de Villena, *Trabajos de Hércules,* 52, 3.

[35] *casares:* conjunto de restos de edificios antiguos.

[36] Las serpientes o los dragones —en el fondo un tipo de serpientes—, son

Assí entraron por las casas adelante, embraçados sus escudos, y los yelmos en las cabeças y las espadas desnudas[37] en las manos; y passando aquel cor[r]al, entraron en una gran sala que era de bóveda, que la fortaleza del betún y del canto pudieron defender que en cabo de tantos años se pudiese ver gran parte de su rica labor. En cabo desta sala vieron unas puertas cerradas de piedra tan juntas, que no parescía cosa que dentro estuviesse, y por donde se juntavan estava metida una espada por ellas fasta la empuñadura. Y luego vieron que aquella era la cámara encantada donde estava el tesoro. Mucho miraron el guarnimiento della, mas no pudieron saber de qué fuesse, tan estraño era fecho, especialmente la mançana y la cruz; que lo que el puño cierra semejóles que era de huesso tan claro como el cristal, y tan ardiente y colorado como un fino rubí. Y assí mesmo vieron a la parte diestra de la una puerta siete letras muy bien tajadas, tan coloradas como biva sangre; y en la otra parte estavan otras letras mucho más blancas que la piedra, que eran escritas en latín, que dezían assí:

«En vano se trabajará el cavallero que esta espada de aquí quisiere por valentía ni fuerça que en sí aya, si no es aquel que las letras de la imajen figuradas en la tabla que ante sus pechos tiene señala, y que las siete letras de su pecho encendidas como fuego con éstas juntará. Para éste se ha guardado por aquella que con su gran sabiduría alcançó a saber que en su tiempo ni después muchos años vernía otro que igual le fuesse.»

Cuando Amadís esto vio, y miró mucho las letras coloradas, luego le vino a la memoria ser tales aquéllas como las que su fijo Esplandián tenía en la parte siniestra; y creyó que para él, como mejor que todos y que a él mesmo de bondad passaría, estava aquella aventura guardada[38]. Y dixo contra Grasandor:

---

habituales en la tradición como guardianes del tesoro, como puede comprobarse en el motivo B583 «animal guard treasure», o en el B11.6.3 «dragon guards treasure» del índice de Thompson. Amadís puede afrontar esta aventura sin ningún obstáculo, a diferencia de lo que ocurrirá con su hijo, por lo que se anuncia indirectamente el resultado final. El héroe no podrá obtener ningún tesoro sin superar ninguna prueba peligrosa. Por otra parte, las serpientes son símbolo de regeneración, de renovación, poco adecuadas para representar la situación de Amadís en estos momentos.

[37] *desnudas*: desnudos, Z // desnudas, RS // .

[38] Al fracasar el héroe, se encarece la aventura y se está llamando la atención

—¿Qué os paresce destas letras?

—Parésceme —dixo él— que entiendo bien lo que las blancas dizen, pero las coloradas no las alcanço a leer.

—Ni yo tampoco —dixo Amadís—, ahunque ya a mi parescer en otra parte vi otras[39] semejantes que éstas, y pienso que las vos vistes.

Entonces Grasandor las tornó a mirar más que de ante, y dixo:

—¡Santa María val! Estas son las mismas que vuestro fijo tiene, y a él es otorgada esta aventura. Agora os digo que iréis de aquí sin la acabar, y quexaos de vos mismo, que fezistes otro que más que vos vale.

Amadís le dixo:

—Creed, mi buen amigo, que cuando leímos las letras de la tabla que la imajen de la hermita por donde passamos tiene, pensé[40] esto que me dezís. Y porque me no tengo yo por tan bueno como allí dize que será el que engendrare aquel cavallero, no os lo osé dezir. Y estas letras me fazen creer lo que avéis dicho.

Grasandor le dixo riendo y de buen talante:

—Descindamos de aquí y tornemos a nuestra compaña; que según me paresce[41], por un parejo llevaremos de aquí las honras y la vitoria deste viaje. Y dexemos[42] esto para aquel donzel que comiença a subir donde vos descendís[43].

Assí se salieron entrambos, aviendo plazer el uno con el otro. Y cuando fueron fuera de los grandes palacios, dixo Amadís:

—Miremos si aquella cámara encantada tiene otro lugar al-

---

sobre las excelencias de las *Sergas*, a través del pensamiento del propio personaje que no ha triunfado. Las marcas de nacimiento —las letras rojas— comienzan a cumplir su función de designar al elegido.

[39] *otras:* otros, // otras, RS // .

[40] *pensé:* penso, Z // pense, RS // .

[41] *paresce:* pararesce, Z // parece, R // paresce, S // .

[42] *dexemos:* dixemos, Z // dexemos, RS // .

[43] *descendís:* descendéis. Las palabras de Grasandor señalan metafóricamente el final de la vida heroica de Amadís y el comienzo de la de Esplandián a partir de la dialéctica del ascenso/descenso. Sin embargo, el hijo de Amadís deberá emprender su primera prueba en un lugar elevado, signo de distinción como no ha ocurrido con anterioridad.

guno por donde a ella con algún artificio la pudiessen entrar.

Entonces anduvieron a la redonda[44] de los palacios a la parte donde la cámara estava, y fallaron que era toda de una piedra sin aver en ella junta ninguna[45].

—A buen recaudo —dixo Grasandor— está esta hazienda. Bien será que la dexemos a su dueño, y que en fiuza[46] desta espada que venistes a ganar no dexéis essa vuestra que con tantos sospiros y cuidados y grande afición de vuestro espíritu ganastes.

Esto dezía Grasandor porque la ganó como el más alto y leal enamorado que en su tiempo uvo, que no se pudo aquello alcançar sin que en muchas y fuertes congoxas su ánimo puesto fuesse, como la parte segunda desta victoria lo cuenta.

Entonces se fueron por aquel llano, donde les paresció que avía más población, y fallaron unas alvercas muy grandes cabe unas fuentes, y unos baños derribados, y unas casillas pequeñas muy bien fechas con algunas imágenes de metal y otras de piedra, y ansí otras muchas cosas antiguas.

Pues estando assí como oídes, vieron venir a donde ellos estavan un cavallero armado de todas armas blancas, y su espada en la mano, que subiera por el camino mismo que ellos, que no avía otra subida. Y como a ellos llegó, salvólos[47], y ellos a él, y el cavallero les dixo:

—Cavalleros, ¿sois vosotros de la Ínsola Firme?

—Sí —dixeron ellos—; ¿por qué lo demandáis?

—Porque fallé acá yuso[48] al pie desta peña unos hombres en una barca, que me dixeron que eran acá suso dos cavalleros de

---

44 *redonda:* rodonda, Z // redonda, RS // .

45 Los hombres medievales suelen encarecer los objetos en los que no se aprecia la juntura como en la tienda de Alejandro, «nol divisarié home do era ajuntado» *(Livro de Alexandre,* 2542d), o la casa encantada de Hércules, cuyas piedras «son de tantos colores, que nosotros no cuydamos que dos piedras ende ay de una color, e así sotilmente son juntas unas con otras, que si non los muchos colores dellas, non creeríades sinon que la casa es toda una piedra entera», *Crónica del rey don Rodrigo,* fol. XIX v, etc. Desde esta perspectiva, todavía destaca más el edificio que carece de junturas por la dificultad de su construcción.

46 *fiuza:* fe, garantía.

47 *salvólos:* saludólos.

48 *yuso:* abajo. Aunque la forma está documentada, se puede pensar en este caso en una «a» embebida: acá [a]yuso.

la Ínsola Firme, y no pude dellos saber sus nombres. Y porque yo assí mesmo lo soy, no querría aver con ninguno que de allí fuesse ninguna contienda si de paz no fuesse, que yo vengo en demanda de un mal cavallero y trayo nueva cómo aquí se acogió con una donzella que forçada trae.

Amadís, cuando esto oyó, dixo:

—Cavallero, por cortesía os demando que digáis vuestro nombre, o os quitéis el yelmo.

—Si vosotros —dixo él— me dezís y asseguráis en vuestra fe que sois de la Ínsola Firme, yo os lo diré; de otra manera escusado será preguntármelo.

—Yo os digo —dixo[49] Grasandor— sobre nuestra fe que somos de allí donde os dixeron.

Entonces el cavallero quitó el yelmo de la cabeça y dixo:

—Agora me podréis conoscer si assí es como he dicho.

Como assí lo vieron, conoscieron que era Gandalín. Amadís fue para él lós braços abiertos, y díxole:

—¡O mi buen amigo y hermano! ¡Qué buena ventura ha sido para mí fallarte!

Gandalín estuvo mucho maravillado, que ahún no le conoscía, y Grasandor le dixo:

—Gandalín, Amadís os tiene abraçado.

Cuando[50] él esto oyó, fincó los inojos y tomóle las manos, y besógelas muchas vezes, mas Amadís lo levantó y lo tornó abraçar como aquel a quien de todo coraçón amava. Entonces se quitaron los yelmos Amadís y Grasandor, y preguntáronle qué ventura lo traxiera allí. Él les dixo:

—Buenos señores, esso mismo os podría yo preguntar, según donde os dexé y el lugar en que agora os fallo tan apartado y esquivo, pero quiero responder a lo que me preguntáis. Sabed que estando yo con Agrajes y con los otros cavalleros[51] que con él están en aquellas conquistas que sabéis después de aver vencido una gran batalla en que mucha gente padesció, que con un sobrino del rey Arávigo ovimos, y los encerramos en la gran ciudad de Aravia, un día entró por la tienda de

---

[49] *dixo:* digo, Z // dixo, RS // .
[50] *Cuando:* Qnando, Z // Quando, R // Quado, S // .
[51] *cavalleros:* cavallerds, Z // cavalleros, RS // .

Agrajes una dueña del reino de Nuruega, cubierta toda de negro, que se echó a los pies de Agrajes demandándole muy afincadamente que la quisiesse socorrer en una gran tribulación en que estava. Agrajes la fizo levantar y la sentó cabe sí, y demandóla que le dixiese qué cuita era la suya, que él le daría remedio si con justa causa fazerse pudiese. La dueña le dixo: «Señor Agrajes, yo soy del reino de Nuruega, donde es mi señora Olinda, vuestra muger. Y por ser yo su natural y vasalla[52] del Rey su padre, vengo a vos por el deudo y amor que aquellos señores tenéis a os demandar ayuda de algún cavallero bueno que me haga tornar una donzella mi fija, que por fuerça me tomó un mal cavallero, señor de la gran Torre de la Ribera, porque gela no quise dar por muger, que él no es del linaje ni sangre que mi fija; ante es de poca[53] suerte, sino que alçançó a ser señor de aquella torre con que sojuzga mucha de aquella parte donde bive, y mi marido fue primo cormano de don Grumedán, el amo de la reina Brisena de la Gran Bretaña; y nunca por cosas que he fecho me la ha querido tornar. Y dize que si por fuerça de armas no, que de otra manera no la espere ver en mi compañía.» Agrajes le dixo: «Dueña, ¿cómo el Rey vuestro señor no os faze justicia?». «Señor» —dixo ella—, «el Rey es ya muy viejo y doliente, de forma que ni a sí ni a otro puede governar.» «¿Pues es lexos de aquí» —dixo Agrajes— «donde ese cavallero está?». «No» —dixo ella—, «que en un día y una noche con buen tiempo pueden llegar allá por la mar.» Como yo esto vi, rogué mucho a Agrajes que me diesse licencia para ir con la dueña, que si Dios me diesse vitoria, luego me bolvería con él. Agrajes me la dio, y mandóme que en otra aventura no me entremetiesse salvo en ésta. Yo assí gelo prometí. Entonces tomé mis armas y mi cavallo, y metíme con la dueña en una nave en que allí avía venido, y andovimos todo lo que de aquel día quedó y la noche. Y otro día a mediodía salimos en tierra, y la dueña salió comigo, y me guió a la parte donde era la torre del cavallero. Y como a ella llegamos, yo llamé a la puerta, y respondióme un hombre de una finiestra diziendo qué demandava. Yo le dixe[54] que dixesse al cava-

[52] *vasalla:* vasallo, Z // vasalla, RS // .
[53] *poca:* poco, Z // poca, RS // .
[54] *dixe:* dixo, Z // dixe, RS // .

llero señor de aquella torre que diesse luego una donzella que avía tomado aquella dueña que comigo traía, o diesse razón por qué la podía y devía tener; y si lo no fiziesse, que fuesse cierto que no saldría persona de aquella torre que no matasse o prendiesse. El hombre me respondió y dixo: «Por lo que tú puedes fazer muy poco daremos acá; pero espera, que aína avrás lo que pides. Entonces me aparté de la torre y dende a una pieça[55] abrieron las puertas, y salió un cavallero asaz grande, armado de unas armas jaldes y en un gran cavallo, y díxome: «Cavallero amenazador, con poco seso que traes, ¿qué es lo que demandas?». Yo le dixe: «No te amenazo ni desafío hasta saber la razón que tienes para tener por fuerça una donzella, fija desta dueña, que me dize que le tomaste.» «Pues ahunque la dueña diga verdad» —dixo él—, «¿qué puedes tú fazer sobre ello?». «Tomar de ti la emienda» —dixe[56] yo— «si la voluntad[57] de Dios fuere.» El cavallero dixo: «Pues por esta punta de la lança te la quiero dar.» Y vínose luego de rondón para mí, y yo para él. Y tovimos nuestra batalla, que duró gran pieça del día, mas a la fin, como yo demandava la verdad y aquél defendía lo contrario, quiso Dios darme la vitoria, de manera que le tenía tendido a mis pies para le cortar la cabeça. Y él me pidió merced que le no matasse, y que faría en todo mi voluntad. Y yo le mandé que diesse la donzella a su madre y que jurasse de nunca tomar muger ninguna contra su voluntad, y él assí lo otorgó. Pues esto así fecho, soltéle, y demandóme licencia para entrar en la torre, y que él mismo me traería la donzella. Yo tomé dél fiança y dexéle ir; y dende a poco que en la torre entró, salió por otra puerta que escontra[58] la mar tenía, y metióse en un batel con la donzella así armado como estava, y díxome: «Cavallero, no te maravilles si te no mantengo verdad, que gran fuerça de amor me lo causa fazer, que sin esta donzella no biviría sola una hora. Y pues que a mí mismo no me puedo sojuzgar ni governar[59], no me pongas culpa, yo te

---

[55] *dende a una pieça:* al cabo de un rato.
[56] *dixe:* dixo, Z // dixe, RS // .
[57] *voluntad:* voluntad, Z // voluntad, RS // .
[58] *escontra:* hacia, contra. «Alçóle las piernas en el ayre, la cabeça escontra la tierra», A. Martínez de Toledo, *Corbacho*, 266.
[59] *governar:* govervar, Z // governar, RS // .

ruego, de cosa que en mí veas. Y porque pierdas esperança de la nunca aver, ni su madre tampoco, véisme cómo con ella me voy por esta mar a tal parte donde gran tiempo passe que ninguno de mí ni della sepa.» Y como esto dixo, con un remo que en sus manos llevava partió de la ribera a más andar y fuese por la mar adelante, y la donzella llorando con él muy dolorosamente. Cuando yo esto vi, uve tan gran dolor y pesar, que quisiera más la muerte que la vida, porque la dueña que allí me traxo rompió sus tocas y vestiduras delante de mí haziendo el mayor duelo del mundo, que era muy gran dolor de la ver, diziendo que mayor mal avía de mí recebido que del cavallero; porque estando en aquel[la] torre su fija, siempre tenía esperança de la cobrar, la cual agora del todo cessava, pues que la vía[60] ir a parte donde nunca sus ojos la podrían ver, de lo cual avía yo sido causa; que comoquiera que supe vencer al cavallero, no fue mi discreción bastante para dar dél el derecho que ella esperava; y que no solamente no me gradescía lo que por ella avía fecho, mas que a todo el mundo se quexaría de mí. Yo la consolé lo más que pude y le dixe: «Dueña, yo me tengo por muy culpado, pues que no supe dar cabo en esto para que me traxistes[61]; que deviera pensar que cavallero que con tanta deslealtad tenía por fuerça vuestra hija, que assí en todas las otras cosas fuera de poca virtud. Pero, pues que assí es, yo os prometo que nunca fuelgue ni aya descanso hasta que por la mar o por la tierra lo falle y os traya la donzella, o muera en esta demanda. Solamente os ruego, pues quedáis en vuestra tierra, me socorráis con la barca en que venimos y con uno de vuestros hombres que la guíe.» La dueña, algo con esto consolada, dixo que la tomasse; y mandó a un hombre de los suyos que comigo fuesse, y mirasse bien lo que le prometía y lo que faría en ello[62]. Con esto me despedí della y torné por el camino que allí avía venido. Y cuando a la barca llegué, era ya noche cerrada, assí que uve de esperar a la mañana; la cual venida, tomé[63] la vía que el cavallero con la donzella vi llevar. Y anduve aquel día todo sin dél saber nuevas algunas, y assí he

[60] *vía:* veía.
[61] *traxistes:* travistes, Z // traxistes, RS // .
[62] *faría en ello:* fazia en ella, Z // faria en ello, RS // .
[63] *tomé:* tomo, Z // tome, RS // .

andado otros cinco días navegando a todas partes donde la ventura me llevava. Y esta mañana fallé unos hombres que andavan pescando, y dixéronme que avían visto venir un cavallero, en un batel, armado y que traía consigo una donzella, y que llevavan la vía desta peña que se llama de la Donzella Encantadora. Como esta nueva supe, mandé al hombre que me guiava que aquí me traxesse; y cuando fue al pie de la peña, hallé vuestra compaña y un barco vazío desviado dellos, y preguntéles por nuevas del cavallero y de la donzella. Dixéronme que lo no avían visto, sino solamente aquel batel vazío que allí estava; y por esta causa sobí acá en cima, que creo sin duda que aquí se acogió este desleal cavallero, y también por provar una aventura que aquellos pescadores me dixeron que en esta peña avía de una cámara encantada, si la pudiesse acabar; y si no, que supiesse dezir nuevas della a los que della no saben.

Grasandor le dixo riendo:

—Mi buen amigo Gandalín, en lo del cavallero y de la donzella se ponga remedio, que en esto que dezís desta aventura quedará para más espacio, que no es tan ligero de acabar.

Entonces le contaron todo lo que les acontesciera, de lo cual Ga[n]dalín fue mucho maravillado. Amadís le dixo:

—Nosotros emos andado gran parte deste llano y destas casas, pero no emos visto persona alguna. Mas, pues assí es, busquémoslo todo porque satisfagas tu voluntad.

Y luego todos tres començaron a buscar todas aquellas casas derribadas, y fallaron a poco rato dentro en un baño al cavallero con la donzella; el cual, como los vio, salió luego fuera trayéndola por la mano, y dixo:

—Señores cavalleros, ¿a quién buscáis?

—A vos, don mal hombre —dixo Gandalín—, que ya no os podrán prestar vuestros engaños ni mentiras que me no paguéis la burla que me fezistes y el trabajo que tomé[64] en vos fallar.

El cavallero le conosció luego en las armas blancas[65] que aquél era el que lo tenía vencido, y díxole:

—Cavallero, ya te dixe que el gran amor que a esta donzella

---

[64] tomé: tomo, Z // tome, RS //.

[65] Gandalín todavía utiliza las armas blancas de caballero novel, por lo que podrá ser reconocido por su adversario.

tengo me haze que no sea señor de mí. Y si tú o alguno dessos cavalleros sabe qué cosa es amor verdadero, no me culpará de cosa que faga. Tú haz de mí lo que la voluntad te diere, en tal que, si la muerte no, otra cosa no me parta desta muger.

Amadís, cuando esto le oyó dezir, bien conosció por su coraçón, y por los grandes amores que siempre tuviera a su señora, que el cavallero era sin culpa, pues que su poder no bastava para se más forçar, y dixo:

—Cavallero, comoquiera que esso que dezís algo escuse vuestra gran culpa, ni por esso este que os demanda deve dexar de dar derecho de vos a la madre dessa donzella; que si assí no lo fiziesse, con mucha razón sería culpado ante los hombres buenos.

El cavallero le dixo:

—Buen señor, así lo conozco yo; y si a él le pluguiere, yo me pongo en su poder para que me lleve a la dueña que dezís, a cuya recuesta se combatió comigo, que de mí haga su voluntad. Y me sea ayudador, pues que la hija está de mí contenta, que lo esté la madre y me la dé por muger.

Amadís preguntó a la donzella si dezía verdad el cavallero. Ella respondió que sí, que, ahunque fasta allí avía estado en su poder contra toda su voluntad, que, viendo el gran amor que la tenía y a lo que por ella se avía puesto, que ya era otorgado su coraçón de lo querer y amar, y le tomar por marido. Amadís dixo a Gandalín:

—Llévalos entrambos y mételos en mano de aquella dueña; y en lo que pudieres, adereça cómo la aya por muger, pues que a ella le plaze.

Con esto se descendieron todos de la peña abaxo, y durmieron aquella noche en la hermita de la imagen de metal, y allí cenaron de lo que el cavallero y la donzella para sí tenían. Otro día se baxaron donde sus barcas tenían, y Gandalín se despidió dellos y se fue con el cavallero y con la donzella. Pero antes hablaron Amadís y Grasandor con él, y le dixeron que les encomendasse mucho a Agrajes y aquellos sus amigos, y que si necessidad de gente tuviessen, que se lo fiziessen saber en la Ínsola Firme, que ellos irían o se la[66] embiarían luego.

---

[66] *se la:* se lo, ZS // se la, R // .

Assí se partieron unos de otros, y Gandalín, llegado a la casa de la dueña, puso en su mano al cavallero y a su hija; y assí como aquella donzella con el amor que aquel cavallero le mostró fue su propósito mudado como las mugeres acostumbran fazer[67], assí la madre, por ventura siendo de la mesma naturaleza que su fija, mudó el suyo con lo que le Gandalín dixo, y otros algunos que en ello adereçar quisieron, de manera que a plazer y contentamiento de todos fueron casados en uno[68].

Esto fecho, Gandalín se tornó donde Agrajes estava, que mucho con él le plugo por las nuevas que de Amadís le dixo; y falló que todos estavan muy alegres por las buenas venturas que en aquel cerco les avía venido, porque después que a sus enemigos encerraron en aquella ciudad, como ya oístes, avían avido grandes peleas en que los más y mejores cavalleros que dentro estavan eran muertos y tollidos; y también con la venida de don Galaor y de don Galvanes, que como dexaron en la Profunda Ínsola por rey a Dragonís, sin ningún entrevallo[69] muy prestamente entraron en su flota y fuéronles a ayudar; que assí como acaesce que los dolientes, cuando de gran dolencia se levantan y van cobrando salud, nunca piensan sino en las cosas más conformes a su querer y voluntad, y con aquello creen desechar del todo lo que del mal les queda, así este Rey de Sobradisa, don Galaor, viéndose escapado de aquella gran dolencia, en que muchas vezes al punto de la muerte llegado se vio, no pensava él de dar contentamiento a su voluntad ni reformar su salud sino con aquellas cosas que su bravo y fuerte

---

[67] Según fray Martín de Córdoba, *Jardín de las nobles doncellas,* págs. 91-92, «la tercera no buena condición [de las mujeres] es que son movibles e inconstantes, lo qual, por ventura, les viene de la feble complexión, ca por quanto el ánima sigue la complexión del cuerpo, así como las mugeres tienen el cuerpo muelle e tierno, así sus voluntades e deseos son variables e no constantes».

[68] La aventura de Gandalín se ha desarrollado de forma inversa a la de la mujer que da nombre a la Peña, puesto que si la Doncella Encantadora intentó por la fuerza de la magia retener al enamorado, el caballero rapta a la mujer por la fuerza del amor, si bien todo acabará felizmente. Por otra parte, me parece significativo que tanto en la guerra como en estas aventuras individuales se llegue a unos compromisos más producto de la conveniencia y el pacto, que de la imposición por la fuerza.

[69] *entrevallo:* dificultad, obstáculo. En R y S, entrevalo.

coraçón le demandava[70]; que en esto era todo su vicio y gran plazer, como aquel que desde el día que su hermano Amadís le armó cavallero delante del castillo de la Calçada, siendo presente Urganda la Desconoscida, nunca de su memoria se apartó de querer saber todo lo que a la orden de cavallería tocava, y lo poner en obra, como en todas las partes que esta gran istoria dél faze mención lo cuenta, no mirando agora en se ver rey poderoso con aquella tan fermosa reina Briolanja; y que según las proezas que por él passado avían, con mucha causa y razón pudiera por gran espacio de tiempo reposar y dar folgança a su spíritu. Mas considerando que la honra no tiene cabo y que es tan delicada que con muy poco olvido se puede escurescer, en especial a los que en la cumbre della la fortuna les ha puesto, dexándolo todo aparte quiso este esforçado Rey tomar la empresa de ayudar a Dragonís, su cormano, como ya oístes, y no ser contento con el cabo de aquella afruenta ni trabajo, sino luego se ir a la mayor priessa que pudo ayudar aquellos cavalleros sus grandes amigos[71].

¡O cómo devrían esto considerar aquellos que en este mundo fueron nascidos para seguir el auto de la cavallería, y cómo devrían pensar que, ahunque algún tiempo de su honra den buena cuenta, que dexando aquella gran obligación que sobre sí tienen olvidar, no solamente las armas se toman de orín[72], mas la fama dellos tan cubierta, que por muchos tiempos no lo puede[73] de sí desechar!; que assí como los oficiales de cualquier oficio tratándolo con diligencia son según sus estados en honra sin necessidad puestos, y olvidándolo con floxura y poco[74] cuidado pierden lo ganado, viniendo en pobreza y miseria, assí los cavalleros por el semejante, perdiendo el cuidado de lo[75]

---

[70] *le demandava:* le demandavan, ZS // se demandava, S //.

[71] Se aprovecha la circunstancia del viaje de un personaje para cambiar de perspectiva y contarnos los sucesos de los amigos de Amadís. De nuevo se evita la utilización del entrelazamiento, sin por ello dejar de contar aventuras sucedidas en otros espacios, pero intentándolas unir con la historia principal de Amadís.

[72] *se toman de orín:* se cubren de orín, síntoma de su inactividad.

[73] *puede:* puede, ZRS // pueden, Place // .

[74] *poco:* poca, Z // poco, RS // .

[75] *de lo:* de la, Z // de lo, RS // .

que fazer deven, sus honras, sus famas y virtudes de gran mengua y miseria son combatidas y derribadas.

Y este noble rey don Galaor por no caer en este yerro, teniendo siempre al rey Perión su padre delante y a sus hermanos, que eran los que avéis oído, en la ora que fue lo de la Profunda Ínsola despachado se partió, como se os ha dicho, con
don Galvanes ayudarle[76] a que lo otro de ganar se acabasse. Y
su venida puso tan esfuerço a los de su parte y a los contrarios
tal espanto, que desde el día que allí llegaron nunca más tuvieron osadía de salir de los muros afuera, de forma que en poco
espacio de tiempo todo aquel reino esperavan ganar.

Mas agora los dexaremos en sus reales acordando de combatir a sus enemigos, que a ellos salir no osavan, y contarvos
ha la istoria de Amadís y Grasandor, que de Gandalín se partieron de la peña de la Donzella Encantadora, y se ivan a la Ínsola Firme. La istoria dize que después que Amadís y Grasandor se partieron de Gandalín al pie de la peña de la Donzella
Encantadora, que navegaron tanto por la mar, que sin contraste[77] ni estorvo alguno llegaron al gran puerto de la Ínsola
Firme una mañana; y saliendo de la barca, cavalgaron en sus
cavallos assí armados como ivan. Y antes que al castillo subiessen, entraron a fazer oración en el monesterio que al pie
de la peña estava, que Amadís mandó fazer a la sazón que de la
Peña Pobre salió, assí como lo avía prometido delante de la
imagen de la Virgen María que en la hermita estava entonces.
Y llegando a la puerta, fallaron allí una dueña vestida de paños
negros[78], y dos escuderos con ella, y sus palafrenes cerca de sí.
Ellos la salvaron, y ella assí mesmo salvó a ellos. Y en tanto
que Amadís y Grasandor estuvieron de inojos ante el altar, la
dueña supo de algunos del monesterio cómo aquél era Amadís,
y atendiólo a la puerta de la iglesia. Y como lo vio venir, fue
contra él llorando, y fincó los inojos en tierra y díxole:

---

[76] *ayudarle:* a ayudarle, con «a» embedida.

[77] *contraste:* oposición. 1.ª doc. según el DCECH, en Al. Palencia. Cfr.: «E
ganóla toda [...] que no falló contraste ninguno», *Gran Conquista de Ultramar,* I, 6.

[78] Como he señalado en otras ocasiones, la aparición de una mujer vestida de
paños negros es inicio de aventura solicitada y reparada por algún caballero andante.

—Mi señor Amadís, ¿no sois vos aquel cavallero que a los atribulados y mezquinos socorre, en especial a las dueñas y donzellas? Ciertamente, si assí no fuesse, no sería vuestra gran fama por todas partes del mundo con tanta prez divulgada. Pues yo, como una de las más tristes y sin ventura, os demando misericordia y piedad.

Entonces le travó por la falda de la loriga[79] con las manos ambas tan fuerte, que solo un passo no lo dexava andar. Amadís la quiso[80] levantar, mas no pudo, y díxole:

—Buena amiga, dezidme quién sois y para qué queréis mi acorro, que según la gran tristeza vuestra, ahunque a todas las otras dueñas fallesciesse, por vos sola pornía mi persona a todo peligro y afruenta que me venir pudiesse.

La dueña le dixo:

—Quién yo soy no lo sabréis fasta tanto que de vos tenga certidumbre que faréis mi ruego; pero lo que yo demando es que seyendo casada con un cavallero que mucho amo, su gran desventura y mía lo ha traído estar en prisión del mayor enemigo que en este mundo él tiene, y della no puede salir ni me puede ser restituido si por vuestra persona no. Y creed que estas mis rodillas nunca deste suelo serán levantadas, ni quitadas mis manos desta loriga, si con gran desmesura y descortesía no me las fazéis quitar, fasta que por vos me sea otorgado esto que demando.

Cuando Amadís assí la vio estar y oyó lo que le dezía, no sabía qué le responder, que avía miedo de cativar[81] su palabra en cosa que después a gran vergüença se le tornasse; pero como tan fieramente la vio llorar, y travada tan rezio de su loriga y las rodillas en tierra, fue a tan gran piedad movido, que[82], olvidando de sacar la fiança de la socorrer con justa causa, le dixo:

—Dueña, dezidme quién sois, y yo os prometo de sacar vuestro marido donde preso está y os le dar si por mí acabarse puede.

---

[79] *loriga:* lorigo, Z // loriga, RS // .
[80] *la quiso:* lo quiso, Z // la quiso, RS // .
[81] *cativar:* dejar comprometida.
[82] *movido que:* movido y, Z // movido que, RS // .

Entonces la dueña lo travó de las manos y a fuerça gelas besó, y dixo contra Grasandor:

—Señor cavallero, mirad lo que Amadís me promete. —Y luego dixo—: Sabed, mi señor Amadís, que yo soy muger de Arcaláus el Encantador, el cual vos tenéis preso. Demándoosle que me lo deis y me lo pongáis en tal parte, que no tema de le perder esta vez; que vos sois el mayor enemigo que él tiene, y como a enemigo mortal para lo fazer amigo, si puedo, le demando[83].

Cuando Amadís esto oyó, fue muy turbado en se ver engañado de aquella dueña con tal arte[84]; y si camino honesto fallara para lo no complir, de grado lo fiziera, temiendo más el peligro y el daño que de aquel mal cavallero podría redundar a muchos que gelo no merescían, que a lo que dél le podría venir. Pero veyendo la gran causa que aquella dueña tuvo y que con ninguna razón, seyendo tan obligada a la salvación de su marido, la podían culpar, y, sobre todo, querer que su palabra y verdad por ninguna guisa por dudosa se juzgasse, acordó de fazer lo que le pedía, y díxole:

—Dueña, mucho me avéis pedido, que podéis ser bien cierta que por mayor afruenta tengo el doblar mi voluntad a que en lo que me demandáis consienta, que en esforçar mi coraçón para sacar vuestro marido por fuerça de armas de dondequiera que él estuviesse, por peligro que en ello se aventurasse. Y bien puedo dezir que desde la hora que cavallero fue[85], nunca servicio ni socorro que a dueña ni donzella fiziesse fue contra mi voluntad, si éste no.

Entonces cavalgaron él y Grasandor en sus cavallos, y Amadís dixo a la dueña que en pos dellos se fuesse, y subiéronse al castillo.

---

[83] La mujer de Arcaláus ha solicitado un «don contraignant», concedido por Amadís, y por tanto obligado a cumplirlo a su pesar. La liberación del Encantador está en función de las *Sergas,* quedando el principal enemigo de Amadís libre. Por otra parte, en las leyes dictadas por los consejeros del *Baldus,* la 12.ª consiste en «cómo no deven prometer tan presto dones ni cumplirlos como los antiguos», ap. Alberto Blecua, «Libros de caballerías, latín macarrónico...», art. cit., pág. 236.

[84] *arte:* ardid, engaño, treta. «Ensayó de matar al rrey Glodoveo de França por arte si pudiera», Pedro de Escavias, *Repertorio de Príncipes,* 65.

[85] *fue:* fui.

Cuando Oriana y Mabilia supieron su venida, el gran plazer y gozo que dello ovieron no se puede dezir. Y luego ellas y todas aquellas señoras que allí estavan los salieron a recebir a la entrada de la huerta donde ellas posavan. Los autos y cortesías con que Amadís y su señora se recibieron será escusado de dezirlo, porque, comoquiera que hasta aquí como de enamorados se fazía dellos mención, agora ya como de casados se deven poner en olvido, ahunque con aquel verdadero amor que siempre fue passen[86].

Olinda la Mesurada y Grasinda abraçaron a Amadís y a Grasandor, y juntos todos se acogieron a sus aposentamientos, que en la gran torre que ya oístes tenían, que en aquella huerta estava donde folgaron con mucho plazer como aquellos que de todo su coraçón se amavan.

Amadís mandó aposentar la dueña, y le diessen todo lo que oviesse menester. Y otro día de mañana oyeron todos missa con Grasinda en su aposentamiento; y luego que fue dicha, la mujer de Arcaláus demandó a Amadís que cumpliesse su promessa. Él le dixo que lo tenía por bien. Estonces fueron todos juntos como allí estavan al alcáçar donde Arcaláus preso estava en la jaula de fierro[87]; que desque Amadís habló con él en la villa de Lubaina cuando lo prendieron, nunca más lo quiso ver, ni aquellas señoras le havían visto, porque si cuando salieron a recebir al rey Lisuarte no, y el día de las bodas, nunca de aquella huerta havían salido.

Y como llegaron, falláronle vestido de una aljuba forrada en peña[88] de unas animalias que en aquella ínsola se tomavan,

---

[86] Después de la celebración del matrimonio, el amor sigue persistiendo en la pareja, pero carece de interés narrativo por lo que se silencia, dejando clara la estructura narrativa de la obra. El amor sólo interesa en cuanto motor de un objetivo caballeresco, pero una vez conseguido carece de interés para Montalvo.

[87] *jaula de fierro:* jaula de hierro. «Fízolo poner en Portillo en fierros en una jaula de madera», Fernán Pérez de Guzmán, *Generaciones y semblanzas,* pág. 43. Don Quijote, I, XLVI, también será recluido en «una como jaula».

[88] *aljuba forrada en peña:* especie de gabán con mangas cortas y estrechas, con faldas de poco vuelo, forradas de piel. Como señala Carmen Bernis Madrazo, *Indumentaria medieval española,* pág. 39, «la *aljuba,* que había sido durante siglos el nombre general de la túnica de encima, apenas se encuentra en los textos del siglo XV referida al traje masculino. Sabemos, sin embargo, que los cristianos usaron *aljubas moriscas* y que éstas eran siempre prendas vistosas».

que era muy preciada, que don Gandales, su amo de Amadís, le hiziera dar por ser invierno, y leyendo en un libro que le embió de muy buenos enxemplos y dotrinas contra las adversidades de la fortuna[89]. Y tenía la barva muy luenga y cana; y como era muy grande de cuerpo y feo de rostro, y siempre lo tenía muy sañudo, y en aquella sazón cuando lo vio venir contra sí, mucho más, aquellas señoras fueron muy espantadas de lo ver, y especialmente Oriana, que le vino a la memoria de cuando por fuerça la levava y la quitó de sus manos Amadís a él y otros cuatro cavalleros como lo cuenta el primero libro desta historia. Y cuando llegaron, él dexó de leer y levantóse en pie, y vio a su muger mas no dixo nada. Amadís le dixo:

—Arcaláus, ¿conoçes esta dueña?

—Sí conozco —dixo él.

—¿Has avido plazer con su venida?

—Si es por mi bien —dixo él—, tú lo puedes juzgar; pero si otro fruto no trae más del que pareçe, es al contrario; que como yo esté en mi voluntad determinado de sufrir todo el mal que venirme puede, y ya a mi coraçón tenga a ello sojuzgado, si no fuesse que su vista me pusiesse esperança de algún descanso, es causa para mí de mayor dolor.

Amadís le dixo:

—Si con su venida eres libre desta prisión, ¿gradeçérmelo has y conoçerlo has[90] para delante?

—Si de tu propia voluntad —dixo él— embiaste por ella para fazer lo que dizes, siempre lo terné en mucho. Mas si ella se vino sin tu plazer ni sabiduría y si algo le has prometido, no te puedo yo dar gracias, porque las buenas obras que más costriniendo la[91] necessidad que charidad se hazen no son dinas de mucho mérito[92]. Y por esso te ruego mucho que me digas,

---

[89] El antiguo guerrero y Encantador se ha convertido en un auténtico letrado, lector de libros adecuados para su situación, de moda especialmente en el siglo xv. Véase Juan de Dios Mendoza Negrillo, *Fortuna y providencia en la literatura castellana del siglo XV*, Madrid, Anejos del BRAE, XXVII, 1973. Este cambio es perceptible en la presencia de Elisabad, en el cambio sufrido por Amadís y el más llamativo de todos corresponde a Arcaláus.

[90] *conoçerlo has:* lo reconocerás, agradecerás.

[91] *la:* las, Z // la, RS // .

[92] Arcaláus pronuncia una frase de carácter sentencioso, complementaria de la anotada en el capítulo CXX, nota 9. Aunque se adecúa al contexto narrativo,

si por bien lo tuvieres, qué causa le movió a ella y a ti con estas dueñas de me venir a ver.

Amadís le dixo:

—Yo te diré verdad de todo como ha passado, y mucho te ruego que assí me la digas en tu respuesta.

Estonces le contó cómo su muger por engaño le havía demandado un don, y cómo le havía pedido que le soltasse, y todo lo otro que él le respondió, que no faltó ninguna cosa. Arcaláus le dixo a Amadís:

—Comoquiera que de mi hazienda avenga, yo te diré la verdad enteramente de lo que en la voluntad tengo, pues que la desseas saber. Si, cuando en Lubaina te pedí piedad y misericordia, la ovieras de mí restituyéndome en mi libre poder, cree verdaderamente que todo el tiempo de mi vida te fuera obligado y siempre hallaras en mí obras de verdadero amigo. Mas tú haziéndolo agora no lo desseando ni lo pudiendo escusar, assí como con enemiga[93] me hazes esta buena obra, assí con ella yo la recibo para la tener en aquel grado que mereçe; que ahun tú me ternías en poco y de muy flaco coraçón si, por lo que te devo querer mal, te diesse gracias.

—Gran plazer he avido —dixo Amadís— de lo que has dicho, y dizes verdad, que por te sacar de aquí no me deves ser en cargo ninguno[94], que, ciertamente, determinado estava de tenerte mucho tiempo, creyendo que más convenible cosa era darte la pena que mereçías, que no que tú la diesses a muchos que la no mereçieron. Pero por la promessa que a esta tu dueña fize, yo te mandaré sacar dessa prisión y ponerte en salvo[95]. Una cosa te ruego, que, ahunque a mí tu voluntad ni obra no perdone y me trates con aquella enemiga que siempre en los tiempos passados me tuviste, que perdones a los otros que te nunca mal hizieron. Y esto fazlo por aquel Señor que, cuando

---

resulta paradójico que el Encantador pronuncie una frase de este tipo, signo evidente de que para el autor son más importantes las situaciones y las palabras que los personajes.

[93] *con enemiga:* con enemistad, odio. «Les paresció levantarse con cruel enemiga contra este Dios de Cupido», Juan de Flores, *Triunfo de amor,* 75, 11.

[94] *ser en cargo:* tener ninguna deuda de gratitud, agradecer nada. «Te yo soy en gran cargo», Juan de Flores, *Triunfo de amor,* 97, 33.

[95] *ponerte en salvo:* salvarte.

más sin esperança stavas de tu deliberación y yo de te la otorgar, tuvo por bien de poner remedio a tus males, que assí lo faze con su sobrada misericordia con los malos después de los aver tentado, porque con semejantes açotes y fatigas pongan fin a las obras que co[n]tra su servicio son. Y cuando han este conoçimiento, dales en este mundo buena postrimería y en el otro bienaventurado plazer que es sin fin; y si al contrario lo hazen, al contrario gelo da exsecutando la justicia con la pena que mereçen, sin les quedar esperança alguna ni remedio a sus ánimas después que destos desaventurados cuerpos son salidas.

Arcaláus le dixo:

—En lo que a ti toca conoçido está que por ninguna manera te podría querer bien, ni te dexaré de fazer el mal que pudiere. En los otros que dizes no sé lo que haré, porque, según mi costumbre tan envejeçida y con ella haya hecho tantos males, poca esperança me queda en aquel Señor que dizes que me dará su gracia sin gelo mereçer; porque sin ella no podría mi condición resistir ni contrastar una cosa tan dura y tan fuera de su querer. Y puesto que bastasse, no lo haría por tu consejo porque comigo no ganasses la gloria que con todos los otros has ganado[96]. Y si alguna merced de Dios he recebido, no es otra salvo no te dar gracia ni te poner en el coraçón; que cuando yo con tanta humildad te lo demandé me soltasses, antes quiso que fuesse a pesar tuyo, y tanto contra tu voluntad, que no quedasse cosa alguna en que en cargo te pudiesse ser.

Mucho fueron espantadas aquellas señoras de oír lo que Arcaláus le dixo, y mucho rogaron a Amadís que lo no soltasse, porque más erraría contra Dios en dar causa que aquel mal hombre estando libre libremente pudiesse exsecutar sus malos desseos, que teniéndolo preso su promessa faltasse.

Amadís les dixo:

—Mis señoras, assí como muchas vezes acaeçe que con las grandes adversidades las personas son corregidas y emendadas, teniendo los ánimos muy fuertes y firmes en la sperança y misericordia de Dios, assí los que desto careçen aquellas mismas son causa de su desesperación, por donde sin ningún remedio son dañados. Y assí podría acaeçer a este Arcaláus si

---

[96] *ganado:* ganago, Z // ganado, RS // .

más aquí lo tuviesse, conoçiendo que en él no cabe de ser emendado ni corregido por esta vía. Yo guardaré mi palabra y verdad, y lo ál déxolo aquel Señor que en un momento le puede traer a su santo servicio, como a otros muchos más pecadores lo ha hecho.

Con esto se partieron de su fabla, y la dueña por mandado de Amadís fue metida en la jaula de hierro con su marido porque le hiziesse compañía aquella noche; y él con aquella señoras se tornó a la torre de la huerta. Y otro día de mañana mandó Amadís llamar a Isanjo, governador de la ínsola, y rogóle que sacasse a Arcaláus y a su muger de la prisión y le diesse un cavallo y armas, y mandasse a sus hijos que con diez cavalleros le pusiessen en salvo donde él fuesse contento y su muger satisfecha de lo que havía demandado; lo cual assí se hizo, que los hijos de Isanjo fueron con él fasta el su castillo de Valderín, que le dexaron. Y queriéndose despedir, díxoles Arcaláus:

—Cavalleros, dezid a Amadís que a las bestias bravas y a las animalias brutas suelen poner en las jaulas, que no a los tales cavalleros como yo; que se guarde bien de mí, que yo espero presto vengarme dél, ahunque tenga en su ayuda aquella mala puta, Urganda la Desconoçida[97].

Ellos le dixeron:

—Por este camino presto tornaréis a donde salistes.

Y con esto se tornaron.

Puédese creer aquí que como esta dueña, mujer deste Arcaláus, fuesse muy piadosa y temerosa de Dios, y de todas las cosas de muertes y cruezas que su marido fazía havía ella gran pesar y dolor en su coraçón, escusando dellas todas las que podía, que por sus méritos alcançó esta gracia de sacar a su marido de donde todos los del mundo no lo pudieran hazer[98]. Assí

---

[97] Es la única palabra que podríamos considerar de estilo ínfimo utilizada en la obra, puesta en boca del enemigo. Podríamos aplicar las palabras de Ph. Ménard para la «novela» francesa. «L'emploi de putain est... révélateur. L'épithète ignominieuse ne se rencontre guère que dans la bouche des personages antipathiques», *Le rire...*, ob. cit., pág. 697.

[98] La estructura narrativa del «don contraignant», solicitado por alguien y otorgado en contra de los intereses del donante, constituye uno de los esquemas reiterados en los relatos artúricos y en nuestra obra. Sin embargo, en esta ocasión, el autor se ve obligado a aclarar los comportamientos, de manera que los procedimientos folclóricos, inexplicables e inexplicados, de acuerdo con los sis-

que la buena dueña y devota muger deve ser muy preciada y en mucho tenida, porque por ella muchas vezes Nuestro Señor permite que la hazienda, fijos y marido sean de grandes peligros guardados.

Pues como oís, estavan Amadís y Grasandor en la Ínsola Firme con sus mugeres a gran plazer de sus coraçones, donde a poco tiempo llegó Darioleta, y su marido y fija con su marido Bravor, que acreçentaron mucho en su alegría.

Mas agora dexará la historia de fablar dellos, y contará de lo que Balán el gigante de la ínsola de la Torre Bermeja hizo. Dize la historia que a los quinze días después que Amadís y Grasandor partieron de la ínsola de la Torre Bermeja, donde dexaron maltrecho al gigante Balán, qu'el gigante se levantó de su lecho y mandó dar a Darioleta y a su marido, y a su fija, muchas joyas preciadas y una fusta muy buena en que se fuessen. Y embió con ellos a Bravor, su fijo, assí como lo había prometido a Amadís; y luego que de allí partieron, él hizo aparejar una flota asaz grande assí de sus fustas, que muchas tenía, como de otras que había tomado a los que por allí caminavan, y guarneçióla de armas y gentes, y viandas cuantas haver pudo, y metióse a la mar con muy buen tiempo endereçado[99].

Y tanto anduvo sin contraste alguno, que a los diez días llegó al puerto de una villeta pequeña que había nombre Licrea, del señorío del rey Arávigo. Y allí supo cómo aquellos señores tenían cercada a la gran ciudad de Aravia, y el cerco muy apretado, specialmente después que allí llegó el Rey de Sobradisa, don Galaor, y don Galvanes. Y luego fizo que toda su gente saliesse en tierra, y sacassen sus cavallos y armas, y los ballesteros y archeros, y todos los otros aparejos de real; y dexando en la flota tal recaudo con que segura quedasse, se fue derechamente a la parte donde supo qu'el rey don Galaor y don Galvanes tenían su aposamiento. Y como ellos supieron su venida por sus mensajeros del gigante, cavalgaron con gran compaña y saliéronlo a recebir. El gigante llegó con su muy buena com-

temas mentales utilizados por Montalvo se motivan por la intervención de la Providencia y gracia divina, en un nuevo proceso de cristianización de residuos arcaicos.

[99] *buen tiempo endereçado:* buen tiempo favorable.

paña y él armado de muy ricas armas, encima de un muy hermoso y gran cavallo, assí que pocos pudiera haver que tan bien y tan apuesto[s][100] como él paresçiessen de su grandeza. Ellos ya sabían lo que le aviniera con Amadís, que Gandalín jelo contó como havía passado, y don Galaor puso adelante a don Galvanes, que, ahunque en señorío no era su igual, era en mucha más edad creçido que no él. Y por esta causa, y también por su gran linaje donde venía, y por las buenas maneras de su condición siempre Amadís y sus hermanos y Agrajes le cataron mucha cortesía[101]. El gigante no lo conoçía que lo nunca viera, ahunque sabía muy bien por menudo[102] todo su hecho, porque Madasima, su mujer deste don Galvanes, era sobrina de Madasima, madre deste Balán, como ya se os ha contado. Y como a él llegó, dixo el gigante:

—Mi buen señor, ¿sois vos don Galaor?

—No —dixo él—, sino don Galvanes, que mucho os he desseado.

Entonces el gigante lo abraçó[103], y díxole:

—Señor don Galvanes, según el deudo tenemos no oviera passado tando espacio de tiempo sin que me viérades; mas la enemiga que yo tenía, con quien vos tan gran amistad tenéis, dio causa a la tardança dello. Pero ésta ya fuera va por la mano de aquél que en discreción ni esfuerço no tiene par.

El rey don Galaor llegó riendo y de buen talante a lo abraçar, y dixo:

—Mi buen amigo, señor, yo soy aquel por quien preguntáis.

Balán lo miró y dixo:

—Verdaderamente buen testigo es dello esse vuestro gesto, según se pareçe con aquel por quien yo vos desseava conoçer.

Esto dezía el gigante porque Amadís y don Galaor se pareçían mucho, tanto que en muchas partes tenían al uno por el otro, salvo que don Galaor era algo más alto de cuerpo y

---

[100] *apuesto[s]:* apuesto, ZR // apuestos, S // .

[101] *cataron mucha cortesía:* otorgaron, concedieron mucha cortesía.

[102] *por menudo:* particularmente, con mucha distinción y menudencia. «Por evitar lágrimas e otras pasiones, se dexa descrivir por menudo», Pedro de Escavias, *Repertorio de Príncipes,* 109.

[103] *abraçó:* abroço, Z // abraço, RS // .

Amadís más espesso[104]. Esto hecho, tomaron al rey don Galaor en medio y fueron a su real, y don Galvanes llevó a Balán a su tienda en tanto que su aposentamiento se fazía, donde fue servido como al uno y al otro lo requería y devía ser.

## Capítulo CXXXI

*Cómo Agrajes y don Cuadragante y don Bruneo de Bonamar, con otros muchos cavalleros, vinieron a ver al gigante Balán, y de lo que él passaron.*

Agrajes y don Cuadragante y don Bruneo de Bonamar, como supieron la venida de aquel gigante, tomaron consigo a Angriote d'Estraváus y a don Gavarte de Valtemeroso, y a Palomir y don Brian de Monjaste, y otros muchos cavalleros de gran prez que allí con ellos estavan para les ayudar a ganar aquellos señoríos que havéis oído, y fueron todos al real del rey don Galaor y de don Galvanes, donde el gigante aposentado estava; y falláronlo en la tienda de don Galvanes, que era la más rica y bien obrada que ningún emperador ni rey podría tener; la cual huvo con Madasima su mujer, que le quedó de Famongomadán, su padre.

En esta tienda, después que cada año la fazía armar en una vega que delante del castillo del Lago Ferviente estava, fazía sentar en un rico estrado a su fijo Basagante, y todos sus parientes, que muchos eran y le obedecían como a señor por su gran fortaleza y riqueza. Y sus vassallos, y otras muchas gentes que sojuzgadas por fuerça de armas tenía, le besavan la mano por rey de la Gran Bretaña. Y con este pensamiento embió demandar al rey Lissuarte a Oriana para la casar con aquel su hijo Basagante; y porque se la no quiso dar, le fazía muy cruda guerra al tiempo que Amadís los mató a entrambos, cuando les quitó a Leonoreta, hermana de Oriana, y a los diez cavalleros que con ella presos levavan, como el segundo libro desta historia más largo lo cuenta.

Pues al tiempo que estos cavalleros llegaron, el gigante esta-

---

[104] *espesso:* grueso.

va desarmado y cubierto de una capa de seda jalde[1] con unas rosas de oro bien puestas por ella. Y como él era grande y fermoso y en edad floreçiente, pareçióles a todos muy bien, y mucho más después que le fablaron; porque según ellos conoçían la condición tan fuerte de los gigantes, y como a natura eran todos muy desabridos[2] y sobervios sin se sojuzgar a ninguna razón, no pensavan que en ninguno dellos podría ser todo esto tanto al contrario como este Balán lo tenía. Y por esta causa lo preciaron mucho más que por su gran valentía, ahunque muchos dellos sabían grandes cosas que en armas havía fecho, teniendo que el gran esfuerço sin buena condición y discreción muchas vezes es aborreçido[3].

Pues estando todos juntos en aquella gran tienda, el gigante los mirava, y pareçíanle tan bien, que no pudiera creer que en ninguna parte pudiera haver tantos y tan buenos cavalleros. Y como los vio sossegados, díxoles:

—Si por yo venir tan sin sospecha en vuestra ayuda dello os maravillardes como cosa de que muy poca esperança ni cuidado teníades, assí lo fago yo; porque, ciertamente, no pudiera creer que por ninguna guisa pudiera venir causa que estorvar pudiera de no ser como mortal enemigo en vuestro estorvo hasta la muerte. Pero como la exsecución de los pensamientos sea más en la mano de Dios que en la de aquellos que con gran rigor los querían obrar, entre muchas fuertes y ásperas batallas que a mi honra passé me sobrevino una, de la cual costreñido al comienço, en la fin della por mi propia voluntad fue mi pro-

---

[1] *una capa de seda jalde:* una capa de seda amarilla. La utilización de la seda llegó a ser tan abundante en tiempos de los Reyes Católicos, que el 30 de septiembre de 1499, en respuesta a las peticiones que les habían hecho las cortes de Toledo el mismo año, dieron una pragmática sobre «qué personas pueden traer seda en en qué forma la pueden traer» *(Pragmáticas...,* fol. CXI), como recuerda Carmen Bernis, *Trajes y modas...,* t. I, pág. 57.

[2] *a natura eran todos muy desabridos:* por naturaleza eran todos muy desabridos, desagradables. «Mucho se deleitava en usar de tales artes e cabtelas, assí que pareçe que lo avía a natura», Fernán Pérez de Guzmán, *Generaciones y semblanzas,* pág. 45.

[3] Este cambio notado con anterioridad, en la conjunción del binomio *fortitudo-sapientia,* se lleva hasta el extremo de superponerlo a las cualidades de un gigante. Como fuerzas de la naturaleza, sistemáticamente han representado lo instintivo, si bien en este caso se someten a la razón.

pósito mudado en tener por honra lo que todos los días de mi vida por deshonra tener pensava fasta haver la vengança dello alcançado. Y cuando la cosa que yo en este mundo más desseava fue a mi voluntad complida, estonces se acabó y cumplió el término de mi gran saña y rigor no por el camino que yo atendía, mas por aquel que a la mi contraria fortuna más le plugo. Ya havéis sabido cómo yo soy fijo de aquel valiente y esforçado gigante Madanfabul, señor de la ínsola de la Torre Bermeja, al cual Amadís de Gaula, llamándose Beltenebros, en la batalla que ovieron el rey Lisuarte y el rey Cildadán mató. Y yo como hijo de tan honrado padre y que tanto a la vengança desta muerte obligado era, nunca de mi memoria se partía cómo este gran desseo fuesse esecutado: quitando la vida aquel que a mi padre la quitó. Y cuando más sin esperança dello estuviesse, la fortuna, junto con el gran esfuerço de aquel cavallero, me lo traxo a mis manos dentro en el mi señorío solo, sin persona que le ayudar pudiesse; del cual con mucha fortaleza fue vencido y con mayor cortesía tratado, assí como aquel que lo uno[4] y otro más complido que ninguno de los que biven tiene; de lo cual redundó que aquella grande y mortal enemistad que le yo tenía se tornó en mayor grandeza de amistad y verdadero amor, que ha dado causa de venir, como veis, sabiendo que en alguna necessidad de gente esta hueste estava, creyendo que de la honra y provecho de vosotros ocurre a él la mayor parte.

Estonces les contó[5] desd'el comienço todo lo que con Amadís[6] le acaeçiera, y la batalla que en uno ovieron, y todas las otras cosas que passaron, que nada faltó, assí como la historia os lo ha contado. Y en la fin les dixo que fasta en tanto que aquello guerra se partiesse, él no se partiría de su compaña; y que aquello acabado, se quería ir luego a la Ínsola Firme como lo prometiera a Amadís.

Todos aquellos señores ovieron gran plazer de le oír lo que les dixo, porque, comoquiera que de Gandalín havían sabido cómo Amadís se combatiera con este gigante y lo venciera, no supieron la causa dello assí como lo él contó. Y mucho les plu-

---

[4] *uno:* huvo, Z // ovo, R // uno, S // .
[5] *contó:* conte, Z // conto, RS // .

go de su venida, assí por el valor de su persona como por la grande y muy buena gente de guerra que consigo traía; lo cual havían necessario[7], según lo que en las afrentas passadas perdido avían; y gradeçiéronle mucho su buena voluntad con la obra que[8] por amor de Amadís se les ofreçía.

## Capítulo CXXXII

*Que fabla de la respuesta que dio Agrajes al gigante Balán sobre la habla que él hizo.*

Agrajes le respondió y dixo:
—Mi buen señor Balán, quiero yo responderos en lo que a la enemistad de mi señor cormano Amadís toca, pues que estos señores y yo con ellos os hemos rendido las gracias a lo que por [v]os se nos promete; y si mi respuesta no fuere conforme a vuestra voluntad, tomalda[1] como de cavallero; que ahunque en las cosas de las armas n'os sea igual, por ventura por la edad que más tengo, y las haver tratado más, sabré más complidamente que vos lo que para complir con ellas se requiere. Y digo que los cavalleros que con justa causa las afrentas toman y en ellas fazen su dever sin que algo de lo que la razón les obliga mengüe, ahunque en ello cumplen lo que juraron, mucho son de loar, pues que la voluntad y la obra quedaron sin deuda alguna. Pero los que el límite de la razón con fantasía salir quieren, a estos tales los que más el cabo de la honra alcançan más por soberuios y por desvariados que por fuertes ni esforçados los juzgan. Muy notorio es a todos, y a vos, señor, no deve ser oculto la manera de la muerte de vuestro padre; que assí como si la fortuna lo consintiera, dando fin a su atrevimiento en levar al rey Lisuarte como lo llevava, fuera su gran loor y fama hasta el cielo, assí la deshonra y menos-

---

[6] *Amadís:* Amodis, Z // Amadis, RS // .

[7] *havían necessario:* tenían necesidad. «Nin le consentía resçibir nin aver siquiera solamente aquellos descansos que la natura humana ha nesçessarios», *Crónica de don Álvaro de Luna*, 235, 7.

[8] *obra que:* obra a aque, Z // obra que, RS // .

[1] *tomalda:* tomadla.

cabo de los que este Rey servían y ayudavan fuera puesta en los abismos. Y por esto n'os devéis maravillar que Amadís, haviendo gran embidia de la gloria que vuestro padre alcançar esperava, para sí la quisiesse, como todos los buenos lo fazen o devrían fazer. Y tal muerte como ésta, considerando cada uno quererla haver fecho, y con ella pensar aver alcançado gran prez, no devría por ninguno ser demandada, como aquellas que, feamente se haziendo, muy gran parte de la honra se aventura en las perdonar. Assí que, mi señor, en lo que de vuestro padre toca, y en lo que con Amadís vos avino no se podría hallar justa causa de quexa, pues que vosotros y él complistes muy enteramente todo lo que cavalleros cumplir devían. Y si algún cargo imputarse puede, es a la fortuna, que con más favor a él que a vosotros ayudar y favoreçer le plugo. Assí que, mi buen amigo, tened vos por bien que, quedando entera y sin ninguna falta vuestra honra, hayáis ganado aquel tan noble cavallero, y todos estos señores y esforçados cavalleros que aquí veis, con otros muchos que ver podríades, si causa en que menester los oviéssedes viniesse.

Cuando esto huvo oído el gigante Balán, díxole:

—Mi señor Agrajes, ahunque para la satisfación de mi voluntad ningún amonestamiento necessario era, mucho os gradezco lo que me havéis dicho, porque, ahunque en este caso escusarse pudiera, no es razón que para los venideros se escuse. Y dexando de fablar más en esto como cosa olvidada y passada, será bien que entendamos en dar fin en esta afrenta con aquel esfuerço y cuidado que deven tener aquellos que dexando en recaudo sus tierras quieren conquistar las ajenas.

Don Galvanes le dixo:

—Buen señor, váyanse estos cavalleros a sus alvergues, que es hora de cenar, y descansaréis esta noche y mañana; y en tanto serán vuestras tiendas armadas y aposentada vuestra gente, y luego con vuestro consejo se dará la orden de lo que fazerse deve.

Assí se fueron aquellos señores a sus reales, y quedaron con el gigante don Galvanes y el rey don Galaor, que con ellos aquella noche cenó en aquella grande y rica tienda que ya oístes con grande plazer. Y la cena acabada, el Rey se fue a sus tiendas y ellos quedaron y durmieron en sus ricos lechos.

Y venida la mañana, el gigante dixo a don Galvanes que
quería cavalgar y dar una buelta a la ciudad por ver en qué disposición estava, y por dónde mejor combatirse podría. Don
Galvanes lo fizo saber al rey don Galaor, y entrambos se fueron con él y rodearon aquella gran ciudad; la cual, assí como
de mucha gente era poblada, assí de muy grandes torres y muros enfortalecida[2]; que como ésta fuesse cabeça de todo aquel
gran reino y de las ínsolas las Landas, que con ella se conte-
nían, y la más principal morada de los reyes, assí como unos
en pos de otros venían, assí trabajavan de la acreçentar en
mayor número de pueblo y de la enfortaleçer lo más que podían, de manera que en grandeza y fortaleza era muy señalada.
Pues de que visto la ovieron, díxoles Balán:

—Mis señores, ¿qué vos pareçe que se podría fazer a tan
gran cosa como ésta?

Don Galaor le dixo:

—No ay en el mundo más fuerte ni mayor cosa que el coraçón del hombre; y si los que dentro están esfuerço tienen, mucho dudaría yo que por fuerça tomarse podiesse. Pero como en
los muchos siempre aya gran discordia, specialmente seyéndo-
les la fortuna contraria, y con ella les sobrevenga luego la flaqueza, no pongo duda que, assí como otras cosas impunables[3]
por esta causa se perdieron, ésta se perdiesse.

Pues fablando en esto y en otras cosas se fueron todos tres
de consuno a los reales de don Cuadragante y don Bruneo, y
de los otros sus compañeros, que aquella parte que ellos ivan
estavan mirando por donde mejor el combate darse podría. Y
cuando cerca de las tiendas de donde Agrajes posava llegaron,
vino contra ellos el bueno y esforçado Enil, y dixo:

—Mi señor Balán, Agrajes os ruega que veáis al rey Arávigo, que yo en mi tienda preso tengo, que os quiere fablar; que
como vuestra venida le dixeron, embió con mucha afición y
grande amor a rogar a Agrajes que a él diesse licencia y a vos
rogasse que le viéssedes.

---

[2] *enfortalecida:* fortalecida. El DCECH registra la forma en el Glosario del
Escorial, hacia 1400. «Tanto se enfortalesçio que de la comarca toda de la mar
en aquellas partes cobro el señorío», *Confisión del Amante,* 233, 26.

[3] *impunables:* inexpugnables. En el DCECH, sin fecha de introducción.

El gigante le dixo:

—Buen cavallero, contento soy de lo hazer, y podrá ser que desta vista se saque más fruto que de otras grandes afrentas donde mayor se esperasse.

Assí fueron todos hasta llegar a la tienda de Enil. Y el rey don Galaor y don Galvanes se fueron a don Bruneo; y el gigante descavalgó de su cavallo y entró en un apartamiento donde el rey Arávigo estava; el cual de ricos tapetes[4] y paños era guarnido, y él vestido de nobles paños; donde por mandado de Agrajes como a rey le servían. Pero tenía unos tan pesados y fuertes grillos que le quitavan de dar solo un passo[5]. Y como el gigante assí lo vio, hincó los inojos ante él y quísole besar las manos, mas el Rey las tiró a sí y abraçóle llorando y díxole:

—Mi amigo Balán, ¿qué te pareçe de mí? ¿Soy yo aquel gran rey que tu padre y tú muchas vezes vistes, o fállasme en aquella corte acompañado de tan altos príncipes y cavalleros y otros reyes mis amigos, como muchas vezes me hallaste, esperando de conquistar y señorear muy gran parte del mundo? Por cierto, antes creo yo que me juzgarás por un hombre baxo, preso, cativo, desonrado, puesto en poder de mis enemigos como tú bien vees. Y lo que más dolor a mi triste coraçón acarrea es que aquellos de quien yo más remedio esperava, assí como tú y otros muy fuertes gigantes que por mis amigos tenía, los[6] vea venir a dar fin y cabo en mi total destruición.

Esto dicho, no pudo más fablar con las muchas lágrimas que le sobrevinieron. Balán le dixo:

—Manifiesto es a mí, como mis ojos lo vieron, ser verdad lo que tú, buen rey Arávigo, has dicho en te ver muy acompañado y honrado, con grandes aparejos y esperanças de conquistar grandes señoríos. Y si agora lo veo tan mudado y trocado, no creas que mi ánimo en ello sienta gran alteración, porque, ahunque mi estado muy diferente en grandeza del tuyo sea, no dexo por esso de sentir los crueles y duros golpes de la fortu-

---

[4] *tapetes*: alfombras. Juan de Valdés, *Diálogo de la lengua*, pág. 230, dice «antes *tapete* que *alhombra*».

[5] *le quitavan de dar solo un paso*: le impedían dar ni siquiera un solo paso.

[6] *tenía, los*: tenía y los Z // tenia et los, R // tenía los, S // .

na; que ya sabes tú, buen Rey, cómo aquel muy esforçado Amadís de Gaula a mi padre Madanfabul mató. Y cuando más la vengança yo de su muerte esperava vengar, la mi adversa y contraria fortuna quiso que deste mismo Amadís fuesse vencido y sojuzgado por fuerça de armas, siendo en su libertad de me dar la muerte o la vida. Y porque según la congoxa y gran tristeza tuya en ta[n]to grado te sojuzgan que no te darían lugar a oír relación tan larga como sobre ello contarte podría, báste te saber que como vencido de aquel a quien yo tanto vencer desseava, y matar por mis manos si ser pudiera, soy aquí venido, donde con legítima causa podría pagarte con otras tantas o por ventura más lágrimas que mi presencia te dieron causa de derramar, assí que no menos que tú yo havría menester consuelo. Pero conociendo las grandes y diversas bueltas del mundo, y cómo la discreción sea dada para seguir la razón, tomé por partido de ser amigo de aquel tan mi mortal enemigo, que más ser no podía, pues que con justa causa, no quedando cosa alguna por flaqueza de lo que obligado era, lo pude fazer. Y si tú, noble Rey, mi consejo tomas, assí lo farás porque muy conoçido tengo te será bien que le tomes; y yo como aquel que en el rigor y discordia te tengo de ser enemigo podría ser que en la concordia te seré leal amigo.

Él, cuando esto le oyó, díxole:

—¿Qué concordia puedo hazer perdiendo mi reino?

—Contentarte —dixo el gigante— con lo que dél buenamente sacar pudieres.

—¿No vale más —dixo él— morir que verme menguado y deshonrado?

—Como la muerte —dixo Balán— quite toda la esperança, y muchas vezes con la vida y largo tiempo se satisfagan los desseos y las grandes pérdidas se remedien, mucho mejor partido es procurar la vida que dessear la muerte a aquellos que con [más] pérdida[7] de interesse que con deshonra hazerlo pueden.

—Balán, mi amigo —dixo el Rey—, por tu consejo quiero ser guiado, y en tu mano dexo todo lo que vieres que fazer devo. Y ruégote mucho que, ahunque allá fuera en mis cosas

---

[7] *con [más] pérdida:* con perdida, ZR // con mas perdida, S // .

enemigo te muestres en ausencia, que veyéndome en esta prisión en mi presencia como amigo me consejes.

—Assí lo faré —dixo el gigante— sin falta.

Estonces despidiéndose dél y tomando consigo a Enil, se fue a la tienda de don Bruneo de Bonamar, donde falló al rey don Galaor y Agrajes y don Galvanes y otros asaz cavalleros de gran cuenta, los cuales le recibieron y tomaron entre sí con mucho plazer. Y él les dixo que, por cuanto havía fablado con el rey Arávigo algunas cosas que devían saber, que viessen si era necessario que a ello otros algunos stuviessen. Agrajes le dixo que sería bueno que don Cuadragante y don Brian de Monjaste, y Angriote d'Estrávaus fuessen llamados, y assí se fizo; los cuales vinieron, y con ellos otros cavalleros de gran nombradía. Estonces el gigante les dixo todo lo que con el rey Arávigo havía passado, que nada faltó, y que su pareçer era, dexando aparte que a muerte o a vida los havía de seguir y ayudar, que si el rey Arávigo con alguna de aquellas ínsolas de Landas la más apartada se contentasse, y sin más pérdidas de gentes lo restante mandasse entregar, que la concordia y atajo[8] sería bueno, specialmente quedando ahún por ganar el señorío de Sansueña, que assí de gentes como de fortalezas era muy áspero. Mucho le gradeçieron aquellos señores al gigante lo que les dixo, y por muy cuerdo le tuvieron, que no pudieran pensar ni creer que en hombre de aquel linaje tanta discreción oviesse. Y assí era guisado de lo cuidar[9], porque la su grande y demasiada sobervia no dexava ningún lugar donde la discreción y la razón aposentarse pudiessen. Pero la diferencia que este Balán tenía a los otros gigantes era que como su madre Madasima fue tal y de tan noble condición como la historia ha contado, no teniendo de su marido Madanfabul si este solo fijo no, trabajó mucho, ahunque contra la voluntad de su marido, que era malo y sobervio, de lo criar so la disciplina de un gran sabio que de Grecia traxo[10]; con la criança del cual y con la que de

_____

[8] *atajo:* suspensión, terminación de una acción.

[9] *era guisado de lo cuidar:* era razonable pensarlo.

[10] De la misma manera que se ha producido un cambio en el comportamiento de los personajes, también se ha producido otro de carácter narrativo: el autor, a diferencia de los libros primeros, intenta explicar las causas que posibilitan algunas actitudes. Por otra parte, como desarrollará más tarde Montalvo en

su madre tomó, que era muy noble en todas las cosas, salió tan manso y tan discreto, que pocos hombres havía mejor razonados que lo él era, ni de tanta verdad.

Y avido acuerdo aquellos señores entre sí, fallaron que si lo qu'él gigante les dezía pudiesse haver efeto, que les sería buen partido y mucho descanso, ahunque alguna parte de aquel reino al rey Arávigo le quedasse. Y respondiéronle que conoçiendo el amor y voluntad con que allí avía venido, y fablando en aquello que stavan, ante por él que por otro alguno doblarían sus voluntades a dar assiento[11] con aquel Rey.

Donde aquí se puede notar que, faltando en las grandes roturas personas que con buena intención se muevan a poner remedio, vienen y se recreçen muertes, prisiones, robos, y otras cosas de infinitos males.

Pues oído esto por el gigante, fabló con el rey Arávigo, y sobre muchos acuerdos y hablas que escusar de dezirse deven, assí por su prolixidad como por no salir del propósito començado, fue acordado qu'el rey Arávigo entregasse aquella gran ciudad con toda la tierra comarcana que debaxo de su señorío estava; y de las tres ínsolas de Landas tomasse para sí una, la más apartada, que Liconia llamavan, que era a la parte del cierço, y de allí se llamasse rey; y las otras fuessen assí mesmo con lo otro entregadas, y don Bruneo se llamasse rey de Aravia. Esto fecho y consentido por el sobrino del rey Arávigo, que el reino defendía, como ya oístes, y por todos los más principales de la ciudad, entregóse todo como señalado stava; y suelto el rey Arávigo el cual con harta fatiga y angustia de su coraçón se fue por la mar a la ínsola de Liconia, y don Bruneo fue alçado por rey con mucho plazer y grandes alegrías, assí de los de su parte como de los contrarios, porque, conoçiendo su bondad y gran esfuerço, con él esperavan ser muy honrados y defendidos.

Acabado esto como la historia lo ha contado, a poco tiempo que allí descansaron y holgaron con el rey don Bruneo, orde-

---

las *Sergas,* se concede una gran importancia ideológica a la educación, aunque narrativamente carezca de ella. Además, la presencia de lo griego en los últimos episodios parece significativa.

[11] *assiento:* convenio o ajuste de paces.

naron sus batallas y todas las otras cosas necessarias a su camino, y partieron de allí la vía de la villa de Califán, que era la más cercana de donde ellos havían el real tenido.

Mas los sansones, como supieron que la ciudad de Aravia era tomada, y concertado el rey Arávigo con aquellas gentes, temiendo lo que fue, juntáronse todos, assí cavalleros[12] como peones, en muy gran número de gentes, que aquel señorío era grande y las gentes dél muchas y bien armadas, y sabidoras de guerra, como aquellos que siempre havían tenido los señores muy sobervios y escandalosos, que en muchas afrentas les ponían. Y cuando assí se vieron juntos en tanta cuantidad, creçióles los coraçones con gran sobervia y osadía. Ordenadas sus hazes, llevando por capitanes los más principales del señorío, salieron al encuentro a sus enemigos antes que a la villa de Califán llegassen, donde los unos y los otros se juntaron, y ovieron una muy cruel y brava batalla, que mucho de ambas las partes fue herida; en la cual passaron cosas muy estrañas en armas, y muertes de muchos cavalleros y de otros hombres. Pero lo que allí los cavalleros señalados y aquel bravo y valiente gigante hizieron no se podría en ninguna guisa acabar de contar, sino tanto que por sus grandes fechos y esfuerço de sus bravos coraçones fueron los de Sansueña vencidos y destruidos de tal manera, que los más dellos quedaron muertos y feridos en el campo, y los otros tan quebrantados, que ahun en los lugares que fuertes eran no se atrevieron defender; assí que don Cuadragante con todos aquellos señores y las gentes que de la batalla les fincaron, ahunque muchos fueron muertos y feridos, señoreando el campo sin hallar defensa ni resistencia alguna. Y si la historia no os cuenta más por estenso las grandes cavallerías y bravos y fuertes hechos que en todas aquestas conquistas y batallas que sobre ganar estos señoríos passaron, la causa dello es porque esta historia es de Amadís, y si los sus grandes hechos no, no es razón que los de los otros sean sino cuasi en suma contados; porque de otra manera no solamente la scritura, de larga y prolixa, daría a los leyentes enojo y fastidio, mas el juizio no podría bastar a complir con ambas las partes[13]; assí

---

[12] *cavalleros:* canalleros, Z // cavalleros, RS // .
[13] Con esta tendencia a explicarlo todo, el autor no solamente justifica la

que con mayor razón se deve complir con la causa principal, que es este esforçado y valiente cavallero Amadís, que con las otras que por su respeto a la historia le convino dellas hazer mención. Y por esto no se dirá más, salvo que vencida esta tan grande y peligrosa batalla a poco spacio de tiempo fue aquel gran señorío de Sansueña sojuzgado, de manera que los lugares flacos de su propia voluntad, no esperando remedio alguno, y los más fuertes costreñidos por grandes combates, a todos les convino tomar por señor a don Cuadragante.

Mas agora los dexaremos muy contentos y pagados de las vitorias que ovieron, y contarvos ha la historia del rey Lisuarte, que ha gran pieça que se no fizo mención.

## Capítulo CXXXIII

*Cómo después que el rey Lisuarte se tornó desde la Ínsola Firme a su tierra, fue preso por encantamiento, y de lo que sobre ello acaesció.*

La istoria cuenta que después qu'el rey Lisuarte con la reina Brisena, su muger, partió de la Ínsola Firme, al tiempo que dexó casadas sus hijas y las otras señoras que con ellas casaron, como ya oístes, qu'él se fue derechamente a la su villa de Fenusa, porque era puerto de mar y muy poblada de florestas en que mucha caça se hallava, y era lugar muy sano y alegre donde él solía holgar mucho. Y como allí fue, luego al comienço por dar algún descanso y reposo a su ánimo de los trabajos passados, diose a la caça y a las[1] cosas que más plazer le podrían ocurrir, y assí passó algún espacio de tiempo. Pero como ya esto le enojasse, assí como todas las cosas del mundo que hombre mucho sigue lo fazen, començó a pensar en los tiempos passados y en la gran cavallería de que su corte bastecida fue, y las grandes aventuras que los sus cavalleros passavan, de que a él redundava mucha honra y tan gran fama, que por to-

---

abreviación de las historias de otros personajes por el *topos* del «fastidium», sino que también utiliza otro argumento, la imposibilidad del juicio de los oyentes para atender a varias aventuras. El juicio, la razón, etc., se convierte en ingrediente explicativo de los hechos más dispares.

[1] *a las:* a los, Z // a las, RS // .

das las partes del mundo era nombrado y ensalçado su loor hasta el cielo. Y comoquiera que ya su edad reposo y sosiego le demandasse, la voluntad criada y habituada[2] en lo contrario, de tanto tiempo envegescida, no lo consentía[3], de manera que, teniendo en la memoria la dulçura de la gloria passada y el amargura de la no tener ni poder haver al presente, le pusieron en tan gran estrecho de pensamiento, que muchas vezes estava como fuera de todo juizio, no se podiendo alegrar ni consolar con ninguna cosa que viesse[4]. Y lo que más a su espíritu agraviava era tener en su memoria cómo en las batallas y cosas passadas con Amadís fue su honra tanto menoscabada; y que en boz de todos más constreñido[5] con necessidad que con virtud, dio fin aquel gran debate.

Pues con estos tales pensamientos uvo la tristeza lugar de cargar sobre él de tal forma, que este que era un rey tan poderoso, tan gracioso[6], y tan humano, y tan temido de todos, fue tornado triste, pensativo, retraído sin querer ver a persona alguna como por la mayor parte acaesce aquellos que con las buenas venturas sin recebir contraste ni entrevallos que mucho les duelan passan sus tiempos; y amollentadas sus fuerças, no pueden sufrir ni saben resistir los duros y crueles golpes de la adversa fortuna.

Este Rey tenía por estilo cada mañana en oyendo missa de tomar consigo un ballestero, y encima de su cavallo, solamente la su muy buena y preciada espada ceñida, irse por la floresta gran pieça cuidando muy fieramente, y a las vezes tirando con la ballesta, y con esto le parescía recebir algún descanso. Pues

---

[2] *habituada:* habiduada, Z // habituada, RS // .

[3] *consentía:* consentian, ZR // consentia, S // .

[4] Los continuos vaivenes de la fortuna se exteriorizan en estas manifestaciones de los personajes que dramatizan el relato. Como dice Lope Fernández Minaya, *Espejo del alma*, ed. de Fernando Rubio, en *Prosistas castellanos del siglo XV*, II, Madrid, BAE CLXXI, 1964, 220b, «el plazer es ya pasado e el dolor es presente e en esperança de mucho durar, e los plazeres pasados son ya fuera de los sentidos, salvo de la memoria en la qual quedan, porque la remembrança dellos sea mayor acrescentamiento del dolor e de tristeza». Como dice Séneca, «non ha mayor desaventura que haber seído aventurado», *ibidem,* 220b.

[5] *constreñido:* constrenido, Z // constreñida, R // costreñido, S // .

[6] *gracioso:* «se dize el que faze gracia a todos mas liberalmente de lo que tenia merecido y es amigable a muchos por les fazer bien», Al. Palencia, 184d.

un día acaesció que, seyendo alongado de la villa por la espessura de la floresta, que vio venir una donzella encima de un palafrén corriendo a más andar por entre las matas, dando bozes demandando a Dios ayuda. Y como la vio, fue contra ella, y díxole:

—Donzella, ¿qué avéis?

—¡Ay, señor —dixo ella—, por Dios y por merced acorred a una mi hermana, que acá dexo con un mal hombre que la forçar quiere!

El Rey uvo della duelo, y díxole:

—Donzella, guiadme, que yo os seguiré.

Entonces volvió por el mismo camino por donde allí viniera, cuanto el palafrén aguijar pudo. Y anduvieron tanto hasta qu'el Rey vio cómo entre unas espessas matas un hombre desarmado tenía la donzella por los cabellos y tirávala reziamente por la derribar, y la donzella dava grandes gritos. El Rey llegó en su cavallo dando bozes que dexasse la donzella. Y cuando el hombre cerca de sí lo vio, soltóla y fuyó por entre las más espessas matas. El Rey siguiólo con el cavallo, mas no pudo passar mucho adelante con el estorvo de las ramas; y como esto vio, apeóse lo más presto que pudo con gran gana de lo tomar por le dar el castigo que tal insulto merescía, que bien cuidó de su tierra podría ser. Y corrió tras él cuanto pudo llamándolo muy cerca, y passada la espessura de aquel gran mato[7], halló un prado que descombrado[8] estava, en el cual vio armado un tendejón donde el hombre tras que él iva a gran priessa fue metido. El Rey llegó a la puerta del tendejón, y vio una dueña, y el hombre que fuía tras ella como que allí pensava guarescer. El Rey le dixo:

—Dueña, ¿es este hombre de vuestra compaña?

—¿Por qué lo preguntáis? —dixo ella.

—Porque quiero que me lo deis para fazer dél justicia, que si por mí no fuera, forçara acá, donde le yo hallé, una donzella.

La dueña le dixo:

—Cavallero, entrad y oiré lo que diréis. Y si assí es como

---

[7] *mato:* mata, Z // mato, RS // .

[8] *descombrado:* libre de estorbos. Véase la nota 46 del capítulo LXVII.

dezís, yo os lo daré, que, pues yo donzella fue[9] y en mucha estima tuve mi honra, no daría lugar a que otra ninguna deshonrada fuesse.

El Rey fue luego contra donde la dueña estava, y al primero passo que dio cayó en el suelo tan fuera de sentido como si muerto fuesse.

Entonces llegaron las donzellas que tras él venían, y la dueña con ellas, y con el hombre que allí tenía tomaron al Rey, assí desacordado como estava, en sus braços. Y salieron otros dos hombres de entre los árboles, que tiraron el tendejón[10]; y fuéronse todos a la ribera de la mar, que muy cerca estava, donde tenían un navío enramado y tan cubierto, que apenas nada dél se paresçía[11], y metiéronse dentro; y pusieron en un lecho al Rey, y començaron de navegar. Esto fue tan prestamente fecho, y tan encubierto y en tal parte, que persona otra alguna no lo pudo ver ni sentir.

El ballestero del Rey, como andava a pie, no le pudo seguir, porqu'el Rey se aquexó mucho por socorrer la donzella; y cuando llegó a donde avía el cavallo quedado, mucho se maravilló de lo fallar assí solo. Y metióse cuanto más pudo por las espessas matas buscando a todas partes, mas no falló nada. Y a poco rato fallóse en el prado donde el tendejón avía estado, y desde allí tornóse al cavallo y cavalgó en él, y anduvo gran pieça a hun cabo y a otro buscando por la floresta y por la ribera del mar. Y como no fallasse nada, acordó de se tornar a la villa; y cuando cerca della llegó y algunos que por allí andavan [lo] vieron, cuidaron qu'el Rey le embiava por alguna cosa, mas él no dezía nada sino andar fasta donde la Reina estava. Y descavalgó del cavallo y entró en el palacio con gran priessa. Y como la vio, díxole todo lo que del Rey viera y cómo lo buscara con mucha diligencia sin lo poder hallar. Cuando la Reina esto oyó, fue muy turbada y dixo:

—¡Ay, Santa María! ¿Qué será del Rey mi señor, si le he perdido por alguna desaventura?

Entonces fizo llamar al rey Arbán, su sobrino, y a Cendil de

---

[9] *fue:* fui.
[10] *tiraron el tendejón:* quitaron la tienda.
[11] *paresçía:* veía.

Ganota, y díxoles aquellas nuevas. Ellos mostraron buen semblante, dándole sperança que no temiese, que no era aquello
cosa de peligro para el Rey, porque muy presto se podía perder
por aquella floresta con codicia de dar vengança a la donzella;
y que pues él sabía aquella tierra por donde muchas vezes a
caça anduviera, que no tardaría de venir; que si el cavallo
dexó, no sería sino porque con la espessura de los árboles no
se podría dél aprovechar. Pero teniéndolo en la verdad en más
de lo que mostravan[12], fueron luego a se armar, y cavalgar en
sus cavallos; y fizieron salir toda la gente de la villa, y lo más
presto que ser pudo se metieron por la floresta llevando consigo el ballestero que los guiasse; y la otra gente, que mucha era,
se derramó a todas partes. Pero ni ellos ni aquellos cavalleros,
por mucho afán que tomaron en lo buscar, nunca dél nuevas
supieron[13].

La Reina estuvo todo aquel día alguna nueva esperando con
mucha turbación y alteración de su ánimo, pero ninguno fue
tan osado que, con tan poco recaudo como fallavan, bolviessen; antes, assí los que de allí salieron como todos los de la comarca, que las nuevas oían, nunca cessavan de buscar con mucha diligencia. Venida la noche, la Reina acordó de embiar
mensajeros a más andar, y cartas, a los más lugares que ella
pudo. Y en esto passó toda la noche sin sueño dormir. Al alva
del día llegaron don Grumedán y Giontes, y cuando la Reina
los vio, preguntóles si sabían algo del Rey su señor. Don Grumedán le dixo:

—No sabemos más de cuanto nos dixeron a Giontes[14] y a
mí en la casa donde estávamos caçando cómo mucha gente lo
buscava. Pensando fallar aquí alguna nueva, acordamos de no
ir antes a otra parte pero, pues que la no hallamos, meternos
emos luego en su demanda.

---

[12] *teniéndolo en la verdad en más de lo que mostravan:* creyendo la verdad más de
lo que manifestaban.

[13] Si recordamos la primera intervención activa de Lisuarte, no deja de tener
ciertos paralelismos con ésta. Había prometido un «don» a una mujer, y mediante un engaño fue aprisionado. Amadís y Galaor lograron ayudarle para li-
brarse de la trampa maquinada por Arcaláus. El esquema se repite, pero ahora
la tarea está destinada a su nieto.

[14] *Giontes:* gigontes, Z // giontes, RS // .

—Don Grumedán —dixo la Reina—, yo no puedo sosegar ni hallo descanso ni remedio, ni puedo pensar qué aya sido esto. Y si aquí quedasse, de gran congoxa sería muerta, y por esto acuerdo de me ir con vos; porque si buena nueva viniere allá, más aína que acá la sabré; y si al contrario, no dexaré fasta la muerte de tomar el trabajo[15] que con razón tomar devo.

Luego mandó que le traxessen un palafrén. Y tomando consigo a don Grumedán y a don Giontes, y una dueña, muger de Brandoivas, se fue por la floresta lo más[16] presto que pudo, y anduvo por ella[17] tres días, que siempre alvergava en poblado, en los cuales, si por don Grumedán no fuera, no comiera solo un bocado[18], mas él con gran fuerça hazía que algo comiesse. Todas las noches dormía vestida[19] debaxo de los árboles, que, ahunque algunas aldeas pequeñas fallavan, no quería entrar en ellas, diziendo que su gran congoxa no lo consentía[20]. Pues en cabo destos días[21] acaesció que entre las muchas gentes que por la floresta encontraron halló al rey Arbán de Norgales, que venía muy triste y muy fatigado, y su cavallo tan lasso y cansado, que ya no le podía traer. Cuando la Reina lo vio, díxole:

—Buen sobrino, ¿qué nuevas traéis del Rey mi señor?

A él vinieron las lágrimas a los ojos, y dixo:

—Señora, no otras ningunas más de las que sabía cuando de vuestra presencia me partí. Y creed, señora, que tantos somos en su demanda y con tanto trabajo y afición le emos buscado, que sería impossible, si desta parte de la mar estuviesse, no le hallar. Pero yo entiendo que, si algún engaño recibió, que no

---

[15] *el trabajo:* en trabajo, Z // el trabajo, RS // .

[16] *lo más:* los mas, Z // lo mas, RS // .

[17] *por ella:* por ellas, Z // por ella, RS // .

[18] *no comiera solo un bocado:* no hubiera comido ni siquiera un solo bocado. *Solo* en este tipo de frases negativas equivale a *ni siquiera.* «Él se tovo tan firme en las estriveras, que sólo no le pudieron mover», *Gran Conquista de Ultramar,* I, 209.

[19] *vestida:* vestido, Z // vestida, RS // .

[20] El dolor de Brisena se transfiere incluso a estos detalles mínimos, pues la contraposición entre la floresta y las aldeas, equivalente al despoblado/lugar habitado, y el hecho de dormir vestida, implican una incomodidad asumida voluntariamente, y corresponden, conjuntamente con su deseo de no comer, a los síntomas externos de su pena.

[21] *destos días:* destas dias, Z // destos dias, RS // .

fue para lo dexar en su reino; y ciertamente, señora, siempre me pesó deste apartamiento suyo con tanta[22] esquiveza y mal recaudo de su persona, porque los príncipes y grandes señores, que a muchos han de governar y mandar, no pueden usar dello tan justamente y con tanta clemencia, que no sean de los más temidos; y deste tal temor, faltando el amor, luego viene el aborrescimiento. Y por esta causa deven poner tal recaudo en sus personas, que los menores no se atrevan a su grandeza; que muchas vezes los tales dan ocasión de recordar a otros lo que no tenían pensado. Y a Dios plega por la su merced de me poner en parte donde le vea y le diga esto y otras muchas cosas; en el cual tengo esperança que Él lo hará. Y vos, señora, assí lo tened.

Cuando la Reina esto oyó, salió de todo su sentido, y amortescida cayó del palafrén ayuso. Don Grumedán se derribó[23] de su cavallo lo más presto que pudo, y tomóla en sus braços. Así la tuvo por una gran pieça, que más por muerta que por biva la juzgavan. Y cuando acordó, dixo muy dolorosamente con gran abundancia de lágrimas:

—Engañosa y espantable fortuna, esperança de los miserables, cruel enemiga de los prosperados[24], trastornadora de las mundanales cosas, ¿de qué me puedo loar de ti?; que si en los tiempos passados me feziste señora de muchos reinos, obedescida y acatada de muchas gentes, y sobre todo junta al matrimonio de tan poderoso y virtuoso Rey, en un solo momento a él me quitando lo levaste y robaste todo; que si a él perdiendo los bienes mundanos me dexas, no causa en mí esperança de recobrar descanso ni plazer, mas de muy mayor dolor y amargura me serán ocasión; porque si de mí preciados eran y en algo tenidos, no era salvo por aquel que los mandava y defendía. Por cierto, con mucha más causa te pudiera gradescer si, como una destas simples mugeres sin fama, sin pompa[25] me

---

[22] *tanta:* tanto, Z // tanta, RS // .

[23] *se derribó:* se bajó.

[24] *prosperados:* afortunados.

[25] *pompa:* 1.ª doc. según DCECH, en el *Corbacho,* si bien pueden encontrarse testimonios anteriores (h. 1430): «Sabidas las nuevas de la grant ponpa que Perseo contra ellos llevava», *Confisión del Amante,* 99, 4.

[26] *mismo[s]:* mismo, ZR // mismos, S // .

dexaras; porque yo olvidando los flacos y livianos males míos, assí como ella, por los ásperos y crueles agenos derramara mis lágrimas. Mas, ¿por qué me quexaré de ti?, pues que los engaños y fuertes mudanças tuyas derribando los que ensalçaste son tan manifiestos a todos que no de ti, mas de sí mismo[s][26], en ti confiando, se deven quexar.

Assí estava esta noble Reina haziendo su duelo en la tierra sentada y su amo, don Grumedán, los inojos fincados, teniéndole las manos, con palabras muy dulces la consolando, como aquel en quien toda virtud y discreción morava, con aquella piedad y amor que en la cuna lo hiziera[27]. Mas consuelo no era menester, que ella se amortescía tantas vezes, que sin ningún sentido y cuasi muerta quedava, que era causa de gran dolor a los que la veían. Y cuando algún tanto su espíritu algunas fuerças fuere cobrando, dixo a don Grumedán:

—¡O mi fiel y verdadero amigo, yo te ruego que assí como estas tus manos en los mis primeros días fueron causa de los creçer, que agora en los postrimeros en ellas mismas reciba la mi muerte!

Don Grumedán, veyendo ser su repuesta[28] escusada según su disposición, calló, que no dixo nada; antes, acordó que sería bueno de la levar algún poblado donde se procurasse algún remedio. Así lo hizieron, que él y aquellos cavalleros que allí estavan la pusieron en su palafrén, y don Grumedán en las ancas, teniéndola abraçada, la levaron a unas casas de monteros del Rey que en la floresta para la guardar bivían. Y luego embiaron por camas y otros atavíos donde descansasse. Pero ella nunca quiso estar sino en la más pobre cama que allí se halló.

---

[27] Se ha producido en la propia obra un cierto cambio en la manifestación de sentimientos hacia el niño, desde las frases iniciales del capítulo del comienzo, hasta el nacimiento de Esplandián, pasando por esta acción más expresiva realizada por un hombre. En esta variación nos encontramos ante una nueva época y sensibilidad, como sucede también en otras literaturas. Véase Béatrix Vadin, «L'absence de représentation de l'enfant et / ou du sentiment de l'enfance dans la littérature médiévale», en *Exclus et systemes d'exclusion dans la littérature et la civilisation médiévales*, *Senefiance*, núm. 5, Aix-en-Provence, 1978, págs. 363-384.

[28] *repuesta*: aunque R y S editan *respuesta*, la forma del texto zaragozano puede atestiguarse con cierta frecuencia en la Edad Media, por lo que ante la duda la mantengo. Cfr.: «Avida esta rrepuesta de los dioses», *Confisión del amante*, 157, 4.

Assí estuvo algunos días sin saber dónde ir ni qué de sí hiziesse. Y cuando don Grumedán más reposada la vio, díxole:

—Noble y poderosa Reina, ¿dónde es fuida vuestra gran discreción en el tiempo que más menester la ovistes, que tan fuera de consejo la muerte procuráis y demandáis, no teniendo en la memoria fenescer con ella todas las mundanales cosas? ¿Y qué remedio será para aquel vuestro tanto amado marido ser vuestra ánima desas carnes salida? ¿Por ventura compráis con ello su salud o ponéis remedio a sus males? Antes, por cierto, es todo al contrario de lo que los cuerdos deven hazer, que el coraçón y discreción para semejantes afrentas fueron establescidos y dotados de aquel muy alto Señor, y más con grande esfuerço y diligencia que con sobradas lágrimas a las fortunas de los amigos se han de socorrer. Pues si aparejo a esto que digo se os ofresce, quiero que como yo lo conozco lo sepáis. Bien sabéis, señora, que demás de los cavalleros y muchos vasallos que en vuestros señoríos biven, que con gran afición y amor seguirán y complirán vuestros mandamientos, de la sangre de vuestra real casa pende oy casi toda la cristiandad, assí en esfuerço como en grandes imperios y señoríos, sobre todos como el cielo sobre la tierra; pues, ¿quién duda que éstos, sabiendo esta tan gran fatiga, no quieran como vos misma ser en el remedio della? Y si el Rey vuestro marido en estas partes está, nosotros que suyos somos daremos el remedio; y si por ventura a la mar lo passaron, ¿en qué tierra tan áspera, ni qué gente tan brava podrá resistir que avido no sea? Assí que, mi buena señora, dexando aparte las cosas que más daño que pro traen, tomando nuevo consuelo y consejo sigamos aquellas que a la salud y remedio deste negocio aprovechar pueden.

Pues oído por la Reina esto[29] que don Grumedán dixo, assí como de muerte a vida la tornó. Y conosciendo que en todo verdad dezía, dexando las lágrimas y grandes querellas acordó de embiar un mensajero a Amadís, que más a la mano estava, confiando en su buena ventura que, assí como en las otras cosas, en esta pornía remedio; y luego mandó a Brandoivas que lo más apressuradamente que él pudiesse buscasse a Amadís y la diesse una carta suya, la cual dezía assí:

---

[29] *esto:* esta, Z // esto, RS // .

«Si en los tiempos passados, bienaventurado cavallero, esta real casa por vuestro gran esfuerço fue defendida y amparada, en estos presentes, constreñida más que lo nunca fue, con mucha afición y aflición vos llama[30]. Y si los grandes beneficios de vos recebidos no se gradescieron como vuestra gran virtud lo merescía, contentaos, pues aquel justo Juez, en todo poderoso, en defeto nuestro lo quiso pagar ensalçando vuestras cosas hasta el cielo y las nuestras abatiendo debaxo de la tierra. Sabréis, mi muy amado hijo y verdadero amigo, que assí como[35] el relámpago en la escura noche redobla la vista de los ojos en que fiere, si súpitamente se partiendo, en mayor tenebregura[32] y escuridad que ante los dexa, assí teniendo yo ante los míos la real persona del rey Lisuarte, mi marido y mi señor, que era la luz y lumbre dellos y de todos mis sentidos, seyéndome en un momento arrebatado, los dexó en tanta amargura y abundancia de lágrimas, que muy presto con la muerte perescer esperan. Y porque el caso es tan doloroso que las fuerças ni el juizio podrían star a lo escrevir, remitiéndome al mensajero doy fin en ésta, y en mi triste vida, si el remedio dél presto no viere»[33].

Acabada la carta, mandó a Brandoivas que él por estenso[34] le contasse aquellas malaventuradas nuevas; el cual fue luego partido con aquella voluntad que muy fiel criado como lo él era lo devía hazer.

Pues esto hecho, con aquellos cavalleros se puso luego en el

---

[30] Aparte de la derivación, la paronomasia constituye también otro de los recursos preferidos por Rodríguez de Montalvo.

[31] *como:* çomo, Z // como, RS // .

[32] *tenebregura:* tenebrosidad.

[33] De acuerdo con las corrientes literarias de la época, Montalvo utilizará la carta abundantemente en el libro IV, y en esta última ocasión como medio más íntimo y dramatizado para expresar los sentimientos de una persona. No obstante, parece muy significativo que las principales cartas de este tipo hayan sido escritas por mujeres.

[34] *estenso:* ystenso, Z // estenso, RS // .

camino de Londres, porque aquella cibdad era la cabeça de todo el reino[35], y allí mejor que en otra parte, si algún movimiento oviesse, se hallaría. Pero no fue assí; antes, estendiéndose las nuevas a todas partes, la alteración de las gentes fue de tal manera, que grandes y pequeños, hombres y mugeres desampararon los lugares, y como si fuera de sentido estuviessen, andavan dando bozes por los campos llorando y llamando al Rey su señor en tanto número de gente, que las florestas y montañas todas dellas eran llenas, y muchas de las dueñas y donzellas de gran guisa descabelladas[36], haziendo grandes llantos por aquel que siempre en su defensa y socorro hallaron.

¡O, cómo se devrían tener los reyes por bienaventurados si sus vasallos con tanto amor y tan gran dolor se sintiessen de sus pérdidas y fatigas; y cuánto[37] assí mesmo lo serían los súditos que con mucha causa lo pudiessen y deviessen hazer, seyendo sus reyes tales para ellos como era este noble Rey para los suyos! Pero, mal pecado[38], los tiempos de agora mucho al contrario son de los passados, según el poco amor y menos verdad que en las gentes contra sus reyes se halla. Y esto deve causar la costellación[39] del mundo ser más envegeçida; que perdida la mayor parte de la virtud[40], no puede llevar el fruto que devía, assí como la cansada tierra, que ni el mucho labrar ni la escogida simiente pueden defender los cardos y las espinas con las otras yervas de poco provecho que en ella nascen. Pues roguemos aquel Señor poderoso que ponga en ello remedio; y si a nosotros como indinos oír no le plaze, que oya aquellos que ahún dentro en las fraguas, sin dellas aver salido, se

---

[35] *aquella cibdad era la cabeça de todo el reino*: aquella ciudad era la capital de todo el reino. «Fuesse para Fra[n]çia e despues para Tolosa, de la qual fizo cabeça del rreyno e silla de los rreyes godos», Alfonso Martínez de Toledo, *Atalaya de las coronicas*, pág. 5b.

[36] *donzellas de gran guisa descabelladas*: doncellas de alto linaje con el cabello suelto y descompuesto.

[37] *cuánto*: quando, Z // quanto, RS // .

[38] *mal pecado*: por desgracia. «Ensobervecida de su fermosura, como, mal pecado, algunas fazen oy día», A. Martínez de Toledo, *Corbacho*, 151.

[39] *costellación*: constelación.

[40] Se recrea un lugar común del pensamiento medieval, según el cual no sólo las fuerzas de los hombres, sino también la virtud, decrecen conforme avanza el tiempo. Véase la Introducción, págs. 76 y ss.

hallan, que los haga nascer con tanto encendimiento de caridad y amor como en aquestos passados avía; y a los Reyes que, apartadas sus iras, sus passiones, con justa mano y piadosa los traten y sostengan.

Pues tornando al propósito, cuenta la istoria que estas nuevas bolaron muy presto a todas partes por aquellos que grandes tratos en la Gran Bretaña tenían, de los cuales todo lo más del tiempo por la mar navegavan, assí que muy presto fue sabido en aquellas tierras donde don Cuadragante, Señor de Sansueña, y don Bruneo, Rey de Aravia, y los otros señores sus amigos estavan; los cuales, considerando la gran parte que desto a Amadís tocava en reparar la pérdida del Rey o del reino, si en él algunos escándalos[41] se levantassen, acordaron, pues ya en aquellas conquistas no havía qué hazer y todo estava señoreado, de se ir juntos como estavan a la Ínsola Firme por se hallar con Amadís y seguir lo que él mandasse. Pues con este acuerdo, dexando don Bruneo en su reino a Branfil, su hermano, y don Cuadragante, a Landín, su sobrino, que poco ante allí era llegado con gente del rey Cildadán en su señorío de Sansueña, levando la más gente que pudieron, y dexando con ellos lo que necessario avían para guardar aquellas tierras, se metieron en sus fustas por la mar, y el gigante Balán con ellos, que de todos muy amado y preciado era.

Tanto anduvieron y con tan próspero viento, que a los doze días que de allí partieron legaron al puerto de la Ínsola Firme. Cuando Balán vio la gran sierpe que allí Urganda avía dexado, como la istoria vos lo ha dicho, mucho fue maravillado de cosa tan estraña, y mucho más lo fuera si le no contaran la causa della aquellos que con él venían. Al tiempo que estos señores allí ar[r]ibaron, Amadís estava con su señora Oriana, que della no se osava partir; que como Brandoivas llegasse de parte de la reina Brisena con la carta que ya oístes, y Oriana supiesse lo de su padre, fue su dolor y tristeza tan sobrada, que en muy poco estuvo de perder la vida. Y como le dixeron la venida de aquella flota en que aquellos señores venían, rogó a Grasandor que

---

[41] *escándalos:* alborotos, tumultos, inquietudes. «E como estando en Huete [...] oviesse nuevas de algunas novedades, escándalos e bolliçios», *Crónica de don Álvaro de Luna,* 230, 4.

los recebiesse y les dixesse la causa por que a ellos no podía salir. Grasandor así lo hizo, que en su cavallo llegó al puerto y halló que ya salían de la mar el Rey de Sobradisa, don Galaor, y el Rey de Aravia, don Bruneo, y don Cuadragante, Señor de Sansueña, y el gigante Balán, y don Galvanes, y Angriote de Estraváus, y Gavarte de Valtemeroso, y Agrajes y Palomir, y otros muchos cavalleros de gran prez en armas que sería enojo contarlos. Grasandor les dixo de la forma que Amadís estava, y que se aposentassen y descansassen essa noche, y que otro día saldría para ellos a dar orden en aquel caso, que ya a ellos manifiesto sería. Todos lo tuvieron por bien que así se hiziesse, y luego subieron al castillo y se aposentaron en sus posadas. Y Agrajes y su tío don Galvanes llevaron consigo a Balán por le hazer toda la honra que ellos pudiessen.

Passada, pues, aquella noche, haviendo oído missa, fuéronse todos a la huerta, donde Amadís estava. Y como él lo supo, dexando a su señora con más sosiego y a su cormana Mabilia y Melicia su hermana, y Grasinda con ella, salió de la torre y vínose para ellos.

Cuando assí juntos los vio hechos reyes y grandes señores, escapados de tantas afrentas y peligros como avían passado con tanta salud, ahunque en el continente tristeza mostrasse por lo del rey Lisuarte, en su coraçón sintió tan gran alegría, mucha más que si para él solo todo aquello se oviera ganado, y fuelos abraçar y todos a él. Mas al que él más amor mostró fue a Balán el gigante, que a éste abraçó muchas vezes, honrándole con mucha cortesía[42].

Pues estando assí juntos, el rey don Galaor, como aquel que en tanto grado la pérdida del rey Lisuarte sintiesse como del rey Perión su padre, les dixo que sin poner dilación de ningún tiempo se devía tomar acuerdo de lo que hazer devían en lo del rey Lisuarte, porque él, si Amadís lo otorgasse, luego quería entrar en aquella demanda sin holgar ni aver reposo día ni noche hasta perder la vida o salvar la suya si bivo fuesse. Amadís le dixo:

—Buen señor hermano, gran sinrazón sería que aquel Rey

---

[42] A través del recibimiento se destaca la importancia de este personaje secundario, posterior y sorprendente padrino de la investidura de Esplandián.

que tan bueno fue, y tan honrado y tan socorredor de los buenos, que los buenos en tan estrema necessidad no le socorriessen, que dexando aparte el gran[43] deudo que yo con él tengo que a todos obliga hazer lo que dezís, por su sola virtud y gran nobleza merescía ser servido y ayudado en sus afrentas de todos aquellos en quien virtud y buen conoscimiento oviesse.

Entonces mandaron venir ante ellos a Brandoivas por saber lo que se avía hecho en buscar al Rey, y que les dixesse con qué la Reina sería más servida y contenta. Él les dixo todo lo que viera y la gran gente que luego en la ora que el Rey fue perdido salió a lo buscar, y que creyessen que, si en aquella floresta, y ahun en todo su reino, fuera preso y en algún lugar detenido, que no era cosa que encubrirse pudiera; mas que el pensamiento de la Reina y de todos los otros no era salvo creer que por la mar lo levaron, o en ella lo avían afogado; que según el socorro fuera presto, ahun para lo soterrar no tuvieran tiempo; y que su parescer era, pues que todo aquel reino avía tanto sentimiento hecho, y con tando amor y voluntad todos al servicio de la Reina quedavan, no se esperando de otra ninguna parte lo contrario, que ellos en aquella gran flota que allí tenían se devían partir en muchas partes, que, según en todas las cosas por ellos començadas siempre la fortuna les avía sido muy favorable, que en esta que con tanto afán y afición se ponían no querría en otro estilo mudarse.

A todos aquellos señores les paresció muy buen consejo el que Brandoivas les dava, y en aquello se otorgaron que se hiziesse; y rogaron a Amadís que tomasse cuidado de les señalar la parte de la mar y de las tierras que buscassen, porque ninguna cosa quedasse de lo uno ni de lo otro, y que luego los levasse ante Oriana, que en sus manos querían jurar y prometer de nunca cessar la demanda fasta tanto que del Rey su padre nuevas de bivo o de muerto le traxessen, que con esto pensavan de dar consuelo a su tristeza. Pues yendo todos[44] para entrar en la torre, llegó un hombre que les dixo:

—Señores, una dueña sale de la Gran Serpiente, y créese

---

[43] *el gran:* a gran, Z // el gran, RS //.
[44] *yendo todos:* fueron todos, ZR // yendo todos, S // .

que es Urganda la Desconocida, que otra no fuera poderosa de allí entrar ni salir.

Cuando Amadís esto oyó, dixo:

—Si ella es, sea muy bien venida, que a tal sazón más con ella que con otra ninguna persona nos deve plazer.

Luego embiaron por sus cavallos para la recebir, pero no se pudo hazer tan presto que ante Urganda de la mar salida no fuesse, y en su palafrén, trayéndola sus dos enanos por las riendas, a la puerta de la huerta llegada. Cuando aquellos señores allí la vieron, fueron contra ella, y el rey don Galaor fue el primero, y la tomó con sus braços del palafrén y la puso en tierra. Todos la salvaron[45] y la honraron con mucha cortesía, y ella les dixo:

—Bien creeréis, mis buenos señores, que de fallaros assí juntos no lo terné por estraña cosa, pues que, cuando de aquí partí vos lo dixe, que sobre un caso a vosotros oculto lo seríades. Mas dexemos agora de fablar en ello, y antes que más os diga, quiero ver y consolar a Oriana, porque sus antiguas y dolores más que los míos propios los siento.

Entonces se fueron todos con ella hasta el aposentamiento de Oriana. Cuando Oriana la vio por la puerta entrar, comencó a llorar muy agramente[46] y a dezir:

—¡O mi buen amiga señora! ¿Cómo, sabiendo vos todas las cosas antes que vengan, no pusistes remedio en esta tan gran desventura venida sobre aquel Rey que tanto vos amava? Agora conozco yo que, pues vos le falleçistes, que todo el mundo le fallesce.

Y dando con sus palmas en el rostro, se dexó caer en su estrado. Urganda se llegó a ella, y fincadas las rodillas, tomándola por las manos le dixo:

—Amada señora fija, no os congoxéis ni aflijáis tanto, pues que los imperios y grandes estados de que vos tan ornada y abastada sois traen siempre consigo las semejantes tribulaciones, y sin esta condición ninguno posseerlos puede; que con mucha razón nos podríamos quexar los que poco tenemos de

---

[45] *salvaron:* saludaron.

[46] *agramente:* amargamente. «Llorando los diablos muy agramente», A. Martínez de Toledo, *Corbacho,* 67.

aquel poderoso Señor si de otra guisa passasse; pues que seyendo todos de una massa, de una naturaleza, obligados a los vicios y passiones y al cabo iguales en la muerte, nos hizo tan diversos en los bienes deste mundo, a los unos señores, a los otros vasallos, con tanta sojeción y humildad, que con razón o sin ella nos convenga sufrir prisiones, muertes, destierros, y otras cosas de innumerábiles[47] penas, assí como la voluntad y querer de los mayores lo mandan[48]. Y si algún consuelo estos assí sojuzgados y apremiados al su[49] desconsuelo sienten, no es ál salvo ver estos juegos de la fortuna que traen estas caídas peligrosas; y como esto sea ordenado y permitido de la su Real Majestad, assí son todas las otras cosas que por el mundo se rodean, sin ser a ninguno poder dado por discreción ni sabiduría que en sí aya de solo un punto remover dello[50]. Assí que, muy amada señora, compensando lo malo con lo bueno y lo triste con lo alegre daréis mucho descanso a vuestra fatiga. Y en lo que me dezís del Rey vuestro padre verdad es que a mí antes manifiesto fue, como por palabras encubiertas al tiempo que de aquí partí lo dixe. Pero no fue en mí tal poder que desviar pudiesse lo que ordenado estava, mas lo que a mí es otorgado en esta venida se porná en obra; lo cual con ayuda del

---

[47]  *innumerábiles:* innumerables; en DCECH, sin fecha de introducción.

[48]  Las palabras de Urganda recogen las grandes líneas del pensamiento sobre la sociedad en la Edad Media, al admitir la existencia de una igualdad sustancial de las personas que se manifiesta en el nacimiento y en la muerte —«seyendo todos de una massa... al cabo iguales en la muerte». Ahora bien, el buen funcionamiento del mundo implica también una necesaria desigualdad social durante el resto de la vida —*vassallos-siervos*—, «que no era entendida ni como prerrogativa ni como desventaja pues [...] se consideraba que debía haber una proporción entre el privilegio y la calidad o dureza del servicio y la dignidad de la función; además, el hombre vivía en una constante tensión personal por mantener su lugar social, pues si se olvidaban los deberes específicos de la propia condición se iba en contra del plan providencial», Luciana de Stefano, *La sociedad estamental...,* pág. 48.

[49]  *al su:* algun, Z // al su, RS // .

[50]  El hombre medieval, acostumbrado a la inmutabilidad y jerarquía social, atribuyó los desórdenes a un «poder extramundano, personificado en la Fortuna. Y es de notar que este tema —al igual que las obras que acusan caracteres de crítica social— se hace más frecuente en los siglos XIV y XV, los de mayor inestabilidad social. Lo pagano que en la Fortuna había fue cristianizado por el pensamiento conciliador del Medioevo, que la convierte en instrumento de la Providencia», Luciana de Stefano, *La sociedad estamental...,* págs. 48-49.

mayor Señor será causa de traer el remedio que a esta tan grande tristeza en que vos hallo conviene.

Entonces la dexó, y se tornó a los cavalleros, que juntos estavan, por dar orden en el viaje que cada uno avía de hazer, y díxoles:

—Mis buenos señores, bien se os acordará[51] cómo al tiempo de mi partida desta ínsola, cuando juntos quedastes, vos dixe que a la sazón que el donzel Esplandián uviesse de recebir cavallería, por un caso a vosotros oculto, todos los más seríades aquí tornados. Pues si assí se cumplió, la presencia vuestra da dello testimonio. Agora yo soy venida como lo prometí assí para aquel auto, como por [vos] quitar de las afrentas y grandes trabajos que desta demanda en que todos puestos estáis vos pueden venir, sin que dellas remedio ninguno de lo que desseáis vos alcance; que si todos los que en el mundo son nascidos, con los que por nascer están, que bivos fuessen, procurassen con toda diligencia de fallar al rey Lisuarte, sería impossible poderlo acabar, según en la parte donde lo llevaron. Por ende, mis señores, no entre en vuestros coraçones tan gran follía[52] que con poca[53] discreción, seyendo primero por mí avisados, queráis alcançar a saber aquello que la voluntad del más poderoso Señor defiende que sabido no sea; y dexaldo aquel a quien por su especial gracia le es permitido. Y porque de la dilación gran daño se podría causar, es menester para el efecto de lo que conviene que assí como estáis, llevando con vosotros al hermoso donzel Esplandián y a Talanque, y a Maneli el Mesurado y al Rey de Dacia, y a Ambor, hijo de Angriote d'Estraváus[54], seáis mis huéspedes esta noche, con alguna parte del día siguiente, dentro en aquella gran fusta que serpiente paresce.

Cuando aquellos señores oyeron esto que Urganda les dixo, todos callaron, que ninguno supo qué responder, porque, según las cosas passadas della dichas tan verdaderas avían salido, bien creyeron que assí aquella presente sería; y por esta causa,

---

[51] *acordará:* acordare, Z // acordara, RS // .

[52] *follía:* locura.

[53] *poca:* poco, Z // poca, RS // .

[54] *d'Estravaus:* destrevaus, Z // de estravaus, R // destravaus, S // .

sin más le dezir, acordaron de complir lo que mandava, considerándolo por mejor. Y luego cavalgando en sus cavallos, y ella en su palafrén llevando consigo a Esplandián y los otros donzeles[55], se fueron a la marina[56], donde Urganda les dixo que en una de aquellas fustas passassen con ella hasta se meter en la Gran Serpiente, lo cual así fue hecho.

Pues llegados y entrados en aquella gran nao, Urganda se metió con ellos[57] en una grande y rica sala, donde les hizo poner mesas en que cenassen. Y ella con los donzeles se metió a una capilla que en cabo de la sala estava, guarnida de oro y piedras de muy gran valor; y allí cenó con ellos con muchos istrumentos que unas donzellas suyas muy dulcemente tañían. Acabada la cena, Urganda, dexando los donzeles en la capilla, salió a la gran sala donde aquellos señores estavan, y rogóles que a la capilla se fuessen y hiziessen compañía a los noveles. A cabo de una pieça de tiempo tornó Urganda y traía en sus manos una loriga, y tras ella venía su sobrina Solisa con un yelmo, y Julianda, su hermana desta Solisa, con un escudo. Y estas armas no eran conformes a las de los otros noveles, que acostumbravan en el comienço de su cavallería de las traer blancas, mas eran tan negras y tan escuras que ninguna otra cosa tanto lo podía ser[58]. Urganda se fue a Esplandián y díxole:

—Bienaventurado donzel más que otro alguno de tu tiempo, vístete estas armas conformes a la manzilla y negregura[59] del tu fuerte y bravo coraçón que por el Rey tu abuelo tienes; que así como los passados que la orden de la cavallería esta-

---

[55] *donzeles:* donzelles, Z // donzeles, RS // . Véase la nota 39 del capítulo LXXI.

[56] *marina:* parte de tierra a orillas del mar. «Por todas las marinas en riberas era buscado», Juan de Flores, *Grimalte y Gradissa*, 61.

[57] *con ellos:* con ella, Z // con ellos, RS // .

[58] Según las *Partidas*, II, XXI, XVIII, «paños de colores señalados establescieron los antiguos que traxessen vestidos los cavalleros nobles mientra que fuessen mancebos, assi como bermejos, e jaldes, e verdes, o cardenos, por que les diessen alegria. Mas prieto, o pardo, o de otra color, que sea que les fiziesse entristecer, no tuvieron por bien que los vistiessen. E esto fizieron, por que las vestiduras fuessen apuestas e ellos fuessen mas alegres e les creciessen los coraçones para ser mas esforçados».

[59] *manzilla y negregura:* pena y negrura, tristeza.

blescieron tovieron por bueno que a la nueva alegría nuevas armas y blancas se diessen, assí lo tengo yo que a tan gran tristeza negras y tristes se den, porque veyéndolas ayas memoria de remediar la causa de su triste color.

Entonces le vistió la loriga, que muy fuerte y bien labrada era. Solisa le puso el yelmo en la cabeça, y Julianda, el escudo al cuello. Entonces miró Urganda contra Amadís y díxole:

—Con mucha razón estos cavalleros podrían preguntar la causa por que en estas armas la espada falte. Mas vos no, mi buen señor, que sabéis dónde la fallastes y de que tan grandes tiempos le está guardada por aquella que en su tiempo par de sabiduría no tuvo en todas las artes, sino solamente en la del engañoso amor de aquel que más que a sí mesma amava, por quien la desastrada y dolorosa fin ovo[60]; pues con aquella encantada espada que fuerça tiene de desatar y disolver todos los otros encantamentos, puesta en el puño del su muy fuerte braço hará[61] tales cosas por donde las que hasta aquí mucho resplandescían en mucha escuridad y menoscabo serán puestas.

Armado Esplandián como oídes, entraron en la capilla cuatro donzellas, cada una con un guarnimiento de cavallero de unas armas tan blancas y tan claras como la luna, orladas y guarnidas de muchas piedras preciosas con unas cruzes negras. Y cada una dellas armó uno de aquellos donzeles; y teniendo a Esplandián en medio, hincados de rodillas delante el altar de la Virgen María, velaron las armas. Assí como era en aquel tiempo costumbre, todos tenían las manos y las cabeças desarmadas, y Esplandián estava entr'ellos tan hermoso, que su rostro resplandescía como los rayos del sol, tanto que hazía mucho maravillar a todos aquellos que lo veían fincado de inojos con mucha devoción y grande humildad rogándola que fuesse su abogada[62] con el su glorioso Hijo, que le ayudasse y endereçasse en tal manera, que seyendo su servicio pudiesse complir con

---

[60] Como había deducido Amadís y ahora predice Urganda, la espada estaba destinada a Esplandián, por lo que su adquisición deberá convertirse en la primera aventura del nuevo héroe. Urganda ya había entregado unas armas a Galaor, pero ahora la espada de Esplandián reviste unas características diferentes, sólo destinada desde hacía doscientos años para un elegido.

[61] *hará:* hare, Z // hara, RS // .

[62] *abogada:* obogada, Z // abogada, RS // .

aquella tan gran honra que tomava, y le diesse gracia por la su infinita bondad cómo por él, antes que por otro alguno, el rey Lisuarte, si bivo era, en su honra y reino restituido fuesse. Assí estuvo toda la noche sin que en cosa alguna fablasse sino en estas tales rogarias[63] y en otras muchas oraciones, considerando que ninguna fuerça ni valentía, por grande que fuesse, tenía más facultad de la que allí otorgada le fuesse.

Assí passaron aquella noche como avéis oído, velando todos y todas a aquellos noveles. Y venida la mañana, paresció encima de aquella Gran Serpiente un enano muy feo y muy lasso con una gran trompa en la mano, y tañóla tan reziamente, que el su fuerte son fue oído por la mayor parte de aquella ínsola; assí que toda la gente hizo alborotar[64] y salir encima de los adarves y torres del castillo, y otros muchos por las peñas y alturas donde mejor pudiessen mirar. Y las dueñas y donzellas que en la gran torre de la huerta estavan subieron suso a la más priessa que pudieron por mirar qué sería aquello que tan fuertemente avía sonado.

Cuando Urganda assí los vio, fizo aquellos señores que allí donde su enano estava se subiessen, y luego ella tomó ante sí a los cuatro noveles y a Esplandián por la mano y subió tras ellos, y en pos della ivan seis donzellas vestidas de negro con seis trompas doradas. Y cuando fueron suso, Urganda dixo contra el gigante Balán:

—Amigo Balán, así como la natura te quiso estremar de todos aquellos que de tu linaje fueron en te hazer tan diverso de sus costumbres, allegándote a conocer razón y virtud[65], la cual hasta agora en ninguno de tus antecessores fallarse pudo, en que se puede dezir que este don o gracia de la divinal essencia te vino[66], assí, por aquel amor entrañable que en ti conozco

---

[63] *rogarias:* preces ...son rogarias o pregarias y suplicationes, Al. Palencia, 377b. Las dos acentuaciones en la á y en la í serían posibles según el DCECH.

[64] *alborotar:* inquietar, alterar, causar alboroto. «E los de la villa alborotaron, diziendo que la queria casar con Alvar Nuñes», A. Martínez de Toledo, *Atalaya de las coronicas,* pág. 84a.

[65] *razón y virtud:* ambas cualidades, conjuntamente con el esfuerzo, constituyen la trilogía preferida por Rodríguez de Montalvo.

[66] En su intento de explicar los acontecimientos o las cualidades de los personajes, el narrador nos ha dejado tres explicaciones diferentes. En primer lu-

que a Amadís tienes, quiero yo que otra temporal te sea otorgada entre estos tan señalados cavalleros, la cual ninguno antes que nos, ni presentes y por venir, alcançaron ni alcançar podrán; y ésta es que de tu mano sea armado este donzel cavallero, que los sus grandes hechos serán testimonio de ser mi palabra verdadera y farán estable la gloria que tú alcanças en dar esta orden a aquel que tan señalado y aventajado sobre tantos buenos será[67].

El gigante, cuando esto oyó, miró contra Amadís sin nada responder, como que dudava de complir lo que aquella dueña le dezía. Amadís, que assí lo vio, conoció luego que su consentimiento era necessario, y díxole con gran humildança[68]:

—Mi buen señor, hazed lo que Urganda vos dize, que todos hemos de obedescer sus mandamientos sin que en ninguna cosa contradichos sean.

Estonces el gigante tomó por la mano a Esplandián, y díxole:

—Fermoso donzel, ¿quieres ser cavallero?

—Quiero —dixo él.

Luego le besó y le puso la espuela diestra[69], y dixo:

—Aquel poderoso Señor que tanta de su forma y de su gra-

gar, sus cualidades derivan de la virtud y hermosura de su madre; después se achacan a la educación de un sabio griego y, ahora, se explican como una gracia divina. Este último hecho diferencial habrá que tenerlo en cuenta, pues se partía de que las cualidades del iniciador se transmitían al iniciado.

[67] El hecho de investir a un caballero constituía un honor para el investido. Ahora, la honra es para Balán, invirtiéndose los términos. «Sin duda, esta es, por parte de Montalvo, una inteligente manera de promover la lectura de la continuación del *Amadís*, cuya aparición anticipa durante toda la obra», N. Porro, art. cit., pág. 356.

[68] *humildança:* humildad.

[69] Nelly Porro comprueba que todas las ceremonias son idénticas y que no corresponden ni a la legislación ni a la costumbre castellana de los siglos XIV y XV, que nunca consideran el calzar espuelas y el beso como partes fundamentales ni dispensadores de la orden. Ahora bien, estos hechos, como tantos del *Amadís* no se explican desde la realidad histórica, sino desde la propia literatura. Por ejemplo, en *Li Contes del Graal* de Chrétien de Troyes se dice: "Et li preudom s'est abaissiez, / si li chaucha l'esperon destre. / La coustume soloit tex estre / que cil que faisoit chevalier / li devoit l'esperon cauchier... / Et li preudom l'espee a prise, / si li çainst et si le baisa (vv. 1626 y ss.)" Y el prohombre se agacha y le calza la espuela derecha. Era costumbre que el que hacía caballero a otro le debía calzar la espuela... Y el prohombre cogió la espada, se la ciñó y lo

cia en ti puso, más que en ninguno que jamás se viesse, Aquél te haga tan buen cavallero que con mucha razón pueda yo desde agora guardar la cuarta promessa que hago: de nunca ser este auto en otro alguno hecho.

Esto assí acabado, Urganda dixo:

—Amadís, mi señor, si por ventura hay algo en vuestra memoria que a este novel cavallero queráis mandar, sea luego porque presto le conviene de vuestra presencia ser partido.

Amadís, sabiendo las cosas desta Urganda, y cómo aquel amonestamiento sin gran causa no se hazía, dixo:

—Esplandián, hijo, al tiempo que yo passé por las ínsolas de Romanía y llegué en Grecia, yo recebí de aquel grande Emperador muchas honras y mercedes, y después que de su presencia me partí muchas más, assí como estos señores en mis necessidades y suyas vieron; por donde le soy obligado a servir todo el tiempo de mi vida, pues entre aquellas grandes honras que allí alcançé fue una la que yo en mucho devo tener. Y ésta es que la muy hermosa Leonorina, hija de aquel Emperador, más graciosa y hermosa que en todo el mundo donzella hallarse podría, y la reina Menoresa con otras dueñas y donzellas de muy gran guisa me tuvieron consigo en sus aposentamientos con tanto gozo y alegría y cuidado de a mí me la dar como si hijo de un emperador del mundo yo fuera, no haviendo al presente otra noticia de mí sino de un pobre cavallero; las cuales al tiempo de mi partida me demandaron un don: que, si hazerlo pudiesse, las tornasse a ver, y si ser no pudi[e]sse, les embiasse un cavallero de mi linaje de que servirse pudiessen. Yo les prometí de assí lo hazer, y porque yo no estoy en disposición de lo cumplir[70], a ti lo encomiendo; que si Dios por su merced te dexare acabar esto que todos desseamos, tengas memoria de quitar mi palabra donde presa en poder de tan alta señora quedó. Y porque puedan creer ser tú aquel que de mi parte va, toma este hermoso anillo, que de su mano tirado fue[71], para lo poner con ella en la mía.

---

besó.» Utilizo el texto y traducción de Martín de Riquer, Barcelona, El Festín de Esopo, 1985, págs. 167-168.

[70] *lo cumplir:* los cumplir, Z // lo cumplir, RS // .

[71] *tirado fue:* fue sacado. El anillo de Elisena había servido para iniciar sus amores con el rey Perión al comienzo de la obra, mientras que este otro anillo,

Estonces le dio el anillo que aquella Infanta le diera con la piedra preciada compañera de la que en la rica corona estava, como lo cuenta la tercera parte desta historia. Esplandián hincó los inojos ante él y besóle las manos, diziendo que como gelo mandava lo cumpliría si Dios por bueno lo tuviesse. Pero esto no se cumplió tan cedo como el uno y el otro lo cuidavan; antes, este cavallero passó por muchas cosas peligrosas por amor desta Infanta hermosa, solamente por la gran fama que della oyó[72], como adelante vos será contado.

Esto assí hecho, Urganda dixo a Esplandián:

—Hijo hermoso, hazed vos cavalleros estos donzeles, que muy presto vos pagarán esta honra que de vuestra mano reciben[73].

Esplandián assí como ella lo mandó lo hizo, de guisa que en aquella hora todos cinco recibieron aquella orden de cavallería. Estonces las seis donzellas que ya oístes tocaron las trompas con tan dulce son, y tan sabroso de oír, que todos aquellos señores, cuantos allí estavan y los cinco cavalleros noveles, cayeron adormidos[74] sin ningún sentido les quedar. Y la Gran Serpiente echó por sus narizes el fumo tan negro y tan espesso, que ninguno de los que miravan pudieron ver otra cosa salvo aquella grande escuridad.

Mas a poco rato, no sabiendo en qué forma ni manera, to-

---

símbolo de lo redondo, engarza con la continuación las *Sergas*, tantas veces anunciada.

[72] Se trata de un amor de *lomb*, de lejos, diferente del de su padre y mucho más espiritual, pues le ha llegado por la fama, por el oído. Véase Domingo Ynduráin, «Enamorarse de oídas», en *Serta Philologica F. Lázaro Carreter*, II, Madrid, Cátedra, 1985, 589-603.

[73] La investidura del caballero novel significa el paso de un estado a otro, una muerte que vivifica. Deja a un lado un aspecto de su vida, la infancia, para revivir como caballero. La serpiente posee cualidades similares, pues «es el único animal que tiene la facultad de abandonar su piel vieja por una nueva, como si lograse el eterno anhelo humano de rejuvenecer», Luis Bonilla, *Los mitos de la humanidad*, Madrid, Prensa Española, 1971, pág. 90. No resulta casual que en las iniciaciones de numerosos pueblos primitivos las representaciones de la serpiente desempeñen un papel importante como bien estudió, por ejemplo, V. Propp, *Las raíces históricas del cuento*, pág. 330.

[74] *adormidos:* dormidos. «Sin seso estava adormida del pesar que ove», *Celestina*, XXI, 237.

dos aquellos señores se hallaron en la huerta debaxo de los árboles donde Urganda los havía hallado al tiempo que allí llegó. Y esparzido aquel gran fumo, no paresció más aquella Gran Serpiente, ni supieron de Esplandián[75] ni de los otros noveles cavalleros, de que fueron todos muy espantados.

Cuando aquellos señores assí se vieron, mirávanse unos a otros, y semejávales que lo passado fuera como en sueños. Mas Amadís halló en su mano diestra un scripto que dezía assí:

«Vosotros, Reyes y cavalleros que aquí estáis, tornadvos a vuestras tierras; dad holgança a vuestros spíritus; descansen vuestros ánimos; dexad el prez de las armas, la fama de las honras a los que comiençan a subir en la muy alta rueda de la movible fortuna; contentaos con lo que della hasta aquí alcançastes, pues que más con vosotros que con otros algunos de vuestro tiempo le plugo tener queda y firme la su peligrosa rueda. Y tú, Amadís de Gaula, que desde el día que el rey Perión, tu padre, por ruego de tu señora Oriana te fizo cavallero, venciste muchos cavalleros y fuertes y bravos gigantes, passando con gran peligro de tu persona todos los tiempos hasta el día de hoy, haziendo temer las brutas y espantables animalias, haviendo gran pavor de la braviez[a] del tu fuerte coraçón, de aquí adelante da reposo a tus afanados miembros[76]; que aquella tu favorable fortuna bolviendo la rueda a éste, dexando a todos los otros debaxo, otorga ser puesto en la cumbre. Comiença ya a sentir los xaropes[77] amargos que los reinados y señoríos atraen, que cedo los alcançarás; que assí como con tu sola persona y armas y cavallo, haziendo vida de un pobre cavallero a muchos socorriste y muchos menester te ovieron, assí agora con los grandes estados, que falsos descansos prometen, te converná ser de muchos socorrido, amparado y defendido. Y tú, que hasta aquí solamente te ocupavas en ganar prez de tu sola persona, creyendo con aquello ser pagada la

---

[75] *de Esplandián:* de si Esplandian, Z // de Esplandian, RS // .

[76] *afanados miembros:* fatigados, cansados, miembros. «Y mirad quanto affanado de largo tiempo me veo, que dias y anyos ha que vo por los desiertos», Juan de Flores, *Grimalte y Gradissa,* págs. 12-13.

[77] *xarope:* trago amargo, o bebida desabrida, que se da a alguno *(Autoridades).* «Duro es tomar xaropes, purgas e ayudas, sangrías, sudores», Martín de Córdoba, *Compendio de la fortuna,* 60b.

deuda a que obligado eras, agora te converná repartir tus pensamientos y cuidados en tantas y diversas partes, que muchas vezes querrías ser tornado en la vida primera y que solamente te quedasse el tu enano a quien mandar pudiesses. Toma ya vida nueva con más cuidado de governar que de batallar como hasta aquí heziste. Dexa las armas para aquel a quien las grandes vitorias son otorgadas de aquel alto Juez que superior para ser su sentencia revocada no tiene, que los tus grandes hechos de armas por el mundo tan sonados muertos ante los suyos quedarán, assí que por muchos que más no saben será dicho que el hijo al padre mató[78]. Mas yo digo que no de aquella muerte natural a que todos[79] obligados somos, salvo de aquella que passando sobre los otros mayores peligros, mayores angustias, gana tanta gloria que la de los passados se olvida; y si alguna parte les dexa, no gloria ni fama se puede dezir, mas la sombra della»[80].

Acabado de leer aquel scripto, hablaron mucho entre sí qué devían o podían hazer, assí que los consejos eran muy diversos, ahunque a un efecto se reduziessen[81]. Mas Amadís les dixo:

---

[78] Se alude alegóricamente a la muerte de Amadís a manos de Esplandián. «Es probable que el punto de partida de su interpretación alegórica fuesen los versos 272b y 273f del *Laberinto* de Juan de Mena. Pues también en las coplas 271 ss. de este poema se encuentra una doncella omnisciente, la Providencia, quien en su profecía exalta el mérito del héroe predilecto del autor, don Juan II, sobre el de sus antepasados, llegando a decir "será como muerta la fama de Çindo..., morrá la memoria segund que su dueño..." Mena, empero, echa dos veces mano de "morir" evitando las siniestras asociaciones de "matar". Si Montalvo no le sigue en este escrúpulo, es porque la circunstancia de "que el hijo al padre mató" era tan notoria que no podía negarse de buenas a primeras», M. R. Lida de Malkiel, «El desenlace...», art. cit., pág. 150, nota 2.

[79] *a que todos:* a que a todos, Z // a que todos, RS // .

[80] Los consejos de Urganda advierten al héroe, como a todos los caballeros, que debe cambiar sus actividades. Ahora podrá retirarse a la vida de gobernante, por lo que en este final novelesco, a diferencia de un *Amadís* anterior en el que el héroe moría a manos de su hijo, no se destruye la ilusión de felicidad. Los fracasos de las últimas aventuras indican que será superado por su hijo, si bien esto mismo puede servirle de consuelo, puesto que a través del descendiente se logra la perfección suma, y se interesa al lector por su continuación, sin que el personaje deba finalizar su vida caballeresca por la derrota de un combate.

[81] *reduziesen:* redujesen.

—Buenos señores, comoquiera que a los encantadores y sabidores destas tales artes sea defendido de les dar ninguna fe[82], las cosas desta dueña passadas y vistas por nosotros en esperiencia nos deven poner en verdadera esperança de las venideras, no por tanto que sobre todo no quede el poder a aquel Señor que lo sabe y puede todo, del cual puede ser permitido que antes por esta Urganda sea reparado y manifiesto lo que tanto a duro[83] por otras vías podríamos saber, assí como fasta aquí se ha mostrado en otras muchas cosas. Y por esto, buenos señores, yo ternía por bueno que assí como lo ella conseja y manda, assí por nosotros se cumpla, tornando vos a vuestros[84] señoríos que nuevamente[85] havéis ganado, y mi hermano el rey don Galaor y don Galvanes mi tío, tomando consigo a Brandoivas, se vayan a la reina Brisena, porque dellos sepa con qué voluntad queríamos poner en efecto sus mandamientos, y la causa por qué cessó de se hazer. Y della sabrán lo que más le plazerá que sigamos[86]. Y yo quedaré aquí con mi cormano Agrajes hasta tanto que algunas nuevas nos vengan; y si nuestra ayuda y acorro para ellas fueren menester, mucho más apartados que juntos lo sabremos, y a donde vinieren aquéllos tengan cargo, haziéndolo saber a los otros, de acudir.

A todos aquellos señores y cavalleros paresció ser buen acuerdo este que Amadís les dixo, y assí lo pusieron por obra, que el rey don Bruneo y don Cuadragante, Señor de Sansueña, se tornaron a sus señoríos, llevando consigo aquellas sus muy hermosas mugeres, Melicia y Grasinda. Y el rey don Galaor y don Galvanes con Brandoivas se fueron a Londres, donde la

---

[82] La postura del autor de *Don Florisando* no puede ser más tajante sobre la actuación de Urganda, especialmente en las *Sergas*: «E ansí digo que con mucha vigilancia deve considerar el buen pastor [...] cómo no aya [el pueblo] las tales vanidades e castigar los tales divinadores e encantadores, inquiriendo aquellos que buscan las artes mágicas para los castigar, porque no incurran en tan abhominable pecado mortal contra el primero mandamiento de Dios, porque las tales cosas son supersticiosas al primero mandamiento repugnantes», *Don Florisando*, fol. 3 v.

[83] *tanto a duro:* con tanta dificultad.

[84] *vos a vuestros:* vos o vuestros, Z // vos a vuestros RS //.

[85] *nuevamente:* recientemente.

[86] *sigamos:* siguamos, Z // siguimos, R // sigamos, S // .

reina Brisena estava. Y Amadís y Agrajes y Grasandor se quedaron en la Ínsola Firme, y con ellos aquel fuerte gigante Balán, señor de la ínsola de la Torre Bermeja, con voluntad de se no partir de Amadís fasta tanto que del rey Lisuarte nuevas algunas se supiessen, y si fuessen tales que socorro de gente menester fuesse, de passar por aquella ventura y trabajo que le dar quisiessen[87].

Acábanse los cuatro libros del esforçado y muy virtuoso cavallero Amadís de Gaula, en los cuales se hallan muy por estenso las grandes aventuras y terribles batallas que en sus tiempos por él se acabaron y vencieron, y por otros muchos cavalleros, assí de su linaje como amigos suyos. Fueron emprimidos[88] en la muy noble y muy leal ciudad de Çaragoça[89] por George Coci, alemán[90]. Acabáronse a xxx días del mes de otubre del año del nascimiento de Nuestro Salvador Jesuchristo mil y quinientos y ocho años.

---

[87] Al final del libro quedan tres aventuras inacabadas: 1.º la espada de la Peña de la Doncella Encantadora, 2.º la libertad de Arcaláus y 3.º la desaparición de Lisuarte, de modo que el relato queda en suspenso y los lectores-oyentes interesados por su resolución, aplazada a las *Sergas* y destinada a la glorificación de Esplandián.

[88] *emprimidos:* impresos. «Fue [...] empremida con mucha diligencia», *Oliveros de Castilla,* 447b.

[89] *Çaragoça:* Caragoça, Z. La forma sin cedilla es habitual en las impresiones zaragozanas de principios del siglo xvi, posiblemente por problemas tipográficos, pues cuando aparece el nombre de la ciudad en minúscula figura *çaragoça* en textos del mismo editor. Véase Juan M. Sánchez, *Bibliografía aragonesa del siglo XVI, Tomo I. 1501-1550,* Madrid, Impt. Clásica Española, 1913.

[90] R. S. Janke, «Algunos documentos sobre Pablo Hurus y el comercio de libros en Zaragoza a fines del siglo xv», *Príncipe de Viana,* XLVII, An. 2 (1986), *Homenaje a José María Lacarra,* págs. 335-349, desvela la misteriosa procedencia de Coci, pues se alude a Georgio Koch de Constancia en un documento del 4 de febrero de 1492.

¶ Acabanse los quatro libros del esforçado y muy virtuoso cauallero Amadis de Gaula: en los quales se hallan muy por estenso las grandes auenturas y
terribles batallas que en sus tiépos por el se acabaron y vencieron y por otros muchos caualsos: assi de su linaje/como amigos suyos. Fueron emprimidos en
la muy noble/ y muy leal ciudad de Caragoça : por George Coci Ale-
man. Acabarose a .xxx. dias del mes de Otubre. Del año del na-
scimieto de nro saluador Jesu xpo mil y quinientos y ocho años.

# Índice de ilustraciones

Todos los grabados pertenecen a las siguientes ediciones de *Amadís de Gaula:*

# Índice de los principales nombres
## propios del *Amadís de Gaula*

(Para la confección de este índice he tenido en cuenta los ya existentes en las ediciones de P. Gayangos, E. B. Place, y A. Cardona de Gibert y J. Rafel Fontanals, Barcelona, Bruguera, 1969. Salvo casos excepcionales, la referencia a los nombres geográficos remite sólo a su primera mención. La cifra en números romanos indica el libro y el número arábigo, el capítulo.)

**Abdasián el Bravo.** Combate en el ejército del rey Arábigo (III, 68).
**Abiés.** Rey de Irlanda, ocupa las tierras de Perión, luchando contra sus tropas (I, 8). Desafía al Doncel del Mar, siendo vencido y muerto (I, 9).
**Abiés.** Castillo (I, 33).
**Abiseos (Aviseos).** Mata a traición a su hermano Tagadán, Rey de Sobradisa, apoderándose del reino (I, 21). Con dos de sus hijos será vencido en duelo judicial por Amadís y Agrajes (I, 42).
**Abradán.** Caballero anciano (II, 58).
**Acarte.** Villa de la Pequeña Bretaña (I, 3).
**Acedís.** Sobrino de Cildadán, lucha al lado de su tío contra el ejército de Galvanes (III, 67).
**Achiles.** Aquiles (I, pról.).
**Adalasta.** Véase **Balasta** y **Adalasta.** Abadesa de Miraflores (II, 53).
**Adamás.** Hijo de Brocadán y de la hermana de Gandandel, muerto en el duelo judicial por la acusación de traición de su padre (II, 64).
**Adroid de Serolois.** Rey, padre de Grindalaya y de Aldeva (I, 20).
**Agonón.** Caballero de Gaula (I, 9).
**Agrajes.** Hijo de Languines y de la Dueña de la Guirnalda (I, 1), primo de Amadís, acude a la guerra de Perión contra Abiés (I, 8). Enamorado de Olinda, con la que se encuentra casualmente, libera

con Galvanes a una doncella del Duque de Bristoya (I, 16). En la corte de Lisuarte se reúne con Olinda (I, 23). Con Galvanes y Olivas retan y vencen al Duque de Bristoya y a dos sobrinos suyos (I, 39). En su combate con las lanzas es descabalgado por Florestán (I, 40). Con Amadís vence en duelo judicial a Abiseos y a sus dos hijos (I, 42). En la Insula Firme pasa con éxito por el arco de los leales amadores, pero fracasa en la prueba de la cámara defendida (II, 44). Sale en busca de Amadís (II, 48). Está a punto de vencer en la prueba de la Verde Espada (II, 57). Combate en el ejército de Lisuarte contra el de Cildadán (II, 58). Se retira del territorio de Lisuarte (II, 63), y acude en defensa de Madasima (II, 64). Interviene en la toma de la ínsula de Mongaza a favor de Galvanes (III, com.), quedando enfermo cuando Lisuarte la cerca (III, 67). Lucha a favor de Lisuarte en la batalla de los Siete Reyes, encargándose con Galvanes de un haz (III, 68). Espera a Amadís en la Insula Firme (III, 80); combate en su flota para rescatar a Oriana, ataca la nave de Salustanquidio, en la que iba Olinda, y lo decapita (III, 81). Solicita ayuda de su padre (IV, 89). Oriana le ruega que ponga paz entre su primo y Lisuarte (III, 87), pero, ante el fracaso de la embajada de Cuadragante y Brian, propone la guerra, siendo aceptada por todos (IV, 98). Se encarga de un haz del ejército de Amadís (IV, 107), llevando unas armas señaladas (IV, 109). Se casa con Olinda la Mesurada (IV, 120). Celebran las bodas (IV, 125). Ante la desaparición de Lisuarte, acude a la Insula Firme (IV, 133).

**Ajaz (Ajas) Thalamón (Talamón).** Ayax (I, pról.), (III, 67).

**Albadán.** Gigante que mató al padre de Gandalac y se apoderó de su peña (I, 3), es muerto por Galaor (I, 12).

**Albadançor.** Combate en la hueste de Cildadán contra Lisuarte, siendo vencido y muerto por Gandalac y sus hijos (II, 58).

**Alberto de Campaña.** Clérigo, interpreta el sueño de Perión (I, 2).

**Aldeva.** Hija de Adroid, sobrina del Duque de Bristoya, otorga su amor a Galaor (I, 12). Brisena ordena que la lleven a su palacio (I, 20). Fracasa en la prueba del tocado de las flores (II, 57).

**Alemaña.** Tierra recorrida por el Caballero de la Verde Espada (III, 70).

**Alfiad.** Villa, puerto de mar (III, 69).

**Alfonso de Portugal, infante don.** (I, 40).

**Alima.** Villa de la Pequeña Bretaña (I, com.).

**Alimenta.** Villa de Dacia (IV, 122).

**Alixandre.** Alejandro (I, 32).

**Alta Bretaña.** Gran Bretaña (III, 76).

**Alumas.** Retiene a tres doncellas, siendo muerto por Florestán (I, 43).

**Amadís de Gaula.** Véase también **Beltenebros, Cavallero del enano, Cavallero de la Verde Espada, Cavallero Griego, Donzel del Mar.** Hijo de Perión y Elisena, al nacer es arrojado a las aguas en un arca (I, 1). Recogido por Gandales y criado con Gandalín, llamándose Doncel del Mar (I, 2) es llevado a la corte de Languines (I, 3), en donde conocerá a Oriana, quedando a su servicio (I, 4). Es armado caballero por su padre (I, 4); en sus primeras aventuras ayuda a un marido engañado (I, 4), libera a Perión de sus enemigos (I, 5) y vence a Galpano (I, 6). Combate contra un caballero que desea saber el nombre de su dama (I, 8); se encuentra con Agrajes camino de Gaula. Tras su victoria sobre Abiés en el reino de Perión (I, 9), y recibir la carta de Oriana (I, 9), es reconocido por sus padres, siendo llamado Amadís de Gaula (I, 10). Ayuda a Urganda a recuperar a su enamorado. Arma caballero a Galaor (I, 11). En la corte de Lisuarte vence a Dardán, actuando de incógnito (I, 13); es reconocido; se declara caballero de Brisena (I, 15). Vence a Angriote y a su hermano (I, 18), siendo guiado por Ardián hasta el castillo de Arcaláus, en donde es encantado (I, 18). Es auxiliado por unas doncellas de Urganda, a quienes evita ser deshonradas, después de haber liberado a numerosos prisioneros de Arcaláus (I, 19). Se compromete a vengar la muerte de Tagadán (I, 20). Pelea contra su desconocido hermano Galaor (I, 22), siendo advertido por Baláis de su identidad. Camino de la casa de Lisuarte libera a una doncella de su acompañante que la golpeaba, penetra en el castillo de Grovenesa, deshace la «mala costumbre» del castillo, y vence a Gasinán (I, 26-27). A petición de una doncella, sale de la corte de Lisuarte con Galaor; es aprisionado por Madasima, pudiéndose liberar con la promesa de despedirse de la casa de Lisuarte (I, 33). Rescata a Oriana de las manos de Arcaláus (I, 35), culminando con ella sus amores. Vence a Barsinán y pone fin a la traición de Arcaláus (I, 38). Camino de Sobradisa, cae de su caballo en su encuentro con Florestán (I, 40). Con Agrajes, vence en «duelo judicial» a Abiseos y a sus hijos, y restituye a Briolanja en su trono (I, 42). Pasa con éxito por el arco de los leales amadores de la Ínsula Firme y supera la prueba de la cámara defendida, quedando como señor de la isla. Recibe la carta de celos de Oriana (II, 44). Tras un sueño premonitorio, marcha hacia lugares deshabitados (II, 45). Vence a Patín, quien se jacta de sus amores con Oriana (II, 46). Se encuentra con Andalod, cambia de nombre, llamándose Beltenebros, y de vestiduras, y se retira a la Peña Pobre con el ermitaño (II, 48). A punto de morir, es reconocido por la Doncella de Dinamarca, quien le lleva una nueva carta de Oriana (II, 52). Camino de Miraflores, vence a Cuadragante (II, 55). Justa y vence a los caballeros de Leonoreta, apresados después por Famongomadán. Beltenebros mata a éste y a su hijo Bagasante, liberando a los prisioneros (II, 55). Se encuentra con Oriana en el castillo de Miraflores (II, 56). Triunfa en la prueba de la Verde Espada de Macandón, invistiéndole como caballero (II, 57). Combate en el ejército de Lisuarte contra Cildadán, y se identifica en mitad de la pelea como Amadís; por sus golpes se logra ganar el combate (II, 58). Cuadragante le perdona la muerte de su hermano Abiés, quedando como amigos (II, 59). Vence en «duelo judicial» a Ardán, ganando para Lisuarte la isla de Moganza (II, 61). Las insidias de Gandandel y de Brocadán originan su marcha de la corte de Lisuarte, si bien no participa en la toma de la isla de Mongaza por parte de Galvanes y los suyos. En la Ínsula Triste vence a Madarque, ayudando a Cildadán y Galaor (III, 65). Por orden de Oriana permanece en Gaula durante trece meses y medio, siendo su honra menoscabada. Combate con el ejército de Lisuarte en la batalla contra los siete Reyes actuando sin identificarse con un yelmo dorado (III, 68). Por un engaño, es aprisionado en el castillo de Arcaláus con Perión y Florestán, lográndose escapar (III, 69). Marcha en busca de aventuras a tierras de Alemania, llamándose Caballero de la Verde Espada o Caballero del Enano, ayudando al rey Tafinor a vencer a los romanos (III, 70). En territorio de Grasinda vence a Brandasidel (III, 72), y mata después al Endriago en la ínsula del Diablo, siendo curado en ambas ocasiones por Elisabad, que le acompañará en sus siguientes aventuras (III, 73). Marcha a Constantinopla, donde es recibido y agasajado por el Emperador y Leonorina, a quien otorga tres «dones», resueltos con ingenio (III, 74). Promete llevar a Grasinda a la corte de Lisuarte. Reunido con Brunco y Angriote, regresan a la Gran Bretaña (III, 75). Llamándose Caballero Griego, vence en la corte de Lisuarte a Salustanquidio, declarando a Grasinda como la más hermosa doncella de la Gran Bretaña, y venciendo después a Lasanor y Gradamor (III, 79). Decide ayudar a Oriana, ataca las naves romanas que la llevaban y la traslada a la Ínsula Firme (III, 81), en donde se establece. Solicita ayuda del Emperador de Constantinopla (IV, 88), de su padre (IV, 89) y de Tafinor (IV, 91). Tras la negativa de Lisuarte a resolver el conflicto por vías pacíficas, Amadís se aviene a la resolución de sus amigos de combatir (IV, 98). Interviene en la batalla en el haz de Cuadragante (IV, 107), llevando unas armas señaladas (IV, 109). Mata a Constancio y a Patín, e interrumpe el combate a pesar de su ventaja (IV, 111). Tras hablar con Nasciano, acepta la paz, pero remite la decisión a su padre (IV, 113). Avisado por Esplandián, acude en auxilio de Lisuarte, atacado por el rey Arábigo y los suyos (IV, 115), derrotando a los contrincantes (IV, 117). Propone como emperador romano a Arquisil, siendo aceptado por los romanos (IV, 117). Contrae matrimonio público con Oriana y celebra las bodas (IV, 125). Sale en ayuda de Danoleta (IV, 127); vence al gigante Balán (IV, 128). Reunido con Grasandor (IV, 129), fracasa en la prueba de la Peña Encantadora. Libera a Arcaláus por la solicitud engañosa de su mujer (IV, 130). Tras la desaparición de Lisuarte, Urganda le deja escrito que abandone la vida de caballero andante, dedicándose a gobernar (IV, 133).

**Ambades (Anbades).** Primo de Arcaláus (III, 69).

**Ambor (Anbor) de Gandel.** Hijo de Angriote, sirve a Oriana (III, 75). Sale de caza con Esplandián (III, 78). Es armado caballero (IV, 133).

**Ancidel.** Sobrino del rey Arábigo, combate en la hueste de su tío (III, 68).

**Ancona, Marqués de (Duque de).** Citado como marqués (III, 76) y como duque (III, 81), forma parte de la embajada de Patín; es apresado en el rescate de Oriana (III, 81), siendo liberado y aceptando la propuesta de Amadís de elegir como emperador a Arquisil (IV, 117).

**Andaguel.** Gigante viejo entregado como rehén a Lisuarte (II, 61).

**Andaguza.** Floresta (I, 21).

**Andalod.** Ermitaño, vive en la Peña Pobre desde hace treinta años. Amadís se retira con él (II, 48). Interpreta los sueños del héroe (II, 51). Acude a la Ínsula Firme para ordenar un monasterio de frailes (II, 63).

**Andandona.** Giganta, hermana mayor de Madarque, hiere a Bruneo (III, 65), e intenta herir a Amadís. Gandalín le corta la cabeza (III, 68).

**Angrifo.** Señor del Valle del Fondo Piélago, vencido por Dragonís (IV, 124).

**Angriote de Estraváus.** Defiende el paso de un valle, como voto caballeresco para obtener el amor de Grovenesa; es vencido por Amadís (I, 18). Acude a la corte de Lisuarte (I, 23); por mediación de Amadís contrae matrimonio con su amada (I, 31). Desde la cárcel de Gromadaça escribe una carta a Lisuarte con su propia sangre (II, 57). Tras la victoria de Amadís sobre Ardán, queda en libertad (III, 61). Acusa de traición a Brocadán y a Gandandel; con su sobrino vence a Tanarín, a Corián y a Adamás. Se retira de los territorios de Lisuarte (II, 63). Es desterrado por éste. Combate en el ejército de Galvanes (III, com.), siendo herido y apresado (III, 67). Custodia a Lisuarte en su batalla contra los siete Reyes (III, 68). En territorio de Grasinda, se encuentra con Amadís, venciendo a unos caballeros que habían herido a traición a Bruneo. Regresan a la Gran Bretaña (III, 75). Ayuda a Grumedán en su «duelo» con Maganil y sus hermanos (III, 80). Combate contra la flota romana para rescatar a Oriana (III, 81). Interviene en el ejército de Amadís contra el de Lisuarte (IV, 107), llevando unas armas señaladas (IV, 109). Acude con Amadís en auxilio de Lisuarte (IV, 115). Va en ayuda de la Reina de Dacia con Bruneo y con Branfil, logrando coronar rey a Garinto (IV, 122). Acompaña a Cuadragante y a Bruneo a conquistar los territorios del rey Arábigo (IV, 131). Ante la desaparición de Lisuarte, acude a la Ínsula Firme (IV, 133).

**Aníbal.** (I, 32).

**Ansiona.** Madre de Ayax (III, 67).

**Antales.** Clérigo, interpreta erróneamente el sueño de Perión (I, 2).

**Antalia.** Villa de Escocia (I, I).

**Antebón de Gaula.** Caballero muerto a traición por Palingues (I, 24). Galaor vengará su muerte (I, 25).

**Anteina.** Topónimo (IV, 130).

**Antifón el Bravo.** Cerca en su castillo a Celinda porque no desea casarse con él, siendo vencido y muerto por Lisuarte (III, 66).

**Antimón el Valiente.** Combate en el ejército de Lisuarte (III, 68).

**Antioco.** Antioquía (I, pról.).

**Apolidón.** Hijo de un rey de Grecia y de la hermana del Emperador de Constantinopla, experto en artes mágicas, renuncia a su reino en favor de su hermano. Conquista la Ínsula Firme, venciendo a un gigante. Allí vive dieciséis años con Grimanesa; deja numerosos encantamientos; es elegido emperador de Grecia (II, com.).

**Aravia.** Territorio del rey Arábigo (IV, 108).

**Aravia.** Ciudad (IV, 130). Véase **Aráviga.**

**Aráviga.** Ciudad principal del reino del rey Arábigo (IV, 108).

**Arávigo, rey (Arábigo).** Instigado por Arcaláus (III, 67), se reúne con otros seis Reyes para atacar a Lisuarte; son derrotados y huyen en sus naves (III, 68). Arcaláus lo convence para formar una tercera hueste y aprovecharse de las desavenencias entre Lisuarte y Amadís (IV, 96). Se encarga de un haz con el Rey de la Profunda Ínsola (IV, 108), atacando a Lisuarte (IV, 115-116). Es aprisionado (IV, 117). Por consejo de Balán, entrega su reino quedándole como posesión la ínsula de Liconia (IV, 132).

**Arbán de Norgales.** Rey de Norgales, acompaña a Amadís en casa de Lisuarte (I, 15). Defiende el palacio de éste contra el ataque de Barsinán, sin aceptar sus propuestas (I, 37). Fracasa en la Ínsula Firme (II, 44). Desde la cárcel de Gromadaça escribe a Lisuarte una carta con su propia sangre (II, 57). Tras la victoria de Amadís sobre Ardán, queda en libertad (III, 61). Actúa como juez en el desafío de

Angriote y Sarquiles contra Corián, Tanarín y Adamás (II, 64). Aconseja a Lisuarte las paces con Amadís (III, com.). Participa en la defensa de la isla de Mongaza (III, 66). Se encarga de custodiar a Cildadán en la lucha contra Galvanes (III, 67). Actúa de juez en el desafío entre Grumedán y los romanos (III, 80). Aconseja a Lisuarte que solicite ayuda a sus amigos para enfrentarse con Amadís (IV, 96). Se encarga de un haz del ejército contra Amadís (IV, 106). Lisuarte lo propone como mediador (IV, 114). Combate en el haz de Cildadán contra el rey Arábigo, siendo aprisionado (IV, 116) y liberado (IV, 117). Brisena le comunica la desaparición de Lisuarte (IV, 133).

**Arcaláus el Encantador.** Caracterizado por sus poderes mágicos, encanta a Amadís (I, 18), quien libera a sus numerosos prisioneros (I, 19). Con las armas de éste, acude a la corte de Lisuarte para anunciar su muerte (I, 20). Induce a Barsinán para que se apodere del reino de Londres y se case con Oriana, nombrándole a él mayordomo mayor (I, 31). Entrega a Lisuarte una corona y a Brisena un manto de características especiales con la promesa de que los devolverán o entregarán lo que solicite. El manto y la corona desaparecen misteriosamente, y Lisuarte se ve obligado a entregar a Oriana (I, 34). Es vencido por Amadís (I, 35). Su escudo está en la Insula Firme en el lugar más alto (II, 44). Desafía a Lisuarte (II, 54). Ataca a Oriana y a Beltenebros, siendo vencido por éste, que le corta la mitad de la mano (II, 57). Instiga al rey Arábigo y otros seis Reyes para atacar a Lisuarte (III, 67); son derrotados (III, 68). Encarcela a Perión y a sus hijos, liberándose los caballeros, que incendian su castillo (III, 69). Engaña a Norandel y Galaor, haciéndose pasar por primo de Grumedán (III, 69). Tras el rescate de Oriana, desea aprovecharse de la enemistad entre Lisuarte y Amadís; forma una tercera hueste para lo que habla con el rey Arábigo, con Barsinán, con el Rey de la Profunda Ínsola y con los parientes de Dardán (IV, 96). Se encarga de un haz (IV, 108). Interviene en la lucha (IV, 116). Es apresado (IV, 117). Su mujer, mediante una petición engañosa, consigue su liberación (IV, 130).

**Ardán Canileo el Dudado.** Descendiente de gigantes, de condiciones físicas sobresalientes, está enamorado de Madasima, aunque no es correspondido. Es vencido en duelo judicial por Amadís (II, 61).

**Ardián.** Enano, conduce a Amadís al castillo de Arcaláus (I, 18). Se declara vasallo de Amadís (I, 19). Interpreta erróneamente las palabras de su señor a Briolanja (I, 21). Avisa a Amadís de la entrega de Oriana (I, 35). Recoge la espada del padre de Briolanja, propiciando los celos de Oriana (I, 40). Por orden de Amadís, unas doncellas misteriosas se lo llevan con Cildadán y con Galaor (II, 58). Solicita ayuda para que Amadís y Bruneo socorran a Galaor y a Cildadán (III, 65). Es nombrado maestresala (III, 80).

**Argamón el Valiente.** Espera a Amadís en la Ínsula Firme (III, 80).

**Argamonte (Argamón).** Tío de Lisuarte (II, 64), le aconseja que no desherede a Oriana (III, 78).

**Argomades de la Ínsula Profunda.** Caballero del rey Arábigo (III, 68).

**Argos.** (IV, 130).

**Arnida.** Véase **Arunda.** Floresta (I, 15).

**Arquisil.** Caballero romano, convence a los suyos para continuar la batalla pendiente contra Tafinor. Es vencido y perdonado por Amadís con la condición de que se ponga a su disposición cuando lo ordene (III, 70). Cumple con la palabra dada, aunque Amadís lo deja en libertad. Se encarga de un haz del ejército romano (IV, 106), llevando unas armas señaladas (IV, 109). A pesar de la desventaja, tras la interrupción del combate propone proseguir llevando él la delantera (IV, 112). Se encarga de un haz del ejército de Lisuarte contra el del rey Arábigo y sus aliados (IV, 116). Por consejo de Amadís, es nombrado emperador de los romanos (IV, 117). Lisuarte le concede la mano de su hija Leonoreta (IV, 118). Se celebran las bodas (IV, 125).

**Artús (Artur).** Rey de la Pequeña Bretaña, mató a Floyan y abolió la pena de muerte para las adúlteras (I, 1), (IV, 129).

**Arunda.** Véase también **Arnida.** Floresta (I, 16).

**Athenas.** (I, pról.)

**Babel, torre de.** (III, 65)

**Baladán.** Acompaña a Lisuarte en su lucha contra Galvanes (III, 67).

**Baladín.** Castillo de Perión (I, 8).

**Balán.** Bisnieto de Balán (IV, 129).

**Balán.** Gigante, hijo de Mandanfabul, señor de la ínsula de la Torre Bermeja, mata al hijo de Darioleta y apresa a su marido y a su hija (IV, 127). Es vencido en combate por Amadís (IV, 128), entregándole a su hijo Bravor por haber quebrantado su palabra (IV, 129). Acude en ayuda de Cuadragante y de Bruneo en la conquista de los territorios del rey Arábigo (IV, 130). Es recibido amistosamente por los amigos de Amadís (IV, 131), y concierta con el rey Arábigo un pacto que hace innecesaria la pelea (IV, 132). Ante la desaparición de Lisuarte, acude a la Ínsula Firme. Arma caballero a Esplandián (IV, 133).

**Baláis de Carsante.** Liberado por Amadís de la prisión de Arcaláus, corta la cabeza a la doncella que enfrenta a Amadís y a Galaor, invitando a ambos a su castillo (I, 22). Camino de Vindilisora, vence a unos ladrones que querían forzar a una doncella (I, 28) y a un caballero que había soltado sus caballos (I, 24-I, 28). Marcha a la Ínsula Firme (II, 63), luchando con Galvanes contra Lisuarte (III, 67). Acude con sus caballeros en ayuda de Amadís (IV, 105) y combate a su favor (IV, 107).

**Balasta.** Véase **Adalasta**. Abadesa del monasterio de Miraflores (II, 64).

**Baldoid.** Véase **Bradoid**. Castillo (I, 19).

**Bandaguida.** Hija de Bandaguido, asesina a su madre para casarse con su padre, de quien engendra al Endriago (III, 73).

**Bandaguido.** Gigante que domina la ínsula del Diablo, padre del Endriago (III, 73).

**Bangil.** Villa de Gaula (I, 3).

**Barsinán.** Señor de Sansueña, inducido por Arcaláus el Encantador se propone apoderarse del reino de la Gran Bretaña y casarse con Oriana (I, 31). Entra en Londres (I, 37). Es vencido por Amadís, y Lisuarte lo manda quemar (I, 38).

**Barsinán.** Hijo de Barsinán, se alía con Arcaláus para luchar contra las gentes de Lisuarte y de Amadís (IV, 96). Se encarga de un haz (IV, 108), yendo en la delantera contra Lisuarte (IV, 116). Es apresado (IV, 117).

**Basagante.** Hijo de Famongomadán, pretende casarse con Oriana (II, 54). Es muerto por Beltenebros cuando llevaba a Leonoreta (II, 55).

**Beltenebros.** Nombre de Amadís tras su retiro en la Peña Pobre, impuesto por el ermitaño Andalod (II, 48). En la pelea contra Cildadán, da a conocer su verdadera identidad (II, 58).

**Bervas.** Caballero de Lisuarte (I, 38).

**Blandisa.** Véase **Brandalisa**.

**Bocacio, Juan.** Citado por sus *Caídas de príncipes* (IV, pról.).

**Boemia (Bohemia).** Tierra recorrida por el Caballero de la Verde Espada. Reino de Tafinor (III, 70).

**Borgoña, Duque de.** Padre de Madavil (II, 44).

**Bradandisel.** Caballero de Grasinda vencido por Amadís, debe cabalgar con la cola del caballo en la mano (III, 72). Pelea de nuevo contra Amadís, siendo muerto (III, 75).

**Bradoid.** Véase **Baldoid**. Castillo (I, 11). También denominado castillo de la Calçada (IV, 126), (IV, 130).

**Bramandil.** Combate con su padre Gandalac en el ejército de Lisuarte (II, 58).

**Bran.** Río (I, 12).

**Brananda.** Floresta (I, 12).

**Brandalisa (Blandisa).** Hermana de la mujer del Rey de Serolís y es-

posa del Duque de Bristoya, amiga de Guilán (I, 39). Brisena ordena que vaya a la corte (I, 39). Se dispone su matrimonio con Guilán
(IV, 124).

**Brandoivas.** Caballero de Lisuarte, prisionero de Arcaláus y liberado
por Amadís (I, 19). Acude a la corte, explicando el engaño del Encantador (I, 20). Fracasa en la prueba de la Verde Espada (II, 57).
Actúa de juez en el combate entre Amadís y Ardán (II, 61). Lucha
al lado de Cildadán contra el ejército de Galvanes (III, 67). Lisuarte
lo envía a solicitar ayuda de Galvanes y de Cildadán (IV, 96), cumpliendo la orden (IV, 104). Combate en el ejército de Lisuarte contra Amadís (IV, 106), y en el haz de Arquisil, contra el rey Arábigo
y sus aliados (IV, 116). Lleva la carta de Brisena a Amadís (IV,
133).

**Brandueta.** Hija de Antebón, es rescatada por Galaor, a quien entrega su amor (I, 25).

**Branfil.** Hijo del Marqués de Troque y hermano de Bruneo, con
quien se presenta para luchar a favor de Lisuarte (II, 57); participa
en su batalla contra Cildadán (II, 58). Se retira de los territorios de
Lisuarte (II, 63). Combate en el ejército de Galvanes contra Lisuarte, siendo apresado (III, 67). Ante la solicitud de ayuda de Bruneo
(IV, 90), acude con sus caballeros a la Ínsula Firme (IV, 105). Interviene en el ejército de Amadís contra Lisuarte (IV, 107). Recibe
el marquesado de Troque de su hermano (IV, 120). Junto con Bruneo y con Angriote ayuda a la Reina de Dacia (IV, 122). Queda encargado del reino de Arabia cuando su hermano marcha a la Ínsula
Firme (IV, 133).

**Bravor.** Hijo de Balán, quebranta la promesa de su padre a Amadís
(IV, 128). Se casa con la hija de Darioleta (IV, 129).

**Bravor el Brun.** (IV, 129).

**Brestoya.** Véase **Bristoya.** Ciudad de la Gran Bretaña (I, 16).

**Brian de Monjaste.** Hijo de Ladasán y de una hermana de Perión. Se
retira de los territorios de Lisuarte (II, 63), y acude en defensa de
Madasima (II, 64). Combate en el ejército de Galvanes (III, com.);
es aprisionado por los caballeros de Lisuarte (III, 66). Su padre lo
envía con dos mil caballeros en ayuda de Lisuarte contra los siete
Reyes; se encarga de un haz (III, 68). Acude a la Ínsula Firme (IV,
86), y a casa de Lisuarte con una embajada amistosa de Amadís
(IV, 95). De regreso a la Ínsula Firme, vence a la gente de Trion
(IV, 97). Se encarga de un haz del ejército de Amadís contra Lisuarte y los romanos (IV, 107). Con Cuadragante, es propuesto
para pactar la paz con Lisuarte (IV, 113). Acompaña a Cuadragante
y a Bruneo a conquistar los territorios del rey Arábigo (IV, 131).

**Briantes.** Villa de Escocia (I, 16).

**Briolanja.** Hija de Tagadán, Rey de Sobradisa, desheredada por la traición de su tío Abiseos. Manda soltar dos leones para que Amadís escape del ataque de su gente (I, 21). Se enamora de él, dándose varias versiones del episodio. Es vengada por Amadís, que la restablece en su trono (I, 42). Fracasa en la prueba amorosa del tocado de las flores (II, 57). Visita a Oriana a Miraflores, contándole su fracaso amoroso con el héroe (II, 58), quien la incita para que intente pasar las pruebas de la Ínsula Firme (II, 59), provocando los celos de Oriana. Pasa por el arco de los leales amadores, pero fracasa en la prueba de la cámara defendida (II, 63). Camino de la Ínsula Firme, es atacada por Trión, que es apresado por Cuadragante y Brian (IV, 97), siendo liberado y perdonado después (IV, 105). Amadís dispone su matrimonio con Galaor (IV, 121). Celebran las bodas (125).

**Brisena.** Hija del Rey de Dinamarca, esposa del rey Lisuarte y madre de Oriana (I, 3). Amadís se declara caballero suyo (I, 15). Solicita de su marido un manto de cualidades excepcionales ofrecido por unos misteriosos caballeros (I, 29). Desaparece el manto, si bien Brisena explica un sueño misterioso (I, 30). Ante la petición de una doncella, elige a Galaor y Amadís como los mejores caballeros de la corte (I, 33). Fracasa en la prueba del tocado de las flores de Macandón (II, 57). Recibe una carta de Oriana en la que solicita intercesión ante Lisuarte (IV, 95). Tras reunirse con su marido (IV, 119), acude a la Ínsula Firme (IV, 123). Ante la desparición de Lisuarte, lo sale a buscar; escribe a Amadís en solicitud de ayuda (IV, 133).

**Bristoya.** Ducado concedido por Lisuarte a Guilán (IV, 124).

**Bristoya (Brestoya).** Ciudad de la Gran Bretaña (I, 10).

**Bristoya, Duque de.** Retiene como prisionera a la doncella que ha conducido a Galaor hasta sus posesiones (I, 12). Agrajes y Galvanes logran rescatarla. El Duque desafía a todos los caballeros (I, 16). Combate con dos sobrinos suyos en duelo judicial contra Olivas, Galvanes y Agrajes, siendo muerto (I, 39).

**Bristoya, Duque de.** Hijo del Duque de Bristoya, se incorpora al ejército de Arcaláus, y actúa como «sobresaliente» (IV, 108). Es apresado (IV, 117).

**Brocadán.** Mal consejero de Lisuarte, sirvió como caballero a Falangrís; trata de enemistar a Lisuarte y Amadís (II, 62). Es acusado de traición por Angriote, siendo derrotados sus valedores (II, 64). Se retira con Gandandel a una isla pequeña (III, com.).

**Brondajel de Roca.** Mayordomo mayor de Patín. Forma parte de la embajada que solicita la mano de Oriana (III, 72). Hirió en una cacería a Cendil (III, 79). Actúa de juez en el desafío entre Grumedán y los romanos (III, 80). Es apresado por los hombres de Amadís en el rescate de Oriana (III, 81), siendo liberado y eligiendo como emperador a Arquisil (IV, 117).

**Brontaxar d'Anfania (de Anfania).** Combatiente del rey Arábigo (III, 68).

**Bruneo de Bonamar.** Hijo de Valladas y hermano de Branfil, enamorado de Melicia, supera la prueba del arco de los leales amadores (II, 44). Se presenta en la corte de Lisuarte (II, 57), combatiendo contra las huestes de Cildadán (II, 58). Vence en duelo judicial a Madamán (II, 62). Se retira de los territorios de Lisuarte (II, 63). Acompaña a Amadís, y en la Ínsula Triste ayudan a Galaor y a Cildadán (III, 65). En tierras de Grasinda, Amadís lo encuentra moribundo por la traición de unos caballeros, curándolo Elisabad (III, 75). Ayuda a Grumedán en su «duelo» con Maganil y sus hermanos (III, 80). Combate contra la flota romana para rescatar a Oriana, encargándose de su custodia (III, 81). Interviene en el ejército de Amadís contra Lisuarte (IV, 107), llevando unas armas señaladas (IV, 109). Amadís le concede la mano de Melicia y el reino del rey Arábigo; él cede el marquesado de Troque a Branfil (IV, 120). Se casa con Melicia (IV, 120); celebran las bodas (IV, 125). Con Branfil y Angriote ayuda a la Reina de Dacia (IV, 122). Va con otros caballeros a conquistar las tierras de los adversarios vencidos (IV, 126), siendo nombrado rey de Arabia, tras el pacto concertado por Balán (IV, 132). Ante la desaparición de Lisuarte, acude a la Ínsula Firme (IV, 133).

**Cadmo.** (IV, pról.)

**Caídas de Príncipes.** Véase **Bocacio, Juan.**

**Calçada, castillo de la.** Véase **Bradoid.**

**Califán.** Villa de Sansueña (IV, 108).

**Canonia, Rey de.** Abuelo materno de Macandón (II, 56).

**Carduel.** Lucha en el bando de los siete Reyes contra Lisuarte (III, 68).

**Carsante.** Castillo de Baláis (I, 22).

**Cartadaque.** Gigante de la Montaña Defendida, sobrino de Famongomadán (II, 54), combate con Cildadán en su batalla contra Lisuarte siendo vencido y muerto por Galaor (II, 58).

**Cavallero del Enano.** Nombre con el que es conocido Amadís a partir de sus aventuras en Alemania (III, 70).

**Cavallero de la Gran Serpiente.** Nombre por el que será conocido Esplandián (IV, 126).

**Cavallero de la Verde Espada.** Nombre con el que es conocido Amadís a partir de sus aventuras en Alemania (III, 70).

**Cavallero Griego.** Nombre adoptado por Amadís cuando se dirige a la Gran Bretaña, después de haber recorrido tierras griegas (III, 78).

**Celinda.** Hija del rey Hegido. Lisuarte la salvó del cerco de Antifón, teniendo con ella un hijo llamado Norandel (III, 66).

**Cendil de Ganota.** Caballero de Lisuarte, lleva la declaración de desafío contra Amadís (III, com.). Combate contra el ejército de Galvanes (III, 67). Fue herido en una cacería por Brondajel (III, 79). Lucha en el ejército de Lisuarte contra el de Amadís (IV, 106), y contra el del rey Arábigo (IV, 116). Brisena le comunica la desaparición de su marido (IV, 133).

**Cerdeña.** (III, 76).

**César, Julio.** (I, 32).

**Cildadán.** Rey de Irlanda, casado con una hija de Abiés. Tiene aplazada una batalla con Lisuarte por unos tributos (II, 53). En el combate, es herido por Beltenebros y dejado por muerto (II, 57), siendo recogido por unas misteriosas doncellas (II, 58). Urganda cura sus heridas; tiene un hijo con Solisa llamado Maneli (II, 59). Combate con Galaor contra Madarque y los suyos, siendo ayudado por Amadís y por Bruneo (III, 65). Lucha con el ejército de Lisuarte contra el de Galvanes (III, 67), y se encarga de un haz contra los siete Reyes (III, 68). Acude con sus caballeros en ayuda de Lisuarte (IV, 105). Capitanea un haz de su ejército contra Amadís (IV, 106), llevando unas armas señaladas (IV, 109), y contra las tropas del rey Arábigo (IV, 116). Queda libre de su vasallaje, y desea acompañar a Cuadragante a conquistar el señorío de Sansueña (IV, 126).

**Clara, condado de.** Limítrofe con el de Gresca (I, 12). Lisuarte lo dio a Lelois el Flamenco (I, 15).

**Clara, Conde de.** Véase **Lelois el Flamenco y Serolís el Flamenco.**

**Clarencia.** Grito de guerra del rey Lisuarte (III, 68).

**Coci, George.** Impresor (IV, 133).

**Comán.** Lucha en el ejército de Galvanes contra Lisuarte (III, com.).

**Constancio.** Caballero de Patín, hermano de Brondajel, combate contra Amadís (IV, 110), siendo muerto por éste (IV, 111).

**Constantinopla (Costantinopla).** Ciudad donde se encontró el libro cuarto del *Amadís* y *Las Sergas de Esplandián* (I, pról.). Amadís se admira de sus maravillas (III, 74).

**Constantinopla, Emperador de.** Recibe y agasaja al Caballero de la Verde Espada (III, 74). Ante la solicitud de ayuda de Amadís, ordena que el marqués Saluder y Gastiles organicen la flota (IV, 99).

**Corián.** Hijo de Gandandel, muerto en el duelo judicial por la acusación de traición de su padre (II, 64).

**Corisanda.** Amiga de Florestán, lo retiene en Gravisanda y le induce a justar con todos los caballeros (I, 41). Sale en busca de su amigo; se encuentra con Beltenebros en la Peña Pobre. Éste interpreta una canción compuesta por él, que cantarán en la corte de Lisuarte las doncellas de Corisanda, adonde acuden con su señora en busca de Florestán (II, 51). Es acompañada por Agrajes, Galaor y Florestán (II, 54).

**Cornualla.** (IV, 129).

**Creta.** (IV, 130).

**Cuadragante.** Su escudo está en lugar preeminente en la Ínsula Firme (II, 44). Desafía a Lisuarte (II, 54). Es vencido por Beltenebros, obligándole a retirar el desafío (II, 55), lo que realiza, quedando como amigo del héroe (II, 59). Actúa de juez en el combate entre Amadís y Ardán (II, 61). Se retira de los territorios de Lisuarte (II, 63). Combate en el ejército de Galvanes (III, com.), siendo herido y apresado (III, 67), y con el de Lisuarte, contra el de los siete Reyes (III, 68). Busca a Amadís (III, 78), esperándolo en la Ínsula Firme (III, 80). Combate contra la flota romana para rescatar a Oriana (III, 81). Propone enviar una embajada pacificadora a Lisuarte (IV, 85). Manda a Landín a la Reina de Irlanda a solicitar ayuda (IV, 90). Acude a Lisuarte con una embajada amistosa de Amadís (IV, 95). De regreso a la Ínsula Firme, apresa a Trion (IV, 97). Se encarga de un haz del ejército de Amadís en la lucha contra Lisuarte y los romanos (IV, 107), llevando unas armas señaladas (IV, 109). Con Brian, es propuesto para pactar la paz con Lisuarte (IV, 113). Acude con Amadís en auxilio de Lisuarte, atacado por el rey Arábigo (IV, 115). Se casa con Grasinda, y Amadís le concede el señorío de Sansueña (IV, 120), que conquista con la ayuda de sus amigos (IV, 132). Ante la desaparición de Lisuarte, acude a la Ínsula Firme (IV, 133).

**Dacia.** (IV, 122).

**Dacia, Infante menor de.** Hermano menor de Garinto, cercado por el Duque de Suecia, salvado por Angriote, Bruneo y Branfil (IV, 122).

**Dacia, Reina de.** Ante la muerte de su marido, Rey de Dacia, y el cerco de sus dos hijos por el duque de Suecia, va a la Ínsula Firme a pedir ayuda (IV, 121). Angriote, Bruneo y Branfil derrotan al traidor, coronando rey a su hijo Garinto (IV, 122).

**Dacia, Rey de.** Rey muerto a traición por el Duque de Suecia (IV, 121).

**Daganel.** Posesión de Arcaláus (I, 34).

**Daganel.** Primo de Abiés (I, 4), lucha contra Perión, siendo muerto por el Doncel del Mar (I, 8).

**Dalasta.** Véase **Balasta** y **Adalasta.** Abadesa de Miraflores (III, 68).

**Dandales de Sadoca.** Combate en el ejército de Galvanes (III, 67).

**Dandasido.** Hijo del gigante viejo, interviene en la toma de la isla de Mongaza, siendo aprisionado, pero se libera y combate (III, com.).

**Danel.** Caballero del ejército de Cildadán, derribado por Florestán (II, 58).

**Darasión.** Hijo mayor de Abiseos (I, 21), combate con Amadís y Agrajes; es vencido y muerto por éste (I, 42).

**Dardán el Sobervio.** Niega acogida en su castillo a Amadís, quedando desafiados (I, 13). En la corte de Lisuarte, lucha en duelo judicial con Amadís y es vencido. Mata a su amiga y se suicida (I, 13). El Rey manda enterrar su cuerpo con el de su amiga (I, 14).

**Darioleta.** Servidora de Elisena, hace de intermediaria entre su señora y Perión (I, com.). Ayuda a Elisena en el nacimiento de Amadís, preparando un arca en la que pondrá al niño (I, 2). Es apresada con su familia por Arcaláus, siendo liberados por Amadís y sus familiares (III, 69). Ella y su marido son nombrados gobernadores de la Pequeña Bretaña. En ínsula de la Torre Bermeja, su marido y su hija son aprisionados y su hijo es muerto por Balán. Solicita la ayuda de Amadís (IV, 127), quien los libera (IV, 129).

**Denamarcha (Dennamarcha, Denamarca).** Reino del padre de Brisena (I, 3).

**Desierta.** Territorio en donde se acoge Abiés en su ataque a Perión (I, 4).

**Dinadáus.** Sobrino de Lisuarte (I, 38).

**Dinarda.** Hija de Ardán, va a la corte de Lisuarte para tratar las condiciones del combate entre su padre y Amadís (II, 61). Finge ser muda, e invita en su castillo a Perión, a Florestán y a Amadís, siendo aprisionados a traición por Arcaláus (III, 69).

**Donzel del Mar.** Nombre por el que es conocido Amadís (I, 2) antes de ser reconocido por su familia (I, 10).

**Donzella de Denamarcha (Denamarca).** Doncella de Oriana, busca al Doncel del Mar con la carta en la que le comunica su verdadero nombre (I, 8); se la entrega tras la pelea con Abiés (I, 9). Oriana le envía con una carta reconciliadora para Amadís (II, 40). En la Peña Pobre, reconoce a Beltenebros por una herida de Arcaláus (II, 52). Regresa a Miraflores con una misiva de Amadís (II, 54). Con su hermano Durín lleva a Esplandián, recién nacido, al monasterio de Miraflores (III, 66).

**Donzella Dessemejada.** Véase **Mataleza.**

**Doncella Encantadora.** Hija de Finetor, conocedora de las artes mágicas, enamorada de un caballero de Creta que la traiciona y la despeña. Deja en la peña de su mismo nombre un gran tesoro, destinado al caballero que logre sacar una espada de las puertas de la cámara (IV, 130).

**Dragonís.** Primo de Amadís, fracasa en la prueba de la Verde Espada (II, 57). Combate en el ejército de Lisuarte contra el de Cildadán (II, 58). Se retira de los territorios de Lisuarte; se encarga de la defensa de Madasima (II, 63). Pelea en las huestes de Galvanes (III, com.). En compañía de Enil, sale en busca de Amadís; se encuentra con la embarcación del Caballero Griego (III, 78); espera a Amadís en la Ínsula Firme (III, 80). Combate contra la flota romana para rescatar a Oriana (III, 81). Interviene en el ejército de Amadís contra el de Lisuarte (IV, 107). Amadís dispone que se case con Estrelleta (IV, 124); celebran las bodas (IV, 125). Con la ayuda de Galaor y de Galvanes, conquista la Profunda Ínsula siendo nombrado rey (IV, 130).

**Dramís.** Hijo de Abiseos, combate en duelo judicial con Amadís y Agrajes, siendo muerto (I, 42).

**Dueña de la Guirnalda.** Hija de Garínter, esposa de Languines, y madre de Agrajes y Mabila (I, com.).

**Durín.** Hermano de la Doncella de Dinamarca, lleva la carta de celos de Oriana a Amadís (II, 45). Su presencia sirve de acicate para que éste combata con Patín (I, 46). Cuenta a Oriana lo sucedido (II, 49). Acompaña a su hermana para recabar noticias de Amadís (II, 49-52). Conduce hasta Miraflores a Beltenebros (II, 54), a quien le indica el lugar donde le esperan y los sucesos de la corte (II, 55). Se encarga con su hermana de llevar a Esplandián al monasterio (III, 66). Comunica a Amadís el nacimiento de su hijo, y la orden de Oriana de que permanezca en Gaula (III, 68). En la batalla contra los siete Reyes ayuda a Amadís, quien se le hace conocer (III, 68). Lleva la carta de Oriana a Brisena (IV, 94).


**Éctor.** (I, pról.), (III, 67).

**Elián (Helián) el Lozano.** Sobrino de Cuadragante, hijo de su hermana y del conde Liquedo, lucha en el bando de Galvanes, siendo apresado (III, 67). Busca a Amadís (III, 78). Interviene en el ejército de Amadís contra el de Lisuarte (IV, 107).

**Elisabad.** Experto médico y hombre de misa, cura las heridas de Amadís, a quien acompaña en sus aventuras posteriores (III, 72). Escribe al Emperador de Constantinopla contándole la muerte del Endriago (III, 74). Cura a don Bruneo (III, 75). Grasinda le encarga ir a su reino para ayudar a Amadís con sus caballeros, y Amadís le envía como mensajero al Emperador de Constantinopla (IV, 98), adonde llega (IV, 99). Acude a la Ínsula Firme con hombres de Grasinda (IV, 105).

**Elisena (Helisena).** Hija de Garínter, se enamora de Perión (I, com.). Producto de sus amores secretos, nacerá Amadís (I, I). Una vez muerto su padre, en solicitud de ayuda llama a Perión, con quien contrae matrimonio público; da a luz a Galaor y a Melicia (I, 3). Concede permiso a Angriote y a sus compañeros para ir en auxilio de la Reina de Dacia, acudiendo ella a la Ínsula Firme (IV, 121).

**Eliseo.** Primo de Landín, herido por Galifón y sus dos hermanos (IV, 129).

**Elvida.** Infanta hermana de Estrelleta, fracasa en la prueba del tocado de las flores (II, 57).

**Endriago.** Monstruo diabólico que vive en la ínsula del Diablo, producto de las relaciones incestuosas entre Bandaguido y su hija, tres ídolos en forma de hombre, león y grifo le proporcionan sus características físicas. Es muerto por el Caballero de la Verde Espada (III, 73).

**Enil (Henil).** Sobrino de Gandales, acompaña a la Doncella de Dinamarca para recabar noticias de Amadís (II, 49). Escudero de Beltenebros (II, 52), es armado caballero por Amadís; combate contra el ejército de Cildadán (II, 58). Acompaña a Briolanja a la Ínsula Firme (II, 62). Lucha en el ejército de Galvanes contra el de Lisuarte (III, com.), siendo apresado (III, 67). En compañía de Dragonís, sale en busca de Amadís; se encuentra con la embarcación del Caballero Griego (III, 78). Espera a Amadís en la Ínsula Firme (III, 80). Combate contra la flota romana para rescatar a Oriana, encargándose de su custodia (III, 81). Requiere la presencia de Arquisil en la Ínsula Firme (IV, 106). Interviene en el ejército de Amadís contra el de Lisuarte (IV, 107). Acude con Amadís en auxilio de Lisuarte, atacado por el rey Arábigo (IV, 115).

**Esclavor.** Sobrino del rey Arábigo, combate contra el ejército de Lisuarte (IV, 115).

**Escocia.** Reino de Languines (I, com.).

**España (Spaña).** Reino de Ladasán (II, 63).

**Esplandián (Splandián).** Véase también **Cavallero de la Gran Serpiente.** Hijo de Amadís y Oriana, tiene en el lado derecho de su pecho unas letras blancas latinas con su nombre, y unas letras rojas misteriosas, en el izquierdo. Es recogido por una leona cuando Durín y la Doncella de Dinamarca lo llevaban al monasterio de Miraflores. Nasciano lo rescata de sus dientes, y le ordena darle de mamar. Lo entrega a su hermana para que lo críe (III, 66). Desde los cuatro años vive con Nasciano, emparejándose con Sargil, y saliendo a cazar con una leona (III, 70). Yendo de caza, es hallado por su desconocido abuelo Lisuarte y sus familiares, quedándose a cargo de Oriana (III, 71), a quien sirve con Gambor (III, 75). Acompaña a Grinfesa hasta Lisuarte (III, 78). Salva la vida de dos caballeros romanos pidiéndole la gracia al Caballero Griego (III, 79). Por orden de Brisena, acude al campamento de Lisuarte, y con Nasciano marcha al de Amadís (IV, 113). Al ver la gente del rey Arábigo dispuesta a atacar a Lisuarte, avisa a Amadís (IV, 115). Urganda profetiza su futuro (IV, 126). Es armado caballero y por Balán (IV, 133).

**Estrelleta.** Infanta, hermana de Elvida, fracasa en la prueba del tocado de las flores (II, 57). Contrae matrimonio con Dragonís (IV, 124).

**Fabricio.** Cónsul romano (III, com.).

**Falangriz (Falangrís).** Rey de la Gran Bretaña, hermano de Lisuarte (I, 3).

**Famongomadán.** Gigante del Lago Ferviente, desafía a Lisuarte (II, 54). Se guía por el consejo de un ídolo, al cual ofrece la sangre de las doncellas previamente degolladas. Lleva en su carreta a Leonoreta, a sus doncellas y a sus caballeros, siendo vencido y muerto por Beltenebros (II, 55).

**Felipanos.** Rey de Judea (III, 74).

**Fenusa.** Villa de la Gran Bretaña (II, 58).

**Fileno.** Pariente de Brian de Monjaste (IV, 111).

**Filispinel.** Caballero de Lisuarte, con Landín va a desafiar a los gigantes (II, 54). Regresa con una carta de Arbán y de Angriote, prisioneros de Gromadaça (II, 57). Lucha en el ejército de Lisuarte contra el de Galvanes (III, 67). Lisuarte lo envía a solicitar ayuda de Gasquilán (IV, 96); vuelve tras cumplir su misión (IV, 104). En la retirada de Lisuarte, se encarga de averiguar los movimientos del rey Arábigo y sus aliados (IV, 105). Interviene en la pelea ayudando a Lisuarte (IV, 116).

**Finetor.** Gran sabio y mago, natural de Argos, padre de la Doncella Encantadora (IV, 130).

**Flamíneo.** Hermano bastardo de Sardamira. Combate en el ejército de Lisuarte contra el de Amadís (IV, 110), y contra el del rey Arábigo (IV, 116).

**Florestán.** Hijo de Perión y de la hija del Conde de Selandia. Se cría hasta los dieciocho años en casa de su tía, siendo armado caballero por su abuelo (I, 42). Derriba de sus caballos a Agrajes, a Galaor y a Amadís (I, 40). Galaor pelea de nuevo para conocer su personalidad; Corisanda le dice el nombre para finalizar la pelea (I, 41). Vence a dos caballeros y a Alumas, liberando a tres doncellas (I, 43). Fracasa en la prueba de la cámara defendida (II, 44). Va en busca de Amadís (II, 48). Desafía a Landín (II, 54), aunque queda zanjada la pelea (II, 59). Fracasa en la prueba de la Verde Espada (II, 57). Combate en el ejército de Lisuarte contra el de Cildadán (II, 58). Se retira de los territorios de Lisuarte, encargándose de la defensa de Madasima (II, 63). Combate en el ejército de Galvanes (III, com.), no queriendo herir a Lisuarte a pesar de tenerlo en su poder. Es apresado en la batalla (III, 67). Es reconocido por su padre. Combate en el ejército de Lisuarte contra el de los siete Reyes, actuando sin identificarse con su yelmo cárdeno y unas armas entregadas por una doncella de Urganda (III, 68). Es aprisionado en el castillo de Arcaláus, con Perión y con Amadís, lográndose escapar (III, 69). Vence a Gradamor y a otros cuatro romanos (III, 75), y acompaña a Sardamira (III, 76). Espera a Amadís en la Ínsula Firme (III, 80). Combate contra la flota romana para rescatar a Oriana (III, 81). Interviene en el ejército de Amadís contra Lisuarte (IV, 107), llevando unas armas señaladas (IV, 109). Mata a Floyan en la batalla (IV, 111). Acude con Amadís en auxilio de Lisuarte, atacado por el rey Arávigo (IV, 115). Se casa con Sardamina, solicitando Amadís para él el señorío de Calabria (IV, 120); celebran las bodas (IV, 125).

**Floyan.** Hermano de Salustanquidio, se encarga de un haz del ejército romano en la lucha contra Amadís (IV, 106), llevando unas armas señaladas (IV, 109); es muerto por Florestán (IV, 111). Con el de Patín, su cuerpo es llevado al monasterio de Lubaina (IV, 112).

**Floyan.** Muerto por Artur a las puertas de París (I, 1).

**Fondo Piélago.** Valle del señorío de Angrifo (IV, 124).

**Fuente de la Vega.** (II, 48).

**Fuente de las Altas Hayas.** (III, 75).

**Fuente de las Siete Hayas.** (III, 71).

**Fuente de los Tres Caños.** (II, 55).

**Fuente de los Tres Olmos.** (I, 43).


**Gadalumba.** Dueña (I, 42).

**Gadampa.** Villa de la Gran Bretaña (III, 68).

**Gadancuriel.** Participa con Cildadán en la batalla contra Lisuarte, siendo elegido caudillo de sus hombres, y muerto por Lisuarte (II, 58).

**Gajaste, Duquesa de.** Hermana del Emperador de Constantinopla y madre de Gastiles (III, 74).

**Galain.** Duque de Normandía, interviene con Abiés en su lucha contra Perión, siendo derribado por Amadís (I, 8).

**Galaor.** Hijo de Perión y de Elisena, raptado por el gigante Gandalac a causa de unas palabras proféticas. Se cría con un ermitaño (I, 3). Urganda le regala una espada, con la que será armado caballero por Amadís (I, 11), de quien presencia una difícil aventura. Vence a Aldabán (I, 12), restituyendo las tierras a Gandalac. Una doncella lo acompaña hasta la casa de Aldeva, con quien tiene su «recompensa» amorosa (I, 12), quedando caracterizado desde entonces por sus dotes «donjuanescas», demostradas en la aventura posterior al curarse sus heridas (I, 15). Lucha contra Amadís en cumplimiento de un «don» prometido a una doncella, cuyo amigo lo había engañado, si bien la intervención de Baláis paraliza el combate (I, 22). En casa de Lisuarte, se otorga como vasallo del Rey (I, 30). Sale de la corte con Amadís, siendo aprisionados, pudiéndose liberar gracias a sus dotes seductoras y con la promesa de despedirse de Lisuarte (I, 33). Libera a éste que era llevado prisionero (I, 36). Cae de su caballo en su encuentro con Florestán (I, 40), con quien combate de nuevo para saber su identidad (I, 41). Fracasa en la prueba de la cámara defendida (II, 44). Con Agrajes y Florestán va en busca de Amadís (II, 48). Fracasa en la prueba de la Verde Espada (II, 57). Recibe una carta de Urganda en la que le profetiza el futuro de la batalla contra Cildadán (II, 57), en la que mata a Cartadaque, pero cae semiamortecido; es recogido con Cildadán por unas doncellas misteriosas (II, 58), y curado de sus heridas por Urganda la Desconocida (II, 59). Con Cildadán, es liberado por Amadís y por Bruneo de ser aprisionados por Madarque (III, 65). Solicita de Norandel que sea su compañero durante un año (III, 66). Lucha con Lisuarte contra el ejército de Galvanes. Intercede por éste para que Lisuarte le entregue el castillo y la villa de la isla de Mongaza, quedando como vasallos de Lisuarte (III, 67). Se encarga de la custodia de Lisuarte en su batalla contra los siete Reyes (III, 68). Con Norandel, es engañado por Arcaláus, si bien obtiene el amor de Dinarda. En Gaula identifica la personalidad de los caballeros de las sierpes (III, 69). Aconseja a Lisuarte que no case a Oriana ni la desherede (III, 77). Está enfermo en Gaula cuando su padre se prepara a luchar contra Lisuarte (IV, 100). Acude a la Ínsula Firme en compañía de su madre (IV, 121). Amadís dispone su matrimonio con Briolanja (IV, 121). Celebran las bodas (125). Ayuda a Dragonís a conquistar la Profunda Ínsula (IV, 130). Ante la desaparición de Lisuarte, acude a la Ínsula Firme (IV, 133).

**Galdán.** Caballero de Lisuarte (I, 38).

**Galdar de Rascuil.** Emisario de Lisuarte, en la corte de Languines recoge a Oriana y a Mabilia (I, 8). Guarda la villa de la isla de Mongaza (III, com.).

**Galdenda.** Castillo (I, 33).

**Galeote.** Hijo de Bravor y de la hija de Darioleta, se casa con una hija de Galvanes y Madasima (IV, 129).

**Galeote el Brun.** (IV, 129).

**Galfán.** Villa de Gaula (I, 8).

**Galifón.** Sojuzga unas tierras del señorío de Irlanda. Hiere gravemente a Eliseo. Con sus dos hermanos es vencido por Grasandor y por Landín. Éste lo deja libre con el compromiso de ganar el perdón del Rey y ponerse a su disposición (IV, 129).

**Galiseo.** Caballero de Lisuarte (II, 55).

**Galpano.** Caballero que mantiene en su castillo una mala «costumbre»; deshonra a una doncella de Agrajes, siendo muerto por Amadís (I, 6).

**Galpano.** Floresta (I, 8).

**Galtares.** Véase **Peña de Galtares.**

**Galtines.** Conde, primo de Tafinor, acompaña a Amadís (III, 70). Se encarga de llevar los caballeros de Bohemia en su ayuda (IV, 102), acudiendo con ellos a la Ínsula Firme (IV, 105). Interviene en la pelea contra Lisuarte y Patín (IV, 111).

**Galvanes (Galbanes) sin Tierra.** Tío de Agrajes y hermano de Languines (I, 10), con Agrajes libera a una doncella (I, 16) y marcha con su sobrino y con Olivas a la corte de Lisuarte (I, 23), interviniendo con ambos en el duelo judicial contra el Duque de Bristoya y sus sobrinos (I, 39). Fracasa en la prueba de la Verde Espada (II, 57). Se enamora de Madasima, proponiéndole el matrimonio y la recuperación de la ínsula de Mongaza (II, 62). Tras la enemistad entre Amadís y Lisuarte, se despide del Rey. Se encarga con otros once caballeros de la defensa de Madasima (II, 63). Con los suyos, logra conquistar la ínsula de Mongaza frente a los del rey Lisuarte, en donde es recibido como señor (III, com.). Está a punto de ser vencido después, aunque por el ataque del rey Arábigo establecen unas treguas, y por mediación de Galaor queda en posesión de las tierras como vasallo de Lisuarte (III, 67). Actúa con el ejército de éste en la batalla contra los siete Reyes, encargándose con Agrajes de un haz (III, 68). Lisuarte consiente que no intervenga en su pelea contra Amadís (IV, 104). Ayuda a Dragonís a conquistar la Profunda Ínsula (IV, 130). Ante la desparición de Lisuarte, acude a la Ínsula Firme (IV, 133).

**Gandaça (Gandeça).** Sobrina de Brocadán, esconde en su casa a su enamorado Sarquiles, de modo que éste se entera de la traición urdida por Brocadán y por Gandandel (II, 64).

**Gandalac (Gandalás, Gandalaz).** Gigante natural de Leonís, rapta a Galor por unas palabras proféticas; lo entrega a un ermitaño para su crianza hasta que venza a Aldabán (I, 3). Galaor le restituye sus posesiones (I, 12). Combate con sus hijos en el ejército de Lisuarte contra el de Cildadán; mata a Albadançor (II, 58).

**Gandales.** Caballero de Escocia, padre de Ganadalín, encuentra el arca en la que había sido abandonado Amadís (I, 1). Urganda le profetiza el futuro del héroe (I, 2). Es encargado por Amadís de llevar sus mensajes a Lisuarte (III, com.). Combate contra la flota romana para rescatar a Oriana (III, 81). Agrajes lo envía a pedir ayuda a Languines (IV, 89); acude con los caballeros a la Ínsula Firme (IV, 105). Combate a favor de Amadís contra Lisuarte (IV, 107).

**Gandalín.** Hijo de Gandales, hermano de leche de Amadís (I, 1), a quien acompaña como escudero (I, 4). Como confidente de su amo, hace funciones de intermediario en sus amores (I, 14). Aconseja a Durín que retrase la entrega de la carta de Oriana (II, 45). Incita a su señor a que se combata con Patín (I, 46). Corta la cabeza de Andandona (III, 68). Es aprisionado por Arcaláus, logrando manejar el mecanismo de su liberación (III, 69). Con su intervención, Grasinda desiste de sus propósitos amorosos hacia Amadís (III, 72). Amadís le encarga los preparativos del rescate de Oriana (III, 78). Solicita ayuda a Perión (IV, 89-IV, 100). Es armado caballero por Amadís (IV, 109). Acude con éste en auxilio de Lisuarte (IV, 115). Va en ayuda de una dueña de Noruega, encontrándose con Amadís y con Grasandor y resolviendo felizmente la aventura (IV, 130).

**Gandalod (Gandalot).** Hijo de Barsinán, tiene prisioneros a Giontes y a otros tres caballeros de Lisuarte liberados tras ser vencido por Guilán. En la corte de Lisuarte, es despeñado (II, 50).

**Gandandel.** Consejero de Lisuarte y cuñado de Brocadán. Con éste trata de enemistar a Lisuarte y a Amadís (II, 62). Es acusado de traición por Angriote, siendo derrotados sus valedores (II, 64). Se retira con Brocadán a una isla de su propiedad (III, com.).

**Gandeça.** Véase **Gandaça.**

**Gandinos el Follón.** Tiene prisionera a unas doncellas, siendo vencido por Guilán (II, 48).

**Ganides de Ganota.** Combate al lado de Cildadán en la batalla entre Lisuarte y Galvanes (III, 67).

**Ganjel de Sadoca.** Caballero de Lisuarte que acompaña a Oriana, siendo vencido por Gavarte (III, 80).

**Ganjes de Sadoca.** Espera a Amadís en la Ínsula Firme (III, 80).

**Ganor.** Rey, hermano de Apolidón y padre de Macandón (II, 56).

**Ganota.** Villa (II, 58).

**Gantasi.** Castillo de Madasina (I, 33).

**Garadán.** Primo de Patín, embajador ante Tafinor de Bohemia, es vencido y muerto por Amadís (III, 70).

**Garandel.** Rey de Hungría (III, 74).

**Garín.** Hijo de Grumen, pariente de Arcaláus (IV, 108).

**Garínter.** Rey de la Pequeña Bretaña, padre de Elisena y de la Dueña de la Guirnalda. Se encuentra con Perión (I, com.).

**Garinto.** Príncipe de Dacia, erigido rey con la ayuda de Angriote, de Branfil y de Bruneo tras reparar la traición del Duque de Suecia. Marcha a la Ínsula Firme (IV, 122). Es armado caballero (III, 133).

**Gasaval.** Escudero de Galaor (II, 59).

**Gasinán.** Tío de Grovenesa, rapta a una doncella que Amadís acompañaba, estando éste dormido. Es vencido por Amadís, aunque después la doncella le otorga su amor (I, 27). Interviene en el ejército de Galvanes (III, 67).

**Gasquilán el Follón.** Hijo de Madarque y sobrino de Lancino, de quien hereda el reino de Suesa. Se dirige a la corte de Lisuarte para luchar contra Amadís por orden de su enamorada (III, com.). Es herido por Florestán (III, 66). Acude con sus caballeros en ayuda de Lisuarte (IV, 105); se encarga con Cildadán de un haz (IV, 106), llevando unas armas señaladas (IV, 109). Es vencido por Amadís antes de iniciarse la pelea (IV, 109).

**Gastiles.** Sobrino del Emperador de Constantinopla, hijo de la Duquesa de Gajaste (III, 74). Su tío le encarga preparar la ayuda a Amadís (IV, 99); acude con los caballeros a la Ínsula Firme (IV, 105).

**Gaula.** Reino de Perión (I, 3).

**Gavarte de Valtemeroso.** Se retira de los territorios de Lisuarte, y se encarga de la defensa de Madasima (II, 63). Lucha en el ejército de Galvanes contra el de Lisuarte (III, com.); es herido y apresado (III, 67). Custodia a Lisuarte en su batalla contra los siete Reyes (III, 67). Busca a Amadís (III, 78). Vence a Lasanor, a Ganjel y a Giontes, que escoltaban a Oriana, entregándole una carta de Florestán y de Agrajes (III, 80). Espera a Amadís en la Ínsula Firme (III, 80). Combate contra la flota romana para rescatar a Oriana (III, 81). Interviene en el ejército de Amadís contra el de Lisuarte (IV, 107). Acude con Amadís en auxilio de Lisuarte (IV, 115). Acompaña a Cuadragante y a Bruneo a conquistar los territorios del rey Arábigo (IV, 131). Ante la desaparición de Lisuarte, acude a la Ínsula Firme (IV, 133).

**Gavus.** Armado caballero por Galaor, combate con su padre Gandalac en el ejército de Lisuarte (II, 58).

**Giontes.** Sobrino de Lisuarte, es liberado de la prisión de Gandalod por Guilán (II, 50). Combate en el ejército de Lisuarte contra el de Cildadán (II, 58). Actúa como juez en el desafío de Angriote y Sarquiles contra Corián, Tanarín y Adamás (II, 64). Se encarga de un haz del ejército de su tío contra el de los siete Reyes (III, 68). Escolta a Oriana, siendo vencido por Gavarte (III, 80). Lisuarte lo manda como embajador a Patín (IV, 104). Se encuentra en alta mar con Grasandor, siendo interrogado (IV, 105); llega a Roma con su embajada, regresando a Gran Bretaña con Patín (IV, 106). Interviene en el ejército de Lisuarte en su lucha contra el de Amadís (IV, 111), y contra el del rey Arábigo y sus aliados (IV, 116). Acompaña a Brisena a buscar a Lisuarte (IV, 133).

**Glocestre, Conde de.** Caballero principal de la corte de Lisuarte, acompaña a Amadís (I, 15).

**Godofré de Bullón.** (I, pról.).

**Gomán.** Caballero de Sobradisa, recibe a Briolanja como reina (I, 42).

**Gordán.** Hermano de Angriote, encargado de custodiar a Oriana hasta la Ínsula Firme (III, 81).

**Gracedonia.** Villa de la Gran Bretaña (III, com.).

**Gradamor.** Romano, sobrino de Brondajel, es vencido por Florestán, salvándole la vida Grumedán (III, 75), y por el Caballero Griego, salvándole la vida Esplandián (III, 79).

**Gradasonel Fallistre.** Lucha al lado de Cildadán en la batalla entre Lisuarte y Galvanes (III, 67).

**Gradovoy.** Hermano de Angriote, combate en el ejército de Galvanes (III, com.).

**Gran Bretaña.** Reino de Falangriz, heredado por Lisuarte (I, 4).

**Gran Rosal, castillo del.** Castillo de Celinda (III, 66).

**Gran Serpiente.** Embarcación de Urganda (IV, 123), que la regala a Esplandián (IV, 126).

**Granada.** (I, pról.).

**Grandares.** Villa (I, 12).

**Grandiel.** Se retira de los territorios de Lisuarte (II, 63).

**Grandores.** Se retira de los territorios de Lisuarte (II, 63).

**Granfiles.** Nombre fingido de Arcaláus (III, 69).

**Grasandor.** Hijo de Tafinor, combate contra los romanos (III, 70). Acude en ayuda de Amadís (IV, 102). En el camino se encuentra con Giontes, a quien interroga. Llega a la Ínsula Firme y cuenta lo sucedido. Se enamora de Mabilia (IV, 105). Se encarga de un haz del ejército de Amadís en la lucha contra Lisuarte y los romanos (IV, 107). Se casa con Mabilia (IV, 120). Celebran las bodas (IV, 125). Sale en busca de Amadís. Ayuda a Landín a vencer a Galifón y a sus dos hermanos. Se reúne con Amadís (IV, 129); lo acompaña en la aventura de la Peña de la Doncella Encantadora (IV, 130).

**Grasinda.** Sobrina de Tafinor, viuda, se enamora de Amadís, pero desiste de sus propósitos por las palabras de Gandalín (III, 72). Considerada como la más hermosa «dueña» de Rumanía, desea ser coronada como la más hermosa de las doncellas de la Gran Bretaña; solicita a Amadís que la lleve a dicho reino (III, 75), adonde llega, enviando una carta a Lisuarte (III, 78); tras la victoria del Caballero Griego logra sus propósitos. Se dirige a la Ínsula Firme (III, 79), en donde recibe a Oriana (IV, 84). Envía a Elisabad a su tierra para ayudar a Amadís en su conflicto con Lisuarte (IV, 98). Se casa con Cuadragante (IV, 120). Celebran las bodas. Fracasa en la de la prueba de la cámara defendida (IV, 125).

**Grasugis.** Rey de la Profunda Alemania, casado con Saduva (III, com.).

**Grecia.** Tierra recorrida por el Caballero de la Verde Espada (III, 72).

**Gresca.** Condado (I, 12).

**Grial, Santo.** (IV, 128).

**Grimanesa.** Hermana de Siudán, se casa con Apolidón; viven en la Ínsula Firme, hasta que son elegidos emperadores de Grecia (II, com.).

**Grimeo el Valiente (Grimón).** Lucha en el ejército de Lisuarte contra el de Galvanes (III, 67), y contra el de los siete Reyes (III, 68).

**Grimota.** Hermana de Urganda, con la que tuvo dos hijas Falangriz (II, 59).

**Grindalaya.** Hija de Adroid, enamorada de Arbán, es liberada por Amadís de la prisión de Arcaláus (I, 18-19). Va a la corte de Lisuarte, encuentra a su enamorado, y queda en compañía de Brisena (I, 20).

**Grindonán.** Hermano de Angriote, se retira de los territorios de Lisuarte (II, 63).

**Grinfesa.** Hija del mayordomo de Grasinda (III, 78).

**Gromadaça.** Mujer de Famongomadán, tiene prisioneros a Arbán y a Angriote (II, 57). Manda a Mataleza para establecer las condiciones del combate entre Amadís y Ardán (II, 61), incumpliendo lo pactado (II, 63). Antes de morir, entrega los castillos para salvar a Madasima (II, 64).

**Grovedán.** Hermano de Angriote, lucha en el ejército de Galvanes (III, 67).

**Grovenesa.** Sobrina de Gasinán, impone a Angriote un voto caballeresco para mantener el paso de un valle (I, 17). Para impedir la llegada de Amadís a su castillo, establece una «mala costumbre», deshecha por el héroe (I, 26-27). Tras la intervención de Amadís, acepta a Angriote en matrimonio (I, 31).

**Grovenesa.** Tía de Briolanja (I, 40).

**Grumedán.** Ayo de Brisena, custodia a Oriana, tras ser rescatada por Amadís (I, 38). Fracasa en la prueba de la Verde Espada (II, 57). Combate contra el ejército de Cildadán, llevando la seña de Lisuarte (II, 57). Actúa de juez en el combate entre Amadís y Ardán (II, 61).

Experto en casos de honra, defiende a Madasima (II, 64). Se encarga de custodiar a Cildadán contra la hueste de Galvanes (III, 67). Acompaña a Sardamira, encontrándose con Florestán (III, 75). Desafía a Salustanquidio y a los caballeros romanos (III, 78); vence a Maganil y a sus hermanos con la ayuda de Angriote y de Bruneo (III, 80). Interviene en el haz de Lisuarte contra Amadís, llevando el estandarte (IV, 106). Es aprisionado en la batalla contra el rey Arábigo (IV, 116), siendo liberado (IV, 117). Acompaña a Brisena a buscar a Lisuarte (IV, 133).

**Grumen.** Primo de Dardán (I, 35).

**Guilán el Cuidador.** Enamorado de Brandalisa, mujer del Duque de Bristoya, ayuda a Galaor a rescatar a Lisuarte (I, 36). Libera a unas doncellas de la cárcel de Gandinos. Encuentra las armas abandonadas de Amadís (II, 48). Vence a dos sobrinos de Arcaláus y a Gandalod, liberando a los prisioneros de éste. Llega a la corte de Lisuarte con las armas de Amadís (II, 50). Fracasa en la prueba de la Verde Espada (II, 57). Combate en el ejército de Lisuarte contra el de Cildadán (II, 58), contra el de Galvanes (III, 67) y contra el de los siete Reyes (III, 68). Se encuentra enfermo, sin poder combatir con el Caballero Griego (III, 78). Va como embajador de Lisuarte a la corte de Patín (IV, 96-IV, 104). Lucha en el ejército de Lisuarte contra el de Amadís (IV, 106). Lisuarte lo propone como mediador de la paz con Amadís (IV, 114). A petición de Amadís, Lisuarte le concede el ducado de Bristoya; se dispone su matrimonio con Brandalisa (IV, 124).

**Guinda Flamenca.** Señora de Flandes, amada por Madavil (II, 44).

**Guiñón.** Río (II, 50).

**Guncestra, Conde de.** (III, 69).


**Héctor.** Véase **Éctor.**

**Hegido.** Padre de Celinda (III, 66).

**Helián.** Véase **Elián.**

**Helisena.** Véase **Elisena.**

**Henil.** Véase **Enil.**

**Hércoles (Hércules).** (I, 13), (I, 48).


**Imosil (de Borgoña).** Hermano del Duque de Borgoña, se encarga de la defensa de Madasima (II, 63). Actúa a favor de Lisuarte contra el ejército de los siete Reyes (III, 68). Combate contra la flota romana para rescatar a Oriana (III, 81).

**India.** (II, 56).

**Ínsola de Liconia.** (IV, 132).

**Ínsola de Mongaça.** Señorío de Famongomadán (II, 54), ganado para Lisuarte, tras la victoria de Amadís sobre Ardán (II, 61). Amadís lo solicita para Galvanes y Madasima, pero el Rey no se lo concede (II, 62), originando la marcha del héroe y de sus amigos de la Gran Bretaña (II, 63). Es tomado por Galvanes (III, com.), pero Lisuarte, a punto de vencer, acepta unas treguas, y gracias a Galaor lo entrega a Galvanes, quedando éste como vasallo suyo (III, 67).

**Ínsola de Sancta María.** Nombre dado a la isla del Diablo, tras la muerte del Endriago (III, 74).

**Ínsola del Diablo.** Isla en la que vive el Endriago (III, 73).

**Ínsola del Infante.** (IV, 127).

**Ínsola del Lago Ferviente (Herviente).** Véase ínsola de Mongaza.

**Ínsola de la Torre Bermeja.** Señorío de Balán (IV, 127).

**Ínsola Dudada.** Véase **Ínsola Firme.** (IV, 126).

**Ínsola Firme.** Véase **Ínsola Dudada.** Isla ganada por Apolidón a un gigante. Vive allí dieciséis años con Grimanesa; deja unas pruebas mágicas como el arco de los leales amadores y la cámara defendida, destinadas a los leales amadores y al caballero que superara en fortaleza a Apolidón y a la mujer que superase en hermosura a Grimanesa (II, com.). Se describen sus diferentes encantamientos (II, 63) y sus extraordinarias condiciones (IV, 84).

**Ínsola Fuerte.** Señorío de Pinela (IV, 109).

**Ínsola Gabasta.** Señorío de Menoresa (III, 74).

**Ínsola Gravisanda.** (I, 41).

**Ínsola Leónida.** (III, 68).

**Ínsola no Fallada.** Sede de Urganda la Desconocida (II, 59), (III, 68).

**Ínsola Profunda, Rey de La.** Se escapa de la batalla de los siete Reyes y forma una alianza con Arcaláus para luchar contra las gentes de Lisuarte y de Amadís (IV, 96). Con el rey Arábigo, se encarga de un haz (IV, 108).

**Ínsola Sagitaria.** (IV, 108).

**Ínsola Triste.** Dominio de Madarque (III, 65).

**Ínsolas de las Landas.** Señorío del rey Arábigo (III, V).

**Ínsolas de Rumanía.** Islas recorridas por el Caballero de la Verde Espada (III, 72).

**Ínsolas Luengas.** Señorío de Galeote el Brun (IV, 129).

**Irlanda.** Reino de Abiés (I, 4) y de Cildadán (II, 53).

**Isanes.** Pariente de Florestán (III, 81).

**Isanjo.** Gobernador de la Ínsula Firme (II, 44), se encarga de comunicar a los familiares de Amadís la marcha de éste (I, 48). Custodia a Grasinda (III, 80). Se traslada a Bohemia con una carta de Amadís

en solicitud de ayuda (IV, 91-IV, 102). Anuncia el final de los encantamientos de la Ínsula Firme (IV, 125).
**Iseo, la Brunda.** (I, 10), (IV, 129).


**Jafoque.** Puerto de mar de la Gran Bretaña (III, 66).
**Jherusalem.** (I, pról.).
**Josefo.** (IV, 128).
**Josep Abarimatía.** (IV, 128).
**Julianda.** Sobrina de Urganda, hija de Falangrís y de Grimota, de
quien Galaor tiene un hijo llamado Talanque (II, 59). Interviene en
la investidura de Esplandián (IV, 133).


**Ladaderín.** Véase **Ledaderín.**
**Ladasán de España.** Padre de Brian de Monjaste (II, 63), envía ca-
balleros en ayuda de Lisuarte (III, 68), y de Amadís (IV, 105).
**Ladasín el Esgremidor.** Primo de Guilán, interviene en el rescate
de Lisuarte (I, 36). Justa y es vencido por Gandalod (II, 50). Fraca-
sa en la prueba de la Verde Espada (II, 57). Lucha en el ejército de
Lisuarte contra el de Galvanes (III, 67), y contra el de Amadís
(IV, 109).
**Lago Ferviente (Herviente).** Castillo de la ínsula de Mongaza
(II, 63).
**Laguna Negra.** Floresta (III, 69).
**Lancino.** Rey de Suesa, tío de Gasquilán (III, com.).
**Landín (de Fajarque).** Sobrino de Cuadragante, desafía a Lisuarte
en nombre de los gigantes y de su tío. Es desafiado por Florestán
(II, 54), si bien queda zanjada la pelea (II, 59). Se retira de los terri-
torios de Lisuarte (II, 63). Lucha en el ejército de Galvanes (III,
com.), y en el de Lisuarte, contra el de los siete Reyes (III, 68). Busca a Amadís (III, 78), combatiendo contra los romanos para rescatar a Oriana, encargándose de su custodia (III, 81). Pide ayuda a la
Reina de Irlanda (IV, 90-IV, 102), acudiendo con los caballeros a la
Ínsula Firme (IV, 105). Interviene en el ejército de Amadís contra
el de Lisuarte (IV, 107). Lucha con Galifón y con sus dos hermanos, a quienes vence con la ayuda de Grasandor (IV, 129). Se encarga del señorío de Sansueña cuando su tío marcha a la Ínsula Firme (IV, 133).
**Languines.** Padre de Iseo (IV, 129).
**Languines.** Rey de Escocia, esposo de la Dueña de la Guirnalda y
padre de Agrajes y de Mabilia (I, com.). Lleva al Donzel del Mar a
su casa (I, 3).
**Lançarote del Lago.** (IV, 129).

**Lançarote del Lago, libro de.** (IV, 129).

**Lasanor.** Caballero de Lisuarte, acompaña a Leonoreta y es vencido por Amadís en la justa (II, 55). Formando parte de la escolta de Oriana, es vencido por Gavarte (III, 80).

**Lasanor.** Hermano de Gradamor y sobrino de Brondajel, es vencido por el Caballero Griego (III, 79).

**Lasindo.** Escudero de Bruneo, hace de intermediario en los amores de su señor y Melicia (III, 65). Acompaña a Amadís a buscar a Angriote (III, 75). Solicita ayuda en casa del Marqués de Troque (IV, 90-IV, 101). Es armado caballero por Amadís (IV, 109).

**Latine, conde.** Toma la ínsula de Mongaza por orden de Lisuarte (II, 63), encargándose con Gascar de la custodia de la villa (III, com.).

**Laumedón.** Laumedonte (I, 13).

**Ledaderín (Ladaderín, Ledadín) de Fajarque.** Se retira de los territorios de Lisuarte, encargándose de la defensa de Madasima (II, 63).

**Lelois el Flamenco.** Véase **Serolís el Flamenco.** Lisuarte le concedió el condado de Clara (I, 15). Actúa de juez en el desafío entre Grumedán y los romanos (III, 80).

**Leonís.** Acompañante de Lisuarte en la batalla contra Galvanes (III, 67).

**Leonís.** Patria de Gandalac (I, 3).

**Leonoreta.** Hija de Lisuarte, interpreta un villancico compuesto por Amadís en su honor (II, 54). Por orden suya, Beltenebros acepta la justa contra diez de sus acompañantes (II, 55). Con éstos, es apresada por Famongomadán, siendo liberados por Beltenebros (II, 55). Lisuarte concede su mano a Arquisil (IV, 118). Acude a la Ínsula Firme (IV, 123). Celebra sus bodas (IV, 125).

**Leonorina.** Hija del Emperador de Constantinopla, solicita unos dones a Amadís (III, 74).

**Libeo.** Sobrino de Elisabad, reúne a los caballeros de Grasinda para ayudar a Amadís (IV, 99); acude a la Ínsula Firme (IV, 105).

**Liconia.** Véase **ínsola de Liconia.**

**Licrea.** Villa pequeña del señorío del rey Arábigo (IV, 130).

**Lindoraque.** Hijo de Cartadaque y de una hermana de Arcaláus, es muerto por Amadís (II, 57).

**Liquedo, conde.** Primo de Perión, padre de Elián el Lozano (III, 67).

**Listorán de la Torre Blanca.** Se retira de los territorios de Lisuarte (II, 63). Lucha al lado de Galvanes (III, 67), y a favor de Lisuarte, en la batalla contra los siete Reyes (III, 68). Combate contra la flota romana para rescatar a Oriana (III, 81).

**Lisuarte.** Rey de la Gran Bretaña, sucede a su hermano Falangriz, y

1797

se casa con Brisena (I, 3). Deja en la corte de Escocia a su hija Oriana (I, 4). Celebra cortes y ante la misteriosa desaparición de una corona y un manto de condiciones excepcionales, ofrecidas por unos extraños caballeros (I, 29), debe entregar a su hija Oriana (I, 34) y cumplir el «don» solicitado por una doncella (I, 29-I, 34), si bien se trata de un engaño urdido por Arcaláus, mediante el cual es aprisionado (I, 34), siendo liberado por Galaor (I, 36). Fracasa en la prueba de la Verde Espada (II, 57). Recibe una carta misteriosa de Urganda en la que le profetiza el futuro de su batalla contra Cildadán (II, 57), en la que resulta vencedor (II, 58). Incitado por sus malos consejeros Broncadán y Gandandel (II, 62), expulsa de su reino a Amadís. Ante el incumplimiento de Gromadaça de entregar el Lago Herviente, amenaza con decapitar a Madasima y a sus doncellas (II, 63). Durante su juventud, vence a Antifón, liberando a Celinda, y teniendo un hijo con ella, Norandel, al que investirá como caballero, sin conocerlo (III, 66). Con su ejército combate con el de Galvanes por la posesión de la isla de Mongaza, pero, a punto de vencer, ante el ataque del rey Arábigo y por la intervención de Galaor, entrega el castillo y la villa a Galvanes y a Madasima, que quedan como vasallos suyos (III, 67). Instigados por Arcaláus, le atacan el rey Arábigo y seis Reyes, a los que vence (III, 68). Yendo de caza, se encuentra con Esplandián, que con Sargil se educará en su casa. Recibe una carta de Urganda en la que profetiza el futuro de Esplandián (III, 71). Los embajadores de Patín solicitan la mano de Oriana, y Lisuarte pide un mes para contestar (III, 76). Se ofrece para combatir con los romanos en el duelo pendiente de Grumedán (III, 80). A pesar de los consejos de Galaor (III, 77), Argamonte (III, 78-80), Arbán y Grumedán (III, 80), entrega a Oriana para que se case con Patín (III, 81). Le comunican que ha sido desbaratada por Amadís la flota que llevaba a su hija (IV, 94). Recibe a Cuadragante y a Brian, embajadores de Amadís, sin acordar la paz (IV, 95). Envía una embajada a Patín y solicita ayuda a Galvanes, a Cildadán y a Gasquilán (IV, 96), regresando los mensajeros (IV, 104). Se encarga de un haz en su pelea contra Amadís (IV, 106), llevando unas armas señaladas (IV, 109). Tras comunicarle Nasciano el matrimonio secreto entre Amadís y Oriana, y ante la presencia de Esplandián, acepta la paz (IV, 113). Al retirarse, es atacado por los hombres del rey Arábigo y sus aliados (IV, 115-116), siendo auxiliado por Amadís cuando estaba a punto de ser vencido (IV, 117). Se reconcilia con Amadís, nombrando a los hijos de Amadís y de Oriana por sucesores. A petición de Amadís, concede la mano de Leonoreta a Arquisil (IV, 118). Se reúne con Brisena (IV, 119). Acude a la Ínsula Firme (IV, 123). Exime de su vasallaje a Cildadán

(IV, 126). Al ir en defensa de una doncella, es apresado misteriosamente (IV, 133).

**Lombardía.** (III, 76).

**Londres.** (I, 29).

**Lubaina.** Villa de la Gran Bretaña (IV, 112).

**Lucifer.** (I, 13).

**Mabilia.** Hija de Languines, confidente de Oriana. Interviene en la investidura de Amadís (I, 4). Se traslada con Oriana a la casa de Lisuarte (I, 8). A pesar de las pretensiones de su hermano Agrajes, tras el enfrentamiento entre Lisuarte y Amadís, permanece junto a Oriana (III, com.). Tiene un sueño premonitorio (III, 78). Consuela a Sardamira (IV, 82). Se casa con Grasandor (IV, 120). Celebran las bodas (IV, 125).

**Macandón.** Hijo de Ganor, sobrino de Apolidón, sólo puede ser armado caballero por quien saque de su vaina una espada verde; tomará su espada de la mujer que reverdezca un tocado de flores, destinadas ambas a los mejores enamorados, que durante sesenta años no ha encontrado (II, 56). Es investido por Amadís y Oriana, que triunfan (II, 57).

**Madamán el Envidioso.** Combate con Bruneo, siendo muerto (II, 62).

**Madancil (Madansil, Madancián) el de la Puente de Plata.** Abandona la corte de Lisuarte, encargándose de la defensa de Madasima (II, 63). Lucha en el ejército de Galvanes contra el de Lisuarte (III, com.), y en el de Lisuarte, contra el de los siete Reyes (III, 68). Busca a Amadís (III, 78), esperándolo en la Ínsula Firme (III, 80).

**Madanfabul.** Gigante, cuñado de Famongomadán (II, 54). Pelea en la hueste de Cildadán, siendo herido por Beltenebros (II, 58).

**Madarque.** Gigante, señor de la Ínsula Triste. Es vencido por Amadís (III, 65).

**Madasima.** Hija de Famongomadán (II, 54), es entregada como rehén en la batalla entre Amadís y Ardán (II, 61). Acepta la solicitud de matrimonio de Galvanes (II, 62). Es recibida como señora del castillo del Lago Ferviente, ganado por los hombres de Galvanes (III, com.); tras el cerco de Lisuarte y la intervención de Galaor, queda en posesión de las tierras (III, 67).

**Madasima.** Madre de Balán, tía de la mujer de Galvanes (IV, 130).

**Madasima.** Señora de Gantasi, manda aprisionar a Amadís y a Galaor, quienes se liberan por su astucia y por las dotes seductoras de este último (I, 33), despidiéndose de Lisuarte pero reintegrándose de inmediato en la corte (I, 38).

**Madavil.** Hijo del Duque de Borgoña, enamorado de Guinda Flamenca, supera la prueba del arco de los leales amadores (II, 44).

**Maganil.** Caballero romano (III, 79), con sus hermanos desafía a Grumedán, siendo vencido por éste con ayuda de Bruneo y de Angriote (III, 80).

**Malaventurada.** Floresta (I, 33).

**Mancián de la Puente de la Plata.** Véase **Madancián y Madancil.** Lucha en el ejército de Amadís contra el de Lisuarte (IV, 107).

**Maneli el Mesurado.** Hijo natural de Cildadán y de Solisa (II, 59). Urganda profetiza su futuro (IV, 126). Es armado caballero (III, 133).

**Maratros de Lisanda.** Primo de Florestán, combate en el ejército de Galvanes, siendo apresado (III, 67).

**Mares.** (I, 10), (IV, 129).

**Mataleza.** Mensajera de Gromadaça, propone el combate entre Ardán y Amadís. Roba la espada de éste (II, 61). Al ver la muerte de su tío y de su hermano, se suicida (II, 62).

**Medina del Campo.** (I, pról.).

**Mediterráneo.** (III, 78).

**Melicia (Milicia).** Hija de Perión y de Elisena (I, 3), pierde un anillo de su padre, lo que posibilita el reconocimiento del Donzel del Mar (I, 10). Enamorada de Bruneo, se encarga de su curación (III, 65). Acude a la Ínsula Firme (IV, 109). Se casa con Bruneo (IV, 120). Celebran las bodas. Supera la prueba del arco de los leales amadores, pero fracasa en la de la cámara defendida (IV, 125).

**Membrot (Nembrot).** (I, 13), (III, 65), (IV, pról.).

**Menoresa.** Señora de la ínsula de Gadabasta, regala seis espadas al Caballero de la Verde Espada (III, 74).

**Miraflores.** Castillo de Oriana (II, 53).

**Miraflores.** Monasterio (II, 53).

**Montaña Defendida.** Señorío de Cartadaque (II, 54).

**Monte Aldín.** Castillo de Arcaláus (I, 34).

**Morantes de Salvatria.** Primo de Enil, lucha en el ejército de Galvanes (III, com.).

**Morlote de Irlanda.** (I, 10).

**Mostrol.** Villa y puerto de Gaula (III, 65).

**Nalfón.** Mayordomo de Madasima, mujer de Galvanes (IV, 130).

**Nasciano.** Ermitaño, salva a Esplandián de los dientes de una leona. Lo entrega a su hermana para que lo críe (III, 66). Se encuentra con Lisuarte a quien explica la crianza del niño (III, 71). Enterado de las disensiones entre Lisuarte y Amadís, acude al campo de batalla. Tras el permiso de Oriana, comunica públicamente su matrimonio secreto con Amadís a Lisuarte, y a Perión, proponiendo la paz (IV, 113). Celebra los desposorios de las parejas de enamorados (IV, 120).

**Nembrot.** Véase **Membrot.**

**Nicorán de la Torre Blanca.** Se encarga de la defensa de Madasima (II, 63). Lucha en el ejército de Galvanes contra el de Lisuarte (III, com.).

**Nicorán el de la Puente Medrosa.** Justa con Amadís, siendo derribado en el tercer «encuentro» (II, 55). Combate en el ejército de Lisuarte contra las huestes de Cildadán (II, 58), y contra las de don Galvanes (III, 67).

**Norandel.** Hijo natural de Lisuarte y de Celinda, es armado caballero por su padre. Galaor le pide que sea su compañero durante un año (III, 66). Lucha contra el ejército de Galvanes (III, 67), y contra el de los siete Reyes (III, 68). Con Galaor, es engañado por Arcaláus (III, 69). Avisado por Perión, acude a la Gran Bretaña (IV, 100). Combate en el ejército de Lisuarte contra el de Amadís (IV, 106), y contra el del rey Arábigo (IV, 116).

**Norgales.** Véase **Arbán.**

**Normandía.** (III, 78).

**Nuruega (Nueruega).** Reino de Vavain (I, 10).

**Olinda la Mesurada.** Hija de Vavain (I, 10), enamorada de Agrajes, con quien se encuentra casualmente (I, 16). Fracasa en la prueba del tocado de las flores de Macandón (II, 57). Salustanquidio le pide su corona como galardón (III, 79), y solicita a Lisuarte llevarla a Roma para casarse con ella (III, 80), embarcándola en su nave (III, 81). Es rescatada por Agrajes, con quien se casa (IV, 120). Celebran las bodas. Supera la prueba del arco de los leales amadores, pero fracasa en la de la cámara defendida (IV, 125).

**Olivas.** Acoge en su castillo a Galvanes y a Agrajes (I, 16), con quienes va a la corte de Lisuarte (I, 23); desafía al Duque de Bristoya por haber matado a un primo suyo a traición; en el combate judicial resulta vencedor aunque herido (I, 39). Combate en el ejército de Lisuarte contra el de Cildadán (II, 58), y en el de Galvanes, contra el de Lisuarte (III, 67).

**Orfeo.** Repostero de Perión (III, 69).

**Orián el Valiente.** Lucha en el ejército de Galvanes contra el de Lisuarte (III, com.).

**Oriana.** Hija de Lisuarte y de Brisena, llamada sin par, permanece en la corte de Escocia (I, 4), en donde conoce a Amadís, destinado para su servicio y de quien se enamora. Pide a Perión que lo arme caballero (I, 4). En la cera que le ha regalado su amigo (I, 4), encuentra su auténtico nombre y envía a la Doncella de Dinamarca a comunicárselo, mandándole que acuda a la Gran Bretaña, a donde se ha trasladado con Mabilia (I, 8). Lisuarte, para cumplir con su palabra, la entrega a Arcaláus (I, 34), siendo rescatada por Amadís, a quien entrega su amor (I, 35). Caracterizada por sus celos, por una mala interpretación de Ardián (I, 40) envía a Amadís una carta recriminándole su conducta y diciéndole que se aleje de ella (II, 44). Enterada de la verdad, escribe una nueva carta reconciliadora (II, 49). Triunfa en la prueba del tocado de las flores de Macandón, entregándole la espada (II, 57). Es visitada por Briolanja (II, 58). Tras su reencuentro con Amadís, queda embarazada (II, 64). En la investidura de Norandel, le ciñe la espada (III, 66). Da a luz a Esplandián (III, 66). Una vez encontrado Esplandián, confiesa a Nasciano su maternidad, quedándose a cargo del niño (III, 71). Es visitada por Sardamira; solicita ayuda de Florestán (III, 77). Tras derrotar a sus acompañantes, Gavarte le entrega una carta de Florestán y de Agrajes, dándole noticias de Amadís. Pide a Lisuarte que no la case con Patín (III, 80), pero éste la entrega a los embajadores de Roma. Es libertada por Amadís y los suyos (III, 81). Tras su rescate, solicita ser llevada a la Ínsula Firme (IV, 83), en donde se recoge con todas las mujeres (IV, 84). Solicita de Agrajes que ponga paz entre Amadís y Lisuarte (III, 87). Escribe una carta a su madre, solicitando la intercesión ante Lisuarte (IV, 95). Tras las paces, contrae matrimonio público con Amadís, supera la prueba del arco de los leales amadores y la de la cámara defendida, quedando deshechos los encantamientos de la isla (IV, 125).

**Orlandín (Urlandín).** Hijo del Conde de Urlanda, se retira de los territorios de Lisuarte, encargándose de la defensa de Madasima (II, 63). Lucha en el ejército de Galvanes contra el de Lisuarte (III, com.). Espera a Amadís en la Ínsula Firme (III, 80). Combate contra la flota romana para rescatar a Oriana, encargándose de su custodia (III, 81). Interviene en el ejército de Amadís contra el de Lisuarte (IV, 107).

**Osinán de Borgoña.** Combate en el ejército de Galvanes (III, com.).

**Palingues.** Puerto de mar (I, 8).

**Palingues.** Mata a traición a Antebón de Gaula, siendo muerto por Galaor (I, 24-25).

**Palomir.** Hermano de Dragonís, fracasa en la prueba de la Verde Espada (II, 57). Combate en el ejército de Lisuarte (II, 58). Se retira de los territorios de éste, encargándose de la defensa de Madasima (II, 63). Pelea en la hueste de Galvanes (III, com.); es apresado (III, 67). Amadís le aconseja que ceda el señorío de su padre a Dragonís

(IV, 124). Acompaña a Cuadragante y a Bruneo a conquistar los territorios del rey Arábigo (IV, 131). Ante la desaparición de Lisuarte, acude a la Ínsula Firme (IV, 133).

**París.** (I, 1).

**Patín, el.** Hermano de Sidón, es vencido por Amadís (II, 46). Amigo de Sardamira, se enamora de Oriana, a quien pide en matrimonio, retrasándose la decisión (II, 47). Envía a Garandán al acabar las treguas pactadas con Tafinor de Bohemia (III, 70). Es nombrado emperador y manda una embajada para solicitar la mano de Oriana (III, 72). Tras la derrota de su flota en la que llevaban a Oriana, promete vengarse de Amadís y sus amigos (IV, 104). Acude con sus caballeros, reuniéndose con Lisuarte (IV, 106). Combate con unas armas señaladas (IV, 109), siendo muerto por Amadís (IV, 111). Su cuerpo es llevado al monasterio de Lubaina (IV, 112).

**Peña de Galtares.** Territorio usurpado por Aldabán a Gandalac (I, 3).

**Peña del Hermitaño.** Véase **Peña Pobre.**

**Peña de la Doncella Encantadora.** Peña ocupada por la doncella Encantadora (IV, 130).

**Peña Pobre.** Morada de Andalod, en donde Amadís se retira para hacer su penitencia (II, 48).

**Pequeña Bretaña.** Reino de Garínter (I, com.).

**Perión de Gaula.** Padre de Amadís, Galaor y Melicia. Rey de Gaula, llega a la corte de Garínter; se enamora de Elisena (I, com.). Despertado de un sueño premonitorio, duerme con ella (I, I). Tres clérigos le interpretan el sueño (I, 2). Ayuda a Elisena, con quien contrae matrimonio público (I, 3). Un clérigo le cuenta una profecía enigmática sobre sus hijos (I, 3). En la corte de Escocia solicita ayuda para combatir a Abiés, armando caballero a Amadís sin conocerlo (I, 4). Reconoce a su hijo (I, 10). Durante su juventud, procreó a Florestán en casa del Conde de Selandia (I, 42). Combate en el ejército de Lisuarte contra el de los siete Reyes, actuando sin identificarse con un yelmo blanco (III, 68). Es aprisionado en el castillo de Arcaláus con Amadís y con Florestán, lográndose escapar e incendiando el castillo (III, 69). Va a la Ínsula Firme con sus caballeros, en ayuda de su hijo (IV, 105). Lucha contra el rey Lisuarte y el Emperador de Roma con unas armas señaladas (IV, 109). Tras comunicarle Nasciano el matrimonio secreto entre Amadís y Oriana, acepta la paz (IV, 113).

**Pinela.** Señora de la Ínsola Fuerte, le impone a Gasquilán que combata con Amadís con la intención de no concederle su amor (IV, 109).

**Pinores.** Sobrino de Angriote de Estraváus. Se retira de los territorios de Lisuarte (II, 63). Espera a Amadís en la Ínsula Firme (III, 80).

**Poligez.** Villa de Escocia (II, 49).
**Profunda Alemania.** Señorío de Grasugis (III, com.).
**Profunda Ínsola.** (IV, 96).

**Quironantes.** Abandona la corte de Lisuarte con Amadís (II, 63), e interviene como juez en la justa entre Angriote y Sarquiles contra Tanarín, Corián y Adamás (II, 64).

**Reyes Católicos.** (I, pról.), (I, 42).
**Rodríguez de Montalvo, Garci.** (I, pról.).
**Roma.** (II, com.).
**Romanía.** Tierra recorrida por el Caballero de la Verde Espada (III, 72).
**Romanía, ínsulas de.** Islas recorridas por el Caballero de la Verde Espada (III, 72).

**Sabencia sobre Sabencia.** Urganda (II, 59).
**Sadamón.** Encargado de desafiar a Lisuarte en nombre de Amadís y los suyos (III, com.). Custodia el botín de la flota de los romanos (IV, 83). Combate en la hueste de Amadís contra la de Lisuarte (IV, 107).
**Sadián.** Caudillo de las guardas de Tafinor (III, 70).
**Sadiana.** Villa y puerto de mar (III, 72).
**Saduva.** Hermana de Perión de Gaula, casada con Grasugis (III, com.).
**Salamón.** Salomón (I, 48).
**Salerna, Obispo de.** Casa a Angriote y Grovenesa (I, 31).
**Saluder, conde (marqués).** Hermano de Grasinda, caballero del Emperador de Constantinopla (III, 74), quien le encarga preparar la ayuda a Amadís (IV, 99).
**Salustanquidio.** Príncipe de Calabria y primo del Patín, se encarga de la embajada que de parte de su primo solicita a Lisuarte la mano de Oriana (III, 72). Es vencido por Amadís (III, 79). Solicita a Lisuarte llevarse a Olinda para casarse con ella (III, 80). Actúa de juez en el desafío entre Grumedán y los romanos (III, 80). Es muerto por Agrajes (III, 81).
**Salustio.** (I, pról.).
**Sanguín.** Montaña (II, 53).
**Sansón.** (I, 48).
**Sansueña.** País de los sansones y señorío de Barsinán (I, 38).
**Sardamán el León.** Tío de Cildadán, en cuya hueste combate contra Lisuarte, siendo herido por Amadís (II, 58).

**Sardamira.** Reina de Cerdeña, sobrina de la Emperatriz de Roma, es amada por Patín (II, 47). Forma parte de la embajada que Patín envía para solicitar la mano de Oriana (III, 72). Marcha con Grumedán a ver a Oriana, siendo sus acompañantes vencidos por Florestán (III, 76). Tras ser derrotada la flota que la llevaba con Oriana a Roma (III, 81), llora la muerte de Salustanquidio (IV, 82). Se casa con Florestán (IV, 120). Celebran las bodas (IV, 125).

**Sardonán.** Hermano de Angriote, espera a Amadís en la Ínsula Firme (III, 80).

**Sargil.** Caballero que sirvió a Falangrís (III, 71), cuñado de Nasciano, a quien éste encarga el cuidado de Esplandián (III, 76).

**Sargil.** Hijo de Sargil y de la hermana de Nasciano, se cría con Esplandián y vive con el ermitaño (III, 70). Se marcha con Esplandián a casa de Lisuarte (III, 71). Acompaña a Esplandián en una cacería (III, 78).

**Sarmadán.** Muerto por Galaor en la batalla de los siete Reyes (III, 68).

**Sarquiles.** Sobrino de Angriote, amigo de Gandaça, se entera de los planes de Brocadán; informa a Lisuarte (II, 64). Con su tío vence a Tanarín, Corián y Adamás. Se retira de los territorios de Lisuarte (II, 63). Es desterrado por éste con su tío (III, com.). Combate en el ejército de Galvanes contra el de Lisuarte (III, com.), siendo apresado (III, 67). Espera a Amadís en la Ínsula Firme (III, 80), encargándose de la custodia de Oriana (III, 81).

**Segurades.** (IV, 129).

**Selandia, Conde de.** Alberga en su casa a Perión, el cual engendra a Florestán en una hija suya (I, 42).

**Serolís el Flamenco (Serolois).** Véase **Lelois el Flamenco.** Conde de Clara, en las cortes de Lisuarte, aconseja que el Rey reúna a los mejores caballeros (I, 32).

**Serolís (Serolois).** Reino de Adroid (I, 21).

**Simeonta.** Puerto troyano (I, 13).

**Sisián.** Se queda con treinta frailes en el monasterio de la Peña Pobre (II, 63).

**Siudán.** Emperador de Roma (II, intr.).

**Sobradisa.** Ciudad principal del reino del mismo nombre (I, 42).

**Sobradisa.** Reino de Briolanja (I, 42).

**Solimán.** Caballero de Lisuarte (I, 38).

**Solisa.** Sobrina de Urganda, hija de Falangrís y de Grimota, madre de Maneli (II, 59). Interviene en la investidura de Esplandián (IV, 133).

**Suecia, Duque de.** Casado con la hija de los Reyes de Dacia, mata a su suegro y cerca la ciudad (IV, 121). Es vencido por los hombres de Bruneo de Bonamar, de Angriote y de Branfil, siendo apresado y ahorcado (IV, 122).

**Suesa.** Véase **Lancino y Gasquilán.**

**Tafinor.** Rey de Bohemia, está en guerra con Patín y es ayudado por el Caballero de la Verde Espada (III, 70). Envía caballeros con el conde Galtines en ayuda de Amadís (IV, 105).

**Tagadán.** Rey de Sobradisa, padre de Briolanja (II, 63).

**Tagades.** Montaña de la Gran Bretaña (III, 78).

**Tagades.** Villa de la Gran Bretaña (III, 78).

**Talancia, Arzobispo de.** Forma parte de la embajada de Patín (III, 72). Es apresado por los hombres de Amadís (III, 81), siendo liberado y eligiendo como emperador a Arquisil (IV, 117).

**Talanque (Tanlanque).** Hijo de don Galaor y Julianda (II, 59). Urganda profetiza su futuro (IV, 126). Es armado caballero (III, 133).

**Tanarín.** Hijo de Gandandel, muerto en el duelo judicial por la acusación de·traición de su padre (II, 64).

**Tantalís el Orgulloso.** Combate contra el ejército de Lisuarte (III, 67).

**Tantiles de Sobradisa.** Mayordomo y gobernador de Sobradisa (II, 62). Combate contra la flota romana para rescatar a Oriana (III, 81). Solicita ayuda a su señora (IV, 89), acudiendo con los caballeros a la Ínsula Firme (IV, 105).

**Targadán.** Rey derribado por Perión (III, 68).

**Tartaria.** (II, 55).

**Tasián.** Lucha al lado de Cildadán (III, 67).

**Tasilana.** Villa de la Gran Bretaña (II, 63).

**Titus Livius.** (I, pról.).

**Torín.** Castillo (I, 40).

**Torre Bermeja.** Fundada por Josefo (IV, 128).

**Torre Bermeja, Ínsula de la.** Señorío del gigante Madanfanbul (II, 53) y después de Balán (IV, 127).

**Torre de la Ribera.** (IV, 130).

**Transiles el Orgulloso.** Se retira de los territorios de Lisuarte (II, 63).

**Trion.** Hijo de Abiseos, primo de Briolanja, aborda su nave con la intención de apoderarse del reino. Es vencido por Cuadragante y por Brian de Monjaste (IV, 97). Briolanja lo perdona y lo deja en libertad (IV, 105). Interviene en el ejército de Amadís contra Lisuarte (IV, 107).

**Tristán, libro de.** (IV, 129).

**Tristán de Leonís.** (I, 10).

**Troilos.** Troilo (I, pról.).

**Troque, Marqués de.** Padre de don Bruneo de Bonamar (II, 44). Su hijo le pide ayuda (IV, 90).

**Troya.** (I, pról,), (I, 13).

**Ungán el Picardo.** Clérigo, interpreta correctamente el sueño de Perión (I, 2).

**Urganda la Desconocida.** Maga de aspecto cambiante, profetiza el futuro de Amadís a Gandales, tras una aventura de éste con su enamorado (I, 2). Entrega una lanza a Amadís (I, 5) y solicita su ayuda (I, 10), para recuperar a su enamorado. En la investidura de Galaor, le ofrece una espada mágica (I, 11). Envía a dos doncellas a desencantar a Amadís en el castillo de Arcaláus (I, 19). Mediante unas cartas profetiza a Lisuarte y a Galaor los resultados de la pelea contra Cildadán (II, 57). Se presenta en una extraña fusta en la corte aclarando profecías y sucesos anteriores, y pronunciando unas nuevas profecías (II, 60). Envía unas armas a Perión, a Amadís y a Florestán (III, 68). Mediante una carta profetiza el futuro de Esplandián (III, 71). Llega a la Ínsula Firme en un batel en forma de gran serpiente (IV, 123), aclarando las profecías anteriores, prediciendo el futuro de Maneli y Talanque y Esplandián y acontecimientos futuros. Regala un anillo mágico a Oriana y Amadís para prevenir las acciones de Arcaláus (IV, 126). A instancias suyas, son armados caballeros Esplandián, Ambor, Talanque, Maneli y Garinto, en la nave de la Gran Serpiente. Desaparece misteriosamente (IV, 133).

**Urlandín.** Véase **Orlandín.**

**Uterpadragón.** (IV, 129).

**Vadamigar.** Caballero del ejército de Cildadán (II, 58).

**Valderín.** Castillo de Arcaláus (I, 18).

**Valtierra.** (III, com.).

**Valladas.** Véase **Troque, Marqués de.**

**Vaselia, duque.** En sus bodas, Grasinda es nombrada la más bella de las dueñas de Romanía (III, 75).

**Vavain.** Rey de Noruega, padre de Olinda (I, 10).

**Vega, puerto de la.** (II, 57).

**Vegil.** Puerto de la Gran Bretaña (II, 49).

**Vindilisora.** Villa de Lisuarte (I, 10).

**Vinorante.** Ayuda a Lisuarte en su pelea contra Cildadán (II, 58).

**Virgilio.** (I, 48).

**Çamando.** Puerto de mar (III, 74).

**Çaragoça.** (IV, 133).